NUEVA ENCICLOPEDIA
CUMBRE

NUEVA ENCICLOPEDIA CUMBRE

VOLUMEN 13

SIQUEIROS – VACÍO

CARIBE GROLIER

PUERTO RICO

IMPRESO EN 2002

Siqueiros, David Alfaro (1898-1974). Pintor mexicano. Nació en Chihuahua. Es uno de los grandes pintores muralistas de México. Estudió en la Academia de San Carlos y tuvo participación destacada en una huelga de estudiantes contra la enseñanza académica. En 1919 marchó a Europa, donde permaneció varios años, persistiendo en su actitud de protesta contra el academicismo, y lanzó manifiestos, denunciando la pintura burguesa y proponiendo la socialización del arte. En el terreno de la política, participó en la Revolución Mexicana y en la guerra Civil Española (1936-1939), con el grado de teniente coronel de las fuerzas republicanas. Su labor pictórica, comprende, también, cuadros de caballete, aunque su aportación a la pintura mural es lo más importante de toda su obra. Su estilo es de gran fuerza de expresión y vigoroso colorido. Destacan sus murales del Sindicato Mexicano de Electricistas (1939), los del Palacio de Bellas Artes (1945-1951), *Intertrópico, El Centauro de la Conquista, Cuauhtémoc contra el Mito*, sus escultopinturas en la ciudad universitaria mexicana, *Alegoría a la igualdad racial*, en Cuba y el Polyforum Cultural David Alfaro Siqueiros (1972). Es innovador en técnica pictórica, y realizó obras notables con procedimientos y materiales nuevos, como duco, piroxilina, baquelita, masonita y plásticos diversos. En 1969 fue nombrado miembro *honoris causa* de la Academia de Bellas Artes de Moscú.

Sirac, Libro de. El *Libro de Sirac*, o sabiduría de Jesús hijo de Sirac, es también conocido como *Eclesiástico*, y se le considera libro apócrifo. Está clasificado como parte de los libros sapienciales. Originalmente fue escrito en hebreo, por Ben Sirac, muy probablemente en Jerusalén. alrededor del año 180 antes de Cristo.

Siracusa. Ciudad de Italia situada en la costa oriental de la isla de Sicilia, en un islote del Mar Jónico, unido a la isla por un puente y por ferrocarril. Tiene 132,000 habitantes. Fue fundada en 743 a. C. por los griegos, que hicieron de ella una colonia. Esta ciudad fue escenario de una de las más célebres batallas de la antigüedad. En 269 a. C., el rey Hierón II resistió un sitio de los romanos, pero tuvo que romper su alianza con los cartagineses para aliarse con los sitiadores. Después del asesinato de Hierónimo, nieto y sucesor de Hierón II, Siracusa vivió un breve periodo republicano en el año 215 a. C. Luego estalló la lucha abierta entre cartagineses y romanos por su posesión, y los representantes de Roma pusieron un sitio a la ciudad que duró ocho meses. Como los siracusanos no se rindieron, el sitio se convirtió en bloqueo por mar y por tierra. Durante esta época, fue cuando Arquímedes dio muestras de su inagotable inventiva para crear máquinas guerreras que salvaran la ciudad. Después de una lucha tenaz y sin cuartel entre cartagineses y romanos, bandos que tenían a su vez dentro de la ciudad poderosos núcleos de partidarios, los romanos, al mando de Marcelo irrumpieron en Siracusa y se entregaron al saqueo y a la matanza. El mismo Arquímedes pereció asesinado y la ciudad fue convertida en ruinas, en 212 a. C. Después Siracusa siguió la suerte de Sicilia y de Italia. Estuvo en poder de los vándalos, de los ostrogodos y por último pasó a Bizancio, en 553 de nuestra era. Participó en la agitación insular (1647) y se mantuvo fiel a España frente a Mesina (1675). Durante la guerra de Sucesión española apoyó a Austria. En los siglos XVIII y XIX su crecimiento demográfico se mantuvo bastante estacionario.

sirena. Aparato destinado a emitir un sonido agudo, que se oye a larga distancia. Uno de los tipos más usados en buques, locomotoras, fábricas, etcétera, consiste en dos cilindros metálicos, uno dentro de otro, conectados a un sistema de alimentación de aire o de vapor. Cuando se hace girar, a mano o mecánicamente, el cilindro exterior, cada vez que sus orificios coinciden con los del interior, permiten el escape de aire o vapor y el sonido se produce. A mayor velocidad de giro, más alto y estridente es el sonido.

sirenas. Ninfas del mar, seres fabulosos que habitaban la isla llamada de las Sirenas, cerca de las costas de Sicilia. Según las leyendas grecolatinas más antiguas, tenían busto de mujer y cuerpo de ave, pero posteriormente se representaron con cola de pez. Lo más extraordinario de estas fabulosas criaturas era su voz, dulce y armoniosa, que seducía a los navegantes y, al aproximarse a ellas, perecían en los escollos. La vida de las sirenas cesaría si alguien escuchaba sus cantos sin sentirse hechizado por ellos; y así, cuando Ulises tapó con cera los oídos de sus marineros y se hizo atar al mástil de su navío para evitar la atracción de las cantantes, éstas murieron y se convirtieron en rocas.

sirenio. Orden de mamíferos que incluye el manatí, el dugongo, la vaca marina y diversos géneros fósiles. Todas las especies que lo integran poseen piel gruesa, cola horizontal y aplanada, patas posteriores rudimentarias o inexistentes y patas anteriores con forma de paleta. Los sirenios son animales acuáticos y se alimentan únicamente con vegetales.

Siria. Estado de Asia Menor, situado en el extremo oriental del Mar Mediterráneo. Ocupa una superficie de 185,180 km² y tiene una población de 12.958,000 habitantes. Limita al norte con Turquía, al este y el sureste con Iraq, al sur con Jordania y al oeste con Israel, Líbano y el Mar Mediterráneo.

El país posee las siguientes regiones físicas: la zona de Damasco, en el Yébel Dourovz, la región costera de Latakia, la sección central que se extiende desde Alepo hasta Homs, y el área de Jezireh, que abarca desde el Éufrates hasta el Tigris. Las

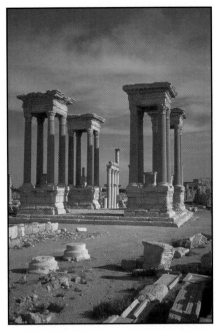
Corel Stock Photo Library
Columnas del sitio histórico de Tadmur, Siria.

Construcción del siglo XII en Aleppo, Siria.
Corel Stock Photo Library

costas del Mar Mediterráneo tienen una longitud total de 120 km. La zona costera se adentra hasta 100 km y se interrumpe súbitamente en la zona donde nace el gran Desierto Sirio. Los montes de Líbano y del Antilíbano, paralelos a la costa, alcanzan altitudes superiores a 1,500 m. El sitio más elevado del país es el monte Hermon, que tiene 2,814 m de altura y se yergue sobre la frontera con Líbano. El principal río es el Éufrates, que atraviesa el Desierto Sirio a lo largo de 400 km y vierte sus aguas en el Golfo Pérsico, en el extremo suroriental del Iraq. El cauce sinuoso del río Orontes avanza hacia el noreste y desemboca en el Mediterráneo.

El clima es muy variado. Los inviernos son templados en la zona del Mediterráneo, donde abundan las lluvias. Las planicies de Alepo, Damasco, Homs y Hauran tienen inviernos fríos y veranos sumamente cálidos, con lluvias escasas. El suelo es apto para la agricultura, pero ha sido agotado por largos siglos de explotación intensiva. La escasez de agua es el mayor problema nacional. La tierra, sumamente porosa, absorbe de inmediato las escasas lluvias y obliga a realizar costosos trabajos de irrigación. Hay pequeños bosques de pinos y robles. Las riquezas minerales son escasas y su explotación no resulta económica. En 1964 se descubrieron depósitos petrolíferos en la región noroeste del país. En las mismas regiones existen abundantes depósitos de asfalto y excelentes canteras de piedras de construcción.

Siria es un país agrícola. Los principales cultivos son los de trigo, cebada, maíz, mijo, arroz, remolacha azucarera y algo-

Corel Stock Photo Library

Mujer siria en las cercanías del templo de Shiva en Mahabalipur, Siria.

dón. Los métodos modernos de agricultura se están introduciendo lentamente. En los oasis irrigados crecen numerosos árboles frutales, olivos y viñedos. La ganadería comprende varios millones de ovejas, cabras, camellos, caballos y ganado vacuno. Las plantaciones de dátiles de la región de Damasco son famosas en el mundo entero. La industria no ha superado todavía la etapa artesanal; alfombras, tejidos de lana, finos brocados de seda y objetos de los

talleres urbanos. En Damasco hay varias fábricas de cemento, en Alepo existe una hilandería moderna y cerca de Homs hay una refinería de azúcar de remolacha. En todos los pueblos hay mercados locales donde se realiza el trueque de mercaderías en una forma muy similar a la de la antigüedad. Siria importa productos manufacturados y exporta algodón, cereales, aceite de oliva, frutas y tabaco.

Pueblo y gobierno. La población es en su mayoría de raza arábiga (88.8%), Kurdos (6.3%) y otros (4.9%). Fenicios, cananeos, hebreos y arameos han poblado el territorio en diversas épocas de la historia, mezclándose con numerosas tribus llegadas desde los desiertos árabes. El idioma oficial del país fue, durante largo tiempo, el arameo; hoy se hablan también los idiomas turco, curdo y siriaco, junto con el árabe, que es la lengua oficial y que utiliza la mayor parte del pueblo. La educación es obligatoria para todos los niños y gratuita en las escuelas públicas. Los colegios privados reciben anualmente una subvención estatal, pero cobran derechos de matrícula a los alumnos. Todas las escuelas dependen del Ministerio de Educación. La enseñanza superior se imparte en las universidades de Damasco, Alepo y Tishteen; la de Damasco consta de 13 facultades.

La red de ferrocarriles tiene 2,300 km. Comprende una línea que comunica a Damasco con Beirut, en Líbano. En el norte, una línea de ferrocarril une Alepo con Homs, y se prolonga desde Alepo a la frontera turca, y desde Homs a la frontera de Líbano. La red de carreteras tiene 30,457 km de extensión, de los cuales 28,929 están pavimentados. De los cinco aeropuertos del país, dos prestan servicio internacional. La capital es la ciudad de Damasco, con 1.497,000 habitantes, y uno de los centros urbanos más antiguos del mundo. Otras ciudades de importancia son Alepo (1.494,000 h), Homs (537,000 h), Latakia (261,000 h) y Hama (229,000 h). Su forma de gobierno es república unitaria, miembro de la ONU y la Liga Árabe; sus habitantes en su mayoría son musulmanes sunnies (75%), cristianos (10%) y alavitas (11%); su unidad monetaria es la libra siria.

Historia. En la antigüedad se designaba con el nombre de Siria una extensión de territorio mucho mayor que el actual, y que abarcaba desde los montes Tauro hasta la península de Sinaí. Invadida y oprimida por Asiria, Babilonia, Persia, Macedonia y Roma, la antigua Siria tuvo una existencia harto azarosa. Sus pobladores sufrieron la influencia de los diversos conquistadores. Los fenicios, cananeos, arameos y hebreos, que emigraron a Siria en diversas épocas, modificaron aún más su estructura racial y sus costumbres. Los árabes conquistaron Siria hacia el año 635 de nuestra era; a fines del siglo XI fueron desaloja-

Fachada del antiguo teatro en Tadmor, Siria.

Corel Stock Photo Library

dos de la zona costanera por los cruzados. La dominación europea se prolongó durante más de un siglo, hasta que los egipcios lograron subyugarlos. En 1516 se inició el largo periodo del predominio turco, que habría de prolongarse hasta la Primera Guerra Mundial, cuando las fuerzas británicas y las árabes del rey Faysal, lograron expulsarlos del país. En 1916, Gran Bretaña y Francia habían suscrito un acuerdo secreto para distribuirse los territorios de Siria y Palestina. Siria quedaría bajo el dominio francés; el emir Faysal no aceptó el arreglo y las tropas francesas realizaron contra él una enérgica campaña que concluyó en 1920. Dos años más tarde, la Sociedad de las Naciones puso a Siria bajo un mandato francés. Después de varias revoluciones fallidas, los sirios lograron que en 1930 se estableciera una república semiautónoma. Seis años más tarde, el Alto Comisionado francés se vio obligado a prometer formalmente la independencia total del país, pero el parlamento de París nunca ratificó tal promesa. Iniciada la Segunda Guerra Mundial, las tropas británicas y de la resistencia francesa ocuparon el país; el comandante francés anunció poco después que Siria quedaría libre. Pero, la conclusión de la guerra no solucionó los problemas nacionales en 1945 el comandante de las tropas francesas trató de que los sirios suscribieran un convenio con el gobierno de París. Ante su negativa, los franceses atacaron Damasco; pero, Gran Bretaña rival de Francia en el Cercano Oriente, envió varios regimientos que restablecieron el orden. En diciembre de 1945 ambas potencias europeas acordaron evacuar sus fuerzas militares y abandonar el país. Unida a la Liga Árabe, Siria debió participar en la agotadora guerra contra los israelíes; concluida ésta el país quedó en un estado de postración económica y se vio sacudido por varias rebeliones militares. En 1956, Siria firmó un tratado de alianza militar con Egipto y al año siguiente otro de ayuda mutua con la Unión Soviética. En 1958 se concertó la unión de Siria y Egipto, que constituyeron la República Árabe Unida. El presidente de Siria, S'ukri Al-Quwwatli, se retiró del cargo y el de Egipto, Gamal Abdel Nasser, pasó a ejercer el de presidente de la nueva república. Esa unión fue desfavorable a Siria debido al predominio político de Egipto, que relegó a Siria a segundo lugar e impuso medidas y restricciones que lesionaban la economía y los intereses nacionales sirios de todo orden. El 28 de septiembre de 1961 se produjo un breve levantamiento militar sirio que derrotó a las fuerzas egipcias. Al día siguiente Siria se separó de Egipto, proclamó su independencia, y se formó un gobierno sirio provisional presidido por Mamoun Al-Kuzbari a quien sucedió Nazam El-Kudsi.

En 1963 un golpe militar derrocó al gobierno, que pasó a ser ejercido por un consejo revolucionario presidido por el general Amín al-Hafiz. Se sucedieron varios golpes de Estado y subieron al poder alternativamente Salah Bitar y Amín-al-Hafiz. En 1966 hubo un nuevo golpe de estado y quedó la presidencia en manos de Nureddin Atassi.

En la tercera guerra árabe-israelí (1967) Siria perdió las alturas de Golán, importante punto estratégico. En ayuda de los guerrilleros palestinos intervino en contra de Jordania (1970), lo que provocó una crisis Y un golpe de Estado que llevó al poder al general Hafiz al-Assad. En 1971 integró con Egipto y Libia la Federación de Repúblicas Árabes. En la cuarta guerra árabe-israelí (1973), gracias a la mediación de Estados Unidos, recuperó la mayor parte de su territorio perdido en la segunda y tercera guerras. Desde 1976, Siria intervino en la guerra Civil Libanesa, condenó los acuerdos de Camp David entre Egipto e Israel (1978) y se unió a los países árabes radicales en el *Frente del rechazo árabe,*

Evidencias del antiguo concepto arquitectónico en la ciudad de Palmira, Siria.

Mujeres sirias cerca de la Mezquita de Omayyad en Damasco, Siria.

estrechando sus lazos con la Unión Soviética. Hafiz al-Assad fue reelegido en 1978 y en 1985.

En 1986, los presidentes de Iraq y Siria se reúnen, a pedido del rey Hussein I de Jordania, para tratar acerca de las diferencias que separan a ambos países. En 1989, Siria y Egipto acuerdan el restablecimiento de lazos diplomáticos soviéticos y, en agosto, Siria decide participar en la fuerza multinacional contra Iraq por la invasión a Kuwait. En 1991, los presidentes Hafiz al-Assad y Elías Hrawi firman un acuerdo para incrementar la cooperación entre Siria y Líbano. Hafiz al-Assad fue reelegido en 1992. En octubre de 1994 el presidente de Estados Unidos, William Clinton visitó Damasco con el propósito de impulsar las negociaciones sirio-israelíes, que se reanudaron en 1995. Un año después de la muerte accidental de Basel al-Assca, hijo y previsible sucesor del presidente sirio, éste nombró a su hijo Bashar comandante en jefe de las Fuerzas Armadas, anunciando así su candidatura a heredar el poder (mayo de 1995). En 1996, Siria retomó sus relaciones con Jordania, enfriadas desde el acuerdo de paz Jordano-israelí de julio de 1994.

siringomielia.
Efermedad displásica que afecta al conducto ependimario de la médula espinal. Se observa con mayor frecuencia en el sexo masculino, y suele aparecer entre los 25 y los 40 años de edad.

Las mnifestaciones clínicas más importantes de la siringomielia son: 1) transtornos de la sensibilidad, que son característicos y consisten en la abolición de las percepciones dolorosas y térmicas; 2) transtornos motores, que traducen por una serie de parálisis de distintas zonas del organismo; 3) alteraciones vasomotoras y tróficas, de carácter poliforme, y 4) trastornos del aparato genital y de los esfínteres , que se traducen en pérdida de la libido, estreñimiento, etecétera. La enfermedad se presenta con diversas formas clínicas, según la localización de las lesiones básicas: a) forma medulobular o siringobulbia, b) forma medulocervical y c) forma lumbosacra.

La siringomielia es una enfermedad crónica e incurable que evoluciona a brotes de duración variable. Es importante adoptar medidas de carácter profiláctico previniendo las quemaduras y heridas, ya que estos pacientes, por su falta de sensibilidad, son muy propensos a sufrirlas. Entre las medidas terapéuticas activas cabe citar la radioterapia y la práctica de algunas intervenciones quirúrgicas.

Sirio.
La más brillante de las estrellas fijas, en la constelación de Can Mayor. Dista de la Tierra 8.6 años de luz, y su luminosidad es unas 30 veces mayor que la del Sol. Su magnitud es 1.58. Es estrella doble, por lo cual se designa a la estrella principal como *Sirio* A y como *Sirio* B a la secundaria. El periodo de rotación alrededor del punto común de gravedad es de 50 años. Sirio es de fácil reconocimiento en el cielo por su extraordinario brillo. Esta estrella fue reguladora del calendario de los antiguos egipcios, pues sus salidas matutinas anunciaban las crecidas del Nilo y los fuertes calores del estío. Para significar estos hechos los egipcios adoptaron el símbolo de un perro que ladra en señal de peligro. De este hecho nacieron dos designaciones: la palabra Can, para designar la constelación de Sirio, y la palabra *canícula*, para significar la estación más calurosa del año. En el Hemisferio Norte, Sirio brilla al amanecer en los últimos días del mes de agosto, y la canícula comienza el 3 de julio y termina el 11 de agosto.

Sísifo.
Personaje de la mitología griega, hijo de Eolo y de Enareta y esposo de Mérope. Algunos relatos dicen que fue fundador y rey de Corinto. Era el más astuto de los hombres, y su principal defecto consistía en la mentira. Antes de morir, suplicó a su mujer que no le hiciera honras fúnebres, y cuando descendió a los infiernos se quejó a Plutón de que su mujer no se había acordado de él, como lo merecía. Plutón y su esposa Proserpina, compadecidos de él, le permitieron regresar a la Tierra para que castigase a su esposa. Pero, Sísifo, una vez vuelto a la vida, se olvidó de regresar a los infiernos ,y Plutón tuvo que enviar a Hermes (Mercurio) para llevarlo por la fuerza. De nuevo en sus dominios, el rey de los infiernos lo sometió a un martirio perpetuo, que consistía en subir una piedra enorme por la vertiente de una montaña sin llegar nunca a la cima.

Sisley, Alfred
(1838-1899). Pintor francés. Estudió con Charles Gleyre, en París. Con Claude Monet y Pierre Auguste Renoir, se destacó en la creación de la pintura impresionista. Su amistad con Édouard Manet y Pierre Auguste Renoir, a quienes conoció en el taller de Gleyre, y más tarde, con Edgar Degas, Claude Monet, Camille Pissarro y Paul Cézanne, le llevó a una concepción menos convencional de la forma. En 1870 se trasladó a Londres, huyendo de la invasión prusiana, junto con Monet y Pisarro. Fue uno de los fundadores de la Sociedad Nacional de Bellas Artes. Algunas de sus obras son *La inundación de Port-Marly* (1876), *La barca durante la inundación* (1876), *La nieve en un pueblo francés* (museo de Berlín), *Vista de Montmartre* (museo de Grenoble) y *Una calle de Louveciennes* (museo de Luxemburgo).

sismología y sismógrafo.
Sismología es la ciencia que estudia los terremotos y sus causas y los procedimientos para medir y localizar los movimientos sísmicos. Los terremotos son sacudidas o dislocaciones producidas por las fuerzas internas de la Tierra, que se traducen en la superficie por movimientos vibratorios de la corteza terrestre, ocasionando grandes catástrofes cuando son intensos. Los aparatos destinados a registrar gráficamente los terremotos se llaman sismógrafos, y las gráficas que representan estos fenómenos se llaman sismogramas. Del estudio de los sismogramas se puede deducir la intensidad, duración, distancia y localización del lugar donde se produjo el sismo. Los sismógrafos antiguos consistían en una pesada masa suspendida, provista de una pluma estílente o punta inscriptora, que se apoyaba en un cilindro giratorio revestido de papel. Siendo este cilindro solidario con la tierra, oscilaba con ella durante el terremoto, permitiendo a la punta inscriptora, que permanecía fija, que dibujase el sismograma. Los sismógrafos modernos son mucho más sensibles, amplificando algunos el movimiento hasta 100,000 veces. El sismógrafo de Benioff es uno de los más sensibles, y consta de un cilindro suspendido de un fino resorte que permanece estacionario, y de una armadura unida a la Tierra. La armadura está provista de un vástago metálico. En el cilindro hay un imán con enrollamiento de alambre unido a un galvanómetro. Al ocurrir un terremoto, se altera la posición relativa entre el imán y el vástago metálico, y se produce una corriente eléctrica que pasa al galvanómetro, el que, a su vez, actúa sobre un espejo al que está conectado. Sobre el espejo incide una luz cuyo rayo reflejado, que oscila, impresiona el papel fotográfico colocado en un cilindro giratorio, y queda, así, registrado el terremoto. *Véase* TERREMOTO

Sistema Económico Latinoamericano (SELA).
Organismo regional, de rango internacional, fundado en Panamá, el 17 de octubre de 1975, como instrumento de consulta, cooperación y promoción socio-económica de los Estados latinoamericanos miembros. Fue proyectado y propuesto originalmente, en 1974, por el presidente mexicano Luis Echeverría Álvarez; y el presidente de Venezuela, Carlos Andrés Pérez, desempeñó un papel decisivo en su constitución. Lo integran Argentina, Bolivia, Brasil, Colombia, Costa Rica, Cuba, Chile, la República Dominicana, Ecuador, El Salvador, Guatemala, Guayana, Haití, Honduras, Jamaica, México, Nicaragua, Panamá, Paraguay, Perú, Trinidad y Tobago, Uruguay y Venezuela. El órgano supremo del SELA es el Consejo Latinoamericano, formado por un representante de cada uno de los estados miembros. La Secretaría Permanente está en Caracas. Entre los principales cometidos del SELA se destacan la creación de em-

presas multinacionales latinoamericanas, de carácter público, mixto o privado; la canalización de los recursos financieros hacia proyectos que estimulen el desarrollo de los países de la región; el establecimiento de medidas encaminadas a asegurar que las empresas transnacionales se plieguen a los objetivos de desarrollo y a los intereses nacionales de los estados miembros; el fomento de la cooperación regional en el terreno de la comunicación, del transporte y del turismo, y la adopción de un trato preferencial respecto a los países menos desarrollados. Este organismo representa un original giro del movimiento para integrar los estados latinoamericanos hacia metas económicas y sociales.

sistema métrico decimal. *Véanse* METRO Y SISTEMA MÉTRICO; PESO.

sistema solar. Conjunto de cuerpos celestes formado por el Sol, los planetas (entre ellos la Tierra, en que habitamos) y otros cuerpos. El Sol es el centro del sistema y a su alrededor giran los planetas. La masa del Sol es unas 750 veces mayor que la masa total de todos los demás cuerpos celestes que componen el sistema. Debido a lo cual el Sol ejerce sobre ellos su fuerza de atracción.

Los planetas son nueve y por orden de su distancia al Sol, empezando por el más cercano, son: Mercurio, Venus, Tierra, Marte, Júpiter, Saturno, Urano, Neptuno y Plutón. Los satélites giran alrededor de los planetas y el número de los conocidos es 31. Mercurio, Venus y Plutón carecen de satélites, y los que tienen cada uno de los otros seis planetas son los siguientes: la Tierra, uno; Marte, dos; Júpiter, doce; Saturno, nueve; Urano, cinco, y Neptuno, dos.

Los otros cuerpos celestes que forman parte del sistema solar son los asteroides, meteoritos y cometas. Los asteroides, llamados también planetoides, predominan en la región situada entre Marte y Júpiter. Se conocen unos 2,000, pero se supone que los existentes pueden pasar de 100,000. Son de muy diversas dimensiones y los hay tan pequeños que no se ha podido calcular su diámetro. El mayor de los asteroides conocidos, Ceres, tiene un diámetro de 776 km. Se cree que los asteroides son fragmento de un planeta que, según una hipótesis, se desintegró; o que, según otra hipótesis, no llegó a integrarse.

Los meteoritos, en número de incontables millones, invaden nuestro sistema solar, y son tan pequeños que sólo podemos verlos cuando penetran en la atmósfera de la Tierra, a enormes velocidades, la fricción los hace incandescentes y, entonces, por su luminosidad los percibimos como estrellas fugaces. Los cometas vienen a nuestro sistema, muchos de ellos desde las profundidades del espacio, y sus órbitas son tan

Nova Development

Planetas del Sistema Solar, fotografiados por algunas sondas espaciales; la ausencia de Plutón se debe a que ninguna sonda lo ha fotografiado de cerca todavía.

excéntricas que solamente los vemos en su perihelio. Las revoluciones de los cometas alrededor del Sol varían de únicamente tres años a varios cientos de siglos.

sitio. Acción y efecto de cercar una plaza o fortaleza para apoderarse de ella. Las operaciones de sitio comprenden, en primer término, el aislamiento de la plaza o área fortificada, para lo cual se cortan sus comunicaciones con el exterior y se impide, así, que reciba refuerzos y suministros de víveres y material de guerra. Viene luego el ataque a los medios defensivos de la plaza para aniquilar su resistencia. La operación final es el asalto y penetración en la plaza por las fuerzas sitiadoras. A través de la historia, las operaciones de sitio han sido fundamentalmente las mismas, lo que ha cambiado son las tácticas y medios para llevarlas a cabo, cambios que se deben a los progresos de las ciencias aplicadas al arte militar.

En tiempos de Grecia y Roma, el cerco de recintos fortificados constituía ya una rama del arte militar llamada poliorcética. Se cercaba una plaza y se aislaba mediante líneas de circunvalación. Para destruir su capacidad de defensa empleaban diversas máquinas de guerra, entre ellas, catapultas, balistas y onagros, que podían lanzar grandes piedras con pesos que alcanzaban a 80 kg a distancias de 500 y 600 m. Tenían también torres móviles de madera llamadas helépolis. Esas torres llevaban en su parte superior soldados y en la inferior el ariete, máquina guerrera de percusión. Se aproximaba la torre a los muros de la fortaleza y en el momento prefijado, los soldados asaltaban las murallas y el ariete de-

molía puertas a fuerza de golpes o abría brecha en la muralla.

La generalización de las armas de fuego, a partir de fines del siglo XV, dio mayor poder a los medios de ataque y de defensa. En nuestra época la aviación de guerra, la artillería perfeccionada y el empleo de proyectiles y explosivos de enorme potencia, ha cambiado las tácticas de sitio y hecho más terriblemente destructores sus efectos. Muchos han sido los sitios importantes que registra la historia; entre los más famosos ordenados en forma cronológica, figuran los siguientes:

Troya (1200 a. C.). Después de 10 años de lucha, la estratégica ciudad de Asia Menor cae en poder de los griegos.

Tiro (332 a. C.). La principal ciudad de Fenicia es dominada por las legiones de Alejandro Magno al cabo de siete meses de sitio.

Sagunto (218 a. C.). Los españoles, aliados de Roma, resisten heroicamente el ataque del cartaginés Aníbal, que arrasó la ciudad.

Cartago (146 a. C.). Publio Escipión Emiliano pone sitio a la plaza defendida por Asdrúbal, que cae en sus manos al cabo de tres años.

Numancia (133 a. C.). Al mando de Retógenes y Teogenes, los iberos resisten el asalto de Escipión, hasta que resultan aniquilados por completo.

Jerusalén (70 d. C.). Las legiones romanas del emperador Tito ponen sitio a la ciudad santa de los judíos, que capitula a los cinco meses.

Roma (410). Los vándalos de Alarico rodean e incendian la capital del imperio, cuyos templos y mansiones saquean.

Jerusalén (1099). Los cruzados cercan a los musulmanes, quienes capitulan después de feroz lucha.

Orleáns (1429). Los franceses, cercados por los ejércitos ingleses, son liberados por Juana de Arco, quien corona al rey Carlos VII.

Constantinopla (1453). Sitiada por los turcos, la ciudad se rinde después de terrible asedio. Comienza la Edad Moderna.

Granada (1492). Dando término a la epopeya de la Reconquista, los Reyes Católicos obtienen la rendición de los moros.

Rodas (1522). Sitiados por Solimán II, los Caballeros del Santo Sepulcro capitulan y entregan la isla a los turcos.

La Rochela (1627). Armand Jean du Plessis, duque y cardenal Richelieu rodea a los hugonotes franceses, quienes se entregan después de resistir durante un año.

Viena (1683). Los turcos, bajo el mando de Kara Mustafá, cercan a los austriacos durante tres meses, pero Juan Sobieski quiebra el cerco.

Barcelona (1714). Felipe V pone sitio a la capital de Cataluña y logra su rendición y sumisión definitiva.

Gibraltar (1783). Después de tres años y medio de infructuoso ataque de las fuerzas francoespañolas se abandona el sitio del Peñón que queda en manos de los ingleses.

Mantua (1796). Napoleón Bonaparte aísla a los austriacos, quienes capitulan al cabo de ocho meses y le permiten avanzar sobre Viena.

Cádiz (1823). Los españoles liberales, sitiados por los franceses, se vieron forzados a capitular. Fernando VII restableció el gobierno absoluto.

Amberes (1832). El ejército francés pone cerco a la guarnición holandesa y obtiene la rendición y entrega la ciudad a los belgas.

Venecia (1849). Los austriacos aniquilan a las tropas comandadas por Daniele Manín y restauran su imperio.

Sebastopol (1855). Tropas francesas, británicas y turcas rodean a los rusos, que capitulan y firman el tratado de París.

París (1870). Después de resistir el asedio prusiano durante 132 días, la capital francesa sucumbe. Se produce la reacción de la *Commune*.

Santiago de Cuba (1898). Sitiadas por los estadounidenses, las fuerzas españolas se rinden y España pierde el dominio de Cuba.

Puerto Arturo (1905). Al cabo de 241 días, la guarnición rusa se entrega y los japoneses toman posesión de la plaza.

Verdún (1916). Los aliados defienden la plaza durante 298 días contra el asalto alemán, que es rechazado.

Leningrado (1941). Los alemanes aíslan a los rusos dentro de la ciudad, pero abandonan el cerco después de 455 días.

Corregidor (1942). Las tropas estadounidenses y filipinas, al mando de Wainwright, soportan el ataque japonés, pero sucumben.

Stalingrado (1942). El ejército de Adolfo Hitler se desgasta durante 166 días frente a la ciudad, que no logra conquistar.

Berlín (1945). Sólo 14 días resiste la capital alemana el ataque ruso, que marca el fin de las hostilidades en Europa. *Véase* BATALLA Y LOS ARTÍCULOS DEDICADOS A LAS PRINCIPALES GUERRAS DE LA HISTORIA.

Sitter, Willen de (1872-1934). Astrónomo holandés. En 1908 fue nombrado profesor de astronomía de la Universidad de Leiden y, en 1919 director del observatorio astronómico, que bajo su dirección y con fondos del gobierno transformó en uno de los primeros de Europa. En 1913, a partir de consideraciones basadas en observaciones de los sistemas binarios de estrellas, hizo pública una demostración de la independencia entre la velocidad de la luz y el movimiento de la fuente luminosa. En 1917 formuló su modelo de universo esférico que reconciliaba los principios de isotropía y homogeneidad con el corrimiento hacia el rojo de las rayas espectrales observado en el espectro de la luz procedente de las nebulosas. Sus trabajos sobre la teoría general de la relatividad, publicados en Gran Bretaña durante la Primera Guerra Mundial, contribuyeron notablemente a despertar el interés de los científicos británicos por las ideas de Albert Einstein. Junto con este último, elaboró un modelo de universo de expansión, conocido por el nombre de ambos, que hicieron público en 1932.

situación. La noción de situación tiene un status teórico importante, especialmente en la filosofía de la existencia, el vitalismo y en la ética. Kierkegaard habla del hombre como de un *ser en situación*, y ésta puede ser auténtica, como en la actitud ética, o inauténtica, como en la actitud estética. También en la filosofía vitalista de Ortega y Gasset la noción de situación cobra importancia en la relación entre el yo y la *circunstancia*, o situación vital, En la misma perspectiva Karl Jaspers distingue las simples situaciones de las "situaciones límite", que afectan la escencia misma de la existencia, y son las que caracterizan y aun constituyen la existencia humana. También en Martín Heidegger, Gabriel Marcel y otros filósofos de las tendencias citadas hay una reflexión sobre la existencia humana como situación. Se habla también de *ética situacional*, que se caracteriza por el especial relieve que concede la situación o circunstancias en que se toman las decisiones morales.

En geografía humana suele distinguirse entre emplazamiento y situación. El primero, el llamado site de los geógrafos franceses, se refiere específicamente al accidente concreto del paisaje físico donde se asienta la casa, aldea o ciudad. Éste puede ser, por ejemplo, la ladera de una colina, una loma, un lóbulo de meandro, una terraza fluvial o un cerro testigo. La situación, por el contrario, se refiere a un concepto más amplio, es decir, al emplazamiento en sí mismo y la región física a la cual pertenece.

situacionismo. Movimiento intelectual de carácter revolucionario surgido en Francia en 1957 y que se extendió por algunos países de Europa occidental (Alemania, Bélgica, Países Bajos, Italia, etecétera). El situacionismo nació como un rechazo simultáneo de capitalismo y de las sociedades burocratizadas y se articuló ideológicamente sobre una síntesis abierta entre marxismo y anarquismo. En su programación el situacionismo plantó en el centro de sus objetivos la consecución de un tipo de vida basado en las posibilidades del ocio, en una perspectiva hedonista.

Siurot y Rodríguez, Manuel (1873-1940). Pedagogo y escritor español; nació en La Palma del Condado (Huelva) y murió en Sevilla. A él se debe la fundación del seminario de maestros anexo a las escuelas del Corazón de Jesús, de Huelva, en el que costeaba a los alumnos los gastos de estudio, alimentación y alojamiento.

siux. Conjunto de pueblos amerindios pertenecientes a la familia lingüística del mismo nombre que habitaba en las grandes llanuras del centro de Estados Unidos,

Aspecto de una india siux de Dakota en 1909.

Corel Stock Photo Library

en la región atlántica y en el bajo Mississippi. Se distinguen cuatro grandes grupos: el del valle de Mississippi (tribus dakota, assiniboine, mandam, winnebago, iowa, omaha, osage, etcétera), el del valle del Missouri (hidasta, cuervo); el del valle del Ohio (ofo, biloxi, tutelo) y el grupo oriental (catawba, woacon). Originariamente practicaban la agricultura; al avanzar hacia las grandes praderas modificaron su género de vida adoptando la de los cazadores nómadas de los grandes rebaños de bisontes.

Los Sioux, también conocidos como Dakota, los pueblos indios de la planicies del norte de América, la confederación de pueblos o el tronco lingüístico Siouan. La palabra Dakota significa "aliados"; su designación más adecuada es Sioux, una abreviación de Nadouessioux ("Adders", o "enemigos"), un nombre originalmente asignado a ellos por el Ojibwa. Antiguamente existían tres divisiones principales de los Sioux: Santee, Yankton y Teton, estos grupos se nombraban a sí mismos Dakota, Nakota y Lakota, respectivamente. Los Santee o Sioux del este comprendían a los Mdewkanton, Wahpeton, Wahpekute y Sisseton; los Yankton incluían a los propios Yankton y a los Yanktonai; y los Teton o Sioux del oeste tenían siete divisiones principales: los Sihasapa o Pies Negros; los Brulé (los Altos y Bajos); los Hunkpapa; los Miniconjou; los Oglala; los Sans Arcs y los Oohenonpa o Dos-Peroles.

Diezmados en el siglo XIX por guerras, enfermedades e internación subsisten hoy día en reservaciones unos 50,000 individuos. Originarios del sur de la región de los Grandes Lagos, fueron expulsados de allí por los alquinos en el siglo XVII, ocupando las grandes llanuras occidentales. Apoyaron a los británicos tras el desalojo de los franceses y los ayudaron durante la revolución independentista estadounidense y durante la guerra de 1812. La penetración blanca los obligó a ceder sus territorios a través de los tratados concluidos con Estados Unidos en 1815, 1825 y 1851. En el siglo XX continuaron los enfrentamientos entre los siux y la administración estadounidense.

Siva. La tercera persona de la trinidad indostánica, que sigue a Brahma y Visnu. Originariamente, fue el señor de las tormentas y la destrucción, pero luego se transformó en el de la misericordia y amor. Es el dios de la procreación, la libertad, la alegría y la danza, el que inspira a los artistas creadores. Su esposa Kali es quien asume el poder de las fuerzas destructoras. A Siva se le representa de múltiples maneras, según sean los atributos que se quieran destacar. Su secta de adoradores, los *siv-baktas*, rechaza todo alimento animal y se inspira en el ascetismo. Rama del brahmanismo, es la creencia preferida por eruditos hindúes.

Esta divinidad es representada de diferentes formas, y casi siempre como una perso-

Corel Stock Photo Library
Indio siux en Wanduta, 1913.

nificación masculina. Sus constantes iconográficas son el tercer ojo en la frente, sus cuatro manos, que la caracterizan (Tridente), y el tocado con la luna y las serpientes.

Sivori, Eduardo (1847-1918). Pintor y grabador argentino. En una etapa pintó obras de tendencia naturalista con influencia de Gustave Courbet: *Le Lever de la bonne*, desnudo al tamaño natural realizado

durante su residencia en París, generó una gran polémica al ser enviado a Buenos Aires. Recibió también influencia del impresionismo. Realizó paisajes y pinturas campestres: *Carretas, La tranquera, Tropa de carretas* (aguafuertes); otras obras: *En el taller, La muerte del obrero, La alondra del suburbio*.

Sixtina, Capilla. Capilla del Vaticano, en Roma, que debe su nombre al papa Sixto IV, por cuyo encargo la realizó Giovanni di Dolci en 1473-1481. Consta de una sola nave y posiblemente se construyó para utilizarse mientras se llevasen a cabo las obras de reconstrucción de la basílica de San Pedro, que se habían proyectado. En ella se efectúan los cónclaves para las elecciones papales y tienen lugar algunas ceremonias religiosas en las que participa el sumo pontífice, particularmente los oficios de la Semana Santa, durante la cual actúa el famoso Coro de Cantores de la Capilla Sixtina, uno de los mejores del mundo.

El máximo interés artístico de la capilla reside en sus frescos, especialmente los de la bóveda y la pared del fondo, obra de Miguel Ángel. Los frescos de la bóveda fueron pintados por Miguel Ángel, de 1508 a 1512, durante el pontificado de Julio II (1503-1513). El pintor fingió en dicha bóveda, que mide 40 m de longitud por 13 de anchura, un conjunto arquitectónico que forma tres cuerpos o franjas, la central apoyada en soberbias pilastras, entre las cuales colocó las monumentales figuras de los profetas y las Sibilas; en los triángulos sobre las ventanas y en los lunetos de éstas

Detalle de la creación de Adán obra de Miguel Ángel en la Capilla Sixtina, Roma.

Corel Stock Photo Library

Sixtina, Capilla

Corel Stock Photo Library

Rostro de Dios en la Creación del primer hombre *en el prólogo de la historia de la humanidad.*

ba que Carón, el grupo de ángeles que tocan las trompetas del Juicio Final. En ambas obras Miguel Ángel dio expresión a su ideal de fuerza y de belleza en visiones de un dramatismo y grandiosidad insuperables; ante ellas se descubre mejor que en parte alguna, según las palabras de Bernard Berenson, "la realización de un sueño que a todos nos inquieta: la alteza del alma unida al esplendor del cuerpo". Además de estas pinturas, en las paredes laterales y de la entrada de la capilla existen frescos de Bernardino di Betto, llamado Il Pinturicchio, Alessandro Botticelli, Domenico de Tommaso Ghirlandaio, Cosimo Roselli, Fra Diamanti, Luca Signorelli y otros.

Sixto IV (1414-1484). Papa. Hijo de humildes pescadores, nació en Celle (Savona); adoptado por la familia Della Rovere, cuyo apellido tomó, ingresó muy joven en la orden franciscana, de la que llegó a ser general. En 1471 fue elevado al solio pontificio. En 1476 instituyó la festividad de la Inmaculada Concepción. Muy interesado por los asuntos políticos de la Italia de su tiempo, se inclinó a favor de los Pazzi contra los Médici y de los venecianos contra los ferrarenses; reformó la Inquisición; combatió la herejía de los valdenses; anuló los decretos del Concilio de Constanza; construyó la Capilla Sixtina y el puente sobre el Tíber que llevan su nombre; mejoró las condiciones sanitarias de Roma y fue el segundo fundador de la biblioteca del Vaticano.

Sixto V (1520-1590). Papa. Nacido en Grottammare, Marca de Ancona, de origen muy humilde. Su nombre era Felice Peretti. A los 12 años ingresó en un convento de minoristas y poco después en la orden franciscana. Ordenado sacerdote en 1548, fue superintendente de la escuela monástica de Siena, más tarde superintendente de la escuela franciscana de Venecia y posteriormente inquisidor general. Por su severidad fue trasladado a Roma. Legado papal en España y luego cardenal, fue elegido papa en 1585. Su pontificado se caracterizó por la firmeza con que procedió para eliminar todos los abusos, tanto civiles como eclesiásticos. Dio notable impulso a la agricultura, el comercio y la industria en los estados pontificios. Fundó la Universidad de Fermo y varios colegios en Roma y Bolonia. Completó la organización de las 15 congregaciones romanas y aprobó la expedición de la Armada Invencible y la acción contra Enrique de Navarra. Fijó en 70 el número de cardenales del Sacro Colegio. Gran protector de las artes, edificó el Palacio de Letrán, erigió el obelisco del Vaticano, restauró las columnas de Trajano Y Antonino Pío, fundó la imprenta del Vaticano e hizo terminar la cúpula de la basílica de San Pedro.

representó a los antepasados de Cristo; en el espacio central dividido en una serie de espacios rectangulares, alternativamente grandes y pequeños, describió el ciclo de la creación del universo, también llamado *Prólogo de la historia de la humanidad,* compuesto de las escenas siguientes: Dios separa la luz de las tinieblas; Dios crea el Sol, la Luna y las plantas de la Tierra; Dios crea los pájaros y los peces; Dios crea al primer hombre dándole vida con el toque de sus dedos; Dios crea a Eva de una costilla de Adán; Pecado original; expulsión del Paraíso Terrenal; sacrificio de Noé; Diluvio universal y embriaguez de Noé. Más de 20 años después de terminada esta obra in-

gente, en la que el artista pareció entrelazar arquitectura, pintura y escultura en una superior estructura plástica, por encargo de Paulo III (1536-1541) se dispuso a cubrir la pared del fondo con un solo fresco de grandes dimensiones: el del famoso Juicio Universal, llamado, también Juicio Final, en cuyo centro aparece Jesucristo en actitud de justo juez, con los elegidos, a la derecha, subiendo al Cielo sostenidos por los ángeles y retenidos en vano por los demonios, y a la izquierda los réprobos, que son precipitados al abismo, donde los aguarda Carón con su barca; en la parte inferior, hacia la izquierda, se ve la resurrección de los muertos, y en el centro, algo más arri-

12

Escena de Dios sostenido por los ángeles en el interior de la Capilla Sixtina,. Roma.

Corel Stock Photo Library

Skagerrak. Estrecho del norte de Europa, entre Escandinavia (Noruega) y la Península de Jutlandia (Dinamarca), que junto con el Kattegat comunica el Mar del Norte con el Mar Báltico. Sus costas son bajas y arenosas en el sur y altas y rocosas en el norte. Tiene una extensión de 250 km y una anchura que varía entre 120 a 150 km. Es navegable en todo su recorrido durante la mayor parte del año, salvo de enero a fines de marzo, cuando a veces lo obstruyen los hielos. El 31 de mayo de 1916 fue escenario de la famosa batalla de Jutlandia, entre las flotas inglesa y alemana. *Véase* DINAMARCA.

slogan. Fue el nombre dado al grito de guerra de los montañeses de Escocia, cuando defendían su tierra, y de allí lo tomaron los ingleses para individualizar toda frase breve y perentoria que constituya una definición. En tal sentido, el vocablo se utiliza en Estados Unidos, y equivale a lema en las propagandas de todo orden. El *slogan* puede ser político, patriótico, comercial, etcétera. Hay algunos de carácter publicitario que han alcanzado circulación mundial. *Véanse* PROPAGANDA; PUBLICIDAD.

Smalley, Richard (1943-). Químico físico estadounidense. Graduado en química en 1965 la Universidad de Michigan, se doctoró por la de Princeton en 1973. Tras una estancia en la Universidad Rice en 1976, de la que es profesor titular de química desde 1981 y de física desde 1990. Sus trabajos de investigación se han centrado principalmente en la utilización de láseres pulsantes para análisis espectrales y para la producción de agregados atómicos. En 1985, Smalley descubrió, junto con Robert Curl y sir Harold Kroto, una molécula de 60 átomos de carbono de estructura globosa. Posteriormente, los tres investigadores descubrieron otras moléculas de similares características, constituidas por decenas o incluso centenares de átomos de carbono dispuestos en hexágonos o pentágonos y enlazados entre sí formando una superficie cerrada y redondeada. Estas moléculas, a las que denominaron fullerenos estan siendo invistigadas en muchos laboratorios químicos por sus posibles aplicaciones como superconductores, lubricantes, catalizadores, etcétera. Smalley, Curl y Kroto fueron galardonados con el Premio Nobel de Química en 1996 por el descubrimiento de los fullerenos.

Smetana, Bedrich (1824-1884). Compositor checo. Nació en Litomysl (Bohemia), y como desde pequeño mostrara una gran precocidad musical, muy pronto se le puso bajo la dirección de un maestro. A los 5 años tocaba el piano y el violín, y a los 6 se presentó por primera vez en público. Trasladado a Praga para proseguir sus estudios, su talento y ambiciones le hacen dedicarse a la composición. En 1848 fundó una academia de música y escribió para sus alumnos varias piezas didácticas; pero, en 1856 dejó su patria para dirigir la Sociedad Filarmónica de Göteborg (Suecia), donde permaneció hasta 1861, en que regresó a Praga como director del Teatro Nacional. Durante varios años llevó una existencia muy activa como compositor, director y crítico musical, en 1874, a semejanza de Ludwig van Beethoven, quedó sordo y se retiró a la vida privada, mostrando además, pocos años después, los primeros síntomas de la demencia que le llevó a la muerte en un manicomio. Smetana es el primer compositor checo que supo combinar la música nativa con la tendencia internacional. Abordó casi todos los géneros, imponiéndose en el campo de la ópera y del poema sinfónico. Su obra maestra, *La novia vendida* (1866), es una ópera de carácter popular que refleja vigorosamente los temas de danzas y canciones del folclore de Checoslovaquia. Asimismo, el ciclo de seis poemas sinfónicos *Mi patria*, describe y ensalza la tierra y la historia de Bohemia. Entre sus obras de cámara, el cuarteto para cuerdas *De mi vida* (1874-1879) es la expresión de su existencia, y cuya parte final refleja la tragedia de su sordera.

Smiles, Samuel (1812-1904). Escritor escocés, que ejerció en su mocedad la medicina, dedicándose poco después al periodismo y a la administración de ferrocarriles. Su contacto con la juventud y su conocimiento de la realidad social le inspiraron artículos y luego libros ejemplarizantes y estimulantes. Empezó la famosa serie de obras con la difundida biografía de George Stephenson (1857). La moral, la pedagogía y el ejemplo de los hombres eminentes de su raza, que exponía con maestría, lo hicieron favorito del público, particularmente en las postrimerías del siglo XIX, coincidiendo con el auge del industrialismo. Tuvo muchos imitadores. Son dignos de mención sus libros *Ayúdate, El carácter, El deber, Vida y trabajo,* así como su *Autobiografía.*

Smith, Adam (1723-1790). Economista escocés, considerado el *padre de la ciencia económica moderna.* Oriundo de Kirkcaldy, estudió en Glasglow y Oxford, fue profesor de literatura inglesa y filosofía moral, actuó en Edimburgo como comisionado aduanero, viajó por Francia acompañando al duque de Buccleuch, su pupilo, y llegó a ser rector de la Universidad de Glasgow. Su influencia deriva de la obra, publicada en 1776, *Investigación sobre la naturaleza y las causas de la riqueza de las naciones.* Escrito con rigor lógico, pericia literaria y vasta erudición histórica, el tratado de Smith colocó los cimientos de la economía política y fue adoptado como libro básico por estadistas, industriales y economistas del siglo XIX. Consta de una breve introducción, dos libros que contienen la teoría económica, un tercero que describe el desarrollo de la economía europea, un cuarto que examina las doctrinas económicas y sociales de la época, y un último libro que estudia las finanzas de los gobiernos. Smith expuso ideas básicas sobre la organización del trabajo, su división, el concepto de valor económico, los precios, la distribución de la riqueza, el capital, el interés y otros temas. Muchas de sus ideas han sido superadas, pero su obra puede leerse con provecho. Una opinión muy difundida supone que Adam Smith fue el creador de cierto liberalismo a ultranza que tiene su divisa en la fórmula *dejar hacer, dejar pasar*; la verdad es que siempre insistió sobre la necesidad de que las leyes y la moral regularan la vida económica. Se opuso, por cierto, a que el gobierno se dedicara a realizar lo que los particulares podían hacer. A pesar de que había ganado dinero, Smith vivió modestamente y dedicó gran parte de sus ingresos a obras de beneficencia. Poco antes de su muerte hizo quemar dieciséis volúmenes de manuscritos, acto enigmático que la historia ha debido lamentar.

Corel Stock Photo Library

(De izq. a der). Mosaico de espejos en el observatorio Smithsonian, e interior del museo del aire en Washington.

Smith, Hamilton (1931-). Microbiólogo estadounidense. Estudió en las universidades de Illinois y Berkeley y completó su formación en la Johns Hopkins University de Baltimore, en donde fue profesor de microbiología (1973-1981) y de biología molecular y genética desde 1981. En colaboración con Daniel Nathans desarrolló, mediante el empleo de las enzimas de restricción, una técnica de disección que permite analizar la secuencia de los genes. En 1978 compartió con Daniel Nathans y Werner Arber el Premio Nobel de Fisiología o Medicina.

Smith, Joseph (1805-1844). Reformador religioso estadounidense, fundador de la secta de los mormones. En 1823 tuvo una visión en la que se le apareció un ángel y le reveló la existencia de un libro de hojas de oro oculto en una colina. Smith lo encontró, y después de hacer una transcripción de su contenido se lo devolvió al ángel. Posteriormente publicó la transcripción con el título de *Libro de Mormón*. En 1830 fundó la secta de los mormones en Fayette (New York), a la que dio el nombre de Iglesia de los Santos de los Últimos Días. Envió misioneros a propagarla en diferentes partes de la nación y los adeptos aumentaron rápidamente. En 1831 se trasladó a Ohio, donde se construyó el primer templo. Al mismo tiempo que ganaba prosélitos, la secta despertaba enconada oposición y se veía obligada a trasladarse de una región a otra. Salió de Ohio y se fue a Missouri y después a Illinois (1839), donde fundó la ciudad de Nauvoo, a orillas del Mississippi, y Smith se constituyó en el jefe espiritual de 20 mil prosélitos. Se mezcló en las campañas políticas y, en 1844, llegó a proclamarse candidato a la presidencia de Estados Unidos. Al mismo tiempo surgieron desavenencias entre los mormones, al declarar Smith que debía practicar-

se la poligamia, lo que unido a la persecución de los disidentes provocó su encarcelamiento y muerte por linchamiento.

Smith, Michael (1932-). Bioquímico canadiense , nacido en Inglaterra, compartió en 1993 el Premio Nobel de Química con el estadounidense Kary B. Mullis por su invención de dos técnicas para manipular el ácido desoxirribonucleico (ADN), u otras secuencias de proteínas. Mullis inventó la reacción en cadena de polimerasa, que amplía con rapidez ciertos segmentos específicos de ADN u otras proteínas. Smith desarrolló un método, llamado mutagénesis dirigida de bases oligonucleótidas, que permite a los investigadores substituir con aminoácidos o nucleótidos diferentes a los que normalmente existen en una sección de ADN. Al modificar el ADN, un investigador puede diseñar un gene con una función distinta a la original. La mutagénesis dirigida promete desarrollar mejores vacunas y antibióticos. También apoya el trabajo en terapia genética, con el cual los médicos esperan reparar directamente el ADN de un paciente como parte del tratamiento de distintas enfermedades. Smith obtuvo el doctorado en bioquímica de la Universidad de Manchester, Inglaterra, en 1955, y desde 1966 ha dado clases en la Universidad de la Columbia Británica, Canadá.

Smith, Octavio (1921-). Poeta cubano. En su poesía surgen evidentes tendencias al tema religioso y ascético. Del grupo *Orígenes*, famoso en las letras cubanas. Autor de *Del furtivo destierro*, y otras.

Smith, Theobald (1859-1934). Médico y bacteriólogo estadounidense. Fue profesor de patología comparada en la Univer-

sidad de Harvard y posteriormente director del departamento de Patología Animal del Instituto Rockefeller de New York. Entre 1889 y 1893, llevó a cabo una obra de verdadera trascendencia económica, al descubrir en Texas que la garrapata era el agente trasmisor de la fiebre del ganado y al lograr extinguir ese mal. Fueron notables también sus estudios sobre la tuberculosis y tuvo especial importancia su reconocimientos de las diferencias patogénicas entre la tuberculosis humana y animal. Estudió asimismo las enfermedades porcinas.

Smithson, James Smithson (1765-1829) **e Institución Smithsoniana.** Químico y mineralogista británico, fundador del instituto que lleva su nombre, en Washington. Nació en Francia, muy joven se trasladó a Inglaterra educándose en la Universidad de Oxford. Pasó gran parte de su vida en Europa, en viajes de investigación geológica y manteniéndose en contacto con los científicos de su tiempo. En 1978 ingresó en la Royal Society. Gozaron de notabilidad sus análisis de los minerales de cinc originarios de varias minas europeas; en su honor, el mineral de carbonato de cinc se denominó smithsonita. Nunca visitó Estados Unidos, y sin embargo legó su fortuna a dicho país con el propósito de que se fundara en Washington un centro "para aumentar y difundir el conocimiento entre los hombres". En 1846, y luego de muchas vacilaciones, el Congreso estadounidense acordó aceptar el legado, que consistía en más de 500,000 dólares.

Las actividades de la institución son muchas y muy variadas: publicaciones, investigaciones y exploraciones científicas, administración de museos, etcétera. La edición de libros y revistas constituye el principal medio para llevar a cabo una de sus funciones: la de *difundir el conocimiento*. Abarca casi todas las ramas de la ciencia y del arte, envía ejemplares a instituciones científicas y bibliotecas de todo el mundo y, a su vez, recibe las publicaciones análogas de otros países. La biblioteca cuenta con cerca de 1 millón de volúmenes, depositados en su mayor parte en la sección Smithsoniana de la Biblioteca del Congreso de Washington. El instituto sostiene y administra, además, varios departamentos, entre ellos los siguientes:

Museo Nacional, en el que se encuentran objetos de arte, de interés histórico, y toda clase de especímenes de historia natural.

Museo Nacional del Aire, que cuenta con una gran colección de equipo aeronáutico de interés histórico.

Galería Nacional de Arte, la más joven de las pinacotecas y no obstante una de las mejores del mundo. Fue fundada con el donativo metálico y la excelente colección artística de Andrew William Mellon, a la que se agregó la de S. H. Kress.

Departamento de Etnología Americana, el centro impulsor de investigaciones sobre etnología de América; dedica especial atención a las primitivas tribus norteamericanas. Este departamento comprende, además, el Instituto de Antropología Social.

Observatorio Astrofísico, cuyas observaciones están encaminadas principalmente al estudio de las radiaciones solares y sus efectos en el clima.

Galería de Arte Freer, fundada con el donativo de C. L. Freer, contiene una excelente colección de obras de arte americanas y orientales.

Parque Zoológico Nacional, que tiene más de 3,000 especies, siendo uno de sus objetos la preservación de algunas en peligro de extinción.

Área Biológica de la Zona del Canal de Panamá, es una zona en la isla de Barro (lago de Gatún) reservada para las investigaciones sobre la vida tropical, especialmente lo que se refiere al estudio y prevención de plagas.

Smuts, Jan Christiaan (1870-1950). Mariscal y hombre de Estado sudafricano. Hijo de granjeros holandeses establecidos en el Transvaal, estudió leyes en la universidad inglesa de Cambridge y ejerció como abogado en El Cabo y en Johannesburgo, llegando a magistrado. Al estallar la guerra de los boers peleó con audacia junto a los suyos, siendo lugarteniente del presidente Paulus Kruger. Alcanzó el grado de general. Después siguió actuando en política y ejerció varios ministerios. Durante la Primera Guerra Mundial conquistó, al frente de las tropas sudafricanas, las colonias alemanas de África. Participó en la fundación y organización de la Liga de las Naciones.

Fue primer ministro de 1919 a 1924, y volvió a ejercer ese cargo en 1939. Durante la Segunda Guerra Mundial fue general en jefe de las fuerzas armadas de la Unión Sudafricana y elevado al grado de mariscal. Formó parte del gabinete de guerra del imperio británico, junto a sir Winston Leonard Spencer Churchill, a cuya cabeza había puesto precio en los días lejanos de la guerra de los boers. Terminada la guerra se alejó de los asuntos públicos.

Snell, George Davis (1903-1996). Genetista estadounidense. Estudió en la Universidad de Harvard y desde 1931 enseño en las universidades de Brown, Texas y San Luis de Washington. Investigador (1935-1956) y director de investigaciones (1956-1969) en el Laboratorio Jackson, de Bar Harbor, donde trabajó como investigador emérito desde 1969. Dedicó sus estudios sobre los antígenos para los trasplantes de tejidos, descubrió los factores genéticos que deciden la posibilidad de transferir el tejido de una persona a otra. Por esta contribución al progreso de los antígenos de trasplante fue galardonado en 1980 con el Premio Nobel de Fisiología o Medicina que compartió con Baruj Benacerraf y Jean Dausset.

Soares, Mário (1924-). Político portugués. Dirigente de la oposición democrática durante el salazarismo, encarcelado varias veces, fue candidato a diputado (1965 y 1969). Deportado por Antonio de Oliveira Salazar a la isla de Santo Tomé (marzo de 1968), fue liberado por Caetano (diciembre de 1968), pero obligado a exiliarse en Francia en 1970. Fundador y secretario general del Partido Socialista Portugués, PSP (1973), regresó a Portugal tras el golpe militar del 25 de abril de 1974. Ministro de Asuntos Exteriores (mayo de 1974-marzo de 1975), negoció las independencias de Guinea-Bissau y Mozambique. Diputado y ministro del PSP en las primeras elecciones constitucionales (abril de 1976), fue primer ministro hasta su destitución por el presidente de la república (julio de 1978). Opuesto al apoyo de su partido a Ramalho Eanes, dimitió como secretario general. Triunfador el PSP en las elecciones de abril de 1983, formó un gobierno de coalición con el Partido Socialdemócrata (1983-1985). En 1986 fue elegido presidente de la república. Reelegido presidente en 1991 con 70% de votos . En 1995 fue galardonado con el Premio Príncipe de Asturias de Cooperación Internacional. Se retiró de la política en 1996.

soberanía. Poder supremo del Estado para organizarse libremente, definir su personalidad y mantener su independencia básica dentro del concierto internacional. Los caracteres principales que la distinguen son: a) unidad, pues sería contradictoria la coexistencia de dos poderes supremos; y b) superioridad, en el sentido de que dicho poder no debe hallarse mediatizado, sino permanecer en la cúspide de los otros poderes que ordinariamente subsisten en toda comunidad política. El concepto de la soberanía ha evolucionado junto con la historia de los pueblos. En la Edad Media, por ejemplo, prácticamente no existía, ya que los señores feudales y la Iglesia la coartaban. En principio, la soberanía se atribuyó a los monarcas –llamados, por eso, sobe-

El Instituto Smithsoniano ha sido creado con el propósito de aumentar y difundir el conocimiento entre los hombres. Washington, EE.UU.

Corel Stock Photo Library

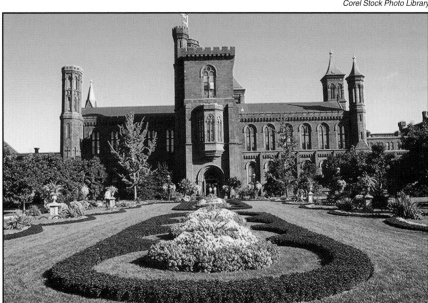

Corel Stock Photo Library

La sobrealimentación consiste en acumular vapor o gases para generar presión y movimiento.

ranos–, pero las corrientes democráticas que echaron las raíces del constitucionalismo la fijaron en el pueblo, cuya opinión, tenida como suprema, la canalizaron por las vías de los parlamentos y asambleas.

Sobieski, Jan (1629-1696). Rey de Polonia, considerado como un héroe nacional. Gobernó de 1674 a 1696 con el nombre de Juan III, y protegió las ciencias y la literatura. En 1648 libró a su país de una invasión de cosacos y en 1667, al ocurrir la insurrección de Lubomirski, combatió a los rebeldes y salvó a la nación, comprometida por la debilidad del rey Juan Casimiro. Al frente de la famosa caballería polaca, contribuyó a la liberación de Viena, sitiada por los turcos en 1683, lo que le valió ser considerado como salvador de la cristiandad.

sobreacumulación. Situación del capitalismo caracterizada por la imposibilidad de convertir en valor (en parte o en su totalidad) el capital social previamente obtenido. La descripción del fenómeno de sobreacumulación se debe a Carlos Marx, en el tratamiento dado por este a la baja tendencial de la tasa de ganancia. El fenómeno consiste en la aparición de un capital adicional que no puede ser dedicado a la producción, bajo la hipótesis inicial de la existencia de sobreproducción absoluta en el conjunto de la economía. Se supone que se da una desproporción entre el capital existente y el *tiempo de trabajo absoluto* que puede proporcionar la clase trabajadora mas el *tiempo de trabajo relativo* (no hay posibilidad de ampliar ambos tiempos de trabajo). Al no poder ser empleado el capital en la tarea de ensanchar la producción, y al no ser ampliable el tiempo de trabajo de la población obrera, esta puede presio-

nar hacia un alza del capital variable (aumento de salarios), con lo cual se acelera la caída de la tasa de ganancia y sobreviene la crisis. La solución consiste en hacer desaparecer, por diversos métodos, la rémora de capital no absorbible por la producción, hecho del que se encarga la misma competencia entre capitalistas. La crisis se da precisamente en el momento en que se operan los reajustes necesarios con el fin de preparar un nuevo lanzamiento de la producción y el cese de la *sobreacumulación.*

sobrealimentación. La sobrealimentación se consigue aumentando la presión del aire o mezcla a la entrada del cilindro (conducto de admisión), para lo cual se intercala un compresor en el circuito

de entrada. Esta sobrealimentación se precisa en los motores de aviación para compensar la insuficiencia de aporte de aire ocasionada por la disminución de la presión atmosférica al aumentar la altura. También, pare aumentar el rendimiento de los motores de vehículos automóviles especiales (modelos de competición, vehículos pesados). Se aplica a motores de gasolina o diesel.

sobrealimentador. Pequeña bomba compresora-inyectora de aire, construida generalmente en forma de turbina, que se instala como complemento de aquellos motores de explosión que deben trabajar en los lugares elevados donde el aire ofrece menos presión que la ordinaria. También se le llama compresor adicional. Los motores de explosión realizan su ciclo expansivo a base de la inflamación súbita en sus cilindros del carburante, finamente pulverizado y mezclado con el oxígeno del aire necesario a la combustión, expulsando después los gases quemados. Para el rendimiento normal de la maquina es preciso que dicha mezcla se efectúe en una proporción determinada y constante, habiéndose calculado para ello la presión que ofrece la atmósfera al nivel del mar. Si el motor debe funcionar a mayores alturas (como ocurre en la navegación aérea), la mezcla no podrá realizarse en la proporción debida a causa de la menor presión del aire en las alturas; en estos casos es necesario el uso del sobrealimentador para salvar dicha menor presión.

sobrecargo. Oficial de los buques mercantes que lleva a su cuidado y bajo su responsabilidad el cargamento. Por extensión se aplica a la persona encargada de prestar servicios de atención y asistencia a

Los motores de combustión interna funcionan con el principio de sobrealimentación.

Corel Stock Photo Library

Corel Stock Photo Library

La sociabilidad refuerza los mecanismos de la sociedad para mantenerla sólida.

bordo de las aeronaves de pasajeros. Se precisa de una cultura superior así como de conocimiento de varias lenguas para tratar con el público.

Sobremonte, Rafael de, Marqués de (1745-1827). Militar y virrey español (1804-1807) que fue enviado en 1779 al Río de la Plata. Al producirse la invasión inglesa en 1806, su actuación ante el enemigo no satisfizo al pueblo de Buenos Aires por haberse ausentado de la capital; fue destituido (1807) y devuelto a la metrópoli, donde fue absuelto (1809).

sobrenaturalismo. Tendencia filosófica y creencia religiosa que afirma la existencia y actividad de poderes sobrenaturales o divinos. De antecedentes remotísimos, pueden hallarse vestigios de esta creencia en una expresión de Homero: "Los hombres precisan a Dios como los pájaros necesitan abrir su pico, para comer". El moderno sobrenaturalismo acepta los milagros cuyo testimonio nos trasmiten las Sagradas Escrituras.

sobreproducción. Exceso de producción. Producción de mercancías por encima de la capacidad de compra del conjunto de la población. El fenómeno de la sobreproducción esta ligado al funcionamiento cíclico de la economía capitalista y se produce después de una época de expansión. La forma especifica de la crisis capitalista es una interrupción del proceso de circulación provocada por una caída de la tasa de ganancia por debajo de su nivel ordinario, nivel que se considera inaceptable por los capitalistas. Esta crisis puede producir-

se por diversos motivos. Según muchos autores se debe a que la capacidad de compra de la población (en especial de la clase obrera) crece mas lentamente que la capacidad productiva del sistema capitalista, de modo que crea periódicamente un excedente de producción que, al no poder venderse, trace caer la tasa de ganancia a niveles tales que los capitalistas prefieren conservar su dinero antes que invertirlo, lo que da lugar a una mayor desocupación y una disminución aun mayor de la capacidad de compra de la población.

Entre los autores partidarios de esta interpretación cabe citar a Thomas Malthus, Johann Karl Rodbertus, Jean-Charles Sismonde de Sismondi, Karl Kautsky, Rosa Luxemburg, Sternberg, John Maynard Hobson y John Atkinson Keynes.

De la teoría keynesiana han nacido dos escuelas: una es partidaria de aumentar el consumo superfluo para evitar la sobreproducción; la otra pretende una redistribución de la renta en favor de las clases con bajos ingresos, ya que estas poseen una propensión al ahorro muy baja y los aumentos de renta se traducen en un aumento equivalente del consumo.

sobreseimiento. Trámite procesal por el que se deja sin efecto una causa criminal. Tiene lugar cuando se comprueba que el hecho enjuiciado no constituye delito ni falta, cuando la persona acusada no es responsable del hecho que se le atribuye o cuando se carecen de pruebas suficientes de las que deducir su imputabilidad. El sobreseimiento interrumpe el juicio y puede ser provisional o definitivo. En el primer caso, el sumario sobreseído puede reabrir-

se en el momento en que, habiendo variado las causas que motivaron el sobreseimiento, hay fundamentos para proseguir la acción judicial.

Socabaya batalla de. Combate sostenido entre fuerzas peruanas y bolivianas el 7 de febrero de 1836. El presidente peruano Felipe Santiago Salaverry intentó detener la invasión boliviana cerca de Arequipa con un ataque por sorpresa, pero fue vencido. Salaverry y los principales jefes peruanos fueron fusilados. El presidente boliviano Andrés de Santa Cruz pudo así llevar a cabo su proyectada Confederación Peruano-boliviana.

sociabilidad. La sociabilidad expresa una tendencia y una necesidad que aparecen como constantes de la persona humana en cuanto esta, desbordando la radical y originaria autonomía de su individualidad cerrada, busca la relación con los demás como camino de mutuo enriquecimiento. Puede hablarse en este aspecto de la sociabilidad como de una vocación humana especifica, que en caso de verse frustrada puede ser causa de fenómenos patológicos en la formación de la personalidad y en sus modos de proyección. De ahí que la sociabilidad aparezca como posibilidad de que las dos exigencias que fundamentalmente configuran la experiencia humana –la de la personalización, o desarrollo de la personalidad, y la del proceso de socialización, por el cual la persona se integra en la sociedad– no sean contradictorias, como a primera vista pudieran parecer, sino complementarias y dialécticamente relacionadas.

socialdemocracia. Nombre adoptado por los partidos políticos revolucionarios que, inspirados en el marxismo, se constituyeron en los países del norte, centro y este de Europa antes de la Primera Guerra Mundial, como vanguardia organizada de las fuerzas proletarias, según las conclusiones de la Conferencia de Londres que creó la Asociación Internacional de Trabajadores (AIT) o Primera Internacional (1864).

El primer partido socialdemócrata que se formó fue el alemán (1869). Según el modelo de este se crearon otros en Bélgica (1885), Austria (1889), Hungría (1890), Polonia (1892), Holanda (1894) e incluso en países de estructura agraria, como Bulgaria (1893), Rumania (1893) y Rusia (1898). En cambio, los partidos socialistas de Gran Bretaña, Francia, Italia y España se desarrollaron de manera distinta. Los socialdemócratas escandinavos (Dinamarca, 1878; Noruega, 1887, y Suecia, 1889), a mitad de camino entre el laborismo y la socialdemocracia alemana, constituyeron muy pronto una importante fuerza política.

Consagrada la victoria del marxismo en la Segunda Internacional por la expulsión

Corel Stock Photo Library

Monumento dedicado a Vladimir I. Lenin en el centro de Tibilsi.

de los anarquistas (1896), la crisis del revisionismo estalló en 1899, cuando el alemán Eduard Bernstein publicó *Die Voraussetzungen des Sozialismus und die Aufgaben der Sozia Idem okra tie* (*Los presupuestos del socialismo y las tareas de la socialdemocracia*), obra en la que hizo una crítica de las concepciones de Marx y asignó a los socialdemócratas el objetivo de alcanzar el socialismo por el camino de las reformas sucesivas, no de la revolución. El movimiento socialista quedó dividido entre revisionistas (reformistas) y ortodoxos (marxistas). Al triunfar la Revolución bolchevique, la izquierda socialista se escindió para crear los partidos comunistas que se adhirieron a la Tercera Internacional. La ruptura definitiva entre comunistas y socialistas en la conferencia de Berlín (abril 1922) condujo a la creación de la Internacional socialista (Hamburgo, mayo 1923). Después de la Segunda Guerra Mundial, los partidos socialdemócratas, solos o en coalición con otros grupos, impulsaron las reformas que facilitaron la transformación del capitalismo en lo que se dio en llamar neocapitalismo o capitalismo social de mercado (Gran Bretaña, Francia, Italia, etcétera). Ya en marcha la guerra fría, la Internacional socialista, reconstituida en Frankfurt (1951), definió el socialismo como inseparable de la libertad y el pluralismo político, y condenó a los regímenes de partido único, lo que implicó actitudes favorables a la estrategia de contención del comunismo (apoyo a la OTAN en la estrategia militar de los bloques en pugna).

socialismo. Sistema de organización social que supone derivados de la colectividad los derechos individuales y atribuye al Estado absoluta potestad de ordenar las condiciones de la vida civil, económica y política, extremando la preponderancia del interés colectivo sobre el particular. Tres etapas principales se pueden distinguir en la historia del pensamiento socialista: la *utópica*, la *científica* y la *posmarxista*.

El socialismo utópico. *La República* de Platón nos presenta el más antiguo modelo de una sociedad construida sobre bases socialistas. Casi 20 siglos transcurrieron antes de que apareciera otra descripción de

Carlos Marx, autor de la obra El Capital.

Corel Stock Photo Library

una sociedad ideal. *La Utopía* (palabra griega que quiere decir *en ninguna parte*) de Tomás Moro, que ha dado su nombre a todos los planes similares, describió en 1516 una colectividad en la que reinaba el comunismo estricto. Tomás Campanella (*La ciudad del sol*), Francisco Bacon (*La nueva Atlántida*) y James Harrington (*La comunidad de Océana*) fueron los autores de las principales utopías del Renacimiento, que en ningún caso dieron origen a movimientos políticos. En autores como Morelly y Gabriel Bonnot de Mably, que escribieron sus obras a mediados del siglo XVIII, se encuentran esquemas de una organización comunista de la sociedad. Pero, el precursor más directo fue Baboeuf, que trató de dar a la Revolución Francesa un sesgo totalmente comunista.

Dos vastos movimientos dieron origen al socialismo moderno: la Revolución Industrial, que alteró por completo las bases del feudalismo agrario, y las revoluciones políticas del siglo XVIII y primera mitad del XIX, con sus ideales de libertad, igualdad y fraternidad. En la primera mitad del XIX aparecieron algunos socialistas utópicos que se diferenciaban de sus antepasados renacentistas por sus propósitos concretos: no construían un mero esquema teórico, sino que trataban de crear un nuevo orden social. Los franceses Claude Henri conde de Saint-Simon, François Marie Charles Fourier y Étienne Cabet, y los ingleses Charles Hall y Robert Owen fueron los principales adeptos de esta tendencia. En su obra principal, *El sistema industrial*, Saint-Simon pedía que la sociedad se organizara sobre una base industrial y no política.

Todo el pensamiento utópico está formado por la mezcla de buenas intenciones e hipótesis irrealizables que caracteriza a Fourier. Hasta en las obras posteriores de Louis Blanc y Pierre Joseph Proudhon encontramos elementos similares.

El socialismo *científico*. La *revolución copernicana* del pensamiento socialista fue realizada por Carlos Marx y Federico Engels. Marx nació en Tréveris, ciudad alemana próxima a Coblenza, y estudió en Bonn y Berlín, donde asimiló la doctrina filosófica de Wilhem Friedrich Hegel. Engels, dos años más joven que su amigo, hombre profundamente leal y humilde, lo acompañó y ayudó durante toda su vida. Marx alcanzó celebridad en 1847 al replicar a la *Filosofía de la miseria* (1846) de Proudhon con un despiadado opúsculo titulado *Miseria de la filosofía* (1847). Poco después, a petición de la flamante Liga Comunista, Marx y Engels escribieron en colaboración el *Manifiesto Comunista* (1847). Este famoso documento contiene, en sus 30 páginas, la esencia del pensamiento que ambos autores habrían de desarrollar a lo largo de una vasta producción. Fracasados los movimientos revolucionarios de 1848,

Marx buscó refugio en Londres, donde pasó el resto de su vida. Merced a la extraordinaria cantidad de datos y materiales que logró reunir, rebuscando durante muchas horas diarias en la biblioteca del museo Británico, pudo escribir libros como *Hacia una crítica de la economía política* y, sobre todo, *El capital*, su obra culminante considerada como la *Biblia* del socialismo. La doctrina de Marx, explicada en detalle en otros artículos de esta obra, afirma en síntesis que la evolución de la sociedad se explica en virtud de factores económicos; que la historia de todas las sociedades es la historia de la lucha de clases; que toda la riqueza es producida por el trabajo humano; que el trabajo está a merced del capitalista y el terrateniente que poseen los medios de producción; que el capital tiende a concentrarse en unidades económicas cada vez mayores, acelerando el proceso de explotación; que la sociedad capitalista, erigida por la burguesía, contiene el germen de su propia destrucción, que las clases capitalistas serán desalojadas del poder económico y político por una revolución social encabezada por el proletariado; que la violencia es el arma indispensable para el logro de este propósito; que después de un periodo intermedio, etapa indispensable de dictadura del proletariado se efectuaría la consolidación de la comunidad socialista. Marx afirmaba que sus doctrinas, a diferencia de las expuestas por los utopistas, se basaban en consideraciones científicas; la verdad es que hay en ellas, junto a cierta dosis de observación objetiva, gran cantidad de elementos proféticos que ninguna relación tienen con la ciencia. Como la mayoría de los profetas, Marx ganó millones de adeptos que poco o nada conocían de sus obras, y tuvo que soportar las interpretaciones contradictorias de sus partidarios. La principal controversia de sus primeros discípulos giró en torno a la estrategia y la táctica que se debería seguir para el logro de sus ideales. Entre las tendencias posteriores las ha habido abiertamente revolucionarias y moderadamente reformistas.

El socialismo posmarxista, La tercera etapa de la evolución del socialismo, iniciada en las últimas décadas del siglo XIX, ha visto la proliferación de las más diversas tendencias.

1) El fabianismo surgió en Inglaterra poco después de la muerte de Marx. Su nombre deriva del apellido del cauteloso general romano Fabio, famoso por sus campañas contra Aníbal. La Sociedad Fabiana fundada en 1883 ha agrupado a algunos de los intelectuales más prestigiosos de Gran Bretaña: Bernard Shaw, Herbert George Wells, Ramsay MacDonald, Sidney Webb y otros.

Los fabianos creen en la construcción gradual del socialismo, en la educación

Corel Stock Photo Library

Carlos Marx y Federico Engels fueron los principales promotores del socialismo.

económica y social del pueblo y en el desarrollo de la legislación social.

2) El revisionismo fue introducido en Alemania, hacia 1890, por Eduard Bernstein. Al igual que los fabianos, este autor consideraba que Marx se había equivocado en algunas de sus predicciones, sostenía los principios de educación, cooperación y cambio gradual, y ponía toda su esperanza en el proceso evolutivo de la democracia. Esta tendencia logró predominar sobre

los extremistas en todos los países, con excepción de Rusia.

3) La expresión *socialismo de Estado* abarca una serie de tendencias posmarxistas que propugnaron el aumento considerable del control estatal de la vida económica. Muchos de sus partidarios no son socialistas en el sentido estricto del término, pero otros creen, como los marxistas, en la necesidad de que el gobierno sea propietario de todas las empresas que posean gran poder económico.

4) El anarquismo, es, en rigor, la verdadera antítesis del socialismo. Pero muchos de sus partidarios se han nutrido con principios socialistas y por tal razón deben figurar en esta enumeración. El ideal de los anarquistas es la libertad total: se proponen acabar por completo con el Estado y todas sus instituciones coactivas, y destruir simultáneamente el sistema económico capitalista. Los anarquistas llamados filosóficos o individualistas (William Godwin, Aleksej Konstantinovich Tolstoi) defienden una política pacífica de no resistencia; los llamados terroristas (príncipe Alekseevich Kropotkin, Mihail Aleksandrovich Bakunin) son partidarios del empleo de tácticas revolucionarias. Esta tendencia sólo prospera en las primeras etapas del desarrollo industrial; tiende a desaparecer en los países de gran desarrollo económico.

Tendencias modernas. Típico producto del siglo XIX, el socialismo ha sufrido considerables modificaciones en la centuria actual. Al estallar la Primera Guerra Mundial, los diversos movimientos socialistas habían logrado ejercer un doble influjo: por un lado, dominaban el movimiento sindical, por el otro, se habían encarnado en

El socialismo tuvo como uno de sus principales representantes a Vladimir I. Lenin. Monumento en la plaza de Yereban, Rusia.

Corel Stock Photo Library

poderosos partidos políticos. El estallido de la primera contienda internacional dividió a los socialistas de todos los países en dos o más grupos antagónicos. Hasta entonces, todos los discípulos de Marx sostenían que los trabajadores no debían intervenir en guerra alguna, con la sola excepción de la lucha definitiva contra el capitalismo. Ésta era la actitud defendida por la Segunda Internacional, inaugurada en 1889. Pero la mayoría de los grupos socialistas europeos decidieron, contra todas las previsiones, apoyar a sus respectivos gobiernos. Los partidarios de las actitudes revolucionarias afirmaron que esta conducta dividía a la clase obrera y la llevaba a luchar contra sí misma. Después de denunciar a sus hermanos *conservadores*, estos partidarios del pensamiento más radical fundaron nuevos partidos con el nombre de comunismo.

En marzo de 1917 estalló en Rusia un levantamiento popular dirigido por los mencheviques o socialistas moderados, quienes lograron derribar el régimen zarista. Pero, el minúsculo grupo comunista, dirigido por varios agitadores de talento excepcional, derrocó a los socialistas en noviembre del mismo año. Así se inició uno de los experimentos sociales más gigantescos de la historia. En abierta contradicción con la tesis de Marx según la cual el socialismo sólo podría establecerse en los países que hubieran alcanzado la madurez capitalista, estos comunistas o bolcheviques establecieron una dictadura rígida y crearon en 1919 la Tercera Internacional, para coordinar la acción del socialismo extremista en el mundo entero.

Mientras tanto, los socialistas conservadores –botejados de *social-burgueses* por sus rivales– lograron conquistar el poder en los países escandinavos, Bélgica, Alemania, Austria y Gran Bretaña a partir de 1920. En todas partes intentaron llevar a la práctica un vasto programa de reforma social; pero, con pocas excepciones, antes de concretar sus programas de largo alcance fueron derrotados en las urnas por partidos conservadores o aniquilados por dictaduras militares y gobiernos autoritarios. La pugna entre las diversas tendencias del socialismo persiste, y a veces es mucho más dura que la librada contra el capitalismo, al que consideran enemigo común. *Véanse* ANARQUISMO; COMUNISMO; ECONOMÍA; FABIANA, SOCIEDAD; MARX, CARLOS.

sociedad. *Véanse* CIENCIAS SOCIALES; SOCIOLOGÍA.

Sociedad de Naciones. Organización internacional creada en 1920 y disuelta en 1946. Nació para solucionar en forma pacífica las disputas que surgieran entre los estados y para desarrollar la armonía entre las naciones. Aunque no tuvo el éxito que de ella se esperaba, la Sociedad de Naciones representó una etapa importante en el proceso, característico del siglo XX, que conduce a la unidad mundial. El nombre oficial de la entidad era en inglés *League of Nations* y en francés *Société des Nations*; en castellano se usaron indistintamente los términos Liga y Sociedad de Naciones.

Origen. La Sociedad de Naciones surgió inmediatamente después de finalizada la Primera Guerra Mundial, como resultado de la larga prédica realizada por pensadores y estadistas, y Woodrow Wilson, presidente de Estados Unidos. El Convenio constitutivo de la entidad, suscripto en 1919, estableció su organización, propósitos y componentes. Figuraron entre los miembros fundadores de la sociedad muchos países americanos, y los restantes se incorporaron más tarde con la excepción de Estados Unidos que no se adhirieron. El convenio, redactado cuando el mundo entero tenía puestas sus esperanzas en la naciente organización, estableció que la misma comenzaría a funcionar en Ginebra (Suiza) el 10 de enero de 1920.

Estructura. En sus 26 artículos, el pacto o convenio creaba tres órganos de gobierno: el Secretariado, la Asamblea y el Consejo. El Secretariado, integrado por varios centenares de personas que trabajaban en forma permanente, era el órgano administrativo y se encargaba de estudiar problemas económicos, sociales, políticos, de salud pública, de tránsito y comunicaciones y del desarme internacional. La Asamblea, que era el órgano deliberante, estaba integrada por representantes de todos los países, cada uno de los cuales tenía un solo voto y podía presentar proyectos y declaraciones de toda especie. El Consejo, órgano de carácter ejecutivo, realizaba las tareas de importancia decisiva; llegó a estar compuesto por seis miembros permanentes, que eran las llamadas grandes potencias, y nueve miembros no permanentes, elegidos cada tres años por la Asamblea de la entidad.

El Consejo, que debía tomar sus resoluciones por unanimidad, intervendría en todos los asuntos en que estuviese en juego la paz del mundo. Cualquier país que se considerara agredido o amenazado presentaba una queja ante el Consejo, el que trataba de arreglar el conflicto en forma pacífica. Este método sirvió para solucionar algunos conflictos menores, pero reveló su ineficacia en cuanto surgieron diferencias graves o agresiones directas. La razón es sencilla: la sociedad no tenía poderes y recursos para imponer sanciones y lograr que las mismas fuesen cumplidas; por lo demás, las prerrogativas de los miembros permanentes (las *grandes potencias*) eran excesivas y algunos países importantes (entre ellos Estados Unidos) no pertenecían a

la sociedad o se habían separado de ella. El mayor fracaso de la sociedad se produjo en 1935, cuando el régimen fascista de Italia emprendió la invasión de Etiopía; Haile Selassié, emperador del reino etiope, acudió ante la organización y logró que el Consejo declarase que la campaña italiana era una agresión e impusiera ciertas sanciones económicas de muy escaso alcance. Pero, Benito Mussolini hizo caso omiso de estas medidas y prosiguió con su agresión, hundiendo el ya menguado prestigio de la liga.

El caso de Etiopía, unido a las campañas de agresión que de inmediato se desencadenaron, convenció al mundo de que la sociedad no era un instrumento apto para mantener la paz. Los órganos administrativos de la entidad siguieron vegetando durante la Segunda Guerra Mundial y fueron disueltos en 1946, mientras surgía la Organización de las Naciones Unidas, entidad que trata de conservar los mejores elementos de la sociedad sin caer en sus errores.

Órganos auxiliares. La entidad poseía algunos organismos auxiliares que han demostrado tener gran vitalidad. El más importante es la Organización Internacional del Trabajo, que ha realizado una admirable y vasta labor al servicio de la justicia social en el mundo entero y prosigue su labor como organismo especializado de las Naciones Unidas. La Corte Internacional de Justicia, embrión de un poder judicial válido para toda la Tierra, también reanudó su labor, con una nueva estructura, al cabo de la Segunda Guerra Mundial. La Organización de Cooperación Intelectual, encargada de fomentar la ciencia, la educación y la cultura, preparó el terreno para la ulterior tarea de la Organización de las Naciones Unidas para la Educación, la Ciencia y la Cultura (UNESCO). Las comisiones encargadas de la salud humana, de las minorías étnicas y religiosas y de la cooperación económica realizaron también una labor meritoria. Aunque no pudo llevar a cabo una misión básica de asegurar la paz del mundo, la Sociedad de Naciones realizó una obra constructiva digna de encomio y contribuyó a preparar las condiciones espirituales e institucionales de una organización mundial basada en la fraternidad humana. *Véase* WILSON, WOODROW.

sociedad, islas de la. *Véase* TAHITÍ.

sociedad mercantil. *Véanse* COMPAÑÍA; ECONOMÍA.

sociedad protectora de animales. Es el nombre que adoptan muchas organizaciones dedicadas a evitar los daños que pudieran hacerse a los seres inferiores, en especial a los domesticados. La primera sociedad de esta clase se fundó en Inglaterra en 1824 y la segunda en Escocia en 1839. Henry Bergh, inspirándose en el ejemplo inglés, fundó otra en New York en 1866. Sus misiones más importantes son: recoger los animales perdidos o hambrientos; atender a los enfermos; propagar los sentimientos humanitarios impidiendo la crueldad con los animales; pronunciarse contra la riña de los gallos de pelea como espectáculo público, así como los combates que se organizan en los circos entre elefantes y tigres, o entre el toro de lidia y el tigre. En algunos países de Europa y América no se celebran corridas de toros por la influencia que ejercen estas sociedades, que en la actualidad funcionan en casi todos los países. *Véase* ANIMAL.

sociedad secreta. Agrupación de personas constituida según las reglas del más riguroso sigilo, y cuya finalidad puede ser política, religiosa o filantrópica. De orígenes antiquísimos (en la India y Egipto existían ya asociaciones sacerdotales de ese tipo), surgieron principalmente como consecuencia del ambiente hostil y autoritario de ciertos periodos históricos en que la libertad de asociación era reputada delito. Tuvieron gran apogeo en el siglo XVIII, pudiendo decirse que a ellas se debe en gran parte, la extensión del clima social que se creó en todo el mundo a raíz de la Revolución Francesa. Citaremos, entre dichas sociedades, la de los Carbonarios y Caballeros del Sol (en Italia), los Nuevos Iluminados y Simbolistas (en Francia), la Hetairia (en Grecia), la Sociedad de los Patriotas (en Varsovia), los Nihilistas (en Rusia), el KuKlux-Klan (en Estados Unidos) y la Francmasonería. *Véase* CAMORRA.

La sociedad protectora de animales tiene como función proteger la integridad de la fauna, tanto en peligro de extinción, como de los animales domésticos y en cautiverio.

sociología. Ciencia que trata de las condiciones de existencia y desenvolvimiento de las sociedades humanas. Estos fenómenos son muy complejos y su estudio requiere el auxilio de numerosas ciencias. Todas las manifestaciones de la vida del hombre, sus actividades profesionales, comerciales, culturales, políticas y religiosas son actos sociales, pues no se realizan en soledad, sino en relación con los demás hombres. El sociólogo debe tener en cuenta una gran cantidad de datos provenientes de muy diversas ciencias. Las sociedades varían, por ejemplo, unas de otras según que sus componentes vivan a orillas del mar, en un desierto o en una llanura muy fértil. El clima, la riqueza del suelo en minerales, la abundancia o la escasez de ríos navegables son también factores importantes. La sociología debe recurrir, pues, a las ciencias geográficas para explicar de qué modo esos factores influyen en el hombre. La economía de un pueblo, sus relaciones comerciales, el valor de su moneda tienen también influencia en la vida social. La raza, las costumbres, la organización de la familia son temas que estudia la antropología, pero muy importantes también para el sociólogo. Si éste quiere comprender hasta qué punto un fenómeno social de nuestro tiempo es original o derivado de otros, debe recurrir a la historia. El conocimiento de las ciencias de la cultura es también indispensable para quien desea estudiar las organizaciones sociales. La educación, las artes, las ciencias, la cultura en general y la religión modifican también esencialmente la estructura de la sociedad. Sin embargo, a pesar de necesitar del concurso de tan gran número de ciencias auxiliares, la sociología es una disciplina independiente, pues el tema de su estudio, la sociedad, no puede ser comprendido claramente si sólo se recurre a los métodos de otras ciencias. Los hombres no viven separados unos de otros, obrando con entera independencia entre sí, sino que luchan por los intereses y deseos comunes. Algunos autores afirman que en el hombre hay un verdadero instinto social, o sea que el ser humano busca naturalmente la compañía de sus semejantes. Los que sostienen que la solidaridad social es un instinto, nos muestran el ejemplo de muchos animales, que se agrupan

La sociedad protectora de animales supervisa que los espectáculos con animales no se efectúen de manera violenta.

naturalmente, para así defenderse mejor de los enemigos o para lograr con mayor facilidad el alimento. No es solamente el miedo al peligro, al hambre y la sed lo que lleva al hombre a asociarse con sus semejantes; pero es indudable que es uno de los motivos más importantes, principalmente en los primitivos pueblos prehistóricos. En las sociedades más evolucionadas, los intereses políticos, culturales y religiosos obran también como lazo de unión entre los hombres. Según algunos sociólogos, son realmente estos intereses los que mantienen la estabilidad de los grupos sociales; según otros, la cultura, la religión y la política no son más que consecuencia de los fenómenos económicos, que serían, en última instancia, los verdaderos fundamentos de una sociedad. Éstas y otras teorías han originado discusiones que se remontan a la antigüedad clásica. La organización social, sus cambios, su relación con el hombre, fue ya estudiada por los antiguos filósofos entre ellos Platón y Aristóteles. En los historiadores griegos, en el derecho romano, en los pensadores de la Edad Media y del Renacimiento, pueden encontrarse también numerosas reflexiones sobre la sociedad humana; pero, las ideas y observaciones de todos ellos se encuentran mezcladas con otras de índole religiosa y moral, ajenas a la verdadera sociología.

La palabra sociología fue creada en el siglo XIX por el filósofo francés Auguste Comte. Según este pensador, considerado comúnmente como el verdadero fundador de la ciencia sociológica, los fenómenos sociales más característicos, como las organizaciones familiar, nacional y política, son manifestaciones naturales de ciertos impulsos existentes en todos los hombres. Cualquier fenómeno humano tiene, según él, un significado social; no hay verdaderos intereses individuales; éstos no cuentan ante las ideas del deber y del altruismo, connaturales en todos los hombres. No es raro que Comte hiciera de su filosofía una especie de religión, ya que supone como fundamento de la sociedad el desprendimiento y la generosidad. La teoría que afirma el carácter instintivo y natural de los impulsos sociales ha tenido numerosos adeptos. Después de Comte volvió a ser enunciada por el filósofo inglés Herbert Spencer. Sin embargo, Spencer opinaba, no es el altruismo lo que une a los hombres en ciertos grupos estables, sino un impulso más instintivo, similar al de las plantas, que pasan de un estado de semilla a otro más complejo, en el que raíz, tronco, hojas, flores y frutos cumplen una función común: el sostenimiento y desarrollo del organismo entero. Los sentimientos humanos, la inteligencia de la raza o de algunos individuos alteran de un modo más o menos notable este desarrollo; pero también

influyen en él factores externos, como las condiciones climáticas, la fertilidad del suelo, etcétera. Esta teoría está influida indudablemente por las del naturalista inglés Charles Darwin, para quien los seres vivos evolucionan tanto por sus impulsos e instintos, como por la resistencia y dificultades que su desarrollo encuentra en la naturaleza.

Los sociólogos inmediatamente posteriores a Comte y Spencer no hicieron más que ampliar algunos de los puntos de las teorías sociológicas del altruismo y los instintos, dando más importancia ya a los factores externos, ya a los internos. Una revolución casi total fue introducida en esta ciencia por el filósofo alemán Carlos Marx. Según él, la evolución de la sociedad nace de la lucha entre las diferentes clases sociales formadas por la particular organización de las fuerzas del trabajo. Como, según Marx, los factores económicos materiales son los más importantes, sus doctrinas sociológicas merecieron el nombre de materialismo histórico. *Materialismo*, en cuanto son los factores materiales (medios de trabajo, inventos, máquinas, evolución de la misma economía) los que provocan el nacimiento de las clases y su antagonismo: *histórico*, en cuanto esta lucha se efectúa en la historia. Los comentaristas de Marx han exagerado, sin embargo, el materialismo de esta doctrina.

A las teorías sociológicas marxistas se oponen las llamadas liberales, cuyos orígenes pueden encontrarse en los filósofos del siglo XIX, quienes afirmaban que la sociedad está formada por una suma de individuos, cuyo valor moral e intelectual es superior al del Estado. La sociedad según ellos, progresaría indefinidamente si se dejara en libertad de acción a los hombres. Contra estas teorías individualistas, llamadas así porque conceden más importancia a los derechos del individuo que a los de la sociedad, aparecieron otras que afirmaban que los grupos sociales no están formados por una suma de individuos, pues tienen leyes psicológicas propias y reacciones originales. Esta sociología de las masas, cuyo representante más famoso fue el francés Gustave Le Bon, no aclara cómo de la unión de muchos individuos puede nacer una colectividad.

El sociólogo francés Gabriel de Tarde trató de resolver algunos de los problemas planteados por la sociología de las masas, afirmando que las reacciones de un pueblo eran similares a las de un individuo, pero más complejas. Las reacciones elementales que mueven la conducta del hombre son, según Tarde, la imitación, el antagonismo y la combinación de ambos. El antagonismo, por ejemplo, se revela, en el plano individual, en la ambición y la lucha personal; en el plano colectivo, en la revolución y la guerra.

Las teorías sociológicas del belga Émile Durkheim, se oponen claramente a las de Tarde. Según Durkheim, la vida individual es sólo un producto de la vida social. La división del trabajo, por ejemplo, da a cada uno de los trabajadores cierta característica individual, pero al mismo tiempo los une a la colectividad. Durkheim se ha distinguido también por haberse preocupado del método que debe usar el sociólogo en sus investigaciones. Así, por ejemplo, el método de razonamiento que se aplica en matemática no es apto para el estudio de la botánica, pues cada ciencia tiene su método particular. Para Durkheim, la sociología tiene un método propio, ya que también ella es una ciencia. Este método consistiría en estudiar las formas sociales más complejas a partir de las más simples. Como la sociedad más primitiva es la horda, todos los grupos sociales, aun los actuales, podrían explicarse como una agrupación de hordas. El sociólogo contemporáneo Max Weber parte, en cambio, no de las formas primitivas sino de otras ideales (que no existen en la realidad) y clasifica y estudia los diversos grupos sociales por su semejanza o desemejanza con esos modelos. Otros afirman que como la sociedad está formada por hombres, su estudio debe seguir los métodos de la psicología, que es la ciencia particular del hombre. Por su parte, las diversas corrientes filosóficas contemporáneas aplican a la sociología sus peculiares métodos de investigación, con lo que han dado lugar a la formación de diferentes escuelas sociológicas.

Socompa. Volcán de América del Sur (6,031 m de altura) situado en la frontera entre Argentina y Chile. El paso de Socompa, a 3,858 m, entre el volcán de Socompa y el cerro Socompa Caipis (4,878 m) lo utilizan el ferrocarril Salta-Antofagasta y una carretera que bordea aproximadamente el trazado de la vía férrea.

Soconusco. Región de México que abarca la parte suroriental del estado de Chiapas. Se extiende entre las estribaciones de la Sierra Madre de Chiapas hasta la costa del Pacífico y alcanza hacia el este la frontera guatemalteca. Cultivo de café y cacao.

Conquistada por Pedro de Alvarado (1523) cobró particular importancia por su cultivo de cacao de gran calidad. Zona de litigio entre México y las provincias Unidas de Centroamérica, fue ocupada por tropas guatemaltecas en 1825. Se rigió por sus autoridades municipales hasta 1842, en que fue reincorporada definitivamente a México.

Socotora. Isla de Yemen en el océano Índico, frente a la costa oriental de África, al sur de Arabia y a la entrada del Golfo de

Adén. Mide 3,626 km² y es de forma irregular y montuosa. Su cumbre más alta, el yébel Hajir se eleva a 1,503 m. Está rodeada de arrecifes y bajos, y entre ella y el cabo Guardafuí (África) se hallan, con otras más pequeñas, las islas Abd-el-Kuri y de los Hermanos. Goza de clima tropical y la producción se reduce a aloes, dátiles, incienso y ganado lanar y cabrío. La pueblan unos 15,500 habitantes, la mayoría árabes. No fue desconocida para los geógrafos antiguos, que la llamaban Dioscoris. Pasó a poder de Inglaterra en 1886. En su capital, Tamrida, residía el representante británico. Hasta 1967 dependió administrativamente del protectorado británico de Adén (llamado Protectorado de Arabia del Sur desde 1963), y en ese año, cuando Adén alcanzó su independencia con el nombre de República Popular del Yemen Meridional, quedó incorporada al nuevo país.

Sócrates (470-399 a. C.). Filósofo griego y educador de la juventud de Atenas. Fue un genio extraordinario, tanto por sus elevadas ideas como por las cualidades de su carácter. Ejerció gran influencia en la filosofía griega, y su fama ha sido considerable en todos los tiempos. No dejó nada escrito, pero sus doctrinas se conocen a través de Platón, el más destacado de sus discípulos, quien continuó y amplió su obra. Poco se sabe de la infancia y juventud de Sócrates. Se cree que, durante algún tiempo, fue escultor, como su padre, mas pronto reveló sus dotes y se dedicó al estudio de las ciencias. Lo que más le preocupaba era la moral y el espíritu humano, y de aquí su máxima: *Conócete a ti mismo*. La escuela de Sócrates fue la ciudad de Atenas, encontrándosele en las calles, mercados y gimnasios, hablando al pueblo y prodigando sabios consejos y buenos ejemplos. Bondadoso y sencillo, era maestro muy querido de los jóvenes atenienses, quienes solían reunirse a su alrededor para discutir problemas sociales y morales. Daba sus lecciones dialogando con sus oyentes, haciéndoles una primera pregunta, y, según la respuesta que le daban, volvía a preguntar, exigiendo definiciones cada vez más precisas, a fin de conducir el pensamiento del discípulo, para que éste hallara por sí mismo las ideas.

Modesto, como todo verdadero sabio, afirmaba: *Sólo sé una cosa, y es que no sé nada*, y se complacía en confundir a los vanidosos sofistas que pretendían saberlo todo, dirigiéndoles hábiles preguntas por medio de las cuales los llevaba a contradicciones y falsedades, obligándolos a reconocer que sus ideas eran confusas y sus conocimientos escasos. Dotado de una inteligencia que le hubiera permitido hacer una brillante carrera política, prefirió seguir siendo pobre para no ir contra su concepto de la verdad y de la justicia. Fue buen ciudadano y valiente soldado, como lo demostró en varias batallas, especialmente en la de Delium, donde salvó la vida de su discípulo Jenofonte.

Era un discutidor incansable, censuraba a los ambiciosos y el despotismo de los gobernantes demagogos, y se rebeló contra los templos y dioses de entonces, pues creía en un solo dios. Todo esto le atrajo numerosos enemigos que lo acusaron de impío y de corruptor de la juventud, y pidieron que fuese condenado a muerte. Se defendió a sí mismo con un discurso en el que mantuvo sus ideas, no quiso pedir perdón a quienes siempre había despreciado, y los jueces lo condenaron a beber la cicuta, veneno que se usaba en aquel tiempo para las ejecuciones. Por no desobedecer las leyes, rechazó los medios que le ofrecieron sus amigos para ayudarlo a escapar de la prisión, y pasó sus últimos momentos en su compañía. Cuando le presentaron la copa con el veneno lo tomó tranquilamente, y siguió conversando y consolando a sus discípulos, que lloraban y gemían. Se tendió en el lecho y murió con absoluta serenidad.

Soddy, sir Frederick (1877-1956). Químico inglés que, junto con sir Ernest Rutherford, investigó la radiactividad. Estudió en la Universidad de Oxford y fue catedrático en las universidades de Montreal y Londres, y finalmente en Oxford. Colaboró en el desarrollo de la teoría de la desintegración atómica de los elementos radiactivos. Descubrió los isótopos, que son átomos del mismo elemento con pesos diferentes. Se le otorgó el Premio Nobel de Química en 1921.

Söderblom, Nathan (1866-1931). Teólogo protestante sueco. Profesor de teología comparada en la Universidad de Leipzig. Arzobispo de Upsala y primado de la Iglesia sueca desde 1914. Jefe del Movimiento Ecuménico y presidente de la Conferencia eclesiástica mundial celebrada en Estocolmo en 1925. Obtuvo el Premio Nobel de la Paz en 1930. Es autor de *Las religiones de la Tierra* y *Estudios sobre Lutero*.

sodio. Elemento químico. Segundo del grupo IA (metales alcalinos) del sistema periódico de los elementos. Es el más abundante del grupo. Sólido, blanco, ligero, muy activo. Símbolo Na, número atómico 11 y peso atómico 22,997.

Algunos compuestos de sodio son conocidos o utilizados desde la más remota antigüedad. Tal ocurre con el cloruro de sodio, sal común, de gran importancia en la alimentación animal, o el nitrato y el carbonato, este último como residuo inorgánico de las plantas marinas. Durante muchos años se creyó que la sosa (hidróxido de sodio) era una sustancia elemental, debido a que su descomposición resultaba imposible, pero en 1807 sir Humphry Davy logró aislar el sodio, precisamente a partir de la sosa, mediante electrólisis. Este mismo método, sucesivamente mejorado, ha sido utilizado durante mucho tiempo para la obtención del sodio metálico.

Por su extraordinaria reactividad, el sodio no existe en estado metálico en la Tierra, pero forma gran número de sales, simples o dobles, neutras o ácidas, que constituyen varias rocas minerales: ciertos feldespatos como la albita (silicatos de aluminio y sodio), algunos anfíboles y zeolitas (todos ellos silicatos), la criolita, la sodalita, el bórax carbonato y, sobre todo, el nitrato de sodio, y la sal común o sal gema, el mineral sódico más abundante. La índole soluble de este último compuesto hace que el agua de mar lo contenga como soluto más abundante (representa 70% de las sustancias disueltas). En el conjunto de la corteza terrestre es el sexto elemento por su abundancia relativa, detrás del oxígeno, el silicio, el aluminio, el hierro y el calcio.

Para su obtención en estado puro se recurre a la electrólisis, procedimiento empleado por Humphry Davy, que consiste en hacer pasar una corriente eléctrica por un compuesto de sodio, la cual separa el sodio de los demás elementos. Al realizarse el proceso es necesario mantener el sodio puro aislado del aire y del agua, pues este metal tiene la propiedad de mezclarse rápidamente con el oxígeno, formándose hidróxido de sodio. Además, si el líquido tiene temperatura alta, la reacción es violenta y el calor engendrado hace arder el hidrógeno del agua.

Castner perfeccionó el método de Davy empleando una célula formada por dos cilindros, uno hueco, el ánodo, y en su interior uno sólido, el cátodo, donde ocurre la reducción del ión sodio. Entre los dos electrodos se pone un diafragma para impedir la reacción entre los productos desprendidos en ambas superficies. Este método se emplea poco en la actualidad por haber sido sustituido por el de Downs, basado en la electrólisis del cloruro sódico fundido. Aunque la temperatura de fundición es mayor que en el método Castner, la materia prima es mucho más barata.

Las propiedades del sodio son tan similares a las del potasio, que se llama comúnmente a ambos *los gemelos de la química*. También, como el potasio, este elemento es esencial para la vida de los vegetales, por lo que suele usarse como fertilizante. Los usos industriales del sodio, puro o con otros elementos, son muy numerosos: se utiliza principalmente en tenería, en la fabricación de vidrio, papel y jabón, en la industria fotográfica, en la fundición de oro, en la elaboración de productos sintéticos, en medicina, en la preparación y conservación de elementos.

El sodio metal se usa como reactivo de laboratorio y en la preparación de la sodamida y el cianuro sódico. Se emplea también como desoxidante en metalurgia; en síntesis, por su carácter reductor, se le emplea como catalizador y para preparar aleaciones con distintos fines: con potasio forma aleaciones líquidas, como intercambiadores de calor en la industria nuclear y en aviación.

Sodoma. Ciudad de Palestina, situada en el valle de Siddim. Según investigaciones arqueológicas se supone que estaba a orillas del Mar Muerto. Las otras cuatro ciudades de este valle eran Gomorra, Adnía, Seboyim y Segor, y el lugar donde estaban situadas se designa en el Génesis como el *jardín del Señor*. Según se narra en el Antiguo Testamento, Dios destruyó Sodoma, Gomorra y las demás ciudades del valle por los vicios en que habían caído sus habitantes.

Sodoma, Giovanni Antonio Bazzi, llamado il (1477-1549). Pintor italiano. Aunque discípulo de Leonardo da Vinci, la composición de sus cuadros no es perfecta; pero, es notable en cambio la animación que supo dar a las figuras. Siena fue la ciudad más propicia para su espíritu, inquieto y refinado. Allí se casó, vivió y fue comprendido. Dejó en la iglesia de Santo Domingo su famoso *Éxtasis de Santa Catalina*; el *Cristo en la columna*, en la Academia de la ciudad; el *San Sebastián*, de singular belleza, se encuentra hoy en la galería Pitti. En el claustro del convento de Monte Oliveto, donde vivió cinco años recluido, dejó los veintiséis frescos insuperables de la Vida de *San Benito*.

Soekarno, Achmed (1901-1970). Político indonesio. Durante la Segunda Guerra Mundial los japoneses apoyaron su designación como presidente de Indonesia. Al terminar la contienda se resistió tenazmente al dominio holandés y en 1949, cuando se constituyó Estados Unidos de Indonesia, fue nombrado su primer presidente y como tal reconocido por Holanda. En 1963 se le declaró presidente vitalicio, carácter del que fue desposeído tras el golpe militar de 1966. En 1967 se le retiraron todos los poderes y se le confinó a vivir bajo régimen de residencia vigilada, primero en el palacio de Bogor y después en una residencia más modesta de Yakarta, donde falleció a los 69 años de edad.

Sofía. Capital de Bulgaria y principal centro de comunicaciones del país. Se alza en la confluencia de los ríos Vtadaika, Kiressena y Boiana. Cuenta con refinerías de azú-

car y de aceites vegetales, tejedurías de seda, algodón, lana, fábricas de cerveza, jabón y tabaco, industrias metalúrgicas y del caucho, etcétera. La ciudad de Serdica, fundada por Trajano en el año 100 de nuestra era, fue el origen de Sofía. Destruida por los hunos en el año 447, la ciudad, reconstruida, fue ocupada por los búlgaros. En 1018 pasó a poder de Bizancio, con el nombre de Triaditza. Los turcos la ocuparon de 1382 a 1878, salvo periodos en que estuvo ocupada por húngaros y rusos. En 1878, al librarse Bulgaria de los turcos, Sofía pasó a ser su capital. Tiene numerosos templos cristianos y más de 40 ricas mezquitas. Su población es de 1.127,436 habitantes.

Sofía de Grecia (1938-). Hija del rey Pablo I de Grecia, contrajo nupcias con Juan Carlos de Borbón y Borbón en 1962. De esta unión han nacido tres hijos: Elena, Cristina y Felipe. En 1969 ella y su esposo adoptaron el título de príncipes de España y, desde el 22 de noviembre de 1975, son reyes de España.

sofisma. Término que en la filosofía griega y la escolástica se refiere a la argumentación sólo verdadera en apariencia. Mediante el sofisma se pretende confundir al adversario. Se utiliza como equivalente de falacia y también de paralogismo, aunque en este ultimo no hay intención alguna de engaño, mientras si que la hay en la anterior. Según Aristóteles existen dos tipos de sofismas: los lingüísticos y los extralingüísticos. Los primeros dependen del uso incorrecto o ambiguo del lenguaje, mientras

que los segundos podrían calificarse como de tipo lógico en la misma argumentación.

sofista. En Grecia se llamó así a todo el que se dedicaba a la filosofía y hacía profesión de enseñar por remuneración la sabiduría y la elocuencia. Platón criticó acerbamente la tendencia de los sofistas a engañar con razonamientos falsos de aparente veracidad, y desde entonces se sigue utilizando el término en sentido despectivo. Sócrates también los combatió. Ambos identificaron la escuela sofista de Atenas con la charlatanería, que lo mismo defiende una opinión que otra. Figuras principales de la misma fueron Protágoras, Pródico, Hipias y Gorgias.

Sófocles (496-406 a. C.). Poeta trágico griego, que nació en Colona, cerca de Atenas. Recibió una educación esmerada y Lampros lo inició en la poética y la música. A los 15 años dirigió el coro de los adolescentes que cantaron el himno triunfal por la victoria de Salamina. A los 27 años, hizo oposición al premio de tragedia y triunfó frente al mismo Esquilo. Obtuvo los primeros puestos en otros certámenes y llegó a ser el poeta más querido de Atenas por su arte, su amabilidad y buenas cualidades personales. Fue amigo de Pericles y de Herodoto y se dice que ocupó el cargo de estratega y mandó con aquél la expedición contra Samos, si bien no mostró grandes dotes militares. De las 113 a 123 obras que se supone compuso, han llegado hasta nosotros siete: *Áyax, Antígona, Electra, Edipo Rey, Las triquinianas, Filotectes y Edipo en Colonna*, estas dos últimas compuestas

Templo de Alexander Nevsky en Sofía. Bulgaria.

Campo de soya, alimento de gran importancia en algunos países de Asia.

cuando contaba más de 80 años, pues conservó hasta su muerte la plenitud de su genio. Se afirma que murió de la alegría que le causó el triunfo de su *Edipo*. En 1911 se descubrió otra obra que se le atribuye: Los *rastreadores*. Con Sófocles la tragedia hizo grandes progresos: introdujo un actor más, llegando a ser tres los personajes, disminuyó el valor del coro, buscó el principio de la acción en el hombre mismo, y emancipó de los mitos a la tragedia. Sus héroes son humanos; sus dramas, pinturas psicológicas. Dio naturalidad, variedad y agilidad al lenguaje trágico. Su estilo es elegante, rico y poético y su diálogo vigoroso. El fondo de sus poesías es pesimista. Una de sus frases más repetidas es aquella de que "lo mejor para el hombre sería no haber nacido y, en otro caso, morir joven".

softball. Deporte muy parecido al beisbol. Se practica en un terreno de menores dimensiones que el de beisbol y se utiliza un bat más ligero y una pelota de mayor tamaño. Tanto el *softball* como el beisbol se rigen básicamente por las mismas reglas, pero en el *softball* la pelota se lanza por debajo del brazo y los jugadores embasados no se pueden apartar de la base en tanto no haya jugada. Es deporte popular en Estados Unidos, tanto entre los hombres como en las mujeres, ya que lo practican alrededor de 30 millones de personas.

software. Conjunto integrado por los programas, métodos, reglas y documentación en general que son necesarios para las computadoras y su equipo anexo para tratar la información.

soja o soya. Planta leguminosa oriunda de Asia oriental. En China y Japón ya se la conocía y cultivaba desde mucho antes de la época de que datan sus primeras noticias, las cuales se remontan al año 2838 a. C., fecha en que Sheng Nung, emperador de la China, escribió de ella una acabada descripción. Por sus muchos usos y su alto valor nutritivo, ha constituido, durante siglos, la base de la alimentación de esos pueblos. Introducida en Occidente, su cultivo fue destinado, en un principio, a la alimentación de los animales de granja, y sólo en época reciente se le han empezado a dar numerosas aplicaciones industriales, incorporándose, además, a la mesa familiar como alimento. Existen áreas sembradas en muchos países de Europa, aunque no ha adquirido allí verdadera importancia económica todavía. Otro tanto puede decirse de los países de Sudamérica y Sudáfrica. Su cultivo principal radica en Estados Unidos, China, Manchuria, Japón, Corea e Indonesia. Pese a haber sido introducida en 1804, sólo adquirió desarrollo en Estados Unidos durante el siglo actual, cultivándose, ahora, más de cien variedades.

Descripción y variedades. Procede de una planta silvestre de Asia oriental. De hojas gruesas y ramas extendidas, puede alcanzar más de 1 m de altura. Tanto los tallos como las hojas y vainas se hallan recubiertos de una pelusa gris o marrón. Las flores, pequeñas, de color blanco o púrpura, nacen en las inserciones de las hojas en el tallo. Cada vaina contiene de dos a cuatro semillas, variando su color, según las clases, desde el amarillo pálido al gris, pardo o negro. Las semillas, redondas u ovaladas, parecidas al frijol, pueden ser amarillentas, verdes, pardas, negras o manchadas. La mayoría de las variedades existentes en la actualidad proceden de Oriente y no es mucho, en realidad, lo que se ha hecho para obtener otras nuevas por cruzamientos. Cada agricultor debe elegir la variedad adecuada para los fines a que destina el cultivo y para las condiciones de clima y de suelo en que éste deberá desarrollarse, pues mientras algunas proporcio-

La soya es un alimento con una antigüedad de cási 5,000 años.

soja o soya

nan un mayor rendimiento de aceite, otras resultan más aptas para la alimentación de hombres o animales.

Usos. Debe distinguirse entre los usos de la planta y los del grano. La planta puede utilizarse como forraje y en ciertos casos, puede aventajar a la alfalfa y el trébol. El grano de la soja es una de las principales fuentes alimenticias de los orientales desde hace siglos. Su consumo se extendió en el mundo occidental en el transcurso de la Segunda Guerra Mundial, como resultado de la escasez de alimentos. La soja tiene más proteínas que la carne de vaca, más calcio que la leche y más lecitina que los huevos; es rica en vitaminas, sales minerales y ácidos, y como posee poco almidón, une a su alto valor nutritivo la ventaja de ser fácilmente digerible. Del grano se obtienen dos valiosos subproductos: el aceite y la harina de soja. El grano contiene de 12 a 26% de aceite. La harina, rica en proteínas (28 a 56%), es un inapreciable alimento para el ganado, pudiendo prepararse también para el consumo humano en los productos de panadería. El aceite, clasificado como aceite secante, es usado en la industria para la preparación de pinturas y barnices.

Cultivo. El crecimiento de la soja se verifica con facilidad si se toman las precauciones ordinarias en la preparación del suelo y elección de las variedades adecuadas. Las zonas más aptas para su cultivo son aquéllas donde mejor crece el maíz. En terrenos poco fértiles es recomendable el uso de abonos. Donde no ha crecido antes, debe inocularse el suelo con la bacteria fijadora del nitrógeno, pues de otro modo se pierde la propiedad nitrificante de esta legumbre.

Producción. La cosecha anual de soja en todo el mundo alcanza más de 95 millones de toneladas. La mayor producción corresponde a Estados Unidos con 54.648,000 ton. El segundo país productor a nivel mundial es Brasil (15.537,000 ton). La producción total de estos dos países representa casi 90% de la mundial. La producción conjunta de China, Indonesia y la República de Corea representa 5% de la mundial. Otros países productores de soja en menor escala son Argentina, Canadá, Paraguay y México.

Los numerosos usos industriales de la soja fueron los responsables de que Estados Unidos aumentara su cultivo, convirtiéndose así en el mayor productor.

Sojo, Vicente Emilio (1887-1974). Compositor venezolano. Autor de una amplia producción, de la que destacan obras religiosas de gran calidad como *Misa cromática* y *Requiem in memorien patriae*. Recopiló en todo el país cantos tradicionales de la época colonial. Fue director de la escuela de música José Ángel Lamas.

Sol. Astro luminoso, centro de nuestro sistema planetario, que desde la Tierra se percibe como el más potente foco de luz del firmamento y que por razón de su masa y fuerza de atracción mantiene girando a su alrededor a los planetas de nuestro sistema y a un gran número de asteroides y de meteoros. Es en verdad una estrella más bien pequeña comparada con otras. Tiene luz propia, y si a nuestros ojos parece como una gigantesca bola de fuego, ello se debe a que es la más próxima a la Tierra. Su luz nos alcanza en poco más de 8 minutos, mientras la luz de Beltegeuze –estrella de la constelación de Orión incomparablemente más grande que el Sol– emplea 300 años en llegar a la Tierra. Sin embargo, al expresar en medidas humanas la distancia que media entre el Sol y la Tierra, sentimos que la imaginación se resiste a concebirla. Un avión que volara a la velocidad del sonido 1,200 km/hr- tardaría unos 14 años en su solo viaje de ida. Hablando en cifras, se sabe que la distancia media del Sol a la Tierra es de 149.504,000 km. Cabe preguntarse cómo ha sido posible determinar esta cifra con tanta exactitud. Su explicación pertenece a las altas matemáticas, que utilizan la paralaje solar, o sea el ángulo que formaría el radio terrestre visto desde el Sol. Para reducir luego esta distancia a kilómetros se toma como base la distancia de la Tierra a Eros, pequeño asteroide que es el que más se acerca a nuestro planeta, proporcionando una excelente base de medida. Pero, lo que nos dará una idea más impresionante de lo lejos que estamos del Sol es considerar su volumen –más de 1 millón de veces el de la Tierra– y su masa más de 300 mil veces mayor que la terrestre. Ello no obstante, lo vemos en el cielo no más grande que la Luna la cual es más pequeña que la Tierra, y está mucho más cerca de ésta. ¿Cómo, desde tan lejos, el hombre ha podido conocer la masa del Sol? Se ha comprobado que nuestro planeta, debido a la fuerza de gravitación, está desviándose continuamente de la línea recta que seguiría sin la atracción de esa fuerza. Esta desviación es de 2.82 mm/seg, tiempo que emplea en recorrer 30 km. Ahora bien, la masa del Sol tiene que ser 332,000 veces la de la Tierra para ocasionar en ella tal velocidad de caída. De este modo ha podido también determinarse que el diámetro del Sol es 1.392,000 km, o sea casi 110 veces el diámetro terrestre. Usando una imagen de Herbert George Wells, diremos que si la Tierra fuera una bolita de 25 mm de diámetro, el Sol sería un globo con un diámetro de casi 3 m, o sea, llenaría el espacio de un dormitorio común. En razón de estas dimensiones, la fuerza de gravedad del Sol es 28 veces la gravedad de la Tierra, de modo que un hombre de 70 kg trasladado al astro rey pesaría 2 ton. No sería capaz de levantar una mano o mover

un pie, aunque no necesitaría, claro está, de tales ejercicios, pues se evaporaría en el acto, debido a las enormes temperaturas solares: 6,000 °C en la superficie y unos 10 millones en su interior.

Constitución del Sol. Es una esfera, como podemos deducirlo a simple vista, y en ella se encuentran más o menos los mismos elementos que en la Tierra: hidrógeno, helio, nitrógeno, oxígeno, calcio, magnesio, hierro y gran parte de los demás metales. Pero, dista mucho de tener la solidez de la esfera terrestre. Si recortáramos del Sol un volumen igual al volumen de nuestro planeta y comparásemos sus pesos, veríamos que la porción solar sería mucho más liviana. Esto se debe a que en parte alguna del Sol los elementos conocidos se hallan en estado sólido ni líquido. Todo en él –como ocurre en cualquier estrella de su tipo– es un tumultuoso vórtice de gases supercalentados. El mismo tungsteno, metal que por su resistencia a las altas temperaturas se emplea en los filamentos de las lámparas eléctricas, se evaporaría en la superficie del astro, pese a que es su parte más fría. Por eso la densidad del Sol es de 1.41 veces la del agua, mientras la de la Tierra es de 5.5 veces. Esta naturaleza gaseosa del Sol queda bien demostrada en su movimiento de rotación. Porque –pese a su fijeza con respecto a nosotros– tiene como la Tierra un movimiento en torno a su eje, que difiere del terrestre en que su velocidad no es igual en todas sus partes. Como todo en él, es un fluido incandescente, el Ecuador gira más rápido que los polos. En esa zona el periodo de rotación dura 24.6 días terrestres, mientras a la latitud de 35° dura 26.6; el Sol tiene además un movimiento de traslación junto con el grupo de estrellas de que forma parte, y arrastra con él a todos los planetas de su sistema. Por eso, cada vez que en la Tierra celebramos un Año Nuevo no lo hace en el mismo sitio del espacio en que nos hallábamos el año anterior en igual fiesta, sino a unos 680 millones de km más lejos. Quizá demos una vuelta completa a la galaxia en unos 200 millones de años. Es posible discernir algunos rasgos de la fisonomía solar, aunque a simple vista nos resulta muy difícil debido a que el fulgor de su superficie nos ciega por sus vapores incandescentes, fuente de luz y calor. Con todo, al alba y al atardecer podemos ver esa misma superficie con aspecto de un disco rojo al que los astrónomos llaman fotosfera. Sobre ésta distinguimos las capas exteriores, formadas casi totalmente por hidrógeno y calcio vaporizado, que, a causa de su color, ha sido llamada cromosfera. Hay aún una nueva envoltura –sólo visible durante los eclipses totales–, que configura un hermoso halo llamado corona. En estos eclipses se perciben también grandes remolinos o explosiones de hidrógeno y vapores de calcio, visibles como rojizos relieves nebulosos que reciben el nombre de protuberancias solares. Por último, consignaremos un fenómeno que, desde Galileo, viene apasionando a la astronomía y cuya influencia sobre la Tierra y sus planetas hermanos parece ser muy apreciable: la presencia de manchas en la superficie solar.

Manchas solares. Galileo, a comienzos del siglo XVII, observó las manchas que surcan la cara del astro y señaló que aparecían y se disolvían continuamente, que unas duraban más que otras, que en cierto lapso algunas se subdividían en dos o más, mientras otras se juntaban para formar una sola. Al observar que su posición cambiaba de día en día, con ritmo lento y continuo, declaró que el Sol tenía un movimiento de rotación semejante al de la Tierra. La moderna astronomía no ha hecho sino confirmar con mayor precisión su descubrimiento. En efecto, con frecuencia la fotosfera presenta las pequeñas manchas oscuras de las manchas solares. A veces se advierten a simple vista en horas y condiciones apropiadas. Constan de una parte central, casi siempre negra, llamada umbra, y de la penumbra, parte menos oscura. En realidad son muy brillantes, y si aparecen oscuras es por contraste con el disco solar. Rara vez se presentan fuera de la fotosfera. Aparecen individualmente, o por pares, o por grupos, y duran un determinado espacio de tiempo, para luego desaparecer. Si se efectúan observaciones prolongadas es fácil advertir cierta regularidad y ritmo periódico del fenómeno. Esto fue bien observado por Schwabe en 1843. Sus sucesores han llegado a establecer que estos periodos son muy definidos y tienen carácter cíclico, transcurriendo poco más de 11 años entre su máxima y su mínima. En 1908, George Ellery Hale, teorizando sobre la naturaleza de estas manchas, dijo que eran tormentas ciclónicas de gas hidrógeno continuamente desatadas en la atmósfera solar y cuyas características ofrecen analogías con los ciclones tropicales de la Tierra. Lo cierto es que son el centro de potentes campos magnéticos que influyen sobre el magnetismo terrestre. Esto resulta evidente si se considera que la variación que se advierte en el magnetismo de nuestro planeta es mucho mayor durante los periodos de manchas solares máximas que durante las mínimas.

Energía solar. El notable astrofísico Hans Bethe sostiene que el Sol es una gigantesca pila atómica en la que continuamente los átomos de hidrógeno –el elemento más simple de la esfera solar– se están transformando en átomos de helio, elemento que le sigue en abundancia y complejidad. La energía empleada en este proceso –cuya extinción puede ocurrir dentro de unos 10 mil millones de años– es enorme y sólo 3%

El Sol es una estrella enana que permite la vida en el planeta Tierra, tanto en los mares como en tierra firme.

de ella se difunde por el espacio en forma de calor y luz. De este 3% la Tierra, dado su tamaño y la gran distancia a que se encuentra, recibe sólo 2 billonésimas partes. Ellas bastan, sin embargo, para evaporar anualmente 480 millones de toneladas de agua en los océanos y ríos, vapor que sube a condensarse en nubes a una altura de casi 2 km y se resuelve luego en las lluvias fecundantes, dando al planeta la totalidad de su vegetación y dejando aún libres millones de caballos de fuerza en los grandes cursos y caídas de agua.

A una altura de 45 km la atmósfera es electrizada en alto grado –o sea ionizada– por los rayos ultravioleta del Sol, que proporcionan un techo en el que rebotan las ondas de radio, haciendo así posible las radiocomunicaciones. No obstante, la mayor parte de los rayos ultravioleta y de otros de longitud de onda aún menor son absorbidos por la capa de ozono de la atmósfera, y si esto no ocurriera sería dudoso que existiera forma alguna de vida. La muy pequeña cantidad de luz ultravioleta que atraviesa este escudo es la que nos proporciona la vitamina D, tan preciosa para nuestra nutrición y salud corporal. Muchas otras radiaciones letales o nocivas son también absorbidas por la capa de ozono. Se sabe que cada metro cuadrado de nuestro suelo calentado por el Sol, puede proporcionarnos una energía de medio caballo de fuerza, y muchos suponen que ésta será la hulla de oro del porvenir. El reflector de John Ericsson, el motor solar de Pasadena (California), y la máquina solar de Charles G. Abbot constituyen los primeros jalones en el aprovechamiento industrial del astro rey, que hoy aparece como

una posibilidad cada vez más próxima en los modernos proyectos de ingeniería.

El Dios-Sol. Desde la más remota antigüedad el Sol ha sido objeto de adoración religiosa por los pueblos más heterogéneos y distantes, que le han erigido templos y lo han ensalzado en sus himnos. Fue el Osiris de los egipcios; el Febo o Apolo de la mitología clásica, el Inti y el símbolo exterior de Pachacamac –que anima y vivifica al universo– bajo los incas del antiguo Perú. Acaso sea este último su pueblo más devoto, como que sus reyes se decían descendientes de Manco Capac y Mama Occllo, hijos del Sol, que recibieron de su *padre* la misión de fundar el Imperio. *Véase* SISTEMA SOLAR.

sol. Unidad monetaria de Perú. Se divide en cien centavos. Según la ley monetaria de 1931, el sol de oro equivale a 42.12 cgr de oro fino, aunque no existen soles de oro en circulación. El sol de plata se acuñó en monedas de un sol y de medio sol.

Sol, danza del. Importante ceremonia practicada por numerosas tribus indígenas habitantes de las extensas praderas de Norteamérica. La significación básica de esta ceremonia parece asociarse a la reanimación de la naturaleza durante el solsticio de verano. Se trata de vencer, a través del rito, los elementos cósmicos negativos. En los últimos días de la ceremonia se construye una gran estructura en el centro del campamento y en el interior de la misma se erige un poste del que cuelgan reatas con ganchos, los cuales se introducen en las partes blandas del pecho. Los hombres, sujetos de esta manera, comienzan a bailar y tocar silbatos hechos de huesos de alas de águilas. Se entonan cantos dedicados al Sol y se procede a pedir los favores deseados.

La representación de la danza del sol fue prohibida por los misioneros cristianos quienes vieron en ella una tortura de excesiva crueldad. En la actualidad, la danza del Sol se ha convertido en algunos lugares en un espectáculo público para obtener ganancias.

sol de medianoche.

Fenómeno natural que permite contemplar, desde determinadas regiones del globo, el sol que brilla en horas de la noche. Ello es debido al hecho de que el eje de rotación de la Tierra se halla inclinado en relación con el plano que sigue su trayectoria alrededor del Sol. En las proximidades de los círculos polares (ártico y antártico) puede ya observarse ese curioso fenómeno. En el Hemisferio Norte, a las 0 horas del 21 de junio (solsticio de verano) en Leningrado, por ejemplo, hay luz suficiente para poder leer o escribir. Desde Finlandia y Suecia, así como desde todos los países situados al norte del paralelo 60, puede contemplarse en determinada época del año el sol de medianoche, pero donde se goza plenamente de ese espectáculo es en el Cabo Norte en Noruega, en el que el astro brilla sin interrupción desde el 12 de mayo al 29 de julio de cada año. Anualmente, el disco del Sol, total o parcialmente, permanece seis meses girando sobre el horizonte en el Polo Norte, y otros seis meses en el Polo Sur. *Véase* SOL.

Sol, piedra del.

Llamada también calendario mexica. Monumento de la cultura azteca conservado en el museo Nacional de Antropología de México. Es un disco de piedra basáltica de 3.5 m de diámetro, elaborado durante el reinado de Moctezuma II (1502-1520). Está cubierto por motivos en relieve y en su centro está la imagen del sol, con rostro humano alrededor de la cual están representados, según la mitología mexica, los símbolos de las cuatro eras (soles) anteriores y de los cuatro puntos cardinales. En un círculo posterior aparecen un anillo con los signos del calendario mexica y luego otro anillo con dos serpientes que simbolizan el cielo. Estaba situado en el gran teocalli de Tenochtitlan.

soldado.

Militar sin graduación que ocupa en un ejército el escalón más bajo de la jerarquía militar. Por su uniforme, por el arma a que pertenece y por el oficio que desempeña tiene diversas denominaciones como, por ejemplo, soldado de infantería, de caballería, de artillería, etcétera. Este vocablo comenzó a emplearse en la Edad Media y se deriva de *sueldo*, porque *soldado* era el mílite mercenario al que se le pagaba la soldada. *Véase* EJÉRCITO.

soldadura.

Aleación fusible que sirve para unir metales entre sí y cuya composición varía con la naturaleza de los mismos. La acción de soldar también se llama soldadura. Las soldaduras mediante aleaciones metálicas pueden dividirse en dos clases: fuertes, cuando se quiere que la parte soldada presente gran resistencia o afrontar elevadas temperaturas; típica de esta clase de soldadura es la de plata, que se compone de plata, cobre y cinc; y blandas, las que contienen plomo y estaño y a veces bismuto, cadmio y antimonio. Variando la proporción de los componentes de la soldadura, pueden lograrse aleaciones que se funden a la temperatura más conveniente, según el objeto a que se destinen; debe cuidarse que resulten homogéneas, evitando pérdidas por volatilización y oxidación de los componentes. Para realizar una soldadura hay que calentar las partes metálicas que deben ser soldadas, y limpiarlas mediante una lima o por procedimientos químicos (con ácidos o álcalis). En las soldaduras fuertes se utiliza como fundente el bórax en polvo, aplicado con una brocha sobre la superficie metálica. Dicho método no sirve para las soldaduras blandas porque funde a temperatura demasiado elevada; éstas emplean como fundente resina, ácido clorhídrico con desperdicios de cinc, sebo, etcétera.

La herramienta básica para las soldaduras de aleaciones metálicas es el soldador, compuesto generalmente por una pequeña masa de cobre rojo unido al extremo de

La soldadura opera con el principio de fundición de metales por medio de la electricidad.

Corel Stock Photo Library

una barra de hierro de longitud regulable o fija, que por el extremo opuesto está provista de un mango de madera.

Existen también soldadores eléctricos de forma parecida, cuya masa de cobre lleva enrollada una resistencia eléctrica. Otro instrumento es la lámpara de soldar, de muy variados modelos, pero que, en esencia, consiste en un depósito para el líquido combustible (gasolina casi siempre y en algunos casos alcohol), del que sale un pequeño mechero acodillado, el cual desemboca, a modo de inyector, en una breve tobera provista de orificios de paso graduable, que provocan aspiración de aire; la mezcla de aire y combustible arde en la boca de la tobera, por la que sale en forma de dardo una llama poco luminosa, pero de elevada temperatura. La lámpara va provista de una pequeña bomba, que permite alcanzar en el depósito la presión necesaria.

Otros procedimientos de soldadura, de gran importancia industrial son los siguientes: soldadura autógena es la que se realiza fundiendo los bordes de lo que se suelda, sin empleo de materia extraña; después del enfriamiento, las dos piezas forman un todo único. Tuvo su origen en Francia, hacia la mitad del siglo XIX, refiriéndola soldadura de plomo con plomo, y se incorporó al lenguaje al difundirse el uso del soplete oxiacetilénico para soldaduras de piezas de hierro fundido y de hierro maleable. Por extensión se llaman soldaduras autógenas a cuantas se efectúan con auxilio de dicho soplete. Según los combustibles empleados en las soldaduras con soplete, se clasifican éstas en oxhídricas, cuando se utiliza llama de oxígeno e hidrógeno; de oxigás, a base de llama de oxígeno y gas de alumbrado, y oxiacetilénicas, con llama de gran potencia calorífica a base de oxígeno y acetileno, que alcanza una temperatura cercana a los 4,000 °C, ya que permite fundir la cal.

Soldadura de forja es la que se opera autógenamente, sin que lleguen a fundirse las partes en contacto de las piezas que se sueldan, porque cuando por compresión enérgica llegan a aproximarse las moléculas de dos cuerpos distintos (generalmente de igual naturaleza) en grado suficiente, se produce una fuerza de adherencia capaz de realizar una unión resistente. Esto se logra en cuerpos susceptibles de adquirir cierta plasticidad, debidamente calentados, como la cera, lacre, vidrio, caucho, hierro dulce, platino y níquel. La más importante es la del hierro y constituye la operación principal dentro de la forja del mismo. Soldadura aluminotérmica es la que utiliza el producto llamado *termita*, y cuyo procedimiento, ideado por Narciso Monturiol entre 1858 y 1860 y llevado a la práctica, en 1898, por el doctor Hans Goldschmidt, se funda en que si se calienta a elevada temperatura una mezcla de sesquióxido de hierro y polvo de aluminio, se produce una violenta reacción exotérmica. Se aplica especialmente esta soldadura a la reparación de piezas defectuosas y de barras y carriles.

La soldadura eléctrica se divide en dos grupos principales: sin presión o de fusión, y con presión. El primer grupo comprende la soldadura de arco metálico, en que las partes metálicas que deben ser soldadas se juntan y se conectan a una sección de un circuito eléctrico; la otra sección del circuito consiste en un alambre que recibe el nombre de electrodo. Se conecta el electrodo a las partes metálicas y la corriente eléctrica fluye y calienta la punta del electrodo. Se separa esa punta unos 3 o 4 mm de las partes metálicas y se forma el arco voltaico de calor intensísimo que funde el metal de las partes que han de soldarse y el de la punta del electrodo, y así se verifica la soldadura.

La soldadura de arco de carbón es parecida a la de arco metálico con la diferencia de que el electrodo es de carbón, por lo que debe usarse, además, un alambre para que su metal fundido supla el de la falta del electrodo metálico. La soldadura eléctrica sin presión puede efectuarse con procedimientos y herramientas manuales o por medio de dispositivos automáticos.

El grupo de soldadura eléctrica de presión abarca la soldadura a tope en que las piezas metálicas se unen con abrazaderas y se someten a presión mientras una corriente eléctrica recorre el área de contacto. En la soldadura por puntos las partes metálicas traslapadas, pasan entre dos electrodos y cuando el calor derrite el metal se aplica presión y quedan soldadas. En la soldadura de costura continua las partes metálicas pasan entre ruedas que actúan de electrodos y trasmiten la presión.

soleares. Canción y danza originarias de Andalucía (España). Elementos típicos del arte flamenco, se supone que son de origen arábigo. Se ejecutan con acompañamiento de guitarra, en ritmo ternario, y el texto consta de tres versos de ocho sílabas, con rima asonante en los versos impares.

solenoide. Aparato eléctrico, formado por un conductor arrollado en espiras circulares, como una bobina, que tiene la propiedad de crear un campo magnético cuando se hace pasar por el conductor una corriente eléctrica. Mientras circula la corriente por el solenoide éste se comporta como un imán y, si se monta sobre un dispositivo giratorio, se orienta como una brújula hacia los polos magnéticos de la tierra. Cuando en el interior de un solenoide se coloca un núcleo de hierro dulce, éste adquiere propiedades magnéticas, comportándose como un imán natural mientras

circula la corriente por el conductor, dando origen a los electroimanes. Se utilizan principalmente estos aparatos para convertir los impulsos eléctricos en acción mecánica, y son la base de mecanismos de mando a distancia por *relés* y de la mayoría de las máquinas automáticas.

Soler. Apellido de una familia que ha dado a México varios grandes actores y directores teatrales y cinematográficos. El fundador, **Domingo** (1902-1961), fue un actor español que inauguró el primer teatro de habla española en la ciudad de Los Ángeles en Estados Unidos. Sus hijos nacieron en México, y con ellos formó una compañía teatral infantil, que tuvo éxito. Posteriormente, aquellos hermanos añadieron a la experiencia paterna la suya propia y llegaron a ser grandes actores. Cuando la industria cinematográfica se inició en México, los hermanos Soler, con profundo conocimiento del arte escénico, contribuyeron en gran parte a la perfección que ha alcanzado el arte cinematográfico mexicano. Los cuatro hermanos Soler que han alcanzado merecido renombre internacional, en la escena y la pantalla son los siguientes. **Fernando** (1900-1979). Como actor teatral alcanzó grandes éxitos en España y América, cultivando los géneros más disímiles, de lo cómico a lo dramático, distinguiéndose por sus admirables caracterizaciones. Como actor cinematográfico su labor es insuperable; dirigió y actuó en muchas de las más importantes películas que han salido de los grandes estudios cinematográficos mexicanos. Fue director de la Academia Cinematográfica y recibió muchas distinciones, entre ellas el codiciado premio *Ariel*. Entre las grandes películas en que ha actuado sobresalen *Melodías de antaño*, *Cuando los hijos se van*, *Rosenda*, *El gran calavera*, y *Las estrellas*. **Andrés** (1899-1969). Tuvo también actuación destacada en España y América. Fue director de la Academia Cinematográfica, y actuó en muchas películas, entre ellas *Un beso en la noche*, *Amok*, *Doña Bárbara*, *La mujer sin alma*, *Anacleto se divorcia* e *Historia de un gran amor*. **Domingo** (1901-1961) . Entre sus más notables actuaciones cinematográficas figuran *Creo en Dios*, *Chucho el Roto*, *Vámonos con Pancho Villa*, *La casa chica* y *Comisario en turno*. **Julián** (1910-1977). Fue actor y director cinematográfico. Entre sus mejores actuaciones se cuentan *Que Dios me perdone*, *Sinfonía de una vida* y *Simón Bolívar*.

Soler, Bartolomé (1894-1975). Dramaturgo y novelista español. De joven emigró a Argentina donde desempeñó diversos oficios, después pasó a Chile. En 1922 volvió a su patria y debutó como actor. Dedicado a las letras, alcanzó popularidad con su novela *Marcos Villari*, y en

1951 obtuvo el premio Ciudad de Barcelona con la titulada *Patapalo*, en la que resalta la notable descripción de caracteres.

Soler, Miguel Estanislao (1783-1849). Militar argentino de la guerra de independencia. Era subteniente cuando se produjeron las invasiones inglesas de 1806 y 1807, en cuyo rechazo se distinguió. Fue patriota decidido en los acontecimientos revolucionarios de mayo de 1810, en los que sobresalió la campaña de la Banda Oriental, sobre todo en la batalla del Cerrito. Después de la rendición de Montevideo, se le designó gobernador intendente de la Banda Oriental (1814), que desempeñó por algunos meses. En septiembre de 1816 se le destinó al Ejército de los Andes como cuartelmaestre general del mismo, prestando en este cargo una valiosa colaboración al general José de San Martín. Estuvo al mando de la división del ejército que atravesó la cordillera por el paso de Los Patos y se distinguió en la batalla de Chacabuco. De regreso en Buenos Aires se le encargó el comando del Ejército Exterior formado en la ciudad (1820), con el cual presionó la caída del sistema directorial, y el 20 de junio de este año fue nombrado gobernador de la provincia de Buenos Aires, cargo en el que duró hasta el 28 de junio, cuando fue vencido por los caudillos federales en Cañada de la Cruz.

solfeo. Arte de leer la música, nombrando y entonando las notas y midiendo el compás. Tras asimilar breves conocimientos de teoría el estudiante de música pasa a leer los signos en el pentagrama valorando las figuras, silencios, ligaduras y puntillos, además de ubicar tales signos en las claves correspondientes. Es la base misma del conocimiento musical; la propia música escrita. La persona deseosa de aprender a cantar o ejecutar un instrumento, debe dominar a perfección el solfeo. La enseñanza se ha sistematizado mediante selecciones de textos de progresiva dificultad.

Solidaridad (*Solidarnosc*). Sindicato nacido en Polonia, en oposición a la estructura sindical oficial, en agosto de 1980 tras un vasto movimiento huelguístico que forzó al gobierno polaco a firmar con el líder obrero Lech Walesa el acuerdo de Gdansk (31 de agosto de 1980). En virtud del mismo, los 35 sindicatos independientes (MKZ) surgidos con las huelgas pudieron crear legalmente el sindicato Solidaridad (septiembre de 1980), que llegó a tener más de 10 millones de afiliados. La dura represión a que fue sometido Solidaridad creció tras la grave crisis política de septiembre de 1981, culminando en la suspensión de todas sus actividades (marzo de 1982) y en su disolución, tras aprobar el Parlamento polaco una nueva ley sindical

Solidaridad

Corel Stock Photo Library

La solidificación del agua permite precticar deportes como el hockey sobre hielo.

(octubre 1982), aunque Solidaridad continuó actuando clandestinamente. Legalizada (1989), triunfó en las elecciones de junio de ese año y uno de sus dirigentes formó el primer gobierno no comunista. En su segundo congreso (1990) Lech Walesa fue reelegido su presidente, pero dimitió tras ser elegido presidente de la república (1990).

solidificación. Cambio que se efectúa en un cuerpo al pasar del estado líquido al sólido. La temperatura en la cual pasa un fluido a sólido, se llama punto de solidificación, y es la misma en términos generales, a la que el cuerpo solidificado empieza a fundirse, o sea el punto de fusión. El punto de fusión es tanto más alto cuanto mayor es la presión a que se somete al cuerpo. El agua a la presión normal, se solidifica a 0 °C convirtiéndose en hielo. Con, los métodos modernos de refrigeración, se han logrado solidificar los principales flúidos. A la presión normal el mercurio se solidifica a -39 °C, el amoníaco a -78 °C, el cloro a -102 °C, y el nitrógeno a -210 grados centígrados.

sólido. Estado de agregación de la materia en el cual las partículas que la constituyen no pueden desplazarse libremente, por lo que la forma y volumen de los cuerpos que se hallan en el mismo permanecen constantes. Se aplica también a tales cuerpos.
En el sólido existe un equilibrio entre aquellas fuerzas atractivas y repulsivas que las moléculas, átomos o iones que lo componen ejercen entre si, por lo que aquellas están fuertemente ligadas y sólo pueden realizar movimientos de vibración en torno a posiciones de equilibrio que permanecen fijas. Bajo la acción de fuerzas externas, todos los sólidos son mas o menos deformables, pues todos ellos tienen cierta elas-

ticidad de forma. En sentido estricto, solamente se consideran sólidos los cuerpos cristalinos, los cuales poseen un punto de fusión perfectamente determinado; en los cuerpos amorfos, por el contrario, a medida que aumenta la temperatura , aumenta paulatinamente su plasticidad y no puede establecerse un limite preciso que separe el estado sólido del estado liquido; por esta razón se les considera líquidos subenfriados.

Soliman I, *el magnífico* (1496-1566). Sultán de Turquía, que sucedió a su padre Selim I en 1520. Es el más famoso de los sultanes turcos; durante su reinado el imperio llegó a su máximo esplendor. Realizó numerosas obras, organizó el ejército, mejoró la situación económica, hizo construir canales, creó hospitales, mezquitas, academias y bibliotecas y dio preferente atención a la administración de la justicia. Desde que subió al trono hasta su muerte se dedicó a la lucha contra los cristianos. En 1521 tomó a Belgrado, la primera de sus grandes conquistas, y un año después se adueñó de la isla de Rodas. En 1523 penetró en el centro de Europa y se apoderó de Buda, hoy Budapest. Enemigo declarado de Carlos V de España, sitió Viena y llevó contra la plaza numerosos asaltos, pero sin poder entrar en ella. Entonces se alió con el rey de Francia Francisco I, y con la ayuda de los piratas Barbarroja atacó las posesiones del emperador Carlos V en el Mediterráneo occidental.
En 1541, al morir el rey de Hungría, conquistó parte de este país. Después se apoderó de Argel y Túnez, y en Oriente conquistó Bagdad y extendió el poderío turco por toda la Mesopotamia. Murió cuando se hallaba sitiando la plaza de Sziges (Szigetvar), en Hungría.

Soliman Celebí (? -1411). Sultán de Turquía, hijo mayor de Bayaceto I. Derrotado y capturado su padre por el jefe tártaro Tamerlán, Solimán abandonó el campo de batalla y huyó a Europa. Después de la muerte de su padre, se hizo proclamar sultán en Andrinópolis (1403). Al retirarse Tamerlán, regresó a Asia para disputar el trono a su hermano Muzá, que se había hecho proclamar sultán con el apoyo de los tártaros.

Solingen. Ciudad de la República Alemana, en el estado de Renania Setentrional-Westfalia, situada a orillas del río Wupper. Ha alcanzado fama en todo el mundo por sus fundiciones de hierro y por la excelente calidad de los artículos de acero que en ellas se producen. Cuenta con más de 2,000 fábricas dedicadas a la fabricación de cuchillos, tijeras, navajas, instrumentos quirúrgicos, herramientas de corte, etcétera. Esta industria fue fundada en la Edad Media por unos armeros de Damasco que se instalaron en la ciudad. Cuenta con 217,300 habitantes.

Solís, Cleva (1928-). Escritor cubano. Colaborador de *Orígenes* y de la revista cubana *Islas y Lunes de Revolución* Funcionario de la Biblioteca Nacional de Cuba, poeta, y autor de *Las mágicas distancias*: *A nadie espera el tiempo*; *Vigilia*, y otras.

Solís y Folch de Gardona, José duque de Montellano (1716-1770). Militar español que prestó servicios como virrey del Nuevo Reino de Granada (1753-1761). Fue soldado en Flandes e Italia hasta alcanzar el grado de mariscal de campo de los Reales Ejércitos. En 1753 pasó a residir en Santa Fe de Bogotá como virrey, y durante el desempeño de su cargo introdujo importantes mejoras.

Solohov, Mihail Aleksandrovich (1905-1984). Novelista soviético. Su infancia y adolescencia transcurrieron en una granja aislada de la región del Don, por lo que careció de una formación académica continua. Inició su actividad literaria con colaboraciones en la revista del Komsomol (Unión de Juventudes Comunistas). Después del libro Relatos del Don (1925), que pasó casi inadvertido, publicó El Don apacible (8 partes, aparecidas entre 1928 y 1940), vasto fresco de las repercusiones de la guerra civil en la mentalidad y en la vida de los cosacos, específica comunidad agrícola y militar establecida en las villas del Don. La utilización de gran número de personajes, sólo comparable a Guerra y paz, de Lev Nikolaevich Tolstoi, le permite crear una imagen colectiva de la dramática adaptación de la sociedad arcaica a las nuevas normas exigidas por la revolución bolchevique de 1917. Esta obra fue galardonada con el premio Stalin. Algunas de sus obras fueron adaptadas al teatro y a la pantalla. En 1965 fue galardonado con el Premio Nobel de Literatura. En 1979 se publicaron sus Obras completas.

Sololá. Departamento de Guatemala en la parte suroeste del país. Ocupa un área de 1,061 km^2, con 257,705 habitantes, y en él se encuentran el lago Atlitlán y el volcán San Pedro, a 3,160 m. La base de su riqueza es la agricultura y la ganadería. Por la parte sur atraviesa el ferrocarril que va de la frontera con México a la ciudad de Guatemala. La capital es Sololá, con 42,119 habitantes.

Solón (640-558 a. C.). Legislador, filósofo y poeta de Atenas, que figura entre los famosos Siete sabios de Grecia. Era hijo de una noble familia, pero como carecía de bienes de fortuna, se dedicó al comercio, adquiriendo grandes conocimientos en sus viajes por Grecia, Egipto y Asia. Al regresar a Atenas, compuso y recitó en público un poema en el que proponía la reconquista de Salamina, con tal fervor patriótico, que consiguió reunir las fuerzas suficientes, y bajo su mando reconquistaron la isla. Nombrado arconte en el año 594 a. C., apaciguó los desórdenes políticos, cuya causa principal eran las deudas, aboliéndolas, reformó el sistema monetario, y democratizó la organización social ateniense. Promulgada estas leyes, Solón hizo jurar a sus conciudadanos que las observarían durante 10 años, tiempo que permanecería ausente en nuevos viajes. A su regreso encontró al pueblo envuelto en luchas civiles y, a pesar de denunciar las intrigas de Pisistrato, no pudo impedir que éste se convirtiera en tirano.

Solórzano, Carlos (1922-). Dramaturgo, ensayista y novelista guatemalteco radicado en México desde 1939. Es arquitecto y doctor en letras por la UNAM. En esa misma institución ha sido catedrático de literatura dramática iberoamericana. Sus obras escénicas, de corte expresionista. plantean problemas metafísicos y sociales, especialmente del hombre hispanoamericano. Entre sus obras teatrales figuran *Las manos de Dios* (1956) y *El sueño del ángel* (1965). Autor también de escritos críticos y antologías en torno al teatro: *Teatro latinoamericano del siglo XX* (1961), *Teatro breve hispanoamericano contemporáneo* (1970) y *El teatro actual latinoamericano. Antología* (1972). Su obra narrativa incluye las novelas *Los falsos demonios* (1966) y *Las celdas* (1971).

Solov'iev, Vladimir Sergeevich (1853-1900). Filósofo y poeta ruso. Cursó amplios estudios en la Academia Teológica y en la Universidad de Moscú (1870-

1873), en la que se graduó y publicó una tesis que habría de hacerse célebre: *La crisis de la filosofía occidental* (1874). Obtuvo una cátedra universitaria, pero la perdió por haber defendido la abolición de la pena de muerte. Su filosofía, influida por un misticismo que habría de llevarlo hasta el catolicismo, ejerció notorio influjo sobre el pensamiento ruso. Otras de sus obras son *Historia y futuro de la teocracia* (1887), *L'indée russe* (1888) y *Filosofía toórica* (1897-1899).

Solow, Robert Merton (1924-). Economista estadounidense. Profesor en diversas universidades extranjeras (Cambridge, Rotterdam, Estocolmo, Oxford) y en el departamento de Economía del *Massachusetts Institute of Technology*. Autor de estudios econométricos sobre la inversión en capital fijo y acerca de la relación entre la expansión económica, las alzas de precios y el desempleo. Premio Nobel de Economía en 1987 por su contribución al estudio de los factores que posibilitan el incremento de la producción y el bienestar social (teorias del crecimiento). Su obra mas conocida es *Linear Programming and Economic Análisis* (*Programación lineal y análisis económico*), 1958, escrita en colaboración con R. Dorfman y Paul Anthony Samuelson. Otras obras: *Capital Theory and the Rate of Return* (*Teoría del capital y la tasa interna de rentabilidad*), 1963, *Growth Theory: An Exposition* (*Teoría del crecimiento: una exposición*), 1970, y *The Labor Market as a Social Institution* (*Del mercado de trabajo como institución social*), 1989.

solsticio. Época del año en que el Sol se encuentra en uno de los dos trópicos, del 21 al 22 de junio para el de Cáncer, en el Hemisferio Norte y del 21 al 22 de diciembre para el de Capricornio en el Hemisferio Sur, y alcanza en su movimiento aparente su distancia máxima el Ecuador. En el solsticio de verano, el Sol detiene su movimiento ascensional hacia el norte, alcanzando la máxima latitud boreal en este momento, igual a la oblicuidad de la elíptica. A partir de aquí comienza a disminuir la latitud del Sol que en el solsticio de invierno alcanza su máxima latitud austral. En el solsticio de invierno se produce el día más corto y la noche más larga del año en el hemisferio boreal, ocurriendo todo lo contrario en el austral; entonces comienza el invierno para los habitantes del Hemisferio Norte y el verano para los del Hemisferio Sur. El solsticio de verano da lugar al día más largo y la noche más corta del año en el hemisferio boreal, sucediendo a la inversa en el hemisferio austral.

solución y solvente. Se llama solución a la mezcla homogénea formada por

las partículas o moléculas de dos o más sustancias distintas entre sí. Los tipos más comunes de soluciones, son los siguientes: líquido en líquido; sólido en líquido; gas en líquido, gas en gas y sólido en sólido (para obtener esta última solución se requiere efectuarla al estado de fusión y luego dejarla solidificar). Cuando en una solución sólo intervienen dos componentes se nombra disolución. La capacidad de una sustancia para disolverse en otra, depende de la naturaleza propia de ambas, de la temperatura, de la presencia de compuestos extraños y, en el caso de los gases, de la presión a la cual se realiza la solución; esta capacidad se llama solubilidad. Las sustancias a las que no afectan los disolventes comunes se conocen como insolubles (carbón, sulfato bárico, etcétera); las que se disuelven poco, como poco solubles (yeso, cal apagada, etcétera), y las que se disuelven con facilidad en grandes proporciones, como muy solubles (yoduro potásico, azúcar, etcétera). Si una sustancia absorbe humedad cuando está expuesta al aire y se disuelve en ella, se la llama delicuescente (cloruro cálcico, potasa cáustica, etcétera). Como disolventes pueden emplearse agua, alcohol, éter, cloroformo, sulfuro de carbono, benzol, esencia de trementina, el aire, la plata fundida, etcétera. Cuando un disolvente ha tomado de la sustancia soluble la cantidad máxima que puede disolver a la temperatura fijada, se dice que la solución resultante está saturada, y en caso contrario no saturada. La elevación de temperatura del disolvente, por adición de calor, generalmente eleva su poder de disolución. Si las soluciones saturadas en caliente se enfrían, una parte de la sustancia disuelta se precipita y vuelve al estado sólido, mientras que otra parte permanece disuelta. El contacto con una varilla de vidrio puntiaguda o con una partícula sólida de la sal con que se ha obtenido la solución, basta para determinar la repentina precipitación del exceso de sal que a baja temperatura se halla disuelta; tales soluciones se llaman sobresaturadas y el fenómeno, sobresaturación. Así como se pueden disolver los sólidos y los líquidos en los líquidos, se pueden disolver también los gases.

Cuando una sustancia sólida está muy finamente dividida en un líquido, sin llegar al estado de división molecular ni estar ionizada, permaneciendo en suspensión prácticamente por tiempo indefinido (si no ocurren circunstancias que alteren sus propiedades) se llama a esto solución coloidal, y a las sustancias en suspensión, coloides. La disolución de las sustancias es una operación preparatoria del análisis químico, y para ello se utilizan matraces, cápsulas, vasos de precipitados, vidrios de reloj y vasijas de diversos materiales. Los cuerpos se disuelven unas veces en frío y otras en caliente, y para facilitar su solución se reducen de antemano a polvo finísimo, en morteros de ágata, tamizándolos luego.

Se llama solvente al líquido que disuelve una sustancia en una mezcla llamada solución. La sustancia disuelta se llama soluto.

solvatación. Fenómeno por el cual unión en disolución se rodea de moléculas de disolvente que permanecen unidas a él a causa de las interacciones soluto-disolvente.

La estructura de una disolución puede ser descrita por la probabilidad de hallar ciertas distancias intermoleculares y orientaciones relativas a cierta molécula, escogida como referencia y descrita cualitativamente por funciones de distribución moleculares. La estructura de la disolución depende de las interacciones soluto-disolvente, las cuales son importantes cuando se trata de especies cargadas. Los tones en disolución muestran un comportamiento diferente en disolventes distintos: el ion estaría unido a cierto número de moléculas de disolvente, las cuales se moverían formando un todo con la especie cargada; el fenómeno depende del grado de solvatación y del tamaño de las moléculas solvatantes, las cuales varían con la naturaleza del disolvente. Se dice entonces que los tones en disolución están solvatados. En general, el término solvatación se aplica a aquellas reacciones en las cuales las moléculas del disolvente permanecen en contacto con los tones o con otras moléculas de disolvente. En el caso particular del agua como disolvente, este fenómeno se denomina hidratación.

Solvay, Ernest (1838-1922). Industrial, químico y filántropo belga. Inventó el método para obtener sosa por el procedimiento del amoniaco y fundó varias fábricas de ese producto en distintos países, aparte de la de Bruselas, donde estableció laboratorios y centros de investigación de química pura y aplicada. Fue miembro del senado belga (1893-1900) y fundó los institutos internacionales Solvay de química, de física y de sociología.

Solzhenitsin, Aleksandr Isajevich (1918-). Uno de los más importantes escritores rusos del siglo XX. Estudió física y matemáticas en la Universidad de Rostov. Estuvo después cuatro años en el ejército donde llegó a ser capitán de artillería. En 1945 fue arrestado al serle confiscada una carta en la que criticaba a José Stalin. Eso le valió ocho años de trabajos forzados. La apertura de Nikita Sergeevich Kruschov le permitió el regreso a Rusia, de donde había salido expulsado en 1953, y la publicación de su obra *Un día en la vida de Iván Denisóvich* (1962). En 1973 luego de publicar el polémico *Archipiélago Gulag* Solzhenitsin vuelve a salir de su país instalándose esta vez en Estados Unidos. En 1970 recibió el Premio Nobel de Literatura.

Somalia, República de. Estado independiente situado en el extremo este de África. Tiene una superficie de 637,657 km² y 5.074,000 habitantes. La capital es Mogadiscio (570,000 h). Limita al norte con Djibuti y el Golfo de Adén; al este con el océano Índico, al oeste con Etiopía, y al suroeste con Kenya. El país ofrece una configuración parecida a un ángulo agudo; cuyo vértice lo constituye el cabo Guardafuí. Las costas son de gran extensión, el sector más largo es el del litoral del océano Índico, con un desarrollo de costas que llega a 2,300 km. En el litoral del Golfo de Adén, las costas tienen 1,100 km de longitud.

La lengua oficial del país es el somalí, aunque también se hablan inglés, italiano y árabe. La población es de religión musulmana sunní (99.8%), pero existen pequeñas comunidades cristianas. Su composición étnica se divide en somalíes (98.3%), árabes (1.2%), bantúes (0.4%) y otros.

La economía se basa en la ganadería y la agricultura. La ganadería es la actividad principal: se cuentan más de 6.100,000 camellos, animales de gran importancia para la población a la que sirven de bestias de carga y cabalgadura y le proveen de leche, carne y cueros. Siguen en importancia el ganado bovino (5.500,000 cabezas), ovino (6.500,000 cabezas) destacando las ovejas de Berbera, caprino (12.500,000 cabezas) y asnal. Los principales productos agrícolas son el maíz, el sorgo, la caña de azúcar y el sésamo. Entre los productos agrícolas destinados a la exportación figuran dátiles, plátanos, algodón, goma arábiga, incienso y mirra. La pesca es una actividad en expansión. Se explotan en pequeña cantidad estaño, uranio, hierro y yeso, y se han realizado exploraciones ante los indicios de existencia de petróleo. Ha comenzado a desarrollarse un pequeño sector industrial, basado en la elaboración de los productos agrícolas, que se encuentra en su mayor parte en manos del Estado y se construyen refinerías de azúcar y de petróleo y una fábrica de cemento.

No existen líneas de ferrocarril, pero se está ampliando rápidamente la red de carreteras; las que unen las principales ciudades han sido pavimentadas. Los puertos de Mogadiscio, Berbera y Kismaayo están conectados mediante servicios regulares marítimos con los puertos de África oriental y Europa. Hay ocho aeropuertos y los servicios aéreos interiores enlazan las ciudades de Mogadiscio, Hargeysa, Berbera y otras, mientras que una línea conecta Somalia con las rutas aéreas internacionales. La unidad monetaria es el chelín somalí. Después de la capital, las ciudades más importantes son Hargeysa (90,000 h), Kismaayo (86,000 h), Merca (60,000 h) y Berbera (65,000 h). El Instituto Universitario de Somalia fue creado por la Administración italiana en 1954; en 1969 se convirtió en la Universidad Nacional de Somalia, que comprende las facultades de derecho, economía, medicina, agricultura, veterinaria, ingeniería, geología, química y educación.

Historia. En 740 algunos si'íes se establecieron en la costa, de donde fueron expulsados hacia 908 por marineros árabes de Omán. La ciudad de Mogadiscio parece haber sido fundada en el siglo IX. Sin embargo, no es probable que los somalíes se convirtieran al islamismo antes del siglo XIII. Según se cree, a partir del siglo XIV los

El camello en Somalia es de vital importancia debido a la cantidad de productos y servicios que proporciona.

Corel Stock Photo Library

somalíes, que habitaban más hacia el norte, invadieron progresivamente el territorio de lo que hoy es Somalia iniciando un movimiento hacia el sur que ha continuado hasta la época contemporánea.

A principios del siglo XVI el jefe guerrero musulmán somalí Ahmad Gran intentó conquistar Etiopía, pero la ayuda de una misión portuguesa impidió que sus propósitos se realizasen. En esta misma época los portugueses se apoderaron de las escalas marítimas del océano Índico y permanecieron en ellas hasta el siglo XVII, cuando los árabes de Omán se las arrebataron. Desde el siglo XVII al XIX los sultanes de Mascate dominaron el litoral, y a mediados del siglo XIX fijaron su residencia en Zanzíbar. También a mediados del siglo XIX Egipto, vasallo nominal de Turquía, extendió sus dominios hacia el noroeste del país (Zeila y Berbera).

A falta de interés económico, la apertura del canal de Suez dio a estas regiones valor estratégico por su posición a la salida del mar Rojo. Los franceses ocuparon Obock en 1883, los británicos establecieron su protectorado en la costa norte entre 1884 y 1886, y los italianos conquistaron la costa sur a partir de 1889. Después del desastre de Adua (1896), que puso fin a los proyectos de Italia de conquistar Etiopía, se firmó un acuerdo tripartito anglo-ítalo-francés en 1897 que garantizó la integridad territorial de Etiopía y fijó el reparto de Somalia entre las tres potencias europeas. El protectorado británico de Somalia fue constituido en 1894, y el protectorado italiano de Somalia se estableció en 1899 (en 1908 pasó a ser colonia). Las tribus nómadas opusieron feroz resistencia a los ocupantes coloniales, siendo su mas celebre representante el *hayyi* Muhammad b 'Abd Allāh Hassān, quien hasta 1920 creó series dificultades a las autoridades de la Somalia Británica. En 1924 Gran Bretaña cedió a Italia la provincia de Trans-Jobam, territorio de Kenya situado en la villa derecha del río Yuba y poblado por somalíes.

Durante la Segunda Guerra Mundial la Somalia Británica fue ocupada por los italianos desde agosto de 1940 hasta marzo de 1941, fecha en que las tropas británicas la recuperaron y se apoderaron de la Somalia Italiana después de haber derrotado al ejército italiano de Africa oriental. En 1949 la Somalia Italiana pasó a ser un territorio bajo tutela de la ONU , cuya administración fue confiada a Italia como territorio bajo mandato por diez años (1950-1960). Hasta 1960, el país se hallaba dividido en la siguiente forma: 1) Somalia Británica, con 177.000 km² y 690,000 habitantes. 2) Somalia Italiana, con 460,657 km² y 1.300,000 habitantes. En 1960 expiró el fideicomiso en la Somalia Italiana, que obtuvo su independencia. En mayo de ese año, representantes de la Somalia Bri-

Corel Stock Photo Library
Somalia ha sufrido desplazamientos de población importantes.

tánica y del gobierno británico se reunieron en Londres y acordaron poner fin al régimen de protectorado y declararon la independencia de la Somalia Británica. El 1 de julio de 1960 se reunieron en Mogadiscio, en sesión conjunta, los órganos legislativos de las dos Somalias, que se unificaron para formar la Asamblea Nacional, la cual proclamó la independencia y, adoptó la forma republicana de gobierno.

Las reivindicaciones territoriales de Somalia sobre el distrito fronterizo de Kenya condujeron al rompimiento de relaciones con ese país en 1963. Otro conflicto territorial con Etiopía desembocó en sangrientas escaramuzas durante los meses de febrero y marzo de 1964, hasta que se llegó a un acuerdo de alto al fuego, en Jartum. En 1965 y 1966 hubo frecuentes incursiones somalíes sobre el norte de Kenya y cesaron las relaciones comerciales entre ambos países, que no volvieron a reanudarse hasta la firma del acuerdo de Arusha (Tanzania). Mientras tanto, las relaciones con Etiopía se deterioraron como resultado de las reivindicaciones somalíes sobre el distrito de Ogadén y su apoyo armado al movimiento separatista en esa región. En 1978 Somalia lanzó un ataque en masa contra Etiopía, pero una contraofensiva de ésta, apoyada por Cuba y la URSS, dio por resultado la retirada de los somalíes de Ogadén en marzo.

Favorecidos por la nueva situación, los militares prosoviéticos trataron de derrocar al presidente Mohamed Ziyad Barre, pero fracasaron en su intento y algunos de ellos fueron fusilados. Por otro lado, la guerra de guerrillas continuó en el Ogadén y muchos de sus habitantes se refugiaron en Soma-

lia. Reelegido Ziyad Barre presidente de la república (enero de 1980) acordó con Estados Unidos un pacto de ayuda económica y militar para poder enfrentarse a los constantes ataques de los guerrilleros del Frente Democrático de Salvación de Somalia, que eran apoyados por Etiopía y Libia. La oposición al gobierno creció al norte del país a mediados de 1983 y Barre pidió la normalización de relaciones con la Unión Soviética. Al año siguiente, más de 200 guerrilleros se acogieron a la amnistía decretada por el gobierno y, por fin, en 1988, Etiopía y Somalia firmaron en Mogadiscio un tratado de paz después de 11 años de disputa por la región de Ogadén.

En 1990, Barre abandona Mogadiscio ante el ataque de los rebeldes del Congreso Somalí Único y ante la huida de Barre se forma un gobierno interino presidido por Umer Anteh como primer ministro. En 1991, Ali Mahdí Mohamed es nombrado presidente. El nuevo presidente se enfrentó a la rebelión de cariz étnico en el norte y el sur del país. El derrocado Barre se refugió en Kenya. Los guerrilleros nordistas del Movimiento Nacional Somalí (MNS) proclamaron la secesión de la República de Somalilandia (febrero de 1991) y la guerra civil entre clanes y subclanes, la sequía y el hambre se extendieron por todo el país. Una operación de socorro internacional (Onusom-I) y un precario acuerdo de paz no detuvieron la guerra (3 de marzo de 1992). Ante la catástrofe humanitaria, el Consejo de Seguridad de la ONU aprobó una operación de policía internacional (Onusom, *Restablecer la esperanza*), bajo mando estadounidense, pare distribuir la ayuda a la población afectada por la hambruna (3 de diciembre de 1992). La intervención militar de los Estados Unidos y otros 20 países (30,000 hombres), que en un principio no encontró resistencia, promovió un acuerdo entre el presidente Ali Mahdi y el general Mohamed Farah Aidid (11 de diciembre). La operación tuvo un éxito relativo al ser denunciada como neocolonial; y persistió la pugna entre los clanes, por lo que los marines estadounidenses tuvieron que enfrentarse a una costosa guerrilla urbana. La ONU asumió el mando de las tropas (Onusom-2, 4 de mayo de 1993), pero tras el asesinato de 20 cascos azules paquistaníes (5de junio) y el enfrentamiento en que perececieron 18 estadoundenses (3 de octubre), Washington retiró sodas sus tropas (marzo de 1994). Las diversas facciones alcanzaron un nuevo acuerdo en Nairobi (24 de marzo de 1994), que tampoco sirvió para restablecer la paz. La intervención internacional terminó con la retirada de los últimos cascos azules (2 de marzo de 1995), mientras proseguía la guerra civil y se enconaba la lucha, por milicias interpuestas, de las compañías re-

33

colectoras de bananas. El 1 de agosto de 1996 muere el general Aidid, erido en una batalla cerca de Mogadiscio, y fue sucedido por su hijo Hussein Aidid.

somatogénesis. Reproducción por células somáticas no germinales o embrionarias.

Sombart, Werner (1863-1941). Economista y sociologo alemán. Desempeñó la cátedra de Economía Política en la Universidad de Berlín. Discípulo de Gustav Schmoller y de Max Weber, experimentó en su juventud la influencia del marxismo y en sus últimos años aceptó la tesis del nazismo. La mayor contribución que Sombart aportó a las ciencias sociales es el magistral análisis de la evolución del capitalismo y de la influencia que en él ha tenido la ética protestante. Su obra más divulgada es *El capitalismo moderno* (1902).

sombra. Proyección oscura que un cuerpo lanza en el espacio en dirección opuesta a aquella por donde viene la luz. Se denomina sombra a aquella parte de la proyección en que la oscuridad es completa, debido a que los rayos luminosos han sido interceptados por el obstáculo.

sombras chinescas. Proyección de sombras, generalmene en un lienzo blanco colocado en forma de pantalla. El operador se coloca entre el lienzo y el foco luminoso. Los espectadores se sitúan al otro lado del lienzo. Se trata, principalmente, de un juego de salón en que valiéndose de movimientos de los dedos, las manos y los brazos, el operador simula siluetas de personas, animales y objetos.

sombrero. Prenda para cubrir la cabeza, que en diversas épocas y países llenó una necesidad, o bien creó una costumbre. Difícil sería señalar, en la historia de la indumentaria, el momento preciso de la aparición del sombrero. La antigua Grecia es de las primeras en adoptarlo, cuando comienza a usar el *petaso*, para protegerse de los rayos del sol y de la lluvia. En China y Japón también se cubrieron la cabeza desde muy antiguo, y tanto hombres como mujeres debían hacerlo obligatoriamente. Los egipcios usaron como complemento decorativo una larga cinta alrededor de la cabeza, que al mismo tiempo sostenía el peinado, formando un moño por detrás. En la Edad Media, el tocado de las damas nobles llegó a ser de gran complicación y consistía en altos adornos de sedas y tules, algunos en forma cónica, de los que pendían velos flotantes. En los siglos venideros, se introduce el adorno de plumas raras principalmente en los sombreros masculinos. Los siglos XVIII y XIX revelan gran variedad de formas, colorido y materiales, en renovación constante hasta nuestros días y de acuerdo con los dictados de la moda.

El sombrero masculino fue en su larga historia objeto de numerosos cambios, no obstante haber conservado en algunos países igual estilo durante siglos. Así, el turbante de la India, el cónico sombrero chino o el fez casi cilíndrico de los turcos. El europeo, en cambio, varió muchísimo las formas, preponderando en diferentes épocas ya el tricornio, el bicornio, el de anchas alas o el de copa alta. América, además de sus sombreros regionales, como el clásico mexicano, el de *cow-boy* o los fabricados con fibras vegetales en todos los países cálidos, adoptó el implantado por la continua inmigración europea.

Al analizar el sombrero con copa redondeada y ala ligeramente irregular de nuestros días, llama la atención la cinta que la rodea, que es, seguramente, un vestigio de aquella otra egipcia mantenedora de elaborados peinados. Otra reliquia es el pequeño lazo observado en el interior de todos los sombreros, como remate de la banda de badana. Su origen se remonta a los primeros sombreros que, por no abundar en medidas, llevaban dentro un cinta adaptable a toda cabeza mediante un nudo. El sombrero, tal como lo conocemos o bajo aspecto de tocado, ha sido a través de varias civilizaciones símbolo de categoría y hasta distintivo de grupos religiosos. Los soberanos incas, para destacar su alcurnia, llevaban dos plumas del ave sagrada sujetas por una cinta de color rojo o amarillo. Ciertos turbantes usados en Arabia revelan el rango de quien los lleva. Los puritanos se distinguieron por sus sombreros de anchas alas y copa cónica. El sombrero masculino toma parte activa en la observancia de muchas reglas de etiqueta y costumbres: descubrirse al saludar, mantenerlo puesto dentro de las sinagogas y quitárselo en las iglesias católicas, son algunos de los muchos ejemplos.

Industria. Los sombreros de fieltro se supone tuvieron nacimiento a mediados del siglo XV; hasta entonces se hicieron de diversos materiales: cuero, terciopelo, telas y plumas, de acuerdo a las distintas clases sociales. El fieltro comenzó a fabricarse en Europa con lana, hasta que se la reemplazó con pelo de conejo, de castor y nutria. Tuvo esta nueva industria gran aceptación y, a poco, se impuso el fieltro por su flexibilidad y consistencia, que le permite tomar formas variadas sin necesidad de armazones ni costuras. Su fabricación está estrechamente ligada a la industria de los sombreros, y se basa en la propiedad que tienen las fibras de lana o pelo de adherirse por el batido y la presión. La piel debe ser tratada previamente con nitrato de mercurio; mediante el cepillado y el corte se levantan y se cortan los pelos y luego se introducen en un cono de cobre perforado, expuesto a fuerte succión, que los atrae hacia las paredes mientras gira suavemente. El proceso continúa hasta obtener la completa fusión de los pelos, y luego se sumerge el cono en agua hirviendo para que, por medio del encogido, adquiera la rigidez necesaria. Así obtenido, se retira del cono y se hace pasar por los rodillos de una máquina llamada fuladora, mientras agua hirviendo cae continuamente sobre él. Ayuda esto al total encogimiento deseado, e inmediatamente pasa a la horma, donde adquiere forma. Finalizan aquí los procesos mecánicos y comienzan las tareas manuales de acabado: agamuzado del casco, planchado, recorte del ala, colocación de badana interna y cinta externa.

Sombreros de paja. Italia, Filipinas, China y Japón son los principales proveedores de paja para la fabricación de sombreros; se hacen primero trenzas, que luego se engoman, dándoles la forma en máquinas especiales. Oriundo de América, y muy apreciado, es el panamá, sombrero tejido con paja toquilla o mocora. La palma de cuyas hojas sale la paja toquilla crece principalmente en Ecuador y en Colombia. En sus principios a esta clase de sombrero se le llamó panamá, porque desde esa ciudad se hicieron las primeras exportaciones. Hoy se ha generalizado el nombre de jipijapa, de la ciudad ecuatoriana de donde provienen los mejores. Son de óptima calidad, y superiores a todo otro sombrero de fibra vegetal. *Véanse* FEZ; JIPIJAPA; TURBANTE; VESTIDO.

sombrilla y paraguas. Utensilios portátiles para resguardarse del sol y de la lluvia. Se componen de un bastón y un varillaje cubierto de tela, que puede extenderse y plegarse La sombrilla o quitasol pequeño, que en nuestros días es privilegio de las damas, tuvo origen remotísimo en las clases encumbradas de las civilizaciones antiguas. El dosel y el baldaquín que cubrían tronos, púlpitos y palanquines que aparecen en bajorrelieves dejados por egipcios y pueblos asiáticos, tienen estrecha relación con las sombrillas con que más tarde los esclavos protegieron del sol a sus amos en sus paseos. Se la consideraba símbolo real y en la India se honraba a los nobles con el título de *Señor de la Sombrilla*. En un principio, los egipcios usaron quitasoles amplios en forma de abanico, hechos de plumas, que ofrecían doble utilidad, pues al mismo tiempo que preservaban de los rayos solares, proveían de aire cuando se los agitaba. De Grecia y Roma antiguas también han quedado vestigios de su uso; en las celebraciones de las bacanales y otras fiestas de los dioses, muchas veces aparecen los quitasoles, según se aprecia en algunas pinturas y decoraciones de vasos y ánforas que han llegado hasta nosotros.

Más constante y generalizado, sin embargo, ha sido su uso en el Oriente, donde desde 2,000 años a. C. figura como signo de alcurnia, provista de variadas telas, según el rango de quien la lleva. En Japón y China, junto con el abanico, la sombrilla conserva casi la misma tradición que antaño, y su industria es de las más apreciadas. Aunque esporádicamente se había ya conocido, su aparición formal en Europa sucede en el siglo XVII y pronto es adoptada por las damas, conservándose en museos hermosas muestras ornamentadas con miniaturas, pedrerías y ricas telas. Desde entonces, tuvo épocas de decadencia y esplendor, pero, imperceptiblemente, el paraguas ha ido desplazándola.

Italia, Francia e Inglaterra fueron los países introductores del paraguas, aunque el útil artefacto causó no pocas burlas y hasta motines antes de conseguir la aceptación general. En Inglaterra, país, de frecuentes lluvias, pasada la reacción contraria a toda innovación, se adoptó por unanimidad, alquilándolos por hora los estudiantes de Oxford y Cambridge. Eran de tamaño mayor que las sombrillas y, por tanto, hasta hacerse más manuables y ligeros, fueron escasamente usados por las damas. En Francia, debido a su alto costo, el paraguas era traspasado de un miembro a otro de la familia durante generaciones. Medía 1,20 m de alto y llegó a pesar hasta 2.5 kg, a causa de su varillaje de ballenas. El invento del pararrayos por Benjamin Franklin dio a un francés la idea de convertir también el paraguas en un pararrayos portátil. Para ello sustituyó el soporte de madera por otro de hierro e hizo pasar por él un cable conductor extendido hasta tie-rra; se llevaba tomado por un mango de madera aisladora. La curiosa innovación, sin embargo, no produjo gran entusiasmo pues muchos la consideraron peligrosa. En la actualidad su estructura se ha hecho más cómoda y ligera y algunos modelos pueden llevarse plegados, a veces en la cartera. Escasamente pesan 400 gramos, debido al liviano material empleado para el armazón, que suele ser de duraluminio.

Somodevilla y Bengoechea Zenón de, marqués de la Ensenada

(1702-1781). Estadista español, nacido en Alesanco (Logroño) y fallecido en Medina del Campo (Valladolid). De familia hidalga, a los 18 años ingresó en la marina; prestó en ella señalados servicios, en especial durante la expedición a Orán (1732) y en la campaña de Nápoles (1733-1734), valiéndole los de esta última la obtención del título de marqués de la Ensenada. Posteriormente fue secretario del Almirantazgo y secretario del infante don Felipe en la campaña de Saboya. Llamado a Madrid por Felipe V desempeñó los cuatro ministerios de Hacienda, Guerra, Marina e Indias, al frente de los cuales siguió al ser sucedido este monarca por Fernando VI. Su actuación como estadista fue muy notable y beneficiosa para su patria: saneó la hacienda, estimuló el desarrollo de la industria y el comercio y reorganizó el ejército y la marina. Más inclinado a Francia que a Inglaterra, la hostilidad de ésta contribuyó en gran parte a su caída, que se produjo en 1754. Confinado en Granada, Carlos III lo rehabilitó al ascender al trono (1759); pero, después del motín de Esquilache (1766), aunque no intervino en él, fue

Corel Stock Photo Library

Nido de somorgujo en el estanque.

confinado de nuevo, esta vez en Medina del Campo, donde acabó sus días.

somorgujo.

Ave palmípeda, de pico recto y puntiagudo, cuello largo y cola corta. Tiene patas insertas muy atrás en el cuerpo, terminadas en grandes dedos independientes entre sí, pero cada uno con un reborde membranoso, que facilita la natación. El somorgujo moñudo es casi tan grande como el pato, y de plumaje pardo verdoso por el dorso, con el vientre y los flancos leonados y el cuello blanco; tiene un rodete de plumas rojas en la cabeza, de la que salen dos penachos o moños negros. Vive en las lagunas y pantanos de aguas dulces, escondido entre los juncos y carrizos.

Somoza, Anastasio

(1896-1956). Militar y político nicaragüense. Estudió en Philadelphia y participó en la insurrección que llevó al poder al Partido Liberal (1925). Diplomático en Costa Rica (1929), subsecretario de Asuntos Exteriores con el presidente José María Moncada, director de la Guardia Nacional (1934). Planeó el asesinato del dirigente Augusto César Sandino (1934) y dirigió el golpe de Estado contra el presidente Juan Bautista Sacasa (1937). Fue elegido presidente de la república en 1937 y reelegido en 1939, cargo que desempeñó hasta 1947. El 3 de febrero de dicho año, el presidente electo fue Leonardo Argüello, quien había sido su protegido y al que, sin embargo, derrocó con un levantamiento militar. En el nuevo gobierno interino presidido por Lacayo Sacasa, Somoza desempeñó la cartera de Ejército, Marina y

Somorgujo adaptado anatómicamente para facilitar la natación.

Corel Stock Photo Library

Aviación. Efectuadas elecciones ascendió al poder Víctor Manuel Román y Reyes, que falleció en mayo de 1950 y otra vez Somoza fue nombrado presidente interino y finalmente elegido presidente constitucional para el periodo 1950-1956. El 21 de septiembre de 1956 fue objeto de un atentado por su enemigo político Rigoberto López Pérez, que le disparó cuatro tiros, y falleció ocho días después. Le sucedió en la presidencia su hijo Luis Somoza, a quien el Congreso designó presidente en funciones.

Somoza Debayle, Anastasio (1925-1980). Político y militar nicaragüense. Hijo de Anastasio Somoza y hermano de Luis Somoza Debayle. Estudió en la academia militar de West Point en Estados Unidos. Director de la Guardia Nacional a la muerte de su padre (1956). Fue presidente dos veces, de 1967 a 1972, y de 1974 a 1979. Su política represiva provocó la insurrección de la guerrilla sandinista que finalmente lo depuso en 1979. Se exilió en Paraguay donde fue asesinado el 17 de septiembre de 1980, por un llamado revolucionario.

Somoza Debayle, Luis (1922-1967). Político nicaragüense. Hijo de Anastasio Somoza, fue presidente del Congreso (1951-1956) y presidente interino de la república tras el asesinato de su padre. Elegido presidente con 89 % de los votos (1957), promulgó una ley de reforma agraria y realizó un importante programa de obras públicas que fortalecieron la posición económica y política de la familia. Al terminar su mandato, hizo elegir como presidente a René Schick (1963).

son. Nombre genérico de diversos bailes populares de México, América Central y las Antillas. El más famoso surgió en la provincia de Oriente, en Cuba, e irrumpió en los salones centroamericanos durante la segunda década del siglo XX. Su forma se reduce a la repetición de un estribillo de cuatro compases, que se canta a coro, y de un motivo de ocho compases, que entona el solista. Pariente rítmico de la rumba, el son se ejecuta con instrumentos musicales típicos como el bongó, las maracas, las claves y la botija. En Guatemala se baila el son chapín, cuyo origen parece hallarse en el zapateado español y cuyo ritmo se asemeja al de la mazurca.

sonambulismo o somnambulismo. Estado de una persona que durante el sueño habla, se levanta, anda y actua, sin acordarse de ello al despertar. Los casos son muchos. Un joven se levanta dormido, se viste, sale de su casa y se va a pasear, después vuelve, se desnuda y se acuesta; al despertar no se acuerda de nada. Otro prosigue la tarea que tenía comenzada. Tales son los casos comunes, pero hay muchas variantes, algunas de consecuencias funestas. El sonambulismo constituye una anormalidad poco frecuente. Es normal agitarse y hasta hablar durante el sueño, en monólogos confusos en los que apenas se perciben algunas palabras, pero al día siguiente suele recordarse lo soñado.

Es interesante la historia del sonambulismo. Ya Hipócrates se refirió a él. De acuerdo con Plinio quizás la Pitonisa de Delfos sería una sonámbula, que hablaba en sueños. En la Edad Media pasaba el sonambulismo por un fenómeno diabólico. William Shakespeare recoge un caso de esta enfermedad en Lady Macbeth que, errante por las salas de su castillo, revela en una crisis de sonambulismo los detalles del asesinato del rey. De muchos personajes famosos se ha asegurado que padecían de sonambulismo.

El sonámbulo no ve ni oye, pero conserva su control muscular. Se halla en estado de inconsciencia. Marcha con rostro rígido e inexpresivo, las pupilas inmóviles y fijas. Los sonámbulos parecen capaces de ciertas percepciones extrasensoriales, o sea sin intervención de los sentidos. Su automatismo parece impulsado por una idea fija, que determina y dirige sus actos, y que suele consistir en un deseo no realizado, una preocupación, y hasta a veces una pasión, constituyendo una especie de liberación de los convencionalismos del hombre despierto.

Se han intentado numerosas explicaciones de esta enfermedad. Hay quien la califica de autohipnotismo. Otros dicen que es un sueño parcial en el cual quedan despiertas zonas del cerebro mientras otras duermen. En general los sonámbulos son personas nerviosas, y se dan muchos casos en ciertos enfermos mentales, y en alcohólicos. Abunda más entre los niños y adolescentes, de tipo sensible y emotivo, pero desaparece en la edad adulta. Puede curarse, a veces con medicación calmante y una vida higiénica, evitando excitaciones y emociones violentas.

sonar. Véase RADAR.

sonata. Composición musical de carácter y movimientos variados. Hasta los comienzos del siglo XVIII no alcanzó su completo desarrollo como forma instrumental independiente. Se compone de tres o cuatro movimientos que, generalmente, suelen ser: el primero, un allegro; el segundo, un adagio, largo o andante, el tercero un scherzo, y el cuarto un rondó final. Todos los grandes músicos han escrito sonatas, entre ellos, Franz Joseph Haydn, Wolfgan Amadeus Mozart, Ludwing van Beethoven, Robert Schumann, Frédéric Chopin, y otros. Una forma musical derivada de la sonata es la sonatina, compuesta en los mismos tiempos, pero más sencilla y de más fácil ejecución.

sonda. En cirugía es un instrumento tubular, que se emplea para la exploración de conductos y para evacuar líquidos de las cavidades del cuerpo humano. Las hay de distintas formas y tamaños.

sonda espacial. Algunas sondas disponen de aparatos fotográficos o de televisión que permiten tomar vistas de las superficies de los astros que exploran. Otras son dirigidas de forma que lleguen hasta posarse sobre la superficie del astro. Se distinguen las sondas lunares y las interplanetarias. Entre las primeras destacan las de la serie *Lunik, Luna* y *Zond* soviéticas y las *Pioneer, Ranger, Surveyor* y *Lunar Orbiter* estadounidenses. Entre las interplanetarias con destino a Marte cabe citar la serie *Mars* soviética y los *Mariner* y *Viking* estadounidenses. Las sondas con destino a Venus son las *Venera* soviéticas y los *Mariner* y *Pioneer- Venus* estadounidenses; Mercurio ha sido investigado por la sonda especial *Mariner-10*. Hacia Júpiter y planetas exteriores se han lanzado los *Pioneer 10* y *11* y Voyager I y 2. Para el estudio del Sol se han lanzado los *Helios I* y *2* alemanes, y el espacio interplanetario, además de por las sondas ya señaladas, ha sido estudiado por los *Pioneer 6* a *9* situados, dos en órbita heliocéntrica. *Véase* LUNA.

Sonda, islas de la. Importante grupo de islas del gran Archipiélago Malayo, situadas en el océano Indico, se extienden en un arco de círculo desde el suroeste de la península de Malaca hasta las Molucas y el noroeste de Australia. De territorio montañoso, constituyen los restos del istmo que en tiempos remotos debe haber unido Asia con Australia. Físicamente se dividen en tres grupos: l) islas de la Gran Sonda, que comprenden las de Sumatra, Borneo, Célebes, Java, Madura, Billiton y Banka. Son las principales y más pobladas; 2) grupo de la Sonda Menor, integrado por numerosas islas pequeñas y 3) el grupo de Timor, de fértil vegetación. En su mayor parte, tienen ricos depósitos de minerales, aunque sin explotar. Salvo la parte norte de Borneo, que pertenece a la Federación de Malasia, y el norte de Timor, que es de Portugal, el resto forma parte de la República de Indonesia. Su población es de más de 100 millones de habitantes, de los cuales 63 millones viven en Java.

sondeo. Maniobra que sirve para averiguar la naturaleza y profundidad del fondo del mar y, también, de los ríos y lagos. El método más primitivo de sondeo consiste en una cuerda llamada sonda, en la que se hallan marcadas las medidas de longitud, de cuyo extremo pende un peso o escandallo, que se deja caer hasta llegar al fondo, midiéndose la profundidad en la marca de la cuerda que queda a nivel de la superficie. Algunos tipos de escandallo poseen un dispositivo que permite extraer muestras del fondo con el fin de estudiar la naturaleza de éste. Los buques modernos suelen estar equipados con dispositivos acústicos de sondeo que se fundan en el cálculo del tiempo que emplean las ondas sonoras en llegar al fondo del mar y regresar al punto de emisión. Esos dispositivos acústicos se instalan en el casco del buque y consisten en un oscilador submarino que genera y lanza las ondas sonoras, y en un receptor hidrofónico del eco. La velocidad de propagación del sonido en el agua es conocida. El oscilador proyecta la onda sonora, que al tropezar con el fondo del mar es reflejada en dirección contraria y constituye la onda de retorno o eco, que aceptada por el receptor hidrofónico, es amplificada y transmitida al aparato registrador de profundidad instalado en el puente de mando. La sonda acústica puede funcionar continuamente y registrar sin interrupción la profundidad del mar en todos los puntos de la ruta que siga el buque. Esa valiosa propiedad, tanto de la sonda acústica, como de otros instrumentos y dispositivos científicos como el radar, se emplea para facilitar el levantamiento de planos y mapas del relieve y de las profundidades submarinas. *Véase* RADAR.

soneto. Composición poética que consta de 14 versos endecasílabos, distribuidos en dos cuartetos y dos tercetos. En la estructura del soneto clásico, los versos de los cuartetos riman el primero con el cuarto y el segundo con el tercero. Los versos de los tercetos pueden rimar de distintas maneras. Esta forma poética es de antiquísimo origen, acaso árabe, pero se formalizó en Italia y en Provenza con los trovadores. Quien puso de moda el *sonetto*, sin embargo, fue Petrarca y por ello se le señala como su inventor. En el siglo XV lo imitó en España el marqués de Santillana y en el XVI lo actualizó en Francia el poeta Mellin de Saint-Gelais, quien mereció, igual que otros que siguieron su ejemplo, las críticas y burlas de Moliere. De entonces a hoy, los más grandes paetas le han dedicado su atención: William Shakespeare, en Inglaterra; Sully-Prudhomme, en Francia; y en España, a más de Inigio López de Mendoza, marqués de Santillana, Lupercio Leonardo de Argensola, Arquijo, Miguel de Cervantes Saavedra, Lope de Vega, Luis de Góngora y Argote, Garcilaso de la Vega y muchos más, que se esmeraron en tal manera, que hicieron del soneto una de las formas más admirables en la versificación española. *Véase* POESÍA.

sonido. Fenómeno físico percibido por el oído, causado por las vibraciones de un cuerpo (una cuerda, una campana, etcétera.) y transmitidas por intermedio del aire.

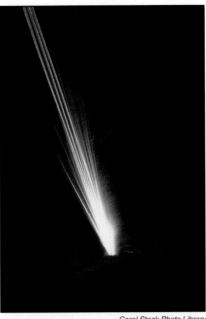

Corel Stock Photo Library

Los meteoritos al atravesar la atmósfera rompen la barrera del sonido.

Esto puede comprobarse a simple vista, en el caso de una cuerda de guitarra: si uno la sujeta cesa el sonido; o por medio del tacto en el caso de un timbre o de un diapasón. También pueden sentirse con los dedos las vibraciones del diafragma de un fonógrafo o del receptor de un aparato telefónico cuando uno habla. La vibración de las ramas de un diapasón, que es una barra de acero en forma de U, puede hacerse visible introduciéndolo en agua o acercándole un péndulo liviano que es rechazado por aquél. Si se pasa un arco de violín por el borde de una placa de acero sujeta en el centro, ésta emite un sonido, y si se coloca arena sobre la placa, se observa que los granitos saltan en algunos puntos. Algunas regiones de las placas, las líneas nodales, permanecen sin vibrar. En ellas se acumula la arena, formándose así curiosas figuras, cuya forma depende del lugar por donde se pasa el arco y de los puntos de la placa que se mantienen fijos.

Cuando cualquiera de los cuerpos antes mencionados comienza a vibrar, sus partículas transmiten su movimiento vibratorio a las del aire circundante. Ello se debe a que cuando las partículas del objeto se mueven hacia afuera, las partículas de aire son desalojadas, comprimiéndose o condensándose en un menor espacio; pero cuando las del objeto retroceden, el aire se expande dentro del espacio por ellas abandonado. De manera que para cada vibración de las partículas del cuerpo, se produce una correspondiente compresión y expansión del aire circundante, que se va extendiendo luego, por la misma razón, a las capas más alejadas. Las vibraciones se propagan por el aire en todas direcciones

y pueden extenderse varias simultáneamente. Cuando estas vibraciones alcanzan la membrana de nuestro oído, son interpretadas por el cerebro y entonces oímos el sonido trasnmitido.

Movimiento vibratorio y ondas. Si un cuerpo en vibración se halla rodeado de un medio elástico, como el aire, sus vibraciones se transmiten en forma de ondas. Es un fenómeno fácil de explicar. Si se observan las olas del mar a cierta distancia, desde la costa, podría creerse que el agua se desplaza con las olas, pero la observación de los objetos que flotan sobre ella muestra que no es así. La mejor manera de comprobarlo es observar las ondas que se producen cuando se arroja una piedra en aguas tranquilas, en donde flota algún corcho o trozo de madera. El corcho se mueve con un movimiento de vaivén, de arriba a abajo y de abajo a arriba, pero no avanza. No es característica exclusiva de las ondas del agua, sin embargo, sino de todos los movimientos vibratorios, que aunque la energía y el movimiento se transmiten de una parte del medio a otra, el medio mismo no se mueve.

Existe cierto número de términos técnicos usados en el estudio de los movimientos vibratorios, cuyo significado será fácil comprender aplicándolos al ejemplo del agua. Los términos cresta y valle de la onda se explican por sí mismos. La distancia entre el punto más alto de una cresta y el de la siguiente se llama *longitud de onda*. La longitud de onda en las ondas del agua es muy variable, pudiendo alcanzar, en el caso de las olas del mar, cerca de 1 km. Todo el movimiento realizado por el agua al pasar una onda se reduce a subir y bajar. La amplitud de la onda es la mayor distancia que el agua se eleva sobre su nivel. En el océano no son raras las ondas con una amplitud o altura de 7 a 8 m. Frecuencia es el número de ondas que pasan por un lugar dado en el término de un segundo. Periodo es el tiempo que necesita una pequeña porción del medio para realizar una oscilación completa.

Naturaleza de los ondas sonoras. No todas las ondas son iguales. Las hay transversales y longitudinales. En las primeras, como en el caso del agua, el medio vibra en dirección perpendicular a la dirección de propagación. Si fijamos el extremo de una cuerda y sacudimos el otro, las ondas que la recorren son transversales. Las ondas luminosas, las eléctricas, las ondas de radio y, en general, todas las electromagnéticas, son transversales. No sucede lo mismo con las sonoras. Éstas se propagan en la misma dirección en que vibran las partículas del medio y se llaman, por ello, longitudinales. Este tipo de ondas puede observarse en el siguiente ejemplo: se sujeta al techo o a un soporte, el extremo de un largo resorte en espiral dejando el otro libre. Si estiramos una porción de resorte y luego la soltamos bruscamente, veremos una onda que recorre todo el resorte, desde el extremo libre, al fijo, y luego a la inversa. Lo mismo si juntamos unas cuantas espiras y luego las soltamos bruscamente. En el caso del sonido, la formación de ondas se debe a las compresiones y expansiones sucesivas de las partículas del medio, que vibran en la misma dirección de propagación de la onda.

Propagación del sonido. El sonido necesitará para propagarse, en consecuencia, un medio elástico que transmita las vibraciones del cuerpo sonoro. Así lo probó experimentalmente, por primera vez sir Robert Boyle, y luego Hawksbee (1705). La experiencia era la siguiente: se suspende una campanilla de un hilo, dentro de un globo conectado a una bomba para efectuar el vacío. Mientras el globo está lleno de aire se oye la campanilla perfectamente, pero si se extrae el aire el sonido se debilita gradualmente y al fin no se oye más. El experimento es más notable aún si se realiza con un timbre eléctrico que suene ininterrumpidamente y con una atmósfera de hidrógeno en vez de aire, reducida a una presión sumamente baja por una poderosa bomba de vacío. En general, nos sentimos inclinados a creer que la atmósfera es el medio universal para la transmisión del sonido. El lenguaje, la música y todos los ruidos familiares nos llegan al oído a través del aire circundante; pero el sonido también se propaga en los cuerpos líquidos y en los sólidos, que constituyen excelentes medios elásticos para sus ondas. Muchos niños han realizado la experiencia de escuchar, pegando el oído a una larga cerca de madera, los golpecitos dados por un compañero en la misma cerca en un punto distante. Es sabido que puede conocerse la proximidad de un tren poniendo el oído sobre los rieles. Los pieles rojas colocaban el oído sobre la tierra para poder escuchar ruidos que eran inaudibles en el aire. Cuando un plomero martilla sobre un caño, el ruido es llevado por toda la red de cañerías y se escucha en todo el edificio. El teléfono es un ejemplo del pasaje del sonido a través de un cable tenso. En algunos casos de sordera se ha tratado de enviar los sonidos al cerebro usando como vía los huesos de la cabeza, mediante una varilla rígida que se sujeta entre los dientes por un extremo, y se coloca el otro en contacto con la fuente sonora. Se dice que era éste el método usado por Ludwing van Beethoven para poder escuchar su piano. Si se escucha cerca del casco, en la bodega, de un barco, debajo de la línea de flotación, puede oírse claramente el ruido del motor de un barco cercano. Una prueba mejor de la propagación del sonido en el agua puede obtenerse colocando el oído en contacto directo con el agua.

Corel Stock Photo Library

La luz viaja más rapido que el sonido.

Velocidad del sonido. Todos hemos podido comprobar que el relámpago precede al trueno. También es una experiencia común que en los disparos con armas de fuego se observa el fogonazo mucho antes de oírse la explosión. Cuando un barco o una locomotora distantes hacen sonar el silbato, primero se ve el vapor que expulsa el silbato y unos segundos después se oye el sonido. Estos ejemplos demuestran que el sonido necesita tiempo para propagarse y mucho más que el que necesita la luz.

La velocidad de propagación del sonido varía de acuerdo con el medio en que se propague y las condiciones de ese medio. La velocidad del sonido en aire seco a 0 °C, es de 332 m/seg. Esta velocidad aumenta con la temperatura (a razón de 60 cm/seg por cada grado centígrado) y con el grado de humedad del aire. Por eso puede calcularse, para las condiciones comunes, en unos 340 m/seg. En los líquidos, la velocidad de propagación es mayor, y se ha medido directamente en el agua de un lago utilizando dos lanchas con campanas y bocinas apropiadas. Al hacer sonar una campana se encendía automáticamente cierta cantidad de pólvora, que producía un destello luminoso. Se obtuvo así, para la velocidad del sonido en el agua, la de 1,453 m/seg. En el agua salada de mar, la velocidad alcanza los 1,500 m/seg. La velocidad de propagación en el hierro es 15 veces mayor que en el aire, es decir, igual a 5,000 metros por segundo.

Señales submarinas por medio de ondas sonoras. El hombre no ha tardado en aprovechar la propiedad que tiene el sonido de propagarse en los medios líquidos. Se han construido, así, hidrófonos sensibles capaces de registrar los sonidos que recorren el agua. En la Primera Guerra Mundial fueron usados para descubrir y localizar la posición de los submarinos. Desde entonces se han ideado varios métodos para determinar la posición de los barcos en el mar, mediante las ondas sonoras. Se han realizado experimentos que demuestran que una explosión ocurrida bajo el agua a varios kilómetros de distancia no sólo puede ser registrada, sino que, también puede localizarse con toda exactitud el lugar de la explosión.

Reflexión del sonido. Eco. Cuando las ondas sonoras inciden sobre una superficie, se reflejan, recorriendo un camino inverso y simétrico al que llevaban. Pueden actuar como superficies reflectoras las paredes de los edificios, los árboles, las montañas y otros obstáculos semejantes. El eco es un caso particular de la reflexión del sonido. Si un observador se coloca en un sitio apropiado y emite un sonido, después de pocos instantes volverá hasta él. Si la superficie que refleja las ondas dista unos 170 m, el eco tardará exactamente 1 segundo en oírse, puesto que 170 m de ida y otros 170 m de vuelta hacen 340 m, que es lo que el sonido puede recorrer en el término de un segundo. Sin embargo, podemos emitir un sonido frente a una pared situada a 10 m y no percibir eco alguno. Esto se debe a que la sensación sonora, por razones fisiológicas, perdura cierto tiempo después de extinguida la onda que la produjo. Este tiempo es más o menos igual a un décimo de segundo. Como el sonido recorre en el aire 34 m en ese tiempo, en nuestro ejemplo de la pared a 10 m de distancia no puede oírse el eco, pues antes de extinguirse la sensación del primer sonido, ya están de vuelta las ondas sonoras. En consecuencia, si nos colocamos frente a una pared a una distancia mayor de 17 m y producimos un sonido, las ondas reflejadas llegarán a nuestro oído después de haberse disipado la sensación originada por el sonido inicial y habrá eco. En lugar de un golpe se perciben dos golpes sucesivos. Si la distancia es menor de 17 m se percibe un solo golpe algo más prolongado. Entre dos paredes paralelas y distantes puede oírse un eco múltiple.

Midiendo el tiempo que tarda en oírse el eco del silbato de su buque, un capitán puede determinar a veces, cuando la niebla obstruye la visión, la distancia a que se encuentra el barco de la costa o de un iceberg o de cualquier otro obstáculo. Cuando hay más de una superficie reflectora, el oído puede oír una serie de ecos. Así, por ejemplo, cuando se dispara un cañonazo en un valle o en una quebrada, el eco se oye primero proveniente de una superficie y luego de otra, arrastrándose el sonido en un largo retronar. Esto mismo es notable en el caso de tormentas lejanas. Esta prolongación debida a la reflexión se llama, a veces, reverberación.

Otros casos de reflexión del sonido. El rumor que se escucha a voces en el interior de las bóvedas o techos curvados de los edificios, es un efecto que frecuentemente se hace notar a los visitantes. Este fenómeno es bien conocido en la cúpula del Capitolio de Washington. Frecuentemente, los sonidos originados en un lugar se reflejan de tal modo que convergen todos ellos en un lugar distante. Un notable ejemplo de este fenómeno lo constituye el Tabernáculo de los Mormones, en Salt Lake City. El techo de este edificio tiene una curvatura elipsoidal, y refleja los sonidos de una manera tan extraordinaria que, la caída de un alfiler sobre un sombrero de fieltro, puede oírse perfectamente a una distancia de 70 metros.

El método más eficaz y rápido para sondear las profundidades oceánicas se basa en la reflexión de las ondas sonoras en el fondo del mar. Las ondas se envían desde el barco hacia abajo, a través del agua, y son reflejadas otra vez al barco, donde se recogen mediante un hidrófono especial. Midiendo el tiempo que tarda el sonido en recorrer este trayecto y conociendo su velocidad en el agua, es fácil calcular la profundidad. Un método similar se emplea en las exploraciones geológicas. Con él puede medirse la profundidad de algunas capas minerales o descubrir la existencia de otros depósitos. El procedimiento consiste en producir un sonido mediante una explosión y medir el tiempo que tarda en reflejarse.

En los teatros es de suma importancia la reflexión del sonido ocasionada por el piso, las paredes y el techo, pues a veces provoca desagradables efectos sonoros que llegan a impedir la audición de los sonidos provenientes de la escena. En estos casos se dice que la acústica de la sala es mala. El remedio habitual consiste en recubrir parte de las paredes y techo con fieltro o alguna otra sustancia que refleje poco el sonido. Las paredes y techos de los estudios radiales se recubren con materiales aislantes de modo que no haya reverberación.

Energía de las ondas sonoras. Cualquier clase de movimiento vibratorio posee energía, pero en grado variable. La energía contenida en el movimiento ondulatorio de la luz solar es muy grande, mientras que la energía de las ondas productoras de sonidos de ordinaria intensidad es pequeña. Y es natural puesto que se necesita muy poca cantidad de energía para producir un sonido. Si se convirtiera íntegramente un vatio de fuerza en sonido (por ejemplo, en un silbato), el ruido producido sería oído a gran distancia. La pequeña cantidad de energía de las ondas sonoras está compensada por la sensibilidad del oído.

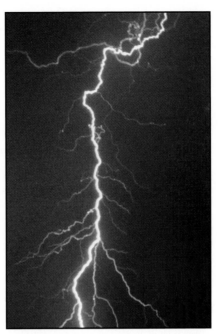

Corel Stock Photo Library

El sonido del trueno se debe al choque de masas de aire.

Ruidos y sonidos musicales. La mayoría de los sonidos que llegan a nuestros oídos son ruidos. Cuando un cuerpo emite vibraciones irregulares a intervalos también irregulares, el oído humano los percibe como sonidos desagradables que se califican entre los ruidos. El ladrido de un perro, un portazo, la caída de un libro, el sonido de una bocina, son otros tantos ruidos. Pero hay otros sonidos, como los emitidos por un piano o un violín, que resultan agradables al oído. Poseen una altura determinada y se llaman sonidos musicales, los que tienen, además de la altura, otros dos caracteres distintivos: la intensidad y el timbre.

Se ha demostrado experimentalmente que la fuerza de una sensación sonora depende de la energía de la onda sonora. De dos sonidos que tengan igual frecuencia (y por lo tanto igual longitud de onda) aquel que tenga una mayor amplitud tendrá mayor cantidad de energía y será el más intenso.

La intensidad de un sonido escuchado a cierta distancia puede ser aumentada bien reforzando la energía del cuerpo en vibración, o impidiendo que el sonido se propague en todas direcciones. Esto último se debe a que las ondas sonoras se mueven formando esferas concéntricas en torno a la fuente sonora y, a medida que se alejan, los radios de las esferas se van haciendo más grandes y, en consecuencia, la energía proveniente de las ondas sonoras se reparte sobre una superficie mayor. Como el área de una esfera aumenta según el cuadrado de su radio, la intensidad de un sonido decrecerá en razón inversamente proporcional al cuadrado de la distancia que media entre el observador y la fuen-

te productora de sonido. Esto significa que para una persona situada a 1 m de distancia el sonido parecerá cuatro veces más intenso que para otra situada a 2 m, y nueve veces más que para una tercera ubicada a 3 m. Para evitar que el sonido se pierda en el aire, se puede concentrar en una sola dirección por medio de un megáfono o con ayuda de las manos, de modo que la intensidad en esa dirección aumenta considerablemente.

Un sonido puede ser agudo o grave, alto o bajo. Si se coloca una tarjeta en contacto con el borde de una rueda dentada, y ésta gira con suficiente velocidad, la tarjeta empezará a vibrar emitiendo ondas sonoras. Si la rueda gira con velocidad constante, la altura del sonido permanece invariable. Pero, si la rueda empieza a girar más rápido, el sonido se hace más alto y en cambio baja cuando se hace girar la rueda más despacio; y así, cuanto mayor es el número de dientes que golpean la tarjeta en un segundo, o lo que es lo mismo, cuanto mayor es el número de vibraciones por segundo, mayor es la altura del sonido. Por lo tanto, la altura depende de la frecuencia. Este mismo hecho se comprueba con las sirenas, consistentes en dos discos, uno fijo y el otro móvil, con orificios regularmente dispuestos cerca de los bordes y a través de los cuales pasa una corriente de aire. Se origina así un sonido musical cuya altura varía según que el movimiento rotatorio del disco sea más rápido o más lento Si en una hilera de orificios no todos ellos son del mismo tamaño, entonces ya no se obtiene un sonido musical sino un ruido. Este experimento pone de relieve una diferencia fundamental entre los sonidos musicales y los ruidos.

Efecto Doppler. Éste se presenta cuando una fuente sonora se acerca a un observador: éste percibe un sonido más agudo que el que percibiría si la fuente se hallase inmóvil. Cuando la fuente se aleja el sonido parece más grave. Por esta razón, cuando una locomotora pasa silbando, en el momento en que cruza frente al observador y empieza a alejarse, el silbato parece volverse más grave. Se debe a que al aproximarse el tren, como junto con las ondas también se mueve la fuente sonora, el observador recibe mayor número de ondas por segundo que al alejarse, es decir, que varía la frecuencia de las ondas y, con ella, la altura.

Límites de los sonidos perceptibles. Los sonidos más graves que puede percibir el oído humano deben provenir de una fuente sonora que produzca por lo menos 16 vibraciones por segundo. Con el silbato de Galton, que es un pito cuya longitud puede disminuirse, se comprueba que cuando la frecuencia es superior a 20,000 vibraciones por segundo no se percibe sonido alguno. El oído humano, en consecuencia, sólo es sensible a frecuencias comprendidas entre 16 y hasta 20,000 vibraciones por segundo.

Resonancia. Supongamos dos péndulos suspendidos del mismo soporte, que tengan igual periodo de oscilación, es decir, igual frecuencia. Si uno de los péndulos comienza a oscilar el otro también lo hace al cabo de cierto tiempo. En la acústica sucede otro tanto. Si se colocan frente a frente dos diapasones idénticos, y se hace vibrar uno de ellos, el segundo no tarda en vibrar a su vez. Se dice que Caruso era capaz de dar la nota exacta para hacer entrar en resonancia una copa, rompiéndola. También puede hacerse entrar en resonancia una columna de aire, como cuando se coloca un diapasón sobre una caja de madera cerrada por un extremo y abierta por el otro y de determinada longitud, con lo cual se refuerza el sonido del diapasón.

Timbre. La misma nota musical que emite un piano no puede ser confundida con la emitida por un violín. Es decir, que dos sonidos pueden tener la misma frecuencia y altura, y no ser iguales, sin embargo. La diferencia que los distingue es el llamado timbre de un sonido. Fue Hermann Helmholz el primero en explicar sus causas, atribuyéndolo al hecho de que a la vibración principal de la cuerda que produce la nota, se superponen otras vibraciones secundarias, producidas por la caja del instrumento y por la misma cuerda. Es decir, que el timbre depende del conjunto de vibraciones que produce el cuerpo sonoro.

Instrumentos musicales. Pueden ser de tres clases: de cuerdas, de viento y de percusión. En los instrumentos de cuerda éstas se encuentran, por lo común, estiradas sobre la caja de resonancia, como en el violín, piano y guitarra. Hay tres leyes fundamentales que los gobiernan; una cuerda tirante y pesada da una nota más baja que otra igualmente estirada pero liviana. Además, cuanto más largas las cuerdas, más graves las notas. La longitud de las cuerdas se controla apretándolas con los dedos sobre el mástil, y la tensión, por medio de las clavijas.

En los instrumentos de viento el papel de la cuerda está desempeñado por una columna de aire que vibra dentro de un tubo, de madera o de metal, y cuya longitud, de la cual depende la frecuencia del sonido, es regulada por medio de válvulas. Los sobretonos y tonos fundamentales de estos instrumentos dependen en gran parte de la intensidad con que sople el ejecutante. En algunos se usa una lengüeta o una membrana para hacer vibrar la columna de aire. Se encuentran en el primer caso, el saxofón, el oboe y el clarinete. Un ejemplo del segundo lo constituye la voz humana. Las cuerdas vocales son un par de membranas situadas a ambos lados de una caja, la laringe, que vibran al pasar el aire. La tensión muscular influye sobre las cuerdas, determinando la producción de notas diferentes, y según la forma que adopte la boca se pueden obtener los sobretonos que configuran el timbre de la voz.

En los instrumentos de percusión se golpea sobre una membrana bien estirada sobre los bordes de una caja, como en el caso del tambor, o sobre otra clase de láminas. Por lo general, tocados aisladamente producen sonidos desagradables, pero en medio de la orquesta, contribuyen a obtener notables efectos musicales.

Corel Stock Photo Library

Flora del desierto de Sonora. México.

Ondas supersónicas. Mediante el uso de circuitos eléctricos, en los cuales se produce la vibración de cargas eléctricas, se ha logrado hacer vibrar diafragmas, láminas y otros materiales, con una frecuencia de hasta 200,000 vibraciones por segundo. Naturalmente, estos sonidos no pueden oírse. Estas ondas, que no son, sin embargo, de naturaleza eléctrica, se utilizan en las exploraciones de las profundidades oceánicas, para localizar barcos hundidos y en investigaciones biológicas. *Véanse* ACÚSTICA; ECO; INTENSIDAD; MÚSICA; OÍDO; ONDAS; TONO.

Sonora. Estado de México. Limita con Estados Unidos, con los estados mexicanos de Sinaloa, Chihuahua y Baja California Norte, y con el Golfo de California. Tiene 184,934 km² y 1.823,600 habitantes. Sus principales centros de población son Hermosillo, capital del estado (449,472 h); Cananea (311,078 h); Guaymas (128,960 h); Navojoa (122,390 h); San Luis Río Colorado (111,508 h) y Nogales (107,119 h). Al este y al norte, el terreno es muy quebrado, pues lo atraviesan montañas de la Sierra Madre Occidental, cuyas mayores elevaciones son de 2,000 metros.

Al oeste hay grandes llanuras y en el extremo noroeste está la región árida conocida por el desierto de Altar o Sonora. Los ríos principales son: el Concepción, el Sonora, el Yaqui y el Mayo. La extensión de la costa es de 860 km. La bahía de mayor importancia es Guaymas, a la que siguen las de Yavaros y Agiabampo. Sonora tiene varias islas en el Golfo de California, siendo

La costa de Sonora se encuentra en el Mar de Cortéz.

Corel Stock Photo Library

la mayor la del Tiburón, con 1,145 km². El clima es frío en las montañas, templado en los valles y regiones de cierta altitud y tórrido y seco en el litoral y los llanos costeros, principalmente al noroeste.

Hay yacimientos de oro, plata, plomo, cobre, estaño, grafito y otros minerales. Los centros mineros más importantes son: Cananea, Nacozari, Álamos y Guaymas. Grandes obras de riego, como la presa del Oviáchic, inaugurada en 1952, hacen cultivables extensas regiones. Los principales productos agrícolas son el maíz, trigo, cebada, frijoles, garbanzo, algodón, caña de azúcar, tabaco, patatas, vid y frutas diversas. Se cría ganado vacuno, caballar, cabrío y lanar. La pesca en el Golfo de California es abundante.

Existen industrias derivadas de la extracción y beneficio de metales y fábricas de hilados y tejidos de algodón, de cerveza, tabaco, curtido de pieles, etcétera. Las exportaciones consisten especialmente en productos minerales, algodón, cueros, maderas, cereales y legumbres. El intercambio comercial con Estados Unidos se efectúa en su mayor parte por las aduanas fronterizas de Nogales y Agua Prieta.

La red de vías de comunicación comprende el ferrocarril del Pacífico con varios ramales, que cruza el estado de norte a sur, los ferrocarriles que sirven la zona minera de Cananea, Naco y Nacozari y la línea que une Baja California con Sonora. De las varias carreteras, la principal es la que parte de Nogales, en la frontera con Estados Unidos, y atraviesa el estado en dirección sur, y que es la sección sonorense del ramal del oeste de la gran Carretera Internacional o Panamericana. Hermosillo, Nogales y otras ciudades están también unidas por servicios aéreos con la capital de la nación. Las comunicaciones marítimas se efectúan principalmente por el puerto de Guaymas.

Historia. Los aborígenes son indios yaquis, mayos, pimas, ópatas, pápagos y seris. Los primeros españoles que penetraron en Sonora fueron Alvar Núñez Cabeza de Vaca y Alméndiz Chirino (1536). Al advenimiento de la independencia de México, Sonora y Sinaloa formaron una sola entidad política, hasta 1830 en que se separaron, asignándose a cada una de ellas la categoría de estado.

Sonsonate. Departamento de El Salvador, en la parte occidental del país. Ocupa una área de 1,226 km², con 354,641 habitantes. El territorio es montañoso en el norte y llano en el sur; hay en él numerosos volcanes, el principal de los cuales es el Izalco. Su clima es cálido y la principal riqueza está representada por el café, cacao, vainilla, caña de azúcar y plátanos. Bañan el departamento muchos ríos, siendo los más caudalosos el San Pedro y el

Corel Stock Photo Library

Sonora cuenta con grandes extensiones de desierto.

Chimalapa. La capital es Sonsonate, con 76,200 habitantes.

Soong, familia. Los miembros de esta familia china han tenido actuación preeminente en la política, la diplomacia y las finanzas de su patria desde que su fundador, **Charlie Jones Soong** (1866-1918). regresó a su país después de una larga permanencia en Estados Unidos, adonde llegó en 1880, comenzó a trabajar como vendedor ambulante y pudo adquirir instrucción universitaria. Establecido en Shanghai, desarrolló una próspera industria editorial y su hogar fue el centro revolucionario que impulsó la república china. Fue el consejero de Sun Yat-sen, a quien estimuló espiritual y económicamente, además de ser responsable financiero del Kuo-min-tang. Su hijo **Tse-Ven Soong** (1894-1971), se educó en la Universidad de Harvard y se especializó en cuestiones económicas. Organizó las finanzas de su país y estabilizó su moneda, como miembro del Kuo-min-tang ocupó los cargos de ministro de Finanzas (1925-1983) en varias ocasiones, presidente del Banco Central de China (1936). Como partidario de Chiang Kaishek fue ministro de Asuntos Exteriores (1941-1944) y presidente de la Asamblea Ejecutiva (1944-1949). Posteriormente representó a Taiwan ante la ONU. También las tres hijas de Soong se educaron brillantemente en Estados Unidos y fueron colaboradoras y esposas de destacados hombres públicos chinos: **Quing-ling** (1890-1981) se casó con Sun Yat-sen. Perteneciente al ala izquierda de Kuomin-tang, dimitió en dos ocasiones en protesta por la política de Chiang Kaishek. Evolucionó hacia el Partido Comunista

Chino, por lo que fue vicepresidenta de la República Popular China (1949) y premio Stalin (1953); **Ai-ling** (1893-1973), fue secretaria de Sun Yat-set antes de ser esposa del parlamentario, diplomático y varias veces ministro H. H. Hung, y **Mei-ling**, o Mayling (1897-?), quien contrajo matrimonio con el mariscal Chiang Kai-shek (1927) e importante colaboradora en la formación de la China nacionalista, luego líder del lobby taiwanés en Washington. *Véanse* CHINA; SUN YAT-SEN; CHIANG KAI-SHEK.

soplete. Aparato utilizado para soldar o cortar metales que produce grandes cantidades de calor en forma de llama, obtenida mediante la combustión de una mezcla de oxígeno y un gas combustible en un espacio muy reducido. Canuto de boj por donde se hincha de aire la gaita gallega. Los sopletes pueden ser de soldar o de cortar.

Sopletes de soldar. Se clasifican de manera general, en: sopletes de alta presión, en los que el oxígeno y el gas se hacen trabajar a la misma presión, y sopletes de baja presión, en los que la alta presión del oxígeno se utiliza para aspirar el gas combustible. En los de alta presión se emplean como combustibles el acetileno en botellas, el hidrógeno y el gas Blau, bastando una tobera como elemento de mezcla. En los sopletes de baja presión se emplean como combustibles acetileno y gas del alumbrado, y el dispositivo de mezcla está sustituido por un inyector.

Sopletes de cortar. El soplete de soldar ordinario puede servir para cortar chapas de hasta 10 mm de espesor, pero es mucho más lento que el de cortar y sólo se

emplea en casos de emergencia. El soplete de cortar no es mas que uno de soldar
con un segundo tubo para oxígeno de alta
presión que se encarga de quemar totalmente el metal. Estos sopletes se clasifican,
de manera análoga a los de soldar, según la
clase de gas combustible, la disposición de
las toberas, su tamaño, etcétera.

soprano. *Véase* TIPLE.

Sor, Fernando. *Véase* SORS, FERNANDO.

sorbitol. Compuesto orgánico saturado, de seis átomos de carbono y cadena
lineal que posee un radical hidroxilo en
cada carbono. Se encuentra en la naturaleza formando parte de muchos frutos
maduros. Sólido cristalino. Forma agujas hidratadas, de p. f. 100 °C, a partir de
una disolución acuosa. El p. f. de la forma
anhidra es de 110-112 °C. Sabor dulce Bastante soluble en alcohol caliente; ligeramente soluble en alcohol frío; soluble
en metanol, isopropanol, butanol, ciclo-
hexanol, fenol, acetona, ácido acético, di-
metilformamida, piridina y soluciones de
acetamida; prácticamente insoluble en la
mayoría de los disolventes orgánicos. Se
prepara industrialmente a partir de la glucosa mediante hidrogenación a alta presión o reducción electrolítica. Se emplea en
la manufactura de la sorbosa, el ácido ascórbico, el propilenglicol y plástico y resinas sintéticas, como humectante del cuero y el tabaco, anticongelante y edulcorante
en medicamentos.

Sorbona. Famoso colegio de París, fundado en el año 1253 por el teólogo Robert
de Sorbón. En sus principios no fue el célebre centro intelectual que luego habría de
convertirla en meta y aspiración de tantos
estudiantes de letras y ciencias. Comenzó
siendo un albergue para los jóvenes que se
instruían en teología y su primer nombre
fue Congregación de maestros pobres estudiantes de teología, que a poco, la popularidad cambió por el de la Sorbona. Durante la Edad Media fue uno de los grandes
centros de la enseñanza religiosa europea,
brazo derecho de la Iglesia y posteriormente encarnizada opositora de la Reforma; en
ella comenzó a funcionar la primera imprenta francesa. A mediados del siglo XVII,
Armand Jean du Plessis, cardenal y duque
de Richelieu, queriendo restaurar su prestigio algo decadente, hizo construir una capilla y remozar el edificio. En 1852 pasó a
ser parte integrante de la Universidad de
París y se enriqueció con dos nuevas facultades: ciencias y letras. Treinta años más
tarde, la facultad de Teología, que había ci-
mentado su larga fama, fue suprimida. Su
nuevo edificio, erigido a fines del siglo XIX,
está equipado con modernos laboratorios,
grandes bibliotecas, salas de lectura y un
anfiteatro para conferencias, que anualmente congregan a millares de estudiantes, llegados de todos los países.

sordera. Privación o disminución de la
facultad de oír. La sordera varía de una ligera deficiencia llamada agudeza auditiva
disminuida, hasta la cofosis completa, popularmente conocida como sordera de
cañón. Se clasifica en congénita o de nacimiento, y adquirida. A la primera pertenecen los sordomudos que, por culpa de su
sordera congénita, o contraída por lo ge-

neral a los pocos meses de nacer, no han
podido aprender a hablar. Las sorderas
adquiridas provienen de diferentes causas:
enfermedades, como meningitis, sarampión y sífilis; afecciones, como catarros
crónicos descuidados e intoxicaciones por
medicamentos, como la quinina y la estreptomicina y las llamadas sorderas profesionales, de los mineros, que manejan la
dinamita, artilleros, que sufren la rotura de
los tímpanos por los estampidos de los
cañones, y en general los que viven en un
ambiente de grandes ruidos, vibraciones
muy fuertes que lesionan el oído medio y
el interno, ocasionando muchas veces daños irreparables. En la vejez le percepción
auditiva disminuye y aumenta la predispo-
sición a quedarse sordo. Otras clases de
sordera se establecen progresivamente;
son las que provienen de lesiones del tímpano, oído interno y nervio acústico. Las
sorderas más graves son las producidas
por lesiones profundas e irreparables del
sistema nervioso central, como el cerebro
y vías nerviosas hacia los oídos. El tratamiento puede ser medicinal, protésico y
quirúrgico. En el primero intervienen desde vitaminas, pasando por bromuros, yodu-
ros y antibióticos hasta aplicaciones de radio. La prótesis consiste en adaptarse
audífonos, aparatos que llevan diferentes
nombres en el comercio y que favorecen la
transmisión de los sonidos. Unos son de
amplificación eléctrica por la vía aero-
timpánica. Otros utilizan la corriente eléctrica por la vía ósea. En general se componen de un dispositivo que se coloca en
el conducto auditivo externo o detrás de la
oreja, del que sale un cordón eléctrico que
se conecta a una pila de bolsillo y a otro dispositivo en forma de disco, el cual es el
encargado de recibir y transmitir las ondas sonoras por el cordón. En cuanto a
la cirugía, ha progresado mucho y, algunas clases de sordera y zumbidos de oídos
se curan o mejoran mediante operación.
Véanse MUDEZ; SORDOMUDO.

sordomudo. Persona que, por padecer de sordera nativa, está privada de la
facultad de hablar. La imposibilidad de
hablar de los sordomudos no se debe, en
la mayoría de los casos, a deficiencias de
su aparato vocal, sino a una sordera congénita o adquirida poco después del nacimiento, que les ha impedido oír la voz y la
palabra humana, por lo cual carecen de
todo antecedente acústico para reproducir-
la. La posibilidad de hacer hablar a los
mudos es corriente en la pedagogía moderna. Lo esencial es que el sordomudo
asimile primero la palabra por la vista; luego, que la *vea* pronunciar por el maestro,
para lo cual deberá reparar en cómo éste
dispone los labios y sobre todo la lengua.
A continuación, hará lo propio con sus labios y lengua mirándose en un espejo hasta

La Sorbona en un principio funcionó como albergue de estudiantes en teología.

Corel Stock Photo Library

que su aparato fonético sea capaz de proferir la voz. De mucha ayuda son las fotografías de los órganos vocales en operación y la proyección cinematográfica de las ondas sonoras que se emiten al hablar.

sorgo. Planta gramínea de la que existen diversas especies, perteneciente al género *Sorghum*, como la *Andropogon saccharatum*, bastante parecida al maíz, aunque de tallos más delgados y hojas más estrechas, con racimos o panojas de frutos o semillas negros y brillantes; el *Andropogon halepensis*, conocido por los nombres de cañota o millaca; y el *Andropogon sorghum*, llamado vulgarmente panizo negro o maíz de Guinea. La utilidad y aplicaciones del sorgo varían de acuerdo con sus distintas especies. Las de propiedades sacarinas se utilizan para hacer sirope y como forraje. Las no sacarinas se cultivan principalmente en muchos países asiáticos y africanos para utilizar los granos de unas especies en la alimentación humana, y los de otras en la de aves de corral y como pasto y forraje para el ganado. Otras especies sirven para fabricar escobas y cepillos, y para incinerar sus tallos, cuyas cenizas ricas en sales potásicas, sirven de abono.

Soria. Ciudad de la provincia española del mismo nombre y capital de esta provincia. Está situada a orillas del río Duero y tiene 35,540 habitantes. Posee notables monumentos, tiene gobierno civil y militar, y dispone de instituto nacional de segunda enseñanza y escuelas normales y de artes y oficios.

Soria. Provincia de España integrada en la Comunidad Autónoma de Castilla y León. Tiene límites con las provincias de Logroño, Zaragoza, Guadalajara, Segovia y Burgos. Tiene 10,306 km^2 y 94,130 habitantes. Su territorio forma en conjunto una extensa meseta que se destaca sobre las provincias colindantes, cruzada de montañas en la parte norte y surcada profundamente hacia el centro por la hondonada que forma el valle del río Duero. Su clima es muy extremado, tanto en invierno, por sus frecuentes y copiosas nevadas, como en verano, por sus intensos calores.

Soriano. Departamento en el suroeste de Uruguay, que allí limita con el río de este nombre que lo separa de Argentina. Superficie: 9,008 km^2. Población: 79,402 habitantes. Capital: Mercedes, puerto fluvial en el río Negro cerca de su confluencia con el río Uruguay. Importante actividad agrícola, pero superada por rica y floreciente industria ganadera que predomina en todo el departamento.

Soriano, Juan (1920-). Pintor y escultor mexicano nacido en Guadalajara. A los 14 años de edad presentó su primera exposición en la universidad de su ciudad natal. Posteriormente ha exhibido en el Museo de Arte Moderno de México, en el Salón de la Plástica Mexicana y en el Instituto Nacional de Bellas Artes. En 1974 figuró entre los artistas que representaron a México en una exposición internacional realizada en el Japón.

Sorolla y Bastida, Joaquín (1863-1923). Pintor español, nacido en Valencia. Huérfano de padres a los siete años, fue recogido por unos tíos y poco después entró a trabajar como aprendiz en el taller de un cerrajero. Llevado por su vocación artística a frecuentar la escuela de Bellas Artes de Valencia cuando tenía 15 años, ya en 1881 empezó a participar en las exposiciones nacionales con marinas y cuadros de historia, por uno de los cuales, titulado *El dos de mayo: la defensa del Parque de Artillería*, se le otorgó una segunda medalla en 1884. Al año siguiente marchó pensionado a Roma, donde tuvo como maestro a Francisco Pradilla y siguió plasmando temas históricos a la par que realizó algunos cuadros de género. De esta época son: *El entierro de Cristo, El padre Jofre protegiendo a un loco. Después del baño, Otra Margarita*, etcétera. a los cuales siguieron algunas obras de contenido social, como las tituladas *Trata de blancas, Triste herencia* y *Aún dicen que el pescado es caro*. Durante su estancia en Roma hizo un viaje a París y entró en contacto con los exponentes de la corriente pictórica del impresionismo, tendencia que ejercería un influjo decisivo en su obra. Al renombre que adquirió muy pronto en España vino a sumarse el de sus repetidos éxitos internacionales en las exposiciones que a partir de 1900 realizó en París, Londres, New York, Chicago y San Luis. Entre sus cuadros más conocidos de este periodo figuran: *La vuelta de la pesca, Verano, Saliendo del baño, Idilio, Sol de tarde* y *Alegría del agua*. Algunos de estos cuadros se encuentran en la *Hispanic Society*, de New York, entidad para la que realizó un friso de 70 m de largo por 3,50 de alto con escenas y figuras representativas de las diversas regiones españolas. Desde 1911 hasta 1920 trabajó en esta magna tarea, en la que culminó su obra.

Sorozábal, Pablo (1897-1988). Compositor y director de orquesta español. Oriundo de San Sebastián, estudió en Alemania y fue director de la Banda Municipal y la Orquesta Filarmónica de Madrid. Autor fecundo, escribió composiciones orquestales, entre las que podemos citar *Variaciones sinfónicas*, composiciones de cámara y piezas para piano, violín y canto; sin embargo, su popularidad se debe, sobre todo, a las zarzuelas y operetas *Katiuska, La guitarra de Fígaro, La taberna del puerto, La del manojo de rosas, Los burladores* y *Entre Sevilla y Triana*.

Sors, Fernando (1778-1839). Guitarrista y compositor español, nacido en Barcelona. De gran precocidad, a los 11 años ingresó en la famosa Escolanía de Montserrat, donde muy pronto, bajo la dirección de fray Anselmo Viola, se destacó en el estudio de la composición y como ejecutante en la técnica del violín y el violonchelo. Compuso una *Misa* que fue interpretada en el monasterio, y poco después marchó a Barcelona, donde estrenó su ópera *Telemaco Nell'Isola di Calipso*, que obtuvo un gran éxito (1797). Trasladado a Madrid, compuso cuartetos y canciones con acompañamiento de guitarra, y por encargo del duque de Medinaceli instrumentó algunos oratorios. Al producirse la invasión francesa se alistó como voluntario en el ejército bonapartista, y al terminar la guerra, cuando había llegado al grado de capitán, tuvo que expatriarse. Fijó su residencia en París y, bien orientado por algunos maestros, se perfeccionó como guitarrista; en 1814 pasó a Londres, donde fue protegido por el duque de Sussex, y después a Rusia, en cuya capital estrenó el ballet *Hércules y Onfala*, representó *La Cenicienta* y compuso, por encargo de la corte, una marcha fúnebre para las exequias del emperador Alejandro.

sosa. Base salificable, muy cáustica, de la que pueden formarse dos grupos químicos importantes: el hidróxido de sodio (NaOH), conocido vulgarmente por sosa cáustica, y el carbonato de sodio (CO_3Na_2) o cristal de sosa. Cuando estos compuestos están disueltos en agua reciben comúnmente el nombre de lejía. Muchas aguas minerales, que contienen carbonato sódico, dejan al evaporarse sedimentos de esta sustancia. Las cenizas de las plantas, en especial las marinas, lo contienen asimismo, pero sobre todo puede hallarse en gran cantidad en el cloruro de sodio o sal común. Nicolas Leblanc lo obtuvo transformando el cloruro en sulfato, que calentaba con carbonato de calcio y carbón hasta provocar la fusión total de la masa. El químico belga Ernest Solvay patentó en 1861 un procedimiento para obtenerlo por medio del amoniaco. El hidróxido de sodio, hidrato de sodio o sosa cáustica se presenta como una masa cristalina, que se disuelve fácilmente en el agua y el alcohol, atrayendo la humedad cuando se halla expuesta a la acción del aire. Se emplea en farmacia y en los análisis químicos; entra en la fabricación de jabones, celulosas y ácido fénico.

Sosa, Sammy (1968-). Dominicano Nacido en San Pedro de Macoris. Pelotero de las grandes ligas que juega con el equipo de los *Chicago Cubs*, su posición es jardinero derecho y central, es altamente reconocido por tener un gran desempeño en la temporada 1998, al haber conectado 66 jonrones, que junto con Mark McGwire, rompieron el record anterior. Dicho record pertenecía a Roger Maris con 61.

Ha bateado 102 jonrones desde la apertura de la temporada de 1997, esto impone un record de dos años de los *Chicago Cubs*, que había sido anteriormente establecido por Hack Wilson de 95 jonrones de 1929 a 1930.

Podría decirse que, durante 1998, Sammy Sosa ha sido el mejor jugador latinoamericano, gracias a que los jornones de los últimos partidos fueron los que llevaron a su equipo a clasificar a los *playoffs*.

soteriología. Tratado teológico sobre la redención y salvación de los hombres realizada por Dios en Jesucristo.

La cristología y la soteriología están estrechamente vinculadas. Las afirmaciones sobre el Jesús histórico y su unión hipostática, fundamentos de la cristología, son presupuestos básicos en la soteriología, que estudia a su vez la función mediadora de Cristo y ayuda a conocer mejor su persona.

El acontecimiento de Cristo influye toda la historia de la salvación, que ni individual ni colectiva, antes del acontecimiento de Cristo, puede concebirse independientemente de éste. La soteriología ha de moverse dentro del riguroso cristocentrismo de la creación, de la primitiva elevación sobrenatural y de la salvación. La persona de Cristo no realiza únicamente el perdón de la culpa, sino que es al mismo tiempo el acontecimiento histórico categorial en el que Dios regala la comunicación de su gracia. E, igualmente, la Encarnación supone la apropiación de una historia de la humanidad que es pecadora en el mundo concreto en que se encarnó Cristo, y tiene que completarse en el desenlace trágico y universal de la muerte. La transformación del mundo por la acción salvadora está ya en marcha desde sus comienzos; su desenlace constituirá la parusia.

Soto, Hernando de (1500-1542). Conquistador español. Descendiente de familia hidalga, formó parte en 1514 de la expedición de Pedro Arias de Avila (Pedrarias Dávila) al Darién, y poco después salió de Panamá con Francisco Fernández de Córdoba, para la conquista de los territorios vecinos. Desembarcó en Nicaragua. Cayó prisionero del rebelde Gil González Dávila. Francisco Pizarro envió un emisario a León, donde Soto era regidor, y lo convenció para que lo acompañase en la conquista de Perú. Fue Soto el primer español que habló con Atahualpa en carácter de embajador, en 1532, y convenció al monarca inca para que se trasladase a Cajamarca. En este capítulo de su vida el escritor peruano Ricardo Palma rinde homenaje a Soto por el comportamiento caballeresco que observó con el monarca vencido. Después acompañó a Diego de Almagro a una expedición y cuando regresó al lado de Pizarro ya Atahualpa había sido ejecutado. Este hecho fue censurado por Soto, quien regresó a España en 1536. Allí contrajo matrimonio con una hija de Pedrarias Dávila y obtuvo los nombramientos de gobernador de Cuba y adelantado de la Florida. En abril de 1538 marchó a incorporarse a su destino con una flota compuesta de 10 navíos, que llevaban a bordo unos mil hombres. Al año siguiente partió de Cuba, cuya gobernación dejó en manos de su esposa, y el 12 de mayo de 1529 desembarcó con 700 hombres en Tampa, desde donde emprendió la exploración de las nuevas tierras. Descubrió y exploró la mitad oriental del actual Estados Unidos, llegando hasta el Mississippi, que cruzó el 8 de mayo de 1541 cerca de donde se encuentra hoy la ciudad de Memphis. Los estados de Alabama, Arkansas, Georgia, Louisiana y Mississippi reconocen en Soto al primer hombre europeo que penetró en el territorio de sus demarcaciones respectivas. Poco después de cruzar el gran río cayó gravemente enfermo, víctima de fiebres palúdicas, y murió.

Soto, Jesús Rafael (1923-). Artista venezolano. Estudió en Caracas y se estableció en París (1950). Tras un periodo cubista se interesó por el arte abstracto. Por analogía con las series musicales intentó exponer una programación espontánea de su obra mediante la repetición de los signos plásticos (*Metamorfosis*, 1954). A partir de 1956 se dedicó a las estructuras cinéticas en un intento de integrar la desintegración óptica a su obra. De su trabajo, premiado en las bienales de Venecia y Sao Paulo, destacan *Vibraciones inmateriales* (1965) y la decoración del interior de la UNESCO en París (1970).

Soto, Pedro Juan (1928-). Narrador y periodista puertorriqueño, nacido en Cataño. Estudió en la Universidad de Long Island, con especialización en lengua y literatura inglesa. Después de servir en el Ejército de Estados Unidos durante la Guerra de Corea, se recibió de licenciado en Artes del Colegio de Maestros de la Universidad de Columbia. Colaboró en varios periódicos hispanos de New York : *Diario de New York* , *Temas, Ecos de New York* . También ha colaborado en varias revistas: *Visión, La Revista del Instituto de Cultura Puertorriqueña y Asonante.* Ha publicado cuatro novelas: *Usmail; Ardiente suelo, fría estación* (1961); *El francotirador* (1969), y *Temporada de duendes.* Fue premiado por dos cuentos: *Garabato* en 1953 y *Los ino-* centes, en 1954. Su libro de cuentos, *Spiks* (1957), es un testimonio, obtenido de primera mano a lo largo de nueve años de vida neoyorquina, de los conflictos psicológicos causados por el choque de la cultura puertorriqueña con la anglosajona. Es autor de *El huésped*, pieza teatral premiada por el Ateneo Puertorriqueño (1955). Soto pertenece al grupo de escritores puertorriqueños de la llamada Generación del 40. Con *Un oscuro pueblo sonriente* ganó el Premio Casa de las Americas de novela en 1984.

Soublette, Carlos (1789-1870). Militar y político venezolano. Desde muy joven ingresó en el ejército republicano al iniciarse en su patria la guerra contra España. Sirvió a las órdenes de Francisco Miranda y, después, de Simón Bolívar, quienes lo tuvieron en gran estima, y participó en numerosas batallas. Realizada la conquista de Caracas en 1821, ocupó los cargos de director de Guerra y vicepresidente de Venezuela. Secundó los planes de Bolívar para evitar que Venezuela se separara de la República de Colombia, pero convencido de la imposibilidad de ese propósito asistió a las juntas de Caracas que legalizaron la separación. Fue elegido diputado del Congreso Constituyente de Valencia que dio a Venezuela una Constitución y después ocupó el ministerio de la Guerra. En 1834 marchó a Europa con el carácter de enviado extraordinario y ministro plenipotenciario en las cortes de España e Inglaterra con objeto de negociar con los gobiernos de esas naciones el reconocimiento de la República de Venezuela. Durante su ausencia fue elegido vicepresidente y encargado del poder Ejecutivo por lo que tuvo que regresar a su patria a tomar posesión del cargo, que ejerció de 1837 a 1839.

Soulouque, Faustin (1782-1867). Político haitiano. Era un esclavo antes de sumarse a la lucha en las revueltas de la isla. Gracias a esto llegó a la presidencia de la república en 1847. Dos años después se autoproclamó emperador con el nombre de Faustino. Ese mismo año, en 1849 invadió Santo Domingo y fue derrotado. La despótica crueldad de su dictadura provocó una revolución que lo obligó a exiliarse al ser derrocado por Nicholas Fabre Geffrard en 1859.

Sousa, Martim Alfonso de (?-1564). Guerrero y navegante portugués que después de haber llevado a cabo diversas empresas militares obtuvo el mando de la escuadra con la que partió a Brasil. Al llegar en 1532 a una amplia y hermosísima bahía de ese país le dio el nombre de Río de Janeiro, por ser el mes de enero y creer que pertenecía a la desembocadura de un río. También fundó la población de San Vicente y de Piratinga conocida hoy por São Paulo. En 1534 fue nombrado por el rey de Portugal capitán general de Río de Janeiro, pero su temperamento inquieto y su afán de aventuras no se avenían con la vida sedentaria y prefirió el cargo de almirante de la flota enviada a las Indias Orientales, lo que le dio una oportunidad de probar su valor y competencia al distinguirse en varios combates navales. Estos triunfos le valieron el cargo de gobernador de las colonias portuguesas de las Indias Orientales, este de África, Angola, Guinea, etcétera.

South Carolina. Fue uno de los 13 estados originales de Estados Unidos. Se localiza en la costa del Atlántico y colinda con North Carolina al norte y con Georgia en el suroeste. Es uno de los estados más pequeños. La capital, Columbia, se localiza en el centro del estado. El primer asentamiento permanente europeo fue en Charlestown en 1670. South Carolina asumió la posición de liderazgo político y social durante los periodos colonial y revolucionario. La etapa posterior a la guerra Civil y el inicio del siglo XX fueron testigos de un severo declive en lo social y lo económico.

Territorio, recursos e hidrografía. Los bosques abarcan aproximadamente 60% del estado. Minerales metálicos, incluyendo el oro, alguna vez se encontraron aquí, pero las reservas actuales más importantes son las de piedra caliza, arena y grava en la planicie costera, el caolín o barro chino se obtiene principalmente en el condado de Aiken, granito en el Piedmont y varios barros para ladrillos y azulejos se obtienen en muchas áreas. Otros minerales incluyen a la vermiculita, la quianita y sericita. Depósitos de petróleo se encuentran fuera de la costa del estado. Muchos ríos proveen de energía hidroeléctrica. Cortando por las provincias que tienen una elevación hacia el noroeste de la costa, están los sistemas acuíferos que fluyen hacia el sureste, incluyendo los ríos Savannah, Black, Edisto, Pee Dee y Santee. El río más extenso es el Santee y sus afluentes. Los lagos más grandes son las reservas Clark Hill y Hartwell y los lagos Marion, Moultrie y Murray.

Clima. Las temperaturas promedio en enero varían de 11 °C en Charlestown a 7 °C en Greenville –Spartanburg. El promedio en julio es de 26 °C en Greenville– Spartanburg y 28 °C en Charlestown. La precipitación pluvial anual media a todo lo largo del estado equivale a 1,295 milímetros.

Vida animal. La abundancia del venado cola blanca permite una larga temporada de caza. Son especies protegidas el zorro, visón, ratón almizclero, zarigüeya, nutria, conejo, mapache, zorrillo y ardilla. La caza de pato, ganso, codorniz y pavo salvaje atraen a muchos cazadores, y una amplia variedad de peces de agua dulce y agua salada se encuentran en sus aguas.

Corel Stock Photo Library

Monte Rushmore, en South Dakota.

Actividad económica. La economía se basaba en la agricultura, principalmente en el arroz y el algodón. Recientemente, la manufactura ha aumentado. Después de la guerra Civil, la industria estaba limitada a unos pocos husos de algodón, pero a finales de 1880 talleres textiles comenzaron a establecerse en Piedmount. Para principios del siglo XX el estado se había convertido en el líder manufacturero de algodón, y en 1940 cerca de 75% de los trabajadores industriales del estado estaban empleados en la industria textil. Una ley de impuestos imaginativa, el trabajo del Consejo Estatal de Desarrollo y la aprobación de una ley de derecho al trabajo en 1954 crearon un ambiente sensible para la industria. La principal industria continúa siendo textil. La mayoría de los talleres textiles se localizan en la parte noroeste del estado. Otras industrias importantes incluyen a la química, maquinaria no eléctrica, productos de papel y productos alimenticios. La producción agrícola más importante del estado es la ganadería, la avicultura y la cosecha de tabaco, frijol de soya, maíz, y productos lácteos. El algodón, una cosecha líder por tradición, es aún valiosa, como también lo son el trigo y los duraznos. Las especies de peces comerciales más importantes son de agua salada y mariscos. Cerca de dos tercios de territorio estatal está cubierto por bosques, siendo su gran mayoría clasificados como bosques maderables comerciales. Las fuentes de energía de South Caroline incluyen plantas nucleares, plantas de carbón, petróleo y gas, e hidroeléctricas.

South Dakota. Se localiza en el centro de Estados Unidos, colindado al norte con North Dakota; con Minnesota y Iowa al este; con Nebraska al sur; y en el oeste con Wyoming y Montana. Su población es de 721,000 habitantes (1994). La capital es Pierre.

Tierra y recursos. Está dividido en dos mitades por el río Missouri que fluye de norte a sur, que se formó cuando los glaciares al este bloquearon el flujo de los ríos occidentales, forzándolo hacia el sur. Este corre por un canal de entre 90 y 150 metros bajo la superficie del terreno aledaño. La elevación de estado es aproximadamente de 670 m. Los recursos incluyen tierras de cultivo, fértiles áreas de pastoreo y bosques. Los minerales son oro, roca, plata, mica, berilio, uranio, lignita y petróleo. Las reservas en el río Missouri contienen agua superficial.

Clima. Es continental con estaciones distintas. Temperaturas extremas diferentes pueden darse en un solo día o año, modificadas por la baja humedad, vientos moderados y poca precipitación. En enero las temperaturas promedian entre –12 a –17 °C en el norte y entre –7 y –4 °C en el sur. En julio, las temperaturas varían desde 18 hasta 21 °C en el norte, y entre 21 y 24 °C en el sur. La precipitación pluvial varía desde 660 mm en el sureste a 330 mm en el noroeste. El estado ha sufrido ventiscas durante el invierno y severas tormentas eléctricas y tornados en primavera y verano.

Hidrografía. El río Missouri, que fluye hacia el Mississippi y después hacia el Golfo de México, recibe el drenaje de todas las regiones excepto del noroeste.

Vida vegetal y animal. La vegetación tiene una variedad de pastos de pradera alta en el este y de pastos cortos de estepa en el oeste. Los bosques de coníferas cubren los Black Hills, y algunos arboles caducifolios tales como el olmo, el cedro y el eneldo se dan a lo largo de arroyos y en zonas arboladas en el este. La vida animal varia desde faisán, conejo de campo y coyotes hasta antílopes y visones.

Actividad económica. Sigue siendo un estado predominantemente agrícola, pero tanto el turismo como la manufactura han aumentado en importancia desde la Segunda Guerra Mundial; la minería es una actividad vital de su economía. La manufactura esta creciendo rápidamente, con el empaque de carnes como la industria privada más grande del estado. Otras industrias importantes son los productos alimenticios; maquinaria no eléctrica, incluyendo equipo agrónomo y de construcción; impresiones y publicaciones; madera; equipo eléctrico; y productos de piedra, barro, y vidrio.

Cuatro presas federales en el río Missouri junto con pequeñas plantas hidroeléctricas y plantas quemadoras de carbón benefician a los residentes.

La agricultura es el segmento más importante de la economía. La producción ganadera acumula la mayoría del ingreso agrícola. Los medios líderes de ganadería incluyen el ganado vacuno, porcino y ovino. Las cosechas principales son trigo, paja y maíz. Es el productor líder de los Estados Unidos en cebada, amaranto, trigo, semilla de alfalfa y girasoles.

Turismo. Sitios históricos incluyen a Deadwood, un pueblo minero antiguo; Fort Pierre, sede del primer centro de comercio y el Wounded Knee Battlefield, localizado cerca de Pine Ridge en la reserva Sioux India de Oglala. El monte Rushmore es un monumento nacional en las montañas Black. Los parques nacionales incluyen al parque Nacional de Badland y el de Wind Cave.

Southampton. Ciudad y puerto de Inglaterra, a 120 km al suroeste de Londres, en el condado de Hampshire. Ocupa una península formada por las desembocaduras de los ríos Test e Itchen en el fondo del estuario de Southampton Water. Tiene 196,702 habitantes. De la época de la dominación romana se han hallado en su suelo piedras con inscripciones, monedas, alfarería, y conserva restos de las murallas normandas. Es uno de los mejores puertos naturales de Gran Bretaña; empezó a tener importancia en 1803, aumentada por el ferrocarril a Londres. Es punto de partida de muchas líneas de navegación, gran centro de importación y exportación, y cuenta con numerosas industrias relacionadas con el mar.

Soutullo Otero, Severiano (1884-1932). Compositor español, nacido en Puenteareas (Pontevedra). La mayoría de sus obras fueron zarzuelas que alcanzaron popularidad por su fina expresión en la línea melódica. En colaboración con el maestro Vert son conocidas *La leyenda del beso, Rosa de Flandes, La del Soto del Parral, El último romántico*. También compuso con rico dominio orquestal la *suite* sinfónica *Vigo* y la ópera *La devoción de la Cruz*, basada en una obra de Pedro Calderón de la Barca.

soviet. Vocablo que procede del idioma ruso, y que significa consejo o junta. Con ese nombre se designaron los consejos formados por los soldados y obreros reunidos en Petrogrado (San Petersburgo) al estallar la revolución rusa de 1917. Después de la abdicación del zar Nicolás II, se formó un gobierno provisional denominado Consejo de los Delegados Obreros y Soldados.

Este comité revolucionario estableció definitivamente a los comunistas en el poder en noviembre de 1917 y pasó a ser un gobierno revolucionario con un comité ejecutivo formado por comisarios del pueblo, elegidos entre los miembros del Comité Central del Partido Comunista.

La primitiva denominación de *soviet* se dio a todos los consejos similares al de Petrogrado que se formaron en todo el país. En 1923 el vocablo entró a formar parte del nombre de la nación, cuando ésta recibió la designación oficial de Unión de Repúblicas Socialistas Soviéticas. *Véase* UNIÓN DE REPÚBLICAS SOCIALISTAS SOVIÉTICAS.

soya. *Véase* SOJA.

Soyinka, Wole (1934-). Escritor nigeriano. Estudió en las universidades de Ibadán y Leeds. Fue profesor en Lagos Ife e Ibadán y director de la escuela dramática en esta última universidad. Escribe en yoruba y en inglés. Su género preferido es el teatro –*The Swamp Dwellers* (1959), *A Dance of the Forest* (1963), *Opera Wonyosi* (1981), *Requiem for a futurologist* (1978), *From Zia, with Love* (1991)– aunque también cultiva la poesía, el ensayo (*Myth, Literature and the African World*, 1972) y la narrativa, con frecuencia de carácter autobiográfico como en *Aké: The Years of Childhood* (Aké: los años de niñez), 1982, *Isara: A Voyage Around Essay* (Isara: viaje en torno a Ensayo), 1990, biografía novelada de su padre, maestro provinciano, e Ibadan: The Pentelemes Years. En 1986 fue galardonado con el Premio Nobel de Literatura. Su oposición al régimen militar de Sani Abacha le obligó a exiliarse en 1994.

Soyuz. Nave espacial soviéticorusa tripulada, en servicio desde 1967, que ha sido utilizada en un amplia variedad de misiones espaciales, principalmente como transporte hacia y desde las estaciones espaciales Salyut y Mir, que se encuentran en órbita terrestre. La nave espacial Soyuz es la sucesora de una serie de otras naves soviéticas tripuladas llamadas Sputnik, Vostok y Voskhod. Una variante lunar del Soyuz fue puesta a prueba en 1967-1968 bajo el programa espacial llamado Zond, pero los planes de la entonces Unión de Repúblicas Socialistas Soviéticas de enviar hombres a la Luna fueron cancelados.

La nave espacial Soyuz, de 7 ton de peso, consta de tres secciones principales: un módulo de comando cónico, dentro del cual va la tripulación en el lanzamiento y en le aterrizaje terrestre; un módulo cilíndrico que contiene el equipo de energía eléctrica y los motores del cohete, que se ensambla en la dirección del módulo de comando; y el módulo esférico orbital, que provee de un espacio extra para trabajos, y es conectado cerca del frente del módulo de comando. Las naves tipo Soyuz que se utilizan para enlaces con las estaciones espaciales Salyut, poseen un equipo adecuado para acoplamientos y funcionan con bate-

Vista panorámica del puerto de Southampton, Inglaterra.

Corel Stock Photo Library

rías. Aquellas naves que han sido destinadas para vuelos independientes funcionan con energía solar. Soyuz en un principio fue navegada por tres tripulantes, pero muertes dentro de la tripulación en 1971, llevaron a la construcción e introducción de nuevos equipos de seguridad que limitaron espacio para un tercer tripulante. Un modelo mejorado de la Soyuz, conocido como modelo T, fue lanzado en 1979, y permitió un mayor número de tripulantes. Un modelo con mejoramientos adicionales llamado modelo TM, enviada a misión por primera vez en 1987, posee equipos de navegación y acoplamiento perfeccionados.

Spaak, Paul Henri (1899-1972). Estadista y jurisconsulto belga. En 1932 inició una brillante carrera política como diputado socialdemócrata por el distrito de Bruselas. Fue el primer socialista que ocupó el cargo de primer ministro belga, y en 1940 formó parte en Londres del gobierno belga en el exilio. Concluida la Segunda Guerra Mundial fue ministro de Relaciones Exteriores, presidente del Consejo, primer ministro y presidente del Consejo de Europa. Fue uno de los promotores del Benelux y de la Organización de Cooperación Económica Europea, y presidente de la Primera Asamblea General de la Organización de las Naciones Unidas.

Spacelab. Es la combinación entre un taller y un laboratorio construido por 10 naciones europeas para usarse a bordo del Vehículo de Transporte Espacial Estadounidense (Space Shuttle). El Spacelab (laboratorio espacial) comenzó oficialmente en marzo de 1973 cuando la *European Space Research Organization* (ahora incorporada a la *European Space Agency*) solicitó a las naciones interesadas que firmaran un acuerdo para llevar a cabo el Programa del Space Laboratory. Los participantes –Austria, Bélgica, Dinamarca, Francia, Alemania, Italia, Holanda, España, Suiza, y Reino Unido– diseñan, fabrican, financian, prueban, y lanzan unidades del Spacelab, y la NASA es la responsable de las operaciones de éste después del lanzamiento. En una misión típica, una unidad es colocada en el área de descarga del Shuttle o vehículo. El personal, denominados especialistas de carga, entra a la sección de trabajo presurizada a través de un túnel desde la cabina del vehículo. Otra sección del Spacelab se despresuriza para que los materiales puedan ser expuestos directamente en el espacio. Este diseño puede modificarse, y cada uno debe de ser usado varias veces para misiones individuales

Spallanzani, Lazzaro (1729-1799). Naturalista y fisiólogo italiano. Estudió en el colegio de jesuitas de Reggio y en la Universidad de Bolonia. Fue nombrado profesor de Bellas Letras en Reggio (1763) y después en Módena. Era muy competente en botánica, zoología, geología, física y química. Por sus estudios sobre historia natural fue nombrado profesor de la Universidad de Pavía en 1770. Fue un gran observador de los fenómenos científicos y uno de los mejores investigadores del siglo XVIII, así como el primero que describió conceptos exactos sobre la respiración, circulación de la sangre, digestión en los animales, y sobre la generación en las plantas. Viajó por Italia, Turquía, Grecia, Suiza y Francia. En diversas obras expuso el resultado de sus importantes investigaciones científicas.

Speke, John Hanning (1827-1864). Explorador inglés que descubrió las fuentes del Nilo, hazaña que le fue reconocida con mucha posterioridad. Sus primeras exploraciones las realizó en el Himalaya y el Tíbet, cuando era oficial del ejército británico en la India. Actuó luego en la guerra de Crimea y en 1856, cuando sir Richard Francis. Burton realizó su viaje a África central, fue su compañero. En 1858, descubrió el lago Ukereué, y lo bautizó con el nombre de Victoria Nyanza, considerándolo la fuente originaria del río Nilo. Penetró meses más tarde en el país de Uganda, donde fue huésped del rey Mtesa; descendió por el Nilo Blanco, y conoció la existencia de un lago al que no pudo llegar y que más tarde descubriría Samuel Baker dándole el nombre de Alberto Nyanza. Escribió *Diario del descubrimiento de las fuentes del Nilo* (1863).

Spellman, cardenal Francis Joseph (]889-1967). Prelado estadounidense de la Iglesia católica romana. Se graduó en la Universidad de Fordham y estudió en Roma, ordenándose en 1916. Ejerció su ministerio primeramente en Boston y después fue agregado a la secretaría de Estado del Vaticano (1925-1932). En Roma fue consagrado obispo y destinado a Boston nuevamente. En 1939 el Papa Pío XI lo designó arzobispo de New York y en 1946 recibió el capelo cardenalicio. Durante la Segunda Guerra Mundial y el conflicto de Corea fue vicario apostólico de las fuerzas armadas de Estados Unidos y visitó los frentes de batalla.

Spemann, Hans (1869-1941). Médico, biólogo y zoólogo alemán, nacido en Stuttgart. Estudió en la Universidad de Heidelberg, donde se graduó en medicina y en el Instituto Zoológico de Wurzburgo, donde se perfeccionó en zoología y botánica. En 1908 fue nombrado profesor de zoología en la Universidad de Rostock y cuatro años después director del Instituto de Biología de Berlín. En 1919 impartió la cátedra de zoología en la Universidad de Friburgo, cargo que desempeñó hasta su muerte. Se distinguió por sus estudios e investigaciones en embriología, biología y zoología experimental. En 1935 le fue concedido el Premio Nobel de Medicina o Fisiología por su descubrimiento del efecto organizador en el desarrollo embrionario.

Spencer, Herbert (1820-1903). Filósofo y sociólogo inglés. Iniciado en los estudios por su padre, maestro, y su tío, sacerdote, no concurrió a ninguna escuela. Ejerció durante varios años como ingeniero, profesión que abandonó para escribir sobre economía. Pero, terminó por dejar todo para consagrarse exclusivamente a la realización de su obra *Sistema de filosofía sintética*. Es un positivista y un teórico de la evolución. Sus ideas tienen estrecha relación con las doctrinas de Stuart Mill y de Charles Darwin. Aplicó a toda la naturaleza el sistema de éste. "La creación –dice– sigue adelante y no puede decirse a qué cimas supremas llegará todavía el hombre". Para Spencer todo conocimiento es sólo relativo y está condicionado por la naturaleza de nuestro pensar, que es también relativo. De sus obras orientadas hacia el análisis histórico y social cabe destacar: *Estática social* (1850), *El estudio de la sociología* (1873), *Principios de sociología* (1876-1879), *Sociología descriptiva* (1873-1881) y *El hombre contra el Estado* (1884). Otras de sus obras son *Los primeros principios* (1862), *Principios de biología* (1864-1867) y *Principios de Psicología* (1870-1872).

Spengler, Oswald (1880-1936). Filósofo alemán. Cursó estudios en las universidades de Munich, Berlín y Halle, y se doctoró en filosofía en Bonn. Se dio a conocer como profundo filósofo en conferencias que pronunció en varias universidades alemanas y extranjeras. Pero, la obra que le dio mayor renombre es *La decadencia de Occidente* (1918-1922), bosquejo de una morfología de la historia universal en la que afirma que las culturas pasan por un ciclo que va de la juventud hasta la vejez y la muerte, y predice, basándose en el hecho de la desorganización de Europa después de la Primera Guerra Mundial, la desaparición de la civilización occidental hacia el año 2400. Escribió, además, *Prusianismo y socialismo* (1920), *El hombre y la técnica* (1931) y *Años decisivos* (1933).

Spenser, Edmund (1552-1599). Poeta inglés de la época isabelina, una de las más brillantes figuras de las letras inglesas de todos los tiempos. Estudió en Cambridge y después se trasladó a Irlanda. Se dio a conocer con algunas traducciones de Petrarca y publicó en 1579 el *Calendario del pastor*, en el que dedica una égloga a cada mes del año. Fue secretario del gobernador de Irlanda y llegó a ser alcalde de Cork, donde le habían regalado una vasta propiedad rural.

Tuvo amistad con los más encumbrados personajes de la época, y Walter Raleigh lo llevó a Londres y lo presentó a la reina Isabel, quien le concedió una pensión. En 1590 publicó los primeros tomos de *La reina de las hadas*, serie de epopeyas inspiradas en las leyendas del rey Arturo y los caballeros de la Tabla Redonda,

Sperry, Elmer Ambrose (1860-1930).

Físico e inventor estadounidense. Se graduó en la Universidad de Cornell, y a los 20 años fundó en Chicago la Sperry Electric Company, donde se dedicó a la fabricación de lámparas de arco, dínamos y otros aparatos que perfeccionó, así como proyectores de extraordinaria potencia luminosa. Su actividad inventiva fue similar a sus iniciativas industriales. A él se debe el perfeccionamiento del girocompás, que reemplaza con ventaja a la brújula magnética, y la adopción del giróscopo como estabilizador de aeroplanos y embarcaciones. Fabricó instrumentos para dirigir el tiro de artillería y dispositivos giroscópicos de considerable utilidad para la navegación, como el piloto automático.

Sperry, Roger Wolcott (1913-1994).

Neurobiólogo estadounidense. De 1946 a 1952 enseñó en la Universidad de Chicago. Trabajó luego en el *National Institute of Health* y en 1954 pasó al California Institute of Technology como profesor de psicobiología. En 1941 puso de manifiesto la estrecha correlación existente entre la percepción visual y la disposición anatómica de las conexiones del nervio óptico. De notable importancia son sus estudios sobre el cuerpo calloso, pare los que utilizó el modelo del cerebro dividido (split-brain) mediante separación quirúrgica de los dos hemisferios cerebrales. Premio Nobel de Fisiología o Medicina en 1981, compartido con su compatriota David H. Hubel y el sueco Torsten N. Weisel.

Spessivtzeva, Olga (1895-1991).

Bailarina rusa. Considerada la más grande de las bailarinas románticas del siglo XX. Ingresó en el Teatro Mariinskii (San Petersburgo) en 1913, del que fue solista en 1916. Ese año Djagilev la contrató para los Ballets Rusos y su interpretación de *Le spectre de la rose*, al lado de Nijinski, marcó una de las cumbres más altas de la danza clásica del siglo XX. Regresó a Rusia en 1918, reintegrándose al Teatro Mariinskii, donde fue primera bailarina. En 1921 actuó en Londres invitada por Djagilev, donde interpretó *La belle au bois dormant*. En *Giselle* llegó a una emotividad y perfección inimaginables. En 1924 fue contratada pare la Ópera de París y ya no regresó a su patria. En 1926 la contrató nuevamente Djagilev, con el que representó triunfalmente en la (Ópera de Montecarlo el ballet de Georges Balanchine *La chatte*. En 1930-1932 actuó de nuevo en la Ópera de París. En 1933 estuvo en Buenos Aires con Mijail Fokin, y en 1934 en Australia. En 1937, en Buenos Aires, sufrió los primeros síntomas de locura. En 1939 se estableció en New York y en 1942 fue internada en un sanatorio, en el que estuvo hasta 1963. Al salir encontró asilo en la Fundación Tolstoi de New York.

Spezia, La.

Ciudad y puerto de Italia, situada en el extremo este del golfo de Génova. Tiene 107,830 habitantes. Es la gran base naval italiana en el Mar de Liguria. Adquirió importancia durante el siglo XVII por su crecimiento naval e industrial. Durante la Segunda Guerra Mundial fue refugio de la flota italiana y estuvo sometida a intensos ataques aéreos. Tiene grandes astilleros, arsenales y diques, fábricas de motores, productos químicos, cables submarinos y artefactos eléctricos. Fue fundada en el siglo XIII.

spin.

Momento angular intrínseco asociado a las partículas subatómicas.

Spin isotópico. Numero cuántico que caracteriza a multipletes de partículas elementales que poseen un mismo spin y masas muy similares, y que sólo difieren en su carga eléctrica. Sinónimo de isoespín.

El momento cinético o angular de una partícula es el momento de su cantidad de movimiento respecto a un punto determinado del espacio:

$$L = r \wedge p$$

(L, momento angular; r, vector de origen en el punto considerado y extremo en la partícula; $p = mv$, cantidad de movimiento, donde m es la masa y v la velocidad de la partícula). Dado un sistema de partículas, su momento angular respecto a un punto cualquiera del espacio, definido como la suma de los momentos angulares de cada una de ellas, puede descomponerse en dos sumandos: uno de ellos es el momento angular del centro de masas (c.d.m.) suponiendo concentrada en él la masa total del sistema:

$$L_{orb} = R \wedge MV_{CM}$$

(R, vector posición del c.d.m.; VCM, velocidad del c.d.m.; M, suma de las masas de sodas las partículas del sistema). El segundo sumando es el momento angular del sistema respecto del c.d.m. Desde un punto de vista clásico, el spin corresponde al momento angular del sistema en un sistema de referencia en que el c.d.m. esta en reposo (momento angular intrínseco); aplica-do a una partícula subatómica (núcleo atómico, partícula elemental, etcétera), esto equivale a suponer que esta posee cierta extensión especial y se halla animada de un movimiento de rotación sobre si misma, y el momento angular correspondiente a ese movimiento de rotación seria el spin. Pero esta es una característica especifica de los objetos cuánticos, pare los cuales no son validas las imágenes intuitivas derivadas de la mecánica clásica; por ello la idea de una partícula que gire sobre si misma carece por completo de sentido en el marco cuántico, y el spin debe considerarse simplemente una característica intrínseca mas (junto con la masa. la carga eléctrica, etcétera) de determinadas partículas subatómicas.

La hipótesis del spin surgió en relación directa con el electrón por la necesidad de explicar el comportamiento anómalo de los átomos en el seno de un campo electromagnético. La experiencia de Stern Gerlach, realizada en 1924 y el estudio del efecto Zeeman llevaron en 1925 a Uhlenbeck y Goudsmit a emitir la hipótesis de que cada electrón posee un momento cinético intrínseco o spin, s, de magnitud igual a 1/2 h (h, constante de acción de Planck), al que esta asociado un momento magnético:

$$\mu = \mu_B\, g\, S$$

(μ_B, magnetón de Bohr), siendo g una constante cuyo valor aproximado es igual a 2. Análogas consideraciones pueden hacerse pare sodas las partículas subatómicas.

Los valores del spin están cuantificados: sólo pueden ser múltiplos enteros o semienteros de h. Las partículas cuyo spin es un numero entero (0, 1, 2, ...) se denominan bosones y obedecen a la estadística de Bose-Einstein, mientras que las que poseen spin semientero (1/2, 3/2, ...) se denominan fermiones, responden a la estadística de Fermi-Dirac y rige pare ellas el principio de exclusión de Pauli.

El tratamiento matemático del spin fue introducido por Pauli en 1927 por medio de un método matricial. Como en las demás ramas de la física, en cuántica es imposible determinar de manera simultanea los tres componentes del momento angular respecto a un sistema cualquiera de ejes coordenados; sólo pueden hallarse simultáneamente el cuadrado del momento angular y uno de sus componentes (que de modo convencional es el tercero, es decir, la proyección sobre el eje Z); este ultimo, igual que el valor total, se halla cuantificado: dada una partícula de spin, s, su tercer componente puede tomar $2s + 1$ valores iguales a $- s$, $-s + 1$, ..., s $- 1$, s.

La teoría del spin, además de explicar el comportamiento anómalo de los átomos en campos electromagnéticos, permite

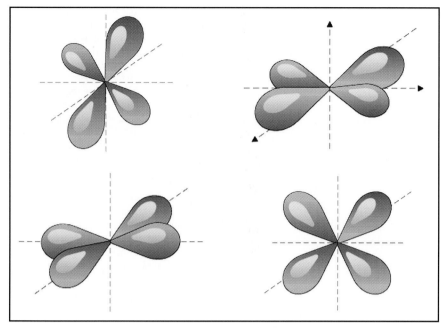

Corel Gallery

Spin: *Gráfica del movimiento para dos electrones en un espacio determinado.*

comprender ciertos aspectos de los espectros atómicos que ya habían sido descubiertos antes de su formulación y mediante la estadística de Fermi- Dirac y el principio de exclusión de Pauli, justifica la particular disposición que adoptan los electrones en los átomos; por consiguiente, determine la naturaleza de la tabla periódica de los elementos.

Las partículas elementales permiten explicar adecuadamente muchos fenómenos físicos característicos, en particular en los procesos de dispersión (*scattering*) y desintegración, mediante el principio de conservación del momento angular total.

Spin isotópico. En 1932, Heisenberg, partiendo del hecho experimental de que protón y neutrón tienen un mismo spin y masa casi igual, y de que lo único que permite distinguirlos es su carga eléctrica, postuló que ambos eran estados distintos de una misma partícula, a la que denominó nucleón y asignó un nuevo numero cuántico, el *isospín* o *spin isotópico*, con un valor de 1/2, siendo su proyección +1/2 para el protón y −1/2 para el neutrón. El formulismo matemático utilizado para tratar el spin isotópico es el mismo empleado para el spin, aunque la significación física de ambas magnitudes sea diversa. Los hadrones, de características similares y que sólo se diferencian en la carga eléctrica, constituyen multipletes definidos por un mismo valor del isospín, τ, el cual puede ser nulo, entero o semientero, y tal que $2\tau + 1$ es igual al numero de partículas del multiplete; su proyección o tercer componente, puede tomar los valores $-\tau, -\tau + 1, ..., \tau - 1, \tau$, correspondiendo cada una de las partículas del multiplete a uno de esos valores. Las interacciones fuertes no distinguen entre partículas de un mismo multiplete.

Spinoza, Baruch (1632-1677). Filósofo holandés que nació en Amsterdam de una familia judía, de origen hispano- portugués, y pasó su infancia y adolescencia en la sinagoga, instruyéndose en religión y filosofía judaicas. Estudió latín con Van der Ende y después la antigüedad clásica y los pensadores de la Edad Media; sufrió la influencia de las ideas de Giordano Bruno y de René Descartes y expuso doctrinas que asustaron tanto a sus viejos maestros, que le exigieron la retractación, y, ante su negativa, lo excomulgaron y expulsaron de la comunidad israelita.

En la paz de esta modesta existencia y sin querer recibir ayuda alguna, escribió en latín: *Sobre Dios y el hombre, Sobre la corrección del conocimiento, Etica, Tratado teologico-político,* etcétera. Profesó un panteísmo de inmanencia y según él no hay más que una sustancia: la divina, causa inmanente de todas las cosas, Dios o Naturaleza, dotada de infinitos atributos de los que sólo se pueden conocer dos: el pensamiento (origen del mundo espiritual) y la extensión (del que procede el mundo sensible). Dios es la naturaleza entera, aunque hay dos tipos de ésta: la creadora y la creada. El hombre es una parte de la naturaleza y, por tanto, de Dios. Las luchas y agitaciones de la época respetaron a Spinoza, a pesar de ser muy combatido, pero la tisis acabó con él en plena madurez de su genio y lo sumió en el olvido hasta que el idealismo alemán (s. XVIII) lo sacó a luz y revalorizó.

Spitteler, Carl George Friedrich (1845-1924). Poeta y novelista suizo. Se inició con *Prometeo y Epimeteo* (1881-1882), obra que recuerda el *Así hablaba Zaratustra,* de Friedrich Nietzsche del que recibió influencia. El tema de este libro es el conflicto entre el individuo y las masas. *En Primavera olímpica* (1900-1905), narra las aventuras de un Hércules al servicio de la humanidad. Escribió además en prosa, la novela *Imago* (1906) y algunos relatos de su infancia, insuperables por su delicadeza y ternura. En 1919 se le concedió el Premio Nobel de Literatura.

Spitzberg. Archipiélago del océano Ártico entre el Mar de Barents al este y el de Groenlandia al oeste, a 1,000 km al noroeste del Cabo Norte (Noruega). Superficie: 62,050 km². Población: 4,197 habitantes, que aumenta en la temporada de verano, cuando las actividades se hacen más intensas. Las tres islas principales son: Spitzberg (39,500 km²), del Noreste (15,600 km²) y de Edge (6,400 km²), en las que se explotan yacimientos de carbón. Su montaña más elevada es el monte Newton (1,700 m) y cuenta como poblaciones principales a Longyearbyen (la capital, en la isla de Spitzberg con 600 h), y Barentsburg (1,400 h en la isla de Barents).

Como corresponde a su situación en la zona ártica, los veranos son breves y los inviernos, largos y extremadamente fríos, pero hay variaciones entre el este y el oeste del archipiélago, que es también el de flora más rica y variada entre las tierras polares. Desde 1920 fue reconocida la soberanía de Noruega sobre estas islas, país que les da el nombre de Svalbard y las rige con un gobernador residente en Longyearbyen. El descubridor de estas islas fue el holandés Willem Barents en 1596, y les dio el nombre de Spitzbergen (Altos Picos), pero luego fueron temporalmente ocupadas por expediciones noruegas, rusas e inglesas. Desde Spitzberg (bahía del Rey), partieron en aeroplano Richard Byrd y Evelyn Amundsen al Polo Norte, en 1926.

Spota, Luis (1925-1985). Novelista y periodista mexicano, nacido en la ciudad de México. Fue reportero de la revista *Hoy* y del periódico *Excélsior.* Dichas actividades lo llevaron a Europa, África y Asia, así como a varios países hispanoamericanos. Destacó como novelista de temas sociales. Su novela *Murieron a mitad del río* (1948) trata el asunto de los braceros explotados y muertos en la frontera. *Las horas violentas* (1958) expone las prácticas repudiables de los líderes sindicales. Otros títulos merecen mencionarse: *La sangre enemiga, Casi el paraíso* (traducida a varios idiomas),

Spota, Luis

El tiempo de la ira y *De la noche al día* (cuentos). Para la escena escribió *Dos veces la lluvia* y *El aria de los sometidos*, donde la protesta se hace más directa.

Spranger, Eduard (1882-1963). Psicólogo y filósofo alemán. Profesor en Leipzig (1912), Berlín (1919) y Tubinga (1946). En la más famosa de sus obras, titulada *Formas de vida* (1914), crea una tipología del ser humano y afirma que hay seis tipos ideales: el hombre teórico, el político, el religioso, el económico, el estético y el social; todas las personas reales reúnen, en mayor o menor grado, características de estos tipos ideales. Otras obras importantes son: *Psicología de la edad juvenil* y *Las ciencias del espíritu* y *La escuela*.

Sputnik. Fue el nombre del proyecto de tres satélites artificiales (Sputnik significa *compañero de viaje* en ruso), lanzado por la Unión Soviética en 1957 y 1958. Pesaron en orden de 1,351 kg. Su propósito científico era principalmente la investigación del espacio exterior y descubrir si organismos vivientes podrían sobrevivir en las condiciones del espacio. Su lanzamiento también marcó el inicio de la carrera espacial entre Estados Unidos y la Unión Soviética. Los Sputniks se convirtieron en un tremendo shock para occidente, que había tendido a subestimar la capacidad técnica soviética. A simple vista, los Sputniks no debieron de haber sido una sorpresa, porque Moscú había comunicado las intenciones soviéticas, anuncios que fueron mal interpretados como propaganda en el occidente. Las reacciones en Estados Unidos y en Europa, que a veces llegaron a la histeria, iniciaron el trabajo estadounidense de enviar astronautas a la luna.

Sputnik 1 fue lanzado del Baikonur Comodrome el 4 de octubre de 1957. Era simplemente una carga de prueba que contenía un radiofaro y un termómetro, y sus diseñadores se refieren a él como *ES* (*elementary satellite, satélite elemental*). Un mes más tarde el 3 de noviembre una carga de .5 ton llevando un perro fue puesto en órbita. El perro, llamada Laika, permaneció viva por 10 días comprobando que un ser vivo podía sobrevivir a las condiciones del espacio. Sputnik 3 fue lanzado el 15 de mayo de 1958, y contenía aparatos de medición de radiación espacial.

A siete naves más se les dio el nombre de Sputniks; éstas funcionaron como prototipos de la nave tripulada Vostok o como plataformas desde las cuales se lanzaron sondas espaciales al planeta Venus.

Spyri, Johanna (1827-1901). Escritora suiza que debió su fama a bellos relatos infantiles. Comenzó a publicar cuentos en diferentes revistas, los que tuvieron escasa notoriedad hasta que, al ser recopilados,

El río Volga atraviesa Stalingrado.

llamaron la atención del público y la crítica. Se apreció entonces su obra, en la que campea la piedad, agraciada por el humorismo y encauzada por la moraleja. Su obra más conocida es *Heidi*, traducida a muchos idiomas, y una de las más populares de la literatura infantil.

Sri Lanka. Isla asiática localizada en el océano índico al norte del ecuador en el extremo meridional de La India. Está localizada en rutas marítimas entre Europa, África y Asia conectadas con muchas de las civilizaciones del este al oeste.

La actividad fundamental de Sri Lanka cuentan es la agricultura. El arroz, cocos y el caucho se dan al suroeste y los chiles y lentejas en zonas áridas. Hay una gran variedad de cosechas que incluyen tomates, patatas, manzanas, naranjas y té los cuales provienen de la montaña. Para eliminar la sequía del suroeste de la isla desvían el agua del río Mahaweli, el más largo del país hacia la zona árida. Esto ha permitido el incremento de producción de arroz y de energía hidroeléctrica reduciendo la importación de combustible y arroz.

En 1977 el gobierno de Sri Lanka, instaló el libre comercio en la zona de Colombo, con el propósito de atraer corporaciones extranjeras a la isla. A pesar de que la industria es relativamente escasa su manufactura es buena (como la textil y productos petroquímicos) ahora tiene como ventaja sus productos agrícolas (té, caucho y cocos) con el fin de exportar al extranjero. El grafito y las gemas también se exportan . La pesca es de importancia pero es obstruida por el turismo.

Cuenta con un sistema ferroviario iniciado en los tiempos coloniales y que está continuamente expandiéndose en el sur. El

país también cuenta con numerosos puertos naturales. Colombo y Galle en donde se manejan el comercio marítimo. El puerto localizado al este Trncomalee ha sido interrumpido por la Guerra Civil.

Historia. Sri Lanka ha sido habitada desde los últimos 10,000 años a.C. Una civilización avanzada que surgió desde el siglo V a.C, sostenida por un amplio sistema de riego. En el año 1200 d.C misteriosamente la civilización decayó, y la población de la isla se distribuyó hacia la península de Jaffna ubicada al norte, hacia la costa en el sur así como la región montañosa de la isla.

Los portugueses fueron los primeros europeos en arrivar a la isla en el año 1505, los cuales fueron despojados militarmente por los holandeses, quienes también fueron forzados a salir de la isla por los británicos en 1796. Finalmente los británicos se retiraron del sur de Asia dejando una independencia para Sri Lanka el 4 de febrero de 1948. El primer gobierno de Sri Lanka fue dominado por la elite del habla inglesa quienes eran dirigidos aún por las leyes inglesas a través del Partido Nacional Unido (UNP). En 1956 surgió el Partido Liberal de Sri Lanka (SLFP), fundado por Solomon W.R.D Bandaranaike, derrotando al (UNP). Después de la independencia el primer gobierno el (UNP) no aceptaba la idea de que los indios Tamil fueran tomados en cuenta como ciudadanos. Sirimavo Bandaranaike, quien dirigió al SLFP, quien después de que su esposo fuera asesinado en 1959, fue la primer mujer ministro del mundo (dirigiendo en 1960-1965, 1970-1977 y 1994- ?). J.R. Jayawardene del UNP quien fue el primer ministro en 1978 bajo una nueva constitución. En las elecciones de 1982 resultó ser electo pero en 1988 fue sucedido por Ranasinghe Premadasa del UNP. Mientras planeaba el UNP y el SLFP por los votos crecía el descontento de la gente de las zonas rurales de Tamil. En 1970 la juventud Tamil repentinamente iniciaron una serie de ataques terroristas los cuales tenían como objetivo atacar al gobierno y a sus dirigentes. Este conflicto propició una guerra civil después de un fuerte amotinamiento anti-Tamil en 1983. Entre 1987 y 1990 las tropas indostanas fueron llamadas como refuerzo a la isla con el propósito de hacer un tratado de paz entre los gobiernos de La India y Sri Lanka. Este acuerdo nuevamente hecho permitió que el tamil y el inglés fueran las lenguas oficiales y permitió mayor autonomía a las áreas tamiles. Después de que las fuerzas indostanas dejaran la isla en marzo de 1990, el movimiento Tigres libertadores del Tamil Eelaman se enfrentaron con las fuerzas militares en el norte y este de la isla donde miles de personas fueron asesinadas. De 1987 a 1990 miles de jovenes sinhaleses fueron masacrados durante una campaña sangrienta por tratar de derrotar al gobierno. El presidente Premadasa fue asesinado por un escuadrón Tamil el 1 de mayo de 1993; fue sucedido por Dingiri Banda Wijetunge. Un candidato del UNP fue asesinado también a pocos meses de las elecciones presidenciales de noviembre de 1994. La victoria de las elecciones fue de Chandrika Kumaratunga, hija de Bandaranaike, quien había sido primer ministro en agosto. La remplazó como primer ministro y empezó pláticas con los rebeldes tamiles. Después de la guerra civil en 1995, ofreció controlar una de las 8 propuestas de las nuevas regiones, los soldados sri lankeses pusieron fin a la fortaleza tamil en Jaffna diciembre de1995.

Staël, madame de (1766-1817). Escritora francesa, cuyo nombre completo fue el de Anne Louise Germaine Necker, baronesa de Staël-Holstein por su matrimonio (1786) con un diplomático sueco. Hija de Jacques Necker ministro de Luis XVI, creció en el ambiente intelectual formado por las celebridades que acudían a las reuniones de sus padres, entre ellas Voltaire, Jean Jacques Rousseau, Jacques Henri Bernardin de Saint Pierre, Denis Diderot y otros. La revolución hizo que los Necker salieran de Francia, y desde entonces viajó por Europa. Separada de su esposo (1796), se sucedieron sus grandes amistades: Charles Maurice de Talleyrand, Benjamín Constant de Rebecque y el joven oficial de húsares Alberto de Rocca, con quien se casó secretamente en segundas nupcias (1812). Se insinuó también a Napoleón, pero éste la desterró de París. Viajó a Alemania y allí conoció a Johann Wolfgang Goethe, Johann Christoph Friedrich von Schiller, y Christoph Martin Wieland y escri-

bió su libro *De Alemania*, que introdujo el romanticismo en Francia. Fue calvinista y liberal; escritora admirable, original y brillante. Intervino en política y participó en violentas campañas, contra Napoleón, principalmente. Entre sus obras se destacan, a más de la mencionada: las novelas *Delfina* y *Corina*, un estudio sobre *La literatura y las instituciones sociales* y diversos volúmenes de memorias, ensayos y consideraciones sobre los acontecimientos de su época. Tuvo como confidente a otra celebridad femenina de su época, Julie Bernard, madamé Recamier.

Stalin, José (1879-1953). Estadista ruso, cuyo verdadero nombre fue el de Iosif Vissariónovich Dzhugashvili. Primer ministro, generalísimo de la Unión Soviética y secretario general del Partido Comunista, ejerció el poder y fue el máximo gobernante soviético desde 1924 hasta el día de su muerte, o sea durante 29 años. Nació en la aldea de Gori, situada en la hoy república soviética de Georgia. Su padre, humilde zapatero, murió cuando Stalin tenía 11 años, y su madre, que era mujer muy devota, quiso que estudiara para sacerdote. Terminó sus primeros estudios y se trasladó a Tiflis, la capital de Georgia, donde ingresó en el seminario. Tenía 19 años cuando abandonó los estudios y se alejó de la religión, afiliándose al partido social-demócrata. Se dedicó al periodismo y, secretamente, ingresó en actividades revolucionarias destinadas a derrocar el imperio de los zares. En 1901 huyó de Tiflis e inició una larga serie de viajes de propaganda, hasta ser arrestado y condenado a 3 años de destierro en Siberia, de donde se fugó. En ese tiempo entró en amistad con Vladimir Ilich, llamado Lenin, y cuando éste se separó del Partido Socialdemócrata para organizar el grupo bolchevique, Stalin le siguió y formó parte del comité central. Convertido en revolucionario profesional, viajó por Alemania en 1907, donde ultimó con Lenin un plan de agitación permanente. Viajó por Rusia y Austria, siempre en connivencia con Lenin, editando periódicos y panfletos. En 1913 fue desterrado a Siberia nuevamente, y de allí no logró salir sino a causa del triunfo de la revolución bolchevique en 1917, para ocupar un puesto de mando. En esa época ya había adoptado el nombre de Stalin, que significa *hombre de acero*. Fue comisario del ejército y después comisario de nacionalidades señalándosele como hombre de la mayor confianza de Lenin. En 1922 era secretario general del Partido Comunista, y tal posición le hizo el sucesor de Lenin al morir éste en 1924. La obra gubernativa y política de Stalin ha sido muy discutida, principalmente por la eliminación implacable de personalidades de su partido que le estorbaban, por la persecución religiosa y por su entendimiento diplomático con Adolfo Hitler en 1939.

Desarrolló la potencialidad industrial de su nación, y durante la Segunda Guerra Mundial al ser atacada en 1941 la Unión Soviética por Alemania, tuvo que luchar contra ésta y colocarse entonces al lado de las potencias occidentales que defendían la democracia y la libertad, aunque ambas no hayan sido atributos de su gobierno, dictatorial y totalitario. Terminada la Segunda Guerra Mundial, por medio de la acción del Partido Comunista, convirtió en satélites soviéticos a la mayor parte de los países fronterizos con la Unión Soviética, y en Asia apoyó la revolución china encabezada por Mao Tse-tung, respaldando luego la invasión de Corea (1950). En 1936 hizo aprobar la constitución vigente en la Unión Soviética y que se conoce como la Constitución Stalin. Sobre ella y otros temas doctrinarios escribió numerosas obras, en las que se modifican muchos de los puntos que Lenin consideró esenciales, tanto de carácter social como económico. Asistió a las históricas conferencias de Teherán, Yalta y Postdam, habidas durante la Segunda Guerra Mundial, y discutió los grandes problemas internacionales con Franklin D. Roosevelt, presidente de Estados Unidos, Harry S. Truman, sucesor de éste, y el primer ministro británico Winston Churchill. Al morir, el 5 de marzo de 1953, lo sucedió Georgi Malenkov.

Stalingrado. Antiguo nombre de Volgogrado, ciudad en el suroeste de la ex Unión Soviética a orillas del río Volga. Su origen se remonta al siglo XIII. Posteriormente se llamó Tsaritsyn y en 1925 se le cambió el nombre en homenaje a José Stalin. Población: 999,000 habitantes. Centro industrial de importancia con fábricas de maquinaria pesada, armamentos, proyectiles y aviones, refinerías de petróleo y altos hornos.

Nudo de varias líneas férreas y llave de la navegación en el Volga inferior. Alcanzó prominencia histórica al detener el avance de las tropas alemanas durante la Segunda Guerra Mundial. Después de sufrir un sitio terrible en que el bombardeo alemán destruyó la mayor parte de la ciudad, las tropas rusas aniquilaron a los invasores y se lanzaron a una ofensiva victoriosa, lo que señaló el ocaso del poderío bélico alemán.

Batalla de Stalingrado. Batalla de la guerra germano-soviética reñida durante el curso de la Segunda Guerra Mundial en la ciudad de este nombre entre el ejército alemán y el soviético (agosto de 1942-febrero de 1943). Iniciada (4 de septiembre 1942) cuando los ejércitos alemanes pusieron sitio a la ciudad, los soviéticos mantuvieron la resistencia calle por calle. En noviembre la contraofensiva soviética fue lanzada contra los dos lados del saliente de la ciudad: al norte al mando de Konstantin Rokossovski, en direccidn sureste, y al sur dirigida por Yeremenko, en dirección no-

Stalingrado

En la fabricación en serie debe haber un standard que determine las normas de fabricación.

roeste. El 23 de noviembre los soviéticos formaron un cerco completo, en una gran bolsa que se cerraba a 150 km al oeste de la ciudad, en la que quedó copado el VI ejército alemán al mando de Friedrich von Paulus. Adolf Hitler prohibió formalmente un repliegue sobre el frente norte, que hubiera obligado a abandonar la ciudad, cuya caída ya había anunciado. Después del fracaso de la contraofensiva alemana de Hoth Manstein para romper el cerco por el suroeste (diciembre) y de una encarnizada lucha en un clima de bajas temperaturas e ínfimas condiciones materiales, el mariscal von Paulus capituló (2 de febrero de 1943). Los soviéticos capturaron cerca de 100,000 prisioneros (24 generales y unos 2,500 oficiales) y gran cantidad de material, por lo que los alemanes quedaron sin posibilidad de rehacerse, pues la Wehrmacht sufrió una sangría terrible y la aviación quedó aniquilada al perder gran cantidad de aparatos y sus mejores cuadros al intentar aprovisionar, con poco éxito, a los cercados. La repercusión de la batalla fue inmensa, pues anunció el principio del cambio del curso de la Segunda Guerra Mundial.

Stalino. Ciudad industrial de Ucrania, la más importante de la cuenca del Donets. Fue fundada en 1872 con el nombre de Hughesovka o Yusovka, por Hughes, ciudadano británico que obtuvo una concesión del gobierno ruso para una fundición de acero. Durante la Segunda Guerra Mundial sufrió graves daños al ser escenario de cruentas luchas. Situada cerca de los importantes yacimientos carboníferos del Donetz, posee altos hornos y fundiciones de acero. En 1961 se le cambió el nombre a Donetzk.

standard. Palabra inglesa entre cuyas acepciones figuran las de patrón o norma, ejemplo o modelo, tipo o regla. Su uso se ha extendido a diversos idiomas, entre ellos el español. Se emplea, principalmente, para designar las dimensiones y características de productos industriales o comerciales que se ajustan a determinadas normas y especificaciones de fabricación y asegurar, así, su uniformidad y grado de calidad.

Estos *standars* o patrones pueden ser establecidos por organismos oficiales o autoridades competentes que tienen a su cargo vigilar las normas y métodos de producción, o ser fijados libremente por las cámaras y asociaciones de fabricantes e industriales, para determinar los tipos de artículos y productos y garantizar al comprador la uniformidad de los mismos, en cuanto a calidad, precio y especificaciones, de acuerdo con el uso al que se destinen.

Standish, Myles (1584-1656). Colonizador inglés que desembarcó en las costas orientales de América del Norte, en el buque *Mayflower*, en 1620, formando parte del grupo de colonizadores que en la historia de Estados Unidos se conoce con el nombre de *los peregrinos*. En la lucha contra los indios en la colonia de Plymouth se destacó gracias a su experiencia militar. Su carácter ecuánime lo llevó a ejercer cargos de responsabilidad, y su vida ejemplar sirvió de tema literario a notables escritores, e inspiró un célebre poema a Henry Wadsworth Longfellow.

Stanley, sir Henry Morton (1841-1904). Periodista y explorador británico. Su verdadero nombre era John Rowlands. Su niñez fue muy accidentada y sufrió muchas penalidades. A los 18 años emigró a Estados Unidos y en New Orleans lo adoptó un comerciante llamado Henry Morton Stanley y desde entonces cambió su nombre por el de su protector. Se dedicó al periodismo y el *New York Herald* lo incorporó a su redacción como reportero. Gordon Bennet, el editor de dicho diario, tuvo la idea de buscar en el corazón de África al célebre explorador David Livingstone, desaparecido cuando intentabá descubrir las fuentes del Nilo. Stanley recibió el encargo de encontrar a Livingstone, y se trasladó al interior de África. Los peligros y dificultades que tuvo que afrontar al cruzar regiones inexploradas los relató en su libro *Cómo encontré a Livingstone,* publicado en 1872. Su encuentro con el viejo Livingstone, cuando todos lo daban por muerto, es una escena de inolvidable emoción. A su regreso a Europa, fue recibido con escepticismo en Londres y se llegó a dudar de su veracidad. Comprobada, al fin, la verdad de sus afirma-

ciones y muerto Livingstone en 1873, Stanley continuó las exploraciones siguiendo la labor de Livingstone. En su segundo viaje a las profundidades africanas efectuó importantes descubrimientos. En exploraciones sucesivas, realizadas bajo las órdenes del rey de Bélgica, descubrió las fuentes del río Congo y suscribió varios tratados con los jefes nativos, sentando las bases de la soberanía de Bélgica en pleno corazón africano. Al regresar a Gran Bretaña publicó sus memorias y un estudio sobre el problema de la esclavitud. Falleció en Londres, después de haber actuado durante cinco años como miembro del Parlamento.

Stanley, Wendell Meredith (1904-1971). Bioquímico estadounidense. Catedráras de las universidades de Illinois y de California, agregado al Instituto Rockefeller de Investigaciones Médicas. Después de sus investigaciones de química orgánica, notablemente sobre los esteroles, adquirió gran notoriedad por sus estudios sobre el virus del mosaico en las plantas de tabaco. Igualmente, preparó vacunas contra la gripe y la encefalitis que fueron empleadas por el ejército norteamericano en la Segunda Guerra Mundial. Le fue concedido el Premio Nobel de Química de 1946, en unión de John Howard Northrop y James Batcheller Sumner.

Stanwick, Barbara (1907-1990). Actriz cinematográfica estadounidense, cuyo verdadero nombre Ruby Stevens. Comenzó a actuar en el cinematógrafo en 1929. Entre sus películas figuran *El mandamiento supremo, Las tres noches de Eva, Unión Pacific, Al filo de la noche, Mundos opuestos* y *Miedo de amar.*

Stark, Johannes (1874-1957). Físico alemán, profesor de las universidades de Gotinga, Greifswald y Wurzburgo. Presidente del Instituto Técnico del Reich, de la Sociedad Alemana de Investigaciones y fundador del *Anuario de Radiactividad y Electrónica.* En 1905, observó el doble efecto de los rayos canales, por lo que la Academia de Viena le otorgó el premio Baumgartner, y en 1913 descubrió que las líneas espectrales se desdoblan bajo la acción de un campo eléctrico, fenómeno análogo a la modificación de estas líneas en un campo magnético observado por Pieter Zeeman en 1896. Obtuvo el Premio Nobel de Física en 1919. Escribió numerosos ensayos, entre los que se destacan *Electricidad en los gases, Principios de dinámica atómica y Variaciones en la estructura y espectro de los átomos químicos.*

Staubbach. La más alta cascada de Suiza, en el cantón de Berna, donde se encuentra el hermoso valle de Lauterbrunnen, a 13 km de Interlaken. La caída del agua es magnífica, precipitándose desde una altura de 300 m. Cuando llega al fondo del abismo, el agua queda pulverizada, a lo que debe su nombre *Staubbach*, que en alemán significa *arroyo de polvo*.

Staudinger, Hermann (1881-1965). Químico alemán, profesor en la Universidad de Zurich (1912-1926) y en la de Friburgo (1926-1950). Sus trabajos sobre la estructura de las moléculas gigantes, sirvieron de base para la fabricación de plásticos y de fibras sintéticas. Fue un pionero en apreciar la importancia de los compuestos macromolecualres en los organismos vivos y afirmó que cada gen macromolecular posee un plan estructural completamente definido, que determina su función vital. En 1953, recibió el Premio Nobel de Química.

Stavanger. *Véase* NORUEGA.

Stecchetti, Lorenzo (1845-1916). Seudónimo del poeta italiano Olindo Guerrini, que atrajo la atención del público hacia sus primeros versos, cuando los atribuyó a un joven muerto de tisis a los 30 años, que se los confió en su última hora. Sus libros más conocidos son *Póstuma*, *Polémica*, *Nueva polémica* y *Giobbe*. Se convirtió en jefe de la Escuela Verista y sus obras originaron violentas polémicas.

Steen, Jan (1626-1679). Pintor holandés, nacido en Leiden, que tuvo entre sus maestros a Adriaen van Ostade de Harlem, quien influyó mucho en su estilo. Es uno de los costumbristas más típicos y agradables de la escuela holandesa, y sus obras se conservan en gran número de museos y colecciones particulares. Entre las más notables se encuentran: *Autorretrato*, *El maestro de música*, *Boda campestre*, *Familia feliz* y *El charlatán*.

Stefani, agencia. Organización periodística con corresponsales en las más importantes ciudades del mundo con sede en Roma. Las noticias de todo orden que diariamente recibe, las transmite a los diarios y revistas que están abonados a sus informaciones. Fue fundada en 1853 por el periodista italiano Guglielmo Stefani (1819-1861). En 1920 se convirtió en sociedad anónima. En 1924 después de la llegada del fascismo al poder creó nuevos servicios y corresponsalías y se convirtió en agencia oficial. Desapareció con la caída del Fascismo y fue sustituida por la *Agenzia Nazionale Stampa Associata* (ANSA), fundada en Roma en 1945.

Stefansson, Vilhjalmur (1879-1962). Explorador canadiense, hijo de islandeses. Estudió en Estados Unidos, en las universidades de Iowa y Harvard, y en 1905 fue becado por esta última universidad para participar en una expedición arqueológica a Islandia. En 1906, emprendió una exploración al norte de Alaska. En otra expedición que efectuó en 1908 a 1912, descubrió tribus de esquimales rubios. Exploró detenidamente el norte de Canadá y de Alaska y sacó valiosas conclusiones científicas acerca de la importancia geográfica de aquellas tierras y aportó ideas nuevas sobre la forma de llegar a un mayor conocimiento de las regiones que rodean el casquete polar ártico. En 1913, se le nombró jefe de la expedición canadiense al Ártico, que efectuó exploraciones continuas hasta 1918. Durante este tiempo descubrió las islas de Borden, Brock, Meighen y otras. Como resultado de esta extraordinaria actividad, publicó obras entre las que se cuentan *Mi vida entre los esquimales*, *Mi amigo el Ártico*, *Última Thule*, *Aventura en la isla de Wrangel*, *Groenlandia* y *Enciclopedia Ártica*.

Stein, Gertrude (1874-1946). Escritora estadounidense, de original y compleja personalidad literaria. En la mayor parte de sus libros empleó un estilo que para ciertos críticos fue la revelación de una nueva técnica literaria, mientras que para otros no era más que un conjunto de puerilidades y frases sin sentido. Parte de su obra, sin embargo, la revela como escritora humana y comprensiva, así como poseedora de aguda sensibilidad poética. Ella misma gustaba llamarse "la abuela de la moderna literatura estadounidense" Ejerció notoria influencia en la formación de escritores prestigiosos, como Ernest Hemingway y Sherwood Anderson. Amiga del pintor Pablo Picasso, contribuyó a dar a conocer sus obras, con un volumen que fue muy leído en los años que siguieron a la Primera Guerra Mundial. En el colegio Radcliffe fue la alumna favorita del filósofo William James. En París, donde vivió muchos años, su residencia fue el centro de las actividades literarias y artísticas de sus compatriotas. Entre sus obras cabe mencionar *Cuatro santos en tres actos*, libreto para ópera, *Diez retratos*, *Autobiografía de Alicia Toklas*, *París*, *Francia* y *Autobiografía de cada uno*.

Stein, William Howard (1911-1980). Bioquímico estadounidense. Doctor por la Universidad de Columbia en 1938, al año siguiente entró a trabajar en el Instituto Rockefeller para la investigación médica. En 1955 fue nombrado profesor de bioquímica de la Universidad Rockefeller de New York. Junto con Stonford Moore introdujo una técnica cromatográfica de intercambio iónico, luego automatizada, para el análisis de los aminoácidos. Fue el primero en descubrir (1959) la estructura completa de una enzima, la ribonucleasa A del páncreas de un bóvido. En 1972 compartió con Christian Boehmer Anfinsen y Stanford Moore el Premio Nobel de Química.

Steinbeck, John Ernst (1902-1968). Novelista estadounidense. Logro una rica experiencia humana y social que ha vertido en sus libros, que abarcan desde la novela histórica hasta el relato realista. Ascendió a la fama con su novela sobre la vida de los campesinos pobres *Grapes of wrath* (*Viñas de ira*, 1934), a la que siguieron *Tortilla Flat* (Camaradas errantes), *The Wayward bus* (El ómnibus perdido), *East of Eden* (Al este del Paraíso) y otras varias. Se le concedió en 1962, el Premio Nobel de Literatura. Su obra, ocupa un puesto eminente en la literatura estadounidense.

Steinberger, Jack (1921-). Físico estadounidense de origen alemán. Emigró con su familia a Estados Unidos en 1934, se doctoró en física en la Universidad de Chicago en 1948, y trabajó como profesor de física en la Universidad de Columbia entre 1950 y 1971. Desde 1968 forma parte del equipo de investigación del *Centre Européen pour la Recherche Nucléaire* (CERN) en Ginebra. Sus primeras investigaciones se centraron en el muón, y demostró que esta partícula se descompone en un electrón y dos neutrinos. Entre 1960 y 1962 realizó, junto con Leon Max Lederman y Melvin Schwartz, una serie de experimentos en el *Brookhaven Nitional Laboratory* que les llevaron a obtener por primera vez un haz de neutrinos, y a descubrir la existencia de dos tipos diferentes de estas partículas: los neutrinos electrónicos y los muónicos. Por estos descubrimientos, los tres investigadores citados compartieron el Premio Nobel de Física en 1988.

Steinitz, Wilhelm (1836-1900). Ajedrecista austriaco. Declarado campeón mundial en 1886, conservó el título hasta 1894 en que fue vencido por Emmanuel Lasker. Se le considera creador de la escuela moderna para jugar ajedrez, que da preferencia a la acumulación de pequeñas ventajas durante el juego, para obtener el triunfo, en lugar de esforzarse en llevar a cabo grandes combinaciones. Fundó la revista *The International Chess Magazine*.

Steinmetz, Charles Proteus (1865-1923). Físico y matemático alemán naturalizado estadounidense. En 1894 cambió su nombre, Karl August Ridolf, por el de Charles Proteus. Fue ingeniero consultor de la compañía General Electric en Schenectady, y catedrático de ingeniería eléctrica del Union College de New York . Fue uno de los grandes genios de la ciencia moderna a la que hizo notables aportaciones. Descubrió la ley de la histéresis, que permite calcular con rapidez y exactitud las pérdidas de energía a causa del magnetismo y facilitó la construcción y perfeccionamiento de toda clase de aparatos eléctricos. Perfeccionó y simplificó el cálculo de los fenómenos originados por la corriente alterna y fue autor de la teoría de las transientes eléctricas relacionadas con las descargas de electricidad atmosférica. Sus investigaciones en el campo de la electricidad y de la química condujeron al perfeccionamiento de generadores, motores, lámparas de arco de electrodos metálicos, y de importantes procedimientos de química industrial. Entre sus obras, que constituyen valiosos tratados técnicos, figuran: *Teoría y cálculo de los fenómenos de la corriente alterna, Elementos teóricos de la ingeniería eléctrica, descargas eléctricas, ondas e impulsos* y *Cálculo de los circuitos eléctricos.*

Stendhal (1783-1842). Novelista y crítico francés, cuyo verdadero nombre fue Henry Beyle. Oficial de Intendencia del ejército de Napoleón en Italia y Rusia, auditor del Consejo de Estado y cónsul en Civitavecchia. Dotado de un agudo sentido de observación, sabía penetrar y analizar en los hombres los motivos secretos de las acciones. Friedrich Nietszche lo juzgaba como el mejor novelista del siglo. Se le considera como el creador de la novela psicológica. Sus primeras obras fueron libros de viaje y de crítica: *Roma, Nápoles* y *Florencia* (1817), *Historia de la pintura en Italia.*

Después, se hace psicólogo en *Del amor* (1822) y crítico romántico en *Racine y Shakespeare* (1823). En 1831 dio a luz su primera novela *El rojo y el negro*, crónica de 1830, título enigmático que parece designar la lucha entre el espíritu revolucionario, militar, y el espíritu eclesiástico. El mérito de esta novela, de acción poco coherente, está en su estilo firme, conciso, irónico y cruel. En 1839 apareció *La Cartuja de Parma*, pintura de una pequeña corte italiana en 1815. Escribió, también, una *Vida de Napoleón*. La importancia literaria de su obra no fue debidamente valorada por sus contemporáneos. Stendhal había manifestado que sería apreciado después de 1880, y así fue.

Stephan, Heinrich von (1831-1897). Estadista alemán. Fue consejero de Postdam y ejerció diversos cargos públicos. Perteneció al servicio postal prusiano y fue el primer director general de correos del imperio alemán. Introdujo notables reformas y progresos en los servicios postales, entre ellos la implantación de la tarjeta y el giro postal, y el envío de paquetes postales mediante tarifas reducidas, servicios que fueron adoptados después por la mayor parte de las naciones. Fue el principal propulsor de la creación de la Unión Postal Universal y, en 1874, presidió la conferencia inicial celebrada con tal propósito en Berna. *Véanse* CORREOS; UNIÓN POSTAL UNIVERSAL.

Stephens, John Lloyd (1805-1852). Escritor y viajero estadounidense que después de ejercer la abogacía en New York y de viajar por Europa, y el Cercano Oriente, en 1839 recorrió México y América Central. Se interesó en el proyecto de construcción de un ferrocarril a través del istmo de Panamá, y fue presidente de la compañía que con tal objeto se formó. Colaboró en el *American Monthly Magazine* y publicó varios e interesantes libros basados en sus experiencias de viajero. En sus viajes por el sur de México efectuó notables estudios arqueológicos sobre la civilización y las ruinas mayas, cuyos resultados publicó en sus obras referentes a Yucatán, Chiapas y América Central, ilustradas con láminas del dibujante Catherwood, que lo acompañó en sus expediciones. En este sentido, la obra de Friedrich Stephens representó una de las primeras y valiosas aportaciones al conocimiento de la arqueología maya.

Stephenson, George (1781-1848) y **Robert** (1803-1859). Ingenieros ingleses, padre e hijo, inventores de la locomotora y creadores del ferrocarril. George era hijo de un obrero y desde muy niño trabajó como ayudante de fogonero en una fábrica. Aprendió a leer y a escribir en una escuela nocturna, a la que asistía después de 12 horas de trabajo diario. Posteriormente fue zapatero y sastre, y en 1800 contrajo matrimonio. Tres años después quedó viudo, y en 1810 construyó la primera máquina de su brillante carrera de inventor, destinada a sacar agua de un pozo. Un colono le dio algunas nociones de matemáticas, mecánica y química. En 1812 fue nombrado ingeniero de una mina de carbón en Killingworth y el negocio prosperó rápidamente bajo su dirección por haber sabido adaptar varios métodos de su invención a la extracción del carbón. Después se dedicó a buscar la forma de emplear en sentido práctico el vapor como medio de tracción, pero sin pensar en aplicar el procedimiento más que a la extracción del carbón de la mina. Construyó la máquina por él soñada, y el 25 de julio de 1814 la primera locomotora práctica arrastró ocho vagones con 30 ton de carbón. Un año después construyó otra locomotora más perfecta, que fue la que sirvió de modelo para todas las posteriores. El éxito de su genio inventivo estaba asegurado. Después construyó el primer ferrocarril de vapor que hubo en el mundo (1825), que corrió de Stockton a Darlington, y pronto los viajeros se aventuraron en él. Después de vencer la opinión adversa de la Cámara de los Comunes y de la prensa en general, que lo calificaba de iluso, construyó el ferrocarril del puerto de Liverpool a la ciudad industrial de Manchester. En esta disputa se le había preguntado si la máquina de su invención, en caso de chocar con una vaca, no produciría una terrible catástrofe, a lo que respondió Stephenson: "Sí, terrible para la vaca". Mientras tanto construyó, ayudado por su hijo, la máquina más perfecta de la época, con la cual su lucha contra la rutina y la incredulidad y su fe en el progreso dieron un decisivo impulso al sistema de transportes en el mundo entero. No obstante su genio inventivo y el servicio que prestó al progreso, Stephenson no recibió ninguna recompensa nacional.

Su hijo Robert recibió amplia educación gracias a los esfuerzos de su padre. Ingresó en 1821 en la Universidad de Edimburgo en la que ganó un premio de matemáticas. Trabajó primero al lado de su padre y luego sobresalió como constructor de puentes tubulares, una verdadera audacia para la época. El puente de Menai que une la isla de Anglese con Inglaterra, inaugurado en 1850, es un ejemplo de la precisión de sus cálculos y de la profundidad de su ingenio. Dirigió también la construcción de ferrocarriles en Estados Unidos, Canadá, Suecia, Italia y Egipto. En 1847 fue elegido miembro del Parlamento y figuró en el partido conservador. Había ganado una inmensa fortuna con su trabajo y con sus inventos.

Stern, Otto (1888-1969). Físico alemán. Doctor por la Universidad de Breslau (1912), fue profesor en Zurich y en las universidades de Francfort, Rostock y Hamburgo. Tras la toma de poder de Adolfo Hitler se trasladó a Estados Unidos en 1933, y ejerció la cátedra de física en el Instituto Carnegie de Tecnología de Pittsburgh. Efectuó importantes investigaciones sobre las propiedades magnéticas de los átomos, que sirvieron para sentar las bases experimentales de la teoría de los quanta. Se le concedió el Premio Nobel de Física en 1943.

Sterne, Laurence (1713-1768). Escritor inglés, nacido en Irlanda, cuya obra ha ejercido notable influencia en el desarrollo de la novela universal. En *Vida y opiniones de Tristram Shandy* (1759-1767), su obra principal, sobresale sobre todo un agudo sentido del humor, que habría de reaparecer, lógicamente transformado, en George Bernard Shaw, Oscar Wilde y otros escritores. Sus personajes principales han quedado incorporados a la gran galería de la novelística universal. Graduado en Cambridge, fue clérigo durante 20 años en Yorkshire. Sin descuidar sus deberes religiosos, llevó una existencia alegre y mundana. De vuelta de un viaje al continente europeo, escribió otra obra magistral: *Viaje sentimental por Francia e Italia* (1768). Se había propuesto continuar *Vida y opiniones de Tristram Shandy* a razón de dos tomos por año, mientras viviera, pero sólo alcanzó a escribir nueve en total.

Stettin. Ciudad y puerto fluvial de Polonia, sobre el río Oder, a 50 km de su desembocadura en el Mar Báltico. Tiene 396,600 habitantes. Fue el principal puerto de Berlín, al que estaba unido por un canal navegable. Tiene importantes astilleros y fábricas. Durante la Segunda Guerra Mundial los ataques aéreos destruyeron casi totalmente sus instalaciones. Fundada por los wendas hacia el siglo IX, pasó sucesivamente a poder de los duques de Pomerania (hasta 1637), Suecia (1648) y Prusia (1720). Stettin, que se llama Szczecin en polaco, fue cuna de Catalina II. A la terminación de la Segunda Guerra Mundial formó parte de Polonia.

Stettinius, Edward Reilly (1900-1949). Estadista y financiero estadounidense. Ocupó altos cargos ejecutivos en grandes empresas industriales de Estados Unidos. En 1931 fue vicepresidente de la General Motors Corporation, y tres años más tarde presidente de la junta directiva de la U. S. Steel Corporation. En 1939, el presidente Roosevelt lo nombró director de la Junta Nacional de Recursos Bélicos y poco después asesor del Consejo de la Defensa Nacional y administrador del programa de préstamos y arriendos. En 1944 sucedió a Cordell Hull en el cargo de secretario de Estado, asistió a la Conferencia de Yalta y presidió la delegación de Estados Unidos a la Conferencia de las Naciones Unidas celebrada en San Francisco California en 1945. también fue designado delegado de la ONU. Un año después fue nombrado rector de la Universidad de Virginia.

Stevenson, Robert Lois (1850-1894). Seudónimo de Robert Lewis Balfour. Novelista, poeta y cuentista inglés. Estudió la carrera de ingeniería, que abandonó por la de abogado, la que tampoco llegó a concluir. De temperamento enfermizo y de carácter concentrado, en 1879 se trasladó a California, en Estados Unidos, donde se casó con Fanny Osbourne. A partir de 1880 comenzó un verdadero peregrinaje por sanatorios de Estados Unidos y de Europa, en busca de alivio para sus achaques. Finalmente se trasladó a las islas del océano Pacífico, y en Monte Vaea, Samoa, donde se había refugiado, falleció de apoplejía. Sus cuentos, ensayos y poemas comenzaron a llamar la atención en 1879, época de su traslado a California, y desde entonces no cesó de escribir hasta su muerte. Sus obras, una vez publicadas en inglés, eran traducidas casi simultáneamente a varios idiomas. Es autor de *El extraño caso del doctor Jekyll y mister Hyde* (1886), *La isla del tesoro* (1883), *Nuevas noches árabes, La flecha negra* (1888) y

Secuestrado (1886), entre otros muchos libros que hicieron de él uno de los escritores más populares. Destacó por un encanto personal intransferible, por su poderosa imaginación y por su maestría constructiva.

Stewart, James (1908-1997). Actor cinematográfico estadounidense. Su verdadero nombre es James Maintland. Fue oficial de la Fuerza Aérea y actor teatral. Ingresó en el cine en 1935, y ha actuado en las películas *El último gángster, Vive como quieras, Oro del cielo, La pecadora equivocada, La soga, Harvey, El espectáculo más grande del mundo, Borrasca en el puerto* y muchas otras.

Stigler, George Joseph (1911-1991). Economista estadounidense. Educado en las Universidades de Washington, Chicago y Northwestern, se consagró luego a la enseñanza de la economía en las Universidad de Iowa (1936-1938), Minnesota (1938-1946), Brown (1946-1947), Columbia (1947-1957) y Chicago (desde 1958). En 1964 fue presidente de la *American Economic Association*, y desde 1974 editor del *Journal of Political Economy*. Son notables sus aportaciones al estudio del pensamiento económico y la teoría de los precios. En su *Production and Distribution Theories* (*Teorías de la producción y la distribución*), 1941, analizó las teorías de William Stanley Jevons, Philip Henry Wicksteed, Alfred Marshall, Edgeworth, Carl Merger, Friedrich von Wieser, Eugene von Böhm-Bawerk, León Marie Esprit Walras, Knut Wicksell y John Bates Clark; dicho análisis fue calificado por Schumpeter como el "mejor re-

sumen que existe del trabajo teórico de los autores principales del período". En otro ámbito se inscribe su *Theory of Price* (*Teoría de los precios*), 1946, en la que resume la teoría marginalista de la productividad marginal. Premio Nobel de Economía en 1982.

Stinnes, Hugo (1870-1924). Industrial alemán heredero de una gran fortuna, que acrecentó incesantemente fundando una extensa red de explotaciones mineras. También era poseedor de fundiciones, astilleros, innumerables fábricas y grandes propiedades en Alemania y el extranjero. Fue uno de los principales suministradores de materiales en la guerra 1914-1918. Propietario de la mayoría de los periódicos de Alemania trató de dirigir por medio de ellos la economía del país. En 1920 fue miembro del Reichstag y su prensa favoreció el nacionalismo.

stock. (Voz inglesa). Conjunto de materias primas, productos semielaborados y productos finales que posee una empresa en un momento determinado.

stocks, gestión de. Conjunto de técnicas empleadas para la determinación y control de la evolución de los stocks, así como para la aplicación óptima de una capacidad de almacenaje conocida.

El problema de los stocks es importante, ya que suponen un costo elevado de mantenimiento que repercute en la rentabilidad del capital de la empresa. El problema central que se plantea consiste en hacer compatible la seguridad del abastecimiento con la minimización de los costos

Stock de producto terminado en una fábrica automotríz.

Corel Stock Photo Library

Corel Stock Photo Library

En la gestión de stocks *se prevee las variables existentes en el mercado tales como la acumulación de materias primas.*

de mantenimiento. En la composición de estos entran gran número de variables de mayor o menor complejidad; desde factores que pueden ester sujetos a control, como el coste propio de conservar los stocks –alquiler del almacén, amortización del capital, transporte, manipulación de los stocks, etcétera–, hasta factores que incidirán también en el coste de almacenamiento, pero que escapan de todo control, tales como retrasos en el plazo de entrada o variación del período de fabricación del producto. El aspecto fundamental en los modelos de gestión de stocks reside en el control de los costes, que se puede plantear de la siguiente forma: dados unos periodos de pedidos fijos, determinar cual es la cantidad óptima de stocks o, alternativamente, fijar la cantidad y el tiempo propicio pare pedirlos. El planteamiento de las técnicas de gestión de stocks presenta numerosas analogías con respecto a la gestión de créditos a corto plazo, y permite incluso trasladarlos fuera del ámbito empresarial y aplicarlos a problemas de economía agregada a nivel local, regional y nacional, sobre todo en las cuestiones relativas a producciones globales con importaciones de productos básicos destinados a satisfacer demandas difícilmente previsibles.

Stokes, William (1804-1878). Médico irlandés que sucedió a su padre como profesor del Hospital Meath en Dublín, donde pronto se distinguió como un gran clínico. Vulgarizó el uso del estetoscopio y por medio de la auscultación logró grandes progresos en la curación de las enfermedades torácicas. Fundó la Sociedad Patológica de Dublín. Además de los artículos que publicó en la *Enciclopedia de Medicina Práctica*, fue autor de notables obras científicas.

Stokowski, Leopold (1882-1977). Director de orquesta inglés, nacionalizado estadounidense. Nacido en Londres, estudió en la Universidad de Oxford y luego continuó su perfeccionamiento musical en Francia y Alemania. En 1905 se trasladó a Estados Unidos. Desde 1909 a 1912 dirigió la Orquesta Sinfónica de Cincinnati y desde esta última fecha a 1936, la de Filadelfia. Dirigió conciertos en ciudades de Estados Unidos, Canadá y América del Sur. Durante 1941 dirigió la Orquesta Sinfónica de la National Broadscasting Company de New York y en 1944 fundó la Sinfónica de esta ciudad. Es uno de los directores modernos de más acusada personalidad, y su interpretación de los clásicos y de los contemporáneos se caracteriza por la depurada técnica y la fuerza expresiva.

Ston, sir Richard (1913-1991). Economista británico. Discípulo de John Maynard Keynes, fue su ayudante en el gabinete de guerra de Gran Bretaña durante la Segunda Guerra Mundial como encargado de la oficina de estadística. Desarrolló su carrera docente en la Universidad de Cambridge como director del departamento de economía aplicada (1945-1955) y catedrático de contabilidad financiera (1955-1980). Sus más detacadas contribuciones a la ciencia económica se sitúan en los ámbitos de la contabilidad nacional y del análisis econométrico de la demanda de los consumidores. *National Income and Expenditure* (*Renta nacional y gasto nacional*), 1994 (con J. Meade) y *The measurement of consumer's expenditure and beha-*

vior in the 1920-1938 (*La medicion del gasto y el comportamiento del consumidor en 1920-1938*), 1954, son sus principales obras. Premio Nobel de Economía en 1984, por su trabajo sobre un sistema de contabilidad para medir la renta nacional que hizo posible la predicción económica.

Stonehenge. Monumento megalítico de Wiltshire (Inglaterra) . Se halla a unos 13 km al norte de Salisbury, cerca del de Avebury, y es de estructura circular (unos 100 m de diámetro). Lo componen principalmente, en disposición concéntrica, un foso bordeado por terraplenes, tres círculos de hoyos, dos círculos y dos herraduras de monolitos, con dinteles los exteriores de ambos, y una piedra altar central. Se aprecian en el varias fases constructivas, realizadas en el neolítico final y la Edad del Bronce inicial. *Véase* PREHISTORIA.

Storni, Alfonsina (1892-1938). Poetisa argentina de origen suizo. En su juventud ejerció la enseñanza. En 1916 publicó *La inquietud del rosal* y luego *El dulce daño* (1918), *Irremediablemente* (1919), *Mundo de siete pozos, Mascarilla y trébol* (1938) y *El amo del mundo*, ésta una obra teatral. En prosa publicó *Poemas de amor* (1926). Fue una poetisa de poderoso talento, gran sensibilidad lírica e intensa vida interior. Sus versos participan de la nota panteísta, corriente en la que supo ensamblar formas clásicas con temas románticos y modernos. Fue una figura popular de las letras ríoplatenses, y sobresalió en una época en que escribían poetas de gran aliento como Leopoldo Lugones. En 1938, víctima de una enfermedad incurable, se dejó arrastrar mar adentro en una playa de Mar del Plata y pereció.

Storting. *Véase* NORUEGA.

Strachey, Giles Lytton (1880-1932). Escritor inglés, considerado el creador de un tipo de biografía moderna que contribuyeron a popularizar Emil Ludwig, André Maurois y Stefan Sweig, siguiendo en cierto modo sus huellas. Estudió en Cambridge, donde comenzó a publicar ensayos. Su fama data de 1918, año en que apareció su obra *Victorianos eminentes,* dedicada a los principales personajes del largo periodo en que reinó Victoria. En sus biografías omite los detalles menudos y poco representativos, organizando el relato sobre una base similar a la de una novela. *Isabel y Essex, Retratos en miniatura* y *La reina Victoria* figuran entre sus obras principales.

Stradivarius, Antonio Stradivari, llamado (1644-1737). Constructor italiano de instrumentos musicales de cuerdas, discípulo de Niccola Amati. Es el más célebre constructor de violines, violas y violonchelos que ha existido, instrumentos que no han podido ser imitados a causa de lo lleno de sus voces. Stradivarius nació y vivió casi siempre en Cremona y la fama de su nombre se extendió por toda Europa. Los violines que construyó tienen las iniciales A. S. en la caja dentro de un doble círculo. Stradivarius construyó más de mil instrumentos de cuerda de los cuales se cree que han llegado a nuestra época poco más de la mitad. Los que se consideran genuinos alcanzan precios fabulosos y por un ejemplar auténtico se pagan miles de dólares. Ello ha dado origen a que existan numerosas falsificaciones.

Strauss, Johann (1825-1899). Compositor y director de orquesta austriaco, hijo del músico del mismo nombre, y a quien se ha llamado el *rey del vals*. Como su padre se oponía a que siguiera su profesión, huyó de su casa a los 19 años, tras de haber estudiado secretamente el violín, y con una pequeña orquesta propia recorrió el país dando a conocer sus composiciones, que luego se hicieron populares. Cuando murió su padre unió su orquesta a la dejada por éste y recorrió Europa: Berlín, San Petersburgo, París y Londres. Sus diversas giras, comenzadas en 1842, no terminaron sino en Estados Unidos en 1872 (New York y Boston). Fue director de los conciertos de verano en San Petersburgo y de los bailes de la corte de Rusia. Sus valses gozan hasta hoy de una popularidad no superada, entre ellos los titulados: *El bello Danubio azul* (1867), que es la composición más célebre en su género; *Cuentos de los bosques de Viena, Vida de artista* (1867) y el *Vals del emperador,* tenido como obra maestra. Tres operetas suyas son igualmente conocidas y todavía representadas: *El murciélago, El barón gitano* y *Cagliostro.*

Strauss, Oscar (1870-1954). Compositor y director de orquesta austriaco, nacido en Viena. Estudió composición y teoría en Berlín, y desde 1895 hasta 1900 dirigió varios conciertos en Berlín y en otras grandes ciudades alemanas. A partir de 1927 actuó al frente de notables orquestas en la capital alemana, en Viena, en París y en diversas ciudades de Estados Unidos. Es autor de óperas, *suites* para orquesta, una sonata para violín, diversas piezas para piano y de las operetas *El soldado de chocolate,* y *El encanto de un vals,* obras que le dieron popularidad universal.

Strauss, Richard (1864-1949). Compositor alemán, uno de los más destacados de su época. A los seis años de edad compuso sus primeras piezas y a los 25 dio a conocer su primer poema sinfónico, *Don Juan* (1889), en que apuntaron sus extraordinarias dotes de originalidad y vigor, que luego lo hicieron famoso. A. Ritter, su maestro, le aconsejaba que buscara un motivo en que la música expresara una idea. Estimando que aún le faltaba preparación para ello, pero encontrando justo el consejo, partió a estudiar a Italia. Sus obras siguientes fueron: *Muerte y transfiguración* (1889), *Macbeth, Don Quixote* (1889) y *Sinfonía doméstica* (1904), que produjeron violentos ataques y cálidos elogios. Su obra era desigual, pero bella siempre, y rompía con tradiciones musicales. Sus efectos orquestales alcanzaban profundas consecuencias emotivas y modificaba principios tenidos por inconmovibles. En 1905, hasta sus más enconados críticos se vieron obligados a ceder ante su ópera *Salomé,* basada en un poema de Oscar Wilde, que fue estrenada con gran éxito en el teatro de la ópera de Dresde, después de haber sido rechazada por varias empresas y compañías. Siguieron luego: *Elektra* (1909) y *El caballero de la rosa* (1909-1911), que puede estimarse como la de su consagración. Otras óperas suyas fueron: *Guntram, La leyenda de José, Intermezzo, Arabella,* etcétera. Entre sus poemas sinfónicos se destacan: *Las travesuras de Till Eulenspiegel* y *Sinfonía alpina.*

Stravinsky, Igor Fedorovich (1882-1971). Músico ruso, nacionalizado francés y más tarde estadounidense. Su infancia y su juventud se desarrollaron en un ambiente musical –su padre era cantante de ópera– y comenzó a componer intuitivamente, sin ayuda de maestros. Más tarde, bajo la influencia de Nicolai Rimsky-Korsakov, se interesó profundamente en el folclore de su patria y compuso, para la compañía de ballet que su compatriota Sergei Pavlovich Diaghilev dirigía en París, dos brillantes partituras: *El pájaro de fuego* (1910), basada en un cuento de hadas, y *Petruchka* (1911), que describe vivamente algunas escenas del carnaval entre los eslavos. Su tercer ballet *La consagración de la primavera* (1913), inspirado en viejos ritos paganos, se distingue de sus obras anteriores por el uso continuo de raras disonancias. La orquestación es muy compleja, y la partitura de muy difícil ejecución. El estreno de esta obra, rechazada violentamente por el público, convirtió a su autor en la figura más notoria de la música moderna. Pero, después de *La historia de un soldado* (1918), obra dominada por el clima de angustia en que se desarrollaba la Primera Guerra Mundial, y de *Las bodas* (1923), comenzó a interesarse en la música clásica tradicional, principalmente en la de inspiración religiosa. *Su Sinfonía de los Salmos* (1930) y su *Misa* (1948) tienen ese origen.

Streisand, Barbra (1942-). Actriz, cantante y directora de cine estadounidense. Comenzó su carrera como animadora en clubes nocturnos en los años sesenta. Luego de recibir el Óscar por su primera película (*Funny Girl.* 1968) filmó *Hello Dolly* (1969) *Vuelve a mi lado* (1970) *Nuestros años felices* (1973) entre otras. En 1983 dirigió *Yentl.* Dirigió y protagonizó el melodrama *El príncipe de las mareas* (1991) y *El amor tiene dos caras* (1996).

Stresemann, Gustav (1878-1929). Estadista alemán. Ejerció la abogacía después de diplomarse en la Universidad de Leipzig y en 1907 ingresó al parlamento, pero su brillante actuación comienza después de la paz de Versalles (1919). Funda el Partido Populista y en 1923 asume el cargo de canciller y la cartera de Relaciones Exteriores, luchando hasta imponer su criterio de colaboración con los aliados; tuvo participación destacada en la firma del tratado de Locarno (1925), y obtuvo el ingreso de Alemania en la Sociedad de las Naciones (1926) y apoyó la candidatura de Paul von Beneckendorff y von Hindenburg a la presidencia. En 1926 recibió el Premio Nobel de la Paz. Murió siendo ministro, extenuado por el trabajo.

Strindberg, Johann August (1849-1912). Dramaturgo y novelista sueco. Estudió en la Universidad de Upsala, y durante algún tiempo se dedicó a la enseñanza privada. Se casó tres veces, y sus matrimonios terminaron en otros tantos fracasos, hechos que influyeron notablemente en su literatura. En 1882 viajó por varios países de Europa, y en Suiza trabó amistad con revolucionarios rusos, quienes influyeron también en sus ideales políticos. Entre sus principales novelas figuran *El cuarto rojo* (1879) que tuvo gran éxito e inició su nombre literario; *Los habitantes de Hemsö* (1884), *Casados* (1884), *Destinos y aventuras suecas* y *Utopías realizadas.* Entre sus dramas de fuerte realismo que suscitaron acerbas críticas y cálidos elogios, se destacan *Maestro Olof, El padre* (1887) y *La señorita Julia* (1887). Escribió también numerosos dramas históricos, entre los cuales son notables *Gustavo Vasa, Eric XIV, Gustavo Adolfo, Carlos XII* y *Cristina.* La literatura de este gran escritor es pesimista, amarga y sombría, y los hechos autobiográficos gravitaron en sus creaciones para entrar en choque violento y en conflicto moral con el ambiente. Fue fecundo en grado sumo y si bien se destacó particularmente como novelista y dramaturgo, cultivó los géneros más opuestos. Strindberg fue un genio solitario del arte y de la vida.

Stroessner, Alfredo (1912-). Militar y político paraguayo. Estudió en el Colegio Militar de Asunción y se distinguió en la guerra del Chaco (1932-1935). Ascendido a general en 1951, permaneció al margen

Stroessner, Alfredo

de las disputas entre febreristas y liberales, pero siendo comandante en jefe de las fuerzas armadas, dirigió el golpe de Estado contra el presidente Federico Cháves (5 de mayo de 1954) alegando el profundo malestar popular. Fue elegido presidente de la República en 1954 y reelegido en 1958, 1963, 1968, 1973, 1978 y 1983. Rechazó una invasión de exiliados paraguayos desde la frontera argentina (1959). Con el apoyo del Partido Colorado elaboró una nueva Constitución (1967) e inauguró un congreso bicameral, favorable a su política. Hasta 1981 su gestión obtuvo un notable éxito económico que le permitió realizar un vasto programa de obras públicas, pero continuó reprimiendo todo intento de liberalización. Fue depuesto por un golpe de Estado militar (3 de febrero de 1989), dirigido por uno de sus colaboradores, el general Andrés Rodríguez, y se exilió en Brasil.

Stuart Fitz-James, Jacob. *Véase* ALBA, DUQUE DE.

Stuart Mill, John. *Véase* MILL, JOHN STUART.

Stuebel, Alfons Maritz (1835-1904). Geólogo y explorador alemán. Realizó investigaciones arqueológicas y vulcanológicas en las islas Canarias, Colombia, Ecuador, Bolivia, la cuenca del Amazonas, Chile, Argentina y Perú. Entre sus obras: *Los volcanes del Ecuador* y *Viajes en la América del Sur*.

stupa. (Voz sánscrita: montículo). Construcción funeraria búdica o jainista, originaria de la antigua India. Derivación del túmulo funerario védico, el stupa está formado

Corel Stock Photo Library

La industria textil juega un papel importante en la economía de Stuttgart.

por una estructuril maciza en forma de hemisferio (*anda*) situada sobre un pedestal y rematada por una plataforma (*harmika*); está rodeado por una balaustrada (*vedika*) y coronado por un mástil (*chattravala*) con uno o varios parasoles pétreos. El stupa suele estar cerrado por un recinto amurallado, que generalmente se abre por una o cuatro puertas con pórtico que reciben el nombre de *toranas*. La función del stupa es contener reliquias que, encerradas en una urna, se depositaban en su interior. Hasta el siglo II el stupa era una simple cúpula de ladrillo sobre un basamento cuadrado (Bharut, Sanchi), pero posteriormente se

convirtió en un edificio monumental con paneles de piedra esculpida y balaustradas decoradas con leyendas religiosas, y se construyeron conjuntos de grandes dimensiones (Amaravati).

Sturzo, Luigi (1871-1959). Sacerdote italiano, creador del movimiento demócrata cristiano en su país. Fundó el Partido Popular, constituido en 1919, que fue combatido por Benito Mussolini, hasta que en 1924 Sturzo tuvo que abandonar Italia. Al regresar del largo exilio reanudó con éxito sus actividades políticas. Al cumplir 80 años fue objeto de grandes homenajes públicos y designado senador vitalicio de la República Italiana.

Stuttgart. Ciudad alemana. Capital del estado de Baden-Wurttemberg, que forma parte de la República Alemana. Está considerada como uno de los primeros centros tipográficos y editoriales de Europa. Situada a unos 250 m de altura, a orillas del Nesenbach y próxima a la desembocadura de éste en el Neckar. Población: 565,500 habitantes. Tiene importantes industrias metalúrgicas, textiles, eléctricas, químicas, etcétera. Son de especial importancia las industrias gráficas. Posee hermosos y antiguos edificios, pero cifra su orgullo en sus museos, galerías y conservatorios, en su famosa biblioteca con 500,000 volúmenes, 4,000 manuscritos, 2,400 incunables y 7,300 Biblias en más de 100 lenguas, y sus colecciones de grabados de Alberto Durero y de Rembrandt.

Suardíaz, Luis (1938-). Escritor cubano. Nació en Camagüey. Funcionario del Consejo Nacional de Cultura. Crítico

La industria del acero es una de las principales fuentes de trabajo en Stuttgart.

Corel Stock Photo Library

literario y poeta que ha viajado extensamente. Autor de *Poesía cubana; Haber
vivido*, y otras.

Suárez, Francisco (1548-1617). Filósofo y teólogo español, conocido por el título de *Doctor Eximio*, el más destacado
representante del pensamiento escolástico en el siglo XVI. Nacido en Granada, tenía 13 años cuando estudió en Salamanca, primero derecho canónico y después
teología. En 1564 ingresó en la Compañía
de Jesús, y en 1572, recibidas las sagradas
órdenes, inició su labor docente en Salamanca, donde explicó la cátedra de filosofía, desempeñando también la de teología en Segovia y Valladolid, de 1575 a
1580; a partir de esta fecha y durante cinco años profesó la misma disciplina en
Roma, regresó después a la península a
consecuencia de su delicado estado de
salud. Explicó varios cursos en las universidades de Alcalá y Salamanca, y en 1597
Felipe II lo nombró profesor de teología de
la de Coimbra, donde siguió dando clases
hasta su muerte, acaecida en Lisboa.

Suárez, Joaquín (1781-1868). Político uruguayo. Participó en la lucha de
1810 y en la revolución agraria de 1811
junto con José Artigas. Dirigió el movimiento en favor de la independencia de
1828 como gobernador interino. Asumió
la dirección de la defensa de Montevideo
de 1843 a 1851 contra Juam Manuel de
Rosas y Manuel Oribe cuando sucedió a
Francisco Rivera.

Suárez, Marco Fidel (1856-1927).
Escritor y presidente de Colombia. Desde
la más extrema pobreza, se elevó por el
mérito de su talento y su esfuerzo hasta
ocupar los más altos puestos. Como internacionalista, son famosas sus doctrinas
sobre la doble nacionalidad, la neutralidad
y la armonía bolivariana. Como escritor,
sus obras más notables son la *Oración a
Jesucristo* y su estudio sobre Manuel Mu-
rillo Toro. Elegido presidente para el periodo constitucional de 1918 a 1922, hubo de
hacer frente a una grave crisis interna y
abandonar la presidencia cuando le faltaba un año para concluir su periodo. Dejó
obras perdurables, como el establecimiento de la aviación comercial y el tratado
con Estados Unidos, que puso fin a la cuestión de Panamá. Retirado de la política activa, se dedicó a escribir su obra monumental, *Sueños de Luciano Pulgar*, cuyos 12 tomos son considerados como los más
sazonados frutos de su ingenio. Fue autor
también de *Estudios gramaticales*, obra
laureada por la Real Academia Española.

Suárez Carreño, José (1915-).
Novelista español. Nació en Guadalupe,
México. Premio Adonais, de poesía. Ha
escrito las novelas *La tierra amenazada;
Edad del hombre*, y otras.

Suárez Flammerich, Germán
(1907-). Estadista venezolano. Decano de
la facultad de derecho de la Universidad Central y alcalde de Caracas (1940-1941). Como diplomático fue embajador en Perú, y
en 1950 subió a la presidencia luego del
asesinato del presidente Carlos Delgado
Chaldbaud. En 1952 fue derrocado por un
golpe militar del coronel Marcos Pérez Jiménez y tuvo que salir del país.

Suárez González, Adolfo (1932-).
Político español. Secretario general del
Movimiento Nacional en 1975 y elegido
por el rey, a la muerte de Franco, para
formar gobierno en 1976. En este mismo
año consiguió la aprobación de la ley de
reforma política y la victoria de su partido,
Unión de Centro Democrático, en las elecciones de 1977 y 1979, dirigiendo así la
transición de la dictadura a la monarquía
parlamentaria. Fue primer ministro de
1976 a 1981. Introdujo varias medidas liberales. En 1996 se le concedió el premio
Príncipe de Asturias de la concordia.

Suárez Veintemilla, Mariano
(1897-). Político ecuatoriano. Abogado,
periodista y dirigente del Partido Conservador, fue diputado (1931) y vicepresidente de la Cámara (1939), ministro de Defensa (1939-1942) y de Hacienda (1945). Vicepresidente de la república con José María
Velasco Ibarra (1945-1947), se mantuvo
en el cargo cuando éste fue derrocado por
el coronel Carlos Mancheno (1947). Tras
la deposición de este último asumió la
presidencia que entregó a Carlos Julio
Arosemena (1947).

Suárez y Romero, Anselmo (1818-
1878). Escritor cubano, nacido en La
Habana. Abogado dedicado a la educación, periodista, costumbrista y crítico,
también fue pintor de buen estilo. Autor de
*Francisco, El ingenio o las delicias del cam-
po, El cementerio del ingenio, La clase de
dictado; Educación; Úrsula* y otras. Se destacó como novelista de costumbres.

suástica. Antiguo símbolo místico encontrado en inscripciones chinas, griegas, celtas y bizantinas, también llamado cruz ga-
mada. Tiene forma de cruz cuyos cuatro
brazos, iguales, tienen la extremidad dobla-
da en ángulo recto. También se ha encontrado en monumentos y grabados de los
indígenas de América. En 1933 fue adoptado como símbolo por el partido nacional
socialista alemán, de manera que, poco
después, se convirtió en uno de los signos
más conocidos del mundo. Al tomar el
poder, los nazis incluyeron la svástica en la
bandera alemana. En 1945, al ocupar los
aliados el territorio alemán, el símbolo fue
retirado del emblema nacional y excluido
de toda manifestación oficial.

Suazo Córdova, Roberto (1927-).
Político hondureño. Dirigente del Partido
Liberal, tras las elecciones de noviembre de
1981 fue nombrado presidente de la república (1981-1985).

Subandinas, sierras. Conjunto de
sierras de América del Sur que marcan una
transición entre la Prepuna, o reborde
oriental de la dorsal andina, al oeste y las
planicies chaqueñas al este, y que se extiende desde el sureste de Perú hasta el
ángulo noroeste de Argentina. Alcanza su
mayor desarrollo en Bolivia, donde la anchura del sistema oscila entre los 100 y los
130 km y la altura llega a superar los 2,500
m, y la altitud general desciende escalona-
damente de oeste a este.

La red fluvial, constituida por ríos de gran
caudal (Pilcomayo, Bermejo, Salado del
Norte) ha socavado transversalmente
profundas gargantas en los anticlinales.
Entre 900 y 1,400 m está ocupada por
la vegetación subandina característica, la
selva de ladera, favorecida por la alta plu-
viosidad (hasta 2,000 mm anuales). Por
encima de los 1,500 m aparece el bosque
de alisos, sustituido a mayor altitud por el
prado y, finalmente por un paisaje de
tipo puna. Los pastos de los valles intermedios y los prados serranos constituyen sectores ganaderos, con explotación
más desarrollada en las estancias jujeñas y
salteñas de Argentina.

Por debajo de los 900 m se presenta
un paisaje de cultivo, en el que destacan
la caña de azúcar y el tabaco. En los anticlinales de la zona fronteriza entre
Argentina y Bolivia hay grandes reservas
de petróleo y gas natural.

subconsciencia o subconsciente.
Estado psíquico que se describe como
situado entre lo consciente y lo inconsciente, y que por la poca duración de las
percepciones, el individuo no se percata de
ellas. Se relaciona con representaciones,
imágenes, recuerdos, sensaciones de las
que no nos damos cuenta cabal; pero, que
podemos reconstruir, reconocer y analizar
mediante la introspección. Su delimitación
es muy imperfecta y a menudo se confunde con lo inconsciente o las sensaciones
subliminales y marginales. Quizá pueda
identificarse la subconsciencia con el *ego*
de Sigmund Freud y los modernos psicoa-
nalistas. Se trata en verdad de hechos psí-
quicos débilmente percibidos y que se
muestran muy esquivos a la conciencia
cuando ésta los requiere. Así, por ejemplo,
muchas veces buscamos en la memoria un
nombre propio que se niega a presentarse,
pese a sernos familiar.

subdesarrollo. Desarrollo incompleto o deficiente en relación con las propias posibilidades o al desarrollo alcanzado por otros. Situación económica y social, propia de gran número de países, caracterizada porque éstos tienen niveles económicos, sociales y culturales muy inferiores a los alcanzados por los grandes países industrializados de los que económicamente dependen.

Como países subdesarrollados suelen definirse, en ese sentido, aquellos cuya renta per cápita no rebasa los 500 dólares anuales, admitiéndose este límite como simple convención. Una caracterización más expresiva incluye, como mínimo, los siguientes aspectos: a) tazas de aumento demográfico notablemente superiores a las de los países desarrollados; b) economías nacionales altamente dependientes de uno o unos pocos productos agrícolas o mineros; c) grandes desigualdades en la distribución de la renta; d) importante presencia directa o indirecta de intereses extranjeros en los sectores más dinámicos y normalmente vinculados a las mayores partidas de exportación. El cuerpo de conocimientos teóricos acerca de los problemas de subdesarrollo ha surgido como una rama específica de la economía en la segunda mitad del siglo XX, encontrándose sus precedentes más inmediatos en la denominada economía de colonias, disciplina impartida en ciertas universidades británicas con anterioridad a 1950 y cuyo objeto consistía en el estudio de las relaciones económicas entre la metrópoli y los territorios sometidos a su dominio. La moderna economía del desarrollo por su parte, toma como punto de partida el examen de la aplicabilidad de la teoría económica elaborada en los países avanzados a los problemas específicos de los países subdesarrollados.

La indagación acerca de las causas del subdesarrollo ha sido objeto de variados y a veces de contradictorios enfoques. En especial, merecen destacarse dos tipos: el marxista, que explica el subdesarrollo como una consecuencia de la existencia del capitalismo a escala mundial, y el ortodoxo, que sostiene que el subdesarrollo es una etapa previa al desarrollo y considera normal la fase en que se encuentran los países atrasados.

La tesis de que el excesivo crecimiento demográfico sea el obstáculo más importante para el incremento sostenido de la renta per cápita ha solido fundamentarse en una comparación pretendidamente histórica entre la fase preindustrial de los países actualmente desarrollados y ciertas condiciones actuales en los países subdesarrollados. Otros economistas se han referido a los cambios de estructura como requisito indispensable para el inicio de un desarrollo solvente. Para éstos las causas del subdesarrollo se encontrarían en la combi-

nación desfavorable de "factores estructurales", entre los que suelen incluir la distribución de la renta y las relaciones entre clases sociales y su representación social y política, haciendo hincapié acerca de los bajos niveles económicos y de representación del campesinado. Los argumento esenciales de la llamada "escuela estructuralista" han sido recogidos por CEPAL y sistematizados por Raúl Prebisch, y han tenido especial aceptación en Iberoamérica. Desde una óptica muy distinta pueden agruparse aquellos autores que vinculan las causas del subdesarrollo al "imperialismo" de los países más desarrollados. Éstos suelen referirse al subdesarrollo como un proceso profundamente conectado al del desarrollo del capitalismo a escala mundial. P.A. Baran estudió la "unidad" del capitalismo a escala mundial y relacionó la formación y consolidación de los grandes monopolios en los países avanzados como el subdesarrollo en los países del tercer Mundo. Frente a esta tesis, completada y desarrollada posteriormente por André Gunder Frank para dos casos concretos –Chile y Brasil–, algunos autores han puesto de relieve los beneficios que proporcionan a los países subdesarrollados la inversión extranjera y, en general, el comercio internacional.

Subercasaux, Benjamín (1902-1973). Escritor chileno, miembro de la aristocracia chilena, de origen francés. Doctorado en psicología, en la Sorbona. Ensayista, novelista y narrador, usó el seudónimo *Llord Jim*. Fue crítico eminente. *Autor de Cantos de Brasil; Tierra de océano; Quince poemas directos; El mundo y la vida a través de una experiencia literaria, Y al oeste limita con el mar* y otras.

Subercaseaux, Pedro (1881-1956). Pintor chileno nacido en Roma, donde su padre, diplomático y pintor, ocupaba un cargo en el servicio exterior. Se inició como acuarelista. En Europa siguió los cursos de la Escuela de Bellas Artes de Berlín y más tarde en la Academia de Bellas Artes de Roma y en el taller del pintor español Lorenzo Valles. Trabajó en París. De regreso a Chile en 1902, comenzó a trabajar en sus grandes lienzos y temas históricos. Ganó el Premio de Historia en 1904 y 1906. En 1910 obtuvo una primera medalla en Buenos Aires, en la Exposición Internacional del Centenario, luego el Premio de Honor del Salón de 1917. Hizo decoraciones murales en el gran salón de la Bolsa de Santiago y en el edificio del Crédito Hipotecario. En 1920 disolvió su matrimonio en acuerdo con su esposa, e ingresó en la orden benedictina. Su mujer se hizo monja. En el monasterio de la isla de Wight se dedicó a ilustrar la vida de san Francisco. Viajó por Italia, y en Sevilla ganó el Gran Pre-

mio en la exposición de 1929. Al regresar a Chile en 1930, fundó en Santiago la abadía benedictina.

subjetivismo. Teoría filosófica que todo lo hace depender del yo. Sólo tenemos noción de las cosas mediante la conciencia, y el pensamiento nunca podra sustraerse a ella para conocer la realidad. El subjetivismo enuncia de este modo, en forma filosófica, lo que el dicho vulgar quiere expresar cuando dice: "Todo es según el color del cristal con que se mira".

sublimación. *Véase* PSICOANÁLISIS.

submarino. Buque que puede navegar bajo el agua. Las modernas marinas de guerra tienen submarinos equipados con tubos lanzatorpedos y otros armamentos. Entre los primeros intentos para construir un buque submarino figura el del holandés Cornelio van Drebbel que, en 1620, modificó un barco de madera al que adaptó una cubierta de cuero y con él navegó sumergido en el río Támesis, en Londres, a poco más de 4 m de profundidad. Siglo y medio más tarde, en 1776, el estadounidense David Bushnell diseñó y construyó otra extraña nave que podía sumergirse. Llevaba un solo tripulante, que debía mover unas manijas para hacerlo funcionar. En el puerto de New York trató de hundir un navío inglés; pero fracasó y la idea de la navegación subacuática quedó olvidada hasta que Robert Fulton construyó su *Nautilus* en 1800. Fulton llegó a París, armó su extraña nave –que tenía 6.5 m de longitud y estaba cubierta con cobre– y realizó pruebas en el Sena y aunque logró volar un puente sin ser visto, el inventor no logró interesar a Napoleón en su proyecto. Mientras en Francia e Inglaterra se realizaban también diversos experimentos, en América del Norte, durante la guerra de Secesión, los confederados construyeron varios submarinos minúsculos. Uno de ellos realizó el primer ataque que tuvo éxito en la historia de la guerra submarina: provisto de un torpedo rudimentario se lanzó contra la corbeta *Housatonic* de la armada unionista, anclada en la bahía de Charleston, y ambas naves volaron en pedazos.

En 1859, el inventor español Narciso Monturiol construyó un submarino con el que hizo más de 20 pruebas de sumersión y navegación, en Barcelona y Alicante. En una de esas pruebas, efectuada en 1862, se sumergió en el litoral de Barcelona, con 10 hombres a bordo, y navegó y evolucionó sumergido durante cinco horas seguidas. El aire respirable lo obtenía por medios químicos y con oxígeno comprimido. En 1889 y 1890, otro inventor español el oficial de marina Isaac Peral efectuó en Cádiz pruebas satisfactorias con un submarino de su invención, que navegó a 10 m de profundidad siguiendo rumbos prefijados.

En 1900 fue botado el *Holland*, submarino de la armada estadounidense que desplazaba 75 ton y tenía, como sus sucesores, un motor de gasolina para marchar en la superficie y un motor eléctrico para la inmersión. En 1906 los alemanes adoptaron el motor Diesel a sus submarinos, que habrían de hacerse famosos bajo la denominación de *U-boats*. Estas embarcaciones causaron estragos entre los buques aliados y neutrales durante la Primera Guerra Mundial. Poco después de declarada la guerra, además de los ataques de los submarinos alemanes a buques de guerra enemigos, atacaron y hundieron, también, numerosos buques mercantes. El submarino U-24 hundió con un torpedo el vapor francés *Admiral Ganteaume*, que transportaba 2,500 refugiados belgas. Este hecho causó estupor en el mundo entero y fue seguido por una campaña submarina que no daba cuartel. Algunos meses después era torpedeado el gran transatlántico británico *Lusitania*, y en el siniestro perdían la vida 1,198 personas.

Al estallar la Segunda Guerra Mundial en 1939, Alemania, Italia y Japón tenían más de 100 submarinos cada una. Los astilleros alemanes de Kiel y Wilhelmshaven comenzaron a construir enjambres de sumergibles que llegaron a diezmar las flotas de los aliados. En 1940 y 1941 había cientos de submarinos alemanes en los mares del mundo entero. Algunos de ellos fueron vistos frente a New York, en el Caribe y en diversos lugares de las costas sudamericanas. Además de sus mortíferos torpedos, una andanada de los cuales podía hundir un acorazado estos submarinos llevaban minas magnéticas que colocaban en sitios estratégicos. Entre las hazañas realizadas por los submarinos, es notable la del capitán Gunther Prien, que logró atravesar las barreras defensivas de la base británica de Scapa Flow y asestar cuatro certeros impactos al acorazado *Royal Oak*, que se hundió en pocos minutos.

Aunque en 1941 habían llegado a hundir buques mercantes con un promedio de 600,000 ton mensuales, los sumergibles alemanes perdieron buena parte de su eficacia con la aplicación del radar y del sonar que los localizaban con facilidad. Cuando los convoyes aliados comenzaron a abastecer a Rusia por la ruta de Murmansk, la flota submarina alemana se lanzó a un ataque vigoroso que produjo ingentes daños pero que le hizo perder numerosos sumergibles. Entre tanto, los japoneses habían creado un tipo de submarino *enano*, tripulado por dos personas que fue empleado en el ataque a Pearl Harbor. Por su parte, los estadounidenses construyeron 200 submarinos de gran tonelaje y enorme

poder ofensivo; uno de ellos, el *Barb*, equipado con lanzacohetes, realizó hazañas tan singulares como la voladura de un tren de carga, y el hundimiento de un portaaviones y un petrolero con una andanada de seis torpedos. Los alemanes utilizaron un ingenioso dispositivo llamado *schnörkel*, que permite la renovación del aire en el interior del submarino cuando navega sumergido. Gracias al schnörkel, el submarino moderno puede navegar bajo el agua durante muchos días sin tener que emerger.

El submarino moderno parece un gigantesco cigarro metálico. En esencia consta de un casco interior construido para soportar enormes presiones, y de otro casco exterior menos resistente, debido a que en gran parte se llena de agua que equilibra la presión del agua del mar. Existen tanques entre los dos cascos que pueden ser llenados o vaciados a voluntad; cuando el capitán desea sumergir su nave, hace que estos tanques se llenen de agua, y cuando quiere volver a la super-

Los submarinos se orientan por medio de cartas de navegación y sus coordenadas.

Corel Stock Photo Library

Submarino de la Segunda Guerra Mundial fuera del mar en Schleswig, Alemania.

ficie no tiene más que expulsar el agua desde su cabina de mando. El oficial de inmersión se encarga de los cálculos que permiten sumergir la nave tomando en cuenta el peso de los torpedos, la tripulación y el combustible; un error de cálculo haría que el submarino descendiera hasta una profundidad en que la presión del agua destrozara sus paredes. En ambos extremos de la nave hay unos timones horizontales, comparables a los de un avión, que permiten dirigir la *nariz* del submarino hacia arriba o hacia abajo.

El poder ofensivo del submarino reside en sus tubos lanzatorpedos. Las unidades mayores tienen seis tubos en la parte delantera y cuatro en la parte posterior; llevan, además, numerosos torpedos de reserva. El torpedo es lanzado mediante un mecanismo de aire comprimido y prosigue la marcha gracias a un dispositivo que es un modelo de precisión e ingenio; una vez lanzado el torpedo se abre una válvula que deja entrar una cantidad de agua equivalente al peso del proyectil, para mantener el delicado equilibrio de la nave.

Por medio de un control giroscópico se puede hacer que el torpedo avance en línea recta, tuerza su rumbo al llegar a un punto determinado o siga una marcha zigzagueante.

Como carece de blindaje, el submarino es muy vulnerable. Pero posee *ojos* y *oídos* muy finos: una vez sumergido, el periscopio le permite escudriñar la superficie del océano sin ser visto, y sus aparatos acústicos le permiten distinguir por el sonido de las hélices, si los buques que se aproximan son mercantes o de guerra.

Hasta la Segunda Guerra Mundial, el principal enemigo del submarino era la carga explosiva a profundidad regulable, lanzada desde aviones y buques de superficie. Posteriormente, hacia 1960, se perfeccionaron en Estados Unidos proyectiles antisubmarinos, tipos *Asroc, Subroc* y *Alpha* de gran precisión, especie de torpedos con dispositivos acústicos de dirección que, al penetrar bajo el agua, persiguen al submarino enemigo hasta establecer contacto con él y destruirlo. La vida a bordo de un submarino solía ser dura e incómoda, aun en tiempos de paz. Pero, con los adelantos alcanzados en los sistemas de acondicionamiento de aire y la aplicación de la energía atómica a la propulsión, la vida de las tripulaciones es parecida a la de los buques de guerra de superficie

Los sumergibles que no están dotados de propulsión atómica, necesitan dos grupos de motores: uno Diesel, para navegar en superficie; otro, eléctrico, que se utiliza durante la inmersión, porque el Diesel necesita mucho oxígeno. La velocidad que en superficie desarrolla es de unos 21 nudos, desciende hasta menos de 12 bajo el agua. Las baterías eléctricas se agotan pronto y la nave debe subir a la superficie durante la noche para cargarlas. Estos inconvenientes desaparecen con la utilización del *schnörkel*, que sirve para renovar el aire del submarino mientras navega sumergido y permite que puedan funcionar los motores Diesel.

La propulsión por medio de la energía atómica o nuclear representó un gran paso de avance en navegación submarina. Fue perfeccionada en Estados Unidos que, en 1954, lanzó el primer submarino de propulsión atómica, el *Nautilus*, de 3,180 ton, velocidad mayor de 30 nudos y radio de acción que superaba varias veces al de los submarinos comunes. En 1958, el *Nautilus* cruzó el Polo Norte, navegando bajo el hielo. Siete años después, en 1961, Estados Unidos tenían 20 submarinos de propulsión atómica, algunos de 6,900 ton, en su mayor parte equipados con proyectiles-cohetes *Polaris*, con alcance de unos 2,000 km, que pueden lanzar desde una posición sumergida. En 1960, el submarino atómico *Tritón*, estadounidense,

Interior del puente de mando en un submarino.

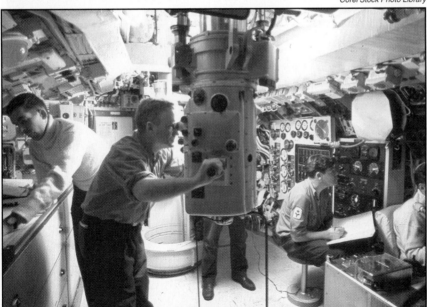

permaneció 84 días sumergido, sin salir a la superficie mientras navegaba alrededor del mundo.

Los submarinos se dividen en dos grandes grupos: a) estratégicos, que llevan misils balísticos de gran alcance b) de ataque, cuya misión es la tradicional de la guerra submarina, intercepta, el tráfico enemigo y atacar su flota de guerra. Entre estos últimos sigue siendo aceptada la clasificación en costeros y oceánicos, de acuerdo con su desplazamiento.

En 1976 entró en servicio el submarino estadounidense nuclear de ataque *Los Ángeles*, primero de una serie de 15 submarinos de 9,000 TM en inmersión. Diseñado para navegar a gran velocida sumergido, que es su medio natural se mueve silenciosamente. Cuenta con cuatro tubos lanzatorpedos y 12 misiles de crucero. En su dotación se combinan los torpedos convencionales y filodirigidos, los SUBROC y cuatro misiles antibuque superficie-superficie lanzables en inmersión.

Corel Stock Photo Library

Submarino estadounidense en el Océano Pacífico.

subsidio. Prestación pecuniaria otorgada como consecuencia de alguna circunstancia especial que la justifique. El subsidio obedece, por lo general, a una necesidad social y se satisface en forma regular, para evitar que el interesado deba recurrir a la caridad pública. Suele tener, casi siempre, carácter complementario de algo que ya se da, o de algo que falta por causas determinadas; estas características lo distinguen de la pensión. Los subsidios se regulan y hacen efectivos con arreglo a los planes de seguridad social (seguro obligatorio) y casi siempre tienen por objeto suplir las deficiencias inevitables que se producen entre los salarios básicos o mínimos

y las necesidades de la vida. En casi todos los países se halla establecido el subsidio llamado *familiar*, que tiene por objeto proteger a las familias numerosas que no podrían subsistir con los salarios-tipo.

subsónico. En aeronáutica, física, acústica y otras disciplinas afines se aplica este concepto para indicar, en oposición al de supersónico, una velocidad inferior a la del sonido. Se habla así, por ejemplo, de aviones subsónicos, es decir, aquellos que viajan a una velocidad menor que la del sonido.

El submarino es también utilizado con fines de recreativos.

Corel Stock Photo Library

subterráneo. *Véase* FERROCARRIL SUBTERRÁNEO.

sucesión. Trasnmisión de los derechos activos y pasivos que componen el patrimonio de una persona que ha fallecido, a aquellas personas sobrevivientes que son llamadas para recibirla por la ley o por el testador. La persona que deja la herencia (conjunto de bienes y derechos que forman la sucesión) se denomina autor o causante; el que la recibe se llama sucesor o heredero. Cuando la sucesión tiene origen en la voluntad del causante, expresada en un testamento, recibe el nombre de testamentaría. Si no existe ese documento, la sucesión es *ab intestato*. Cuando no abarca todo el patrimonio, sino parte determinada del mismo, toma el nombre de legado. En el caso de la sucesión testamentaria el causante recibe el nombre especial de testador; si existe un legado, la persona que lo recibe es el legatario.

La mayoría de los códigos civiles legislan sobre tres clases de sucesiones: 1) la legítima, que es fijada obligatoriamente por la ley, la cual establece que los ascendientes, los descendientes o el cónyuge deben recibir forzosamente una parte determinada de la herencia; 2) la testamentaria, que tiene lugar cuando no hay herederos forzosos, en cuyo caso el causante recupera la libertad de disponer de sus bienes; 3) la sucesión *ab intestato*, que existe cuando el causante no tiene herederos forzosos ni ha redactado testamento: en este caso la ley presume cuál habría sido su voluntad y distribuye sus bienes de acuerdo con los lazos de parentesco. Esta suposición de la ley llega hasta el sexto grado; más allá de éste se

sucesión

presume que los vínculos de parentesco o afecto del causante desaparecen, y entonces los bienes pasan al Estado. Surge así una especie de cuarta variedad de herencia, que sería la sucesión vacante o en favor de Hacienda.

Apertura de la sucesión. El derecho sucesorio comienza en el momento mismo de la muerte del autor, o en el momento en que la ley presume que ha fallecido si su ausencia es prolongada. Toda persona, ya sea física o jurídica, goza de capacidad para suceder, vale decir, para ser sujeto pasivo de la transmisión hereditaria. Se exceptúan las personas que no estaban concebidas en la época de la muerte del autor y los individuos considerados indignos por la ley: el condenado en juicio por delito contra la persona del causante o de su cónyuge, el pariente que no lo cuidó o lo protegió en la indigencia, el que voluntariamente lo acusó de un delito grave, etcétera.

Aparte de la indignidad, que es pronunciada por la ley, existe la *desheredación*, que es una incapacidad resuelta por el mismo testador. Este puede desheredar, vale decir, privar de la porción que por la ley corresponde a los herederos forzosos, en los siguientes casos: cuando un hijo lo ha injuriado de hecho o atentado contra su vida, cuando un descendiente lo ha acusado ante la ley por un delito grave, y en otras circunstancias especiales. El heredero es propietario de la herencia desde el momento en que se produce la muerte del causante. Pero debe manifestar su voluntad realizando la llamada aceptación de la herencia. Ésta puede ser de dos clases: pura y simple o con beneficio de inventario. En la primera el patrimonio del causante y del heredero se confunden, formando una sola masa: todo lo que debía el causante lo debe el heredero, y los acreedores de aquél pueden cobrarse sobre los bienes de éste. En la aceptación con beneficio de inventario, por el contrario, los patrimonios quedan separados y el heredero sólo responde por las deudas de la herencia con los bienes de la misma, sin que su patrimonio personal sufra perjuicio alguno.

Sucesión *ab intestato*. Cuando el causante no ha dispuesto el destino que habrá de darse a sus bienes, la ley suple su voluntad organizando el sistema de la sucesión *ab intestato* o "sin testamento". Este régimen descansa sobre un fundamento lógico: lo común es que las personas dejen sus bienes a los individuos a quienes profesan mayor afecto, y éste coincide generalmente con el vínculo de la sangre. Los códigos establecen una graduación entre las diversas clases de parientes, siguiendo un orden decreciente de consanguinidad y afectividad. El orden tradicional, heredado del derecho romano, es el siguiente: 1) descendientes (legítimos y naturales) y cónyuge; 2) ascendientes, cónyuge e hijos na-

Corel Stock Photo Library

La sucesión se realiza de forma documentada legalmente.

turales; 3) cónyuge solamente; 4) hermanos y sus descendientes; 5) los demás parientes colaterales hasta el sexto grado; 6) a falta de parientes de estos distintos órdenes, los bienes pasan a Hacienda.

Cuando son varios los herederos que concurren a la sucesión, todos ellos son poseedores y propietarios conjuntos de los bienes que forman la masa. Esta situación se denomina indivisión hereditaria. Mientras todos los herederos se hallan de acuerdo, la administración de los bienes indivisos no presenta dificultades; pero si surgen discrepancias entre ellos, es preciso recurrir al juez. Éste convoca a todos los interesados (y, en caso necesario, al asesor de menores) para que se pongan de acuerdo sobre la custodia y administración del caudal; si ello no ocurre, nombrará administrador al cónyuge sobreviviente o al heredero que en su concepto sea más apto para el cargo.

Testamento. El derecho de testar es la facultad de disponer de los bienes para después de la muerte. Toda persona capaz de tener voluntad y de manifestarla, posee la libertad de disponer de sus bienes por testamento. Éste es un acto escrito, celebrado con las solemnidades que indica la ley, en virtud de la cual una persona dispone de sus bienes, en todo o en parte, para después de su muerte. La mayoría de los códigos establecen que no tienen capacidad para hacer testamento los menores de edad, los dementes y los sordomudos que no saben darse a entender por escrito. Este documento, acto solemne que constituye una prolongación del derecho de propiedad, puede ser de varias clases:

1. Testamento ológrafo es el escrito íntegramente, fechado y firmado por la mano misma del testador. No puede ser dictado y después firmado, sino que todo el texto debe ser escrito por el causante. Esta forma de testamento presenta ventajas: nadie se entera de su contenido, no requiere ninguna formalidad legal, evita gastos y puede ser modificado o revocado con toda facilidad. Pero también presenta inconvenientes: si a la muerte del testador cae en manos de una persona interesada en que desaparezca basta que ésta lo destruya para que no surta efecto alguno.

2. Testamento por acto público es el que se celebra ante el notario, escribano u otro funcionario, con las formalidades que establece la ley. Sus ventajas son grandes: es muy difícil que pueda extraviarse o destruirse; resulta conveniente para las personas analfabetas o que no tienen facilidad para escribir; y también conviene a las personas que, sabiendo escribir, están imposibilitadas de hacerlo por accidente o enfermedad. Su principal inconveniente es la publicidad y la falta de reserva. La persona que desea hacer testamento público puede seguir uno de estos tres procedimientos: dictarle el documento de viva voz al notario, dárselo ya escrito en borrador, o entregarle las cláusulas que debe contener en forma de simples apuntes, para que el notario lo redacte en forma precisa. El testamento público debe contener varias enunciaciones: indicación del lugar en que se otorga; fecha, con designación de día, mes y año; nombre y apellido del testador; nombre, edad y domicilio de los dos o tres testigos que impone la ley; manifestación hecha por el notario, acerca de si ha redactado íntegramente el testamento o transcrito el texto del testador; la declaración de que el testamento ha sido leído y visto por los testigos, y la firma del testador.

3. Testamento cerrado es el que tiene por objeto permitir que una persona formule su última voluntad sin que ésta sea conocida por el notario y los testigos. Este testamento carece de toda publicidad y presenta varias ventajas: sobre el público, el hecho de que impide que una indiscreción del notario o de los testigos haga trascender el contenido de sus cláusulas; sobre el ológrafo, la ventaja de que se conserva con mayor seguridad hasta después del fallecimiento. El testador debe entregar el pliego cerrado al notario, en presencia de testigos domiciliados en el lugar, y manifestar que se trata de su testamento; el notario extiende un acta, en la cubierta del documento, en la que constan los datos personales del testador y de los testigos, y todos los presentes firman el documento.

A la muerte del testador, el notario debe presentar el testamento público ante el juez civil de turno para que se proceda a la apertura de la sucesión. El testamento ológrafo, por su parte, debe presentarse ante el juez del último domicilio del causante, quien da comienzo al juicio, ordenando la presencia de dos testigos que deben declarar sobre la autenticidad de la letra y firma del testador. Por último, el testamento cerrado también se presenta ante el juez del último domicilio del causante; el juez ordena la presencia del notario y los testigos; quienes deben reconocer sus firmas y la del testador, declarando al mismo tiempo si el testamento se halla cerrado como lo estaba cuando el testador lo entregó.

Legados. Se da este nombre a toda liberalidad testamentaria de una parte de los bienes de la sucesión. Exige tres requisitos: que haya un testamento, que exista una cosa legada y que haya un beneficiario, quien recibe el nombre de legatario.

¿Qué bienes pueden legarse? Todas las cosas determinadas o determinables que puedan ser objeto de propiedad privada y que pertenezcan al testador. Por tanto, son nulos los legados de cosas indeterminadas, no negociables o ajenas. El legado puede ser puro y simple, cuando no se halla sujeto a ninguna condición ni plazo; a término, cuando está subordinado al transcurso de un lapso; condicional, cuando depende de la realización de un acontecimiento futuro e incierto; y con cláusula de no enajenar, cuando se impone la obligación de no vender la cosa. El legado puede ser también con cargo; en este caso existen dos beneficiados, directo el uno y subsidiario el otro. Por ejemplo, si el testador dice: "Lego la suma de 200,000 pesos a mi sobrino Pedro, con cargo de que pague la hipoteca de 80,000 pesos que grava la finca de su hermano Juan". El legado corresponde a Pedro, pero en cuanto lo reciba tendrá que cancelar la hipoteca de su hermano. Hay, por tanto, dos beneficiarios: uno por el legado y otro por el cargo.

Se da el nombre de albacea a un mandatario designado para asegurar el cumplimiento de las disposiciones testamentarias. Hay dos clases principales de albaceas: el testamentario, designado en el testamento, y el convencional, nombrado por mutuo acuerdo entre los herederos cuando el testador no lo ha hecho o cuando el elegido cesa en sus funciones por cualquier causa. El albacea goza de amplios poderes, pero no puede vender los bienes de la sucesión sin ponerse de acuerdo con los herederos. Está obligado a dar cuenta de su gestión a los herederos, justificando la forma en que ha invertido los dineros, bienes y valores de la sucesión.

Juicio sucesorio. Cuando el causante ha dejado testamento, el juicio puede ser promovido por los herederos, el cónyuge sobreviviente, los legatarios de cualquier categoría y los acreedores del causante o de los herederos. Es menester presentarse constituyendo domicilio legal y demostrar la muerte del causante mediante certificados del Registro Civil u otras constancias legalizadas. Luego, la persona que inicia el juicio debe presentar el testamento o indicar el lugar en que se encuentra; después de escuchar el dictamen del fiscal, el juez abre el juicio de testamentaria y cita a los interesados. Si hay herederos menores o incapacitados, o si alguno de los interesados lo solicita, nombra un administrador judicial. Designa luego dos o más peritos, a propuesta de las partes, para que efectúen el inventario o avalúo de los bienes. Realizado éste el juicio sucesorio entra en el estado de división y partición, en el que se procede a pagar las deudas de la sucesión y distribuir el remanente entre los herederos. Aprobada la cuenta particionaria, se entrega a cada heredero una copia de su hijuela, documento en que constan sus derechos de propiedad.

Entre el juicio *ab intestato* y el testamentario que acabamos de esbozar, existe una sola diferencia. Iniciado el juicio, el juez ordena publicar edictos durante cierto lapso, llamando a todas las personas que se consideren con derecho a los bienes sucesorios, ya sea como herederos o como acreedores. Concluido el término indicado por la ley, el juez dicta declaratoria de herederos en favor de quienes hayan comparecido, siempre que sean parientes dentro del sexto grado. Los restantes trámites son similares a los del juicio testamentario.

suchiate. Río de Guatemala y México, de la vertiente del Pacífico. Nace en la Sierra Madre Centroamericana y después de un breve recorrido transcurre formando la frontera entre aquellos dos países a lo largo de unos 85 km, desemboca entre Ocos (Guatemala) y Suchiate (México).

Suchitepéquez. Departamento de Guatemala, situado en la parte suroeste del país, limitando con el océano Pacífico. Superficie: 2,510 km². Población: 361,678 habitantes. Su río más caudaloso es el Sis y su economía, la agrícola. Capital: Mazatenango, por la cual pasa el ferrocarril panamericano, que atraviesa el departamento de oeste a este.

Suchow o Tungshan. Ciudad china en la provincia de Kiangsu. Población: 872,500 habitantes. Su fundación es anterior a la era cristiana y es famosa por sus palacios, pagodas y otros hermosos edificios antiguos. Sus industrias son tradicionales: marfil, madera, seda, laca, porcelana, etcétera.

Sucre. Ciudad de Bolivia, capital jurídica de la república y del departamento de Chuquisaca; denominada de los Cuatro Nombres, pues se la llamó La Plata, al ser fundada en 1538, por las minas de ese metal que existían en la región, luego Charcas, después Chuquisaca y finalmente Sucre, en honor del mariscal de Ayacucho y presidente de la nación. Está situada a 2,835 m de altitud y a orillas del río Quirpinchaca, que desemboca en el Pilcomayo. Población: 88,774 habitantes, con abundante porcentaje indígena. Fue una ciudad rica e importante y es gran centro cultural. Sede del arzobispado y de la Suprema Corte de Justicia de la nación; universidad, museos, etcétera. Su catedral es de las más ricas de América y se destaca entre sus edificios y monumentos históricos. Aparte de las explotaciones mineras vecinas, posee industrias de tabacos, conservas, calzado y licores. Enlazada al resto del país por el ferrocarril a Potosí.

sucre. Unidad monetaria de Ecuador. Se divide en 100 centavos. La circulación monetaria comprende monedas metálicas de un sucre y fraccionarias de 1, 5, 10 y 20 centavos. El Banco Central de Ecuador emite billetes de 5, 10, 20 50 y 100 sucres. Su cotización fluctúa en el mercado internacional de cambios.

Sucre, Antonio José de (1785-1830). General y patriota venezolano, nacido en Cumaná. En 1810 figuraba ya entre las fuerzas revolucionarias. En 1812 actuó a las órdenes de Francisco Miranda en una batalla que significó una derrota para las huestes americanas. Un año después actuó con el grado de teniente coronel a las órdenes de Antonio Mariño, oportunidad en que se destacó como habilísimo organizador e improvisador de ejércitos. Después del 7 de agosto de 1813, fecha en que Bolívar entró en Caracas, se unió a él, y desde entonces corrió la suerte del Libertador. La serenidad, el aplomo y la responsabilidad, así como su gran sentido de la organización, hicieron de Sucre el brazo derecho de Simón Bolívar. Uno allanaba los obstáculos y otro daba las batallas con su brillante genio. El nombre de Sucre apareció siempre al lado del de Bolívar. Posteriormente, el Libertador le confió las fuerzas colombianas que partieron en auxilio de Guayaquil y dio y ganó la famosa batalla de Pichincha que emancipó a Ecuador del dominio realista. Después su nombre figuró en primer plano entre los generales que vencieron en Junín y más tarde al mando de las tropas americanas alcanzó la victoria decisiva en Ayacucho (9 de diciembre de 1824), triunfo que aseguró la independencia de Perú y de Bolivia. Como consecuencia de la brillante actuación en este resonante hecho de armas, se le concedió el título de Gran Mariscal de Ayacucho. Con la zona denominada en tiempos de la colonia Alto Perú se constituyó la república de Bolivia en honor de Simón Bolívar, y Sucre fue designado jefe del Poder Ejecutivo y en

Sucre, Antonio José de

1826 presidente vitalicio de la nueva República. Motines y rivalidades políticas, facciones en pugna y odios mezquinos pronto comenzaron a socavar la autoridad de Sucre. En Chuquisaca el mariscal recibió una balazo en un brazo al pretender apaciguar un motín. El 4 de mayo de 1828 se retiró de Bolivia en dirección a su patria, y renunció en un documento célebre que revela su austera conducta de patriota. Cuando se dirigía a Quito (Ecuador), adonde había sido llamado para que se hiciese cargo de la presidencia de la república, al cruzar la montaña de Berruecos, en la provincia de Pasto (Colombia), fue atacado y asesinado por sus enemigos políticos (4 de julio de 1830). La muerte de Sucre precipitó de manera irremediable la caída de Bolívar.

Sucumbíos. Provincia de la parte septentrional de Ecuador cuya extensión territorial abarca 18,612 km² y cuya población asciende a 77,450 habitantes. Su capital es Nueva Loja (lago Agrio), 3,000 habitantes.

Sudáfrica, República de. *Véase* UNIÓN SUDAFRICANA.

Sudán. Estado republicano de África. Limita al norte con Egipto y Libia; al sur con Zaire, Uganda y Kenia; al este con el Mar Rojo y Etiopía; al oeste con Libia, la república del Chad y el Imperio Centroafricano. Tiene 2.505,813 km² y 25.204,000 habitantes. Su forma de gobierno es unitaria; su lengua oficial es el árabe y es miembro de la ONU, la OUA y la Liga Árabe. Sus principales religiones son la musulmana sunníe (74.7%) y la creencias tradicionales (17.1%); su composición étnica está dividida en árabes sudaneses (49.1%), dinkas (11.5%), nubios (8.1%), bajas (6.4%),

nuer (4.9%), azande (2.7%), bari (2.5%), fur (2.1%), shiluk (1.7%), lotuko (1.5%) y otros (9.5%). Su unidad monetaria es la libra sudanesa. El río Nilo cruza el país por el centro, en dirección de sur a norte, y sus dos grandes ramas, el Nilo Blanco y el Nilo Azul se unen en Jartum. La mitad septentrional de Sudán es casi desértica, mientras que la parte meridional es fértil, bien regada y con regiones de bosques.

El clima es extremadamente cálido, con grandes lluvias, en verano, en las regiones central y del sur. La economía es principalmente agrícola, y su producto más importante el algodón, al que siguen el maní, sésamo y goma arábiga de la que es el mayor productor mundial. Se caza el elefante para obtener marfil y existen camellos y ganado ovino y vacuno. La producción minera es de poca importancia; se extrae oro en pequeñas proporciones. Las salinas de Puerto Sudán producen grandes cantidades de sal, en su mayor parte para la exportación. Los ferrocarriles tienen una extensión de 5,503 km y sus líneas principales unen a la capital, Jartum, y a Puerto Sudán con las regiones principales de la nación. Existen, también, servicios aéreos interiores e internacionales.

Sudán es un estado soberano e independiente, que se rige por la forma republicana de gobierno. Se divide administrativamente en 9 estados. La capital es Jartum, cuya área metropolitana, que comprende la ciudad de Omdurman, cuenta con 1.343,617 habitantes. Otras ciudades importantes son: Jartum Norte, Port Sudán y Wad Nedani. Su ensemanza superior comprende la Universidad de Jarfum, que ha sustituido al antiguo Colegio Universitario de la misma capital, fundada en 1951 a partir del Memorial College y de la Escuela de

Medicina Kitchener; la Universidad de Gezira, fundada en 1975 y la Universidad de Juba, también fundada en 1975. El Instituto Religioso de Omnduman, existen además, la Universidad de Ahfad para mujeres. Otros establecimientos de tipo superior son el Instituto Técnico de Jartum, con las escuelas de ingeniería, comercio y bellas artes, la escuela de sastreros, la de policía, la de administración penitenciaria, la militar y el Instituto Agrícola de Shanbat. Los maestros se preparan en la Escuela Normal Superior, creada por la UNESCO y el Ministerio de Educación.

Historia. En la edad antigua Sudán dependía del Egipto faraónico. Al sobrevenir, en el siglo VII, la invasión árabe de Egipto, Sudán estaba fraccionado en pequeños reinos, algunos de ellos cristianizados. A principios del siglo XIX se extendió la dominación egipcia. En 1883, la rebelión dirigida por Muhammad Ahmed, llamado el Mahdí (guía) del Islam, venció a los egipcios, aniquiló en Khartum a las fuerzas inglesas del general Charles George Gordon, y egipcios y británicos se retiraron de Sudán. Pero, el gobierno del Mahdí y de sus sucesores fue más cruel que el egipcio y sobrevino un periodo de revueltas y matanzas.

En 1898, una expedición militar anglo-egipcia derrotó decisivamente a las fuerzas mahdistas, Sudán pasó en 1899 a ser gobernado conjuntamente por Gran Bretaña y Egipto y fue conocido con el nombre de Sudán Angloegipcio. Después de la Segunda Guerra Mundial se inició un movimiento para obtener la independencia y desde 1948 se implantaron medidas encaminadas a ese fin, como la creación de la Asamblea Legislativa y del Consejo Ejecutivo.

Finalmente, en 1953, los gobiernos británico y egipcio llegaron a un acuerdo sobre la independencia, y se inició la transmisión progresiva de los órganos administrativos al gobierno sudanés, cuyo parlamento proclamó a fines de diciembre de 1955 la existencia del nuevo Estado republicano e independiente, a partir del 1 de enero de 1956. Se constituyó el poder legislativo integrado por el Senado y la Cámara de Representantes, y el poder ejecutivo ejercido por el Consejo de Estado de cinco miembros, asistido por el Consejo de Ministros. En noviembre de 1958, el ejército se hizo cargo del gobierno, disolvió los poderes legislativo y ejecutivo y los sustituyó por el Consejo Supremo de las Fuerzas Armadas, presidido por el general Ibrahim Abbud, quien renunció en noviembre de 1964 en favor del primer ministro Khatia que ostentó el poder hasta principios de 1965 en que tuvo que renunciar obligado por los partidos de derechas. Se celebraron elecciones y resultó favorecido Mohamed Ahmed Mahgoub quien dirigió sus esfuerzos hacia la unificación del país. En 1966 abortó un

Beduínos descansando en el desierto de Sudán.

golpe militar, y en 1967 Sudán declara la guerra a Israel y rompe relaciones con Gran Bretaña, las cuales se reanudaron en enero de 1968. En 1969 tiene lugar un golpe de Estado que eleva al poder al general Gaatar Mohammed Nimeri, quien suspendió la Constitución. En 1971, Nimeri sofocó un golpe militar procomunista y procedió a una depuración sangrienta. En 1985, fue derrocado por un golpe militar que devolvió el poder a los civiles tras las elecciones de 1986 y en las que Sadiq al-Mahdi fue nombrado primer ministro. En 1988. Omar Hassan Ahmad al-Bashir le sucedió en el cargo. El 11 de agosto un millón y medio de sudaneses se quedan sin hogar a consecuencia de las más graves inundaciones de este siglo en el país, y la guerra civil en las provincias del sur complica la grave situación de hambre por la que pasa Sudán. En 1990, los gobiernos de Sudán y Libia firman un pacto de integración que uniría ambos países en 1994. Las relaciones con Egipto se deterioran en 1991 con motivo del apoyo del gobierno sudanés a Iraq en la ocupación de Kuwait.

En abril de 1990, fracasó un intento de golpe de Estado y 28 militares fueron fusilados. El régimen acentuó su carácter islámico con un nuevo código penal fundado en la saria (1991). Tras la visita del papa Juan Pablo II a Jartum (10 de febrero de 1993), los rebeldes del sur declararon una tregua y se abrieron negociaciones de paz, pero los combates se reanudaron en noviembre y una nueva ola de refugiados se dirigió a Uganda. Mientras el gobierno sudanés llevaba a cabo otra ofensiva contra las comunidades cristianas y animistas del sur, Washington incluyó al país en la lista de países que fomentan el terrorismo internacional (1993) y la Comisión de Derechos Humanos de la ONU (febrero de 1994) emitió su condena particular. El terrorista internacional Ilich Ramírez Sánchez, alias *Carlos*, refugiado en Jartum, fue entregado a Francia (agosto 1994). La Conferencia Árabe e Islámica, que agrupa a las principales organizaciones integristas, se reunió en Jartum (1995). Mas de un millón de personas han muerto en la guerra civil, la mayoría por hambre. El conflicto con Egipto, por el triángulo fronterizo de Halaib, se enconó tras el atentado contra el presidente H. Mubarak en Addis Abeba, atribuido a integristas islámicos teledirigidos desde Jartum (junio de 1995). En enero de 1996, el Consejo de Seguridad de la ONU acusó a Sudan de "apoyar y favorecer las actividades de los terroristas" (resolución 1,044) y los Estados Unidos retiraron a todo su personal diplomático de Jartum. En las elecciones presidenciales y legislativas (6-17 de marzo de 1996), que no se celebraron en 10 de los estados del sur y fueron boicoteadas por la oposición, triunfaron respectivamente el general al-

Bashir (que ocupó también el cargo de primer ministro) y los candidatos islamistas. El Consejo de Seguridad de la ONU impuso sanciones diplomáticas a Jartum ante su incumplimiento de la resolución 1,044 (abril).

Sudán. Vasta región de África. Su nombre proviene del árabe *Belad-es Sudán*, que significa *país de los negros.* Se extiende desde Cabo Verde en el Atlántico, al oeste, hasta el Mar Rojo, en el este; y desde el Sahara, al norte, hasta las selvas tropicales de África ecuatorial, al sur. No constituye unidad geográfica ni política; su extensión territorial (5.500,000 km²) y sus pobladores (50 millones) están repartidos entre los nuevos estados africanos que, a partir de 1951, surgieron en África occidental, central y ecuatorial.

Sudanesa, República. *Véase* MALÍ.

Sudermann, Hermann (1857-1928). Dramaturgo y novelista alemán. Periodista y profesor de literatura en sus comienzos. El extraordinario éxito que alcanzó con su primer drama, *El honor* (1890), lo colocó entre los grandes autores de su tiempo, y se mantuvo en ese lugar de privilegio. Perteneció a la escuela naturalista, dentro de un estilo correcto, con dominio absoluto de la técnica. A más del nombrado, sus dramas *Magda, El clamor de los buenos* y *La vida excelsa* han sido representados en diversos idiomas, del mismo modo que se han traducido sus novelas *Regina, El cantar de los cantares* y *El lirio indio*.

Sudete, región del. Comprende la parte meridional de las montañas de su nombre y se encuentra dentro del territorio de la República Checa. Por el acuerdo de Munich (septiembre de 1938), le fue cedida a Alemania en un desesperado esfuerzo de las potencias occidentales para evitar la Segunda Guerra Mundial. Fracasado este propósito y derrotada Alemania, la región volvió a ser parte del territorio checo.

Sudetes, montañas. Cordillera de Europa Central que separa a Bohemia de la Baja Silesia. Mide aproximadamente 315 km de longitud por unos 38 km de ancho y su más alta cima es Schneekoppe (1,608 m), en Silesia. Comienza en los Cárpatos y termina en Erzgebirge, y a su condición estratégica y política une la posesión de ricos yacimientos de granito, mica, carbón y basalto en sus laderas, y vetas de uranio en sus vecindades. Son famosos sus bosques de pinos.

sudor o transpiración. Líquido seroso, claro y transparente que sale por los orificios de las glándulas sudoríparas, alojados en el espesor de la piel. Es provo-

cado a menudo, por la exposición prolongada al calor intenso o por un trabajo violento. Pero puede producirse también en una atmósfera fría, al elevarse la temperatura interna del organismo. El sudor, al evaporarse, refresca la superficie del cuerpo; es, por lo tanto, un factor de regulación que permite mantener en el cuerpo un calor más o menos constante, a pesar de las variaciones externas. Además de esta función, el sudor es un medio de eliminación de sustancias tóxicas del organismo. Se presenta con el aspecto de un humor acuoso e incoloro, de olor más o menos fuerte y desagradable y de sabor salado; es una solución acuosa de sales minerales: cloruro de potasio de sodio, etcétera, y sustancias orgánicas: en especial urea y grasas neutras, contiene 99% de agua. Algunos componentes sólidos de la secreción cutánea quedan adheridos a la piel; por lo tanto, para favorecer la acción de las glándulas sudoríparas son convenientes frecuentes baños y lavados.

Siendo el sudor una sustancia tóxica, no puede ser retenida por el organismo sin provocar alteraciones que pueden llegar a ser mortales. La abundancia de sudor varía según las horas del día y las condiciones orgánicas del individuo. La secreción sudoral es llevada a cabo por un complejo sistema de órganos conductores y nervios reguladores.

Cuando el sudor, en vez de permanecer líquido, se evapora inmediatamente, se le llama más propiamente transpiración o transpiración insensible, porque se realiza constantemente sin que el individuo lo note. Esta cantidad escasa de sudor, que continuamente fluye sobre la superficie del cuerpo, permite, por su fácil evaporación, que la piel se refresque y se suavice sin humedecerse, manteniéndose así en estado adecuado. El efecto de la transpiración es más notorio en la palma de las manos y en la planta de los pies, donde la piel es gruesa y las glándulas sudoríparas abundan. El frío produce disminución de las funciones transpiradoras. *Véase* PIEL.

Sue, Eugenio (1804-1857). Novelista francés, que a la muerte de su padre, de quien heredó una gran fortuna, abandonó la medicina para consagrarse a la pintura y literatura. Sus viajes como cirujano de la marina, le proporcionaron los argumentos para sus primeras novelas del mar y datos para una *Historia de la marina*, que no terminó. Cambiando de orientación y de estilo, escribió novelas por entrega y folletines en los que muestra su inagotable inventiva y fecundidad. Su popularidad la debe a *El judío errante, Los misterios de París, Martín el expósito* y otras obras similares. Buen narrador, sacrifica a menudo lo literario a lo melodramático. De ideales democráticos, fue miembro de la Asamblea Legislativa.

Suecia

Corel Stock Photo Library

Embarcadero cerca del palacio real en Estocolmo, Suecia.

Suecia. Estado del norte de Europa, situado en la Península Escandinava, al este de Noruega y al oeste de Finlandia. Las aguas del Golfo de Botnia y del Mar Báltico bañan las costas de su territorio, que ocupa 410,934 km² y tiene 8.692,312 habitantes.

Aspecto físico. El territorio sueco, ocupa la porción oriental y más extensa de la Península Escandinava. La cadena montañosa de Kjölen forma el límite natural con Noruega, a partir de esta región las tierras descienden suavemente hacia el este, donde se hallan las aguas del Golfo de Botnia, y bajan abruptamente en dirección al Mar Báltico, que en la parte meridional forma el límite con el continente europeo. Los estrechos llamados Cattegat y Skager Rak ocupan una gigantesca fractura geológica que establece la separación marítima con Dinamarca. La parte más angosta del Cattegat, situada a corta distancia de Copenhague, sólo tiene 4 km de amplitud.

Centenares de islas quiebran la monotonía de las costas, que están cubiertas de bosques y acantilados, pero carecen de la adusta grandeza de los fiordos noruegos. Oland y Götland se llaman las dos islas más importantes, situadas en el Mar Báltico; la primera tiene 1,350 km² y la segunda 2,700 kilómetros.

Casi todos los ríos descienden de los lagos formados en las montañas de la región limítrofe con Noruega. Avanzando desde el sur del país hallamos los siguientes cursos de agua: el Göta, navegable en toda su extensión; el Klar, que desemboca en el lago Vänern, el más extenso de Suecia; el Angerman, navegable por buques de gran calado en una extensión de 110 km: el Vindel, el Pite, el Lule, el Kalix y el Torne, que forma el límite con Finlandia. Al igual que en territorio noruego, en los profundos valles de la región montañosa se forman límpidos lagos, alimentados por los glaciares. Los cuatro más

importantes se llaman: Vänern, Vättern, Hjälmar y Mälaren.

A pesar de su situación, el clima de Suecia no es riguroso. La séptima parte del territorio se halla incluida en el Círculo Polar Ártico, y la llamada noche polar dura seis semanas anuales en diciembre y enero. En la región central, el clima es seco pero benigno, y en el tercio meridional llueve con mayor frecuencia y los pobladores disfrutan de veranos agradables. Las lluvias oscilan entre 400 mm en las regiones del norte y 560 en las tierras meridionales. El Golfo de Botnia permanece helado entre los meses de noviembre y mayo, y los témpanos perjudican la navegación invernal en el Mar Báltico. En el extremo norte de Suecia la temperatura media de enero es de -15 °C y la de julio de 11 °C. En el extremo sur, la media de enero es de 1 °C y la de julio de 16.5 grados centígrados.

Ningún otro país europeo, con la única excepción de Suiza, dispone de tantos recursos hidroeléctricos como Suecia. El subsuelo oculta ingentes riquezas mineras, especialmente mineral de hierro de óptima calidad, famoso en el mundo entero. Cobre, hulla, plomo y oro son otros de los productos del suelo, que en la región de Laponia posee gran riqueza mineral, aunque difícil de explotar. Casi la mitad del país se halla cubierta por densos bosques de coníferas y árboles de madera dura, cuya explotación se realiza en forma nacional.

Geografía económica. Esos bosques forman una de las bases de la vida económica del país. De ellos se extraen anualmente unos 45 millones de metros cúbicos de madera, que se utiliza como materia prima para numerosos usos industriales, entre ellos la fabricación de 5 millones de TM de pulpa química y mecánica, 630,000 ton de papel de periódico y un millón de toneladas de papel y cartón de diversas clases.

A la agricultura se halla dedicada la tercera parte de la población. Cereales, patatas, remolacha azucarera y forrajes son los productos que abundan en las regiones del sur; la ganadería y la industria lechera son importantes actividades. Gracias a su admirable capacidad de trabajo, los suecos se proveen de todos sus alimentos, pero deben importar cierta cantidad de abonos y forraje. Las propiedades rurales son muy pequeñas, y casi todos los campesinos son dueños de la tierra que trabajan.

La producción sueca de mineral de hierro asciende a 20.436,000 ton anuales. Como la producción anual de carbón no es suficiente y aunque se utiliza la energía hidroeléctrica de los numerosos saltos de agua, Suecia debe importar grandes cantidades de carbón para las necesidades de su industria. La industria es uno de los pilares principales de la economía sueca. Las dos ramas más importantes, ya citadas, son las derivadas de la industrialización de

Gamla-Stan fue el primer asentamiento en Estocolmo, Suecia.

Corel Stock Photo Library

la madera y las del hierro y el acero, que abarcan gran número de actividades metalúrgicas. Hay más de 15,000 establecimientos industriales, en los que trabajan más de 700,000 obreros. Las fábricas de maquinaria, instrumentos de precisión, productos químicos, cristalería y cerámica se distinguen por la alta calidad de sus productos. Algunos artículos elaborados en Suecia, tales como motores eléctricos, máquinas agrícolas, cojinetes y teléfonos son de insuperable calidad. Las pesquerías, aunque menos importantes que en Noruega, también son dignas de mención. Entre las principales industrias siderúrgicas se cuenta la de construcciones navales, con unas 800,000 ton anuales de buques mercantes.

Transportes. El país cuenta con 136,418 km de excelentes caminos y 11,485 km de vías férreas. La casi totalidad de la red ferroviaria, en gran parte electrificada, es propiedad del Estado. Las rutas fluviales se extienden a través de 4,000 km de ríos, lagos y canales, unidos por la mano del hombre, que forman en conjunto un sistema económico de comunicación interior. La navegación aérea ha tomado notable incremento; el aeropuerto de Bromma, próximo a Estocolmo, es punto de enlace de varias líneas internacionales. El Canal Götha divide la región meridional del país en dos partes; aprovechando las aguas del río homónimo y del lago Vänern, une al Báltico con el Skager Rak, permitiendo que los buques mercantes ahorren varios cientos de millas de navegación. La marina mercante sueca cuenta con más de 1,600 buques que tienen en conjunto 6.2 millones de toneladas, entre los que figuran grandes y modernos trasatlánticos.

Comercio. El comercio exterior de Suecia se efectúa principalmente con Gran Bretaña, Estados Unidos, Alemania, Bélgica, Dinamarca, Noruega, Holanda y Francia. Las principales exportaciones son las maderas y sus productos como pulpa, celulosa y papel, a las que siguen mineral de hierro, metales diversos, maquinaria y otros productos metalúrgicos. El comercio exterior se efectúa, en su mayor parte, por los puertos de Estocolmo, Göteborg, Malmö y Helsingsborg. Los ferrocarriles estatales tienen conexiones con *ferry boats*, que los enlazan directamente con Alemania y Dinamarca. La unidad monetaria es la corona sueca.

Ciudades. La capital es la ciudad de Estocolmo (1.517,285 h), urbe de sorprendente limpieza, orden y belleza arquitectónica, se halla construida sobre varios centenares de pintorescas islas a corta distancia del lago Mälaren. La segunda ciudad es Göteborg o Gotemburgo (437,313 h), situada a orillas del Cattegat y conectada con la capital por las aguas del Canal de Götha; es el principal puerto exportador

Exterior del Museo Nacional de Suecia.

de maderas y la sede de grandes talleres siderúrgicos. La ciudad de Malmö o Malmoe es la tercera del país; situada frente a Copenhague, la capital danesa, ocupa el extremo meridional del país y es un importante centro ferroviario. También son dignas de mención las ciudades de Norrköping, Hälsingborg, Orebro y Boras. El turismo es actividad de considerable importancia, pues los juegos y competencias invernales, en los que participan los mejores esquiadores del mundo, atraen a visitantes provenientes de Europa.

El pueblo sueco. En su gran mayoría es de origen teutónico y estrecho parentesco étnico con noruegos y daneses. Este pueblo, que otrora fue extremadamente belicoso, ha vivido en paz durante los últimos tiempos y prosperado sin necesidad de recurrir a conflictos; ha creado, mediante una rápida y pacífica evolución, una sociedad democrática. Industriosos, prácticos y perseverantes, superaran graves obstáculos materiales aprovechando las ventajas del ambiente natural. Junto a los suecos propiamente dichos conviven pequeños núcleos de fineses, noruegos, daneses, checos, polacos, lituanos y estonios, exiliados de sus patrias durante la Segunda Guerra Mundial, cuando Suecia se hallaba en paz en un continente convulsionado.

Las costumbres tradicionales subsisten junto a los mayores adelantos técnicos. Casi todos los habitantes de las campiñas, que ascienden a 45% de la población total, disponen de luz eléctrica y modernos tractores. En las regiones del noreste habitan varios millares de lapones, nómadas, reacios a incorporarse a la cultura occidental. Muchos miles de suecos han emigrado a otros países, en especial a Estados Unidos. El pueblo habla un idioma que pertenece al grupo septentrional de lenguas germánicas, bastante parecido al danés. La tercera parte de los habitantes se hallan afiliados a la compleja red de cooperativas de

producción y consumo. La Confederación de Sindicatos, de tendencia socialdemócrata, tiene más de un millón de afiliados y poderosa influencia social y política. Ha logrado crear métodos avanzados de arbitraje industrial y participación de los trabajadores en la vida de las empresas.

Gobierno. Suecia es una monarquía constitucional hereditaria. El 1 de enero de 1975 entró en vigor la nueva constitución que rige al país y que sustituyó a la de 1809, la más antigua constitución europea escrita. Según la constitución vigente, el poder Ejecutivo reside en el Consejo de Ministros (gabinete y primer ministro); la función del rey, símbolo nacional y jefe de Estado, es meramente ceremonial, sin participación virtual en el gobierno.

El presidente del *Riksdad*, o parlamento unicameral, en el que reside el poder legislativo, nombra el candidato para el puesto de primer ministro, candidato que tiene que ser ratificado por votación de los miembros de dicho parlamento. El primer ministro está encargado de designar a su gabinete y ambos son responsables ante el parlamento. El poder Judicial es independiente del ejecutivo.

La nación se divide administrativamente en el distrito de la capital y 24 *lan* o prefecturas que gozan de gran autonomía. El gobierno de cada prefectura está a cargo de un prefecto nombrado por el monarca. Estocolmo, la capital de la nación, está regida por un gobernador, y otras grandes ciudades, como Göteborg y Malmoe, por sus propios consejos municipales. La religión del Estado es de la Iglesia luterana evangélica de Suecia (86.2%), católicos (1.7%) y pentecostalianos (1.1%), anque existe libertad de cultos.

Educación. La instrucción pública está muy difundida y, prácticamente, casi no existe el analfabetismo. La enseñanza primaria, gratuita y obligatoria, es impartida por 92,664 maestros a más de 800,000

Suecia

Corel Stock Photo Library

Casa de la Ópera y restaurante Operakalleran *en Estocolmo, Suecia.*

niños. Para la segunda enseñanza existen 500 escuelas secundarias y técnicas a las que acuden 619,000 alumnos. La enseñanza superior cuenta con cinco universidades: las de Uppsala, Lund, Umeá, Göteborg y Estocolmo, y otros notables centros e instituciones de alta cultura, a los que asisten 20,000 alumnos. En las grandes ciudades existen importantes bibliotecas y museos. En Estocolmo son notables el Museo Nacional, el de Skansen y el Nórdico.

Historia. Las *sagas*, o leyendas de héroes más o menos históricos, contienen la crónica del remoto pasado del pueblo sueco. Se cree que los antepasados de los suecos actuales ya habitaban en Suecia durante la Edad de Piedra. Los antiguos historiadores romanos se han referido a unos pueblos primitivos, los suiones y los godos. De los primeros se deriva el nombre actual de Suecia. Los segundos habitaban en las regiones del sur. Una parte de los godos emigró a otras regiones de Europa y se establecieron en la cuenca del Vístula. La parte de los godos que permaneció en Suecia se mezcló con los suiones y se fundieron en un solo pueblo. A partir de ese hecho el pasado histórico de Suecia empieza a adquirir para nosotros mayor precisión. En el siglo VIII, comenzó el predominio de los vikingos o normandos, osados navegantes escandinavos que lograron sembrar el terror en todo el septentrión europeo. Algunos mercaderes suecos llegaron hasta Finlandia, Estonia y diversas regiones del Báltico, donde fundaron pequeñas colonias y factorías; otros se adentraron en territorio ruso y lograron llegar hasta Constantinopla, donde se pusieron al servicio del emperador bizantino.

En algunas de sus muchas correrías, los vikingos entraron en contacto con el cristianismo y adoptaron la nueva fe, que con-

tribuyó a disminuir sus ansias de pillaje y aventuras. Olaf Sköttkonung logró unificar las diversas tribus durante el siglo XI y fue coronado rey. Poco después comenzó a tomar desarrollo la nobleza feudal, cuya fuerza debilitó el poderío del monarca. Al mismo tiempo llegaron a las costas suecas los mercaderes de la Liga Hanseática, que fundaron varios puertos; al prosperar, estas ciudades adquirieron diversas prerrogativas y minaron aún más la fuerza del rey. En tal situación, Suecia no tardó en caer en manos de la reina Margarita, regente de Dinamarca y Noruega, quien logró, en 1397, que los tres países formaran la llamada Unión de Calmar, sujeta al predominio de Dinamarca. Infructuosas rebeliones cubrieron el siglo siguiente de su historia, hasta que Gustavo Vasa logró triunfar en 1521 y declararse rey dos años más tarde. La verdadera independencia de Suecia comienza en este instante.

El rey Gustavo se halló frente a un país debilitado y empobrecido, pero logró que el pueblo se irguiera entre las ruinas. Apoyó la reforma protestante y estableció el luteranismo como la religión del Estado. Al mismo tiempo eliminó la influencia de la Liga Hanseática y reprimió las sublevaciones de campesinos. Al morir, dejó un Estado poderoso y pujante.

Erik XIV, su hijo mayor, perdió la razón durante su reinado, y se inició la debilitación de la obra constructiva de las dos décadas anteriores. Aunque derrocado y encarcelado, la desintegración nacional continuó durante el reinado de su hermano, Juan III. Segismundo, hijo de Juan III, trató de restaurar el catolicismo, pero su tío, llamado Carlos Vasa, encabezó un levantamiento que lo llevó al trono con el nombre de Carlos IX. Después de un reinado que hizo frente a graves conflictos internacionales, la corona pasó a su hijo Gus-

tavo Adolfo, príncipe de 17 años. Gustavo Adolfo llevó a feliz término la guerra con Dinamarca, se adueñó de los territorios rusos situados a orillas del Báltico y defendió la causa protestante durante la Guerra de los Treinta Años. Al morir en 1632, durante la batalla de Lützen, dejaba a Suecia convertida en una de las primeras potencias de Europa. Cristina, la hija de Gustavo Adolfo, administró los territorios entregados al país por el tratado de Westfalia, pero en los últimos años de su reinado dejó que una corte fastuosa dilapidara enormes riquezas. Prusia, Dinamarca, Rusia y Polonia-Sajonia suscribieron en 1700 un tratado de alianza contra Suecia, y en la guerra subsiguiente desaparecieron las conquistas logradas a costa de ingentes esfuerzos. Con la muerte de Carlos XII, el *rey héroe*, desapareció Suecia como gran potencia y se extinguió en el país la monarquía absoluta. Los sectores inferiores de la nobleza y la burguesía lograron sentar las bases del régimen parlamentario.

Durante el periodo napoleónico, Suecia trató de mantenerse alejada de los conflictos que perturbaban a Europa. En 1810, el *Riksdag* designó al mariscal francés Juan Bautista Bernadotte heredero al trono de Suecia. Pero Bernadotte, en su carácter de príncipe heredero colocó los intereses de Suecia sobre cualquier otra influencia, y adoptó una política que lo llevó a oponerse a Napoleón. En 1814, al frente de un ejército amenazó a Dinamarca, aliada de Napoleón, la que se vio obligada a ceder Noruega, que pasó a poder de Suecia en compensación por la pérdida de la Pomerania sueca que había sido ocupada por Napoleón. A la muerte de Carlos XIII, Bernadotte ascendió al trono y fue rey con el nombre de Carlos XIV. Durante su reinado y el de sus sucesores, disfrutó Suecia de una larga era de paz y experimentó grandes progresos en todos los órdenes. En 1905 se efectuó pacíficamente la separación de Suecia y Noruega. Durante la Primera y la Segunda Guerra Mundial, Suecia logró mantener una difícil política de neutralidad, que libró a la nación de las penalidades sufridas por los noruegos. El rey Gustavo V muere en 1950, después de un largo reinado de 43 años en que supo mantener la neutralidad sueca en las dos guerras mundiales. Le sucedió en el trono su hijo Gustavo VI, y a éste, en 1973, Carlos XVI Gustavo. En 1976, renuncia el primer ministro Sven Olof Palme y lo sucede en el cargo Thorbörn Fällding. Palme sin embargo vuelve al poder en 1982 reeligiéndose nuevamente en 1985, aunque un año después es asesinado en un atentado en Estocolmo. Lo sucede Ingvar Carlsson que también es reelecto como primer ministro en 1988.

En 1990, el Parlamento aprueba por abrumadora mayoría la solicitud de ingreso a la Comunidad Europea siempre que esto sea compatible con la tradicional neutralidad de Suecia.

Tras la derrota de los socialdemócratas en las elecciones generales del 15 de septiembre de 1991, el conservador Carl Bildt fue nombrado primer ministro y formó un gobierno de coalición de los liberales centristas y democristianos, que obtuvo el respaldo socialdemócrata para un plan de austeridad (1992). Carlos VI Gustavo realizó la primera visita de un monarca sueco al Vaticano (6 de octubre de 1991), donde asistió a una celebración ecuménica. En medio de crecientes dificultades económicas y financieras que pusieron en crisis el estado de bienestar alcanzado, los socialdemócratas obtuvieron la mayoría relativa en las elecciones de 1994, y Carlsson constituyó un gobierno minoritario que presentó un plan de rigor financiero y se fijó como objetivo el ingreso en la Comunidad Europea, el cual fue ratificado en referéndum en 1994. Dicho ingreso supuso un primer paso para la revisión en profundidad del modelo económico sueco. Carlsson se retiró de la política y fue sucedido por Göran Persson al frente del Partido Socialdemócrata y del gobierno (1996).

Literatura. En la Edad Media la literatura sueca se manifiesta en crónicas, leyendas piadosas y baladas, entre ellas la famosa de *Elveskud*. En el siglo XIV, Santa Brígida, con el libro de sus visiones y revelaciones, es la figura literaria más grande de ese periodo medieval.

En el primer tercio del siglo XVII, Johannes Messenius escribe varias notables obras teatrales, entre ellas la comedia *Disa*, la tragedia *Signill* y otras históricas. Georg Stiernhielm (1598-1672), autor del poema *Hércules en la encrucijada* (1658), es considerado como el *padre de la poesía sueca*. Su estilo es de gran perfección y pureza, e introdujo en la versificación nuevos metros poéticos. Otro gran poeta de la misma época fue Gunnar Dahlstierna, autor del poema histórico *Götha Kämpevisa*. Olof von Dalin (1708-1763) es la gran figura del panorama literario sueco en el siglo XVIII. Se distinguió por la belleza de su estilo y su mordacidad satírica, como en la alegoría política *Leyenda del caballo*. Entre sus obras famosas están el gran poema épico *Libertad sueca* y la tragedia *Brunhilda*. En el siglo XVIII se destaca, también, la célebre poetisa Carlota Nordenflycht, autora de los poemas líricos de *La tórtola triste*.

Gustavo III, que reinó de 1771 a 1792, no sólo escribió poemas y obras dramáticas, sino que fue mecenas de las artes y las letras. Bajo su reinado floreció una pléyade de escritores y poetas, entre los que se cuentan Axel Gustafsson Oxenstierna, Ehrensvärd y Adlerberth, autor de la famosa tragedia *Injiald Illrada*. Notables representantes del iluminismo, que influía en el movimiento literario de esta época, fueron Johan Henrik Kellgren, T. Thorild y el gran poeta Bengt Lidner. Otros notables poetas de este periodo fueron Gustaf Leopold y Ana María Lenngren, cuya obra poética adquirió gran popularidad. Poetas y humoristas de renombre fueron Carl Michael Bellman y J. Wallenberg.

En el siglo XIX el romanticismo adopta en Suecia dos tendencias: el fosforismo y el goticismo. El fosforismo es la modalidad sueca del romanticismo místico alemán y tuvo por jefe a Per Atterbom (1790-1855), autor de *Las flores* y *La isla de la bienaventuranza*. La musa de esta tendencia fue la poetisa Julia Nyberg, y entre los más notables cultores figuran Hedborn, Dahlgren y Erik Johan Stagnelius.

Los autores goticistas propugnaban el nacionalismo literario y la exaltación de la primitiva literatura de las sagas y baladas medievales. Entre los principales afiliados a esta tendencia destacan Erik Geijer, gran poeta e historiador; Per Ling, evocador de las antiguas sagas; y Esaías Tegnér, autor de la *Saga de Frithjofs*, el gran poeta épico de Suecia.

Otros escritores notables del siglo XIX fueron Karl Nicander, inspirado poeta; Fahlcranz, notable humorista; y Carl Jonas Ludving Almquist, autor de delicadas poesías líricas. En este periodo la novela histórica fue cultivada por autores como Gumälius, Crusenstolpe, Ridderstad, Sparre, Zachris Topelius y Abraham Víktor Rydberg. El realismo está representado en las novelas de Cederborgh, Wetterberg, Odman, Laestadius, Nicolovius, Mellin, y la obra poética de Braun, Gunnar Wennerberg, Sturzenbecker y Wadman.

El gran poeta finés Johan Ludving Runeberg, incorporado a la literatura sueca, aporta una obra de elevada inspiración con sus admirables baladas y poemas patrióticos. En este periodo se destacan dos grandes novelistas, Sofía von Knorring y Federica Bremer, autoras de notables novelas de costumbres.

En el campo del realismo, la poderosa inspiración de Augusto Strindberg, en el drama y en la novela, inicia una nueva época literaria con la publicación de *El cuarto rojo*. Otro novelista notable, Gustaf Geijerstam (1858-1909), adquiere renombre nacional con obras como *El pastor Hallin y Sin rumbo en la vida*. La gran escritora Selma Lagerlöff (Premio Nobel de Literatura 1909, es una de las altas cumbres de la literatura sueca en su transición del siglo XIX al XX.

Otros escritores y poetas notables de este periodo son Verner von Heidenstam (Premio Nobel, 1916) autor de *Karolinerna*, cuya figura central es El rey Carlos XII; Oskar Levertin, crítico y ensayista; Ola Hansson, Ivar Hallström y el gran lírico Gustaf Fröding. Entre los poetas, novelistas y dramaturgos posteriores se destacan Gripenberg, Sven Lidman, Eugene Janson, For-

Corel Stock Photo Library

Fuente en Uppsala, en Suecia.

sslund, Johan Nordström, Söderberg, Didring, Erik A. Karfeldt (Premio Nobel, 1931) y Pär Lagerkvist (Premio Nobel, 1951), el gran novelista autor de *Barrabás*.

Ciencias. En el siglo XVIII, cuatro grandes sabios extendieron el renombre de Suecia en los círculos científicos de Europa: Carl von Linneo, el gran naturalista, padre de la clasificación botánica; Carl Wilhem Scheele, el notable químico descubridor del cloro, bario, magnesio y muchos otros elementos y compuestos químicos; Ander Celsius, renombrado astrónomo que observó las auroras boreales, participó en la medición de un arco de meridiano y propuso la adopción de la escala centígrada del termómetro, y Emanuel Swedenborg, que a sus aportaciones a las ciencias físicas como mineralogista e ingeniero, unió sus lucubraciones en el campo de la filosofía y teosofía.

Los hombres de ciencia suecos han continuado tan valiosa tradición. John Ericsson (1803-1889), ingeniero e inventor, perfeccionó la hélice para la impulsión de los buques, y Alfred Nobel (1833-1896) inventó la dinamita y otros poderosos explosivos. Suecia ha contribuido al progreso de los conocimientos geográficos con exploradores como Nils Adolf Erik, barón de Nordenskjold, geólogo y explorador de las regiones árticas, y Sven Anders Hedin, geógrafo que exploró diversas regiones en el interior de Asia.

En Estocolmo existe la Fundación Nobel, de gran importancia para el estímulo de las ciencias. Esta institución debe su origen al legado que hizo Alfred Nobel, al morir en 1896, para construir un fondo de inversión cuyos intereses se dedicarían a premiar anualmente a las personas que se hubiesen distinguido en los diversos campos del saber humano. La Fundación Nobel empezó a regir en 1901 y los premios anuales que otorga son seis: Física, Química, Medicina o Fisiología, Literatura, Paz y a partir de 1969 también se otorga el premio en Economía. El premio de la Paz lo adjudica un comité del Parlamento de Noruega; los otros premios los otorgan tres instituciones oficiales suecas con sede en Estocolmo: la Academia de Ciencias (Física y Química), la Institución Carolina (Medicina o Fisiología), y la Academia Sueca (Literatura). En la primera mitad del siglo XX, cientos de sabios e intelectuales en todo el mundo han sido laureados con tan preciada recompensa.

Entre los hombres de ciencia suecos que han recibido el Premio Nobel, figuran los siguientes: Svante August Arrhenius, físico y químico, que sentó las bases de la teoría de la disociación electrolítica (Química, 1903); Klas Pontus Arnoldson, pacifista y sociólogo, fundador de la Sociedad Sueca para el Arbitraje y la Paz (Paz, 1908); Allvar Gullstran, oftalmólogo, que efectuó importantes investigaciones sobre la dióptrica y la teoría de las imágenes ópticas (Fisiología, 1911); Nils Gustaf Dalén, ingeniero, inventor de la válvula solar para la regulación automática de las luces de los faros (Física, 1912); Hjalmar Branting, estadista, sociólogo y pacifista, promotor de importantes reformas sociales (Paz, 1921); Karl Manne Jörgen Siegbhan, físico, que efectuó importantes investigaciones espectroscópicas sobre los rayos X (Física, 1924); Teodoro Svedberg, químico, que realizó investigaciones sobre sistemas de dispersión y la química de los coloides (Química, 1926); Hans von Euler-Chelpin, químico, que investigó la fermentación de los azúcares y la acción de las enzimas (Química, 1929); Nathan Söderblom, teólogo, arzobispo de Uppsala, (Paz, 1930); Arne Tiselius, químico, que efectuó investigaciones bioquímicas y sobre la naturaleza de las seroproteínas (Química, 1948); Axel Hugo Theorell, bioquímico, a quien se deben diversos descubrimientos en bioquímica e investigaciones sobre la oxidación de las enzimas (Fisiología, 1955). *Véanse* NOBEL, PREMIO; NORUEGA (MAPA).

suelo. Manto superficial de la corteza terrestre. Está formado por minúsculos fragmentos de roca mezclados con restos de seres vivientes, tanto animales como vegetales. La ciencia que lo estudia se llama edafología o pedología. Para un geólogo, toda la capa superficial de la corteza terrestre, hasta 100 m de profundidad, puede pertenecer al suelo; pero un agrónomo sólo incluye en él aquellos sectores de la superficie del planeta que pueden ser útiles para la agricultura o el pastoreo.

Existen diversos tipos de suelo. En las tierras muy jóvenes, sobre las montañas más elevadas o en las cercanías de los polos, su espesor asciende a pocos centímetros. Pero, en los trópicos húmedos puede superar los 4 m. El término tierra vegetal es sinónimo de suelo en este sentido restringido. Todo suelo es el resultado de determinada combinación de cinco factores: clima, materia orgánica, rocas, relieve y tiempo.

Principales clases. Los suelos se clasifican en grupos y éstos se dividen en familias. Existen entre 40 y 50 grupos de suelos que pueden ser reunidos en tres grandes categorías: zonales, intrazonales y azonales. Los suelos zonales, también llamados de tipo continental, abundan en las llanuras bien irrigadas, como las pampas argentinas y las planicies norteamericanas. Los intrazonales se caracterizan por un drenaje pobre y tienen su prototipo en los pantanos y ciénagas. Los azonales son los suelos aluviales de los deltas recientes, donde los procesos formadores no han tenido tiempo de modificar los depósitos acarreados por los ríos. Los principales suelos zonales son los siguientes: la tundra, el podzol, el chernozem, los terrenos desérticos y el latosol.

La tundra está formada por varios mantos de color castaño oscuro. El podzol es un suelo ácido de las regiones húmedas y boscosas, cuya productividad puede ser aumentada usando fertilizantes, como ocurre en el norte de Europa. El chernozem es un suelo negro que abunda en las regiones de clima templado y que durante los tres últimos siglos ha sido sometido a procesos agrícolas más o menos intensivos, y provee la mayor parte de los cereales que se consumen en el mundo. Los suelos desérticos no carecen de plantas, como lo sostiene la creencia popular, sino que poseen una vegetación achaparrada y escasa. El latosol abarca varias categorías de tierras tropicales y subtropicales, ricas en materias vegetales y muy porosas.

Formación del suelo. El proceso de elaboración del manto fértil de la corteza terrestre, es muy prolongado. Los investigadores calculan que se necesitan por lo menos 500 años para formar 2 cm de tierra vegetal en una llanura fértil. Esto significa que en los sitios donde el suelo tiene 15 cm de espesor, los procesos geológicos han necesitado 3,600 años de acción para formarlos. Dos son los modos generales en que puede surgir un suelo. La formación puede producirse en el mismo lugar, cuando un manto de rocas se va fragmentando hasta convertirse en un polvillo finísimo de tipo arcilloso. En segundo término, la acción de los vientos y el agua puede arrastrar partículas desde lugares remotos y acumularlas sobre una planicie. El suelo arrastrado por ríos y corrientes de aguas se llama aluvial. El que es

arrastrado por el viento antes de ser depositado se denomina loess.

El aire ayuda a formar los suelos gracias a la acción del oxígeno que contiene, el cual se combina con los elementos químicos de las rocas, produciendo óxidos. El viento, que no es sino aire en movimiento, también interviene en este proceso formativo haciendo que las arenas golpeen contra las rocas y las vayan desgastando en un proceso lentísimo.

Dice la sabiduría popular que "el agua horada la piedra". La afirmación es exacta: casi todas las aguas de los ríos y arroyos contienen arena o grava que roza constantemente contra las rocas que forman el lecho. El oxígeno que el agua contiene también se combina, como el del aire, con las materias desprendidas de las rocas. Por su parte, los glaciares que bajan de las montañas arrastran rocas que se van desgastando y fragmentando en su descenso.

Las plantas, por su parte, aumentan el valor del suelo en dos formas. Al enviar sus raíces a través del suelo tienden a quebrarlo y aumentar su fertilidad. Cuando las plantas mueren sus tallos y raíces retornan al suelo y se descomponen dando origen al *humus* o tierra vegetal. Los animales aumentan la fertilidad del suelo con sus detritos. Cuando un animal muere, su cuerpo se descompone e incorpora al suelo numerosos elementos químicos. Charles Darwin fue el primero en observar el enorme valor de las lombrices y gusanos para el mejoramiento del suelo; para conseguir alimentos, las lombrices ingieren tierra y la expelen luego en estado finamente pulverizado.

Características. Todo agricultor sabe que el suelo que cultiva tiene cuatro aspectos básicos: la profundidad, la estructura, la textura y la composición química.

La profundidad varía en forma considerable según las regiones y la naturaleza del suelo. La capa superficial suele tener unos 10 o 20 cm de espesor; debajo de ella se encuentra otro manto, llamado subsuelo, que posee hasta 1 m de espesor y es suelo en proceso de formación. Debajo de este manto hay, por lo general, rocas sólidas.

La textura depende del tamaño de las partículas componentes del suelo. Las porciones de mayor tamaño tienen el aspecto de pequeñas piedras, y las más reducidas, son las porciones que forman el humus. Casi todos los suelos son mezclas de arena, arcillas y tierras vegetales. Se llaman arenosos los suelos que contienen por lo menos 50% de materiales arenosos. A la inversa, los suelos arcillosos deben tener por lo menos 50% de arcilla. Los suelos arenosos son considerados livianos y los de segunda categoría son clasificados como pesados. La textura determina la fertilidad: los terrenos arenosos, por ejemplo, no son adecuados para la agricultura porque no retienen bien el agua.

La estructura del suelo está determinada por el modo en que sus partículas se agrupan. En los suelos formados por minúsculas porciones separadas, como las dunas de arena, la estructura es mínima; el grado máximo se halla en los suelos granulosos, los más adecuados para el cultivo de cereales.

La composición química varía en forma considerable, pero los elementos más abundantes son sílice, aluminio, oxígeno, hidrógeno, hierro, calcio, magnesio y potasio. Las plantas extraen del suelo buena parte de sus alimentos; si éstos no se hallan en el terreno, deben ser agregados al mismo por medio de abonos o fertilizantes. Los elementos indispensables para el crecimiento de toda materia viviente son: sodio, potasio, calcio, fósforo, magnesio, nitrógeno, hierro, azufre y cloro. Por tanto, es indispensable que el suelo los contenga en proporción adecuada; si una planta extrae cantidades excesivas de alguno de los elementos químicos, el agricultor debe reemplazarlos de inmediato para evitar que su campo quede condenado a la esterilidad a plazo breve.

La composición química del suelo determina también, en gran medida, la salud de los animales que pastan sobre ellos. En algunos estados del oeste estadounidense, por ejemplo, el suelo contiene una proporción excesiva de selenio. Las plantas pueden utilizarlo sin peligro alguno, pero si un animal come una planta que crece sobre este tipo de suelos, se enferma.

Procesos destructivos. Varios centímetros de suelo vegetal necesitan centenares de años para formarse y acumularse, pero las lluvias pueden barrerlos en menos de 20 años. Este proceso, llamado erosión, es el principal enemigo de la tierra cultivable y, por tanto, de la alimentación humana. Grandes zonas de las llanuras norteamericanas, de las pampas argentinas, de las planicies australianas, y del territorio africano han perdido su manto superficial de tierra fértil. La Organización de Alimentación y Agricultura de las Naciones Unidas está realizando ímprobos esfuerzos para que pueblos y gobiernos adviertan la magnitud del problema y adopten medidas para la preservación de los suelos.

sueño. Estado fisiológico en el que están suspendidas o disminuidas casi todas las actividades conscientes, voluntarias y corporales. Los ritmos respiratorio y circulatorio son más lentos; la musculatura, que durante la vigilia esta más o menos contraída, se relaja; los procesos químicos de algunos órganos son menos intensos. Durante el sueño, los sentidos parecen cerrarse a las impresiones del mundo exterior; sin embargo, un ruido algo fuerte, una presión ejercida sobre el cuerpo o simplemente una luz repentina pueden despertar al dormido. La sensibilidad no está, pues, totalmente apagada, aunque no siempre es consciente. Muy a menudo el hombre no recuerda al despertar las reacciones sensibles que ha mostrado durante el sueño. Este olvido es notable en los sonámbulos, personas que caminan mientras duermen.

El sueño es un fenómeno común a gran número de seres vivos. No todos los animales, sin embargo, duermen el mismo número de horas, ni de la misma manera. Algunos pasan meses enteros en un sueño profundo; otros duermen y despiertan con cortos intervalos, tanto durante el día como durante la noche. El hombre adulto suele dormir de seis a ocho horas; algo más el muchacho y más aún el niño. Se cuenta que algunos seres excepcionales, como Napoleón y Federico *el Grande*, no necesitaban más de tres a cuatro horas diarias de sueño. Indudablemente, el sueño, como el hambre o la sed, es una necesidad fisiológica que no puede dejar de satisfacerse sin grave daño para el organismo. Aunque las causas del sueño no se conocen con precisión, ciertos investigadores opinan que esa necesidad nace de la acumulación de toxinas o venenos, creados por la fatiga.

Ciertas condiciones exteriores (silencio, oscuridad) y otras interiores (ausencia de preocupaciones, buena salud) facilitan el sueño. En cambio, la arterioesclerosis cerebral, los tumores del mismo órgano, los desórdenes digestivos, el abuso de ciertas drogas, como la cafeína, pero más frecuentemente las preocupaciones y la excitación nerviosa, impiden el sueño, es decir, provocan el fenómeno conocido como insomnio.

Suetonio Tranquilo, Cayo (70?-140?). Historiador romano, hijo de un tribuno militar. Fue amigo de Tácito y de Plinio *el Joven*, quien lo protegió. Ejerció el cargo de secretario del emperador Adriano. Fue, además, biógrafo, gramático, anticuario y sintió gran afición por la ciencia. La obra que le hizo pasar a la posteridad es *Vidas de los doce césares* que comprende las biografías de César; Augusto, Tiberio, Calígula, Claudio, Nerón, Galba, Otón, Vitelio Vespasiano, Tito y Domiciano.

suevos. Pueblo de origen germánico. En sus *Anales*, Tácito afirma que abarcaban, entre otras, las tribus de los semnones, anglos, longobardos, marcomanos y hermunduros, y que eran los dueños de la mayor parte de la Germania. Desplazados en la región de Brandeburgo, habrían emigrado hacia el oeste, estableciéndose entre los ríos Rin y Main o Meno. Algunos suevos invadieron la Galia en el siglo V y pasaron a España, en unión de vándalos y alanos. Así nació, en el año 409, el reino suevo en Galicia, en el extremo noroeste de la Península Ibérica. El reino mantuvo su independencia durante más de siglo y medio, hasta el año 585.

Suez. Puerto y ciudad de Egipto en el fondo del golfo de su nombre y a la entrada del canal de la misma denominación en el Mar Rojo. Población 376,000 habitantes Unida por ferrocarril a El Cairo (240 km) y a Port Said (160 km). En sus proximidades se hallan las ruinas de Kolzum, que fue importante ciudad en la época de los faraones.

Suez, Canal de. Canal que comunica el Mar Mediterráneo con el Mar Rojo. Está situado en el extremo noreste de África, en territorio egipcio. Cruza el istmo de Suez, de norte a sur, y separa a Egipto propio de

El Canal de Suez une al Mar Mediterráneo con el Mar Rojo.

Suez, Canal de

Vista desde un barco, del Canal de Suez.

la Península de Sinaí. Fue abierto a la navegación en 1869. Tiene un largo total de 161 km entre Port Said, en el Mediterráneo, y Suez, en el Mar Rojo Su ancho mínimo es de 60 m y su profundidad permite el paso de buques de 10 m de calado. Es navegable de día y de noche, durante ésta, mediante el empleo de proyectores eléctricos. La velocidad de navegación se limita a 12 km/hr en el canal propiamente dicho, y se permite mayor velocidad en los lagos.

La importancia del Canal de Suez en el comercio marítimo internacional es considerable. Ha acortado de 6,500 a 9,000 km la distancia de las comunicaciones marítimas entre Europa y Asia y ha servido para intensificar y acelerar el comercio internacional. Según la convención de Constantinopla, de 1888, el canal está abierto a los buques de todas las naciones y libre de bloqueo.

La región ístmica en la que se construyó el canal es terreno desértico en el que existen, de norte a sur, los lagos Manzala o Menzaleh, Ballah, Timsah, Amargo grande y Amargo pequeño. Se cree que estos dos últimos formaron parte de un brazo del Mar Rojo que existió en épocas prehistóricas. La constitución geológica del terreno facilitó el trabajo de excavación, y la igualdad de nivel de ambos mares hizo posible la construcción de un canal a nivel, o sea sin esclusas.

A la entrada del canal, en el extremo norte o del Mediterráneo, están las ciudades de Port Said, al noroeste, y de Port Fuad, al sureste. La primera sección del canal, de unos 45 km de longitud, pasa a través del extremo oriental del lago Manzala sin que las aguas del canal se mezclen con las del lago, debido a que el canal, cuya profundidad es mayor que la

del lago, va encajonado entre dos terraplenes o diques.

Después, el canal cruza un trayecto de unos 6 km de desierto arenoso y se interna entre terraplenes, en el lago Ballah, durante 13 km. Cruza, nuevamente, unos 14 km de desierto y penetra en el lago Timsah, casi a la mitad de la distancia entre el Mediterráneo y el Mar Rojo. El lago Timsah, en cuya orilla noroeste se levanta la ciudad de Ismailía, se utiliza como apartadero o escala para los buques que cruzan el canal. Al sur del lago Timsah, a 15 km, el canal penetra en los lagos Amargos y después de salir de ellos y recorrer unos 25 km por terreno desértico llega a la terminal del Mar Rojo en Suez y Port Tewfik.

Al oeste del canal y en dirección casi paralela a él, corre otro canal de agua dulce. Este canal toma su agua del río Nilo, al norte de El Cairo, y parte en dirección oeste hasta Ismailía en el lago Timsah. En Ismailía, el canal de agua dulce se divide en dos brazos, uno se dirige hacia el norte, a Port Said; el otro, el sur, a Suez. Una línea de ferrocarril, al oeste del Canal de Suez, sigue un trazado parecido al del canal de agua dulce.

Historia. La idea de contruir el canal se remonta a la antigua época de los faraones. En el reinado de Seti I (siglo XIV a. C.), ya existía un canal cuyos vestigios se encontraron al construir el actual canal de agua dulce. En siglos posteriores otros canales se construyeron total o parcialmente sobre el trazado del anterior, por egipcios, romanos y árabes, restos de los cuales se descubrieron en el curso de los estudios y exploraciones que precedieron a la construcción del actual. En la Edad Moderna, después del descubrimiento de la ruta a la India por el cabo de Buena Esperanza,

se consideraron las probabilidades de abrir un canal por los gobernantes de la república de Venecia, Luis XIV de Francia y Napoleón Bonaparte.

En 1846 se organizó en Francia la Sociedad de Estudios del Canal de Suez. En 1854, Ferdinand Marie, vizconde de Lesseps obtuvo una concesión del Pashá de Egipto, Sa'id, para organizar la Compañía Universal del Canal Marítimo de Suez y construir el canal. La concesión se otorgaba por 99 años a partir de la fecha de apertura del canal a la navegación. Al expirar la concesión el canal sería propiedad del gobierno egipcio. Gran Bretaña puso obstáculos a la construcción del canal. El capital en acciones de la empresa constructora se fijó en 200 millones de francos. En 1858 se suscribió la totalidad de las acciones, la mitad por capital francés principalmente, y el resto por el gobierno turco y el de Egipto. Diecisiete años después, Gran Bretaña cambió de opinión y su gobierno procedió a adquirir la totalidad de las acciones en poder del gobierno egipcio y gran parte de las del turco.

En abril de 1859 se iniciaron en Port Said los trabajos de excavación, que prosiguieron hasta noviembre de 1869 en que se estimó que ya se podía abrir el canal a la navegación. El costo total de los trabajos ascendió a 433 millones de francos o sea más del doble del capital de la empresa constructora, la que necesitó recurrir a empréstitos y entrar en arreglos financieros con el gobierno egipcio para obtener fondos. Las ceremonias de inauguración se iniciaron en Port Said el 16 de noviembre de 1869. Un convoy de 68 buques, encabezado por el yate en que viajaba la emperatriz Eugeniade Montijo, esposa de Napoleón III, efectuó el primer cruce del canal. Desde su apertura el canal ha sido objeto de grandes ampliaciones.

El consejo directivo de la Compañía del Canal de Suez estaba integrado en 1955 por 32 miembros: 16 franceses, 9 británicos, 5 egipcios, un holandés y un americano. El gobierno egipcio percibía 7% de las utilidades que produjera la explotación del canal, y la concesión del mismo expiraba en 1968, año en que el canal debería pasar a poder de Egipto.

Debido a su gran importancia comercial y estratégica, la defensa y funcionamiento del canal durante la Primera Guerra Mundial, estuvo a cargo de fuerzas militares y navales británicas y francesas, las que se retiraron en 1925. El tratado anglo-egipcio de 1936, concedió a Gran Bretaña el derecho de estacionar tropas para la defensa del canal. Las fuerzas británicas lo custodiaron hasta el 14 de junio de 1956, fecha en que se retiraron.

Pocas semanas después el presidente de Egipto, Gamal Abdel Nasser, decretó, el 26 de julio de 1956, la nacionalización del canal, que fue ocupado por tropas egipcias así como el edificio y todas las propiedades de la Compañía del Canal de Suez. Surgió inmediatamente una crisis internacional, la Gran Bretaña y Francia protestaron y el conflicto se agravó por la actitud de la Unión Soviética que respaldaba a Nasser. Por otra parte, el conflicto bélico entre Egipto e Israel, cuyas operaciones militares se temía que amenazaran la región del canal, sirvió de fundamento para que Gran Bretaña y Francia presentaran, el 29 de octubre, un ultimátum a Egipto e Israel, conminándolos a que se retiraran del área del canal.

Al no ser tomado en cuenta el ultimátum, dos días después fuerzas aéreas británicas y francesas atacaron las bases militares egipcias y el 5 de noviembre desembarcaron fuerzas expedicionarias en Egipto, ocuparon Port Said, Port Fuad y parte del canal.

El presidente Nasser ordenó la obstrucción del canal, que fue llevada a cabo mediante el hundimiento de más de 40 buques. La tensión internacional aumentó y la Unión Soviética amenazó con enviar fuerzas armadas.

La Organización de las Naciones Unidas mediaron en el conflicto y se propuso que una fuerza militar organizada por las Naciones Unidas se encargara de custodiar el canal. Esa proposición fue aceptada por las cuatro naciones en pugna, las hostilidades cesaron el 7 de noviembre y poco después 4,000 hombres de las fuerzas de las Naciones Unidas se hicieron cargo de la zona que evacuaron británicos y franceses.

El bloqueo del canal interrumpió la navegación y las naciones de Europa corrieron el riesgo de sufrir una grave escasez de petróleo ya que el suministro normal se entorpecía debido a que los buques petroleros procedentes de puertos asiáticos tenían que seguir la ruta del Cabo de Buena Esperanza. En enero de 1957 se empezó la reparación y desobstrucción del canal, las que se terminaron a fines de marzo y el cruce de buques se normalizó a partir del mes siguiente. El conflicto de intereses originado por la ocupación egipcia del canal, continuó y el gobierno egipcio mantuvo su criterio de rechazar la participación de intereses extranjeros en la administración y operación del canal que correspondía únicamente a Egipto, y el 25 de abril de 1957 presentó a las Naciones Unidas una declaración en cuyos puntos principales se comprometía a respetar las estipulaciones de la convención de Constantinopla de 1888 referentes a la libre navegación en el canal de buques de todas las naciones. En 1958, Egipto llegó a un acuerdo con la compañía del Canal de Suez y se comprometió a pagarle una compensación de 23 millones de libras egipcias en seis plazos anuales. En 1967 y 1973 el Canal de Suez fue escenario de operaciones bélicas, pero la navegación se normalizó con la firma del tratado egipcio-israelí de 1979.

sufijo. *Véase* AFIJO.

sufragio. *Véase* VOTACIÓN.

sugestión. Imposición de una idea o un acto en la mente de la persona. Los niños son más fáciles de sugestionar que los adultos. Se explica por su falta de experiencia y su espíritu crítico insuficiente. Los ignorantes son más sugestionables que los cultos. La sugestión, sin ser enfermedad, se contagia fácilmente. Si un niño dice: "No me encuentro bien", su madre puede sugestionarse, creyendo que está enfermo. Toca la frente del niño, y le parece más caliente que de costumbre, le toma el pulso y cree que está algo acelerado; pero, comprueba más tarde que el termómetro señala una temperatura normal. Ejemplo típico de sugestión colectiva, fue la ocurrida hace años en una audición de radio estadounidense. El locutor leía con mucha emoción unas páginas de *La guerra de los mundos*, de Orson Wells, en la que se describe el terror que se produce en la Tierra por la invasión de los habitantes del planeta Marte. Muchos radioescuchas se sugestionaron, creyendo que tales fantasías eran realidad, salieron a la calle asustados y hubo heridos y accidentados. Como ejemplo de autosugestión está el de la persona que ante un libro de medicina cree padecer los síntomas de la enfermedad cuya descripción lee en ese momento. La autosugestión es más a menudo un enemigo que un amigo. Resulta favorable para un enfermo que cree en el médico o en el remedio que le salvará la vida. Existen varias clases de sugestión, entre ellas la hipnótica, que es un estado parecido al sueño, en el que se induce al sujeto a que crea en determinadas ideas o a que lleve a cabo actos, que muchas veces son contrarios a su voluntad. Los especialistas en enfermedades nerviosas emplean este método para curar algunos disturbios de la mente.

suicidio. Acto de quitarse voluntariamente la vida. Muchos pueblos antiguos pensaban que siendo el hombre dueño de su vida, podía suprimirla si así lo deseaba. Otros han considerado el suicidio como único recurso contra la pérdida del honor: el general vencido, el marino que perdía su barco, ponían fin a sus días. Este mismo concepto es base en el Japón del *harakiri*, suicidio ritual y espectacular. El cristianismo lo ha considerado siempre como un pecado, y cree que el que lo comete no puede ir al cielo.

Muchos suicidas son enfermos, físicos y mentales. En el hombre existe un poderoso instinto de la vida que lo impulsa a conservarla, alimentándose y evitando el mal y el peligro, y a este instinto se unen las tendencias sociales como la amistad, el altruismo, el amor, la caridad, que ayudan y facilitan la vida. Opuesto a éste, existe el instinto contrario, el instinto de la muerte (así lo llama Sigmund Freud), al que se unen no solamente la tristeza, sino el odio, la agresividad y, en general, todos los sentimientos antisociales. En el hombre normal vencen los primeros instintos, mientras que en el presunto suicida influyen grandemente los elementos del instinto de la muerte. Por tanto, el suicidio es un desequilibrado mental, muchas veces susceptible de curación.

La vida, al hacerse cada día más compleja, influye en el número de suicidios. Así, hay más propensión al suicidio en la gente de la ciudad que en la del campo. Más en los hombres que en las mujeres, y menos en las personas casadas. Entre las causas predisponentes al suicidio, supuesta siempre la base de un desequilibrio en el instinto de conservación, figuran los disgustos y contrariedades, los conflictos y dificultades en el rango o posición social; las pérdidas pecuniarias y estrecheces económicas, y las enfermedades incurables. *Véase* HARAKIRI.

suipacha. Cantón de la provincia de Sud Chichas del departamento de Potosí, en Bolivia donde el primer ejército auxiliar argentino enviado por la Junta de Buenos Aires al mando de Antonio González Balcarce y Juan José Castelli, derrotó a los realistas, cuyos jefes, Nieto y Jorge Córdova, fueron hechos prisioneros (7 de noviembre de 1810). Balcarce, victorioso, entró en Potosí y ordenó el fusilamiento del gobernador Miguel José Sanz y de los generales Nieto y Córdova que se negaron a firmar obediencia a la Junta de Buenos Aires.

suite. Forma cíclica de composición musical, que empezó siendo una sucesión de aires de danza, en varios tiempos –de la misma tonalidad pero de carácter diverso–, nacida cuando la música asumió sus formas modernas, y que fue luego familiar a clásicos y románticos. Sus aires fundamentales llegaron a ser: alemanda, courante, zarabanda y giga, acompañados a veces por la gavota, el branle, el passepied, el minueto, el rigodón, etcétera y, en algunos casos, los precedía un preludio. Hoy es un conjunto o serie de piezas ligeras de libre fantasía, exenta de los refinamientos del contrapunto. *Véase* MÚSICA.

Suiza. País centro-occidental de Europa, que limita al oeste con Francia, al norte con Alemania, al este con Austria y Liechtenstein y al sur con Italia. Tiene 41,300 km^2 y 6.968,500 habitantes. Encierra diversos elementos demográficos que han llegado

Corel Stock Photo Library

Refugio alpino en Zermatt, Suiza.

a integrar un todo homogéneo en el seno de una confederación de 22 cantones. Un estatuto democrático-federal es el único lazo y el factor preponderante de equilibrio en un pueblo de razas, lenguas y religiones diferentes. Además, gracias a su política de neutralidad perpetua, constituye un elemento de paz, en el centro de Europa.

Orografía y geología. En Suiza, se pueden distinguir tres regiones: zona alpina (subdividida en Altos Alpes y Prealpes), la meseta y el Jura. Las tres quintas partes del suelo están ocupadas por los Alpes y ellos son los que, en cierto modo, dan la nota característica del paisaje con sus elevadísimas montañas seculares, cubiertas de nieve y hielo, cuyas cimas se divisan antes de franquear las fronteras. Entre estas cumbres se destaca el Pico Dufour (4,638 m) en el Monte Rosa, la mayor altura de Suiza. Un surco longitudinal, de antigua formación geológica, por el que corren en direcciones opuestas el Ródano y el Rin, corta el suelo de Suiza de suroeste a noreste. Al sur de dicho surco se halla una región, extraordinariamente quebrada y elevada, constituida por las formaciones cristalinas de los Alpes Peninos o del Valais, en cuyo extremo oriental se abre el famoso paso del Simplón. Cuentan con alturas superiores a los 4,000 m: Weisshorn, Gran Combi, Monte Cervino, y el ya citado Monte Rosa. Al este de los Peninos y al sur del Rin, se extienden los Alpes Lepontinos, cortados por el río Tesino, en los que se yerguen el macizo de gneis y pizarras cristalinas de San Gotardo y el monte Adula. El rincón sureste de Suiza está accidentado por los Alpes Grisones y los Alpes Réticos, éstos divididos en dos secciones por el río Inn. En el límite con Italia se eleva el Pico Bernina (4,052 m) y en la frontera con Austria el

monte Silvretta. Al norte del surco Ródano-Rin, surge la masa ingente de los Alpes Berneses de los que forma parte el grupo cristalino de Finsteraarhorn con su elevación homónima (4,275 m) y las de Aletschhorn (4,182 m) y Jungfrau (4,166 m), y los grupos calcáreos de Widhorn y Diablerets (3,252 m). Al norte de San Gotardo, entre los ríos Aar y Reuss se levanta el monte de Galenstock (3,597 m) y al este del último río citado, los Alpes de Glaris que en el Todí llegan a los 3,620 m de altitud. En los Alpes, las rocas cristalinas y calcáreas integran grandes masas sobre las que se apoyan directamente las cretáceas en ca-

Escultura del León de Lucerna *en Suiza.*

Corel Stock Photo Library

pas a veces de enorme espesor. El periodo carbonífero está representado por pizarras semicristalinas que atraviesan desde el Tirol a los Alpes. En los Prealpes, situados al norte de los Alpes, podemos distinguir los Prealpes de Friburgo, los de los Cuatro Cantones, los de San Gall y el de Appenzell, y algunas alturas importantes como los montes Moleson, Pilato, Righi y Santis (2,504 m). Tanto los Alpes como los Prealpes son el resultado de una acción tectónica enorme. Entre los sistemas montañosos citados y el Jura se extiende la región denominada Mittelland, conjunto de bajas montañas, colinas y mesetas onduladas, que constituyen el centro económico y demográfico más importante del país. La superficie amesetada está constituida por sedimentos terciarios cubiertos por los morrenas de los glaciares cuaternarios y depósitos torrenciales. La cadena del Jura, que ha sido débilmente plegada, se despliega por el occidente de Suiza, entre el Ródano y el Rin. Sus rocas calcáreas forman una serie de abruptas cadenas paralelas, orientadas de suroeste a norte. Sus cimas adoptan el aspecto de mesetas tabulares y las mayores alturas son: El Dole, Tendre (1,680 m), Chasseron y Chasseral.

Hidrografía. Los Alpes suizos y, muy especialmente, el macizo de San Gotardo constituyen el centro de dispersión de aguas más importantes de Europa. De ellos bajan innumerables torrentes que, agrupados en caudalosos cursos fluviales, se dirigen a los confines europeos. La mayoría son ríos de glaciares que, a causa de la fusión de las nieves, aumentan su caudal en verano. Los más importantes son: el Rin –formado por aguas procedentes del

San Gotardo y del Adula–, que en dirección noreste primero y después norte, recorre 375 km en territorio suizo, atraviesa el lago de Constanza, forma el límite con Alemania, y se dirige hacia el Mar del Norte. Acrecientan su caudal al Aar, que recoge las aguas de la meseta suiza, y su afluente el Reuss; el Ródano, que sale del glaciar de Furka (San Gotardo) y se interna en el lago de Ginebra, alcanza la frontera francesa después de 264 km de recorrido y de allí prosigue hasta el Mar Mediterráneo; el Inn, procedente de Maloja (Macizo de Bernina) es un tributario del Danubio; el Tesino, cuyas fuentes se hallan también en San Gotardo, entrega sus aguas al Po, que se vierte en el Adriático. Estos ríos y otros –más de 40– contribuyen a realzar en el paisaje esa extraordinaria belleza que le prestan las cristalinas aguas de sus numerosos lagos. Una simple ojeada al mapa nos señala que esas acumulaciones de agua son más numerosas en la vertiente septentrional alpina, que en la meridional. En esta sólo merecen citarse los lagos Mayor y Lugano, compartidos con Italia. En la zona propiamente alpina abundan los lagos pintorescos, pero de dimensiones reducidas. La región de los Prealpes cuenta con hermosos lagos como el complicado de los Cuatro Cantones (113 km²), el Zug, el de Zurich, el Wallen, etcétera. Al pie del Jura se halla el mayor de los lagos completamente suizos, el Neufchatel (215 km²), que se comunica con el de Bienne. En la meseta, el valle del Aar cuenta con lagos como el Thune y el Brienz. Por último los grandes lagos ya citados de Constanza o Boden y de Ginebra o Leman, los más extensos, son comunes a Suiza o a Alemania y a Francia respectivamente. La navegación en ellos es muy activa.

Clima. Es muy variado a causa, principalmente de las diferencias de altitud que hace que las zonas climáticas se establezcan verticalmente. El límite de las nieves perpetuas varía de 2,700 a 3,200 m. En las altas regiones, el clima es ártico; la meseta goza de inviernos relativamente benignos. En la vertiente meridional alpina, los valles del Tesino tienen clima mediterráneo, si bien con lluvias frecuentes. Los cambios de temperatura suelen ser muchas veces bruscos y dan lugar a tormentas. El *foehn*, viento cálido y seco que desciende de las alturas, produce en los lagos de la periferia fuertes temporales. El cantón de los Grisones cuenta con famosas estaciones turísticas de invierno (Saint Moritz, Davos, Arosa, etcétera), establecidas en los altos valles de abundante luz solar y escasas lluvias. Éstas se reparten desigualmente en el suelo suizo: los valles cerrados de Engadina y de Valais y el pie del Jura las reciben en cantidad mínima, los elevados macizos montañosos, por el contrario, recogen las cantidades máximas y gran parte en forma de nieve, lo que ex-

Chalets en las villas Andermatt en Suiza.

plica la abundancia de glaciares y la distribución de las aguas.

Geografía económica. Una extensión de 9,300 km² de territorio suizo corresponde a complicados macizos y elevados grupos de montañas abruptas, total o parcialmente cubiertas de nieve y hielo. Dado su carácter geológico, esa extensión es improductiva para las actividades agropecuarias; pero, la belleza de los grandiosos panoramas alpinos constituye uno de los mayores atractivos de Suiza para el incremento de su importante industria turística. De los 32,000 km² de terreno fértil un tercio está cubierto de bosques principalmente de coníferas y en menor profusión robles, hayas, castaños y nogales; otro tercio sólo puede ser utilizado para el pastoreo, y otro tercio es apto para la agricultura. La propiedad rural está muy repartida y no existen latifundios. Las principales producciones agrícolas son: patatas, trigo, remolacha azucarera, cebada y centeno. La producción agrícola no cubre totalmente las necesidades del consumo y Suiza necesita importar cereales, principalmente trigo. La explota-

Vista panorámica de los Alpes suizos.

Suiza

Corel Stock Photo Library

Lago Silvaplana en Suiza.

ción forestal y la arboricultura constituyen ramas importantes. La producción frutera representa 10% de la total agrícola y entre las frutas principales figuran manzanas, peras, cerezas, ciruelas, nueces y melocotones. La viticultura es importante, la vid se cultiva en muchas regiones del país y la producción de vino es de 1.345,000 hl anuales. La riqueza pecuaria comprende 465,000 cabezas de ganado ovino y caprino, 80,000 de equino y 1.973,000 de porcino. El ganado vacuno, que constituye la base de las afamadas industrias lácteas

suizas, tiene 1.880,000 cabezas, de las cuales cerca de un millón corresponden a vacas lecheras.

Suiza no abunda en minerales. La principal producción minera es la sal de la que se extraen anualmente más de 150 mil toneladas. Se explotan, también, yacimientos de mineral de hierro y manganeso. La escasez de combustibles se compensa con la abundancia de saltos de agua, que se aprovechan para la generación de energía eléctrica, de la que se producen 55.880 millones de kW/hr anualmente.

Industria. La actividad del hombre ha hecho de un país pobre en primeras materias un centro de prosperidad, gracias a la industrialización. Ésta se inició en el siglo XVI, y a fines del XVII más de 250,000 personas trabajaban para la exportación en las industrias textil y relojera. Un siglo después, Suiza adquiría el carácter netamente industrial que actualmente conserva. La industria es la actividad económica más importante, y cuenta con unas 13,700 fábricas y talleres de diversos tipos y grados de importancia que ocupan a 961,000 personas. Existen en gran número pequeños y medianos talleres que, en cierto modo, tienen carácter rural debido a que el trabajo a domicilio empezó en el campo y a los saltos de agua. Las empresas buscaron la mano de obra especializada (obreros textiles y relojeros), que se hallaban fuera de los centros urbanos.

Hay sociedades industriales que cuentan con un número de trabajadores superiores a la población del núcleo urbano en que están instaladas, pues la facilidad de comunicaciones permite a los obreros vivir en pueblecitos lejanos donde dedican sus ratos libres a la horticultura. Factor importante en el desarrollo industrial suizo es su continuidad, gracias a su política de neutralidad que le ha permitido permanecer en paz en medio de una Europa debilitada por grandes conflagraciones.

Suiza recibe del exterior primeras materias con las que fabrica mercancías de primera calidad para la exportación. La metalurgia y la mecánica (locomotoras eléctricas y de vapor, turbinas, motores Diesel, maquinaria agrícola e industrial y aluminio) disponen de la mano de obra más numerosa. Las industrias textiles (algodón, lana, seda), que fueron las primeras en adquirir importancia, elaboran tejidos finos, encajes y bordados. La relojería, que se remonta al siglo XVI, goza de renombre en el mundo entero. La bisutería se ha desarrollado paralelamente a la anterior. Las industrias alimentarias están muy acreditadas y son famosas por sus quesos, leche condensada, chocolate, conservas, bebidas, mantequilla, azúcar, conservas de legumbres y frutas, sopas y cerveza. Han tomado gran incremento las industrias químicas: colorantes, insecticidas, productos farmacéuticos, perfumes, ácidos, sales, etcétera. Son también de calidad las industrias madereras, las artes gráficas y los instrumentos de música.

Comunicaciones. Suiza ha construido una bien organizada red de comunicaciones para unir sus centros de producción, distribuidos por todo su territorio, facilitar el acceso a las regiones de turismo y atender el intenso tránsito que le proporcionan sus relaciones con las naciones que la rodean, por hallarse en el cauce de las grandes líneas internacionales, entre las que se en-

Puente Untertorbrucke en Berna, Suiza.

Corel Stock Photo Library

Vista de un río en los Alpes suizos.

El corno de los Alpes, es uno de los instrumentos tradicionales de Suiza.

cuentran las de San Gotardo (Basilea-Milán) y la del Simplón (Lausana-Milán). La red de ferrocarriles, en su mayor parte electrificada, tiene 5,200 km, y el sistema de carreteras 71,018, de los cuales 1,030 corresponden a carreteras principales. Las comunicaciones aéreas comprenden eficientes servicios interiores e internacionales. La navegación en los principales lagos es de importancia turística y comercial. Suiza tiene marina mercante, que cuenta con 434,000 ton en 33 buques. El puerto fluvial es Basilea que por el Rin tiene enlaces fluviales y marítimos con puertos del Mar del Norte, y del resto del mundo.

El comercio exterior presenta saldo desfavorable porque Suiza importa más de lo que exporta; pero, ese saldo adverso se compensa con los ingresos que Suiza recibe principalmente por afluencia de turistas. Los países con que comercia Suiza son Alemania, Estados Unidos, Francia, Italia, Canadá, Gran Bretaña, Suecia, España, Argentina, Turquía y otros.

Las exportaciones principales consisten en maquinaria pesada, productos químicos y farmacéuticos, artículos de joyería, quesos, instrumentos ópticos y de precisión. Se importan combustibles y materias primas para su evolución industrial, así como hierro y acero y vehículos de transporte.

Turismo. Suiza es país de turismo por excelencia y en este aspecto es uno de los más visitados de Europa. Su renombre como lugar de reposo, la fama de sus balnearios y estaciones alpinas, el encanto de sus paisajes, la belleza de sus ciudades, la pureza del aire, la limpieza y el bienestar que se respira por todas partes, son estí-

mulos suficientes para atraer al viajero. Es notable la perfecta organización de la industria hotelera.

Población, idiomas y religión. La población es una mezcla de raza alpina, celtas helvecios, y elementos procedentes de invasiones romanas y germánicas. Debido a ello, la población actual corresponde, principalmente, a cuatro grupos étnicos que se caracterizan por el idioma que cada uno usa. Esos idiomas son cuatro: alemán, francés, italiano y romanche, y todos han sido declarados idiomas oficiales. El alemán se habla en 19 cantones; el francés en cinco, el italiano en uno, el de Tesino, y el romanche en el de los Grisones. La proporción de habitantes que hablan esas lenguas es la siguiente: alemán, 72%; francés, 20%; italiano, 6%, y romances, 1 por ciento.

Los grupos lingüísticos gozan de iguales derechos, lo mismo en los cantones que en la Confederación y no se oponen en ninguna parte como elementos mayoritarios o minoritarios. Hay cantones en que se hablan tres lenguas, como el de los Grisones, y otros bilingües: Berna, Friburgo, Valais. En materia de religión existe libertad de cultos. Las religiones principales son la católica (46.2%), protestante (40%), musulmanes (2.2%), ortodoxos (1%) y hebreos (0.3%).

Enseñanza. Suiza es un país prácticamente sin analfabetos y con una educación popular elevada. La instrucción pública es gratuita y obligatoria. Para la enseñanza primaria existen 3,000 escuelas con 19,000 profesores, a las que asisten 571,500 alumnos. La segunda enseñanza

Tranvía Aisthom en Estocolmo, Suecia.

comprende 830 escuelas con 6,200 profesores y 388,000 alumnos. La universidad más antigua es la de Basilea (1460) y la más concurrida la de Zurich. Las siete universidades existentes reúnen 121,700 estudiantes y 2,000 profesores. Otros centros de altos estudios son: la Escuela Politécnica Federal, la Escuela Politécnica de la Universidad de Lausana, la Escuela de Altos Estudios de San Gall, entre otras. Funcionan numerosos establecimientos de formación profesional (30 escuelas normales y 44 de comercio). Las instituciones de educación de carácter privado gozan de reputación internacional. Ginebra es el primer centro de estudios pedagógicos de Europa. Signo característico del nivel y de la actividad intelectual es el gran número de buenas publicaciones y la abundancia de centros de cultura de toda clase.

Organización política y administrativa. Según la Constitución de 1874, varias veces modificada, Suiza es una confederación republicana de 23 cantones. El poder legislativo reside en la Asamblea Federal y el ejecutivo en el Consejo Federal. La primera está formada por dos cámaras: el Consejo Nacional, que representa al pueblo y es elegido por sufragio universal, a razón de un diputado por cada 24,000 habitantes; y el Consejo de los Estados, que representa a los cantones y se compone de 46 miembros, elegidos para un término de tres a cuatro años. La Asamblea Federal nombra al Tribunal Federal y al Tribunal Federal de Seguridad del país. El Congreso Federal, siete miembros elegidos cada cuatro años por la Asamblea Federal, quienes se alternan anualmente la presi-

Suiza

Corel Stock Photo Library

Vista de una calle del centro de Lausanne en Suiza.

dencia de la Confederación, cargo que no reviste importancia política particular y el que no le incumben más de algunas obligaciones de representación al exterior.

Los cantones Argovia, Appenzell (Ausser Rhoden, Inner Rhoden), Basilea (territorio, ciudad), Berna, Friburgo, Ginebra, Glaris, Grisones, Jura, Lucerna, Neuchatel, San Gall, Soilthurn, Schaffhausen, Sehwyz, Tesino, Turgovia, Unterwalden (Nidwalden, Obwalden), Uri, Valais, Vaud, Zug y Zuricho son simples circunscripciones administrativas sino verdaderos *estados*, pues tienen su propia Constitución escrita, su gobierno y su asamblea legislativa. A su vez, el régimen democrático de los cantones reposa sobre la base de la autonomía comunal.

Los ciudadanos que viven en las 3,107 comunas integran colectivamente el Estado Suizo. La comuna es la célula del organismo democrático y la verdadera escuela cívica. Uno de los caracteres del régimen político suizo en que constituye una combinación de la democracia directa con la democracia representativa. Dos instituciones, el derecho de referéndum y el derecho de iniciativa confieren al sistema suizo su matriz típicamente democrático.

Según la Constitución, toda ley adoptada por la Asamblea Federal queda sometida a referéndum si así reclaman, en el plazo de 90 días, 50,000 ciudadanos activos.

La política exterior suiza está inspirada en la neutralidad perpetua, en virtud de la cual renuncia a toda política de fuerza y se prohibe el recurso a la violencia, salvo en caso de defensa propia.

En 1990, el diario de mayor circulación era el *Blick*, de Zurich, independiente, con una tirada de 309,000 ejemplares.

Otros diarios importantes son *Basler Zeitung* y *La Tribune de Geneve*. Tienen mayor circulación los de habla alemana. En 1990 se publicaban 125 diarios, de los que 75% lo hacían en alemán, 20% francés y 5% en italiano. De los 125 diarios sólo 14 tenían una circulación de más de 50,000 ejemplares.

Ciudades. Distintas unas de otras, con su sello peculiar y su individualismo, las principales ciudades suizas se yerguen casi siempre a orillas de un río o de un pintoresco lago. Más de la mitad de la población urbana vive en cinco ciudades que sobrepasan los 100,000 habitantes. Berna

Músicos tocando los cornos suizos en Oberland, Suiza.

Corel Stock Photo Library

(941,100 h), capital federal, residencia del gobierno helvético, a orillas del Aar, fundada en el siglo XII conserva importantes edificios históricos; el Ayuntamiento y el Palacio Federal se destacan entre sus edificios; importancia industrial y comercial. Zurich (1.162,100 h), a orillas del Limmat y del lago homónimo, es sobre todo un centro industrial. Cuenta con excelentes centros de enseñanza y es muy visitada por los turistas. Basilea (194,400 h), en la frontera de Francia y Alemania y puerto en el Rin; ciudad industrial y con activo tráfico internacional; la catedral y el ayuntamiento son sus más notables monumentos. Ginebra (387,600 h), al suroeste del lago Leman. Antigua ciudad que muestra construcciones de los siglos X y XI; sede de importantes organismos internacionales y de históricas reuniones; se destaca como urbe cultural, bancaria e industrial; gran afluencia de turistas europeos y americanos. Lausana (122,600 h), al norte del lago de Ginebra, residencia del Tribunal Federal; tiene universidad y una hermosa catedral del siglo XIII; clima saludable y encantadores alrededores. De menor importancia son Gall, Winterthur, Lucerna, Bienne, La Chaux de Fonds.

Historia. Se conoce la existencia del hombre en Suiza desde los tiempos prehistóricos. Entre esos habitantes primitivos figuran los pueblos lacustres, de los que se han encontrado vestigios de las viviendas que construían sobre pilotes en los lagos. Posteriormente aparecieron los celtas helvecios y tras ellos invasiones sucesivas de romanos, alamanes, burgundios y francos (s. VI) y, después de formar parte del imperio carolingio, al desintegrarse éste, Suiza dependió del sacro imperio romano germánico. Para defenderse de la tiranía de la casa de Habsburgo y proteger sus libertades, tres comunidades del lago de los Cuatro Cantones, Uri, Schwyz y Unterwalden firmaron en 1291 un tratado de defensa mutua, que fue el origen de la Confederación Helvética, hecho que erróneamente se suele hacer remontar a la conjuración de Grütli y a Guillermo Tell. La citada alianza confirmada en Brunne en 1315 es el acto creador del Estado Suizo. A los tres cantones *forestales* vinieron a unirse otros, y cada vez los derechos y deberes eran fijados por un pacto federal particular. La Confederación debió hacer arduos esfuerzos y sostener duras luchas para poder subsistir. A principios del siglo XIV, se opuso a las pretensiones de Alberto I que quería incorporarla a su poder. En 1315, el ejército confederado desafió a las fuerzas del duque de Habsburgo, quien fue derrotado en Morgaten. Posteriormente, en su lucha por la independencia los suizos vencieron a los austriacos en Sempach (1386). En el siglo XV, fue Carlos *el Temerario*, duque de Borgoña, quien amenazó a la Confederación, pero las tropas de ésta lo derrotaron y mataron. El 1499 señala el fin de una larga evolución por la victoria que los confederados lograron contra el emperador Maximiliano en la guerra de Suavia. En el siglo XVI, los suizos firmaron con Francia la paz perpetua (1516) y ciertos cantones aceptaron la Reforma predicada por Zwinglio. La Confederación se acrecentó después paulatinamente, exterminando el poder de los señores vecinos y redondeando a costa de éstos su territorio con Lucerna, Zurich, Berna, Glaris y Zug, que integraron con los tres cantones *forestales* la Confederación de los Ocho Cantones. A fines del siglo XV y principios del XVI, se incorporaron Friburgo y Solevre, después Basilea y Schaffhausen y por fin Appenzell. Así quedó constituida la Confederación de 13 cantones, que no aumentó durante tres siglos. La Paz de Westfalia (1648), que siguió a la Guerra de los Treinta Años, reconoció formalmente la independencia de la Confederación. Napoleón abolió el federalismo suizo transformando a la Confederación en un estado unitario, la República Helvética, unida a Francia. Pero cinco años más tarde (1803), el Acta de Mediación restablecía la Confederación, a la cual se incorporaron seis cantones más; Saint Gall, Grisones, Argovia, Turgovia, Tesino y Vaud. En 1815, las potencias participantes en el Congreso de Viena garantizaron la perpetua neutralidad de Suiza, y el Pacto Federal que agregaba tres nuevos cantones (Valais, Neufchatel y Ginebra) fue aprobado por el Congreso de Viena. Dicho pacto estuvo en vigor hasta 1848, año en que se aprobó una nueva Constitución, que fue reemplazada en 1874 por la actualmente vigente. Durante las dos guerras mundiales, Suiza permaneció fiel a sus tradiciones de neutralidad vigilante y generosa, realizando altruistas servicios en favor de los heridos, enfermos y prisioneros. Suiza no forma parte de las Naciones Unidas, en razón de las circunstancias especiales que se derivan de su situación de neutralidad, pero es miembro de las instituciones especializadas, que dependen de aquella organización.

Una modificación en el aspecto socioeconómico de la Constitución fue aprobada (1947), y tres anos después se introdujeron modificaciones en las cameras. Posteriormente se suscitó un problema autonomista en el Jura (1963-1966), al tiempo que el debate político sobre los obreros extranjeros (necesarios pare la industria) desembocó en un referéndum, en el que se rechazaron las restricciones a la inmigración que aquel planteó (1970). Al ano siguiente se adoptó en otro el voto femenino. Suiza ingresó en la EFTA, la OCDE y el Consejo de Europa. La readmisión de los jesuitas y la derogación de otras limitaciones de carácter religioso, aprobadas por en 1973, significaron el fin del anticlericalismo del siglo XIX. En sendos refiriéndose de 1974 y 1975, los habitantes de una parte de la región del Jura decidieron separarse del cantón de Berna y formar un nuevo cantón (24 de septiembre de 1978). La permanencia de los trabajadores extranjeros (26% de la población activa) fue sometida a referéndum en 1974, siendo rechazada la propuesta de expulsión. Las elecciones generales de octubre de 1975 ratificaron el dominio de los cuatro grandes partidos (Radical, Democristiano, Socialista y Agrario), que son los únicos que participan en el ejecutivo federal. Las criticas suscitadas por esta especie de "gobierno de todos los partidos", los escandalos financieros que culminaron en 1977, la proliferación de los referendos y el creciente abstencionismo electoral no perjudicaron a un sistema dominado por la estabilidad. Una nueva propuesta xenófoba pare reducir la proporción de extranjeros en la población total fue rechazada por referéndum (marzo de 1977). También fue recusada en referéndum la separación de la Iglesia y el Estado (1980).

Corel Stock Photo Library

Chalet en las orillas del lago Thun en Suiza.

Las elecciones de octubre de 1979, 1983 y 1987 confirmaron, con el triunfo de los cuatro partidos tradicionalmente dominantes, la estabilidad política suiza. El ingreso en la ONU fue rechazado por amplia mayoría en otro referéndum (marzo de 1986). El gobierno federal, a petición del parlamento, decidió en junio de 1988 suspender el proyecto de construcción de una central nuclear en los alrededores de Basilea, y una moratoria nuclear de diez años fue aprobada por la población en referéndum (septiembre de 1990). Otro referéndum rebajó a 18 anos la edad para votar (1991). Los electores aprobaron el ingreso en el FMI y el Banco Mundial (mayo de 1992), pero desautorizaron al Gobierno tanto respecto a la adhesión al Espacio Económico Europeo (EEE) como al ingreso en la Comunidad Europea (diciembre de 1992). Una severa ley contra la inmigración irregular fue aprobada por una mayoría de dos tercios (diciembre de 1994). En las elecciones federales (octubre de 1995) progresaron los socialistas y los populistas xenófobos, pero se mantuvo la coalición gubernamental, que inició una política de acercamiento a la Comunidad Europea.

Cultura y artes. Dada la situación geográfica y la diversidad de sus características espirituales no es de extrañar que Suiza haya sufrido intensamente la influencia de las corrientes culturales y artísticas universales y principalmente las de los países limítrofes: Alemania, Francia e Italia, pero a su vez ha sabido llevar más allá de su reducido espacio sus propias creaciones y adaptaciones. Así la Reforma protestante tomó un carácter particular con Huldrych Zwinglio y Jean Couvin, llamdo Calvino (éste tan ligado a Suiza) cuyas ideas se expandieron por otros países. No se puede decir que exista una literatura genuinamente suiza, pues sus más grandes producciones y cultivadores suelen incluirse en las literaturas de las naciones vecinas. Por lo que se refiere a la literatura francesa Jean Jacques Rousseau, Germaine Staël, llamada Madame Staël y Benjamin Henri Constant de Rebeque están ligados a Suiza. Entre los escritores suizos en lengua francesa figuran: Alejandr Rodolphe Vinet, teólogo y crítico, Henri Frédéric Amiel, Edouard Rod, Charles Ferdinand Ramuz, Marc Monnier, J. Cheneviere y L. Dumur. En las

Suiza

letras alemanas Jérémie Gottelf, Salomon Gessner, Gottfried Keller, J. Spyri, Conrad Ferdinand Meyer y Carl Spitteler se hallan entre los grandes maestros del siglo XIX. Suizo-alemán es el gran historiador de la civilización Jacob Burckhardt. La literatura italiana cuenta con Chiesa Franscini, Lavizzani, Iacopo Peri y Zoppif. En bellas artes la Suiza italiana ha contribuido al desarrollo del arte italiano con pintores, escultores y arquitectos como Andrea, Antonio y Cristóforo Solari, Domenico Fontana, Giovanni Giacomo Della Porta y Francesco Castelli, llamado Borromini. Pintores suizos dignos de mención son: Petitot, Mateo Füssli, jefe de una familia que dio artistas de talento; Werner, Salomon Gessner, Jean Charles Hedlinger, Gleyre, L. Robert, Arnold Böcklin, Diday, Calame, Zund y Hodler Cuno Amiet. Escultores: James Pradier, Chaponnière, Vela, R. Kissling, M. Reymond, Baund, Haller, etcétera. Johann Heinrich Pestalozzi y el padre Jules Augustín Girard son pedagogos de renombre universal. En la ciencia brillan Johann I. Bernouilli, matemático; Leonhard Euler, físico y matemático, Charles Édouard Guillaume, matemático y físico, Premio Nobel en 1920 y Alfred Werner químico, Premio Nobel en 1913.

sujeto. *Véase* ORACIÓN GRAMATICAL.

sula. Ave palmípeda de unos 80 cm de pico a cola y 2 m de envergadura, que vive formando colonias muy numerosas, en las costas acantiladas del Atlántico norte y del Pacífico occidental. Tiene pico largo, robusto y puntiagudo, y las plumas del cuerpo blancas, con tonos amarillentos sobre la cabeza y cuello. Se alimenta de peces, calamares sepias, que pesca lanzándose al agua cuando vuela a gran altura. La hembra pone un solo huevo azul pálido, del que nace un polluelo desnudo, que se cubre de plumón gris manchado, tardando tres años en crecerle el plumaje definitivo. Hay varias especies y todas realizan emigraciones en invierno hacia los trópicos.

sulfamidas. Grupo de sustancias químicas de gran poder terapéutico en las infecciones provocadas por microorganismos. Las sulfamidas actúan como agentes bacteriostáticos. Desde 1908 se conocían como compuestos químicos y no fue sino hasta 1935 en que Gerhard Domagk demostró, en Alemania, su alto poder terapéutico. Investigadores de todo el mundo se interesaron en las nuevas drogas haciendo valiosas aportaciones y comprobando su acción beneficiosa. Entre la familia de las sulfamidas se pueden citar el sulfatiazol, la sulfaguanidina, la sulfapiridina, la sulfanilamida, etcétera, muchas de ellas de acción específica y baja toxicidad. Las sulfamidas corresponden al grupo de sus-

tancias químicas que se deriva del compuesto de para-aminobencenosulfonamida. Antes de ser experimentada en seres humanos, se hicieron muchos ensayos en animales de laboratorio. En 1937, Long y Bliss observaron que una concentración de 10 mg de sulfamida en 100 cm^3 de caldo de cultivo bacteriano, impedía la multiplicación de las bacterias. Más tarde, sometieron a ratones que habían infectado con estreptococos, a pequeñas dosis de sulfamidas, suministradas de hora en hora. Observaron sorprendidos que a las seis horas de iniciado el tratamiento los ratones daban señales de nueva vitalidad, y a las pocas horas desaparecían todos los estreptococos.

Se demostró la importancia de los leucocitos, esas células blancas de la sangre, que atrapaban con más facilidad a los cocos, volviéndolos inofensivos mientras hubiera sulfamidas en la corriente sanguínea. Estas sustancias poseen la virtud terapéutica de ser bacteriostáticas, e impedir la reproducción de las bacterias, y favorecer la acción de las defensas naturales del organismo. La difusión de las sulfamidas en el organismo, que de la sangre pasan a los tejidos y líquidos orgánicos, como la saliva, el jugo gástrico y la bilis aumenta su valor terapéutico. Es interesante conocer que hay factores antisulfamídicos, que al ocasionar lo que se llama una sulfamido-resistencia en el organismo del paciente, dificultan o neutralizan la acción de las sulfamidas.

Las indicaciones terapéuticas son extensas, en especial para el tratamiento de infecciones estreptocócicas agudas, ciertos tipos de pulmonía, disentería, tifus, meningitis, otitis, septicemia, furúnculos y heridas diversas.

sulfato. Sal de ácido sulfúrico, generalmente integrada por compuestos estables cristalizados. Muchos sulfatos son solubles en el agua, exceptuándose los de bario, estroncio y otros. Contiene un grupo de átomos asociados de azufre y oxígeno denominado en química radical sulfato ($= SO_4$). El sulfato de calcio se llama yeso; el de estroncio, celestita, el de magnesio es conocido también como sal de Epsom o sal inglesa. Los de cobre, hierro, potasio, cinc y manganeso son los más útiles en múltiples industrias y aplicaciones medicinales. El alumbre de potasio es un doble sulfato hidratado de potasio y aluminio, que se emplea en la preparación de polvos de hornear.

sulfúrico, ácido. Líquido de aspecto aceitoso, incoloro e inodoro, muy corrosivo que se comporta como un oxidante enérgico. Su fórmula química es H_2SO_4. El ácido sulfúrico es un ácido dibásico que origina sales neutras y sales ácidas. Por su

gran actividad química no se encuentra libre en la naturaleza. Hay tres métodos industriales para obtenerlo: el de cámaras de plomo, el de las torres de Petersen y el de rejillas.

En el primero se parte de sulfuros naturales y por tostación se obtiene bióxido de azufre, que se oxida con nitrógeno para obtener anhídrido sulfúrico, el cual se hidrata. Este proceso ha sido descartado pues el volumen de su instalación es antieconómico. Se adoptó el de las torres de Petersen, que consiste en sustituir las cámaras de plomo por torres de absorción. Así se consigue un aumento considerable de producción y ahorro de gastos. El proceso de rejillas, que es el que más se emplea en la actualidad, parte del azufre, el que por oxidación catalítica, a través de platino o vanadio, se transforma en anhídrido sulfúrico, el que al combinarse espontáneamente con el agua genera ácido sulfúrico.

Las aplicaciones de este ácido son numerosísimas y de gran importancia en las industrias del papel, farmacéutica, petrolera, minera y otras muchas.

sulfuro. Combinación del azufre con diversos metales, o ciertos metaloides, a temperaturas elevadas. Los sulfuros metálicos pueden ser ácidos y neutros; de acuerdo con el número de átomos de azufre que los integren son divididos en mono, bi y polisulfuros. El ácido nítrico caliente descompone a casi todos. Los sulfuros de los metales pesados se encuentran en la naturaleza formando muchos minerales bien conocidos (galena, blenda, pirita, cinabrio). Los resultados de combinaciones con metales alcalinos son solubles en el agua. La mayor parte de los sulfuros tiene color amarillento. Se convierten en hiposulfitos y bisulfitos por absorción del oxígeno del aire. El bisulfuro de carbono se emplea como disolvente e insecticida y en la vulcanización del caucho.

Sullivan, sir Arthur Seymour (1842-1900). Compositor inglés autor de la ópera *Ivanhoe*. Puso música a varias obras de William Shakespeare. A partir de 1871, se asoció con el libretista William S. Gilbert que escribió los argumentos de operetas para las cuales Sullivan compuso la música. Muchas de esas operetas se hicieron famosas, entre ellas *El Mikado* (1885), *Los piratas de Penzance* (1879) y *H. M. S. Pinafore* (1878).

Sully Prudhomme, René François Armand, llamado (1839-1907). Poeta francés. Fue el primero que obtuvo el Premio Nobel de Literatura (1901). Estudió en el Lyceé Bonaparte y trabajó posteriormente en una notaría. En 1864 tuvo lugar su encuentro con Leconte de Lisle, principal exponente de la escuela parnasiana. Su primer libro de versos *Estancias y poemas* (1865) atrajo la atención del severo Sainte Beuve y una crítica suya, que fue suficiente para destacarlo. Otras de sus obras son: *Les épreuves* (1866), *Les solitudes* (1869), *Les vaines tendresses* (1875), *Les destins* (1872), *Le zénith* (1876), *La justice* (1878) y *Le bonheur* (1888). En prosa escribió *Testament poétique* (1901) y *La vraie religion selon Pascal* (1905). Ingresó en la Academia Francesa en 1881.

Sumapaz, macizo de. Región fisiográfica de Colombia que se extiende por departamentos de Cundinamarca, Huila y Tolima. Este sistema orográfico situado en el cordón magistral de la cordillera, está formado por una serie de pequeñas cordilleras y serranías orientadas de noroeste a suroeste. Recibe su nombre del páramo de Sumapaz (3,820 m), aunque alcanza su punto culminante en el alto Turquita (4,180 m). Importante nudo hidrográfico, sus aguas alimentan las cabeceras de tres ríos importantes: por el oeste corre el Magdalena, por el este el Meta y por el sur el Guaviare.

En su vasto pie de monte se asientan los principales centros de población de la región, el más importante de los cuales es Fusagasugá. Los cafetales cubren las partes bajas de las vertientes, mientras que las zonas altas son objeto de explotación forestal.

Sumatra. Isla del archipiélago Malayo, en el océano Índico. Forma parte de la República de Indonesia. Está situada al

Casa Minangkabau en Sumatra, Indonesia.

suroeste de la Península de Malaca, de la que la separa el Estrecho de Malaca; al oeste de la isla de Borneo, y al noroeste de la isla de Java, de la que la separa el estrecho de la Sonda. La línea ecuatorial pasa aproximadamente por su centro. Su extensión es de 473,600 km², y mide 1,750 km de largo por unos 400 de anchura.

Está atravesada de noroeste a sureste por la cordillera Barisan de 1,200 m de altura media, con 90 picos volcánicos de

gran elevación, algunos de ellos en actividad. El pico volcánico más alto es el monte Kerintji. de 3,805 m de altitud. La vertiente occidental desciende violentamente mientras que la oriental tiene un declive suave y por ello los ríos son de curso lento o torrencial según se dirijan al este o al oeste. Es una región pintoresca donde hay numerosos lagos, algunos en cráteres de volcanes apagados.

El clima es ecuatorial y húmedo, aunque suavizado por el régimen de los monzones que de diciembre a mayo soplan del noroeste, y de mayo a octubre, del suroeste.

Por su clima y situación geográfica, esta isla tiene vegetación exuberante; con impenetrables selvas vírgenes y bosques de donde se obtienen maderas preciosas, palmeras, alcanfores, sándalo, bambúes y otras plantas tropicales. También es muy variada la fauna, hallándose gran cantidad de animales salvajes: tigres, rinocerontes, panteras, elefantes, orangutanes, monos de varias especies, serpientes y aves de vistosos colores. La riqueza mineral es considerable, especialmente en oro, plata, carbón y petróleo. Los nativos se dedican por lo general a la agricultura, siendo los principales cultivos la pimienta, clavo, café, arroz, algodón, té, caña de azúcar, tabaco y el árbol del caucho.

Muchas de las ciudades de Sumatra son puertos de mar y en las más importantes, Palembang, Medan y Pedang, se concentra casi todo el comercio. La población es de 30.016,160 habitantes, y se compone principalmente de malayos. Hay también chinos, javaneses, hindúes y árabes.

Sumatra ha sufrido diversas invasiones, entre ellas de los indostánicos, que aporta-

(De izq. a der.) abuela con su nieto y bailarina samosir en Sumatra, Indonesia.

Sumatra

Corel Stock Photo Library

Construcción cónica en la isla de Samosir en Sumatra, Indonesia.

ron su cultura, y se presume que existió un poderoso reino indio hacia el siglo VII de nuestra era. En el siglo XIII, Marco Polo visitó la isla, a la que llamó Java Menor. Hacia 1509, llegaron portugueses, y más tarde los holandeses, que instalaron algunas factorías y establecieron su supremacía a pesar de las querellas con los nativos y la rivalidad de los ingleses; con estos últimos tuvieron varios conflictos, hasta que en 1824, mediante un convenio se retiraron los británicos, quedando la isla bajo la soberanía de Holanda. En 1942, durante la Segunda Guerra Mundial, Sumatra fue ocupada por Japón. Después de la capitulación japonesa se restableció momentáneamente el control holandés, pero el Partido Nacionalista Indonesio se alzó con el poder y en 1946 proclamó la República de Indonesia, integrada por Sumatra, Java y Madura. Sin embargo, de 1946 a 1949 el nuevo Estado estuvo en lucha constante con los Países Bajos, hasta la firma del tratado de La Haya (diciembre de 1949), por el que se reconocía a Indonesia la plena independencia.

Sumer. Pueblo de origen oscuro que llegó de Asia central a la Mesopotamia, en cuya región meridional se estableció, unos 50 siglos a. C. Los sumerios eran de estatura mediana, acusadas facciones, ojos grandes y cejas arqueadas, tez casi negra y cabellos cortos. Muy inteligentes y de espíritu organizador, habitaron en ciudades gobernadas por un complejo sistema político, idearon la escritura cuneiforme y construyeron sus casas con ladrillos cocidos al sol. La cultura sumeria, a juzgar por los resultados de las excavaciones en las que fueron sus ciudades de Ur y Uruk, parece ser la más antigua del mundo. La civilización babilónica fue en gran parte herencia recibida de los sumerios.

sumiller. Jefe o superior en oficinas y ministerios de palacios. El nombre fue introducido en España por la casa de Borgoña e iba acompañado del de las funciones que desempeñaba. Así, por ejemplo, el *sumiller de Corps* era el jefe de palacio que tenía a su cargo el cuidado de la cámara real, el *sumiller de Cortina* era el eclesiástico que asistía a los reyes en la capilla, corría la cortina de la tribuna y bendecía la mesa real.

Sumner, James Batcheller (1887-1955). Bioquímico estadounidense. Profesor de química biológica en la Universidad de Cornell y miembro de la Academia Nacional de Ciencias de Washington. Especialista en el estudio de los fermentos y de las sustancias protídicas, descubrió que ciertas diastasas pueden cristalizar; siendo el primero que consiguió aislar una enzima (la ureasa) en forma cristalina, en 1926. Le fue otorgado el Premio Nobel de Química de 1946, compartiéndolo con John Howard Northrop y Wendell Meredith Stanley. Publicó varias obras, algunas en colaboración con Somers. Las más importantes son: *Experimentos de laboratorio en química biológica* y *Tratado de química biológica*.

Sun Yat-Sen (1866-1925). Médico y político chino. Fundador del régimen republicano en su país y de la agrupación democrática *Kuomintang* (Partido Nacional del Pueblo). Tras de algunos años pasados en Hawai, volvió a China y se graduó de médico en el Colegio de Medicina de Hong-Kong (1883). Practicó en Macao y Yangcheng, y regresó a Cantón, para dedicarse a conspirar contra la monarquía. Fracasada una rebelión que inició en 1895, huyó de China cuando su cabeza estaba a precio, y entonces pasó más de 10 años, entre Estados Unidos, Japón y Europa, estimulando a las colonias chinas allí residentes a que ayudaran a derrocar a la feudal dinastía manchú. Su labor fue extraordinaria: conferencias, artículos, entrevistas, colectas, polémicas y hasta milagrosas escapadas de asaltos y secuestros, todo lo cual creó el ambiente que le permitió lanzar el nuevo movimiento revolucionario de 1907 con un puñado de hombres y escasos elementos. Fracasó otra vez, y de nuevo huyó a Europa, pero su ejemplo había cundido y contagiado su entusiasmo, y ya no hubo paz en China hasta que triunfó la rebelión que proclamó la República en octubre de 1911 y llamó a Sun Yat-Sen para entregarle la presidencia, en diciembre del mismo año.

Pocos meses después renunció al poder y continuó con una intensa vida política. En 1917, implantó el gobierno del sur de China con sede en Cantón, y allí gobernó hasta 1922. En 1924, publicó su histórica obra *Tres principios populares* (*San Min Chu I*), que contiene las bases de la reforma de la política china. El 31 de diciembre de 1924, llegó a Pekín, la capital, llamado por el pueblo. Enfermó y murió poco después en medio de la consternación general. Sus funerales fueron imponentes. En 1929, sus restos fueron trasladados a Nankín, a una tumba que es uno de los más grandiosos monumentos de la nación.

superávit. *Véase* DÉFICIT y SUPERÁVIT.

superconductibilidad. Propiedad de determinados metales, aleaciones y compuestos químicos por la que a temperaturas muy bajas, próximas al cero absoluto, presentan una resistencia eléctrica y una permeabilidad magnética prácticamente nulas.

En 1911, Heike Kamerlingh Onnes comprobó, al enfriar mercurio mediante helio líquido, hasta una temperatura de 4.2 °K, que la resistencia eléctrica de aquel tendía a cero; a partir de entonces se han descubierto muchos elementos y mezclas que poseen la misma propiedad. En 1933 Alexander W. Meissner comprobó que, sometidos a un campo magnético débil, los superconductores son perfectamente diamagnéticos, es decir, "expulsan" el campo magnético de su interior. Al aumentar la intensidad del campo se llega a un valor llamado crítico, en el que el campo penetra de nuevo en el superconductor, pudiendo suceder que, simultáneamente, la resistencia vuelva a aumentar a su vez hasta valores normales (superconductores de tipo I), o bien que esa resistencia no aumente hasta que la intensidad del campo sea superior a la crítica (superconductores de tipo II). El paso del estado normal al estado superconductor se produce a partir de una temperatura que se denomina igualmente crítica, dependiendo dicha temperatura, de la masa atómica de los isótopos estudiados, de la presión, del tamaño, las impurezas, la intensidad y frecuencia de los campos magnéticos aplicados, etcétera. Actualmente, sin recurrir a la experimentación, no se dispone de ningún criterio que permita determinar si un material será o no superconductor, y se da la circunstancia de que los metales que son mejores conductores a las temperaturas ordinarias, como la plata, el cobre y el oro, no son superconductores a bajas temperaturas.

El fenómeno de la superconductividad fue interpretado por John Bardeen, John R. Schrieffer y Leon Cooper en 1957. Estos autores atribuyen la superconducción a que a la temperatura de transición aparece un estado de mínima energía de los electrones de conducción de la red cristalina que constituye el metal, los cuales se ordenan constituyendo pares electrónicos (*pares de Cooper*) acopiados a la vibración de la red.

superficie. Límite o término de un cuerpo que lo separa y distingue de lo que no es él. En geometría, superficie es la extensión en que sólo se consideran dos dimensiones: longitud y latitud. La superficie geométrica puede considerarse engendrada por el movimiento continuo de una línea en el espacio. Si la línea es recta, la superficie se llama reglada y si es curva toma este mismo nombre. Superficies regladas son, por ejemplo, las cilíndricas y cónicas, pues están engendradas por una recta que se mueve paralelamente a otra o formando un ángulo constante con ella respectivamente, y entre las superficies curvas podemos citar la esférica y la de un huevo. Tanto unas como otras se llaman de revolución cuando están engendradas por una recta o una curva girando alrededor de una recta fija que se llama eje, como la del cilindro, la de la esfera, la del elipsoide, etcétera.

La superficie es una extensión geométrica en la que se aprecian dos dimensiones: largo y ancho. Puede representarse por un trozo de papel, pero como por delgado que sea, el papel siempre tiene algún grosor, sólo se puede llegar al concepto de superficie geométrica imaginando que el espesor del papel disminuye indefinidamente.

Las superficies son ilimitadas y cuando, como ocurre en la práctica, se consideran limitadas por una línea, que es su contorno, reciben el nombre de recintos, que son los que tienen área, es decir: los que se pueden medir. El área es, pues, la superficie comprendida dentro de un perímetro, susceptible de medición.

Con la palabra área se designa, además, una medida precisa, la de 100 m², o sea un cuadrado de 10 m de lado. Esta medida se emplea en terrenos, y por esa razón recibe el nombre de agraria. Medidas similares son la hectárea, que equivale a 100 áreas o 10,000 m², y la centiárea, centésima parte del área e igual a 1 m². El metro cuadrado es la unidad principal de estas medidas y equivale a un cuadrado de 1 m de lado. El decímetro cuadrado es igual a la centésima parte de 1 m²; el centímetro cuadrado es la diezmilésima parte de 1 m². La millonésima parte de 1 m², 0.000001 m², recibe el nombre de milímetro cuadrado. El área, o sea 100 m², equivale en este sistema de medidas al decámetro cuadrado. El hectómetro cuadrado es igual a 10,000 m², o sea la hectárea de las medidas agrarias. El kilómetro cuadrado es un cuadrado de 1,000 m de lado, e igual por lo tanto a 1.000,000 de metros cuadrados.

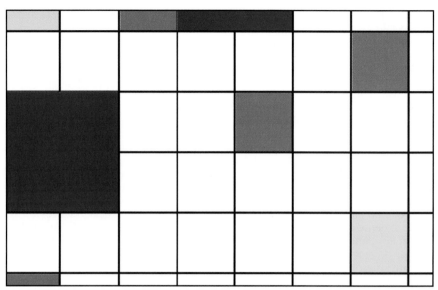

En geometría, la superficie es la extensión en que sólo se consideran dos dimensiones: longitud y latitud.

superfosfato. Abono compuesto por fosfato monocálcico, sulfato de calcio y otras sustancias. Se obtiene a partir de la fosforita, ciertos guanos o los cenizas de huesos; todas estas sustancias contienen fosfato tricálcico, que en contacto con el ácido sulfúrico se transforman en fosfato monocálcico, combinación que es soluble en agua y fácilmente absorbible por las raíces de las plantas. Se fabrican superfosfatos de alta concentración, que ocupan poco espacio y son sumamente económicos para su transporte, almacenamiento, y distribución.

supergás. Uno de los subproductos comerciales derivados del petróleo, obtenido por un proceso especial de destilación destructiva. Con el nombre de supergás se designa generalmente una sustancia gaseosa compuesta casi exclusivamente de propano y butano, dos gases pertenecientes a la serie de los hidrocarburos, que son los compuestos orgánicos más simples, constituidos sólo por carbono e hidrógeno. El supergás se obtiene por la compresión del gas de petróleo llamado gas natural. Se emplea como combustible por su gran poder calorífico, superior al del gas de hulla. Por sus cualidades y por su reducido costo de elaboración, es práctico y económico. Se expende comprimido y en estado líquido, en cilindros de acero. Es menos tóxico que el gas natural; se le agrega olor fétido para poder percibir las pérdidas por escapes. *Véase* PETRÓLEO.

superheterodino. *Véase* RADIOTELE-FONÍA Y RADIOTELEGRAFÍA.

superstición. Creencia extraña a la fe religiosa. Nació con los primeros pasos del hombre sobre la Tierra, tratando éste de conjurar las fuerzas de la naturaleza extrañas a su poder. Desde las más primitivas formas de convivencia humana hasta la vida en las sociedades de civilización superior, como las de Grecia y Roma, las prácticas supersticiosas han encontrado campo fecundo para su proliferación. Para algunos hombres el mundo es regido por ciertos agentes sobrenaturales, encarnados en seres naturales que actúan por impulsos semejantes a los suyos propios. Estos impulsos son propensos a modificarse por apelaciones a la piedad. Las oraciones y promesas a los dioses pueden asegurarle buen tiempo y abundantes cosechas. Con este concepto de lo sobrenatural, el hombre cree poseer en sí mismo los poderes necesarios para acrecentar su bienestar. A través de estos elementales conceptos de origen supersticioso, la humanidad fue elaborando lentamente una serie de fórmulas para conquistar la felicidad.

Supervielle, Jules (1884-1960). Escritor francés nacido en Montevideo. Residió alternadamente en Francia y Uruguay hasta la época de la Segunda Guerra Mundial, cuando el exilio le inspiró sus *Poemas de la Francia desdichada*. Escribió cuentos *(El arca de Noé, La niña de alta mar*, 1931*)* y obras dramáticas en que el misterio surge de lo cotidiano: *La bella del bosque* (1932) y *El ladrón de niños* (1926). También es suyo el libreto de la ópera *Bolívar* (1936), con música de Darius Milhaud. En sus obras empleó siempre la lengua francesa.

suprarrenal. (De supra y renal). Situado encima de los riñones. Glándulas pares que están situadas, en forma de capuchón, encima del polo superior de cada uno de los riñones. Pertenecen al sistema de glándulas de secreción interna.

Las glándulas suprarrenales son dos (derecha e izquierda). Quedan sostenidas por una capa celulosa que las fija a los riñones, por la misma cápsula renal y, muy accesoriamente, por vasos y nervios. Existen, además, tres ligamentos suprarrenales que intentan fijarlas. Se pueden considerar en ellas dos caras, dos bordes, un vértice y una base. En la cara anterior se encuentra el hilio de la glándula, y esta se relaciona por dicha cara con el bazo y el estómago (la izquierda) y con el hígado (la derecha). El borde externo y la base descansan sobre el polo superior del riñón. Embriológicamente, las glándulas suprarrenales tienen dos orígenes: la porción cortical es de origen mesoblástico, mientras que la medular es de origen ectodérmico como el sistema simpático. Las glándulas suprarrenales están irrigadas por las arterias capsulares (superior, rama de la diafragmática inferior, media, rama de la aorta e inferior, rama de la renal). Las venas terminan en un grueso colector que es la llamada vena central la cual desemboca a la izquierda en la renal, y a la derecha en la cava. Los nervios provienen de dos pedículos, uno posterior procedente del esplácnico mayor y otro interno que parte del plexo solar.

Las glándulas suprarrenales producen una serie de hormonas, llamadas también suprarrenales, y se componen de dos partes distintas: la sustancia cortical y la sustancia medular. La cortical se compone de células epiteliales y esta formada por tres capas: la subcapsular, o glomerulosa, la media, o fasciculada, y la interna, o reticular. La médula suprarrenal contiene unas células, llamadas cromafines, con numerosos nervios y células nerviosas multipolares de tipo simpático.

Hormonas suprarrenales. Las hormonas producidas por la sustancia medular son dos: la adrenalina y la noradrenalina. La adrenalina procede de la fenilalanina y la tirosina, es levógira y de acción fugaz debido a su inestabilidad química. Sus acciones principales son equivalentes a las del sistema simpático y consisten en regular la distribución de la sangre en el organismo, estimular la actividad cardiaca, aumentar la movilización del glucógeno hepático y contraer la musculatura esplénica y uterina; también relaja la musculatura gástrica, intestinal y bronquial y al-tunas veces dilate la pupila del ojo. La noradrenalina es una sustancia parecida a la adrenalina, pero con un grupo metílico menos. Sus acciones son semejantes a las de la adrenalina: aumenta la presión arterial mas enérgicamente que aquella, dilata los bronquios, efectúa la transmisión entre las células del sistema simpático y, al igual que la adrena-

lina, se elimina por las vías urinarias en forma de ácido vanililmandélico.

En cuanto a las hormonas producidas por la sustancia cortical, se conocen en la actualidad mas de 30; todas ellas poseen el núcleo químico ciclopentano-perhidrofenantrénico y reciben el nombre genérico de corticosteroides.

Surinam. República sudamericana, limitada al norte por el océano Atlántico; al este por la Guayana Francesa; al sur por Brasil, y al oeste por Guyana. Tiene una superficie de 163,820 km^2 y está poblada por 430,000 habitantes, en su mayoría criollos de Surinam (35%), indopaquistaníes (33%), javaneses (16%), negros (10%), amerindios (3%) y otros (3%). El país constituye una meseta inclinada hacia el norte y bordeada, junto al océano por una llanura baja y a veces pantanosa. El clima, de tipo ecuatorial, favorece la expansión de la selva, que cubre la mayor parte del territorio. La red hidrográfica, muy densa, se despliega por todo el país y representa a menudo la única vía de comunicación hacia el interior. Los ríos más importantes son el Courantyne, el Maroni y el Surinam, en cuya desembocadura se alza la capital, Paramaribo (200,970 h). Cuenta con importantes recursos minerales: hierro, manganeso, cobre, níquel, caolín, oro, platino y, sobre todo, bauxita, de la que Surinam es el tercer productor mundial. Entre sus productos agrícolas se destacan el arroz, el azúcar, el café, y los cítricos. Las principales industrias, después de la del aluminio, son la maderera y la alimenticia. Sus ciudades principales son Nieuw Nickerie (200,970 h), Mcerzog (5,355 h) y Marienburg (3,633 h). Su lengua oficial es el holandés. Sus principales religiones son la hinduista (26%), católica (21.6%), musulmana (18.6%) y protestante (18%). Su unidad monetaria es el florín surinamés. Pertenece a la Organización de las Naciones Unidas y a la Organización de Estados Americanos.

Surinam participa del proceso de integración caribeño. Pertenece, desde febrero de 1995, al Mercado Común y Comunidad del Caribe (CARICOM) y forma parte del grupo de países de Africa, Caribe y Pacifico (ACP), asociado a la Comunidad Europea a través del tratado de Lomé. Esta integrado además en los grandes organismos económicos internacionales (FMI, Banco Mundial y OMC) y en la Asociación Internacional de la Bauxita.

Los ingleses se asentaron en Surínam a principios del siglo XVII, pero cedieron esta colonia a Holanda en 1667 a cambio de New Amsterdam, la futura New York. Fue explotada por esclavos negros hasta 1863, año en que la abolición de la esclavitud impulsó la inmigración de mano de obra no africana, sobre todo hindú e indonesia. En 1954 se convirtió en parte integrante de los

Países Bajos, pero se independizó el 25 de noviembre de 1975, adoptando un régimen republicano parlamentario.

Después de la independencia, parte de la población india, que dominaba el comercio, abandonó el país ante el temor de una discriminación por parte de la población de raza negra. Henk Arron se mantuvo como primer ministro tras el triunfo de su partido en las elecciones de octubre de 1977. Tras un alzamiento del Ejército (febrero de 1980), H. Arron fue destituido, y se organizó un nuevo gobierno presidido por Chin A Sen, que fue nombrado presidente de la república (agosto de 1980) y suspendió la Constitución. Chin A. Sen fue destituido en febrero de 1982 por Desi Bouterse, jefe del Consejo Militar Nacional, quien asumió el poder ejecutivo. Tras una etapa de tensiones políticas (golpe militar derechista, que fracasó, manifestaciones de la oposición, huelgas obreras), en diciembre de 1982 D. Bouterse destituyó al gobierno civil en funciones, llevó a cabo una aura represión y concentró todos los poderes en su persona, reforzando el régimen militar. La cadena de alzamientos militares empeoró la ya degradada situación económica como consecuencia de la pésima administración del gobierno, las luchas internas y el descenso del precio de la bauxita, principal producto de exportación. En 1987, tras siete años de régimen militar, la nueva Constitución aprobada en referéndum (septiembre) y las elecciones legislativas (noviembre) restauraron la democracia. Los partidos de la oposición, agrupados en el Frente pare la Democracia y el Desarrollo (FDO), obtuvieron 40 de los 51 escaños del parlamento. Ramsewak Shankar fue elegido presidente de la república (enero de 1988). El gobierno y el Ejército de Liberación de Surinam (ELS) guerrilla active desde 1986, firmaron los acuerdos de Kourou (julio de 1989), en Guayana Francesa, pero el descontento con dicho acuerdo dio lugar al surgimiento de otros grupos guerrilleros en 1989 (Tucayana y Movimiento de Liberación Mandela Bush Negro), al tiempo que el ELS continuó en la lucha armada. Las tropas gubernamentales consiguieron desalojar de sus bases a la guerrilla de los Bush Negros o Maroons, del ELS, y el jefe de estos, Ronnie Brunswijk, tuvo que exiliarse (junio de 1990). Pero, tras producirse un enfrentamiento entre el presidente y los mandos de las fuerzas armadas, el recién nombrado comandante en jefe de las mismas Graanoogst, encabezó un golpe militar; incruento (24 de diciembre de 1990) y se hizo con el poder, designando a Johan Kraag presidente provisional. Este invitó a Bouterse a retomar el mando de las fuerzas armadas, cargo que había abandonado días antes. Los hechos fueron condenados por el gobierno neerlandés. A Kraag le sucedió, por designación, Jules

Wijdenbosch (29 de diciembre) que anunció elecciones pare el 25 de mayo de 1991. El FDO, rebautizado Nuevo Frente (NF) ganó las elecciones y Runaldo R. Venetiaan asumió la presidencia (septiembre de 1991). El gobierno firmó un acuerdo de paz con el ELS y Tucayana (mayo de 1992). Nuevas diferencias con el presidente provocaron la dimisión del jefe del Ejército y hombre fuerte, D. Bouterse (22 de noviembre de 1992) sustituido por el coroner (retirado) Arthy Gorre. Un nuevo grupo guerrillero denominado Frente de Liberación de Surinam (FLS) surgió en demanda de medidas contra la pobreza (abril de 1994). En las elecciones de mayo de 1996, el NF obtuvo el mayor número de escaños, pero no los suficientes pare nombrar presidente, cargo que ocupó J. Wijdenbosch, del Partido Nacional Democrático (PND), liderado por Bouterse.

Suro, Darío (1900-1989). Pintor dominicano, nacido en Villa Real. En su país fue discípulo de Enrique Godoy. Más tarde, en México, estudió dibujo y pintura con los maestros Diego Rivera y Guerrero Galván. Su labor artística mereció comentarios favorables de los escritores José Vasconcelos y Alfonso Reyes. En 1946 recibió el Premio Nacional de Pintura. Sus cuadros más conocidos son *Fuga de caballos*, *El violinista* y *Autorretrato*. Se le considera uno de los más destacados paisajistas de su país.

surrealismo. Movimiento literario y artístico fundado por el poeta francés André Breton, que sostiene la primacía de los valores poéticos sobre los principios lógicos

Imagen inspirada en un cuadro de el pintor surrealista Salvador Dalí.

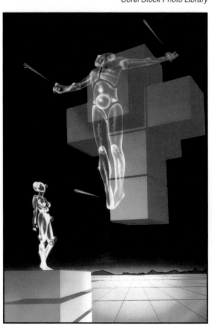

El museo Dalí en España, es uno de los recintos mundiales del surrealismo.

y tradicionales, y afirma –influido por Sigmund Freud– que la obra de arte nace, como los sueños, del alma subconsciente. La actividad surrealista se desarrolló principalmente entre 1924 y 1938, y sus representantes más notables fueron, además de Breton, los escritores Paul Eluard, Louis Aragon, Pablo Neruda, Robert Desnos, René Crevel, Leiris, Philippe Soupault y Benjamin Peret; los pintores Giorgio de Chirico, Max Ernst, Joan Miró, Salvador Dalí, Matta Echaurren y Yves Tanguy; el fotógrafo Man Ray, y el director de cine Luis Buñuel. *Véanse* ARTE; MODERNISMO; PINTURA.

Surveyor. Denominación con que se conoce un proyecto de la NASA para la exploración lunar mediante naves no tripuladas, cuyos lanzamientos se desarrollaron entre 1966 y 1968. También se aplica ese nombre a cada una de dichas naves.

Las sondas automáticas *Surveyor*, de aterrizaje suave, tenían por objeto el estudio directo de determinadas regiones de la Luna a fin de recoger datos pare el diseño de algunos equipos del modulo lunar *Apolo.*

Todos los vehículos *Surveyor* llevaban a bordo una camara de televisión, dirigida por control remoto desde la Tierra, que permitía la obtención de imágenes en color por recomposición tricromática.

Una vez en la superficie luna, el *Surveyor* sólo podía permanecer activo mientras estuviese expuesto a la luz solar. Sus equipos electrónicos no estaban preparados para resistir las bajas temperaturas de los 14 días de noche selenita. El lanza-

miento de los siete *Surveyor* se efectuó desde Cabo Kennedy empleando impulsores tipo *Atlas-Centaur.*

Susana. Hermosa judía, hija de Jilquiyá, que siguió a su esposo, el rico hebreo Yoaquim, a su cautiverio de Babilonia (s. VII a. C.). Allí fue calumniada por dos ancianos jueces, a quienes rechazó sus pretensiones amorosas, y éstos, en venganza, afirmaron haberla sorprendido con un mancebo. Condenada a morir apedreada, el profeta Daniel pidió nuevo juicio y en éste supo confundir a los ancianos, quienes confesaron su delito y fueron entonces los ejecutados. La historia es narrada en el Libro del Profeta Daniel (capítulo XIII).

suspensión. Mecanismo que se utiliza para sostener total o parcialmente una máquina. Su acepción más generalizada designa los dispositivos elásticos que soportan las cajas o bastidores de los vehículos sobre los ejes de las ruedas, con el propósito de disminuir la sacudida o trepidación causada por la marcha del vehículo al pasar sobre las desigualdades del pavimento. Entre las suspensiones de esta clase figuran la de ballesta, formada por varias láminas metálicas alargadas, unidas y ligeramente curvadas, cuyo conjunto ofrece un medio elástico de amortiguación; de resorte, hecho de metal enrollado en vueltas helicoidales, y de tipo hidráulico, que consiste en un dispositivo mecánico que contiene un líquido, generalmente aceite, el cual a causa de la presión ejercida sobre él por la trepidación, circula a través de un orificio o válvula y ejerce una notable acción amortiguadora.

suspensión. Mezcla de un líquido o de un sólido finamente dividido, en un líquido o en un gas, sin llegar al estado de disolución. Si se pone en un recipiente con agua un poco de negro de humo o arcilla en polvo, el agua se enturbiará al repartirse las partículas del sólido en el líquido, formándose una suspensión, en la que el líquido mantene sus constantes físicas. Si una suspensión de este tipo se deja en reposo mucho tiempo, las partículas sólidas se van sedimentando en el fondo. Cuando las partículas en suspensión son de muy pequeño tamaño, sin llegar a ser moléculas individualizadas, se les llama micelas, y se mantienen siempre en suspensión en el líquido sin precipitarse, dando a éste un aspecto lechoso. A estas suspensiones se les llama coloides, y si se observan al microscopio las micelas aparecen dotadas de una especie de vibración que se conoce con el nombre de movimiento browniano. *Véase* EMULSIÓN.

sustancia. Aquella que en cualquier cosa constituye lo más importante o esencial. cualquier materia de que está formada otra o con la se puede formar. Ser, esencia, naturaleza de las cosas. En filosofía los autores medievales utilizaron el término latino substantia (*sub-stare*, lo que esta debajo de) pare traducir el vocablo griego *ousía*. La metafísica clásica, en su intento por resolver el problema del cambio y del *devenir*, buscó siempre la realidad auténtica y primera a partir de la cual tuviese lugar cualquier otra realidad. Platón llamó a esa realidad primera *ousía* (lo que posee una riqueza o haber propio) y la identificó con la *idea*, situándola en un mundo suprasensible. Pero el gran artífice de la doctrina sobre la sustancia (ousía) fue Aristóteles, que hace de ella el tema central de toda su metafísica. Aristóteles identificó la sustancia con el *ser* como realidad primera: "la sustancia es el primer ser y no cualquier ser, sino el ser simplemente...". Y por esto, antes, ahora y siempre, la investigación y el problema sobre *qué es el ser* equivalen a preguntarse *¿que es la sustancia?*, y añade: "la sustancia en el sentido verdadero, primero y riguroso de este término, es lo que no es predicable de un sujeto, ni se halla en un sujeto, como este hombre o este caballo particulares". Entiende, pues, Aristóteles que la sustancia es aquello que "no está en ninguna otra cosa, sino que existe por si misma: el *tode tí* o individuo". Según esto, para Aristóteles la sustancia no es otra cosa que la realidad individual existente; siendo el individuo lo único existente, es la sustancia plena y real, como soporte o sustrato de cualquier otra determinación: aquello que permanece a través de los cambios accidentales y que soporta todos los caracteres del ser. A este ser individual lo llamó sustancia primera o sustancia por excelencia. Características propias de las sustancias primeras son: el no tener contrarios, el no diferir entre sí en cuanto a su grado de sustancialidad: *una sustancia no se puede decir más o menos sustancia*, y el ser independientes de cualquier determinación; la sustancia primera es, pues, algo individual, irreducible y único, que se basta a sí mismo para existir. Junto a las sustancias primeras se den las sustancias segunda, aquellas que se predican y se pueden predicar de las sustancias primeras; la sustancia segunda equivale a la *esencia* de la sustancia primera.

Importancia singular adquirió el problema de la sustancia entre los filósofos racionalistas de los siglo XVII y XVIII, hasta constituir el eje de toda la *filosofía racionalista*. Descartes definió la sustancia como "aquella realidad que existe de tal modo, que no necesita de otra cosa para existir" (*ea res quae ita existit ut nulla alia re indigeat ad existendum*); distinguió dos tipos de sustancias: la *infinita* (Dios) y la *finita*, que se subdivide en *sustancia pensante* (res

cogitans) (Yo) y *sustancia extensa* (*res extensa*) (mundo).

sustanciación. Acción y efecto de sustancias. Conducir un asunto o juicio por la vía procesal adecuada hasta ponerlo en estado de sentencia.

sustantivo. La definición del sustantivo sigue constituyendo un problema sin resolver. Tanto los criterios semánticos como los formales son valederos sólo parcialmente. Siempre hay casos que no caben en el marco de las definiciones propuestas. De las muchas definiciones que se han propuesto, merece retenerse la del lingüista soviético Marcos Gabinski, fundada, al mismo tiempo, en los dos criterios semántico y formal. En la opinión de Gabinski, sustantivos son las palabras que designan cosas y seres, así como todas las demás palabras que tienen las mismas características formales que las primeras. Se distinguen varias clases de sustantivos, según su contenido semántico y las peculiaridades de su aspecto formal. Los sustantivos nombres propios designan individuos, mientras que los comunes designan clases o conceptos. Los colectivos designan colectividades de objetos o seres (peral, alumnado). La división en concretos y abstractos tiene una validez muy discutible, debido a la existencia de gran número de casos inclasificables (hambre, golpe, vida, náuseas, guerra, venganza, etcétera). Dicha división carece de criterios claramente formulados. *Véase* NOMBRE.

sustitución. Acción y efecto de sustiuir. Designación de una persona para que reciba la herencia o legado, a falta del primer llamado. Mecanismo psicológico de defensa del equilibrio que, ante la imposibilidad de realización de determinado comportamiento, induce a adoptar otro paralelo.

sustracción. Operación aritmética que tiene por objeto hallar la diferencia entre dos cantidades. Se define, también, como la operación que se debe hacer para que, conocida una suma de dos sumandos y uno de éstos, se pueda hallar el otro. La suma y el sumando conocidos se llama minuendo y sustraendo, respectivamente, y el que se busca es la diferencia, exceso o resto, y de aquí que esta operación se llame también resta. El signo con que se indica la sustracción es una rayita horizontal que se lee *menos*, y se coloca entre el minuendo y el sustraendo, así: 15 - 4 indica que de 15 hay que restar 4.

La definición dada equivale a decir que la suma del sustraendo y el resto es igual al minuendo; luego si las cifras de éste no son menores que las de igual orden del sustraendo basta restar de cada una del minuendo su correspondiente en el

sustraendo, obteniéndose mentalmente estas diferencias por medio de la tabla de sumar; pero si alguna cifra del minuendo es menor que la correspondiente en el sustraendo, se suman 10 unidades de su orden, cuidando de considerar disminuida en una unidad la cifra del orden inmediato superior en el minuendo, y se continúa la operación.

El caso más desfavorable es aquel en que una cifra del minuendo sea 8 y su correspondiente del sustraendo 9: porque entonces al aumentar 10 unidades de su orden al 8 resulta 18, que es la suma máxima de dos números de una cifra, y como el sustraendo sólo tiene una, la del resto se obtiene, mentalmente o por la tabla de sumar.

En la práctica conviene colocar el sustraendo debajo del minuendo de modo que estén en la misma columna las cifras de igual orden del minuendo y del sustraendo, y separar éste de la diferencia por medio de una raya horizontal, así:

$$
\begin{array}{rrr}
6584 & 6584 & 6584 \\
- 4023 & - 723 & -2792 \\
\hline
2561 & 5861 & 3792
\end{array}
$$

Pruebas. Fundándose en la definición, la sustracción se puede comprobar sumando el sustraendo con el resto y la suma debe ser igual al minuendo, o restando de éste el resto y la diferencia tiene que ser el sustraendo. En los tres ejemplos anteriores se tiene, en efecto:

$4023 + 2561 = 723 + 5861 = 2792 + 3792 = 6584$
$6584 - 2561 = 4023, 6584 - 5861 = 723$
$6584 - 3792 = 2792.$

sustrato. Etimológicamente, sustrato significa aquello que está *debajo de* algo. El sustrato tiene, generalmente, una significación de *soporte*, en cuanto que es aquello que sustenta o en lo cual algo se apoya, dando consistencia a lo que se apoya en él. Suele traducirse, a veces, por sujeto, indicando una realidad material singular y concreta de la cual es posible decir algo. El término latino *substractum* traducía el griego *hypokéimenon*: lo que se encuentra detrás de toda realidad natural. En Aristóteles equivale, en ocasiones, a sustancia, ya que ésta sirve de soporte a los accidentes. Entre los principales significados de sustrato cabe destacar los siguientes: el sustrato como sustancia, ya que ésta es sujeto del cambio y de los accidentes; como materia primera, en cuanto que es el sujeto último de todo devenir como sujeto lógico respecto de las determinaciones que de él es posible predicar.

Sutherland, Joan (1926-). Soprano australiana que adquirió fama por sus interpretaciones de *Lucia de Lammermoor* (1959) de Gaetano Donizetti y de *Norma* de Vicenzo Bellini. Distingue a su voz un timbre especial y una potencia vocal fuera de lo común. Debutó en el *Covent Garden* de Londres en 1952. Ha colaborado frecuentemente con el Metropolitan de New York.

Suttner, Berta Kinsky, baronesa
(1843-1914). Escritora y pacifista austriaca, nacida en Praga. Perteneciente a familia aristocrática, poseedora de gran cultura y aficionada desde su niñez a la poesía por la influencia de su madre, sintió siempre entusiasmo por la literatura que vino a acentuar su segunda boda con el escritor Suttner, enlace que la privó del apoyo familiar, teniendo que ganar la vida con el producto de su pluma. Su fama debe a su novela *¡Abajo las armas!* (1889) en la que describe en toda su crudeza los horrores y estragos de la guerra y aboga con fervor por la paz universal. Su éxito fue tan grande que mereció múltiples ediciones y traducciones a todos los idiomas, culminando su celebridad al serle otorgado el Premio Nobel de la Paz en 1905. Fundó una asociación con fines pacifistas en su patria. También es autora de otras obras como *Inventario de un alma* y *La época de las máquinas*.

Suvarov o Suvorov, Alexandr Vasilievich, conde y principe de
(1729-1800). General ruso que se distinguió en la guerra contra Turquía; dominó la insurrección polaca capitaneada por Tadeusz Kosciukzo (1794) y mandó el ejército ruso enviado a Italia contra los franceses, a quienes derrotó en Cassano, Trebia y Novi.

Svedberg, Theodor (1884-1971).
Químico sueco. Se graduó en la Universidad de Upsala, en la que después fue profesor (1912-1949). Director del Instituto de Química Nuclear Gustav Werners (1949-1967). Le fue concedido el Premio Nobel de Química en el año 1926. En 1908, en colaboración con Stròmholm, realizó un detallado estudio sobre las propiedades químicas de los elementos radiactivos, en particular las del torio x, que constituyó el primer intento para coordinar parte de la familia radiactiva en el seno de la tabla periódica. En 1923 concibió el método de la ultracentrifugación para la determinación de pesos moleculares de partículas coloidales por sedimentación en campos de fuerza centrífugos. Aplicando dicho método confirmó la existencia de macromoléculas de domensiones definidas en la mayor parte de las proteínas. Durante la Segunda Guerra Mundial puso a punto una planta para la producción de una goma sintética policloroprénica, el suedopreno.

The Academy of Motion Picture Arts and Sciences.

Gloria Swanson en la película Los amores de Anatol *de 1921.*

Sverdlovsk.
Ciudad industrial y minera rusa sobre el río Iset de los Urales, capital de la región de igual nombre. Tiene 1.367,000 habitantes. Fundada en 1721 por Pedro el Grande, rápidamente cobró importancia por su industria, la minería y la talla de piedras preciosas especialmente las esmeraldas. Llamada Yekaterinburg hasta 1924 tuvo destacado papel durante la revolución soviética y en ella fueron ejecutados el zar Nicolás II y su familia. Es importante nudo de comunicaciones y centro de una región minera en la que se explotan intensamente yacimientos de bauxita, manganeso, cobre, oro, platino, carbón y asbesto.

Sverdrup, Otto Neumann (1855-1930).
Navegante y explorador noruego. Profundo conocedor de los mares árticos, fue elegido por Fridtjof Nansen como capitán de su nave *Fram*, en la famosa expedición de 1893. Realizó varios viajes posteriores. En 1920 logró rescatar a la tripulación en un rompehielos soviético, perdido en el océano Glacial Ártico y en 1928 dirigió una de las expediciones que fueron en busca del dirigible Italia, perdido en el Polo Norte.

Swanson, Gloria (1898-1983).
Actriz cinematográfica estadounidense. Fue una de las bañistas cómicas de Senett. En 1919 Cecil B. de Mille la dio a conocer con el filme Macho y hembra representando a un personaje misterioso, fatal y extravagante que se convirtió en mito. Filmó *Miss Sadie Thompson* (1928) y *Queen Kelly* (1928). Fue la vampiresa sofisticada de los años veinte.

Swap, acuerdo.
Convenio entre autoridades monetarias de dos países que implica la apertura de créditos mutuos de un volumen limitado y por un plazo generalmente corto. Supone la posibilidad de la compra o venta de una divisa al contado contra la venta o compra de la misma a futuro; es decir, lleva implícita dos operaciones: una al contado y otra a plazo y de signo contrario para la misma divisa. Una operación Swap se efectúa al adquirir el país A una cantidad de divisas del país B, comprometiéndose a reembolsarla al cabo de cierto periodo, así como los intereses correspondientes, ofreciendo como garantía el oro o divisas de que dispone en sus reservas. Al ser los préstamos de una cuantía limitada y el plazo de amortización corto, no sirven para hacer frente a desajustes a largo plazo de la balanza de pagos, sino sólo aquéllos de carácter temporal, puesto que en último término sólo supone una demora en el pago de las obligaciones. Los acuerdos Swap han permitido incrementar la liquidez internacional y la han facilitado, con los fondos así conseguidos, actuar sobre los mercados de cambios y evitar la caída de la cotización de ciertas monedas, y en especial del dólar. En algunas ocasiones han sido utilizados por algún banco central para incrementar temporalmente la liquidez interna, pues suponen un incremento de los activos internacionales que se hallan en su poder, y como consecuencia permiten, si así se desea, incrementar la circulación fiduciaria de país. Los acuerdos Swap fueron promovidos por Estados Unidos y empezaron a tener importancia hacia 1961. Con ellos las autoridades estadounidenses lograron disponer de recursos

con que hacer frente a las crisis monetarias y evitar así una disminución todavía más importante de sus reservas de oro. En ciertos casos las operaciones se han saldado, en lugar de con el pago de la deuda en la divisa comprada o en oro, mediante la emisión de bonos con denominación de la divisa del acreedor y su suscripción por parte de éste, con lo cual se ha producido una consolidación de las deudas a un plazo más largo.

Swazilandia.

País situado en el sureste de África, entre Mozambique y la República de Sudáfrica, que cubre una superficie de 17,364 km^2 y tiene una población de 883,000 habitantes, en su mayor parte suazis (84.3%), zulúes (9.9%), tsonga (2.5%), hindúes (0.8%), paquistaníes (0.8%), portugueses (0.2%) y otros (1.5%). Su forma de gobierno es la monarquía unitaria; su capital es Mbabane (38,800 h) y sus ciudades principales son Manzini (52,000 h), Nhlangano (4,107 h), Piggs Peak (3,223 h) y Siteki (2,271 h). Sus lenguas oficiales son el swazi y el inglés. Es miembro de la Organización de los Estados Americanos. Sus principales religiones son la protestante (37.3%), cristianos africanos (28.9%), católicos (10.8%) y animistas indígenas (20.9%). Su unidad monetaria es el lilangeni. Su terreno montañoso cuenta con inmensas riquezas minerales, pero es de difícil acceso. Su clima es subtropical con lluvias. Produce maíz, tabaco, algodón, estaño, asbestos, amianto, carbón, hierro, diamantes, oro, estaño, caolín, pirofilita y sílice.

Estructura económica.

Al acceder a la independencia, la estructura económica de Swazilandia presentaba un acusado dualismo. De un lado se encontraba un sector moderno, formado por unas cuantas grandes explotaciones agrarias orientadas a la exportación (azúcar y madera) en manos de europeos y un sector minero (carbón y amianto, principalmente), y de otro, una agricultura de subsistencia con una bajísima productividad que ocupaba a 80 % de la población. En estas condiciones el desempleo era muy elevado y una parte importante de la población activa se veía obligada a desplazarse a Sudáfrica para trabajar. En 1968 se creó un fondo de desarrollo (Tibiko Taka Ngwana Fund), alimentado por las rentas de la minería, para apoyar el acceso de la población autóctona a la propiedad de las sierras, la modernización del sector tradicional y las iniciativas empresariales. En los años ochenta y principios de los noventa, el desarrollo del país se benefició del bloqueo de las inversiones en Sudáfrica, propiciado por las sanciones internacionales al régimen del apartheid. Entonces el país vivió una etapa de crecimiento y diversificación industrial en la que se creó un sector privado fuerte. En 1987, la puesta en marcha de una agencia de promoción industrial (*Swaziland Industrial Development Co.*) tuvo como resultado la emergencia de empresarios autóctonos. La abolición del régimen de apartheid en Sudáfrica trajo consigo el desbloqueo de la inversión internacional en dicho país, lo cual tuvo una consecuencia indeseada para Swazilandia, que se vio enfrentada al desafío de perder una de sus ventajas como país receptor de inversión extranjera. Desde su independencia el crecimiento económico ha sido notable.

Etnología e historia.

Los swazi, que dan nombre al país, son una rama del grupo étnico y lingüístico ngoni o angoni, perteneciente al conjunto bantú. Contrariamente a las alegaciones de los historiadores sudafricanos de origen europeo que datan en el siglo XVI la llegada de los bantúes a África del sur (para afirmar la anterioridad de la presencia holandesa), el asentamiento del grupo ngoni en esta región es realmente muy anterior. Sin embargo, la constitución de la etnia swazi remonta al parecer al siglo XVIII; un grupo de ngoni pastores, dirigidos por el clan real de los Dhalamini, habría vencido e incorporado a los tembé autóctonos, agricultores y artesanos. El Estado asf surgido parece que fue fundado por Ngwane II (m. 1780), quien dio su nombre al pueblo (pueblo de Ngwane, nombre que se dan a sí mismos los bantúes de lengua swazi). Bajo el reinado de Sobhuza I (1815-1839) comenzó a manifestarse la penetración bóer con la llegada de los pioneros del Gran Trek (1836). Mswati (1839-1869) creó un ejército organizado según el modelo del ejército zulú de Chaka, su vecino inmediato y su rival. Pero el gobernador británico de Natal le negó el protectorado solicitado y en 1845 el soberano debió ceder una parte de su territorio a la República de Sudáfrica (Transvaal). A partir de 1880 la penetración extranjera se acentuó con la llegada de los colonos agrícolas bóers y aventureros británicos atraídos por el oro (descubierto en 1882). Las convenciones anglo-bóers de 1881 y 1884 garantizaron la independencia de Swazilandia, pero finalmente se convino que en 1894 se convirtiera en un protectorado de la República de Transvaal hasta el final de la guerra anglo-bóer, en que los derechos de protectorado quedaron en manos de Gran Bretaña. En 1963 se promulgó una constitución que dotó al país de un Consejo Ejecutivo y un Consejo Legislativo. En 1965 se anunció la formación de un comité para revisar la Constitución, y en 1966 se promulgó una nueva, concediendo autonomía interna al país bajo la protección británica. A petición hecha en 1967 por el Parlamento de Suazilandia, el Reino Unido le concedió la plena independencia en 1968.

En 1973 el rey Sobhuza II abolió la Constitución y asumió los poderes judicial, legislativo y ejecutivo. Posteriormente, el rey abandonó sus proyectos para establecer una monarquía constitucional y organizó al país sobre una base tribal, a pesar de las protestas de la oposición. En octubre de ese mismo año se celebraron elecciones. Muerto el rey en agosto de 1982 la reina Ntombi asumió plenos poderes en calidad de regente hasta que su hijo, el príncipe Makomsimvelo, accediera al trono, suceso que ocurriera en 1986 cuando fue coronado con el nombre de Mswati III. A pesar de su juventud, el monarca impuso sus criterios políticos al obligar al primer ministro Sotsha Dlamini (nombrado en 1986) a presentar la dimisión en 1989. Le sustituyó Obed Dlamini, un reconocido sindicalista. Tras las elecciones al parlamento de octubre de 1993, el príncipe Jameson Mbilini (tradicionalista) fue designado primer ministro. En enero de 1995 se produjeron varios incidentes reivindicativos atribuidos a sectores favorables a la democratización del país, y en 1996 los movimientos de la oposición lanzaron una campaña en el mismo sentido, pidiendo el exilio voluntario temporal del rey y la reimplantación del multipartidismo, ante lo cual Mswati III anunció reformas (mayo de 1996).

Swedenborg, Emmanuel

(1688-1772). Filósolo teósofo y científico sueco. En un principio su único interés fue la ciencia. Inventó un aparato para transportar por tierra las embarcaciones pequeñas, una trompeta para sordos y un método para orientarse según las estrellas. Esbozó además varios interesantes proyectos: un nuevo tipo de fusil, un submarino y una máquina voladora. Sus conocimientos de mineralogía y astronomía eran también notables; su teorías sobre los orígenes del universo anticiparon las del francés Pierre Simon, marqués de Laplace.

A los 55 años de edad tuvo una revelación mística y su vida cambió completamente. Desde entonces hasta su muerte creyó hablar con seres celestiales, de los que recibió misteriosas revelaciones y visitó el cielo y el infierno. Con la narración y el comentario de estas visiones compuso varias obras; las más conocidas son *Arcanos celestes*, *Nueva Jerusalén*, *Sabiduría y amor divinos* y *El cielo y el infierno*. Estos libros fueron la base de una nueva religión, de inspiración cristiana, llamada Iglesia de la Nueva Jerusalén, que cuenta con adeptos en Inglaterra y Estados Unidos.

Swift, Jonathan

(1667-1745). Escritor inglés, nacido en Irlanda. Es mundialmente conocido como autor de *Los viajes de Gulliver* (1726), libro aparentemente de aventuras, pero que es en realidad una complicada sátira de las ideas y costumbres de su tiempo. Un lectura más atenta revela la amargura con que Swift juzgaba a los hombres. En su juventud, fue secretario de sir William Temple. En 1695 se ordenó sacerdote de la Iglesia anglicana y llegó a ser deán de la catedral de San Patricio, en Dublín. De ideas conservadoras, atacó a los políticos liberales en numerosos artículos. cuyo interés es aún hoy notable, no por el tema principal sino por las digresiones, en las que se combaten todos los vicios humanos. Muy importante en su vida fue también la amistad de dos mujeres, Vanesa y Estela, a quien cuidó y protegió. De la relación con una de ellas nació el *Diario a Estela*, libro donde es posible estudiar el carácter y las costumbres del autor. Sus obras en prosa *La batalla de los libros* (ataque a la pedantería de los aficionados a la antigüedad) y *El cuento de la tina* (sátira contra la insinceridad en materia de religión), lo situaron entre los más grandes escritores de lengua inglesa.

Swinburne, Algernon Charles

(1837-1909). Poeta inglés. La musicalidad de sus versos no ha sido superada por ningún otro en su patria. De familia aristocrática, cursó estudios en Eton y en Oxford. Se asocio temporalmente con los poetas de su época, principalmente los prerrafaelistas, con los que tuvo puntos de contacto. Su libro *Poemas y baladas* (considerado hoy, junto con el poema dramático *Atalanta en Calydon*, una de sus mejores obras) provocó una tempestad entre los críticos, principalmente a causa de sus ideas paganas y de su desprecio de las convenciones sociales.

Swinnerton, Frank Artur (1884-

1926). Novelista y crítico inglés que ha sido señalado como un Charles Dickens moderno por la exactitud con que plas-

Corel Stock Photo Library

Vista nocturna de la Casa de la Ópera en Sydney, Australia.

ma en sus obras la vida londinense. Su novela *Nocturno*, publicada en 1917, obtuvo un rápido éxito en su patria y fue traducida a varios idiomas, lo que le dio renombre universal. *El joven Félix, Coqueta, Dos esposas, El corazón alegre, La dama afortunada, Tormenta de verano* y *La hermana mayor*, se encuentran entre lo mejor de su obra.

Sydenham, Thamas (1624-1689).

Médico inglés. Cursó sus estudios en Oxford, y los amplió en Montpellier (Francia) y en Cambridge. Ejerció su carrera en Londres, destacándose pronto como uno de los más notables médicos de su tiempo. Realizó importantes trabajos sobre las enfermedades epidémicas. Fue un gran clínico, y estableció la diferencia entre la viruela y la escarlatina, la gota y el reumatismo agudo. Contribuyó a la propagación del empleo de la quinina para el tratamiento del paludismo, y del hierro para la anemia, y descubrió la preparación de opio conocida como láudano de Sydenham. Publicó sus *Observaciones médicas*.

Sydney. Ciudad capital del estado de

New Wales del Sur (Australia), en la bahía de Port Jackson calificaba entre las mejo-

(De izq. a der.) edificios del centro, puente Sydney y vista de los jardínes botánicos reales en Sydney, Australia.

Corel Stock Photo Library

Monorriel en el puerto de Darling, en Sydney, Australia.

Corel Stock Photo Library

res del mundo y que penetra 35 km tierra adentro. Población: 3.623,600 habitantes. Importante centro comercial de gran actividad portuaria, con grandes astilleros, arsenales e industrias metalúrgicas. Tiene, también, fábricas de productos químicos, tejidos, aparatos eléctricos y alimentarios. Es gran centro de la industria lanera australiana. Ciudad moderna con hermosos alrededores, tiene universidad (1850), museos de arte e institutos técnicos. Fue fundada para servir como colonia penal (1788), transformándose luego en gran ciudad de la confederación australiana por su excepcional posición geográfica. Un gran puente de acero con arco de luz de 500 m cruza un sector de la bahía. En 1986 la reina Isabel II firmó la *Australian Act* que estableció la independencia legislativa y jurídica de Australia. Desde entonces la capital de este país en la ciudad de Canberra.

syllabus. Designación de dos catálogos o repertorios que señalan los errores del pensamiento moderno condenados por los papas Pío IX y Pío X. El primero o de Pío IX consta de 80 tesis, divididas en 10 grupos, en los que se registran escuelas filosóficas, credos políticos, temas de moral, derecho, ética y costumbres, concepto del matrimonio, etcétera, considerados heréticos, nocivos o erróneos por la Iglesia católica. Fue promulgado el 8 de diciembre de 1864, con la Encíclica *Quanta Cura*. El segundo, del mismo carácter, contiene 65 proposiciones y fue promulgada por el papa Pío X en 1907.

Synge, John Millington (1871-1909). Dramaturgo irlandés. Sus obras reflejan la vida del campesinado de su patria, incluyendo sus costumbres, creencias y leyendas. El vigoroso soplo poético que anima todos sus dramas lo colocó en la vanguardia del movimiento literario irlandés de comienzos del siglo XX, encabezado por William Butler Yeats, que revivió el gusto por los relatos y mitos primitivos de su país. Entre sus obras más notables figuran *Jinetes hacia el mar* (1904), *Deir-*

dre, la de las tristezas (1910) y *El pozo de los santos* (1905).

Szent-Györgyi, Albert von (1893-1986). Bioquímico húngaro, nacionalizado estadounidense. Estudió en Hamburgo, Groninga y Cambridge, pasando luego a la Mayo Clinic de Rochester. Profesor de las universidades de Budapest, Szeged y Cambridge. En 1947 fue nombrado director del Institute for Musole Research del marine Biological Laboratory, en Woods Hole. Estudió la contracción muscular, descubriendo la actina y construyendo músculos artificiales mediante filamentos de actomiosina. Se ocupó de la división celular. Efectuó importantes investigaciones sobre los procesos biológicos de la oxidación y fermentación, y descubrió la vitamina C, dándole el nombre de ácido ascórbico. En 1937 se le concedió el Premio Nobel de Medicina o Fisiología.

Szymborska, Wislawa (1923-). Poeta polaca. *Por eso vivimos* (1952) y *Preguntas planteadas a mí misma* (1954), dos pequeños volúmenes de poemas influidos por el realismo socialista dominante, la dieron a conocer. Su obra posterior acentuó, con un peculiar distanciamiento irónico, la línea intimista y la preocupación existencial: *Llamada a Yeti* (1957), *Sal* (1962), *Cien consuelos* (1967), *En cualquier caso* (1972), *Gran número* (1976), *Gente en el puente* (1986), *Fin y principio* (1993). Paisaje con grano de arena, publicada en castellano en 1997, es una antología que reúne 100 poemas publicados en sus anteriores libros. Galardonada con el Premio Nobel de Literatura en 1996.

Vista panorámica de la ciudad de Sydney en Australia.

Corel Stock Photo Library

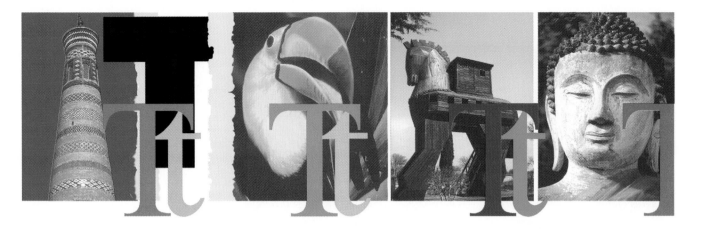

T. Vigésima primera letra del alfabeto español y decimséptima de sus consonantes. Su nombre es *te*. Era la última letra de los alfabetos semíticos y sigue ocupando este lugar en el hebreo moderno. Se caracteriza como consonante sorda, dental y oclusiva. Antiguamente tenía la forma de aspa (X), que andando el tiempo se transformó en cruz (t); y su nombre semítico era *tau*, palabra que significa *marca* o *signo*. Pasó al idioma griego, en cuyos manuscritos más antiguos aparece escrita en la forma T, de la cual procede la actual. Como abreviatura significa, en música, *tempo* y *tutti*; en física, temperatura absoluta (T) y temperatura centesimal (t); y en el comercio, tara y tonelada. En química es símbolo del tritio (T).

taba. Juego que consiste en lanzar al aire una taba (hueso del tarso, llamado también astrágalo) de carnero; si, al caer, queda hacia arriba el lado más cóncavo, llamado carne o suerte, se gana; si queda en esa posición el lado opuesto, se pierde, y si cae de costado, no hay juego. Es juego antiguo, pues ya los primitivos griegos lo conocían, y aún se cultiva en América donde fue introducido por los españoles. De este juego se hizo un arte de la adivinación; la astragalomancia, tenido en gran estima en la antigüedad y practicado oficialmente en el templo de Hércules. En el siglo XVII las muchachas se servían de la taba para adivinar quién y cómo sería el novio que les deparase el destino.

tabaco. Planta de la familia de las solanáceas que forma el género *Nicotiana*. La especie más importante recibe el nombre de *Nicotiana tabacum*. Es originaria de América y posee raíz fibrosa y un tallo que puede medir hasta 2 m de altura. Sus hojas, secas y preparadas, se fuman en forma de cigarros, cigarrillos (hebra o picadura) y en pipa.
Historia. Desde tiempos remotos, los indios americanos cultivaron el tabaco y lo usaron como planta medicinal, tóxica y mágica. Lo fumaban, mascaban o lo tomaban como rapé en diversas ceremonias religiosas. Cuando Cristóbal Colón y sus compañeros llegaron a la Española pudieron observar que la costumbre de aspirar humo por la nariz estaba muy extendida entre los indios, pero fue Gonzalo Fernández de Oviedo quien dio las primeras noticias acerca del tabaco y su empleo en el Nuevo Mundo. Los españoles llevaron el tabaco a Europa al comenzar el siglo XVI y establecieron los primeros cultivos de esa planta, pero el tabaco no se puso de moda hasta que el francés Jean Nicot embajador en Portugal, lo llevó a su país en 1560, y su uso se extendió en los siglos XVII y XVIII. Sin embargo, el empleo del tabaco encontró resistencia en diversas autoridades, como en Jacobo I de Inglaterra, que lo prohibió en su país en 1604, y el papa Urbano VIII que condenó la costumbre de algunos sacerdotes, que tomaban tabaco en forma de rapé mientras oficiaban misa. También se opusieron al tabaco los emperadores ruso y turco y el sha de Persia. A pesar de todo ello, el hábito del tabaco se extendió rápidamente por todos los países y no tardó en convertirse, como monopolio, en manantial de ingresos para todos los Estados. En cuanto a su forma de uso, en una larga primera etapa, el tabaco se consumió principalmente en forma de cigarros puros, como tabaco para pipa y en forma de rapé. Más tarde los cigarrillos se popularizaron, sobre todo gracias a los combatientes europeos que participaron en la guerra de Crimea (1853-1856) y adoptaron la costumbre turca de fumar *cigarros de papel*. En la ciudad de Richmond, Estados Unidos, se instalaron poco después las primeras máquinas automáticas para la fabricación de cigarrillos.

Característica del siglo XX, y paralela a la gran difusión del hábito de fumar, ha sido la conciencia de los efectos negativos del tabaco para la salud del hombre, estimulados por los diagnósticos médicos, lo que propició el desarrollo de importantes campañas antitabaquistas en todo el mundo.
La planta. Al alcanzar su desarrollo completo, la planta de tabaco mide entre 60 cm y 2 m de altura, según las condiciones del suelo y del clima. Sus hojas son alternas y van unidas directamente al tallo sin presentar pecíolo; tienen forma oval o lanceolada y su tamaño es sumamente variable. Según el lugar que ocupan en la planta, se clasifican en tres categorías: bajeras, medianas y coronas. Éstas, las más pequeñas, maduran en último término. Las hojas contienen un porcentaje apreciable de sustancias minerales y a ello se debe la elevada cantidad de ceniza que dejan al quemarse. La sustancia más importante que contienen es una base bivalente llamada nicotina, la cual, unida a los ácidos málico y cítrico, forma el alcaloide venenoso del tabaco. La nicotina se presenta como un líquido incoloro, de aspecto aceitoso y de olor intenso, y actúa como un veneno poderosísimo. Las hojas simplemente desecadas contienen una proporción apreciable de nicotina. No ocurre lo mismo en las hojas sometidas a los procesos modernos de fermentación, que son las que se usan en los cigarrillos, buena parte de la nicotina se volatiliza o se descompone en otras sustancias.
La cosecha. Cuando las hojas llegan a la madurez, se inicia el proceso de la cosecha, que se realiza mediante dos procedimientos: por hoja o por planta. El primer método, que consiste en seleccionar las hojas de mejor calidad, es el más apropiado para la obtención de tabacos finos y exige la intervención de cosecheros muy expertos. La cosecha por planta consiste, como su nombre lo indica, en cortar cada planta por la base. Presenta el inconveniente de que todas las hojas no han alcanzado el mismo grado de madurez: las bajeras ya están algo pasadas, las medianas se hallan maduras y las de corona están todavía verdes.

Sea cual fuere el procedimiento que se utilice, las hojas o las plantas se dejan reposar en el suelo durante varias horas. Se inicia entonces el proceso llamado curación o secado, que se practica siguiendo métodos muy diferentes, según los países. En el transcurso de este periodo las hojas se van tornando amarillentas y aparecen paulatinamente las características de textura y elasticidad que habrán de influir so-

tabaco

Distintos tipos de tabaco en rollo.

bre su calidad. En el proceso se emplean hornos de muy diversos aspectos, que mantienen una temperatura uniforme y una humedad abundante, por lo general superior a 80%; la humedad va siendo eliminada luego, en forma gradual, hasta que las hojas quedan completamente secas.

Concluida la operación del secado, las hojas se colocan sobre tablones formando pilas de aspecto rectangular, en las que permanecen durante varios días. El objeto de estas pilas consiste en uniformar el color de las hojas. Éstas se clasifican de acuerdo con patrones oficiales y se reúnen en manojos o gavillas de 10 o más hojas, que se unen luego por los cabos, utilizando otra hoja de la misma clase, que se arrolla en torno a la gavilla. Los manojos son reunidos a continuación en fardos, que quedan listos para su transporte a las fábricas. El tabaco puede permanecer en los depósitos durante tres o cuatro años sin que pierda su aroma, pero en general se considera que el periodo ideal es de un año.

Calidades. El grado o clase de un tabaco depende de su aroma y de su gusto; estos factores dependen, a su vez, de la calidad, que es determinada mediante ensayos de laboratorio. Los químicos estudian la textura, el color, la integridad, la aceitosidad, la elasticidad y el tiro de cada hoja.

La textura, también llamada cuerpo o grano, se refiere al espesor de la hoja, el cual depende de la situación que ésta ocupaba en la planta; las hojas bajeras y medianas son generalmente de textura fina y las de corona son gruesas. El color permite determinar, con gran precisión, el gusto y el aroma del tabaco. Los cuatro colores clásicos son el castaño, el amarillo, el amarillo-verdoso y el verde; los clasificadores expertos distinguen numerosos matices dentro de estos cuatro grupos. La integridad es la capacidad de la hoja para permanecer intacta; tiene gran importancia en la elaboración de los tabacos destinados a cigarros de hoja. La aceitosidad o gomosidad depende de la cantidad de resinas y aceites que cubren la superficie de las hojas. La elasticidad es la propiedad que tiene la hoja de volver a su forma primitiva después de haber sido estirada. El tiro también llamado resistencia a la ruptura, se mide calculando el esfuerzo necesario para romper un trozo de hoja. Todas estas características se miden con gran precisión en los laboratorios tecnológicos de las fábricas.

Producción mundial. El tabaco es una planta indígena del Nuevo Mundo, pero hoy se cultiva en todos los continentes. La principal zona productora es la región subtropical húmeda, aunque existen plantaciones en regiones tropicales.

El primer país productor del mundo son Estados Unidos, cuyas extensas plantaciones abarcan el llamado *cinturón tabacalero* de los estados del este: Virginia, Carolina, Kentucky, South Carolina y Tennessee. Aunque no existen estadísticas precisas, se supone que China es el segundo productor mundial de tabaco. La planta es cultivada en los terrenos que pueden ser inundados para producir arroz, y el rendimiento por hectárea es muy reducido. Aparte de los subtrópicos húmedos, casi todos los países del mundo poseen cultivos de tabaco. La planta se adapta con facilidad a los más diversos climas, a condición de que éstos no sean fríos, y ha encontrado excelentes ámbitos naturales en la India y Brasil. En países de clima subtropical mediterráneo(Grecia, Bulgaria, Turquía y Siria) abunda el tabaco llamado turco. En países de clima húmedo continental, como Canadá, Alemania, Polonia, Suecia y las naciones de Europa Occidental, también hay plantaciones que abastecen las necesidades locales. Casi todos los países del mundo tienden a cubrir las necesidades de su población con tabacos nacionales, pero los producidos en Tracia, Macedonia, Turquía, Estados Unidos y Cuba son objeto de amplio comercio internacional.

Cuba ocupa un lugar particularísimo en el comercio internacional de tabaco, cultiva cantidades reducidas, pero de calidad tan elevada que ha conquistado numerosos mercados. En la provincia de Pinar del Río se plantan, de octubre a noviembre, cientos de hectáreas de un tabaco de singular calidad; las plantas comienzan a crecer al terminar la estación húmeda, alcanzan su pleno desarrollo durante los meses secos, se recolectan y son llevadas a las fábricas de La Habana, donde se elaboran finísimos cigarros de hoja, conocidos por el nombre de habanos.

En los Balcanes y en Turquía se cultiva una planta de hoja muy pequeña, de aroma característico y gusto muy suave, que es recogida por varios millares de mujeres y sometida a un proceso especial de curación. El nombre -por demás inexacto- de *tabaco turco* ha hecho famoso a este producto en el mundo entero.

Efectos del tabaco. Solamente en Estados Unidos se consume anualmente un promedio de 400 mil millones de cigarrillos, 6 mil millones de cigarros puros, y 80,000 ton de tabaco para fumar en pipas, para mascar y en rapé. El número de personas adultas que fuman cigarros y cigarrillos varía, según los países, entre 50 y 80%. Se considera que el tabaco perjudica la salud porque contiene nicotina, droga que en estado puro es sumamente venenosa. El acto de fumar puede producir un aumento temporal en la presión sanguínea, por lo cual los médicos prohíben el cigarrillo a las personas que padecen enfermedades del corazón. El tabaco también es perjudicial para las víctimas de la tuberculosis. Usado en exceso, tiende a disminuir el apetito y a perturbar los procesos digestivos. Aparte de todo esto, el humo puede producir una irritación de los ojos. El acto de inhalar el humo del tabaco parece que excita el sistema nervioso en forma temporal; el hábito de fumar nace a veces de esta circunstancia, unida al gusto por el humo fragante. En 1964 se publicó en Estados Unidos un voluminoso informe titulado *El hábito de fumar y la salud*, con las conclusiones de la comisión médica oficial designada para dictaminar sobre los efectos del tabaco. Apoyándose en datos impresionantes, el informe estableció que fumar constituye un peligro grave para la salud. Entre los efectos altamente nocivos de fumar cigarrillos figuran, según el informe, los de producir cáncer, principalmente pulmonar.

tábano. Insecto díptero de color pardo que generalmente mide 2 o 3 cm de longitud. Pertenece a la familia de los tabánidos y es un animal de cuerpo algo aplanado, cabeza ancha y vuelo sumamente veloz. La hembra tiene una trompa o probóscide rígida y puntiaguda con la que puede atravesar la piel del ganado vacuno o equino y chupar su sangre.

Tábara, Enrique (1930-). Pintor ecuatoriano. Adscrito en un principio a las tendencias del expresionismo abstracto, una vez que se estableció en Europa asimiló las influencias del informalismo español y empezó a orientarse hacia un constructivismo geométrico que también incorporó la temática precolombina a una pintura de efectos mágicos. Diversos museos europeos y latinoamericanos guardan exponentes de su obra.

Tabasco. Estado de México. Tiene 24,661 km² y 1.501,744 habitantes. Limita con el golfo de México, los estados mexicanos de Veracruz, Chiapas y Campeche y con la República de Guatemala. Sus principales centros de población son Villahermosa, capital del estado, con 163,000 habitantes; Frontera, Tenosique, Benito Juárez, Comacalco, Macuspana, Huimanguillo, Jalpa y Cárdenas. El terreno es llano, bajo, y en ciertas regiones pantanoso, con algunas elevaciones al sur y al este, que forman, entre otras la Sierra de Tortuguero y varios cerros. El litoral tiene marismas, playas y albuferas. Hay numerosos lagos y ríos, entre ellos el Usumacinta, que nace en Guatemala, el Grijalva, el San Pedro y San Pablo y el Seco. El clima es cálido, húmedo y lluvioso.

La fertilidad tropical del suelo es de gran riqueza, y produce caña de azúcar, arroz, frijol, maíz, plátanos, cacao, café, cocos y muchos otros frutos. En las grandes selvas tropicales se explotan maderas preciosas, de construcción y tintóreas, plantas medicinales, chicle, resinas, hule (caucho) y otras. La ganadería es importante y la riqueza pesquera notable. Existen cortes y aserraderos de madera, ingenios de azúcar, destilerías de alcohol, molinos de arroz, fábricas de calzado y otras industrias. Es gran productor de petróleo. La abundancia de ríos permite la navegación y el transporte fluvial. Está unido por ferrocarril, carretera y líneas aéreas con el resto de la nación. Sus comunicaciones marítimas se efectúan por el puerto de Frontera en la desembocadura del río Grijalva.

Historia. En 1518, Juan de Grijalva exploró las costas de Tabasco y al año siguiente Hernán Cortés sostuvo combates con los indios tabasqueños. Durante la dominación española fue agregado a la provincia de Yucatán y posteriormente a la Intendencia de Veracruz. Después de independizarse México, Tabasco fue erigido en estado en 1824.

tabernáculo. Lugar donde los hebreos tenían colocada el arca del Testamento o de la Alianza. Era una construcción portátil que servía de santuario a los antiguos israelitas y comprendia fundamentalmente dos cosas: el recinto donde estaba y el tabernáculo mismo. El tabernáculo era de madera de acacia y cada tablero llevaba en su parte inferior dos espigas destinadas a encajar en un zócalo de plata. El tabernáculo tenía triple simbolismo: santuario, lugar de reunión y lugar de testimonio. Según el Éxodo, el Señor había dicho: "Me harán un santuario y habitaré en medio de ellos". El pueblo hebreo vivía entonces en tiendas y se trasladaba en ellas camino de la tierra prometida, y era preciso que el Señor tuviese también un santuario portátil en que pudiese ser trasladado. Para conmemorar este hecho, el pueblo judío instituyó la Fiesta de los Tabernáculos, en memoria de haber habitado sus mayores en el desierto debajo de las tiendas. Estas fiestas duraban ocho días y eran de las más solemnes que celebraba este pueblo. Comenzaban el 15 del mes de *tisri* (septiembre-octubre) en tiendas hechas en los terrados y en los patios cubiertos de ramajes y debajo de ellos los hebreos comían y celebraban el paso del desierto camino de Canaán. En la liturgia católica, la palabra tabernáculo designa el templete fijo colocado en el centro del altar para conservar en él al Santísimo Sacramento.

tabes dorsal. Enfermedad grave del sistema nervioso semejante a la ataxia locomotriz y a la parálisis. Se distingue por una marcada falta de coordinación en la acción de ciertos músculos, notándose preferentemente en las extremidades inferiores que hacen el paso del enfermo, en extremo dificultoso. Aunque no hay parálisis completa, la sensibilidad del paciente disminuye. La ausencia de energía va progresando gradualmente y en las últimas etapas de la enfermedad aparecen nuevos trastornos tales como falta de visión clara y cansancio. Los cordones posteriores de la médula espinal sufren alteraciones así como los nervios sensoriales de la misma. El curso de duración de esta dolencia tarda meses y a veces años. El enfermo camina con paso inseguro, como si estuviese ebrio, aunque a ratos recobra el equilibrio en parte. La voluntad sufre también ciertas inhibiciones y hasta para recoger un objeto que se ha caído el enfermo tiene que ayudarse con ambas manos. Si cierra los ojos, caminará con dificultad extrema. Las esperanzas de curación son casi nulas. El enfermo de tabes dorsal debe practicar una higiene constante, mantenerse bien abrigado y alimentado y gozar del mayor descanso posible. El tratamiento médico incluye la pirectoterapia y la quimioterapia con arsfenamina, bismuto y triparsamida.

tabla o mesa redonda. Orden de caballería, probablemente de origen celta. Se supone que la instituyó en York el rey Artús o Arturo, siguiendo los consejos del sabio encantador Merlín. La integraban al comienzo 24 caballeros, pero después llegaron a figurar en ella 50. El nombre de los Caballeros de la Tabla Redonda, procede del hecho de sentarse en torno de una

Ruinas del castillo del rey Arturo, mítico fundador de la orden de la tabla o mesa redonda, en Tintagel, Inglaterra.

tabla o mesa redonda

mesa (tabla) redonda en prueba de igualdad, para evitar rivalidades de preferencia por ocupar la cabecera de la mesa. Los nombres de todos estos caballeros están grabados en una mesa redonda de mármol que se conserva en el castillo de Winchester (Inglaterra). Los más conocidos son: Amadís, Galaor, Gauvain, Tristán, Lancelote, Perceval (o Parsifal) y Palamedes. Robert Wace, poeta anglonormando, se ocupó de ellos por primera vez en 1155, en una obra titulada *Roman de Brut*, y dio vida a antiguas tradiciones celtas. Ésta es una novela en prosa en la que se fusionan las leyendas sobre el rey Arturo de Bretaña y las tradiciones místicas relacionadas con el Santo Grial o Graal. Posteriormente, el poeta francés Roberto de Borón introdujo en las leyendas del mencionado rey el simbolismo de tradiciones cristianas. Pero, en todas las narraciones, el rey Arturo siguió siendo el centro del relato. Su esposa Ginebra, huyó con Lancelote. Arturo para vengar tal deshonra, persiguió a los fugitivos, quienes se pusieron bajo el amparo de los sajones. El rey les entabló combate, fue gravemente herido y murió poco después. El pueblo nunca creyó en la muerte del rey Arturo y esperó siempre su retorno para derrotar a los sajones. De estos hechos nació la leyenda que poetas y trovadores hicieron circular por el mundo europeo medieval. El simbolismo del Santo Graal celta y el honor mancillado del rey Arturo, junto con el valor de los caballeros de la Tabla Redonda, llenaron todo un ciclo novelesco, que tuvo su epílogo burlesco en el *Quijote*, de Cervantes. En España y Francia, principalmente, se escribieron innumerables relatos acerca de este personaje y de los caballeros de la Tabla Redonda en Bretaña y en otras regiones de cultura celta. Estas novelas han sido incorporadas a la historia de la literatura, en una vasta compilación dividida en seis partes, que comprenden los siguientes libros: *Santo Grial, Merlín, El libro de Arturo, Lancelote, Búsqueda del Santo Grial y La muerte de Arturo*. Éstos son los primitivos libros de caballería inspirados directamente en los tres elementos básicos de la leyenda. Pero, posteriormente y en especial durante el siglo XIV aparecieron numerosos títulos más, como *Tristán de Leonís, El caballero del León, Lancelote del Lago, Perceforest, Flor y Blancaflor* y otros muchos que llevaron a Don Quijote a la locura caballeresca. Los autores de estos libros se escudaron en el anonimato. Los románticos se sirvieron de estas leyendas, y en ellas se inspiraron poetas como Alfred Tennyson y compositores como Richard Wagner, quien ha tomado este asunto para su ópera *Parsifal*.

Tablada, José Juan (1871-1945). Poeta y escritor mexicano. Escribió en verso y en prosa, cultivó la novela, el periodismo, la crítica literaria y artística. Colaboró con Amado Nervo en la *Revista Moderna*, y se inició en la poesía afiliándose al simbolismo. Su primer libro de versos, *El florilegio* (1899), le abrió las puertas de la celebridad. De estilo nervioso y refinado, propenso al exotismo, lo sedujeron las novedades estéticas y su producción comprende versos simbolistas, poemas sintéticos, disociaciones líricas, versos ideográficos, y otras formas poéticas de extrema vanguardia. Entre sus obras poéticas se destacan *La Feria* (1928), *Li-Po* (1920) y *Al Sol y bajo la Luna* (1918), y entre las de prosa, *La resurrección de los ídolos, Hirosigué y Los días y las noches de París* (1918).

Tablas Alfonsinas. Compilación de datos astronómicos de la época medieval efectuada a iniciativa de Alfonso X de Castilla. Para su redacción se utilizaron las tablas de Tolomeo y Albategnio, que fueron cuidadosamente revisadas, ordenadas y corregidas por una comisión constituida en Toledo y formada por astrónomos famosos, cristianos, judíos y árabes. Aparecieron en 1252 y se hicieron luego nuevas ediciones, estimándose como una de las más notables las realizadas por Hamellius en el siglo XVI. Se hallan calculadas sobre el meridiano de Toledo y contienen, entre otras cuestiones, un baremo para la conversión de los días, horas, minutos y segundos y sexagesimales de día, en grados.

Tablas de la ley. *Véase* DECÁLOGO.

Tabor. Monte situado en el norte de Palestina, en la llanura de Esdraelón, a 8 km de Nazaret. Tiene 561 m de altura. Es de forma cónica, con vegetación en sus laderas. A pesar de su escasa altura, domina la Galilea, y la tradición sostiene que allí tuvo lugar el milagro de la Transfiguración de Cristo. En la cima se alzó en los primeros tiempos del cristianismo una basílica, y luego hubo una fortaleza.

Taborga, Lola (1890-). Poetista y novelista boliviana. Nació en Cochabamba. Conocida también como Lola Taborga de Requena. Premiada en varias ocasiones, sobre todo en los Juegos Florales celebrados en 1932. Autora de *Genio hispano* y *María Dolores*. Una de las mujeres más conocidas en la literatura del país.

Tabriz. Ciudad capital de la provincia de Azerbaiján Oriental, en Irán (Persia) a 1,348 m de altura. Intenso comercio de frutas secas y cueros, y notables industrias de manufactura de tapices y alfombras. Tiene 971,482 habitantes, en su mayor parte turcos, kurdos, iranios, rusos y armenios. Ha sufrido varios terremotos, el peor fue el de 1721 en que perdieron la vida más de 80,000 personas. Antiguamente fue importante punto de parada en las rutas comerciales entre Asia y Europa. En el año 297 era la capital del reino de Armenia y se llamaba Tauris. Está enlazada por ferrocarril a Teherán y la ciudad de Bakú, capital de la República de Azerbaiján.

tabú. Palabra de origen polinesio que los nativos de algunas islas de Oceanía aplican a ciertos objetos y seres. Un animal que no puede ser cazado ni comido por los miembros de la tribu, un jefe que no puede ser mirado por sus inferiores, son tabú. El hombre que no tiene en cuenta estas prohibiciones es declarado también tabú y a veces castigado con la muerte. Es interesante observar que un objeto valioso está casi siempre acompañado por un tabú. Así, por ejemplo, una cosecha es abundante cuando durante su recolección se evitan cuidadosamente ciertos actos. Si la cosecha fracasa, se atribuye el desastre a un hombre que no ha respetado las prohibiciones. Se ha observado que el tótem, animal que representa a la tribu, es también tabú. Los objetos naturalmente sucios o impuros, las fuerzas misteriosas de la naturaleza, las cosas extrañas y nuevas, pueden ser convertidas en poderes beneficiosos, según estos indígenas, sólo después de ciertas ceremonias. Muchas supersticiones modernas (no volcar sal sobre la mesa, no abrir un paraguas dentro de una habitación) son en realidad formas occidentales del tabú primitivo.

tacamaca. Planta arbórea de América tropical, de la que fluye una resina amarillenta rojiza, aromática. Tiene tronco muy grueso y fuertemente ramificado, con hojas compuestas de cinco foliolos, verdes brillantes de limbo ovoide. Las flores son axilares y brotan formando panojas de pétalos blancos.

Tacámbaro. Municipio mexicano del estado de Michoacán (43,628 h). Su cabecera es Tacámbaro de Codallos. Está avenado por el río del mismo nombre y en él se cultivan trigo, maíz, caña de azúcar y frutas. Tiene producción ganadera, minera y azucarera.

Tacaná. Volcán perteneciente a la Sierra Madre de Chiapas, en la frontera de México y Guatemala. Tiene una elevación de 4,057 metros.

tacha. Cualquier falta, defecto o imperfección que se note en una cosa. Clavo pequeño un poco mayor que la tachuela ya que ésta es el diminutivo de tacha. Aparato grande llamado, también, tacho, que se usa en las centrales azucareras para evaporar por medio del vacío el jarabe hasta obtener una masa cristalizada. Por extensión se usa también la palabra tacha en el len-

96

guaje forense para significar cualquier motivo legal que invalide la fuerza probatoria de las declaraciones de los testigos. No debe confundirse la tacha con la inhabilitación ya que precisamente se diferencian en que en el primer caso o sea cuando se alega la tacha de algún testigo por las causales que taxativamente señalan los códigos, ésta implica una incapacidad relativa mientras que en el caso de la inhabilitación, la incapacidad es absoluta. En el escrito en que se soliciten las tachas se propondrá siempre la prueba de las mismas. Son causales de tacha: la amistad íntima o la enemistad manifiesta del testigo con algunas de las partes, el parentesco consanguíneo dentro del cuarto grado civil con el litigante que lo haya presentado, haber estado el testigo condenado anteriormente por el delito de falso testimonio. La prueba de tachas se unirá a los autos del juicio para los efectos legales pertinentes.

Táchira. Estado del oeste de Venezuela lindante con Colombia, que tiene 11,100 km^2 y que cuenta con 859,861 habitantes. Su capital es la ciudad de San Cristóbal, que tiene 245,432 habitantes. Esta zona se halla casi totalmente cruzada por la cordillera de los Andes, y la riegan numerosos ríos entre ellos el Táchira, La Grita, Uribante y el Torbes. El café constituye su principal riqueza; produce también maíz, plátanos, yuca, trigo, arroz, cacao, caña de azúcar y patatas. Lo cruzan numerosas carreteras, aparte de la Panamericana.

Tácito, Cayo Cornelio (55?-125?). Historiador romano. Fue pretor, cónsul y gobernador de la provincia de Asia. Cinco de sus obras han llegado hasta nosotros. El *Diálogo de los oradores* (76-77 d. C.) trata de la decadencia del arte oratoria; *El libro sobre la vida de Julio Agrícola* es una biografía de su suegro Julio Agrícola, gobernador de Bretaña; *Del origen y morada de los germanos* describe las costumbres de los antiguos germanos. Los gobiernos de Otón, Vitelio, Vespasiano, Tito y Domiciano son estudiados en las *Historias*, y en los *Anales* narra la vida de los emperadores Tiberio, Calígula, Claudio y Nerón. La descripción de la vida de este último es la obra maestra de Tácito, indudablemente el más grande de los historiadores del imperio romano. Su conocimiento del carácter humano, su sentido de la moral y la variedad, riqueza y concisión de su estilo son excepcionales.

Tacna. Departamento marítimo en el extremo sur de la República de Perú, que allí limita con Chile. Superficie: 16,063 km^2. Población: 215,700 habitantes. Capital: Tacna (172,400 h). Escasa agricultura. Ríos Locumba y Sama. Yacimientos de azufre, cobre y plomo. Fue ocupado por Chile (1880) a raíz de la guerra contra Perú y Bolivia y devuelto a Perú en 1929. *Véase* TACNA Y ARICA.

Tacna y Arica, conflicto de. Bolivia, la antigua Audiencia de Charcas, dependiente del virreinato del Río de la Plata, en sus límites con Chile, desde 1810, se había ajustado a las demarcaciones establecidas durante la época colonial. La comprobación del provechoso rendimiento que se podía obtener de los yacimientos de guano y nitrato existentes en aquella desértica región de Atacama, que se extendía desde Antofagasta hasta el límite de Perú, transformó completamente esa situación. En 1842, Chile adoptó una política francamente orientada hacia la explotación de aquellas riquezas naturales. Una ley aprobada por su parlamento estableció que el límite septentrional de la República de Chile sería el paralelo 23 de latitud sur. Como Bolivia, a su vez, lo fijó en el 26, se inició un conflicto diplomático y, a pesar de prolongadas gestiones pacificadoras de carácter internacional, en 1879 estalló la llamada guerra del Pacífico entre ambos países. Antofagasta fue tomada por las armas chilenas, e inmediatamente apareció un tercer factor: Perú, unido a Bolivia por el tratado defensivo firmado entre ambas naciones en 1873.

El peso de la guerra recayó sobre los peruanos. Los chilenos ocuparon la provincia de Tarapacá, y luego las de Tacna y Arica. Chile convino en que después de un periodo de 10 años, un plebiscito fijaría la nacionalidad definitiva de esas regiones.

El camuflaje es una táctica militar común.

Bolivia, en consecuencia, quedó aislada del Pacífico, y el puerto de Antofagasta, su única salida al litoral, con sus costas ricas en nitratos, pasaron a ser de dominio chileno. Transcurridos los 10 años, el plebiscito no pudo llevarse a cabo.

En 1922, Perú y Chile recurrieron al arbitraje del presidente de Estados Unidos, quien se pronunció por un inmediato plebiscito; pero otra vez fracasó el intento de poner fin a la disputa. Siete años más tarde, con la mediación del secretario de Estado de aquel país, Frank Billings Kellogg, ambos países convinieron en que Perú se quedaría con Tacna y Chile con Arica. Chile construiría además en la bahía de Arica un puerto y una aduana para Perú, y un ferrocarril desde Arica a Tacna, y otras compensaciones en obras públicas y dinero en efectivo. Bolivia quedaba definitivamente sin una salida al mar. *Véase* GUERRA DEL PACÍFICO.

taco. En México se llama así a la tortilla de maíz enrollada y rellena de frijoles, carne y otros manjares, ya condimentados de antemano, por lo que se sirve y se come sin otro preparativo, aunque a veces suele freírse. Se hace con diversidad de rellenos, de los que recibe el nombre y, así, hay tacos de frijoles, de barbacoa, de carnitas, etcétera. Es un alimento popular de gran aceptación. Suele preferirse cuando es necesario improvisar comidas ligeras, o como refrigerio y bocadillo que se toma entre comidas.

tacómetro. Aparato que indica las revoluciones de una máquina. El tipo más común utiliza la fuerza centrífuga. Conectado su eje principal por medio de un piñón al motor, hace girar dos pesas, que al separarse oprimen un resorte. A medida que éste se va comprimiendo, un sistema de palancas transmite su movimiento a una aguja que marca sobre un cuadrante las revoluciones obtenidas por minuto. A fin de evitar fluctuaciones, otro resorte en espiral actúa sobre la misma. Los tacómetros se usan siempre que sea necesario mantener un motor a un régimen determinado, a veces combinados con aparatos reguladores automáticos. Además de los tacómetros de tipo mecánico, entre los cuales se cuenta el anterior, hay otros de distintos tipos: vibratorios, estroboscópicos, eléctricos y magnéticos, estos últimos utilizados en los aeroplanos. *Véase* TAQUÍMETRO.

táctica. En el arte militar es el conjunto de reglas a que se ajustan en su ejecución las operaciones de las fuerzas armadas cuando se establece contacto directo con el enemigo. La estrategia es el arte de planear una campaña bélica, tratando siempre de coordinar la acción en forma adecuada, de utilizar la sorpresa y

táctica

Corel Stock Photo Library

Equipamiento táctico para situaciones de guerra química en el Golfo Pérsico.

hacer frente a lo imprevisto, de no malgastar esfuerzos y de subordinarlo todo al logro del objetivo principal. La táctica, que ha sido definida como la estrategia en miniatura, aplica estos principios generales a situaciones bien delimitadas y a los momentos en que se toma contacto directo con el enemigo. La determinación de los objetivos generales de una campaña y la concentración de los elementos bélicos necesarios en el escenario de operaciones, corresponden a la estrategia; las operaciones concretas de la batalla y el combate incumben a la táctica.

Mientras los conceptos en que se funda la estrategia han tenido una evolución más lenta a través de la historia, las normas tácticas han sufrido constantes modificaciones con cada progreso tecnológico: nuevas armas, mejores sistemas de fortificación, medios más eficaces de transporte y de comunicación, etcétera. Entre los cambios tácticos más importantes de la historia cabe mencionar los provocados por la aparición de armaduras metálicas, de fortalezas, de catapultas y, muy especialmente, por la invención de la pólvora. A partir de la época en que surgieron las armas de fuego, las modificaciones tácticas se aceleraron: el fusil, el cañón y la ametralladora obligaron a revisar numerosos métodos. Los principios de la táctica militar, expresados en forma sintética por el Estado Mayor británico, son: 1) el objetivo básico, que es la destrucción de las fuerzas enemigas sobre el campo de batalla, debe ser tenido en cuenta en todo momento; 2) la acción ofensiva es el único recurso que puede engendrar la victoria; 3) la sorpresa -ya sea estratégica o táctica, ofensiva o defensiva- es

la más eficaz de todas las armas; 4) la concentración de fuerzas superiores en el momento y el lugar adecuados, y su empleo decidido, son esenciales para el logro del éxito; 5) la economía de las fuerzas propias debe ser simultánea con el desgaste de las fuerzas ajenas; 6) la seguridad debe ser tenida en cuenta antes de realizar cualquier movimiento, previniendo las sorpresas e impidiendo que el enemigo obtenga datos; 7) la movilidad, que es la capacidad para actuar con rapidez, constituye el principal instrumento de la sorpresa; 8) el principio de la cooperación obliga a establecer un equilibrio armónico de todas las fuerzas y unidades. *Véanse* EJÉRCITO; ESTRATEGIA.

tacto. Sentido por el que se perciben las cualidades palpables de las cosas. Los órganos del tacto están situados en la piel y en las mucosas, distribuidos en regiones. Antiguamente se creía que las mismas células de la piel recogían todas las sensaciones táctiles y las enviaban por las distintas vías nerviosas al cerebro. Los fisiólogos han demostrado que para cada sensación (de calor, frío, dolor y presión) existen órganos táctiles especiales. Se ha calculado que existen en la piel humana cerca de 150 mil puntos donde se siente solamente frío. Si se toca con una aguja caliente uno de estos puntos no se experimenta una sensación de calor, solamente una leve presión. Casi siempre, sin embargo, los objetos son lo suficientemente grandes como para que actúen sobre varios puntos a la vez. Una plancha caliente, por ejemplo, nos da una sensación de calor, dolor y presión. Los puntos sensibles al calor en la piel humana son unos 16 mil; a la presión unos

500 mil y al dolor 4 millones. La diferente sensibilidad al calor, al frío, al dolor y a la presión que advertimos entre las diferentes partes de nuestro cuerpo se explica por la distribución de los puntos de sensibilidad. En algunas regiones apenas hay puntos sensibles a la temperatura, pero abundan en cambio los puntos de dolor. Una de las partes del cuerpo humano más sensible a todos los estímulos táctiles es la punta de la lengua; la menos sensible es la región de los omóplatos, en la espalda. En las aletas de la nariz, la cara anterior de los brazos, el pecho y el vientre, se perciben con claridad diferencias de temperatura muy pequeñas.

La sensibilidad táctil se mide con un compás especial llamado estesiómetro. Cuando aplicamos las puntas de este compás en determinado lugar de la piel a veces no tenemos sino una sensación. Esto significa que en la región que abarcan las puntas del compás hay sólo un punto táctil. En la lengua no es necesario abrir el compás más de 1.1 mm para que percibamos dos sensaciones distintas; en cambio, para obtener el mismo resultado en la región posterior del hombro el compás debe tener una abertura de 66 milímetros.

Tacuarembó. Departamento en el centro-norte de Uruguay. Abarca al sur el gran embalse del río Negro que lo separa del departamento de Durazno. Superficie: 21,150 km². Población: 82,809 habitantes Capital: Tacuarembó (o San Fructuoso) con 40,470 habitantes. La ganadería, rica y próspera, concentra la riqueza y primera actividad regional, y cuya importancia se refleja en la economía del país.

Tadjikistán. País de Asia Central que formó parte de la Unión Soviética como república federada hasta la disolución del Estado Soviético en 1991. Cubre una superficie de 143,100 km² y su población es de 5.359,000 habitantes. Limita al oeste y al noroeste con Uzbekistán, al norte con Kirguistán, al este con el Xinjiang Uygur y al sur con Afganistán. Su forma de gobierno es la república unitaria; su capital es Dushanbe (582,400 h) y sus ciudades principales son Hodzent, Kulyab, Kurgan-Tjube, y Ura-Tyube. Su lengua oficial es el tadjik. Su religión más importante es la musulmana sunnie. Su composición étnica se divide en tadjik (63.8%), uzbekos (24%), rusos (6.5%), tártaros (1.4%) y kirguises (1.3%) entre otros. Muy montañosa comprende en su parte septentrional los sistemas del Pamir (Pico Comunismo, 7,498 m, la cumbre más alta del país) y del Tras-Alai. Recorrido por los principales afluentes septentrionales del Amu-Daria. De clima cálido en los valles y frío en las alturas.

Sus principales recursos son la ganadería y la agricultura (algodón, cereales y caña

98

de azúcar). Tiene importantes depósitos de carbón, petróleo, cinc, uranio, radio, arsénico y bismuto; también se extrae oro, hierro, antimonio y mercurio. La industria pesada está muy desarrollada, así como la de textiles y alimenticias. Otras industrias importantes son las de cemento, calzado, siderurgia, fabricación de tractores y automóviles y química (fertilizantes); la industria de la madera y la piel se encuentra muy distribuida. Los recursos hidroeléctricos son muy importantes.

Antes de la desintegración de la URSS, Tadjikistán era la más pobre de las repúblicas soviéticas; en 1991 su renta per cápita representaba sólo 55% de la media de la Unión Soviética, lo que propiciaba la recepción de cuantiosas transferencias con origen en el presupuesto federal. La desaparición de la Unión Soviética supuso no sólo la desorganización de los intercambios comerciales, sino también la pérdida de este apoyo financiero, sustituido, aunque sólo parcialmente, por la subsiguiente financiación rusa. Desde su independencia, Tadjikistán se vio afectado además por conflictos bélicos internos, lo que contribuyó a agravar los problemas de la transición económica.

Los tadjik, diferenciados de los pueblos turcos vecinos por su sedentarismo y su lengua irania, estuvieron sometidos al imperio persa y a Alejandro Magno. En el siglo VIII su territorio fue ocupado por los árabes y en el siglo X comenzó la influencia turca. Desde entonces y hasta el siglo XVIII, los tadjik dependieron del emirato de Bujara. En 1895, cuando Rusia y Gran Bretaña decidieron crear un corredor afgano que separara sus respectivos imperios, el territorio ocupado por los tadjik quedó dividido. Después de la Revolución de octubre una parte considerable del pueblo tadjik fue incluida en la república autónoma de Tadjikistán (1924) como parte de la república socialista soviética de Uzbekistán. El 2 de octubre de 1929 se modificó su estatuto convirtiéndose en la república socialista soviética de Tadjikistán, e incluyendo la región autónoma de Gorno Badajchan. Durante el periodo soviético, las "purgas" estalinistas supusieron la salida de los tadjik de los cargos políticos en el Gobierno de la república, siendo reemplazados mayoritariamente por rusos. Pero tras la muerte de Josif Vissarionovich Dzhugashvili, llamado Stalin (1953) se produjo un ascenso de las elites locales en la nomenclatura política, que se aceleró durante la época de Leonid Il'ich Breznev (1964-1982). Un incremento de la influencia islámica se produjo hacia la década de los setenta, al tiempo que se acentuó la actitud antirusa de la población a finales de la década. La agitación política derivada de la perestroika llegó a Dushambe en febrero de 1990, polarizándose entre los comunistas y la oposición is-

lámico-demócrata. El Consejo Supremo declaró la soberanía de la república (junio de 1990), y tras el golpe de Estado contra Mikhail Gorbachev, proclamó la independencia (17 de septiembre de 1991). Elegido presidente de la república Rahman Nabiev (22 de noviembre), se adhirió a la CEI (22 de diciembre de 1991) y firmó el tratado de seguridad colectiva con Rusia y otras cinco repúblicas ex soviéticas (15 de mayo de 1992). Ingresó en la ONU y en la OSCE en 1992. Entre manifestaciones y enfrentamientos armados, la oposición islámico-demócrata se apoderó de la capital (agosto de 1992) y forzó la dimisión de Nabiev, mientras sus combates se recrudecieron en el sur del país y se generalizó la guerra civil. Las milicias procomunistas (clan de los kulyabis, del oblast de Kulyab) recuperaron Dushambe en diciembre de 1992, y más de 50,000 islamistas y demócratas tuvieron que huir para refugiarse en Afganistán. Los dos principales jefes militares de las milicias gubernamentales murieron durante un enfrentamiento entre sus respectivas bandas (30 de marzo de 1993). El comunista Emomali Rajmonov, designado presidente de la república, firmó un tratado de amistad con Rusia y solicitó ayuda para combatir a la guerrilla islamista, apoyada a su vez por los muyahidin afganos. Un cuerpo expedicionario ruso de 25,000 hombres y algunos destacamentos uzbekos llegaron a Tadjikistán con el pretexto de vigilar la frontera con Afganistán (julio de 1993). Rajmonov fue elegido presidente por sufragio universal (6 de noviembre de 1994), pero tanto la misión europea como la de la ONU negaron su aval a la consulta. Lo mismo ocurrió con las elecciones legislativas (26 febrero 1995), en las que sólo fueron elegidos los candidatos del PC. Las negociaciones entre el gobierno y la oposición fundamentalista islámica se abrieron en Asgabat (Turkmenistán) en 1996, reproduciéndose a lo largo del año diversos altos al fuego reiteradamente violados por ambas partes.

Es miembro, desde 1992, de la Organización de Cooperación Económica (OCE) y del BERD. En 1993 entró a formar parte del FMI y del Banco Mundial.

Tafilete. Oasis de gran importancia en el Sahara marroquí con una extensión de 1,400 km² y una población de 175,000 habitantes, bereberes, que se hallan diseminados en distintos pueblos, siendo el más importante el de Abuam. La fertilidad del oasis es pródiga en dátiles de gran renombre. Una extensa red de canales y acequias riega las plantaciones, contando además con pozos que suministran agua en abundancia. Las principales industrias son la preparación de dátiles para la exportación y el curtido y elaboración de pieles de tafilete que son muy apreciadas.

Taft, William Howard (1857-1930). Presidente de Estados Unidos. Político y notable jurisconsulto que ocupó altos cargos en la magistratura de su país. Gobernador de Filipinas (1901-1904); en 1904 secretario de la Guerra en el gabinete de Theodore Roosevelt (1904-1908); en 1906 gobernador de la isla de Cuba en virtud de la caída del gobierno en aquella república y la intervención estadounidense en dicho país; en 1908 sucedió a Roosevelt en la presidencia de la república. Durante su gobierno aplicó con energía las leyes sobre ferrocarriles y *trust*, lo que provocó la disolución de la *Standard Oil* y del *trust* del tabaco; promulgó importante legislación arancelaria; en el aspecto de las relaciones exteriores, propugnó el arbitraje internacional para resolver las diferencias entre naciones y la consolidación de la paz mundial. En 1921 fue designado presidente de la Suprema Corte de Estados Unidos habiendo desempeñado anteriormente la cátedra de Derecho Constitucional en la Universidad de Yale.

Tagle y Portocarrero, José Bernardo de (1779-1825). Militar y político peruano, más conocido por el título de marqués de Torre Tagle y conde de la Monclova. Nacido en el seno de una familia limeña de noble linaje, ocupó varios cargos en la administración colonial y fue diputado por Lima ante las Cortes de Cádiz. Cuando la expedición libertadora de José de San Martín desembarcó en Perú, se apresuró a declarar la independencia del país en la ciudad de Trujillo, el 29 de diciembre de 1820. Producido el retiro de San Martín (quien le honró con el titulo de marqués de Trujillo), Tagle ocupó la presidencia de la república. En los años posteriores, tuvo graves conflictos con Simón Bolívar y buscó refugio en la plaza de El Callao, sometiéndose de nuevo a las autoridades españolas; allí murió, durante el asedio de la ciudad por las tropas bolivarianas.

Tagore, Rabindranath (1861-1941). Poeta y filosofo hindú. Nació en Calcula, hijo de un famoso asceta. Comenzó a escribir poemas a los ocho años. Después de viajar por Bengala, su padre lo envió a Inglaterra para estudiar leyes, pero acabó consagrándose a la literatura inglesa; pronto el recuerdo de su tierra le hizo abandonar la Gran Bretaña y sus estudios. Sus primeros volúmenes de versos, en los que se destacan *Canto del ocaso* y *Canto del amanecer*, lo situaron entre los grandes poetas de la India. El proceso de su producción poética se puede dividir en periodos de preponderancia lírica, erótica, filosófica y religiosa. Se le tiene por la más alta representación de la literatura de la India. La fuerza y la emoción de su acento incitan a la salvaguardia de la primacía del

Lanchas pesqueras en Moorea, Tahití.

espíritu, al pacifismo, a la enseñanza de la naturaleza, y a la fraternidad universal. Abogó por un mundo "donde todas las razas y todas las naciones desarrollaran en la paz sus caracteres propios, como flores que broten del árbol frondoso de la humanidad". Le fue otorgado el Premio Nobel de Literatura en 1913, cuyo aporte destinó a la escuela *Santiniketan* (Hogar de la Paz), que había fundado y mantenía con sus recursos. Sus obras están traducidas a todos los idiomas importantes y entre ellas destacan *Gitanjali* (1914), *La media luna* (1903), *El jardinero* (1913), *Las piedras hambrientas* (1916), *Recogiendo el fruto* y *Chitra*.

tagua. Palmera de algunos países tropicales, particularmente de América, y de la cual se obtiene el llamado marfil vegetal. Su altura llega a un promedio de 10 m, que alcanza tras de un crecimiento muy lento. Sus hojas son grandes y hermosas y se extienden desde el tronco; en el nacimiento de las hojas brotan fragantes flores blancas. El fruto es grande, globular, y puede alcanzar el tamaño de una cabeza humana y pesar varios kilogramos. Su exterior es una cubierta leñosa. En el interior contiene varios frutos que cuando están maduros son duros, pulidos y blanquísimos y aumentan su consistencia con el tiempo. Antes del endurecimiento, contienen una pulpa suave y agradable al paladar. Se dejan secar y luego se embarcan en grandes cantidades para las industrias que lo aprovechan en Estados Unidos y Europa, donde se transforman en botones, piezas de ajedrez y artísticos objetos de adorno. Ecuador es uno de los países en que más abun-

da este producto, constituyendo una importante fuente de ingresos. También Colombia exporta apreciables cantidades. Como se esculpe con facilidad, abundan los artistas criollos que realizan hermosos trabajos típicos con la tagua: figuras, reproducciones históricas, mangos de paraguas y bastones, etcétera, y que los turistas buscan y pagan a buen precio. *Véase* PALMERA.

Vista de la selva tropical en Bora Bora, Tahiti.

Pah o Ptah. Divinidad egipcia de Menfis que tiene dos caracteres, el de creador y el de divinidad momiforme. El culto de Tah se incorpora también al culto animal primitivo del buey Apis en Menfis, y asimismo se halla unido al primitivo dios de los muertos, Sokar o Seker, en forma de halcón momificado, y al dios humano de la muerte Osiris, formando la triada Tah-Sokar-Osiris. Los griegos lo identificaban con Hefestos, dios del fuego.

Tahití. Isla de Oceanía, la mayor y más importante del grupo de las islas de la Sociedad, en la Polinesia. Tiene 1,042 km² y 131,300 habitantes en su mayor parte de raza polinesia, con un reducido número de franceses, chinos y anamitas. Papeete, la ciudad principal y capital de las islas, está situada en la costa noroeste y tiene 32,000 habitantes, de los cuales la mitad son franceses. La isla, de origen volcánico, es montañosa y pintoresca y está formada por dos partes o macizos montañosos casi circulares que forman dos penínsulas llamadas, la mayor, Gran Tahití y la menor Pequeña Tahití, unidas entre sí por el istmo de Taravao, que tiene 20 m sobre el nivel del mar lo que evita que las mareas lo cubran, y rodeada por numerosos bancos coralinos. La parte mayor o Gran Tahití, situada al noroeste, es la más alta y tiene montañas de laderas abruptas entre las que el pico mayor es el Orohena, de 2,236 m; está cruzada por numerosos ríos que en épocas de lluvias se precipitan formando hermosas cascadas. El clima, aunque cálido, se atenúa por las continuas brisas y es casi estable, por lo que no pueden distinguirse las estaciones. En sus fértiles tierras costeras, de exuberante vegetación, abundan cocoteros, platanares, naranjales, limoneros, caña de azúcar, vainilla y otros frutos tropicales. Hay grandes árboles de madera dura, el típico árbol de pan y una extensa variedad de flores tropicales. La fauna tiene pocos representantes y sólo se encuentran escasos números de aves y reptiles; no existen grandes mamíferos. Los peces, crustáceos y tortugas abundan en las aguas que rodean la isla y son parte importante de la alimentación de los nativos, expertos pescadores. Las principales industrias son la preparación de copra, azúcar y ron, que con la vainilla, la madreperla y los fosfatos constituyen las principales exportaciones.

El grupo de las islas de la Sociedad, a las que pertenece Tahití, es un archipiélago compuesto por unas 25 islas, de origen volcánico, rodeadas de atolones de coral. Tienen en conjunto una extensión de 1,700 km². Se dividen en dos grupos, uno al noroeste, llamado de las islas de Sotavento, que comprende las de Raiatea, Huaheine y otras, y las islas de Barlovento, la principal de las cuales es la de Tahití, a la que siguen la de Moorea, con 132 km² y 4,200 habitantes, y otras islas menores.

El archipiélago de la Sociedad fue descubierto en 1606 por Pedro Fernández de Quirós, navegante al servicio de España. Después exploraron las islas el inglés Samuel Wallis (1767), el francés Bougainville (1768) y el capitán James Cook, inglés (1769). El nombre de las islas se debe a Cook que se lo puso en honor de la Real Sociedad de Londres, patrocinadora de su viaje. Posteriormente otras expediciones y misioneros europeos, principalmente ingleses y franceses, visitaron las islas, cuya posesión se disputaron. En 1842 una escuadra francesa arribó a Tahití y Francia obtuvo el protectorado de las islas, ante la protesta de Gran Bretaña. Finalmente, en 1880 después de prolongadas negociaciones, Francia se anexó las islas, lo que fue reconocido por Gran Bretaña en 1887. Forman parte de la división administrativa llamada Polinesia Francesa (capital Papeete, en Tahití), que agrupa las posesiones insulares francesas en la parte oriental del océano Pacífico.

tahuantisuyo o tahuantinsuyo.
Nombre que los incas dieron a su imperio. Con el Cuzco por centro, los gobernantes incaicos dividieron el imperio siguiendo la dirección de los cuatro puntos cardinales y construyeron magníficos caminos en estas direcciones, con punto de partida en la capital. Estas partes se llaman suyos, que, según algunos historiadores, quiere decir región y según otros, surco. Al sureste del Cuzco extendíase el Collasuyo, que comprendía la región que comenzaba en Urcos, al sur de la ciudad imperial, y penetraba en la región del lago Titicaca, pasaba por el sur de Arequipa y llegaba hasta Chile. El Antisuyo comenzaba en el noreste del Cuzco y se prolongaba hasta los límites de la selva amazónica. Al noroeste de la capital empezaba el Chinchasuyo y se prolongaba hasta los confines del imperio. Por entre los valles de Ica y Vítor hasta la región de la costa, se extendía el Contisuyo, que partía del suroeste del Cuzco.

taiga. Nombre adoptado en fitogeografía para designar el bosque de coníferas que aparece al sur de la tundra. Es propio de los países de inviernos largos y húmedos, con temperaturas bajas y abundantes precipitaciones, y se caracteriza por la poca densidad del arbolado, comparada con la de la selva tropical; la ausencia de lianas y de plantas epifitas, su extensa área de dispersión y la abundancia de bayas y de granos comestibles, que mantienen una fauna abundante (zorro, ardilla, armiño, lobo, oso, ciervos, perdices, faisanes, etcétera). Ocupa gran parte de Siberia, Rusia, Escandinavia y Canadá. En la zona de contacto con la tundra el bosque es reemplazado por islotes de árboles enanos. Hacia el sur el bosque de hojas caducas va ocupando su lugar.

Tailandia. Reino en el sureste de Asia, conocido hasta 1939 con el nombre de Siam, que volvió a adoptar en 1945 y cambió nuevamente por el de Tailandia en 1949. Limita al norte con Vietnam y Myanmar; al oeste con Malasia y el Golfo Siam; y al este con Camboya y Laos. Capital y ciudad principal: Bangkok (5.620,591 h), cerca de la desembocadura del río Menam; sus ciudades principales son Nonthaburi (259,028 h), Nakhon Ratchasima (190,730 h), Chiang Mai (170,269 h) y Khon Kaen (120,090 h). Ocupa una superficie de 514,000 km² y tiene una población de 57.788,965 habitantes. Su lengua oficial es el tai; sus principales religiones son la budista (94.8%), la musulmana (4%) y la cristiana (0.5%). Su composición étnica está distribuida en tai (79.5%), chinos (12.1%), malayos (3.7%), khmer (2.7%) y otros (2%). Su unidad monetaria es el baht.

Geografía física. Una cadena de montañas procedentes de Birmania penetra en el norte, con cimas de hasta 2,600 m, y mantiene en el oeste el límite con dicho país; en el sur forma el cordón de Tenasserim y desciende paulatinamente. Otra cadena desciende del norte a sur por el límite este con Laos y su latitud apenas llega a 1,000 m en algunos puntos, hasta que penetra en Camboya. El resto del país, principalmente en su zona central, es una llanura fertilísima y en la cual está radicada la mayor parte de la población. Los ríos principales son el Menam, formado por las corrientes que descienden del norte y desagua en el Golfo de Siam después de 1,300 km, de recorrido, de los que los 200 km finales corresponden a su delta; y el río Mekong, cuyo curso forma gran parte de la frontera noreste con Laos. Hay otros ríos menos importantes. El clima es cálido y húmedo, y se clasifica en tres estaciones: fresca, de fines de noviembre a febrero; muy cálida, de fines de febrero a mayo; y lluviosa, de principios de junio a fines de octubre.

Geografía económica. Existen grandes yacimientos de estaño, oro, tungsteno, plata, cinc, antimonio, manganeso, cobre, plomo, carbón y algunos de piedras preciosas (zafiros), y hay densos bosques de ricas maderas, pero cuya explotación adecuada aún no han permitido las dificultades de transporte. Además, la facilidad del desarrollo agrícola en un suelo fértil y generoso, ha hecho que en la agricultura se base la economía del país; es una de las primeras naciones exportadoras de arroz. El segundo cultivo de importancia es el caucho, del que se extienden grandes plantaciones en la zona sur. Otros cultivos son: tabaco, algodón, henequén, caña de azúcar, especias y maíz.

La exportación de madera de teca también ha sido muy importante.

Educación. La enseñanza de tipo moderno se introdujo en 1871, al fundarse la primera escuela para los funcionarios reales, mientras que los monjes budistas se ocupaban en la enseñanza elemental del pueblo. En 1887 se creó el Ministerio de Educación, y poco después se promulgó una ley que colocaba a las escuelas budistas bajo la supervisión estatal. A principios del siglo XX se creó el sistema educativo con los ciclos de primaria, secundaria y superior. En 1921 se inició el periodo de educación obligatoria de ampliación del sistema escolar, que no se completó hasta 1950. Actualmente la obligatoriedad se extiende a todos los niños desde los 6 hasta los 15 años de edad, estipulándose diferentes penas pecuniarias y de prisión para los padres que no cumplen la ley.

La enseñanza superior comprende las universidades, las escuelas técnicas y las escuelas normales superiores. Hay 14 universidades, entre las que destacan las de Chulalongkorn (1917), Kasetsart (1955) la de Bellas Artes de Silpakorn (1943) Thammasat (1934) y Chiengmai. Todas ellas tienen varias facultades. Hay además algunas escuelas técnicas superiores, como el Instituto Técnico de Bangkok, fundado en 1952 en colaboración con la Misión de Operaciones de Estados Unidos, institutos técnicos provinciales, una Escuela de Artes y Oficios en Poh Chang, y una Escuela de Construcción. Hay escuelas normales para la formación de maestros, siendo la principal la de Prasarnmitr, fundada en 1949.

Forma de gobierno. La nueva Constitución del 9 de diciembre de 1991, revisada en 1992 y 1995, establece una monarquía de régimen parlamentario, con el rey como jefe del Estado. El poder legislativo reside en un Parlamento bicameral (Asamblea Nacional), con una cámara baja o Casa de los Repiesentantes, de 391 diputados elegidos por sufragio universal, y un Senado de 260 miembros (dos tercios del número de diputados) nombrados por el ejecutivo. El primer ministro y su gobierno son responsables ante el Parlamento.

Historia. Fueron los camboyanos los primeros habitantes del país, y siglos después llegaron los pueblos de raza tai, de la que descienden los siameses actuales. La historia cierta del país comienza en el año 712 de la era siamesa, 1350 de la era cristiana, cuando el rey Faya-Utong fundó la ciudad de Ayuthia y el imperio llegó a abarcar la Península Malaya. En los siglos XV y XVI, fue invadida varias veces por los birmanos que tuvieron que retirarse sin haber podido dominar a los siameses. De 1851 a 1858 gobernó el rey Rama IV quien inició la modernización del país y extendió las relaciones internacionales. Su obra fue continuada por su hijo Chulalongkorn (Rama V).

101

Tailandia

(De izq. a der.) estatua de Hanuman en el templo Budista del gran palacio, y Wat Phra Keo en Bangkok, Tailandia.

En 1932 instituyó la monarquía constitucional el rey Prajadhipok (Rama VII), que sucedió a su hermano Maha Vajiravudh (Rama VI), y que abdicó en 1935.

En los años treinta, los gobiernos sucesivos pusieron en acción políticas nacionalistas radicales, orientadas fundamentalmente a reducir la influencia económica occidental. Bajo el gobierno dirigido por Songgram, los siameses tuvieron la oportunidad de la Segunda Guerra Mundial para recobrar, con ayuda japonesa, aquellos territorios limítrofes en Camboya y Malaya que habían sido cedidos a los británicos y franceses a comienzos de siglo. La derrota japonesa significó el reemplazo del gobierno de Songgram por un gabinete dirigido por Pridi y la devolución obligada de aquellos territorios recobrados en la guerra.

El eclipse de Songgram no duró mucho tiempo. En 1947 un golpe militar lo repuso en el poder, en el cual permaneció hasta 1957, aunque las disensiones dentro de las fuerzas armadas amenazaron ocasionalmente la supervivencia de su régimen. Con Songgram, la política exterior tai se alineó con la de "guerra fría" de Estados Unidos. Tailandia se adhirió a la SEATO en 1954 y dispuso de sustancial ayuda estadounidense pare el fortalecimiento de su economía. En 1957, una reducción de 24 millones de dólares en esa ayuda amenazó al gobierno tailandés con la bancarrota, y las medidas económicas provocaron otro golpe de Estado, dirigido por el mariscal Sarit Thanarat. En 1959 Thanarat fundó un partido revolucionario y una Asamblea Constituyente, pero luego, retráctandose, gobernó haciendo uso de la ley marcial. La extensión de los compromisos de Estados Unidos en Vietnam contribuyó a reiniciar la ayuda de aquel país en mayor escala, junto con más asistencia técnica y defensiva, pero los estadounidenses impusieron la condición de que Tailandia dejara de comerciar con China. La prevista retirada de las fuerzas militares ordenada por Nixon y la decisión del Senado estadounidense en 1971 de cortar todo gasto en ayuda exterior decidieron al gobierno tailandés a reanudar las relaciones comerciales con China y, ai mismo tiempo, suavizar las leyes anticomunistas.

Mientras tanto, habían tenido lugar cambios en el Gobierno. En 1963, muerto Thanarat, éste había sido reemplazado por ei mariscal Thanom Kittikachorn, quien inicialmente estableció una nueva Constitución en 1968 para volver en 1972 a la tradicional forma de dictadura militar, sucesora institucional de la tradición de monarquía absolutista, sustentada por una burocracia fuertemente centralizada. La Constitución de 1968 estableció una legislatura bicameral con una Cámara baja elegida, pero cuando Kittikachorn encabezó un nuevo golpe de Estado contra su propio gobierno en 1971, esta Constitución fue abolida, el Parlamento disuelto y los partidos políticos suprimidos, organizándose un partido único, el Prapas Charusathien. En contraposición a ello, en las zonas periféricas se desarrolló un movimiento guerrillero apoyado por China.

En octubre de 1973, a consecuencia de una serie de enfrentamientos de estudiantes y parte de la población de Bangkok contra la policía debido al alza de precios, se produjo la caída de Kittikachorn, sustituido en el cargo de primer ministro por el rector de la Universidad de Thammasat, Sanya Dharmasakti. El nuevo equipo gubernamental inició un programa liberalizador y, una vez superada la crisis de mayo de 1974, Sanya formó un nuevo gobierno (1 de junio). En octubre fue promulgada una nueva Constitución y los partidos políticos fueron legalizados. En las elecciones de enero de 1975 ninguno de los 42 partidos que concurrieron logró alcanzar la mayoria absoluta. Seni Pramoj, lider del Partido Democrático, formó un gobierno de coalición, sustituido en marzo del mismo año por otro también de coalición, presidido por Kukrit Pramoj. Éste, hermano del anterior primer ministro y lider del Partido de Acción Social, solicitó la total retirada de las tropas estadounidenses en el plazo de un año y estableció relaciones diplomáticas con China (1 de julio de 1975). Tras varios meses de negociaciones infructuosas, la última base estadounidense fue clausurada (20 de junio de 1976). Un largo período de inestabilidad política y agitación popular propició el golpe de Estado militar dirigido por el almirante Sangad Chaloryu (6 de octubre de 1976) y la formación de un Comité de Reforma Administrativa, que se adueñó del poder y suspendió la Constitución, aunque patrocinó un gobierno civil presidido por Thanin Kraivichien. El establecimiento de relaciones con Vietnam (agosto de 1976) y la actitud conciliatoria de Laos no terminaron con la guerrilla procomunista en las zonas fronterizas. Tras un nuevo golpe militar (20 de octubre de 1977), un Consejo Revolucionario entregó el poder al general Kriangsak Chamanand, comandante supremo de las fuerzas armadas, que hizo aprobar una nueva constitución autoritaria. La actividad diplomática quedó supeditada al nuevo conflicto de Indochina y las posiciones antagónicas de China y URSS. Después de la invasión de Camboya por los vietnamitas y la incursión china contra Vietnam (1979), el gobierno tuvo que hacer frente al pavoroso problema de los refugiados camboyanos. La crisis económica y social forzó a dimitir (1980) al general Chamanand, reemplazado por el general Prem Tinsulanonda. El 1 de abril de 1981 se produjo otro golpe de Estado encabezado por el general Sant Chitpatima, que fracasó. En los últimos meses de 1982 se rindieron millares de guerrilleros comunistas. En las elecciones de abril de 1983 vencieron los partidos centristas, y las de julio de 1986 consolidaron el poder del general Prem al frente del gobierno. En 1987. en un clima de grandes tensiones políticas y de rumores de golpe de Estado, se acentuaron las disensiones entre los profesionales de las fuerzas armadas, partidarios de una democracia civil tutelada por el poder militar, y los representantes de la extreme derecha partidaria de un regimen más duro. En las elecciones de julio de 1988 vencieron los partidos favorables al general Prem. Éste consciente de su desgaste, delegó el poder en el general Chatichai Choonhavan, líder del partido Chart Thai. El gabinete formado por Chatichai, apoyado por los medios económicos y militares, inició una política exterior de apertura de mercados y acercamiento a Laos y Camboya. En febrero de 1991 el Ejército, en un golpe de Estado incruento, derrocó a Chatichai –al que acusó de tolerar la corrupción que se extendía a grandes áreas del poder–, suspendió las garantias constitucionales e implantó la ley marcial. El rey reconoció al gobierno golpista y designó a Sunthorn Kongsompong jefe del Comité Nacional para el Mantenimiento del Orden (junta militar). Las elecciones legislativas (22 de marzo de 1992) dieron el triunfo al Samakkbi Tham, pero el gobierno del general Suchinda tuvo que dimitir tras la represión sangrienta de las manifestaciones pro democráticas de Bangkok (mayo de 1992). Tras una intervención sin precedentes, el rey Bhumibol nombró un primer ministro provisional, que convocó una nueva consulta. El Partido Demócrata ganó las elecciones (septiembre de 1992), pero tampoco logró la estabilidad, pues su jefe, Chuan Leekpai, dirigió diversas coaliciones. La oposición unida en una alianza de seis partidos derechistas se alzó con la victoria en las elecciones generales (2 de julio de 1995) y Banharn Silapa Archa, jefe del Chart Thai, formó un Gobierno de coalición.

Arte. De suma importancia fueron las innovaciones iconográficas de la figura de Buda, de acuerdo con el clasicismo de los tai, apareciendo en ocasiones en actitud de andar, no representada hasta entonces. Con la fundación de Ayuthia en 1347, antigua capital del Siam se inició el llamado "estilo de Ayuthia" (s. XIV-XVIII), que, a partir del siglo XVII, se difundió por toda Tailandia. En ese periodo los stupas aumentaron de altura, mientras las pagodas escalonaban las techumbres y curvaban los muros. Monumentos importantes de ese momento son el templo-montaha de Wat-Rajapurana (1424), el Brah Rama (1639) y el Mahadhatu. En 1767 se trasladó la capital a Bangkok, cuya construcción se inspiró en modelos europeos y formas chinas (Gran Palacio; monasterio de Jetavanarama). La mezcla de estilos en las construcciones religiosas y civiles tiene su máximo exponente en el Phra Pathama. En ese periodo se inició la influencia china y europea en pintura. Muchos de los edificios del siglo XX imitan estilos de épocas anteriores (el Templo de Mármol esta inspirado en el arte khmer), pero poco a poco la influencia occidental se manifiesta, especialmente en las zonas de reciente urbanización, tanto en la técnica de edificación como en el estilo, aunque se intenta mantener algunas formas tradicionales. En el campo de la escultura y la pintura, junto a la persis-

Corel Stock Photo Library

Vista exterior del Taj Mahal en Agra, India.

tencia de una escuela de estricta tradición oriental, la creacidn de la escuela de Bellas Artes en 1934 inició una nueva época caracterizada por la conjunción de los estilos tradicionales con los occidentales; dentro de esa tendencia es notable la obra del pintor Manit-Poo-aree y los escultores Chalood Nim-Samer, Sompot Upa-in y Khien Yimsiri. Entre los museos destacan: el museo Nacional de Bangkok, situado en el antiguo palacio del príncipe heredero y en unos edificios construidos en 1963: el museo Nacional de U-Thong, construido en 1965, y diversos museos provinciales creados desde 1961 en Ayuthia, Sukhotai y Subhanburi. Todos estos museos tailandeses son de arte y arqueología.

Taine, Hyppolite Adolf (1828-1893). Historiador crítico y filósofo francés. Emprendió diversos viajes por Italia, Inglaterra y los Pirineos, narrándolos en páginas famosas por su claridad y elegancia. Aplicó a la crítica los métodos de los ciencias naturales atribuyendo a la influencia de la raza, la época y el ambiente una enorme importancia en la creación de la obra de arte. Fue profesor de historia del arte y de estética, en la Escuela de Bellas Artes, en París, y miembro de la Academia Francesa. Su obra capital es *Los orígenes de la Francia contemporánea*, a la que siguen en importancia *La filosofía del arte* (1865), *Historia de la literatura inglesa* (1864), *Teoría de la inteligencia* (1870), *El ideal en el arte* (1867), y *Ensayos de crítica y de historia* (1858).

taíno. Pueblo amerindio, de la familia lingüística arawak, actualmente extinguido, que habitó en las islas Antillas de Puerto Rico. Representó la segunda oleada de poblamiento antillano, que sucedió a los siboney y antecedió a los caribe.

Todo indica que su zona de procedencia era la amazónica de América del Sur. De creencias animistas y economía agrícola complementada con la caza, los taíno se agrupaban en poblados al mando despótico de un jefe o cacique; éste y su familia vivían en grandes casas rectangulares (bohíos), mientras que la gente común habitaba en pequeñas chozas (caney). Practicaron la talla antropomorfa en madera de los *zamis*, espíritus que poblaban el cielo y que relacionaban con los fenómenos atmosféricos. También sobresalieron en la actividad artesanal de la cestería, útiles domésticos y tejidos de algodón decorados.

Taiwan. *Véase* FORMOSA.

Taj-Mahal. Magnífico mausoleo, situado cerca de la ciudad de Agra, en la India. Fue erigido por el shah Yahän en memoria de su esposa Muntaz Mahal. Considerado como la joya de la arquitectura indoislámica, este monumento, construido de 1632 a 1651, es todo de mármol blanco, y tiene forma octogonal, con una cúpula en el medio que se eleva a 65 m de altura. Cuatro minaretes lo flanquean. Las maravillosas decoraciones interiores están realizadas en piedras de doce clases diferentes, entre ellas lapislázuli y alabastro. Inscripciones del Corán realzan la belleza del conjunto. En la cámara central hay dos cenotafios, también de mármol, y bajo esa cámara, en una cripta, yacen los cuerpos del shah Jahan y de su esposa.

Tajín. Centro arqueológico de México, de la cultura totonaca, situado en el estado de Veracruz, junto a la costa, en el municipio de Papantla. Su construcción se inició en el siglo I a. C. y no fue definitivamente abandonado hasta 1200, tras diferentes fases de esplendor y decadencia.

Tajín

Corel Stock Photo Library

Vista de la pirámide de los nichos en el Tajín en Veracruz, México.

En su conjunto monumental destaca particularmente la llamada Pirámide de los Nichos, formada por siete plataformas escalonadas en las que se abren hasta 364 hornacinas, motivo decorativo único; mientras unas interpretaciones las relacionen con el calendario solar, otras creen que tales nichos servían para colocar imágenes de divinidades o bien urnas funerarias.

Las excavaciones han puesto al descubierto los dos conjuntos de edificios de Tajín grande y Tajín chico, compuestos ambos por pirámides, plazas y plataformas ceremoniales. Cabe señalar los relieves del juego de pelota, con escenas ceremoniales referidas en las prácticas del juego, que corroboran los abundantes ejemplares de yugos y hachas. En todos aparecen grabadas figuras zoomorfas y antroformorfas de carácter religioso, junto con temas decorativos que caracterizan el estilo totonaca.

Tajo. El mayor río de la Península Ibérica. Nace en España, en la provincia de Teruel, a 1,830 m de altura sobre el nivel del mar, en Casas de Fuentegarcía, en la falda del cerro de San Felipe que pertenece a los Montes Universales. Corre en dirección noroeste y penetra en la provincia de Guadalajara, en donde su curso adopta la dirección general oeste-suroeste que seguirá hasta su desembocadura. Durante su trayecto en España, además de las provincias mencionadas, pasa por las de Cuenca, Madrid, Toledo y Cáceres. En el extremo oeste de la provincia de Cáceres forma parte del límite entre España y Portugal, internándose en esta última nación, para seguir su curso hacia el suroeste y formar el gran estuario llamado Mar de Paja antes de desembocar en el océano Atlán-

tico. En la orilla derecha del estuario está la ciudad de Lisboa, capital de Portugal. Entre los numerosos afluentes del río Tajo figuran el Guadiela, Hoz Seca, Guadarrama, Jarama, Alberche y Tiétar. La cuenca hidrográfica del río Tajo tiene 80,000 km² de extensión. de los cuales corresponden 55,000 a España y 25,000 a Portugal. Su longitud es de 1,010 km de los cuales 735 corresponden a España. El Tajo es navegable solamente en parte.

taladro. Máquina herramienta que confiere un movimiento de rotación a las barrenas o a las brocas. Este nombre se aplica con mayor propiedad a las máquinas de taladrar mecánicas y más perfeccionadas. Algunas son portátiles (tipo pistola) y constan de un motor eléctrico en cuyo extremo está montado un mandril con mordazas para sujetar las brocas.

Los taladros de taller están montados verticalmente en un bastidor encima de una bancada provista de medios para sujetar las piezas por taladrar. Los taladros portátiles son en realidad máquinas universales, pues su función no se limita nada más a hacer perforaciones, sino que permiten que se les acople diversos accesorios con los que se puede aserrar, afilar, pulir, desbastar, fresar, calar, tornear, etcétera.

Los fabricantes de los taladros portátiles ofrecen numerosos accesorios para incorporarlos al taladro, esté o no dotado de variaciones de velocidad.

talasemia. Anemia hemolítica debida a una hemoglobinopatía hereditaria de tipo cuantitativo. Las talasemias o talasanemias, muy frecuentes en el área mediterránea, son debidas a una alteración en la sín-

tesis de la hemoglobina fisiológica por incapacidad congénita (hereditaria) del organismo para formar alguna de sus cadenas polipeptídicas normales. Según el tipo de cadenas cuya síntesis sea inviable, se dividen en varios tipos, denominados mediante un prefijo, añadido a la palabra talasemia, que hace alusión a la cadena ausente. Las de mayor interés son las beta-talasemias, de las que existen tres tipos: la maior, de Cooley o mediterránea, que se presenta en homozigotos y es de aparición precoz y prácticamente sin tratamiento; la minor o de Rietti-Greppi-Micheli, que se presenta en heterozigotos y aparece en la juventud o edad adulta, es de clínica discreta y se trata con ácido fólico durante las crisis, y la mínima, muy leve, sin aparición siquiera de anemia.

Talavera de la Reina. Ciudad española del noroeste de la provincia de Toledo con 69,138 habitantes, emplazada en la orilla derecha del Tajo, no lejos de la confluencia del Alberche. De origen antiguo, tuvo gran importancia por su situación, sus fábricas de sombreros, paños, terciopelos y cerámica, y sus animadas ferias. Conserva restos de murallas, un puente de 36 arcos, la iglesia mudéjar del Cristo y la de Santa María. Hoy sus actividades económicas se basan en los productos de su fértil vega, y de algunas industrias, entre ellas su renombrada alfarería.

Talbot, William Henry Fox. (1800-1877). Científico inglés, inventor del método de reproducción fotográfica basado en la obtención inicial de imágenes negativas (negativos), que se utiliza hasta nuestros días. No sólo destacó por sus trascendentales trabajos en torno a la fotografía, sino también por sus notables aportaciones en los campos de las matemáticas, la botánica, la óptica, la electricidad, la química, la etimología inglesa y la lingüística (con sus traducciones de inscripciones asirias cuneiformes). En 1840, descubrió que al exponer a la acción de la luz compuestos que contenían haluros de plata, éstos reaccionaban formando una imagen latente (invisible), que podía hacerse visible mediante el proceso que comúnmente denominamos revelado. Es autor de *El pincel de la naturaleza* (1844-1846), primer libro ilustrado fotográficamente. *Véase* FOTOGRAFÍA.

Talca. Ciudad de Chile, capital de la provincia homónima y de la Región de Maule, localizada en las márgenes del río Claro, afluente del Maule. Dista 86 km del puerto de Constitución, que es su salida al océano Pacífico, y al que está unida por ferrocarril y carretera. Población: 182,854 habitantes. Centro de importante zona agrícola y vinícola. Cuenta con diversas industrias manufactureras: del papel, metalúrgica, del calzado, tabacalera, de productos químicos y alimentos, principalmente. Es centro de vías férreas, terrestres y aéreas.

Talca. Provincia de Chile de la Región del Maule, localizada en la zona central del país. Su territorio es una estrecha franja que va desde la cordillera de los Andes, que la separa de Argentina al este, hasta el océano Pacífico en el oeste. Tiene una superficie de 10,503 km^2 y una población de aproximadamente 266,150 habitantes. La capital es la ciudad de Talca. Recorren la provincia los ríos Maule, Claro y Mataquito. Importante producción agrícola, ganadera y vinícola; esta última figura entre las más importantes del país. Industrias muy desarrolladas.

Talcahuano. Puerto militar y de exportación en el sur de Chile, en la provincia de Concepción, perteneciente a la Región del Bío-Bío. Su bahía de 12 km se abre entre la Punta de Talca y la península de Túmbez, alzándose frente a ella la isla de La Quiriquina. Posee dique seco para barcos de guerra y de gran tonelaje. Población: 251,135 habitantes. Progresista industria pesquera.

talco. Mineral infusible, de estructura en hojas; su color es blanco o blanco verdoso. De aspecto lustroso, es tan blando que se raya con la uña. Por su poca consistencia, ocupa el primer lugar en la escala de dureza de los cuerpos y es untuoso al tacto. Se deshoja fácilmente, dando láminas alargadas, finas y flexibles, de contorno hexagonal o rómbico. Químicamente, es un silicato hidratado de magnesio. En la naturaleza se encuentra mezclado con magnetita, pirita y otras sustancias. Una variedad del talco, blanca y compacta, es la esteatita o tiza de sastre. El talco se utiliza en terapéutica, en la fabricación de cosméticos, de lápices pastel, para el satinado de papel, como lubricante seco en la industria textil y como material refractario.

tálero. El tálero es una moneda grande de plata que se usaba en el norte de Alemania entre los años 1519 y 1891, siendo a partir de esa fecha reemplazada por el marco. La palabra dólar se deriva de *thaler* o tálero.

Tales de Mileto (650-560 a. C.). Filósofo griego nacido en Mileto, a quien se incluye entre los Siete Sabios de Grecia. Fue el fundador de la escuela jónica de filosofía, y se le atribuye la teoría de los triángulos semejantes, que aplicó para calcular la altura de una pirámide durante su viaje a Egipto. No existen escritos de Tales, y sus doctrinas se conocen a través de las referencias de escritores posteriores a él. Su filosofía suele resumirse en el dogma de

que el agua es el principio u origen de todas las cosas, basándose en la importancia que tiene la humedad en la producción y mantenimiento de la vida. También se destacó en la astronomía y adquirió gran fama entre sus contemporáneos al predecir el eclipse de sol de mayo de 585 antes de Cristo.

Talía. Una de las nueve musas en la mitología griega y romana. Su nombre significaba poder productivo en cuanto al desarrollo y florescencia de las plantas. Talía era la musa que, poseyendo la alegría, inspiraba a los hombres, embelleciéndoles la vida. También se la conocía como deidad agreste que presidía las labores de los campesinos, propiciaba las siembras y la germinación de las semillas. Remontándonos a los orígenes de la comedia, vemos que ésta tuvo su iniciación en las fiestas báquicas o dionisiacas de sabor campestre por lo que Talía se convirtió en la musa de la comedia, que es como la conocieron los romanos y como figura en la simbología moderna. La musa de la comedia lleva por atributos la clásica corona de hiedra y sostiene en la mano la careta cómica y el cayado. Talía fue también el nombre de una de las tres Gracias. *Véase* MUSAS.

talio. Elemento químico, último del grupo III A, o del boro, del sistema periódico de los elementos. Metal blanco, algo verdoso, blando, pero sin ductilidad ni elasticidad. Su símbolo químico es Tl; su número atómico 81 y su peso atómico 204.39. Se utiliza en la fabricación de lentes ópticas y como veneno contra los roedores. Cuando en los fuegos artificiales se quiere obtener algún resplandor verde, suele emplearse este metal. Fue descubierto casualmente a mediados del siglo XIX, por el químico inglés William Crookes, mientras examinaba las cenizas procedentes de la tostación de otros minerales. La presencia de una banda de color verde claro, a 535 mm, le hizo pensar en la existencia de un nuevo elemento. un año más tarde logró aislarlo. En la corteza terrestre suele hallársele en el mineral compuesto llamado crookesita, mezclado con selenio, cobre y a veces plata. El talio también puede extraerse de algunas piritas de hierro y cobre. Es muy poco abundante en la naturaleza; se calcula que representa 0.6 ppm en peso de la corteza terrestre. Es insoluble en agua, pero se recubre de una capa de hidróxido superficial. Se disuelve en los ácidos nítricos, sulfúrico y clorhídrico, aunque en algunos casos con cierta lentitud debido a la escasa solubilidad de algunas de sus sales monovalentes.

talión. Antigua pena, según la cual el delincuente debe sufrir el mismo daño que él causó. Por su sencillez fue favorita de los

pueblos primitivos. En el libro del Éxodo, del Antiguo Testamento, aparece expuesta con el mayor rigor: "Vida por vida, ojo por ojo, diente por diente, mano por mano". Los hebreos la aplicaron literalmente en un periodo de su historia. Ley basada en la reciprocidad material del mal causado. El espíritu que encarna esta ley se encuentra en numerosas prescripciones de la cultura semítica, p. ej., en el código de Hammurabi. Ciertas leyes del Antiguo Testamento reflejan esta concepción y la materializan (Éxodo 21, 24-25). Este principio jurídico, simple y justo, a pesar de su carácter cruel, es una mitigación contra la venganza desenfrenada. Legislación típica de una sociedad sedentaria organizada en clanes coloca al culpable en la misma condición; que su víctima y restablece el equilibrio entre las familias cuando la fuerza de un grupo tiene que medirse más por sus recursos en hombres que en medios económicos. La ley del talión fue atenuada por la legislación rabínica, proponiendo compensaciones pecuniarias. El Sermón de la Montaña llama a una justicia más abundante, con una nueva actitud del espíritu.

talismán. Carácter, figura o imagen grabada o tallada en piedra o metal, que por lo general representa algún cuerpo celeste, constelación o ser mitológico, a la cual la superstición concede mágicos poderes. Por extensión se aplica a todo objeto que se supone puede traer buena suerte. Los talismanes estuvieron muy en auge durante la antigüedad y la Edad Media.

talla y tallado. La talla es la obra de escultura, especialmente en madera. El

Panel tallado en madera.

Corel Stock Photo Library

talla y tallado

Glifo maya tallado en madera.

tallado es la acción y el efecto de tallar; comprende la técnica empleada para hacer obras escultóricas, principalmente en madera, aunque también las hay en hueso, marfil, piedra, etcétera. El tallado es una de las manifestaciones artísticas más primitivas que se conocen; tal vez anterior a la pintura, o cuando menos contemporánea. Lógicamente, debe presumirse que el primer material que se empleó para este objeto fue la madera, tanto porque su estructura se presta mejor y más fácilmente a esta clase de trabajo, como por lo rudimentario de las herramientas que debieron utilizarse: aristas de piedra, fragmentos de conchas, etcétera. En los museos pueden verse muestras de tallados prehistóricos, sobre todo en flechas, remos, objetos de tocador y menaje, amuletos y figuras de dioses. Aún en la actualidad algunos grupos, como los pobladores de Nigeria, cultivan ese tipo de talla primitiva para labrar sus ídolos y máscaras de guerra.

El progreso que trajo consigo la perfección de las armas, el descubrimiento de los metales y su consiguiente aprovechamiento, condujo a la fabricación de mejores herramientas, con lo que el tallado adquirió cada vez formas más complicadas y artísticas, hasta alcanzar su pleno apogeo en el periodo que va desde el siglo XII al XV inclusive. En la época moderna, la sustitución de la herramienta por la máquina ha dado lugar a un estancamiento en este arte, que queda reservado para un núcleo reducido de escultores, ya que aquélla es capaz de realizar con rapidez y economía trabajos de esa naturaleza. Sin embargo, la máquina nunca suplirá ese rasgo personal que el autor deja impreso en sus obras y que le da a la producción artística un toque de originalidad sin igual.

La talla en madera requiere conocimiento de las cualidades del material que se emplea. El grano, o el conjunto de fibras que crecen paralelamente, suele ofrecer muy poca resistencia en sus bordes o extremos, circunstancia que se tiene en cuenta para disponer, en la misma dirección que aquéllas, las partes más delicadas del dibujo. De otro modo se corre el riesgo de rotura, cosa que puede observarse en algunas tallas antiguas, donde el no haber seguido esa regla ha dado lugar a que se desprendan algunas de las porciones más finas. Las maderas que comúnmente se emplean son las de roble, nogal, teca, caoba, sicomoro, quebracho, manzano, cedro, boj y, a veces, la de pino, aun cuando esta última es de poca consistencia y durabilidad. Las herramientas del tallista consisten en escoplos, cuchillas y mazos de diversas formas y tamaños para adaptarse a las sinuosidades del dibujo. La pieza de talla se sujeta en un torno instalado en un banco apropiado, preparándola con un rebajador que dé una superficie uniforme al grano. Para efectuar el trabajo, lo más usual es trazar un dibujo para bosquejar después las líneas principales, observando los juegos de luces y sombras que producen contornos y relieves, a medida que se avanza. La talla en hueso y marfil se realiza por procedimientos análogos, valiéndose a veces del torno. Los chinos y japoneses ejecutan maravillas en ese género de tallados, ha-

Retablo tallado en madera en la Catedral Nacional en Washington, EE.UU.

Corel Stock Photo Library

biéndose especializado en el de piedras semipreciosas: jade, lapislázuli, etcétera.

La talla en piedra, salvo la que se efectúa en los ornamentos arquitectónicos, suele ir quedando bajo el dominio exclusivo de los escultores. Se efectúa en varias clases de material (granito mármol, etcétera), y hasta en arcilla y yeso. Se hace casi siempre por el procedimiento llamado directo, en que el artista, armado simplemente de sus herramientas, va moldeando los contornos y salientes. El tallado se aplica asimismo a la mueblería, existiendo muy bellas muestras de estilos de ese género en Italia, España, Alemania, Inglaterra, Francia, etcétera. El cristianismo dio gran impulso a ese arte, con el que se hicieron preciosas imágenes y adornos en los altares, púlpitos, puertas, retablos, sillas de coro, urnas funerarias. Los musulmanes descollaron también en las tallas difíciles, caracterizadas por sus complicados y sutiles dibujos. La talla ornamental ha seguido las influencias del gusto de las épocas respectivas. *Véanse* ESCULTURA; RELIEVE.

Tallaví, José (1878-1916). Actor español. Se inició como aficionado en Málaga, pasando después a Madrid. Su vocación y su estudio de la psicología de los personajes que interpretaba fueron notables. En 1906 visitó América donde triunfó ampliamente. Se recuerda su notable interpretación de *Los espectros*, de Henrik Ibsen, para realizar la cual visitó varios hospitales con el fin de observar a los enfermos que padecían la dolencia del protagonista del drama. Su temprano fallecimiento privó a la escena española de una de sus mejores esperanzas dramáticas.

Talleyrand Périgord, Charles Maurice, príncipe de Benevento, (1754-1838). Estadista y diplomático francés. Se ordenó sacerdote y a los 26 años de edad fue nombrado agente general del clero francés. En 1789, el año de la Revolución Francesa, fue elevado a la dignidad de obispo de Autun y elegido miembro de los Estados Generales. Su ambición y su extraordinaria capacidad lo convirtieron en figura descollante del movimiento revolucionario: formuló un proyecto de constitución y firmó la célebre Declaración de los Derechos del Hombre y del Ciudadano. Apoyó la Constitución Civil del Clero y fue excomulgado por el papa, al tiempo que fundaba la sociedad de Amigos de la Constitución, que habría de convertirse en el poderoso Club Jacobino. Amigo y compañero de Honoré-Gabriel Riqueti, conde de Mirabeau, fue elegido presidente de la Asamblea Nacional; pero, los extremistas de la revolución no compartían sus opiniones y debió marchar a Inglaterra. Después permaneció tres años en Estados Unidos, a la espera de que amainaran las tempestades revolucionarias. Regresó en 1796 y advirtió de inmediato, con su pasmosa intuición, que Napoleón Bonaparte era el hombre del futuro; a él se unió, ayudándole a derribar el Directorio y establecer el Consulado. Napoleón lo nombró ministro de Relaciones Exteriores y luego, al establecer el imperio, primer chambelán. Formó la Confederación del Rin y negoció la paz de Tilsit . A la caída de Bonaparte, redactó el acta de la dimisión del emperador. Tuvo actuación importantísima en el Congreso de Viena, en el que pronunció muchas de las frases cáusticas que lo hicieron célebre. Cuando Luis XVIII ocupó el trono, Talleyrand aunque desempeñó altos cargos palatinos guardó silencio. Organizó la alianza de Gran Bretaña, España, Francia y Portugal.

Tallinn. Capital de la República de Estonia y excelente puerto natural, comercial y militar del Báltico con una población de 471,608 habitantes.

Resguardada por murallas y torreones, presenta carácter medieval; la parte alta está sobre los peñascos de la costa; en la parte baja, que se extiende por la orilla arenosa del puerto, están los edificios oficiales y el centro de la vida comercial. El castillo de Toompea y el municipio, construido en la Edad Media, recuerdan los tiempos en que Tallinn, que también se llamó Reval, fue una avanzada fortificada de los caballeros teutónicos. Tiene astilleros, industrias textiles y establecimientos dedicados a la construcción de maquinaria. La pesca y las fábricas de conservas de pescado son, también, industrias importantes. Comercia en cereales, algodón, lino, cueros y lana.

tallo. Parte de la planta que, prolongándose en sentido contrario al de la raíz, sostiene las hojas, flores y frutos. Es el esqueleto del vegetal y une entre sí sus órganos activos, yemas, hojas, tubérculos, raíz, etcétera, asegurando la circulación entre ellos de materias primas absorbidas de la tierra y la distribución de las sustancias elaboradas por la planta. Es generalmente largo, cilíndrico y cónico, su grosor disminuye de abajo hacia arriba; puede ser triangular, como en la juncia, o cuadrangular, como en la salvia. En su extremo superior tiene una zona de crecimiento, el punto vegetativo, recubierto de pequeñas hojitas, formando en conjunto la yema terminal (meristemo). Esta yema, a medida que el tallo crece, da hojas de cuyas axilas salen yemas laterales, de donde han de nacer las ramas y las flores. Nudo es el punto donde se insertan las hojas y entrenudo el espacio existente entre dos nudos. La parte inferior del tallo, en la unión con la raíz, se llama cuello. Las yemas invernantes se desarrollan en primavera, y protegidas en

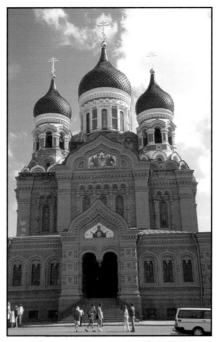
Corel Stock Photo Library

Iglesia Ortodoxa rusa en Tallinn, Estonia.

invierno permanecen con vida latente. Los tallos crecen en las yemas, se multiplican activamente y se alargan. Las monocotiledóneas, cuando jóvenes, se desarrollan también en los entrenudos. De las yemas laterales nacen las ramas, que a su vez tienen punto vegetativo y yemas laterales de donde salen ramas de segundo orden, y así sucesivamente. La ramificación se hace según dos sistemas. La ramificación indefinida o racimosa es la más común, la yema terminal perdura y al prolongarse el tallo surgen ramas de los costados. En la ramificación cimosa, la yema terminal muere, desarrollándose las laterales, las cuales forman ramas cuyas yemas terminales también perecen, luego surgen ramas de tercer orden y así sucesivamente, es propia de la cinacina, algarrobo, heliotropo, etcétera. Los tallos se dirigen hacia la luz, y crecen en dirección opuesta a la tierra.

Consistencia y duración. Los tallos herbáceos son verdes, blandos y sólo viven uno o dos años. El de las gramíneas, que tiene nudos muy marcados y entrenudos distantes entre sí, se llama paja o caña y puede ser hueco o macizo, como el de la caña de azúcar. En los arbustos, el tallo es duro y leñoso y sus ramas surgen a nivel del suelo. En los árboles son duros y siempre se ve un elemento principal, el tronco. En las palmeras sólo se ramifica la yema terminal, y este tipo de tallo se llama ástil. Comúnmente desempeña funciones de sostén y circulación. Cuando tiene a su cargo otra función se dice que es un tallo modificado, aéreo o subterráneo.

Tallos subterráneos. Hay tres tipos principales: a) Rizomas: corren paralelamente a la superficie del suelo; en los nudos dan tallos aéreos y raíces. Casi todos los tallos perjudiciales a la agricultura son rizomas: flor de sapo y pata de perdiz entre otras. También tienen rizomas los juncos y los lirios. b) Tubérculos: son cortos, gruesos, de pocos entrenudos y generalmente ricos en reservas, en especial almidón y azúcar, como en la patata, batata, etcétera. c) Bulbos: son cortos, tienen una yema central cubierta de envolturas carnosas, las catáfilas, que pueden ser escamas, como en la azucena, nardo, etcétera, o envolturas completas: cebolla, jacinto, narciso. Son órganos de reserva y se multiplican produciendo bulbillos laterales. Los tallos subterráneos son a menudo el único órgano perenne de la planta.

Tallos aéreos. Existen seis tipos principales: a) rastreros: crecen tendidos sobre el suelo y carecen de fuerza para mantenerse erguidos, como los de calabaza y sandía; b) viajeros: crecen también sobre el suelo y, como los rizomas, dan en los nudos plantas provistas de raíces adventicias; se llaman estolones, como el de fresa y frutilla c) volubles o trepadores: no teniendo suficiente rigidez para sostenerse, se apoyan en plantas vecinas. Los tallos de las enredaderas son herbáceos, y los de lianas, leñosos. Están provistos de órganos de fijación: zarcillos, que son hojuelas o tallitos adaptados, como en la arveja, la vid, la calabaza o raíces adventicias, como en la hiedra d) asimiladores: las plantas que carecen de hojas o las pierden, tienen tallos que cumplen funciones propias de las hojas, como los cardones, la retama, el espárrago, etcétera; e) almacenadores: en los países secos los tallos almacenan agua, como en las cactáceas y otras plantas carnosas; f) defensivos: son tallos transformados en espinas, a menudo ramificadas o provistas de hojas, como la del incienso.

Estructura interna. Se complica a medida que ascendemos en la escala vegetal. En los helechos y monocotiledóneas es simple, en las dicotiledóneas y gimnospermas el tallo joven está formado por una epidermis exterior, bajo la cual se halla la corteza, rodeando el cilindro central; dentro de éste se encuentra una serie de haces libero-leñosos, que son las venas del árbol. En el centro hay un tejido flojo, formado por células grandes, la médula, que emite radios medulares entre los haces libero-leñosos. Con frecuencia la médula se destruye en forma parcial, dejando una fístula en el centro del tallo. En el segundo año de vida, aparecen capas de tejidos secundarios que hacen aumentar el grosor del tallo.

Talma, François-Joseph (1763-1826). Actor dramático francés. Reaccionó contra el amaneramiento de la época, llevó la naturalidad a la escena y respetó en todos los detalles la verdad histórica. De facciones regulares, voz armoniosa y noble porte, supo realzar estos dones con inteligencia y probidad artísticas. Cosechó grandes éxitos interpretando personajes de William Shakespeare, Jean Racine, Pierre Corneille, François-Marie Arouet, seudónimo de Voltaire, André-Marie Chénier, etcétera. Su influencia en la técnica dramática fue inmensa. Escribió *Reflexiones sobre Lekain y el arte teatral*.

Talmud. Recopilación, en forma de libro, de las leyes tradiciones y ceremonias de los judíos. Es, según la tradición, la forma escrita de las leyes y prácticas religiosas más antiguas, derivadas del libro de la Biblia conocido como Pentateuco. Poco a poco fue desarrollándose en forma oral un conjunto de leyes y doctrinas que en tiempos de Jesús eran estrictamente observadas por los fariseos. Los saduceos, en cambio, afirmaban que la única ley se encontraba en los libros sagrados. Cuando los romanos destruyeron Jerusalén, algunos judíos advirtieron la necesidad de dar forma escrita a ese conjunto de tradiciones orales y así nació el *Talmud*. Este libro no es, sin embargo, sólo una agrupación de leyes religiosas y civiles, pues contiene en su mayor parte leyendas, historia, biografías y otros escritos semejantes. Existen dos versiones del *Talmud*. Una de ellas, la palestina, fue concluida aproximadamente en el siglo III después de Cristo; la otra, conocida con el nombre de babilónica, uno o dos siglos después. Esta última, tres veces mayor que el *Talmud* palestino, es la versión más estimada. En ambas, el material escrito se divide en dos partes. La primera o *Mishna* (palabra que significa instrucción) es una recopilación de leyes, idéntica en las dos versiones del Talmud. La segunda parte recibe el de *Gemara* y comprende las discusiones y comentarios de las leyes de la primera parte. Durante mucho tiempo el *Talmud* fue considerado por los judíos como único juez en cuestiones de práctica religiosa. Además, interesa sobremanera a los estudiosos de las costumbres, el folclore y las tradiciones hebreas. *Véanse* HEBREOS; JUDAÍSMO.

talo. Órgano o cuerpo vegetativo de las plantas llamadas talofitas, que se diferencian de las superiores por la carencia de raíz, hojas y tallo. En las diatomeas y otras plantas elementales, el talo está compuesto por una sola célula, pero generalmente es pluricelular y de forma muy variable. Su tamaño varía desde pocos milímetros hasta 100 m, y su consistencia y color también son diferentes según los géneros.

talofita. *Véase* PLANTA.

Tamargo, Agustín (1924-). Periodista cubano nacido en Oriente. Prolífico articulista que alcanzó gran relieve como escritor de temas políticos en periódicos y revistas de gran importancia, sobre todo, desde las páginas de la revista *Bohemia*. Ejerció gran influencia política en procesos revolucionarios cubanos. Exiliado político en Estados Unidos. Cronista y director de noticias en estaciones de radio. Autor de *Lo que me dejaron ver; Furias e Improperios*, y otras.

tamarindo. Árbol de la familia de las leguminosas, originario de Asia. Llega a tener 25 m de altura, su madera es dura, tronco elevado y grueso, copa amplia, hojuelas elípticas y flores amarillas; da un fruto refrescante con semillas, en pequeñas vainas pulposas. Su pulpa contiene ácidos tartárico, cítrico y málico en forma de sales potásicas, algo de azúcar y fécula, alterándose fácilmente por la acción del aire, enmoheciéndose con la humedad. Se cultiva en los países cálidos.

Tamaulipas. Estado de México. Tiene 79,829 km² y 2.249,581 habitantes. Limita con Estados Unidos, el golfo de México y los estados mexicanos de Veracruz, San Luis Potosí y Nuevo León.

Sus principales centros de población son Ciudad Victoria, capital del estado (123,000 h); Tampico (260,000 h); Nuevo Laredo (154,000 h); Matamoros (143,000 h); Reynosa (144,000 h); Ciudad Madero (100,200 h).

Las costas tienen 440 km de largo, de las cuales corresponden 210 km a la Laguna Madre, en la parte norte del litoral. Las costas son generalmente bajas, pero el suelo se va elevando gradualmente hacia el interior, a encontrarse con la Sierra Madre Oriental, donde el terreno se eleva bruscamente y alcanza alturas de 3,000 m, estando en la región del suroeste los lugares más altos del estado: la Peña Nevada (3,664 m) y el cerro Borrado (3,533 m). Entre la Sierra Madre y el mar hay bellísimas serranías, entre ellas las de Tamaulipas, San Carlos, Maratines y Pamoranes. Entre los principales ríos figuran el Bravo o Grande del Norte, que forma la línea divisoria con Estados Unidos, el Salado, el San Juan, el San Fernando, el Soto de la Marina y el Tamesí, que se une al Pánuco, al terminar éste en la barra de Tampico.

Aunque hay yacimientos de minerales diversos, poco explotados, y grandes salinas en producción, la principal riqueza minera es la abundancia del petróleo, que comparte con el vecino estado de Veracruz. Son fuentes considerables de riqueza, la agricultura, ganadería y pesca. Se cultiva algodón, frijol, maíz, tabaco, café, caña de azúcar, henequén, y muchas variedades de frutas y cereales. Se han llevado

a cabo grandes obras de riego que favorecen el desarrollo agrícola. La ganadería es de gran importancia, sobre todo en la región de la Huasteca. La pesca es abundante y variada.

En primer término, figura la industria del petróleo, y en la región de Tampico, principalmente, existen numerosos pozos petrolíferos en producción y modernas instalaciones y refinerías de petróleo. Hay ingenios azucareros, fábricas de aguardiente, de conservas y curtidurías. Entre las ciudades de mayor actividad comercial figuran: Ciudad Victoria, gran centro agrícola; Tampico, ciudad marítima y gran puerto petrolero; Nuevo Laredo y Matamoros, ciudades fronterizas de intensa actividad aduanal y comercio exterior; Reynosa, Camargo, Mier y Guerrero, situadas cerca de la frontera, en el río Bravo, son centros agrícolas.

Los ferrocarriles y carreteras (en primer término el ferrocarril y la carretera de Nuevo Laredo a México, que cruza el estado), y rutas aéreas, establecen excelentes comunicaciones entre los centros industriales y comerciales de Tamaulipas y el resto de la nación.

Historia. Los principales aborígenes fueron los huastecos y tamaulipecos, divididos en diversas tribus. Durante la dominación española, Tamaulipas formó parte de la provincia de Nuevo Santander, cuya colonización empezó en 1749, en que el coronel José Escandón fundó numerosas poblaciones y desarrolló una labor admirable. Después de la independencia de México se creó el actual estado de Tamaulipas, en 1824.

Tamayo, Franz (1880-1956). Escritor y político boliviano fundador del diario *El Fígaro*. Su poesía muestra un estilo depurado y evasivo. Escribió *Odas* (1898), *Proverbios* (1905), *La Prometheida* (1927), *Scherzos* (1932) y *Epigramas griegos* (1945). Fue diputado radical, ministro de Asuntos Exteriores y presidente electo en 1934, aunque nunca tomó posesión debido al golpe de estado de Tejeda Sorzano.

Tamayo, José Luis (1859-1947). Político ecuatoriano. De filiación liberal fue diputado, senador y ministro de Estado. Presidente de la república (1920-1924). Su mandato aseguró un cierto desarrollo económico que repercutiría en el crecimiento de las clases medias. Se significó por la sangrienta represión de una manifestación popular de huelguistas de Guayaquil el 15 de noviembre de 1922.

Tamayo, Rufino (1899-1991). Pintor mexicano nacido en Oaxaca, fue llevado a la ciudad de México en 1907, después de la muerte de sus padres. En 1917 ingresó en la Escuela de Bellas Artes de San Carlos (México), que pronto abandonó para pintar independientemente. En 1921 fue nombrado jefe del departamento de Dibujo Etnográfico del Museo Nacional de Antropología, lo que despertó en él un profundo interés por las culturas indígenas, fijando su atención en las artes populares, en las que halló la inspiración de su personal y vigoroso estilo. Entre sus obras murales destacan las realizadas en el Conservatorio Nacional de México (1933), las del palacio de Bellas Artes de México (1950-1953), las de la sala de conferencias de la sede de la UNESCO en París (*Prometeo*, 1958) y las del museo Nacional de Antropología en México (1964). Entre sus lienzos se significan *Animales* (1943), *El cantante* (1950), *Muchacho en la ventana* (1963), *Mujer en violeta* (1966), *Tierra en erupción* (1972), *Cabeza* (1974), y la pintura mural *Eclipse total* (1977). La labor del pintor, diestro también en las artes del grabado, ha sido objeto de numerosas exposiciones retrospectivas. Sobresalen las celebradas en el palacio de Bellas Artes de México y en la Bienal de Venecia (1968); en el museo de Arte Moderno de París (1974); en el museo de Arte Moderno de México y en el museo de Arte Moderno de Tokio (1976); en la Bienal de São Paulo y en el museo de Bellas Artes de Caracas (1977), y en el museo Salomón R. Guggenheim, en New York (1979). En diversas etapas de su vida Tamayo se dedicó a la enseñanza. En 1974 donde su espléndida colección de arte precolombino a la ciudad de Oaxaca. En 1979 el Guggenheim Museum de New York organizó la exposición *Mito y magia*; en 1988 el Centro de Arte Reina Sofía, de Madrid, presentó una muestra retrospectiva de su trabajo.

Tamayo y Baus, Manuel (1829-1898).

Dramaturgo español. A los 19 años estrenó su primer drama original, *El cinco de agosto*. Entre su numerosa producción se destacan: *Bola de nieve* (1856), comedia dramática; *Locura de amor*, verdadero modelo de drama histórico, y *Un drama nuevo* (1867), considerada su obra capital. Fue secretario perpetuo de la Academia Española y director de la Biblioteca Nacional.

tambomachay.

Núcleo arqueológico precolombino de Perú, a 8 km de Cuzco. La construcción llamada *el baño de Ñusta* se levanta precedida de una sólida muralla y un torreón, consta de tres terrazas y está realizada con piedras poligonales ensambladas sin mortero. Ha recibido este nombre en razón de los dos acueductos que llevan agua de desconocida procedencia hasta una fuente litúrgica.

tambor.

Instrumento musical de percusión originado en Oriente cuyas formas y tamaños son muy variables. Se ha difundi-

Corel Stock Photo Library

Tambor: instrumento musical.

do por todos los pueblos y en todo tiempo, como lo atestiguan monumentos muy antiguos. Su carácter de instrumento rítmico y sonoro lo hace adecuado para acompañar tanto los cantos y danzas populares de los pueblos primitivos y civilizados, como la marcha o el desfile de los ejércitos; también forma parte de bandas y orquestas sinfónicas como instrumento de percusión. Los sonidos se producen batiendo por medio de palillos o baquetas, pieles tensas (parches), que vibran sobre aros o cajas. Éstas pueden ser de madera o de metal y su forma varía según su origen. El más común es el tambor militar compuesto de una caja cilíndrica con las aberturas cubiertas por una piel estirada y fija por un aro. La cara superior se comunica con la inferior mediante un cordón en zig-zag, o unas varillas metálicas con llaves que permiten graduar la tensión de los parches a fin de lograr el sonido que se desee.

tamborito.

Baile nacional de Panamá, de origen africano y de tipo antifonal. Se ejecuta en compás de dos por cuatro, con acompañamiento rítmico de tambores y palmadas. Se supone que fue creado por los negros esclavos durante el siglo XVIII; posteriormente sufrió modificaciones al ser adoptado por blancos y mestizos.

Tamerlán (1336-1405).

Conquistador tártaro, cuyo nombre era Timur-Lang o Timur-Lenk. Esta última palabra significa cojo, y así lo llamaron los orientales. Nació en Kech, cerca de Samarcanda, ciudad que luego eligió como capital de su imperio. Se hizo proclamar emperador y se preparó para conquistar los territorios que

habían pertenecido a Gengis-Kan, con quien estaba emparentado. En 1380 invadió Jorezm y seis años después Persia. Luego emprendió la conquista de Rusia y llegó a las puertas de Moscú a la cabeza de un ejército de 400,000 hombres. Sometió toda la Rusia meridional, destruyó Astrakán y envió a un nieto suyo para asolar Polonia. Con el pretexto de extender la religión islámica, invadió la India y llegó hasta los muros de Delhi. Derrotó a Bayaceto I, emperador de Turquía, a quien hizo llevar a su tienda como prisionero. Llegó a mandar un ejército de 800,000 tártaros, con el que conquistó y asoló toda el Asia Menor. Impuso un tributo al emperador griego, recibió la sumisión de los mamelucos de Egipto y en 1404 regresó a Samarcanda, dispuesto a emprender una expedición para conquistar China. Pero allí murió un año después, víctima de una fiebre epidémica. Su imperio se desmembró poco después de su muerte.

Támesis.

Importante río de Inglaterra, en cuyas márgenes, a 90 km de su desagüe en el Mar del Norte, se encuentra Londres, capital de Gran Bretaña. Nace en los montes de Cotswold, en el condado de Gloucester, y corre en dirección este. Recibe numerosos afluentes a lo largo de sus 360 km de recorrido, y al ensancharse y aumentar su caudal, se observan varias islas en su lecho, hasta convertirse en gran estuario cerca de Londres. Además de esta capital, baña importantes centros culturales e industriales: Eton, Oxford, Maidenhead, Windsor, Richmond, Greenwich y Gravesend. Su cuenca hidrográfica es de 13,600 km². Al pasar por Londres, el Tá-

Corel Stock Photo Library

Vista del río Támesis en Londres, Inglaterra.

mesis tiene 240 m de anchura; cuando llega al Mar del Norte tiene 8,000 m de ancho. Tiene 338 km de curso.

tamiz. El tamiz se utiliza en todos los procesos en que sea preciso separar sustancias mezcladas de tamaños parecidos. En su forma más simple, consiste en un cilindro bajo en cuya base se encuentra una rejilla constituida por el entrecruzamiento de hilos de metal, seda, nailon, etcétera. La mezcla se introduce en el cilindro y parte de ella pasa a través de la malla, mientras que el resto queda en el interior. La separación puede favorecerse mediante zarandeo o vibrado, que pueden efectuarse manual o mecánicamente. Sus formas son muy variadas y el tipo de movimiento que se les aplica es función de ella. Se utilizan también para la separación de las sustancias que los líquidos llevan en suspensión. Si se desea obtener productos muy finos, se combinan con prensas o con métodos de vacío. Para trabajos de gran precisión, como los propios de orfebrería, se emplean los tamices giratorios, mediante los cuales se hacen chocar contra los objetos a pulir bolitas de hilos de acero inoxidable durante un tiempo breve, lo cual constituye la primera fase del pulido.

Tamm Igor' Evgenevich (1895-1971). Físico soviético. Estudió en las Universidades de Edimburgo y Moscú. Ayudante de L. I. Mendel'stam en la Universidad de Odessa (1921-1924) y catedrático de física teórica (1924-1941) en la de Moscú, en 1934 fue nombrado director de la sección de física teórica del Instituto Lebe-

dev, adscrito a la Academia de Ciencias de la URSS, de la que fue miembro activo desde 1953. Efectuó la primera cuantificación de las ondas elásticas e introdujo el concepto de cuanto sonoro (1930). Ese mismo año demostró que, según la teoría de Paul Adrien Maurice Dirac, la dispersión de los cuantos de luz por parte de los electrones libres debería producirse a través de los estados de energía negativa del electrón, e, independientemente de Dirac y Julius Robert Oppenheimer, concluyó que la caída de un electrón libre a un nivel de energía negativa era inevitable. Fue el primero en demostrar (1931-1932) que el efecto fotoeléctrico externo en los metales está relacionado con el fenómeno de la absorción superficial de la luz. Demostró (1932-1933) la existencia de estados electrónicos en la superficie de los cristales, denominados niveles de Tamm. En 1934 elaboró un esquema matemático para el cálculo de las fuerzas de intercambio entre nucleones. Simultáneamente, demostró que el neutrón posee un momento magnético de signo negativo. En colaboración con Il'ja Mijailovich Frank, elaboró (1937-1939) la teoría que explica la naturaleza de la radiación descubierta por Pavel Alekseevich Cherenkov en 1934. En 1945 desarrolló un nuevo método para el cálculo de las interacciones en la teoría cuántica de los campos mesónicos (método de Tamm-Dankov) y en 1947 formuló una teoría sobre las partículas de spin múltiple. Propuso, con A. D. Saharov, un sistema de tipo botella magnética para el confinamiento del plasma (1950). En 1958 compartió con I. M. Frank y P. A. Cerenkov el Premio Nobel de Física.

Tampico. Ciudad y puerto de México, en el estado de Tamaulipas. Tiene 267,957 habitantes. Está situada en la orilla izquierda del río Pánuco, rodeado de lagunas. Es un gran puerto fluvial a unos 10 km de la desembocadura del río Pánuco en el Golfo de México. Las grandes obras portuarias y de canalización realizadas, permiten que buques de gran calado puedan atracar en sus muelles. Situado en el centro de una gran región petrolera, el puerto de Tampico, por su intenso tráfico marítimo, es uno de los primeros de México. La ciudad es moderna de trazado regular, y la rodean las colosales instalaciones de la industria petrolera que, desde la costa y la entrada de la barra, se extienden a lo largo de ambas márgenes del Pánuco.

Historia. Existían en la comarca poblados indígenas, antes de la conquista, y durante la colonia, un puerto que fue atacado varias veces por filibusteros y destruido, en 1683, por el pirata Lorencillo. En 1824, fue declarado puerto de altura y abierto al comercio marítimo. El gran auge del puerto de Tampico se inició en 1901, a partir de la explotación de los vastos recursos petrolíferos de la región.

tanagra. Estatuita o figurilla de mujer que se fabricaba en Tanagra de Beocia, ciudad de Grecia que mantuvo su florecimiento hasta la época de supremacía romana. Su nombre perdura por esas famosas figuritas de barro cocido, todas las cuales deberían llamarse tanagras; pero la costumbre ha hecho que se designen con tal nombre tan sólo las estatuita de mujer, aunque éstas procedan de cualquier parte del mundo helénico.

Tananarive. Capital del centro norte de Madagascar, capital del país; 400,000 habitantes. En la meseta de Imerina, accidentada por colinas, entre 1,200 y 1,450 m sobre el nivel del mar, es el centro económico más importante de la isla.

Cuenta con industrias textiles, de la construcción, alimentarias, manufacturas de tabaco. Realiza montaje de automóviles y de aparatos de radio y televisión. Fabricación de muebles y calzado. Cuenta con ferrocarril y carreteras a las principales ciudades de Madagascar, aeropuerto (Ivato) y universidad (1961). Es sede de un arzobispado.

Tananarive. Provincia del centro de Madagascar 58,283 km^2 y 2.300,000 habitantes. Terreno montuoso en general (Tsiafajavona, 2,638 m de altura). Clima tropical. Cultivos variados: mandioca, batatas, patatas, verduras, frutas, vid. Su capital es Tananarive.

Tancredo de Hauteville (1075?-1112). Príncipe normando de Sicilia, uno de los jefes de la primera cruzada. Disputó a Balduino de Bolougne la ciudad de Tarsos, conquistó las plazas fuertes de la Cilicia y fundó el principado de Galilea o Tiberíades. Se distinguió en el sitio de Antioquía y fue el primero en lanzarse al asalto en la toma de Jerusalén. Durante la caída de la Ciudad Santa se produjo una masacre que lo encolerizó, pues había garantizado seguridad a muchos de quienes resultaron víctimas.

Torcuato Tasso lo inmortalizó en su *Jerusalén libertada*, personificando en él el espíritu caballeresco medieval.

Tandil.

Ciudad y centro de turismo de la provincia de Buenos Aires (Argentina). Está situada a unos 300 km de la ciudad de Buenos Aires, entre las sierras llamadas también de Tandil, en el lugar donde se alzaba el antiguo fortín Independencia, una de las avanzadas contra los indios. Actualmente es el centro de una rica zona lechera y agrícola. En sus inmediaciones existen ricas canteras. Su población alcanza a unos 91,873 habitantes. En la sierra del Tandil era famosa una piedra movediza de grandes dimensiones, situada en una de las cimas, que fue derribada en 1912.

Tanganica.

Región de la antigua África oriental alemana. Se extiende desde el océano Índico hasta los lagos Victoria, Tanganica y Nyassa, formando una superficie total de 883,343 km². Posee grandes selvas y frondosos bosques, en los que abundan el ébano, la goma copal y silvestre, bambú, baobab, etcétera. Se cultiva con intensidad el cocotero, café, caña de azúcar, algodón, sisal, cardamomo, entre otros, y se cría con gran profusión el ganado vacuno y de cerda. Su suelo es muy rico en minerales, entre los que se encuentra oro, diamantes, estaño, plomo, mica y otros. Sus puertos principales son Dar-Es-Salam y Tanga. La mayoría de los habitantes de la región practica el fetichismo, pero hay también muchos musulmanes, católicos y protestantes.

En 1919 quedó bajo el mandato de Inglaterra y desde 1946 fue un fideicomiso de las Naciones Unidas, adjudicado a Gran Bretaña hasta diciembre de 1961, en que se constituyó en estado independiente, miembro de la Comunidad Británica de Naciones, situación ésta a la que llegó debido al nacionalismo desarrollado en el país a consecuencia de la Segunda Guerra Mundial. En 1964, Julius Nyerere, presidente de Tanganica, anunció la unión de Zanzíbar para constituir una república unida con ambos países, denominada Tanzania.

Tanganica, lago.

El segundo, por su área, de los africanos. Se halla a unos 1,000 km de la costa del océano Índico

entre Tanzania, Zambia (antigua Rhodesia del Norte) y la República Democrática del Congo. Fue descubierto en 1858 por sir Richard Burton y John Henning Speke, pues aun cuando ya era conocido de árabes y portugueses, se confundía con los lagos Nyassa y Victoria. Su superficie ocupa 32,893 km²; su longitud es de 660 km, la anchura varía entre los 24 y 80 km; su profundidad máxima alcanza 1,435 m, la que lo hace el lago de agua dulce más profundo de la Tierra, después del Baikal en Rusia. Sus costas, escarpadas y elevadas, excepto en el norte son muy pintorescas y se hallan pobladas de palmeras. Recibe varias corrientes de agua y tiene como emisario principal el río Lukuga. La navegación durante los cambios de estación resulta muy peligrosa, por las tempestades, trombas de agua y alturas del oleaje, que excede los 2 m. Hay cocodrilos e hipopótamos. Sus principales puertos son Uchichi (Tanganica), Albertville (Congo), Kigoma (Tanzania), Kalima (Zaire), Usumbura (Burundi) y Mpulungu (Zambia). *Véase* ÁFRICA *(Mapa)*.

tangará.

Pájaro tanágrido americano, de unos 15 cm de longitud, de pico grueso, fuerte, cola y tarsos de mediana longitud, y plumaje con matices azulados, amarillos o verdes. Es pájaro de bosque, y se le encuentra en una área que se extiende desde México hasta el norte de Argentina. El tangará azul habita en los bosques del norte de Argentina, y en invierno emigra a Brasil; otra especie, de plumaje más variado,

al que llaman sietecuchillos, vive en las mismas regiones. El tangará obispo era ya conocido por el naturalista francés Georges Louis, conde de Buffon, quien le llamó *obispo de Cayena*; su plumaje es gris azulado en el macho y pardo olivéceo en la hembra; vive en las Guayanas. Algunas especies son muy útiles, pues se alimentan de insectos dañinos; otra prefieren la fruta madura.

tangente.

Véanse CÍRCULO Y CIRCUNFERENCIA; TRIGONOMETRÍA.

Tánger.

Ciudad y puerto de Marruecos, en la costa noroeste de África, en el estrecho de Gibraltar, 20 km al este del cabo Espartel. Tiene 553,000 habitantes, entre ellos marroquíes, españoles, judíos y de diversas nacionalidades. Situada en la hermosa bahía de Tánger, su puerto tiene activo movimiento marítimo y comercial. Está unida por ferrocarril con la ciudad de Fez, y su aeropuerto es punto de enlace de líneas aéreas internacionales. El aspecto de la ciudad es pintoresco y atractivo, con los antiguos y populosos barrios y los modernos sectores residenciales. De su antigua condición de plaza fuerte conserva restos del recinto amurallado y la fortaleza de la Alcazaba en la cima de una colina. Es ciudad muy antigua cuyo origen se remonta a los fenicios.

Bajo los romanos, con el nombre de Tingis, fue capital de la Mauritania Tingitania. Después pasó a poder de los godos, que fueron derrotados por los musulmanes,

Vista de la bahía de Kasbah en Tánger, Marruecos.

Corel Stock Photo Library

Tánger

quienes hicieron de Tánger la base para sus expediciones contra la Península Ibérica. En el siglo XV los portugueses se apoderaron de Tánger, en 1662 pasó a poder de Inglaterra, que la abandonó en 1684 y quedó en manos de los musulmanes. A principios del siglo XX las rebeliones de los moros contra la autoridad del sultán de Marruecos que en la zona de Tánger afectaron la vida y los intereses de los europeos, y las aspiraciones colonialistas de algunas naciones, principalmente de Francia, con-

dujeron en 1906 a la Conferencia de Algeciras, uno de cuyos efectos fue crear un cuerpo de policía con jefatura en Tánger y un comité para vigilar las aduanas, también en Tánger, a cargo de asesores europeos. A partir de la convención francoespañola de 1912, Tánger y sus alrededores fueron considerados como zona internacional.

El estatuto de 1924, la conferencia de 1928 y otros convenios posteriores, en los que intervinieron nueve naciones, establecieron la zona internacional cuya extensión

era de 350 km². El sultán de Marruecos ejercía soberanía nominal en la zona y dominio sobre la población musulmana y judía por medio de un alto funcionario marroquí llamado Mendoub. La administración de la zona quedaba a cargo de un administrador y dos asesores, una asamblea legislativa y un comité integrado por el cuerpo consular extranjero. En 1956 se abolió el carácter internacional de Tánger y su zona, que pasaron a formar parte del imperio de Marruecos. En 1957 el sultán de Marruecos promulgó un estatuto por el que se mantenía en Tánger el régimen de libre comercio exterior. *Véase* ÁFRICA *(Mapa).*

tango. Popular baile argentino de pareja enlazada, de origen aún no determinado, y cuyo ritmo cadencioso y generalmente sentimental le asemeja a muchas danzas de diferentes países. Pero el tango moderno es indiscutiblemente argentino, en particular de Buenos Aires, y como tal se le reconoce. Aunque su compás de *dos por cuatro* ha permanecido inamovible, su interpretación se ha transformado visiblemente hasta perder ciertos detalles (*cortes* y *ochos*, excesivamente marcados), que dieron motivo a que se le combatiera, al comenzar su popularidad, a principios del siglo XX. Hoy es un elegante baile de sociedad y de los que gozan de mayor favor en el mundo. También se ha iniciado su mayor dignificación musical con la organización de orquestas de tango sinfónico, pero manteniendo siempre su inconfundible modalidad.

tánico, ácido. Sustancia amorfa, amarillenta, muy soluble en agua, poco en alcohol e insoluble en éter, constituida por el tanino. Su fórmula es el resultado de la reacción de dos moléculas del ácido gálico a base de la unión del carboxilo de una con el oxidrilo de la otra y formación de agua. Es muy astringente, abunda en muchas plantas, especialmente en la corteza de encinas, robles, olmos y sauces, en la nuez de agallas, el ramaje del zumaque, la raspa y el hollejo de la uva y otros frutos. En estado de pureza y seco es inalterable al aire. Se utiliza mucho en curtiduría, en medicina y otros usos.

tanino. Polvo de color amarillo claro. Se obtiene de la nuez de agalla del roble, del nogal y otras plantas, o de las ramas del zumaque o el quebracho. Del tanino se obtiene el ácido tánico, soluble en agua y en alcohol, y de sabor amargo. El tanino posee numerosas aplicaciones útiles. Se emplea en el tratamiento o curtido a que se someten las pieles de animales para convertirlas en cuero. Entra también en la fabricación de tintas para escribir en la de tintes industriales. En medicina tiene aplicación como astringente.

Bahía de Kasbah en Tánger, Marruecos.

Tannhäuser. Trovador germánico, del siglo XIII, en torno al cual se formaron varias leyendas popularizadas en la Edad Media. En ellas se relata que, atraído por la belleza de la diosa Venus, vivió durante algún tiempo con ella, pero arrepentido, decidió ir a Roma como peregrino. Al llegar a Roma se postró ante el papa e imploró que le perdonara sus pecados. El papa le respondió que le serían perdonados cuando floreciera el báculo que el pontífice llevaba en la mano. Tannhäuser se retiró desesperanzado; pero, tres días después el báculo del papa empezó a florecer. Aunque el pontífice se apresuró a enviar mensajeros que le comunicaran la buena nueva, Tannhäuser no pudo ser hallado. En esta leyenda se inspiró Richard Wagner para su célebre ópera *Tannhäuser.*

tanque. Automóvil de guerra, sólidamente blindado y artillado, que inventaron los ingleses durante la Primera Guerra Mundial, y con el cual irrumpieron en 1916 en los campos de batalla del Somme. Une a la rapidez del ataque la eficacia de la artillería ligera, demuele las posiciones enemigas y protege y apoya el avance de la infantería.

El tanque moderno es un vehículo acorazado, con un poderoso motor de explosión diesel o de gasolina, que mueve un sistema de bandas de tracción tipo oruga. Sobre el cuerpo del vehículo lleva una torre blindada giratoria en la que va montado el cañón del armamento principal. Según el tipo, lleva, además, como armamento secundario, un cañón de menor calibre y una o varias ametralladoras. El sistema de tracción le permite correr sobre terrenos escabrosos y subir y bajar pendientes pronunciadas. Los tanques pueden pesar de menos de 10 a más de 75 ton y correr a más de 50 km/hr en terreno llano. Según sus dimensiones pueden llevar tripulaciones de cuatro o más hombres. Tienen equipo radiotelefónico para comunicarse entre sí y con los puestos de mando. En el curso de los años, los tanques de guerra experimentaron grandes perfeccionamientos. Los utilizados en la Segunda Guerra Mundial representaban un enorme progreso, en todos los órdenes, sobre los empleados en la primera.

Sujetos a incesante perfeccionamiento, los tanques de guerra, 10 años después de la Segunda Guerra Mundial, comprendían numerosos tipos entre ellos los siguientes: tanque de 8 ton de peso y un cañón de 37 mm como armamento principal; este tipo de tanque se transporta en avión y se emplea para proteger y apoyar tropas aerotransportadas. Tanque ligero de 20 ton, con cañón de 75 mm y blindaje de 3 cm. Tanque medio tipo al que pertenecen los modelos estadounidenses *M-4 Sherman,* de 31 ton con cañón de 75 mm, blindaje de 5 cm

Corel Stock Photo Library

El tanque funciona como refuerzo en las tropas de asalto de infantería.

en el cuerpo del vehículo y 7.5 cm en la torre, y el *M-48 Patton* de 50 ton, con cañón de 90 mm, tres ametralladoras y motor de 12 cilindros en V y 810 caballos de fuerza. Tipo pesado, de 60 a 70 ton, con cañones de 120 mm o más y varias ametralladoras, como el *T-43,* estadounidense el *Conqueror,* británico, y el *Stalin III,* soviético.

Hay, además, tipos especiales como el *Ontos,* estadounidense, que es un tanque antitanque, poderosamente artillado con seis cañones de 106 mm, cuatro de menor calibre y ametralladoras. Otros tipos especiales se equipan para hacer estallar minas y destruir alambradas; lanzar llamas contra cavernas y abrigos; rellenar y cruzar trampas antitanques. Otros tanques tienen dispositivos especiales con los que tienden anchas tiras de esteras reforzadas para abrir caminos sobre terrenos movedizos y permitir el paso de otros vehículos; y algunos más tienen mecanismos pontoneros para tender puentes sobre cursos de agua. Son de gran importancia, también, los tanques anfibios, equipados con hélices, de tanta utilidad en las operaciones de desembarco.

tantalio. Elemento químico perteneciente a la tercera serie de metales de transición. Junto al vanio y al niobio, con los que tienen semejanzas, forma el grupo V B. Metal blanco grisáceo, muy dúctil y maleable, pero duro y bastante fuerte. Número atómico 73, peso atómico, 180.95 y símbolo Ta. Resiste en general la acción de los ácidos, aunque se disuelve fácilmente en una mezcla de ácido nítrico y ácido fluorhídrico. Utilizado en ciertas condiciones

como conductor eléctrico, tiene la propiedad de impedir el paso de una corriente de dos direcciones. Una corriente eléctrica alterna o de dos direcciones se transforma al pasar a través de un conductor de este metal en una corriente continua o de una sola dirección. El tantalio metálico se emplea en la industria química y metalúrgica, sobre todo para revestimiento de hornos que trabajan al vacío, en la de reactores nucleares, para ciertas partes de los motores de cohetes, para filamentos de lámparas incandescentes de tubos termoiónicos, para aparatos científicos (piezas de laboratorios y pesas analíticas). Los instrumentos e injertos quirúrgicos, las plumas de escribir y todos aquellos instrumentos que no deben ser atacados por la corrosión son fabricados comúnmente con tantalio. Las industrias de la goma sintética y de la fotografía infrarroja utilizan también este metal. Se encuentra en la naturaleza en ciertos óxidos de hierro y manganeso, como la columbita y la tantalita. Los mayores depósitos de estos compuestos se hallan en África, Australia, Brasil y Estados Unidos. El tantalio fue descubierto en 1802 por el químico inglés Charles Hatchett y al año siguiente el químico sueco Gustav Ekeberg le dio el nombre de tantalio. Von Bolton obtuvo en 1903 la primera muestra de metal compacto relativamente puro.

Tántalo. Personaje de la mitología griega, hijo de Zeus (Júpiter) y de la ninfa Pluto. Rey del monte Sípilo (en frigia o en Lidia). Se casó con Dione y Euranasia. Fue padre de Pélope, Broteas y Níobe. Vivía en la máxima prosperidad y abundancia y asistía a los banquetes de los dioses. Embria-

Tántalo

gado con tan excesiva suerte, se hizo soberbio y de perversa condición, y robó la ambrosía de los dioses y les sirvió la carne de su propio hijo Pélope. Descubierto el crimen, Zeus lo arrojó al Tártaro (Infierno). Allí vivió sumergido en el agua hasta el cuello, y cuando intentaba beber, acosado por la ardiente sed, el líquido huía del borde de sus labios, y cuando alargaba la mano para coger el fruto de los árboles que lo rodeaban, el viento lo alejaba de su alcance. El suplicio de Tántalo simboliza la tortura de quien desea ansiosamente una cosa y no puede conseguirla.

tanto por ciento. Cantidad que se estipula respecto de 100 unidades y se representa por el símbolo %. En términos comerciales es el interés producido por 100 unidades monetarias en la unidad de tiempo, que es el año comercial de 365 días. Éste fue el origen del tanto por cuanto en general y del tanto por ciento en particular. Por la gran importancia práctica del sistema decimal, el empleo del tanto por ciento se ha hecho común para indicar los aumentos y disminuciones que sufren los precios de las mercaderías y artículos de consumo, la humedad atmosférica, etcétera, así como también ciertos movimientos sociales, como la migración, natalidad, nupcialidad y mortalidad; pero en estos casos, y por ser muy grande el número de individuos que hay que tener en cuenta, se toma en vez del tanto por ciento el tanto por mil ($^o/_{oo}$) y que se emplea para expresar el número de habitantes que migran, nacen, mueren, etcétera, por cada 1,000 en una nación, y para otros casos.

Tanzania. Estado independiente de África. Comprende el antiguo estado de Tanganica (parte continental) y el de Zanzíbar (islas de Zanzíbar, Pemba y otras menores), los cuales obtuvieron su independencia en 1961 y 1963, respectivamente, y se unieron en 1964 para formar la República Unida de Tanzania. El país se extiende por la costa del océano Índico, y limita al norte con Kenia y Uganda, al oeste con la República Democrática del Congo, Zambia y Malawi, y al sur con Mozambique. Su extensión territorial es de 885,987 km² y su población es de 23.174,336 habitantes, de los cuales corresponden a su capital, Dodoma, 203,883. Sus ciudades principales son Dar es Salaam, Mwanza, Tanga y Zanzíbar. Sus lenguas oficiales son el inglés y el swahili. Sus principales religiones son la musulmana (35%), la animista (35%) y la cristiana (30%). Su composición étnica está integrada por sukuma nyanwezi (26.3%), swahili (8.8%), haya (5.3%), hehet y bena (5%), chagga (4.4%), gogo (4.4%), makonde (3.7%) y otros (42.1%). Su unidad monetaria es el chelín tanzano. El terreno del país asciende desde la estrecha faja costera que se ex-

Corel Stock Photo Library

Guerrero masai en Tanzania.

tiende a lo largo del océano Índico, y las islas de Zambia y Pemba, hasta las más altas zonas del altiplano, formado por una serie de macizos con vegetación arbórea entre los que sobresalen los montes Usambara y Livingston. La altitud media del altiplano es de unos 1,200 m, y en él se destaca la mole del Kilimanjaro, cuya más alta cima, el Kibo, alcanza los 5,963 m. Pertenecen a Tanzania la parte sur del lago Victoria y la orilla oriental del Tanganica. Los ríos principales son el Malagarasi y el Morí. En cuanto al clima puede decirse que predomina el subecuatorial. Abundan los bosques. La fauna en Tanganica es rica en diversas clases de antílopes; en Zanzíbar, por la escasez de terreno, no se puede hablar de especies corpulentas, pero existen gatos monteses, camaleones e iguanas. Se cultiva el sorgo, la mandioca y la batata, para el consumo interior, y el algodón, sisal y café, con miras a la exportación. Se cría ganado vacuno y ovino, y la pesca es abundante en los lagos y ríos. El subsuelo es rico en minerales: oro, diamantes, rubíes, zafiros, plomo, plata, estaño y carbón, y hierro, en las proximidades del lago Victoria. La industria está poco desarrollada; las factorías más importantes son, aparte de las mineras, las de fibra de sisal y, en Zanzíbar, las fábricas de jabón. La red de carreteras comprende 82,114 km aunque no todos transitables en época de lluvias. Los ferrocarriles cubren 3,735 km. Los puertos marítimos principales son Dar-el-Salaam, Tanga y Mtwara. El puerto principal en el lago Victoria es Mwanra. Hay aeropuerto internacional en

Dar-el-Salaam. Zanzíbar cuenta con puerto y aeropuerto.

Economía. La estrategia de desarrollo experimentó un cambio de orientación sustancial desde 1967, cuando se abandonó la orientación exportadora de productos primarios a favor de un crecimiento hacia dentro. La inestabilidad de los mercados exteriores indujo al gobierno a contar en el futuro fundamentalmente con las propias fuerzas; pare ello se buscó reducir progresivamente la importancia del sector exterior y promover el desarrollo rural mediante la implantación, desde 1972 de *aldeas ujamaa* que, partiendo de las organizaciones sociales existentes (familiares y tribales), se proponían crear estructuras de tipo comunal en las que el desarrollo agrícola fuera acompañado de la instalación de pequeñas industrias. El crecimiento económico registrado en los años ochenta se situó por debajo del aumento de la población, por lo que la renta per cápita continuó retrocediendo. A mediados de los años ochenta se puso en marcha un plan de recuperación económica con el apoyo del FMI y el Banco Mundial, que fue acompañado de un cambio estratégico a favor del sector privado. Por su renta per cápita es uno de los países más pobres del mundo.

El gobierno ha tendido a la unificación de los dos sistemas educativos heredados de los antiguos territorios que forman Tanzania, aunque aún subsisten algunas diferencias entre ellos. En Tanganica el sistema escolar respetaba las diferencias raciales en los niveles primario y secundario (pero no en el superior), habiendo escuelas para los africanos, para los asiáticos y para los europeos, hasta que en 1961 se estableció un nuevo sistema integrador de los tres grupos raciales, aunque en la primaria subsisten diferencias lingüísticas en las escuelas, pues unas enseñan en el idioma swahili, otras en inglés y otras en las lenguas vernáculas. En Zanzíbar, la mayor parte de las escuelas elementales enseñan lengua kiswahili, variante dialectal de swahili, en las clases superiores de la primaria y en la secundaria el idioma de enseñanza es el inglés. El ministerio de Educación es responsable de todos los niveles educativos (incluido el preescolar si los maestros son diplomados). La enseñanza es obligatoria entre los 7 y los 14 años.

Historia. El 29 de octubre de 1964 se creaba el nuevo Estado con el nombre de República Unida de Tanzania. En noviembre de 1965, Nyerere rompió las relaciones diplomáticas con Londres y proclamó su apoyo a los nacionalistas que luchaban en Mozambique y Rhodesia. El ejecutivo nacional de la TANU adoptó el programa de Arusha (19 de enero de 1967), en el que se afirmaba la opción socialista, y el gobierno nacionalizó las empresas clave. En 1970 Nyerere fue reelegido presidente, y en 1972 fue asesinado Karume, máximo dirigente de la isla de Zanzíbar. En el plano interno, los planes de desarrollo y la transferencia de la capital estatal a Dodoma se vieron entorpecidos por los problemas exteriores, especialmente por la ayuda a los nacionalistas de Zimbabwe-Rhodesia, intensificada a partir de 1976, y por los conflictos con Kenya y Uganda, recrudecidos en 1977. Las tensiones internas culminaron en febrero de 1977, cuando el primer ministro Rashidi Kawawa fue sustituido por Edward Sokoine, inmediatamente después de la creación del partido único; pero la visita de Nyerere a Washington (1977) y la concesión de una amnistía (febrero de 1978) confirmaron la consolidación del régimen y su orientación moderada. El conflicto con Uganda degeneró en una guerra abierta (octubre de 1978), con diversas alternativas, hasta que las tropas tanzanas ocuparon Kampala y obligaron a huir al presidente I. Amin (11de abril de1979); la frontera con Uganda no volvería a abrirse sino hasta 1983. En 1985, Nyerere finalizó su segunda y última presidencia, y Ali Hassan Mwinyi, único candidato, fue elegido presidente (octubre). Tras su sustitución en la jefatura del Estado, Nyerere abandonó la dirección del Chama Cha Mapinduzi (CCM) en mayo de 1990, manifestando así su oposición a la apertura política defendida por algunos sectores del partido. Ali Hassan Mwinyi, reelegido presidente en octubre de 1990, continuó el plan de reconstrucción económica elaborado por el FMI, que determinó la privatización de las empresas públicas deficitarias y la entrada de inversiones extranjeras. En 1991 se inició un incremento de las relaciones con Kenya y Uganda que se iría profundizando en años posteriores. El multipartidismo fue legalizado en 1992. Las tensiones entre cristianos y musulmanes se enconaron tras la adhesión de Zanzíbar, por unos meses, a la Organización de la Conferencia Islámica (1993). El genocidio desatado en los países vecinos Ruanda y Burundi, entre 1994 y 1995, tuvo como consecuencia la llegada de unos 800,000 refugiados ruandeses y burundianos, que se instalaron en campos cercanos a la frontera. Las primeras elecciones legislativas multipartidistas tuvieron lugar en octubre de 1995, coincidiendo con la presidenciales. En la Asamblea Nacional, el Chama Cha Mapinduzi (CCM) consiguió 186 escaños y el Frente Cívico Unido (FCU) 24, y en Zanzíbar el CCM ganó por dos escaños (26) al CUF en unas elecciones llenas de irregularidades en las que se acusó de manipulación al CCM. El nuevo presidente Benjamin Mkapa inauguró su mandato en noviembre de 1995. Los cerca de 450,000 refugiados ruandeses en el país iniciaron el retorno (diciembre de 1996) bajo los auspicios de la ONU y las organizaciones humanitarias.

taoísmo. Una de las tres grandes religiones de China, junto con el legismo y el confusionismo cuyo origen, muy antiguo, se remonta al siglo VI a. C., en que el filósofo Lao-tse comenzó la difusión de su doctrina. Lao-tse fue contemporáneo de Confucio, y según una de las biografías fabulosas que de él existen, su aspecto al nacer era el de una persona adulta, con cabello enteramente blanco. Su verdadero nombre era Li Erh y el de Lao-tse con que se le conoce significa *Viejo filósofo*. Dejó escrita la doctrina de Tao o Vía Eterna, en sumo grado idealista, en el libro *Tao-Tê-King*; en él se condensan todas las aspiraciones del pensador, que deseó ver a la sociedad decadente de su tiempo unida por lazos abnegados de humildad, sin consideración alguna a la propia persona. Ayudar al necesitado, devolver bien por mal, abstenerse de todo aquello que signifique satisfacción personal, en beneficio del prójimo, humanitarismo y horror a las bajas acciones, fueron las sabias enseñanzas que encerraba el taoísmo; pero, también debería prescindirse de conocimientos evolutivos de toda índole de adelantos. El taoísmo cuenta en la actualidad con unos 50 millones de adeptos.

Tapajoz. Río de Brasil, que se forma cerca de la frontera con Bolivia, por la confluencia de los ríos Juruena y Arinos, y después de un recorrido de 2,000 km, desagua en el Amazonas, cerca de Santarem. En su curso tiene varias cataratas, la más importante de las cuales es la llamada salto del Apué. Es navegable en unos 350 km, siendo utilizado para el transporte del caucho.

(De arriba abajo) cría de tapir brasileño, y tapir brasileño adulto.

Corel Stock Photo Library

Tapia y Rivera, Alejandro (1827-1882). Escritor puertorriqueño. Fundó y dirigió la revista *La Azucena*. En 1854 publicó la extensa e importante recopilación de documentos y crónicas de los siglos XV-XVIII con el titulo de *Biblioteca histórica de Puerto Rico*. Sobresalen sus novelas: *Póstumo el transmigrado* (1872) y *Póstumo envirginado* (1882). Cultivó el drama (*Bernardo de Palissy*, 1857; *La cuarentona*, 1867), la poesía (*La satanidad*, 1878) y el ensayo (*Conferencias sobre estética y literatura*, 1881).

tapioca. Fécula blanca y granulada, rica en almidón, que se saca de la raíz de dos plantas de América del Sur: la mandioca o manioc amargo y el manioc dulce, también llamado aipí. El primero de ellos tiene un veneno que desaparece por calentamiento o cocción. Para obtener la tapioca que se vende en el comercio, se pela la raíz, se reduce a pulpa rallándola, se exprime el jugo, y se recoge la fécula, después de lavada y secada. Esta es la harina o fécula de manioc, de color blanco sucio y formada por pequeños granos, la cual se extiende sobre planchas metálicas calientes.

tapir. Mamífero paquidermo de los países intertropicales. En América se le designa con diversos nombres según la comarca que habite; en Centroamérica, por ejemplo, se le llama danta o macho de monte. Es parecido al jabalí, tiene aproximadamente 2 m de longitud; la piel casi negra y muy dura, con pocos pelos, gruesos y cortos; la cabeza, grande; la trompa, corta, la que, con su labio superior prolongado, es un órgano de olfato y tacto muy sensible. Sus extremidades son cortas y fuertes, con cuatro dedos en las anteriores y tres en las posteriores, armados de pezuñas. Tiene una cola pequeña. Se alimenta de frutos, hojas y ramas delgadas, que busca cautelosamente, casi siempre de noche, por temor a sus enemigos naturales, el jaguar y el puma, particularmente en América. Durante el día permanece oculto en sitios oscuros y apartados de la selva. Se le persigue por el valor del cuero y de la carne. El tapir es un animal pacífico y tímido; ante cualquier ruido sospechoso huye con premura por la espesura más intrincada, y sólo en caso extremo hace uso de los colmillos para defenderse de su adversario. Es, además, un excelente nadador.

tapiz. Paño grande, tejido de lana o seda, y algunas veces de oro y plata, en que se copian cuadros de historia, países, blasones, etcétera, y sirve como abrigo y adorno de las paredes o como paramento de cualquier otra cosa. Su técnica, que realiza una obra original, es decir, sin repetición del motivo, como sucede con el tejido de telas, consiste en enlazar a la urdimbre los

tapiz

Tapíz con motivos de la historia de armenia en el Museo del Patriarca. Armenia.

distintos hilos de colores. Los tapices se trabajan en telares de *bajo lizo* y *de alto lizo*. El primer sistema obliga al obrero a colocarse delante de la trama con el dibujo que copia situado detrás de la red de hilos que el obrero va utilizando. Los tapices se hacen todos por el reverso, que es por donde se sujetan los hilos con los que se hace el ligamento de las figuras. En el telar de alto lizo el procedimiento es distinto, el obrero se coloca entre el telar y el dibujo que va copiando, y tiene a un lado los hilos perpendiculares del telar y del otro el modelo que le sirve de guía.

El arte de la tapicería se supone que nació en Oriente, donde se fabricaron los primeros tejidos. Como consecuencia de sus relaciones comerciales con Persia y Egipto, este arte llegó a Grecia en una época muy remota. El telar de Penélope fue reproducido en un vaso del siglo V a. C. En Roma no se extendió el uso de la tapicería hasta que sus legiones conquistaron los pueblos del Cercano Oriente, y entonces el tapiz entró en las mansiones de los grandes personajes romanos como un carísimo objeto ornamental. Los más antiguos ejemplares de tapices que se conocen proceden de las excavaciones de las necrópolis egipcias. Los dibujos eran toscos todavía, pero posteriormente fueron entrando en ellos estilizadas figuras de animales y elementos de la flora. Los árabes llevaron a Europa, desde su irrupción a España, una exquisita perfección en los temas ornamentales, y el cristianismo dio a la tapicería nuevos elementos: la vid, frontispicios de basílicas, palmeras, y el delfín y el pez como símbolo de Cristo. El arte bizantino ha dejado una amplísima simbología cristiana en todos

los órdenes. Las Cruzadas sirvieron también para acercar a los europeos la cultura oriental, y desde entonces el arte del tapiz adquirió mayor difusión en Europa. Episodios religiosos, representaciones de las cortes más poderosas de entonces, escenas de caza y cuanto constituía un motivo de originalidad para los diseñadores europeos de tapices, fueron convertidos en arte. En el periodo gótico prevalecieron las escenas bíblicas, y después se pasó a reproducir hechos de carácter profano.

En la época medieval, en las mansiones de los nobles los tapices servían como particiones o paredes desmontables, ya sea para lograr la intimidad de una cámara, o para aislar un lecho del resto de una habitación. En los austeros palacios carentes de puertas interiores, se aplicaron a las aberturas para evitar las heladas corrientes de aire. Las vastas estancias con paredes de piedra, se veían entonces embellecidas con motivos bíblicos, mitológicos o reproducciones de hechos de armas.

En el siglo XIV, la tapicería europea alcanzó gran perfección en la ciudad entonces flamenca de Arras, al extremo de que el nombre de esta población llegó a ser sinónimo de tapiz de excepcional calidad. Bruselas, París, Tournai, Amberes, Lovaina y Brujas, se transformaron también en centros tapiceros. Del siglo XV a mediados del XVI, el arte de los tapices había alcanzado ya una rara perfección, realizándose verdaderas joyas artísticas, jamás igualadas posteriormente, algunas de las cuales se conservan en museos y catedrales. Otras en cambio, sin consideración ninguna a su valor artístico, fueron bárbaramente quemadas con el fin de recobrar las ricas hebras de

oro y plata que recamaban su dibujo. Con el Renacimiento se adopta una nueva técnica en la realización de tapices, que imita a la pintura. Deben lograrse nuevas tonalidades, más apagadas o esfumadas que atenúan el brillante colorido de conjunto antes obtenido. El gran Rafael Sanzio dibujó cartones para ser trasladados al tapiz, y algunos de sus motivos, como los de los *Hechos de los Apóstoles*, tardaron cuatro años en tejerse. Otros grandes pintores como Andrea Mantegna, Andrea del Sarto y Paolo Caliari, llamado il Veronés dibujan también cartones admirables para su reproducción en tapicería. Durante los reinados de Luis XIV y Luis XV, Francia se convierte en el centro del tapiz en Europa, en cuya ejecución se distinguen los talleres de Aubusson, Gobelin y Beauvais. El primero fue declarado manufactura real de tapices en 1665. En cuanto a Gobelin, su nombre llegó a ser sinónimo de tapiz (gobelinos). Esta manufactura fue fundada por Jaques Gobelin, a la que se le agregaron, más tarde, un museo de tapices, una escuela de dibujo, un taller de tinturas y un laboratorio de investigaciones. En Inglaterra se estableció una manufactura de tapices que comenzó a funcionar a mediados del siglo XVI. En España, el tapiz era muy apreciado, pues sus soberanos lo eran también de Flandes, donde había verdaderos maestros de este arte. Eso explica el hecho de que la más grande colección de tapices que hoy se conserva sea la que posee el Estado español, como depositario de los bienes de la antigua Casa Real. A fines del siglo XVIII Francisco de Goya, en España, pinta cartones que son inmortalizados en el tejido; desde un siglo atrás la fábrica de Santa Isabel venía haciendo hermosos tapices y es en su interior donde Diego Rodriguez de Velázquez se inspiró para su famoso cuadro de *Las hilanderas*. Italia e Inglaterra contaban también con talleres propios en Mantua, Venecia, Ferrara, Florencia y Roma, la primera; y en Mortlake, Chelsea y Londres, la segunda.

En el siglo XIX, la producción y arte decayó sensiblemente, pero desde 1915, con el aporte valioso de Jean Lurcat, Francia procuró su resurgimiento. En 1946 se celebró en París una notable exposición de tapicería francesa desde la Edad Media hasta nuestros días, que tuvo por fin propiciar su renacimiento y además exponer las más bellas muestras conservadas, como *La dama del unicornio* y *Apocalipsis*, del siglo XIV, *La historia de Alejandro* del siglo XVII, magníficamente lograda por Charles Le Brun. Del siglo XVIII se exhibieron tapices de motivos ya legendarios, ya poéticos, ya de simples temas pastorales. Y por último, los del siglo XX que reflejan las mismas líneas de la pintura de la época, notándose claramente el estilo del nuevo movimiento individualista, del que son cultores Marcel Gromaire, Henri Matisse, Picart Le Doux, Pablo Picasso, entre otros, que han dado impulso a la moderna línea de tapices con el aporte de valiosos cartones como: *Las cuatro estaciones, Polinesia, El hombre y el universo, El minotauro, Los cuatro elementos,* ejecutados respectivamente por los artistas nombrados. Dom Robert, con *La creación del hombre,* el artífice Jean Lurcat con los exquisitos tapices *Jardín bajo la lluvia* y *El alba,* y Lucién Coutaud, presentando *La tarde verde,* del más puro surrealismo, contribuyeron notablemente al éxito de la nueva técnica.

tapón. Pieza de corcho, cristal, madera y otros materiales con que se tapan botellas, frascos, toneles y otras vasijas, introduciéndola en el orificio por donde ha entrado o por donde ha de salir el líquido.

Tradicionalmente, los tapones se fabrican a base de corcho y se elaboran a partir de grandes planchas de ese material progresivamente reducidas hasta obtener la pieza apropiada. Los tapones fabricados para el embotellamiento de los vinos se someten a un proceso de elevada presión para disminuir momentáneamente su diámetro inicial, que recuperan después de ser introducidos mecánicamente en la botella. Actualmente, los tapones de plástico tienden a sustituir los de corcho debido a la mayor facilidad que presenta su fabricación, menor costo y mejor manipulación.

taquicardia. Trastorno en la regularidad y ritmo de los latidos del corazón humano. Puede ser fisiológica (por emociones o cólera, por ejemplo); o causada por fiebre, por nicotismo o por el abuso del té o del café. No constituye en sí una enfermedad, pero puede ser síntoma de varias. *Véase* CORAZÓN.

taquigrafía. Arte de escribir tan de prisa como se habla, por medio de ciertos signos y abreviaturas. Regularmente, una persona escribe alrededor de 40 a 50 palabras por minuto, y emplea para hablar de 130 a 160 palabras por minuto; de ahí la necesidad de crear un sistema de escritura lo suficientemente rápido como para poder trasladar al papel un discurso, en el momento en que éste se pronuncia. De tal necesidad, nació la taquigrafía, que permite escribir a los taquígrafos muy diestros con una velocidad de más de 200 palabras por minuto.

En la antigüedad, egipcios, hebreos, persas, fenicios y griegos, utilizaron diversos procedimientos de escritura abreviada. En Roma, en el siglo I a. C., Marco Tulio Tirón, liberto y secretario de Cicerón, perfeccionó un notable sistema de taquigrafía, conocido en la historia con el nombre de *notas tironianas,* con el que registró debates parlamentarios que Cicerón sostuvo contra Catilina. Ese sistema de escritura abreviada tuvo gran difusión en Roma, fue usado en el Senado romano, y muchos nobles y aun emperadores como Augusto y Tito, lo aprendieron y practicaron. La escritura abreviada tironiana siguió usándose durante varios siglos. Gracias a ella llegaron a conservarse numerosos discursos importantes de la historia de aquellos lejanos tiempos; y fue también gracias a la taquigrafía que pudieron conocerse pensamientos y palabras de santos y padres de la Iglesia, desde el mismo principio de la era cristiana.

Después de la caída del imperio romano, sobrevino una larga época durante la cual la taquigrafía tuvo un empleo restringido, al borde de la extinción. La renovación de la taquigrafía tuvo lugar en Inglaterra, cuan-

do, en 1588, Timoteo Bright comenzó a usar una rudimentaria escritura abreviada, que habría de constituir el primer peldaño hacia la estenografía de nuestros tiempos. A Bright siguieron muchos creadores de sistemas, quienes abolieron gran número de signos, pues los había en tal cantidad, que resultaba imposible retenerlos en la mente. Entre los que le dieron gran impulso, se destacaron Willis y Taylor, y más tarde, en 1837, Isaac Pitman, cuyo sistema se impuso no sólo en Inglaterra sino también en sus colonias y en América. Ese mismo sistema fue posteriormente perfeccionado por su hermano Benn, Munson y otros.

taquímetro. Aparato destinado a contar el número de revoluciones del eje o árbol de una máquina o motor. Relacionando el número de revoluciones y el tiempo durante el cual se efectúa la medida, se deduce la velocidad del mecanismo. Funciona con un juego de ruedas dentadas en comunicación con un registrador numérico y va provisto de un acoplador y un eje flexible que se conecta a los mecanismos en marcha. Los taquímetros indicadores señalan en un cuadrante la velocidad expresada en kilómetros por hora.

Los automóviles y las locomotoras llevan instalados esa clase de aparatos. En topografía recibe el nombre de taquímetro un instrumento semejante el teodolito, que sirve para medir al mismo tiempo distancias y ángulos horizontales y verticales.

taracea. Embutido de trozos pequeños de madera, conchas, metales u otras materias efectuado en ebanistería con fines ornamentales. El taraceado suele formar dibujos geométricos y decorativos, que a veces presentan también bellos efectos de colorido, pues se emplean materiales de colores muy diferentes: nácar, marfil, corales, etcétera.

Taracena, Alfonso (1899-). Escritor mexicano, nacido en Cunduncán, Tabasco. Uno de los personajes vinculados con la administración del presidente Francisco I. Madero. Especializado en el tema de la Revolución Mexicana, se distinguió como periodista en la prensa nacional. Autor de *Madero, vida del hombre y del político; Madero víctima del imperialismo yanqui, Cuentos frente al mar; En el vértigo de la Revolución Mexicana; Carranza contra Madero,* y otras.

tarahumara. Grupo amerindio de la familia yuto-azteca asentada en la parte suroriental del estado mexicano de Chihuahua en una de las partes más altas de la sierra Madre Occidental, en una gran planicie, profundamente quebrada por cañones cuya altitud varía de 1,500 a 2,400 m sobre el nivel del mar.

Familia tarahumara.

La anatomía de las tarántulas les permita cazar sin necesidad de red.

El pueblo *rarámuri* (los de los pies ligeros) –nombre que se dan a sí mismos– disperso en pequeños grupo se dedica a la agricultura, la ganadería y la pesca. El nombre de rarámuri hace honor a los tarahumaras, pues son excelentes corredores de largas distancias y algunos de sus juegos están asociados a las carreras a pie.

tarairu. Grupo de cultivadores amazónicos, localizado al noroeste de Brasil, perteneciente a la familia lingüística tupí y emparentado con los grupos acriu, anace, caratiu, jandoan y payacu. Se reparte en aldeas situadas junto a los ríos, que le sirven como vías de comunicación. La jefatura del grupo recae en un consejo formado por todas las cabezas de familia.

taramaina. Subgrupo indígena perteneciente al gran grupo de los caracas que está localizado en el área central-norte de Venezuela, en las cabeceras de los ríos Guairo y San Pedro.

Los taraimas, hoy desaparecidos, dependían económicamente de una agricultura incipiente y sobre todo de la caza, la pesca y la recolección. Sus cultivos tradicionales básicos eran el cacao, el tabaco y el algodón. La caza se centraba en pecaríes, tapires y venados, así como en especies menores, y constituía un complemento importante en su dieta. Cada corpúsculo taramaina tenía un jefe.

tarantela. Danza popular italiana, viva y alegre, que se baila principalmente en Nápoles. Su nombre se deriva de la creencia supersticiosa de que bailándola se cura la picadura de la araña llamada tarántula.

tarántula. Araña voluminosa que toma su nombre de la región de Tarento de Italia, donde es muy abundante. Pertenece a la familia de las licósidas. En otro tiempo se creyó que su picadura producía una enfermedad de raros efectos nerviosos. Su cuerpo mide unos 3 cm de longitud, y en la especie más común, la *Lycosa tarantula*, es negro por encima y rojizo por debajo, con el tórax velloso y el abdomen redondeado, y está dotada de fuertes patas. Es cazadora y voraz, tan ágil y rápida que atrapa las presas sin red de telaraña. Vive en la tierra seca donde cava una profunda madriguera que recubre de tela. Cuando se aproximan las bajas temperaturas, tapa el orificio de su cueva para invernar. En este refugio subterráneo guarda sus capullos y su prole. Vive varios años. En sus mandíbulas se hallan unas glándulas que segregan veneno. Suele dársele también el nombre de tarántula a una araña americana que pertenece a la familia de las terafósidas. Es grande y fuerte, está cubierta de vello y vive en las selvas de América tropical. Es la mayor de todas las arañas: su cuerpo llega a tener 5 cm de largo y de un extremo a otro de sus patas extendidas mide más de 17 cm. Apresa insectos, pequeños lagartos y pajarillas. Su picadura es peligrosa; raras veces mortal.

Tarapacá. Región I y la más septentrional de la República de Chile, que limita al norte con Perú, al sur con la Región de Antofagasta, al este con Bolivia y al oeste con el océano Pacífico. Entre su frontera con Bolivia y la cordillera de la Costa se extiende el desierto llamado Pampa del Tamarugal. Tiene de superficie 58,073 km²

y su población es de 341,112 habitantes. La integran las provincias de Arica, Parinacota e Iquique. Su capital es el histórico puerto de Iquique (149,482 h). Ricos yacimientos de salitre, cobre y azufre. Posee algunos pequeños valles (quebradas) fértiles, como los de Azapa, Vítor y Camarones. Carretera y ferrocarril longitudinal de Iquique a Santiago de Chile y Arica. Ferrocarriles internacionales desde Arica a Perú (Tacna) y Bolivia (La Paz), y vías transversales al interior de la región.

Historia. La región de Tarapacá careció de relevancia durante la época colonial y estuvo adscrita a la república de Perú en los primeros decenios de su independencia. Pero hacia 1860, la explotación de salitre la situó en el primer plano de la actualidad sudamericana. Al declararse la guerra entre Perú y Chile (1879), se convirtió en uno de los objetivos principales de la contienda. En noviembre de 1879, los chilenos se apoderaron del territorio, y el Tratado de Ancón (20 de octubre de 1883) lo integró definitivamente a Chile.

Tarapoto. Distrito del oriente de Perú, en el departamento de San Martín, capital de la provincia del mismo nombre, con 22,051 habitantes, en la cuenca del Huallaga. Produce café, algodón, tabaco y hoja de coca. Cuenta con ganadería e industrias de licores y de sombreros.

tarascos. Uno de los más antiguos grupos del México prehispánico; se estableció en el territorio que hoy ocupan el estado mexicano de Michoacán y parte de los de Jalisco, Nayarit, Querétaro y Guerrero, también mexicanos, donde se encuentran interesantes vestigios tarascos. La cultura tarasca es anterior a la tolteca, y al sobrevenir siglos después la preponderancia militar de los aztecas, los tarascos supieron sostener virilmente su autonomía frente a los poderosos reyes aztecas. La capital de los tarascos era Tzintzuntzan, en las orillas del bello lago de Pátzcuaro. Construyeron extraños montículos de piedra volcánica, en forma de T, llamados yácatas, de grandes dimensiones, unos dedicados a templos y otros probablemente a sepulcros. Los yácatas mayores y más numerosos se encuentran en las zonas arqueológicas de Tzintzuntzan y de Ihuatzio. Fueron grandes artífices y sobresalieron en orfebrería, arte plumaria, pintura y cerámica. En orfebrería y metalistería ejecutaron obras maestras en joyas y filigranas de oro, con incrustaciones de turquesas y obsidiana y admirables mascarillas de cobre; en arte plumaria, bellísimos adornos en mosaico de plumas preciosas; en pintura, los célebres guajes y jícaras (recipientes y bandejas) de exquisitos colores; y en cerámica, pequeñas figuras que son modelos de preciosismo y de refinamiento, algunas con magistrales expresiones irónicas y juguetes en forma de animales estilizados de factura delicada. El reino tarasco, considerado como uno de los más importantes, después del azteca, pasó a ser dominio de los españoles poco después de la caída de Moctezuma.

Tarento. Ciudad y puerto de Italia, capital de la provincia de Ionio. Está situada en el Golfo de Tarento. Es una importante base naval con astilleros e industrias de construcción de buques. Exporta aceite, pescado y frutas. Tiene una población de más de 232,200 habitantes. Antiguamente era una colonia griega, fundada por espartanos, con el nombre de Taras.

Tariácuri. (?-1400). Rey de los tarascos, grupo indígena mexicano, hijo de Pauácume y de la hija de un pescador. Fue sacerdote en Pátzcuaro del dios solar Curicaueri. Al llegar al poder emprendió una campaña de expansión, iniciada contra el pueblo de Coríncuaro. La extensión de sus dominios y el prestigio de su gobierno han hecho que se le considere el fundador de la monarquía tarasca. Antes de morir dividió su reino entre su hijo Hiquíngaxe al que dejó Pátzcuaro, y sus sobrinos Tangaxoan e Hiripan, a quienes correspondieron respectivamente Tzintzuntzan y Cuyuacanlhuatzio.

Tarifa. Ciudad española de la provincia de Cádiz; está situada en una isleta que, unida a tierra firme por un dique o malecón, constituye el punto más meridional de Europa. Fundada por los griegos, se cree que pueda ser la Tingentera o Iulia Traducta de los romanos, en la que nació el célebre geógrafo Pomponio Mela. El nombre de Tarifa procede del berberisco Tarif que, un año antes de la invasión árabe, desembarcó en aquel lugar y realizó una exploración por encargo de Musà Nusayr. Es plaza fuerte, tiene puerto, faro y conserva monumentos históricos y artísticos, como el templo de San Mateo, de estilo gótico, el alcázar y la muralla almenada, con varias torres, una de las cuales es la denominada de *Guzmán el Bueno* en homenaje al defensor de la plaza que en 1294, antes que rendirla prefirió dejar que los sitiadores sacrificaran a su hijo. Tiene una población de 15,528 habitantes y cuenta con una floreciente industria pesquera.

tarifa. Tabla o catálogo de los precios, derechos o impuestos que se deben pagar por alguna cosa o trabajo. En economía política reciben el nombre de tarifas aduaneras o aranceles de aduanas, las tablas de los derechos o impuestos que se deben pagar por el pasaje de diversas clases de mercancías a través de las fronteras de una nación. En otras épocas como

las tarifas tenían por fin procurar ingresos al tesoro, se gravaban indistintamente los productos de importación y los de exportación; en nuestra época los países tienden a acrecer su comercio exterior para lo cual se procura dejar libres de impuestos las exportaciones e imponer derechos, en cambio, a las importaciones.

Clases de tarifas. Hay diversas tarifas en el terreno del comercio internacional, no sólo por los fines a que pueden responder, sino también por las diferentes maneras de aplicarlas. Se distinguen según este último criterio, entre derechos específicos y derechos *ad valorem*. Se trata de derechos específicos cuando los productos son gravados de acuerdo con su peso o medida, es decir, que se fija una cantidad determinada por cada kilogramo, o por cada metro del producto. Por lo general las materias primas pagan derechos específicos. Como se comprende, la cantidad a pagar es fija e invariable, ya que no depende del precio de la mercancía. Si ésta sube, el derecho correspondiente será, en proporción, menor, y si en cambio el precio baja, el gravamen será tanto mayor. Por lo común se emplea este tipo de tarifa cuando el propósito perseguido es el de procurar una renta fiscal al Estado. No interesa lo que pueda beneficiarse o perjudicarse el exportador; sólo cuenta que para una determinada cantidad de mercancía importada, entre al erario una cantidad fija de dinero. Los derechos *ad valorem* son los que se aplican teniendo en cuenta el valor de la mercancía y constituyen el tipo de tarifa más usual. En general se gravan con ellos los productos manufacturados y artículos varios. Pueden oscilar desde 5% o 10% hasta 100% o más aún. Estos derechos varían siempre con el precio guardando una misma proporción, a diferencia de los derechos específicos.

Finalidad de las tarifas. Pueden tener como fin exclusivo la recaudación de una renta para el Estado, pero en todo caso, cualquier tarifa representa, a la postre, un ingreso para el mismo. Inversamente, no siempre es posible determinar si una tarifa no tiene ningún otro efecto fuera de su

Las tarifas son una gran ayuda en las transacciones comerciales.

Corel Stock Photo Library

aporte al tesoro. Si, por ejemplo, el gravamen para obtener la renta fiscal se fija sobre una mercadería que también es producida en el país, aquél actuará favoreciendo a los productores nacionales. Si la ventaja así obtenida es suficiente para eliminar la importación, entonces ya nos hallamos en presencia de un derecho protector.

Veamos de qué modo se pueden proteger la producción y el trabajo nacional por medio de las tarifas. Supongamos un país A, altamente industrializado y un país B, agrícola, ganadero. Los economistas ingleses del siglo XIX, que propiciaban el librecambio –Adam Smith, David Ricardo, Stuart Mill– sostenían que lo mejor era permitir el comercio libre y dejar que la libre competencia se encargara por sí sola de equilibrar los valores económicos. En nuestro ejemplo ellos hubieran razonado que lo ideal, desde el punto de vista de la riqueza, sería que el país A abasteciera de productos manufacturados a B, en condiciones desfavorables para elaborarlos, y éste, a su vez, abasteciera de productos agrícolas y ganaderos a A, en condiciones menos favorables para su producción. Ellos hubieran demostrado matemáticamente que si el país A procura alcanzar cierta riqueza agrícola y ganadera en desmedro de su desarrollo industrial y, por su parte, B trata de desarrollarse industrialmente con perjuicio de la explotación intensiva de sus riquezas naturales, el resultado será un menor rendimiento económico total, consideradas en conjunto las economías de ambos países. Esto, que es cierto desde un punto de vista estrictamente económico, puede no ser conveniente desde un punto de vista político, pues cada Estado aspira a contar con industrias propias y materias primas propias para depender lo menos posible de la importación. En la práctica ningún estado ha querido estar a merced de otro y por eso todos han tratado, aun a riesgo de suscitar ciertos factores negativos en el rendimiento de sus bienes económicos, de desarrollar sus propias industrias aun cuando fueran inferiores a las de otras naciones más adelantadas técnicamente, con las cuales difícilmente hubiera podido competir en un mercado libre.

¿De qué medio se vale en ese caso un Estado para evitar la competencia de otros más industrializados? El remedio más eficaz consiste en poner diversas trabas a los productos extranjeros y, en primer término, la aplicación de altas tarifas arancelarias. La imposición de derechos elevados puede llegar a impedir totalmente la entrada de mercancías extranjeras, y, de este modo, los productores nacionales no deben temer la competencia extranjera, teniendo asegurado el mercado interno. Al crear y vigorizar así las industrias de un país, una vez que éstas han obtenido el abastecimiento del consumo nacional, se les presenta la

Corel Stock Photo Library

Las tarjetas de crédito permiten realizar compras en efectivo.

posibilidad de que puedan exportar sus productos, aunque para ello tengan que ajustar sus precios de exportación a los que prevalezcan en el juego de la libre competencia del mercado internacional.

Este tipo de tarifas proteccionistas contribuyó sensiblemente al afianzamiento de las industrias nacientes de los países latinoamericanos, surgidas durante las guerras mundiales, como resultado de la inevitable restricción de las importaciones. Una vez finalizadas las guerras, cuando nuevamente volvían a ponerse en actividad las grandes potencias industriales, las tarifas proteccionistas en vigor contenían y dificultaban el flujo de las importaciones, con lo cual se evitó que las industrias nacionales sufrieran el efecto adverso de la libre competencia. En general, en política arancelaria importa más a los estados proteger la producción nacional que tener en la aduana una fuente de recursos.

Historia. El pago de derechos por la salida o la entrada de las mercancías en determinados dominios, parece ser una práctica inmemorial. En la Edad Media si bien el comercio internacional fue harto escaso, los productos pagaban derechos cada vez que pasaban por los dominios de un señor feudal, de un príncipe o de una ciudad independiente.

Los derechos aduaneros se intensificaron en el mercantilismo, sistema económico dominante durante varios siglos, a partir de la época de los grandes descubrimientos geográficos. Como consecuencia del gran impulso de la navegación y de los nuevos territorios descubiertos, el comercio internacional adquirió proporciones insospechadas hasta entonces. Al mismo tiempo, los pueblos salían de la Edad Media con un sentimiento bien consolidado de la nacionalidad, lo cual creó una intensa rivalidad entre las distintas naciones. Cada una buscaba su propio beneficio a expensas de las otras; lo único que importaba era alcanzar una balanza comercial favorable, es decir, que las exportaciones superaran las importaciones. Se suponía entonces que el oro era el bien económico por excelencia, y como la diferencia entre las

exportaciones y las importaciones debía ser pagada en oro, aquellos países que tuviesen una balanza comercial favorable, verían, año a año, aumentar su capital en oro. Al mercantilismo sucedió luego la política librecambista sustentada por Inglaterra en el siglo XIX, y después de la Primera Guerra Mundial, la tendencia arancelaria se orientó hacia la política proteccionista.

La política económica y las tarifas. No sería exacto afirmar que el uso extendido de las tarifas sólo responde a un criterio estrecho de los gobiernos. Si bien es cierto que en un primer momento pudo haberse pensado que las tarifas eran una especie de impuestos pagados por las demás naciones, como estas naciones también tienen sus tarifas, a la larga son los mismos ciudadanos quienes pagan esos impuestos. Y aun así, si sabiendo esto los estados mantienen sus tarifas, es porque su uso les permite, hasta cierto grado, seleccionar entre los distintos sectores de su economía aquellos que, a expensas de los demás, habrán de ser favorecidos por el comercio internacional.

No debe sustentarse por ello, sin embargo, un punto de vista estrictamente nacionalista. Muy por el contrario, un criterio semejante sólo podría ser practicable si se armoniza con un criterio internacional. Es menester brindar a cada país una oportunidad para su mejor desarrollo económico. Sólo podrá lograrse la convivencia pacífica de las naciones, si cada una tiene posibilidades de una vida económica propia y libre. Quizá el ideal económico sea, como querían los librecambistas, la supresión de las tarifas. Pero, entretanto su uso moderado sigue siendo necesario y recomendable mientras no se produzcan profundos cambios en la fisonomía política y económica mundial. *Véanse* ADUANA; DUMPING; EXPORTACIÓN E IMPORTACIÓN.

Tarija. Departamento del sur de Bolivia, limítrofe con Argentina y Paraguay, y con los departamentos bolivianos de Chuquisaca y Potosí. La atraviesa el río Pilcomayo, y en el vértice sur del departamento, sirven de límite con Argentina los ríos Tarija y Bermejo. Tiene una extensión de 37,623 km^2 y 309,000 habitantes. Su capital es la ciudad de Tarija, con 21,900 habitantes.

tarjeta de crédito. Medio de pago que permite la compra de bienes y servicios sin tener que desembolsar en el acto dinero en efectivo.

Basadas en el principio de sustitución de la solvencia personal por la garantía de la entidad emisora, las tarjetas de crédito aparecen en su configuración actual a mediados de los años cuarenta en Estados Unidos. Desde entonces han experimentado un desarrollo espectacular caracterizado por la expansión geográfica del mercado y la di-

versificación de los servicios ofrecidos. Entre las tarjetas emitidas por entidades bancarias existen, además de las de crédito propiamente dichas (Visa, Master Charge, Eurocard, etcétera), las que operan por medio de cheques garantizados y las que permiten disponer de dinero en efectivo a cualquier hora del día en las cajas automáticas. Las tarjetas no bancarias consisten generalmente en tarjetas de compra (distribuidas por los propios comercios y grandes almacenes) y tarjetas de esparcimiento (Diners, American Express) emitidas por grandes organizaciones comerciales que operan a escala internacional y que, a diferencia de todas las anteriores, sólo pueden utilizarse previo pago de una cantidad por concepto de inscripción y sucesivas cuotas anuales.

La principal desventaja de la utilización del *dinero de plástico* consiste en su efecto inflacionista, ya que las entidades emisoras suelen percibir intereses de la operación por concepto de retribución del servicio prestado, que redunda en forma de elevación de los precios de compra y que el comerciante suele hacer extensiva al conjunto de compradores (con tarjeta o sin ella). Estados Unidos es el país de mayor volumen de tarjetas y de facturación por este medio, seguido por Canadá, Reino Unido, Francia y España.

tarjeta postal. Pedazo de cartulina rectangular, que se emplea como carta y se envía por correo. Su tamaño ordinario no suele exceder de 15 por 10 cm. El reverso se halla destinado a consignar las señas del destinatario, a llevar el franqueo, y al texto

Las tarjetas postales hacen alusión de un lugar o una época.

o comunicación. El anverso puede ser un grabado, una fotografía, un dibujo, etcétera; el estilo y el motivo de esta ilustración corresponde casi siempre al gusto de la época y a la ocasión que la tarjeta quiere celebrar. Así hay tarjetas postales para cumpleaños, Navidad, Año Nuevo, etcétera.

Tarkington, Newton Booth (1869-1946).
Novelista y dramaturgo estadounidense. Sus primeras obras fueron novelas románticas, *El caballero de Indiana* y *Monsieur Beancaire*. Después se destacó en la novela realista y sus obras de esta tendencia siguen siendo muy populares. Pinta en ellas con vivos colores la vida del Medio Oeste estadounidense. Sus novelas *Penrod* y *Penrod y Sam* fueron comparadas con *Tom Sawyer* y *Huckleberry Finn* de Mark Twain. En 1919 y 1922 ganó el Premio Pulitzer por sus novelas *Los magníficos Ambersons* y *Alice Adams*.

Tarpeya, roca.
Situada en la colina del Capitolio de Roma. Debe su nombre a la hija del gobernador de la ciudadela, Espurio Tarpeyo (siglo VIII a. C.), la que ofreció entregar a los sabinos en guerra con los romanos la fortaleza del Capitolio si éstos la obsequiaban con "lo que llevaban en el brazo izquierdo", señalando sus brazaletes de oro. Accedieron los sabinos a lo propuesto, y al penetrar en la fortaleza, arrojaron sobre Tarpeya sus joyas y sus escudos y la joven murió aplastada por el peso de ellos. Posteriormente se ejecutaba a los criminales condenados a muerte, lanzándolos desde lo alto de la roca para señalarla como signo de oprobio, y en esa forma pasó de la leyenda a la historia.

tarpón.
Pez elópido marino relacionado con los arenques. Tiene el cuerpo comprimido y llega a alcanzar más de 2 m de largo y 100 kg de peso y está cubierto de grandes escamas plateadas, y con las aletas ventrales estrechas. Suele dar saltos enormes fuera del agua. Su carne es comestible, aunque dura y poco apreciada; su gran resistencia al arrastre de las cañas de pesca lo hacen uno de los peces preferidos para la pesca deportiva. Vive en el océano Atlántico, en aguas cercanas a las costas del continente americano, desde las de Estados Unidos a las de Brasil, especialmente en la península de la Florida, Golfo de México y las Antillas. Las escamas se utilizan para fabricar objetos de adorno.

Tarquino *el Soberbio*, Lucio (s. VI
a. C.). Reinó de 534 a 509 a. C., y fue el séptimo y último de los reyes legendarios de Roma. Usurpó el trono, prescindió de las leyes y del consejo del Senado y gobernó como un tirano. Venció a los sabinos y los hizo tributarios suyos y obligó a la confederación latina a reconocer la suprema-

Corel Gallery

El tarpón habita en las aguas del Océano Atlántico.

cía de Roma. Su violencia y el ultraje de su hijo Sexto Tarquino contra Lucrecia aceleraron la caída de la monarquía y la implantación de la república.

Tarquino *el Viejo* o Prisco, Lucio
(?-578 a. C.). Primer rey etrusco de Roma. Reinó de 616 a 578 a. C. Nacido en Etruria, pasó a Roma y pronto obtuvo el cargo de senador. Su riqueza y generosidad lo hicieron popular, y a la muerte del rey Anco Marcio fue elegido rey. Sostuvo guerras victoriosas contra los latinos, los sabinos y los etruscos, y construyó la Cloaca Máxima, el primer circo y echó los cimientos del templo de Júpiter Capitolino. Su reinado fue el de un reformador. Murió asesinado por los hijos de su antecesor.

Tarragona.
Ciudad española, capital de la provincia de su mismo nombre, una de las cuatro que integran la región catalana. Cuenta con una población de 112,801 habitantes. Su parte antigua está edificada sobre una colina frente al Mediterráneo, por un lado de la cual desciende la ciudad moderna hacia la bahía y la desembocadura del río Francolí. De sus remotos orígenes prerromanos conserva la parte de construcción ibérica (s. VI-V a. C.) de sus murallas, el resto de las cuales, en una longitud de 1 km, fue construido por los Escipiones en ocasión de las guerras púnicas. Julio César la elevó a la categoría de colonia romana y en tiempos de Augusto ostentó la capitalidad de la España Citerior; de la importancia que entonces tuvo conserva los elocuentes vestigios del Palacio de Augusto, también denominado Castillo de Pilatos, el Anfiteatro, el Circo y, en las cerca-

nías de la ciudad, el Acueducto de las Ferraras (Puente del Diablo), la Torre de los Escipiones, las Canteras del Médol y el magnífico Arco de Bará. Según la tradición, Tarragona fue evangelizada por san Pablo, y, tras la caída del imperio romano, la conquistaron sucesivamente francos (s. III), visigodos (s. V) y árabes (s. VIII); reconquistada por el obispo san Olegario (hacia 1116), la restauración cristiana se consolidó en tiempos del conde de Barcelona Ramón Berenguer IV; poco después se inició la construcción de su catedral que, por haber durado las obras varios siglos constituye una magnifica conjunción estilística del románico y el gótico. Otros monumentos notables son el Hospital antiguo y la capilla de San Pablo, la necrópolis paleocristiana y los museos diocesano y arqueológico. En la época moderna, la prosperidad de Tarragona arranca de la primera mitad del siglo XIX, cuando se construyó su puerto, por el que se exportan los productos principales de sus cosechas: vino, aceite, almendra y avellana. Es un centro turístico importante, con amplio mirador sobre el Mediterráneo y fáciles comunicaciones. A no mucha distancia se encuentran los famosos monasterios cistercienses de Santa María de Poblet y Santas Creas (s. XII y siguientes), con los panteones reales de la antigua confederación cataloaragonesa.

Tarragona.
Provincia española, perteneciente al antiguo principado de Cataluña. Se halla enclavada entre las de Barcelona, Lérida, Zaragoza, Teruel y Castellón, con litoral al Mar Mediterráneo. Tiene 6,303 km². Cuenta con playas concurridas en verano. El suelo está accidentado por la

Tarragona

Cadena Catalana (Sierra de Montsant, Prades, Llena, Balaguer, Cardó y otras). Entre las montañas se abren llanuras onduladas que integran comarcas naturales: Campo de Tarragona, Priorato, Panadés, etcétera. De sus cursos de agua el más importante es el Ebro, que corre encajonado en estrecho valle y desemboca en el Mediterráneo por un amplio delta.

Goza de un clima templado con inviernos suaves y veranos calurosos, moderados por la brisa del mar. Su economía es agrícola, aunque existen importantes centros industriales. Produce: aceituna, uva, arroz, almendra, avellana, algarroba, patatas, tomates, pimientos y parales.

Elabora vinos, aguardientes, aceites, tejidos, maquinarias, jabón, papel y tabaco. La población se eleva a 544,457 habitantes. Entre sus centros urbanos se destacan: Tarragona, la capital Tortosa, Reus, principal centro industrial de la provincia; Valls, Amposta y San Carlos de la Rápita. Conserva ruinas y antigüedades romanas que atestiguan su antiguo esplendor.

Tárrega, Francisco (1852-1909).
Guitarrista y compositor español que nació en Villarreal (Castellón de la Plana). Inició sus estudios en Castellón de la Plana y luego en a Valencia, donde se dedicó a la enseñanza hasta reunir los fondos necesarios para establecerse en Madrid. En la capital ingresó en el conservatorio y estudió piano. Dio un concierto de guitarra en un teatro y el éxito con que fue recibido lo decidió a abandonar el piano y dedicarse a la guitarra. En 1881 se trasladó a París y allí trabó amistad con personalidades que admiraron su destreza para arrancar a la guitarra armonías consideradas hasta entonces como imposibles de lograr de un solo instrumento de limitados recursos. Luego de haber triunfado en la capital de Francia, emprendió una gira de conciertos por diversos países de Europa, en todos los cuales cosechó grandes aplausos. La guitarra era entonces un instrumento olvidado por los concertistas, y Tárrega demostró que podía rivalizar con otros más completos. Así lo confirmó en la adaptación e interpretaciones de obras de Ludwing van Beethoven, Wolfgang Amadeus Mozart, Franz Joseph Haydn, Johann Sebastian Bach, Eduard Grieg, Franz Schubert, Felix Mendelssohn y otros maestros. En su producción original, de gran fuerza expresiva y notable inspiración, figura buen número de preludios, danzas, variaciones, caprichos y serenatas, de los que han alcanzado gran difusión *Capricho árabe, Danza moruna* y *Recuerdos de la Alhambra.* Fue el creador de la escuela moderna de guitarra española.

tarsero.
Mamífero de la familia de los társidos, relacionado con los lémures. Es

Tarsero.

parecido a una rata y se distingue por tener ojos muy grandes, orejas membranosas, cola larga y delgada con pelos en la punta y extremidades posteriores con tarsos muy prolongados. Es animal nocturno, pero aun en pleno día se mueve con agilidad, saltando de rama en rama. Vive en el archipiélago Malayo y se alimenta de insectos. Los malayos lo consideran con terror supersticioso y lo llaman *singapoa* (león pequeño).

Tartaglia o Tartalea (1500?-1557).
Sobrenombre de Nicoló Fontana, que alude a la tartamudez que padecía. Matemático italiano. Sus cátedras en las ciudades italianas de Brescia, Verano y Milán atrajeron a estudiosos de toda Europa; su método para resolver las ecuaciones de tercer grado aumentaron su fama. Fue, además, el primero que aplicó la matemática a la artillería y al arte militar. Escribió un *Tratado general de los números* y *La nueva ciencia.*

tartamudeo.
Habla en forma entrecortada, con dificultad y repitiendo ciertas sílabas. La dificultad no es la misma con todos los sonidos. Las formas de tartamudez son múltiples y difieren, así como sus causas, de unos individuos a otros. Se distinguen, sin embargo, tres tipos fundamentales. En la tartamudez tónica, el sujeto se detiene en el primer sonido de una palabra y sólo después de un gran esfuerzo consigue completarla. En la tartamudez clónica, el sujeto repite varias veces la primera sílaba antes de poder pronunciar la palabra entera. Por último, en la tartamudez vocálica, de suma gravedad, el paciente se queda con la boca abierta, en distintas posiciones según la vocal que desea pronunciar, sin poder conseguirlo. La tartamudez tónica es más grave que la clónica, llegando a veces el esfuerzo a tal extremo, que el tartamudo siente como si se ahogara.

Al tartamudear se produce un espasmo de los músculos vocales que interrumpe la locución, a veces por completo.

No se conocen las causas específicas de la tartamudez. Existen alrededor de 15 teorías que la explican y más métodos aún para corregirla. Para unos consiste en una lucha entre los nervios motores trasmisores del pensamiento, y los músculos vocales; para otros, en un espasmo del diafragma; hay quienes sostienen que sólo se debe a un funcionamiento defectuoso del aparato respiratorio, y quienes la denominan neurosis de coordinación. Según esta teoría, el paciente no logra coordinar la acción de los tres grupos musculares que intervienen en el lenguaje: de la respiración, de la producción fónica y de la articulación. La tartamudez va acompañada, generalmente, de timidez y falta de confianza en sí mismo, pero estos elementos, más que su causa parecerían ser su resultado. Se da con una frecuencia cerca de seis veces mayor entre los hombres que entre las mujeres. En ciertas circunstancias los tartamudos son capaces de expresarse normalmente; por ejemplo, cuando cantan o leen a coro, o cuando están solos y hablan para sí mismos. Hay casos de tartamudez periódica, en que el paciente tartamudea mucho más unos días que otros.

La tartamudez se manifiesta cuando el niño empieza a hablar y alcanza su mayor intensidad entre los tres y los seis años.

Tartaria.
República autónoma, que forma parte de Rusia. Su territorio abarca 68,000 km^2 y está situada en la región este central de la Rusia europea. Su población es de 3.743,000 habitantes, la mitad de los cuales son de origen turco-tártaro, y el resto ruso y de otras procedencias raciales. El territorio está atravesado por los ríos Volga y Kama con sus tributarios.

El ácido tartárico proporciona el brillo a la seda.

La capital es la ciudad de Kazán. La principal actividad es la agricultura y se cultiva trigo y otros cereales. Las industrias más importantes comprenden la preparación de pieles y cueros y la fabricación de calzado.

tartaria y tártaros. El nombre de Tartaria se dio antiguamente a un vasto territorio, que abarcaba desde Asia central hasta partes de Europa oriental. Esta región incluye Manchuria, Mogolia, Sikiang y partes meridionales de la exUnión Soviética. Pequeña Tartaria se llamó al territorio que hoy es Crimea, Astrakán y Kazán, que se formó en el siglo XV durante el proceso de desmembración del imperio mogol. Esta región estuvo sometida a los sultanes turcos y luego pasó a poder de los zares de Rusia.

El nombre de tártaros se dio por primera vez en la Edad Media a las razas nómadas salidas de Asia central y que invadieron Europa. Los antiguos los llamaron escitas. Los primitivos tártaros habitaban una región situada entre los montes Altai y el lago Baikal. Cuando Gengis-Kan sometió a los pueblos de Asia central, en Europa comenzó a llamarse tártaros a las tribus de origen turco, tungueses y fineses dominadas por los mogoles, que sembraron el espanto a su paso por Europa oriental. Los cristianos medievales los llamaron tártaros por suponerlos surgidos del Tártaro, nombre mitológico del Infierno. Gengis-Kan, tártaro por parte de su madre, nunca aceptó esta denominación, sino que los pueblos a él sometidos se llamaron mogoles, que era la raza de su padre. Cuando el imperio formado por este conquistador se dividió en varios kanatos, a sus habitantes se les siguió llamando tártaros aunque el origen de los mismos fuese turco. Esta denominación subsistió incluso después que estas regiones pasaron a poder de los zares de Rusia, y muchos autores, siguiendo esta tradición, llamaron tártaros a diversos pueblos de Asia central y oriental, sin distinción de raza.

tartárico, ácido. Cuerpo sólido que se extrae del tártaro. Es blanco, soluble en el agua y cristalizable. Se encuentra en la naturaleza en estado de libertad y en forma de sal ácida de potasio, y también en forma de sal cálcica en los tamarindos, moras, acederas, pepinos y otras plantas; en notable cantidad se le halla en el zumo de uvas, así como en las heces y orujos, en todas las cuales se halla tártaro bruto, en gran proporción. Neutralizando la solución de tártaro con carbonato cálcico y descomponiendo luego el tartrato cálcico precipitado con ácido sulfúrico, se obtiene el ácido tartárico, que se caracteriza, lo mismo que sus sales, por cierto olor a caramelo. Se emplea en labores fotográficas, para estampados, para abrillantar el

Johnny Weismuller interpretando al personaje de Tarzán de los monos.

color de la seda teñida y para dar suavidad a las fibras del algodón. En medicina se utiliza en soluciones edulcoradas y diluidas, en limonadas y en jarabe.

Sirve también para la preparación de bebidas refrescantes y para obtención de polvos efervescentes. *Véase* TÁRTARO EMÉTICO.

Tartarín de Tarascón. Personaje creado por el novelista francés Alphonse Daudet y que figura en la trilogía *Tartarín de Tarascón* (1872), *Tartarín en los Alpes* (1885) y *Puerto Tarascón* (1890). De imaginación extraordinaria, charlatán y mistificador, narraba como verídicas sus fantasías, y convertía en fabulosos sus lances vividos en la limitada realidad. Este célebre personaje literario debido a la pluma de Daudet, tipifica con rasgos exagerados, pero amables e ingeniosos, el carácter del francés meridional.

Tártaro. Nombre dado en la mitología antigua a un lugar de penumbras, bajo el Hades o Infierno, donde eran recluidos los titanes vencidos, y aquellos que habían cometido grandes delitos contra los dioses. La mitología griega aseguraba que una piedra lanzada hacia el abismo demoraba nueve días en llegar al Tártaro. De allí no era posible salir, pues el lugar estaba rodeado por varios ríos, uno de ellos de fuego.

tártaro emético. Compuesto de antimonio que se emplea en medicina como eficaz emético o purgante, según la dosis. Su nombre químico es tartrato antimónico potásico. Cuerpo sólido, soluble en agua, aplicado sobre las mucosas ejerce una acción irritante que percibida por la mucosa

gástrica provoca el vómito. Es venenoso por lo que debe usarse en pequeñas dosis y sólo por prescripción médica. *Véase* TARTÁRICO, ÁCIDO.

tartesio. Antiguo pueblo establecido en épocas remotas en el valle del Guadalquivir, en Andalucía (España), seguramente en su parte baja o desembocadura. Se hallan referencias de él en la Biblia, la *Odisea* y en alusiones procedentes de Hesiodo. Después de la dominación romana en la Península Ibérica se les califica de turdetanos o túrdulos, reconociéndolos como iberos. Se sabe que los fenicios enviaban sus naves a ese pueblo para comerciar con las grandes riquezas minerales que ofrecía su suelo (plata, estaño, hierro, etcétera). Se presume que poseyeron una civilización que debió coincidir con la segunda Edad de Hierro. Adoraban al Sol, a la Luna y al planeta Venus, estrella matutina o *lux divina* a la cual erigieron un templo en Evora (Sanlúcar de Barrameda). Se han descubierto restos arqueológicos de los tartesios en Osuna y Estepa.

Tartini, Giuseppe (1692-1770). Violinista y compositor italiano, cuya técnica influyó de manera decisiva en una serie de brillantes intérpretes. Fue uno de los principales maestros de la escuela italiana, que culminaría en Nicolò Paganini. Introdujo fundamentales novedades, en su época, tanto en la ejecución con arco, como en el *pizzicato*. En 1728, fundó una escuela de violín en Padua. De ella salieron violinistas que se diseminaron por toda Europa. Compuso más de 20 conciertos y sonatas. Su obra más famosa es el *Trino del Diablo*, así llamada, aparte de interpretaciones arbitrarias, por su enorme dificultad de ejecución, sólo accesible a los grandes virtuosos.

taruga. Especie de ciervo de América del Sur perteneciente al mismo género del huemel, aunque es más pequeño que éste. Tiene el pelaje gris leonado y los cuernos ahorquillados desde la base, y vive en estado salvaje, sin formar manadas, a lo largo de la cordillera de los Andes, desde Ecuador hasta el norte de Argentina y Chile, generalmente en los páramos o sobre los grandes nevados.

Tarzán. Personaje novelístico, cinematográfico y de historietas, creado a comienzos del siglo XX por el escritor estadounidense Edgar Rice Burroughs en la novela *Tarzán de los monos* (1914). Es una especie de *hombre en estado natural*, desprovisto de cultura pero dotado de finísima intuición y sentidos agudos. Hollywood lo llevó a la pantalla, creando un género de películas que no tardó en hacerse famoso. Entre los artistas que han interpretado el papel de Tarzán figuran: Herman Brix, campeón olímpico de

Corel Stock Photo Library

Paisaje nevado de las colinas en Tasmania. Australia.

natación; Buster Crabbe, también campeón olímpico; el atleta Johnny Weismuller, que se hizo cargo del papel durante muchos años, y Lex Barker.

tasa. *Véase* INTERÉS.

tasajo. Trozo de carne seco y salado para que se conserve. La salazón de carne es una industria típicamente rioplatense y la más antigua de esta región de América. Dada la abundancia y baratura del ganado en la zona, floreció rápidamente en tiempos de la Colonia, impulsada además por la demanda creciente de los mercados consumidores. Los grandes saladeros tenían su asiento a lo largo del litoral uruguayo y en la provincia de Buenos Aires; en ellos se sacrificaban anualmente centenares de miles de cabezas de ganado vacuno. Los principales mercados fueron, durante mucho tiempo, Brasil y Cuba. Más tarde, descubiertos otros procedimientos más ventajosos para la conservación de las carnes, la preparación del tasajo fue decreciendo hasta que su consumo fue reemplazado por el de carnes frescas y refrigeradas. El tasajo fue, casi hasta fines del siglo XIX, un alimento popular en ambas márgenes del Río de la Plata, donde se le conocía también con el nombre de charque o charqui.

Tashkent. Ciudad capital de la república de Uzbekistán. Tiene 4.298,500 habitantes. Es una de las ciudades mayores del Asia central, situada en el valle agrícola del río Chirchik. Es un gran centro cultural y tiene universidad y notables institutos científicos. Tiene industrias de hilados y tejidos de algodón y seda, artículos de cuero, productos químicos, talleres metalúrgicos, maquinaria agrícola, productos alimenticios y producción de energía hidroeléctrica. Nudo de comunicaciones terrestres y aéreas, es importante estación en la línea del ferrocarril Turkestán-Siberia.

Tasman, Abel Janszon (1603-1659). Navegante holandés que exploró parte del sur del océano Pacífico. Estuvo al servicio

El demonio de tasmania fue visto por primera vez en la isla homónima.

Corel Stock Photo Library

de la Compañía Holandesa de las Indias Orientales y fue el primero en circunnavegar Australia. A partir de 1634 efectuó importantes viajes de exploración. En 1642 descubrió una isla, a la que dio el nombre de Tierra de Van Diemen, en honor del gobernador de las Indias Orientales. También descubrió y exploró numerosas islas y navegó cientos de leguas por el océano Pacífico en busca del continente del sur, que era entonces la quimera de los geógrafos. A él se debe también el descubrimiento de las islas que hoy se llaman Nueva Zelanda. A la Tierra de Van Diemen se le dio el nombre de Tasmania en 1853, en honor de este explorador.

Tasmania. Isla del océano Pacífico, situada al sureste de Australia, de la que está separada por el Estrecho de Bass, de unos 240 km de ancho. Tiene la isla 290 km de anchura por unos 300 de longitud. Su área total es de 68,800 km^2, de los cuales unos 1,500 corresponden a pequeñas islas cercanas.

La cruzan dos cordilleras paralelas separadas por una planicie central, con una altitud media de unos 1,000 m. Tiene 456,700 habitantes. La capital es Hobart, situada en el sur de la isla. En general, esta isla es tierra montañosa, con numerosos lagos y cascadas formadas por las corrientes caudalosas de sus ríos. Las costas son accidentadas e irregulares, especialmente en la parte sur, donde se abren varias bahías. La economía de la isla está representada por la agricultura, ganadería, industrias forestales y mineras. Las cosechas principales son las de avena, trigo, chícharo, patata, nabo y manzana. La ganadería comprende cabezas de ovinos que rinden excelente lana, y de menor importancia, ganado vacuno, porcino y caballar. Son importantes las industrias de tejidos de lana, papel para periódico, frutas en conserva y aserraderos de madera. En torno a Hobart se ha desarrollado notablemente la actividad industrial. El clima en los valles y costas es templado, y en las montañas húmedo y frío. Las lluvias son muy abundantes, en particular en la faja costera. Desde 1901 Tasmania forma parte de la Comunidad de Australia, como uno de los seis estados federados. El gobierno interior de Tasmania consiste en un Parlamento dividido en Consejo Legislativo y Asamblea. El primero está integrado por 19 miembros y la segunda por 35. La educación es gratuita y obligatoria entre los seis y 16 años de edad. La enseñanza secundaria y superior comprende diversos institutos y escuelas técnicas especiales. En Hobart está la Universidad de Tasmania, fundada en 1890. Hay buenas comunicaciones marítimas y aéreas con Australia. La red de carreteras de la isla tiene 20,000 km.

La isla de Tasmania fue descubierta en 1642 por el navegante holandés Abel Janszoon Tasman, quien le dio el nombre de Tierra de Van Diemen en homenaje al gobernador de las Indias Orientales Holandesas. Los ingleses se apoderaron de Tasmania en 1802 y surgió una prolongada guerra con los aborígenes de la isla, conflicto que duró cerca de 30 años, durante los cuales los primitivos pobladores quedaron reducidos a poco más de un centenar. El último representante de la raza aborigen murió en 1876. De 1804 a 1853 Inglaterra estableció en la isla una colonia penitenciaria y en 1853 le dio el nombre de Tasmania en honor de su descubridor. *Véase* OCEANÍA *(Mapa).*

TASS. Siglas del nombre correspondiente a la *Telegrafnoye Agentstvo Sovetskovo Sojuza,* agencia telegráfica a cargo de la transmisión y difusión de noticias en la Unión Soviética, transformada en la agencia rusa ITAR-TASS, tras la desintegración de la Unión Soviética, en 1991. Su origen se remonta al régimen zarista durante el cual ya existía la Agencia de Noticias de Petrogrado. Después del movimiento revolucionario soviético, fue reorganizada con el nombre de Agencia Rosta. Sostiene un intercambio de noticias e informaciones con la agencia británica *Reuter* y las estadounidenses *United Press y Associated Press.*

Tasso, Torquato (1544-1595). Poeta italiano. Nacido en Sorrento, sufrió durante su vida errante muchas amarguras y contrariedades. Hijo del poeta Bernardo Tasso, comenzó a estudiar literatura e historia en Roma. Sorprendía por su precoz memoria, siendo capaz de recitar a los 10 años largos poemas de clásicos griegos y latinos. Su padre lo obligó a estudiar leyes, pero a los 18 años escribió el poema *Rinaldo* (1562), que lo hizo famoso, permitiéndole su padre estudiar filosofía y poesía. Estudió en Bolonia, pero, acusado de satirizar a sus profesores, tuvo que irse. En la Universidad de Padua conoció las obras de Virgilio. Protegido por el cardenal Luis d' Este, comenzó a escribir esta gran obra, en la que describía la toma de Jerusalén por los cruzados, bajo el mando de Godofredo de Bouillon. En 1571, disgustado con el cardenal, pasó a la corte del duque Alfonso de Ferrara. En 1573, escribió *Aminta,* en cinco actos, obra de carácter pastoril, representada en la corte. En 1575 terminó la obra que le daría fama: *Jerusalén libertada,* que sometió a la crítica literaria y a la censura eclesiástica para obtener su aprobación. Pero al serle impuestas modificaciones y supresiones, Tasso las rechazó por considerar que arruinaban la obra. Los disgustos y rencillas que siguieron le provocaron un desequilibrio mental y sufrió delirio de persecuciones. Internado en un mani-

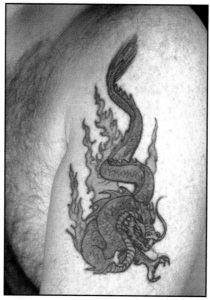
Corel Stock Photo Library
El tatuaje se realiza con punciones en la piel, introduciendo pigmentos.

comio volvió a Ferrara en 1579, pero sus actos disgustaron al duque, que volvió a encerrarlo. Salió después de siete años, viviendo algunos meses en Mantua y luego en Nápoles, donde escribió una versión revisada de su epopeya, muy inferior a la original. En 1594, el papa Clemente VIII lo llamó a Roma para imponerle la corona de los poetas en el Capitolio, pero demorada la ceremonia, murió antes que se realizara. Escribió exquisitos diálogos, madrigales, sonetos y canciones. Su obra ha ejercido gran influencia en la literatura de su patria y de otras naciones.

tatú. Especie de armadillo de hasta 1 m de longitud, con 13 bandas córneas en el cuerpo, endurecidas por sales calizas, cuatro dedos en las manos y cinco en los pies, todos armados de uñas muy largas y fuertes con las cuales improvisa galerías bajo tierra. De cabeza chica, tiene hasta 100 dientes, pero ninguno es incisivo ni canino. Su carne es muy estimada, especialmente la del tatú mulita, y su fuerza tan grande que un hombre, tomándolo por la cola, que mide unos 30 cm, no consigue sacarlo de la cueva. Existen varias especies, casi todas nocturnas. Pesa entre 40 y 70 kg y vive en los bosques de Paraguay, Misiones (Argentina), Brasil y Guayanas donde se llama gualacate. *Véase* ARMADILLO.

tatuaje. Práctica de grabar dibujos permanentes en el cuerpo humano, punzando la piel e introduciendo materias colorantes. Es una costumbre bastante difundida entre los marineros y soldados de casi todas las naciones, pero, sobre todo, entre los pueblos primitivos; para éstos constituye uno

de los mayores adornos, así como marcas de identificación (de familia o tribu, de asociaciones secretas, etcétera), o amuletos, y, en algunas tribus, tiene valor jerárquico. Entre los pueblos en que más se ha practicado el tatuaje figuran los maoríes de Nueva Zelanda, preferentemente en la cara. Japoneses y birmanos han hecho en tatuaje los más complicados dibujos, cubriendo casi todo el cuerpo con figuras de animales, flores y cabezas humanas. En otros pueblos se hacen dibujos en relieve, produciéndose heridas que frotan e impregnan con sustancias irritantes para que queden cicatrices abultadas. Este método se conoce con el nombre de escarificación. Ambas prácticas requieren operaciones muy dolorosas.

tatuejo. *Véase* ARMADILLO.

Tatum, Edward Lawrie (1909-1975). Bioquímico y genetista estadounidense. Trabajó como ayudante de biología en la Universidad de Stanford (1937-1945) y fue luego profesor de microbiología en la de Yale (1946-1948) y de biología en la de Stanford (1948-1957). En 1957 se le nombró profesor en la Universidad Rockefeller de New York. Se le debe el descubrimiento, en colaboración con George Wells Beadle, del mecanismo por el cual los genes transmiten los caracteres hereditarios (1940-1941). Junto con Joshua Lederberg descubrió el fenómeno de la recombinación genética en una cepa mutante de *Escherichia coli* y puso de manifiesto la existencia de una correlación entre los genes y determinadas reacciones bioquímicas, lo que renovó el interés por la genética bioquímica e impulsó el empleo de las bacterias en los estudios genéticos, todo lo cual contribuyó al desarrollo del importante campo de estudios hoy conocido como genética molecular. En 1958 le fue concedido el Premio Nobel de Fisiología o Medicina, que compartió con Beadle y Lederberg.

Taube, Henry (1915-). Químico estadounidense nacido en Canadá. Profesor de las universidades de California, en Berkeley (1940-1941), Cornell (1941-1946), Chicago (1946-1961) y Stanford desde 1962. Destacó por sus investigaciones de transferencia de electrones, particularmente en los complejos metálicos. Premio Nobel de Química en 1983.

Taulero, Johanes (1300-1361). Místico alemán. Ingresó muy joven en la Orden de Santo Domingo y fue después profesor de arte y teología en la Universidad de Colonia. Ya predicador famoso en Estrasburgo, Colonia y Basilea, su entrega al prójimo durante la peste negra le popularizó en extremo, con la consecuencia de que se le atribuyeran multitud de sermones

Corel Stock Photo Library

La tauromaquia tiene sus orígenes en Europa.

y obras apócrifas. Su pensamiento –fiel a Tomás de Aquino, salvo en detalles de cubo neoplatonizante– fue tildado de semi-quietista y de precedente de Lutero, acusaciones contrarreformistas desacreditadas ya por Pieter Canisio o Kanys (s. XVI). Dejó importantes escritos religiosos, entre los que se destacan *Instituciones divinas, De la imitación de la vida de pobreza de Cristo* y *Sermones*.

Tauro. Constelación, la segunda del Zodiaco, simbolizada por un toro. Consta de 140 estrellas, siendo las más importantes Aldebarán y el grupo de las Pléyades. *Véanse* ALDEBARÁN; PLÉYADES.

Tauro, montes. Cadena montañosa situada en el sur de Turquía, en Asia Menor. Se extiende a lo largo del Mediterráneo, desde el Mar Egeo hasta el río Éufrates. Tiene una longitud de 480 km, y un ancho máximo de 190. Es zona rica en minerales y sus valles son muy fértiles. Entre sus picos más altos figuran el Argeo, de 4,000 m; el Bulgar Dagh, de 3,500 y el Apick Kardagh, de 3,400.

tauromaquia. Arte de utilizar la fuerza y valor de los toros de manera que su lidia se convierta en fiesta, espectáculo o diversión pública. En España se llama a la corrida de toros *la fiesta nacional* por haber nacido en ese país y ser donde con más entusiasmo se cultiva. Hay un bajorrelieve muy antiguo, procedente de Tesalia, donde un atleta aparece derribando al toro que tiene sujeto por los cuernos, lo que induce a suponer que el antecedente remoto o raíz de la tauromaquia debe buscarse

en los combates del hombre primitivo con los toros salvajes. Durante la Edad Media muchos nobles caballeros solían divertirse alanceando toros, lo que era para la plebe motivo de pasatiempo y regocijo. Posteriormente la lanza fue sustituida por el rejón, vara de 1.5 m de larga, que el rejoneador desde su caballo procuraba clavar en el testuz del toro.

Con el tiempo la tauromaquia fue perdiendo el carácter aristocrático que tuvo en un principio, el pueblo se aficionó a ella, y a mediados del siglo XVIII se convirtió en profesión lucrativa. De la plaza pública pasó a la plaza de toros, circo que en el centro tiene el ruedo o arena, separado de las gradas por barreras. Plazas importantes de España son la Maestranza de Sevilla, la Monumental de Barcelona y la de las Ventas de Madrid. La ciudad de México cuenta con la mayor plaza de toros, la Plaza México, de cemento y acero, y de proporciones colosales, con capacidad para 45,000 espectadores.

Los organizadores y preceptistas del arte de torear, según hoy se practica, salvo ligeras novedades, fueron Francisco Romero, inventor de *la muleta,* engaño que empleó por primera vez en la plaza de Ronda (15 de agosto de 1752); sus hijos Juan y Pedro, y los diestros Pepe-Hillo y Costillares, fundadores de la denominada *escuela sevillana,* rival de *la rondeña.* El iniciador de esta última fue Pedro Romero, y su rasgo característico es la sobriedad, el aplomo, el mover los pies lo menos posible y valerse sólo de los brazos para evitar las cornadas. Pedro Romero mataba a sus toros a pie quieto, o sea recibiendo, que es de todas las suertes o mudanzas la más peligrosa, y

llamaba desdeñosamente *suerte traidora* al *volapié,* que ideó Costillares: faena que el lidiador realiza lanzándose contra el toro cuando ve a éste bien apoyado sobre sus cuatro patas y teniendo el testuz en posición horizontal. La escuela sevillana, como se complace en jugar con la fiera burlándola con fintas y capotazos, es más pinturera, más alegre que la rondeña, cuyo estilo, por obra de su misma sencillez, ofrece un mayor dramatismo, y la pugna entre ambas escuelas de toreo no ha terminado aún.

Entre las ganaderías que procrearon reses de más coraje y poder figuran en España, las de Miura, Palas, Murube, Concha y Sierra, Veragua, Félix Urcola en México, las de San Mateo, La Laguna, Piedras Negras, Coaxamalucan y Pastejé. En la bravura de los toros influyen los pastos y el clima, por cuanto su condición varía. A los que atacan con mayor furia y siempre en línea recta, se les llama *nobles,* y son los más fáciles de lidiar; *blandos,* a los más sensibles al castigo; *mosquitos,* a los astutos que en vez de acudir al capote -que es el engaño- buscan el cuerpo del torero ladrones a los que le salen al encuentro cortándole el terreno por donde comprenden que aquél ha de escapar; *burriciegos,* a los que no embisten si no se les atrae la atención desde lejos; *reservones,* a los que desparraman la vista sin hacer caso del diestro, etcétera.

Generalmente el espectáculo –o sea la corrida– consta de seis toros, y la lidia de cada uno de ellos se divide en tres suertes o tercios. En el primero intervienen exclusivamente los picadores, que van a caballo, llevando la pantorrilla derecha defendida por una pieza de acero, llamada *mona,* y que, armados de una garrocha, castigan al cornúpeto con tres o más *puyazos,* según su grado de coraje y poder. Sucede a esta suerte, el tercio de banderillas o rehiletes, que son dos palos de medio metro de longitud –los hay también de un palmo–, que el torero, levantando bien los brazos, clava en el animal y esquivando la cintura lo justo para que aquél, al embestirle, pase a su lado sin alcanzarle. La suerte de banderillas varía de nombre según el modo con que éstas fueron clavadas: se denominan al *sesgo,* si el diestro las puso sesgando el cuerpo; *al quiebro,* si las colocó quebrando el talle; de *sobaquillo,* a las que castigan al toro estando éste parado, y *a la media vuelta,* a las plantadas aprovechando el instante en que se la fiera, con el deseo de cornear a su enemigo, vuelve la cabeza. Las banderillas deben ser clavadas cerca de la *cruz* o sea la parte más alta del lomo.

La suerte de picar y de banderillas tienen por objeto fatigar al toro y acobardarlo un poco con el sufrimiento que ambas le producen, pues su corpulencia, agilidad y bravura son tan enormes, que recién salido del toril seria casi imposible lidiarlo y darle muerte. Llegada la hora de matar –que se anuncia mediante un toque de clarín– el diestro, provisto de un estoque y de la muleta –trapo rojo sujeto a un palo– se dirige al encuentro de la fiera. La estocada, para ser perfecta, debe darse en la cruz, espacio en forma de A, situado donde comienza el pescuezo; concurren en él tres huesos y se relaciona con el lugar del corazón, lo que permite que el golpe sea mortal.

Hay diversos modos de matar: el de *recibir* que es el más arriesgado, consiste en esperar con los pies junto y bien perfilado el cuerpo, la embestida del animal; el de *aguantar*, muy parecido al anterior; el de *arrancarse*, donde el matador toma la iniciativa, siendo él quien acomete; y el *volapié*, que el diestro ejecuta lanzándose, a la carrera, al encuentro de su enemigo. Cuando el toro ha caído después de recibir la estocada y sin embargo no acaba de morir, un lidiador, llamado *puntillero* o *cachetero*, lo remata clavándole un puñal en el testuz.

Entre los más famosos diestros merecen citarse, por orden cronológico, los siguientes: los Romero; sus coetáneos Costillares y Pepe-Hillo, inventor del *capeo de frente por detrás*, que escribió un *Tratado de Tauromaquia*, sufrió 28 cornadas y murió en la plaza vieja de Madrid. Francisco Montes (*Paquiro*), natural de Chiclana (1805-1851), llamado también *el Napoleón de los toreros*, modelo inigualado de elegancia, que impuso la costumbre de que los matadores intervinieran en todos los momentos de la corrida; Curro Cúchares (1818-1868); José Redondo (*Chiclanero*) (1819-1853); Cayetano Sanz (1821-1891); Antonio Sánchez (*El Tato*) (1831-1897); Antonio Carmona (*Gordito*), el primero que puso banderillas al quiebro, y el autor del peligroso quiebro de rodillas, que realizaba de pie o sentado y siempre sin capote; Rafael Molina (*Lagartijo*), inventor de la larga que lleva su nombre (1841-1900); Salvador Sánchez (*Frascualo*), que sobresalió en la suerte de matar recibiendo (1844-1898); Fernando Gómez (*El Gallo*) (1849-1898); Luis Mazzantini, el primer torero que fuera de la plaza jamás vistió chaquetilla corta, según usanza clásica (1856-1926); Manuel García (*el Espartero*), natural de Sevilla, nació en 1866 y murió en la plaza de Madrid el 27 de mayo de 1894; Rafael Guerra (*Guerrita*); Enrique Vargas (*Minuto*) (1870-1930); Antonio Giménez (*Reverte*); Ricardo Torres (*Bombita*); Vicente Pastor; Rafael Gómez (*el Gallo*); José Gómez Ortega (*Joselito*) muerto en la plaza de Talavera de la Reina (16 de mayo de 1920); Rafael González (*Machaquito*); Juan Belmonte, Manuel Granero, Marcial Lalanda, Antonio Márquez, Manuel Giménez (*Chicuelo*), Ignacio Sánchez Mejías, Cayetano Ordóñez (*Niño de la Palma*), Vicente Barrera, Domingo Ortega, Manuel Rodríguez (*Manolete*), muerto en la plaza de toros de Linares el 27 de agosto de 1947. Entre las grandes figuras del toreo mexicano, se destacan: Juan Silveti, Rodolfo Gaona, creador de las gaoneras; Fermín Espinosa (*Armillita*); Alberto Balderas, Lorenzo Garza, Carlos Arruza, Silverio Pérez y Luis Procuna.

El traje de los toreros, llamado con toda propiedad traje de luces por lo mucho que brilla a la luz, es de seda de superior calidad y va abundantemente recargado de adornos de oro o plata. La chaquetilla es tan corta que apenas alcanza a cubrir la cintura del torero. Una larga faja, que será roja, amarilla o azul de acuerdo con el color del traje, le rodea dos o más veces el talle y le protege el vientre. El calzón llamado taleguilla, que se detiene a la altura de las corvas y va perfectamente ceñido a los muslos, porque muchas veces los cuernos del animal pasan tan cerca de ellos que se engancharían en cualquier arruga, lo que pondría al lidiador en peligro de ser arrastrado o volteado. Las medias, de color carne o blancas, son de seda; calzan zapatillas sin tacón. En la parte posterior de la cabeza se dejan crecer un mechón de cabello, denominado coleta o añadidos, en la que sujetan la castaña, especie de almohadilla negra, algo más pequeña que una mano cerrada, que sirve para amortiguar el golpe que el torero, en el caso de caer de espaldas, puede recibir en la nuca.

tautología. Repetición de un mismo pensamiento expresado de distintas maneras. Suele tomarse en mal sentido por repetición inútil y viciosa. Proposición molecular cuyo valor de verdad permanece inalterable sean cuales sean los valores de las propisiciones atómicas que la componen.

Una proposición es tautológica cuando siempre es verdadera para cualquier interpretación. Dentro de una teoría completa, como la lógica de primer orden, toda tautología es un teorema lógico, y viceversa. Este hecho permite asegurar que se pueden obtener unos mismos resultados por procedimientos sintácticos y por procedimientos semánticos. El concepto de tautología es un concepto semántico. La negación de una tautología es una contradicción lógica.

Tavora, Franklin (1842-1888). Escritor brasileño. Nació en Ceará. Participó en las inquietudes políticas e intelectuales de la última parte del imperio de Brasil. Escribió sobre temas históricos y fue novelista y dramaturgo. Autor de *Historia de la Revolución* de 1824 y de *Los indios de Jaguaribe*, entre otros libros.

Taxco o Tasco. Ciudad de México, en el estado de Guerrero. Tiene 58,163 habitantes. Antigua ciudad minera, fundada en un lugar de accidentada topografía, a 1,787 m sobre el nivel del mar, en medio de barrancos, precipicios, lomas y montañas de agreste belleza. Indiferente al peso de los siglos, conserva todo el encanto de su ambiente colonial en el misterio de sus viejas calles empinadas, que se retuercen en cuestas y vericuetos con empedrado de cantos desiguales para afianzar las pisadas. Toda la ciudad es un relicario de edificios antiguos, plazas seculares, iglesias vetustas, dominado por un horizonte de montañas. En el centro de la ciudad se eleva la maravilla del templo de Santa Prisca, uno de los más bellos ejemplares de la arquitectura colonial religiosa de América, con sus dos altas torres de esbelta elegancia y sus fachadas en que la ornamentación churrigueresca transforma la piedra en delicados encajes de admirable esplendor.

Historia. Taxco se levanta en la región que se cree es la zona minera en explotación más antigua de América del Norte, pues ya desde los tiempos de Moctezuma I, a mediados de siglo XV, este monarca azteca recibía tributos consistentes en ladrillos hechos de amalgama de oro y plata.

Hernán Cortés conquistó la región, y en 1529, se fundó el Real de Minas de Taxco, cuya explotación produjo durante siglos una fabulosa riqueza argentífera. Un opulento magnate minero del siglo XVIII, José de la Borda, donó a la ciudad el templo de Santa Prisca, la mayor joya arquitectónica de Taxco, que se construyó de 1750 a 1759. El nombre completo de la ciudad, es el de Taxco de Alarcón, en honor del gran dramaturgo del siglo de oro, Juan Ruiz de Alarcón, que nació en Taxco, hacia 1580.

taxidermia. Arte de disecar los animales muertos para conservarlos de manera que parezcan vivos. La palabra taxidermia viene del griego *taxis* (arreglo, colocación) y *dermis* (piel).

Los procedimientos del taxidermista varían de acuerdo con la clase y dimensiones del animal que hayan de disecar. Cuando se trata de un ejemplar de regulares dimensiones, se despoja al animal muerto de la

En la tauromaquia se busca el sentido estético.

taxidermia

Corel Stock Photo Library

La arquitectura de Taxco ha mantenido su estilo colonial.

piel, la que se limpia bien de cualquier adherencia carnosa. Para resguardarla de la putrefacción se la preserva con preparados químicos especiales. Se construye una armazón de alambre sobre la que se modela en escayola la figura del animal. Esta figura deberá ser anatómicamente correcta, y se le dará la actitud más característica del animal. Sobre ella se adapta la piel, perfectamente colocada y cosida. En la cabeza se colocan ojos artificiales y se le dan todos los toques de pintura necesarios a las fau-

La taxidermia es el arte de tratar las pieles conservando la forma original del animal.

Corel Stock Photo Library

ces y otras partes que lo requieran. El taxidermista se ayuda, por lo general, con modelos y dibujos, lo más fieles posible, que le sirven de guía durante todo el trabajo. La taxidermia es un delicado arte que exige conocimientos de anatomía, ciencias naturales, dibujo, modelado, mecánica y conservación de las pieles.

taxímetro. Aparato instalado en los automóviles de alquiler para señalar los kilómetros que se recorren y su equivalente en dinero, de acuerdo con la tarifa establecida. El taxímetro es, en realidad, un taquímetro ordinario en el que la lectura de las revoluciones sustituyó por una escala correspondiente a la moneda, dividida en fracciones centesimales. Se halla acoplado a una de las ruedas del coche o al árbol del cambio de velocidades por medio de un eje flexible que le transmite el movimiento. Va provisto, además, de un aparato de relojería, para los casos en que el automóvil deba permanecer parado a disposición del cliente, señalando entonces el precio en relación con el tiempo de la detención.

taxonomía. *Véase* CLASIFICACIÓN.

Taylor, Elizabeth (1932-). Actriz cinematográfica de origen británico, radicada en California desde 1932. Firmó contrato con la *Universal Pictures* a los 11 años de edad. Actuó representando papeles de jovencita ingenua con toques provocativos en varios filmes como *Mujercitas* (1949). Posteriormente *Un lugar en el sol* (1951) fue la primera de sus películas con la que

inició su fama. Popular gracias a la publicidad de su accidentada vida privada y el millón de dólares cobrados por *Cleopatra* (1960-1963), la instituyó como nuevo *monstruo sagrado*. Recibió sendos Oscares por *Una mujer marcada* (1960) y *¿Quién teme a Virginia Woolf?* (1965). Entre otros filmes suyos se cuentan *La gata sobre el tejado caliente*, *Gigante* y *El espejo roto*. Ha actuado en Broadway y aparecido en televisión.

Taylor, Joseph (1941-). Astrofísico estadounidense. Cursó los estudios de astronomía en la universidad de Harvard, en la que se doctoró en 1968. Ese mismo año pasó como profesor a la Universidad de Massachusetts, y en 1980 a la de Princeton. En 1974, Taylor y un discípulo suyo, Russell A. Hulse, descubrieron a partir de los datos proporcionados por el radiotelescopio de Arecibo un púlsar especial, cuyos impulsos radioeléctricos no eran regulares. Este tipo de púlsares, llamados posteriormente púlsares binarios, se encuentran cerca (sólo unos centenares de miles de kilómetros) de otra estrella de mesa parecida, orbitando una alrededor de otra a gran velocidad. El comportamiento de estos púlsares binarios ha permitido confirmar la teoría de la relatividad general, al probar que las mesas aceleradas emiten ondas gravitatorias. Por estos trabajos, Taylor y Hulse compartieron el premio Nobel de Física en 1993.

Taylor, Richard (1929-). Físico canadiense. Doctorado por la Universidad californiana de Stanford en 1962, trabaja desde 1970 en el acelerador lineal de dicha

Elizabeth Taylor en 1975.

Corel Stock Photo Library

institución. En 1990 compartió el Premio Nobel de Física con Henry Kendall y Jerome Friedman por sus investigaciones sobre la estructura de los protones y los neutrones, realizadas con el acelerador lineal de Stanford. Dichas investigaciones contribuyeron decisivamente a la elaboración de la teoría de los quarks.

Taylor, Robert (1911-1969). Actor cinematográfico estadounidense, su verdadero nombre era Sapangler Brugh. Entre sus principales películas figuran: *La dama de las camelias* (1937), *El puente de waterloo* (1940), *La puerta del diablo* (1950), *Chicago, años 30* (1958) y *Ivanhoe* (1953).

Taylor, Zachary (1784-1850). Militar y político estadounidense. Ascendió a general por su victoria sobre los indios seminolas en Florida, participó después en las operaciones de guerra contra México. En 1846 logró apoderarse de Monterrey y, en 1847, obtuvo una importante victoria sobre Antonio López de Santa Anna en Buena Vista. Debido a sus éxitos fue propuesto para la presidencia de Estados Unidos, cargo para el cual resultó elegido en 1848. Murió en 1850, a escasos 16 meses de haber tomado posesión de su cargo.

Aunque personalmente era partidario de la esclavitud, como presidente propuso que California (que era abolicionista) se integrara como estado de la Unión.

taylorismo. Sistema de organización científica del trabajo, creado por el ingeniero y economista estadounidense Frederick Winslow Taylor (1856-1915). Su punto de partida es el llamado principio hedonístico de la ciencia económica: lograr el máximo resultado con el mínimo esfuerzo. Para ello se propone obtener el mejor rendimiento posible del trabajo humano y de las máquinas y reducir al mínimo el tiempo y el esfuerzo necesarios para la producción. El método ideado por Taylor consiste en fragmentar cada trabajo en una serie de movimientos y operaciones elementales, analizar cuidadosamente la forma en que los mismos se producen y eliminar, después de este análisis, todos los movimientos innecesarios, adoptando sólo los más rápidos y precisos. El taylorismo selecciona a los trabajadores para la tarea que han de realizar, y asigna a cada uno trabajos bien determinados y concretos. Establece el rendimiento mínimo de la jornada de labor y otorga primas a la productividad y al rendimiento. El taylorismo ha sido criticado por su concepción materialista del trabajo humano. Las técnicas modernas de la organización científica del trabajo han adoptado y perfeccionado los elementos válidos del método Taylor, cuya importancia, en la actualidad, pertenece principalmente a la historia.

Corel Stock Photo Library

Interpretación del Lago de los Cisnes, *ballet compuesto por Piotr Ilich Tchaikovsky.*

Tayru Túpac, Juan Tomás (s. XVII). Escultor indígena peruano. Descendiente de incas, trabajó en Cuzco y fue también arquitecto, ensamblador y decorador. De 1690 a 1699 realizó la obra de la nueva iglesia del Hospital de los Naturales de Cuzco. Se le atribuyen el altar de la capilla de la Almudena (1686) y los púlpitos de San Pedro y San Blas (1696) entre otras obras.

Tchad. *Véase* CHAD.

Tchaikovsky, Piotr Ilich (1840-1893). Compositor ruso nacido en Votkinsk, en la región de los Urales, y uno de los más grandes creadores de música sinfónica. Rico en inspiración, sus obras se caracterizan por su gran dominio de la técnica y por su conmovedora melodía, influida por su temperamento melancólico. Muy joven marchó a San Petersburgo donde estudió jurisprudencia, pero llevado por su amor a la música ingresó en el conservatorio de esa ciudad donde tuvo por maestros a Anton Grigorievich Rubinstein y a Zaremba. En 1866 fue nombrado profesor del Conservatorio de Moscú, cargo que ocupó durante casi 12 años, en los que alternó su cátedra con la creación de numerosas composiciones, entre ellas su primera ópera *El voivoda* (1868), que fracasaron. Mejor suerte tuvo el *Concierto en sí bemol menor.* A fines de 1870 terminó su famoso ballet *El lago de los cisnes* (1876) y la fantasía *Francesca da Rimini,* y nueve años después estrenó su ópera *Eugene Onegin* (1877-1878), destinada a ser la más popular de sus óperas, las cuales, a pesar de contener muchas páginas brillantes, no alcanzaron la perfección y belleza de sus sinfonías. En

1877, a raíz de sufrir un colapso nervioso como consecuencia de su fracasado matrimonio, que sólo duró unos meses, Tchaikovsky inició su singular amistad por correspondencia con Nadejda von Meck, quien se convirtió en su benefactora. Gracias a la ayuda económica de la señora von Meck, a quien por mutuo acuerdo no llegó a conocer nunca durante los 13 años que duraron sus relaciones epistolares, abandonó la cátedra en el conservatorio y se dedicó por entero a la composición. A esta época de independencia económica, influida por su creciente tendencia a la melancolía, pertenecen la obertura de *Romeo y Julieta* (1869), la *Marcha eslava* y el *Concierto para violín en re mayor.* Su gran *Sinfonía número cuatro en fa menor* la dedicó a su benefactora, y la obertura *1812* la escribió para celebrar la derrota de Napoleón en Rusia y la terminación del Templo de Cristo en Moscú.

En 1887, tras de obtener un gran triunfo en San Petersburgo dirigiendo sus propias composiciones, inició una gira por varios países, y visitó Berlín, París, Praga, Leipzig, Hamburgo y Londres. Tres años después la señora Von Meck rompió su amistad y aunque la ayuda económica de su benefactora ya no le era indispensable se sintió profundamente herido y no se recobró nunca de esa decepción. En 1891 visitó Estados Unidos y dirigió la Orquesta de la Sociedad Sinfónica de New York en los conciertos de inauguración del *Music Hall* (hoy *Carnegie Hall*).

El año de su muerte compuso su famosa suite *Cascanueces* y empezó a escribir su notable sexta sinfonía conocida más tarde como la *Patética*, en la que tenía ci-

Corel Stock Photo Library

Recolectora de té en el norte de la India.

fradas grandes esperanzas. No obstante, el 28 de octubre de 1893, fecha en que fue estrenada, tuvo una indiferente acogida. Aunque más tarde fueron reconocidos los méritos de su obra, el compositor no gozó su triunfo pues murió 10 días después. Otras de sus notables obras fueron: *La doncella de Orleans* (1881); *el Trío de pianoforte en la menor*, dedicado a la memoria de Nicolás Rubinstein; *Manfred* (1885), poema sinfónico; la obertura de *Hamlet*; el ballet de *La bella durmiente* (1888-1889) y las óperas *Mazeppa* (1881-1887), *Charodäika* y *La reina de espadas*.

té. Infusión que se prepara con las hojas curadas de plantas del género *Thea*. Es bebida de gran consumo y preferida por millones de personas en el mundo entero. El promedio de producción mundial es de 1 millón de toneladas métricas anuales. Las hojas de té contienen entre 2 y 4% de cafeína (teína), proporción equivalente al doble de la que contiene igual cantidad de café. Un kilogramo de té suministra entre 500 y 550 tazas, mientras que 1 kg de café sólo alcanza para 85 o 90 tazas. Se calcula que cada habitante de Inglaterra consume 5 kg de té al año. En Japón existe un complejo código social para tomar el té vespertino. Pero, estos usos no son nuevos: el hábito de beber té es muy antiguo. Según una leyenda hindú cierto asceta de remotos tiempos llevaba varios años rezando a los dioses, sin dormir ni descansar; pero cierto día el sueño lo venció. Al despertar, amargado y arrepentido, se arrancó los párpados. Durante cinco años siguió orando hasta que el sueño comenzó a ace-

charlo nuevamente; entonces comenzó a mascar las hojas de un arbusto que crecía a su lado, y súbitamente se sintió aligerado y rejuvenecido. Narró el hecho a sus discípulos, y el hábito de mascar las hojas de té comenzó a extenderse. El té se cultiva en China desde hace más de 2 mil años. El uso del té en Europa se inició a mediados del siglo XVII, en que empezó a ser importado de Asia. La costumbre de beber la infusión se difundió por toda Europa, pero echó raíces más sólidas en Gran Bretaña y en Rusia.

La planta. El té es un arbusto perenne que en estado silvestre puede medir hasta 8 m de altura; pero, en las plantaciones no se le deja pasar de 2 m. Sus hojas son largas y afinadas, y las flores blancas, de suave fragancia. Las plantas crecen en hileras compactas, a veces a razón de 3,500 por hectárea. Al tercer año de plantadas comienzan a ofrecer hojas de tamaño adecuado para el uso comercial, pero se requieren dos años más para que lleguen a la madurez. El té exige climas muy cálidos y lluvias abundantes; por eso prospera en países como Sri Lanka, la India y China. En Taiwan, donde el clima es cálido durante todo el año, es posible recoger hojas todos los meses; en otras partes la cosecha se realiza cada tres o cuatro meses.

Las hojas contienen celulosa, gomas, ceras, sustancias nitrogenadas y minerales, teína y tanino. Además poseen diversas sustancias resinosas y aceites esenciales que les dan sabor y aroma. El té de mejor calidad proviene de las hojas tiernas que crecen en los extremos de las ramas; las calidades inferiores se elaboran con las hojas más viejas y duras, próximas al tronco.

El té es una infusión elaborada con plantas del géneo thea.

Corel Stock Photo Library

La palabra china *pekoe,* que significa *vello blanco de la hoja,* sirve para designar las calidades superiores. *El pekoe tip, o pekoe florecido,* se elabora con las hojuelas y brotes más tiernos; es el té más caro y apreciado. Las hojas siguientes producen el *orange pekoe,* las posteriores el *pekoe simple,* y las que ocupan un cuarto sector de la rama dan origen al *souchong* de primera calidad. Los catadores profesionales de té pueden identificar el país, la región y hasta la cosecha a que pertenece cada muestra. En todo el mundo occidental existen menos de 100 de estos especialistas, de quienes depende la calidad del té que se importa del Oriente.

Variedades. Hay dos grandes clases de té: el verde y el negro. El primero se llama también no fermentado; el segundo, fermentado. El té negro se prepara así: apenas recogidas, las hojas son puestas sobre grandes bandejas de bambú o de alambre, donde se las deja secar durante uno o dos días. Una vez bien secas, son trituradas a mano o con maquinas y depositadas en locales fríos y bien ventilados. El oxígeno del aire reacciona con los fermentos que contienen las hojas, ennegreciéndolas; la fermentación se detiene calentando el té en grandes hornos especiales, operación que se repite dos veces. Luego se separa y gradúa el té por calidades y queda listo para ser empaquetado y enviado a los mercados consumidores.

El té verde se obtiene recalentándolo apenas cortado, para evitar que fermente. El calor cierra los minúsculos poros de las hojas e impide que las sustancias químicas entren en contacto con el oxígeno del aire. Después de triturado, el producto se clasifica y envasa. Existe una variedad intermedia entre el té negro y el verde: es el té *oolong,* que se elabora en Taiwan aplicando una fermentación parcial; tiene el aspecto del negro y el aroma del verde.

la India es el mayor productor de té; China es el segundo productor y el principal exportador; el tercer lugar es ocupado por Sri Lanka. Indonesia, Kenia, Japón y Taiwan exportan cantidades menores. Los principales consumidores del mundo son Irlanda, Gran Bretaña, Estados Unidos, Australia, Hong Kong y Sri Lanka. En Brasil, Argentina y otros países latinoamericanos existen plantaciones pequeñas pero de gran porvenir.

Preparación. El té se prepara como infusión y se sirve caliente, aunque los estadounidenses gustan también de tomarlo helado. Se le suele agregar leche, crema o zumo de limón. Los ingleses lo toman en el desayuno, después del almuerzo, en la merienda y después de la cena. En términos generales, el té se prepara poniendo las hojas en contacto con agua caliente. Conviene echar el agua sobre las hojas, y no a la inversa.

teatinos. Congregación de clérigos regulares de san Cayetano, conocida generalmente como Orden de los Teatinos, dedicados principalmente desde el siglo XVI (el de su fundación), a ayudar a bien morir a los ajusticiados. Está basada en votos de absoluta pobreza, desinterés y caridad, y fue iniciada en 1524 por san Cayetano de Thiene y Juan Pedro Caraffa, quien posteriormente fue papa con el nombre de Paulo IV; pero que entonces era obispo de la ciudad italiana de Chíete (en latín *Theate* de donde procede el nombre de *teatino*). En 1583, la venerada Úrsula Benincasa fundó la congregación teatina de mujeres. Son numerosos los teatinos célebres por sus talentos y virtudes.

teatro. Edificio o sitio destinado a la representación de obras dramáticas o a otros espectáculos propios de la escena. Teatro es, también, el arte de componer obras dramáticas o de representarlas. En el Oriente antiguo las representaciones teatrales se iniciaron en festividades religiosas dedicadas a danzas y representaciones mímicas. Estas escenas tuvieron repercusión en la China antigua, en Japón y en la India, en ceremonias en honor de Brahma. En la coronación de los faraones egipcios también se hacían representaciones teatrales de significado simbólico. Pero correspondió a Grecia la creación de un edificio destinado a teatro. Para las fiestas que se celebraban en el campo en época de la vendimia, llamadas pequeñas dionisiacas, se levantaban tabladillos debajo de emparrados. Pero, a medida que la literatura dramática se fue desarrollando, exigió que el lugar para la representación de las obras tuviera características especiales. Los griegos tomaron como modelos para sus primitivos teatros los estadios y los hipódromos, cuyas graderías permitían al público presenciar el espectáculo. Los arquitectos helenos buscaron terrenos accidentados, generalmente en la vertiente de una colina, para construir graderías en forma de semicírculo.

Los primeros teatros griegos constaban de dos partes esenciales: un espacio circular en cuyo centro se alzaba la estatua de Dionisos y el hemiciclo con gradas para los espectadores. A medida que los coros se ciñeron al texto de la obra representada, los teatros sufrieron diversas transformaciones. En primer término, se instaló un sencillo muro en la parte opuesta al auditorio que tenía por objeto limitar la orquesta (lugar ocupado por el coro) y reforzar así la acústica. Este muro primitivo fue convirtiéndose poco a poco en una construcción especial que respondía a las necesidades escénicas y además completaba el efecto artístico del edificio. Al asumir Pisístrato el poder en Atenas, en el año 561 a. C., el culto a Dionisos adquirió mayor

Teatro en la Acrópolis de Atenas Grecia.

relieve. El carro de Tespis, que este poeta utilizaba para representar sus obras, pasó a simbolizar la representación teatral trashumante, y fue sustituido por teatros de mayor capacidad y comodidad, tanto para los actores como para los espectadores.

El primer teatro de piedra construido en Grecia fue dedicado a Dionisos, en Atenas, y sirvió de modelo para otros similares en territorio helénico. Este teatro se terminó de construir bajo la administración de Licurgo, entre los años 330 a 340 a. C. Se dividía en tres partes fundamentales: la orquesta, que formaba un círculo casi completo, el lugar para los espectadores y la escena. Las gradas donde se hallaban los espectadores tenían la forma de un semicírculo, limitado por dos muros que seguían la dirección ascendente y descubrían la vista de la escena. El ingreso al teatro se hacía por dos callejones que se prolongaban entre los muros que limitaban el hemiciclo y la escena; el público subía desde la *orchestra* a los asientos. En el espacio libre para la dan-

Teatro Nacional en Taipei. Taiwan.

za del coro se alzaba el altar de Dionisos, y alrededor de él ejecutaban sus danzas los bailarines. Si se representaba un drama o tragedia, en cuyo caso los integrantes del coro debían acentuar ciertas escenas culminantes, se les destinaba un tablado especial denominado *orquesta escénica* en oposición a la *orquesta córica*. Los actores aparecían en escena procedentes de las entradas practicadas en el muro del fondo –una especie de telón de fondo– entre diversas columnas y se presentaban ante el público. A los costados de este muro había puertas también, y en la parte superior una galería. Estas construcciones de los teatros griegos eran propias de la época en que se edificaban de piedra.

Según lo refiere Vitruvio, los romanos adoptaron la forma y la disposición de los teatros griegos, pero construyeron graderías en lugares donde no existía una colina apropiada para adosarlas a la roca. El conjunto de las gradas, de piedra o de mármol, se denominaba *cavea* (cavidad) y los asientos estaban regularmente dispuestos en series y divididos en secciones por las escaleras que convergían al centro de la *orchestra*. Esta parte era semicircular y estaba rodeada de asientos, pero no se utilizaba para la representación como en los teatros griegos, sino que los actores declamaban desde el proscenio. Antes de iniciarse la representación los actores desfilaban vestidos con los trajes escénicos para que el público pudiese juzgar que cada dios, cada héroe y cada personaje tenía su traje característico. Luego salía el coro integrado por bailarines disfrazados de viejos, de muchachos, de caballeros y hasta de aves y de reptiles. Un heraldo proclamaba el nombre

teatro

(De izquierda a derecha) teatro de Broadway en la ciudad de New York y el teatro real Shakespeare *en Inglaterra.*

del autor de la obra, prestaban juramento los jueces que habían de otorgar el premio al director del coro, al autor y al primer actor, quienes al terminar la representación eran presentados al público coronados de hiedra y de cintas, para recibir la codiciada láurea y el trípode que luego ofrendarían en algún templo o lugar público.

Tanto la tragedia como el drama contenían recitados sostenidos por una lenta melodía, y también algunos cantos. El coro evolucionaba con ritmo uniforme, y a veces los coristas se dividían en dos grupos para ejecutar pasos. Los cantos del coro marcaban la división de la tragedia en cinco partes, y hacía su aparición por uno de los costados después de la exposición o *prologos.* Intervenía en la acción, acompañando con un solo los gritos de dolor o alegría de los personajes de la obra, y al finalizar se unía a todos los actores para entonar con ellos un canto de duelo o de triunfo. Por último se retiraba entonando el himno final llamado *exodos.* Los teatros griegos y romanos eran de vastas dimensiones. En Roma, fueron notables los teatros de Pompeyo y de Marcelo, de grandiosa arquitectura. El teatro de Marcelo podía contener 13,500 espectadores.

Como exponentes de la arquitectura romana, se conservan todavía en España las ruinas de dos magníficos teatros uno en Mérida y otro en Sagunto. El de Mérida había sido construido sin apoyarse en ninguna particularidad topográfica del terreno, y el de Sagunto estaba situado en la vertiente de una colina acomodada al efecto, como los antiguos teatros griegos. Los actores de este teatro primitivo salían a escena con caretas apropiadas según el físico de cada personaje, la que tenía una especie de bocina en la boca para aumentar la sonoridad de la voz, y por complemento una abultada peluca. En aquellos escenarios tan vastos los actores llevaban además postizos en el cuerpo para dar

mayores dimensiones a su figura, y calzaban conturnos cuya suela, a modo de zanco, elevaba considerablemente la estatura.

El teatro en la Edad Media. Derrumbado el imperio romano, invadida Europa por los bárbaros y sumida en la oscuridad la civilización mediterránea, el teatro cayó en el olvido. Hacia el siglo X se reinició la actividad teatral en casi toda la Europa cristiana con temas sacados, en su mayoría, de las páginas del Nuevo Testamento: la adoración de los pastores o de los Reyes Magos, la degollación de los inocentes, la Pasión y muerte de Jesucristo, etcétera, son algunos de los motivos que sirvieron para que el teatro reviviera. Se representaron farsas y pasos, éstos de contenido religioso o moral. Farsas y mascaradas gozaron de mucha popularidad en las fiestas con que en la Edad Media se celebraban coronaciones y casamientos regios. Los actores actuaban con caretas, remedo del antiguo teatro griego y romano, y apenas existían escenarios. Como eran cada vez mayores las multitudes que concurrían a estas fiestas, se iniciaron representaciones de carácter religioso, llamadas misterios, pero ya al aire libre. En España estos misterios se llamaron autos y milagros; en Alemania se les denominó juegos cuando tenían carácter festivo; en Italia representaciones sagradas, y en otras partes, devociones, farsas espirituales, etcétera. Estos misterios eran representados en latín, pero al irse formando la lenguas neolatinas, y debido a la gran popularidad de que gozaban este tipo de representaciones, se adoptaron para ellos las lenguas romances. En el año 1060 ya existía un manuscrito titulado *Misterio de los Reyes Magos,* escrito en lenguaje vulgar, y en el siglo XII estos idiomas fueron ya generalmente empleados.

El teatro medieval fue progresando lentamente hacia otras formas de representación, además de los temas de inspiración religiosa. En España se escribieron muchos

autos y los benedictinos de Cluny difundieron por Europa los que se escribían en Francia. Los misterios o autos tuvieron también por escenario los palacios de los reyes y los castillos de los grandes señores. De este modo el antiguo misterio vino a convertirse en una especie de apólogo con tendencias moralizadoras, destinado a poner de relieve y a caracterizar virtudes y vicios para ensalzar unas y execrar otros, personificando en escena ideas, conceptos y valores, como la fe, el vicio, la razón, la justicia y la muerte. Sobre todo la muerte tuvo mucha importancia en el teatro medieval como protagonista emblemática del drama y de la farsa en la Europa cristiana. Para el hombre medieval, la vida terrena era el punto de partida hacia la esperanza de un mundo mejor. La muerte simbolizaba lo desconocido, lo misterioso y también la liberación de todos los males o el castigo y las penalidades que aguardaban en el infierno al pecador. Uno de los temas predilectos durante el siglo XIV fue el del melodrama denominado *Danza de la muerte,* cuyo título ya indica que a la representación medieval se unía la danza. La Muerte se acercaba al pecador y se lo llevaba danzando para que sufriera las penas eternas a que habían dado lugar sus pecados. La Muerte invitaba a esta extraña danza a emperadores, reyes, príncipes, nobles, caballeros y plebeyos. La acción escénica alternaba con diálogos y parlamentos en que se exponían conceptos impregnados de alto sentido religioso y de contenido filosófico. La Muerte se presentaba en figura de esqueleto y su patetismo era de tremendo efecto entre los espectadores. Las representaciones medievales de autos y misterios congregaban verdaderas multitudes frente a los tablados levantados al aire libre.

Posteriormente, cuando el teatro ya había alcanzado gran elevación literaria, como, por ejemplo, en el Siglo de Oro español, muchos autores escribieron obras con un fondo religioso, entre ellos Pedro Calderón de la Barca, cuyos autos sacramentales son un modelo de belleza poética, fuerza religiosa y contenido místico. La costumbre de estas representaciones medievales ha llegado hasta nosotros. La más famosa de estas supervivencias es la representación del Misterio de la Pasión de Nuestro Señor Jesucristo en Oberammergau (Alemania), en un espacioso teatro al aire libre. También en Nancy (Francia), se representan misterios en nuestra época. El misterio de Elche (España), refiere la muerte y Asunción de la Virgen. En todas estas reminiscencias modernas del teatro medieval el decorado es de la máxima simplicidad y la música, apropiada, realza la solemnidad de estos dramas sacros.

El teatro moderno. En el Renacimiento se produjo una renovación que aceleró el hasta entonces lento desarrollo que había venido operándose en el arte teatral, a través de los siglos. Este movimiento artístico influyó en el contenido de las obras, en el estímulo de los autores y en el cometido de los actores. La *commedia dell'arte* en Italia, por otros términos, *commedia dell'improviso*, rompió los moldes antiguos e irrumpió en el arte escénico con improvisaciones que enriquecieron la técnica teatral. El clasicismo nació en Atenas con Esquilo, Sófocles y Eurípides, y tuvo un eco de afirmación nacional en varios países europeos en los tiempos modernos. En Inglaterra el clasicismo está representado por William Shakespeare, en Francia por Jean Racine, Pierre Corneille y Jean Baptiste Poquelin, llamado Molière, y en España por Lope de Vega, Tirso de Molina y Calderón de la Barca. Son autores clásicos en Alemania Johann Christoph Friedrich von Schiller y Johann Wolfgang Goethe. En el siglo XVIII el teatro siguió la huella llamada neoclásica, iluminada por el resplandor que había alcanzado la escena en los dos siglos anteriores. El teatro romántico, que se inició con algunos autores alemanes y con el *Hernani*, de Victor Hugo, rompió los moldes clásicos y proyectó la construcción de la obra de acuerdo con la inspiración del autor y con la importancia del tema.

Las famosas tres unidades dramáticas, que partían de la *Poética* de Aristóteles y de la *Epístola a los Pisones* de Horacio, influyeron en la evolución del arte dramático moderno. Estas famosas tres unidades consistían, en síntesis, en lo siguiente: *unidad de acción*: la acción de la obra teatral debe ser una, sencilla y clara y no debe quebrantarse esta unidad bajo ningún concepto; *unidad de tiempo*: Aristóteles decía que la "tragedia debe estar lo más que se pueda bajo un mismo periodo de sol, o excederlo en poco", es decir, la ficción teatral no debía tener una duración mayor de las 24 horas, y *unidad de lugar*, que exigía que en todos los actos se exhibiera la misma decoración para demostrar que el drama, la comedia o la tragedia se desarrollaba en un sitio determinado. Los románticos rompieron estas vallas de origen clásico y neoclásico y liberaron en cierto modo la escena de ligaduras arbitrarias. El teatro de nuestra época sufre la crisis profunda, más de transformación que de contenido, que afecta a las demás artes, y se observan intentos de autores de jerarquía intelectual en busca de nuevos cauces para la obra dramática. El *ballet*, en el que se mezcla un argumento teatral con danzas coreográficas, ha significado una interesante renovación en un aspecto del arte teatral de nuestro tiempo. *Véanse* COMEDIA; DRAMA; ESCENA; ÓPERA; TRAGEDIA; VARIEDADES; ZARZUELA.

Tebaida. Parte meridional del antiguo Egipto, en tiempo de los Tolomeos, llamada también Alto Egipto o Egipto Superior, cuya capital era Tebas. Sus desiertos fueron en el siglo IV cuna del monacato oriental, pues en ellos vivieron los primeros anacoretas del cristianismo: san Pacomio, san Macario, san Antonio y otros. Los monjes que poblaron aquellos desiertos al este y al oeste del Nilo vivían con arreglo a las normas establecidas por san Pacomio, en chozas agrupadas y a cuyo conjunto se llamó monasterio.

Tebas. Antigua ciudad de Egipto que estaba situada a orillas del río Nilo, 550 km al sur de El Cairo. En parte del extenso recinto que ocupó, se alzan las poblaciones de Luxor y Karnak en medio de ruinas

(De arriba abajo) escena teatral de Como gusteis *de William Shakespeare, e interpretación teatral en Corea del Sur.*

grandiosas que atestiguan el esplendor que alcanzó la ciudad de Tebas, que fue capital del Egipto faraónico. Situada en ambas márgenes del Nilo, la rodeaba un alto murallón con cien puertas; sobre la margen oriental, en Karnak se admiran restos de colosales templos, en donde se profesó culto a diversos dioses, el más venerado de ellos Ammón, con toda la magnificencia arquitectónica que se conserva a través del tiempo en las fragmentadas columnas maravillosamente esculpidas, en los vestigios de las 600 estatuas que enmarcaron la famosa Avenida de las Esfinges, en las inscripciones jeroglíficas y en las representaciones murales de los reyes que ocuparon el trono en las diversas dinastías. Al sur de Karnak, apoyándose casi en la ribera oriental del legendario Nilo, otros templos en Luxor ofrecen también las ruinas de su pasada grandeza. La Avenida de las Esfinges une Karnak con Luxor. Entre las ruinas se destacan los restos de un obelisco de granito rojo; otro obelisco similar, aunque de menor altura, fue llevado a París para embellecer la Plaza de la Concordia. El grandioso templo del dios Ammón en Luxor se comenzó durante el reinado de Amenhotep; sus enormes columnatas, las esculturas y relieves alegóricos de sus paredes, han desafiado el paso de los siglos.

Al oeste del río, el templo de Ramsés II se destaca por su magnitud. En esta margen del Nilo, los templos se recuestan en una cadena montañosa, a cuyos pies y sobre sus faldas se extiende la necrópolis. Lugar reservado para el reposo final de los reyes, en él se elevaban pequeñas pirámides y monumentos funerarios, cada uno de los cuales contenía el sarcófago de un rey o una reina. El Valle de los Reyes, como se le llamó comprendía numerosos monumentos y tumbas hipogeas; durante su reinado, cada monarca se hacía construir su propio sepulcro, con varias cámaras y pasajes decorados con pinturas y jeroglíficos; entre todas, la tumba de Ramsés III se destacó por su esplendor. En 1922, se descubrió la tumba del faraón Tutankhamen, en el Valle de los Reyes, que se encontró intacta, habiéndose librado del saqueo de que fueron objeto, durante el curso de los siglos, la mayor parte de las tumbas faraónicas.

Tebas. Ciudad de la antigüedad, una de las más importantes y poderosas de Grecia, que ocupó el lugar de la ciudadela Cadmea, fundada según leyendas por el rey de Fenicia, Cadmos. Situada en la parte sur de la Beocia, era conocida por *la Ciudad de las Siete Puertas*. Las fortificaciones que tenía le dieron cierta ventaja, colocándose pronto a la cabeza de las demás ciudades que formaban la región, y dando así origen a la Liga de Beocia. Desde el siglo

Tebas

VI a. C., comenzó a ser teatro de hechos históricos que habrían de constituir parte importante de la historia de Grecia. De su vida, más que lo político, perduraron los mitos y leyendas que inspiraron hermosas páginas de la literatura griega, rivalizando con aquellas otras famosísimas de Troya. La leyenda de Edipo y la de Antígona, la tragedia de los Siete Jefes, el mito sobre la supuesta cuna de Dionisos y Hércules, son algunas de las tantas que posee.

Distante Tebas de Atenas apenas 70 km, existía entre ellas una acentuada rivalidad; para los atenienses, los beocios pasaban por ser torpes e incultos, no obstante, la profundidad del poeta Píndaro y la del célebre Plutarco, que eran muestras de lo contrario. El gobierno de Tebas ambicionaba conquistar la ciudad vecina de Platea, a pesar de la oposición de Atenas. Por esta razón, Tebas, durante las guerras Médicas se colocó de parte de los persas para abatir a los atenienses; en la famosa guerra del Peloponeso, se alió a Esparta y en el año 423 a. C., vencida Atenas, ocupó Platea. Esparta, vencedora, hizo sentir el peso de su tiranía sobre Tebas. Por lo tanto, ésta se rebeló, mató a los principales jefes y formó una alianza con los enemigos de Esparta para oponerle mayor resistencia. La política de coordinación de Pelópidas fue magnífica y a él se deben en parte los primeros triunfos de Epaminondas, quien logró finalmente la derrota de Esparta en Leuctra, en el año 371 a. C. Después del gran triunfo, Epaminondas pasó a ser la figura más sobresaliente de su época, y mantuvo la supremacía de Tebas sobre Grecia hasta su muerte, ocurrida en el año 362 a. C., durante la batalla de Mantinea.

Más tarde, Filipo de Macedonia la conquistó; luego, Alejandro *el Grande* ocupó el trono y, ante un intento de rebelión, la destruyó. Tebas fue reconstruida en el año 315 a. C.; pasó a formar parte del extenso imperio romano; fue dominada por los catalanes en 1311, y a mediados del siglo XV conquistada por los turcos. No recuperó su antiguo esplendor y el sitio de la antigua Tebas lo ocupa actualmente la pequeña ciudad de Thívai, que tiene 12,000 habitantes.

teca. Árbol de la familia de las verbenáceas, que procede del sureste de Asia. Es corpulento, tiene hojas opuestas, grandes y ásperas por el envés, flores blanquecinas en panojas terminales y fruto en drupa globosa y corchosa que contiene una nuez muy dura con cuatro semillas. Su madera es fuerte, durable, muy resistente al agua; se trabaja fácilmente admitiendo gran pulimento, y contiene un aceite resinoso que la inmuniza contra los ataques de los insectos; por dura, elástica e incorruptible se la utiliza preferentemente para ciertas construcciones navales. Da un tinte color púr-

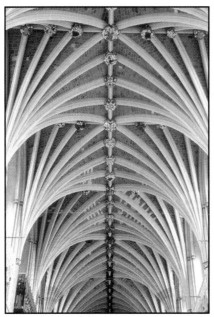

Techo con estilo gótico en la catedral de Exeter, Inglaterra.

pura. Para arrastrar los troncos fuera de la selva asiática se emplean elefantes; también crece en plantaciones especiales en esos países. Con el nombre de teca africana se conoce un árbol valioso por su madera que se utiliza para los mismos fines, pero su durabilidad es menor que la de la teca asiática.

techo. Parte superior de un edificio, que lo cubre y cierra, o de cualquiera de las estancias que lo componen. Cara inferior del mismo, superficie que cierra en lo alto una habitación o espacio cubierto, casa, habitación o domicilio. Altura máxima alcanzable por una aeronave. Terreno situado encima de una capa o vena de material.

En aeronáutica cuando un avión se eleva, su velocidad ascensional disminuye de forma progresiva, hasta que alcanza una altura en que la fuerza de sustentación, decreciente con la altura por efecto de la menor densidad progresiva del aire, se equilibra con el peso. La altura del techo depende de la carga alar y de la potencia de los motores (que también disminuye con la altura) en relación con el peso del avión.

techo de las nubes. Superficie inferior de la capa más baja de una masa de nubes, que cubra la región zenital y tenga una extensión mínima de cuatro octas. La altura de la base de las nubes se mide con pequeños globos de velocidad ascensional conocida o, más frecuentemente, por medio de proyectores de nubes. El conocimiento de este dato es de la mayor importancia en aviación, tanto en vuelo como

durante las operaciones de despegue y aterrizaje. Con frecuencia es difícil determinarlo, a causa de dos problemas principales: en primer lugar, el techo no es una superficie sólida, sino una zona de transición entre el aire transparente y la nube; experimenta fluctuaciones importantes en espacios de tiempo muy cortos.

tecnecio. Elemento químico, perteneciente a la segunda serie de metales de transición del sistema periódico de los elementos. Con el manganeso y el renio forma el grupo VIIB. Se obtiene artificialmente. Su símbolo, Tc, y su número atómico, 43.

En 1925, al analizar unas muestras de minerales con rayos X, Noddack y sus colaboradores creyeron haber descubierto el elemento 43, al que llamaron masurio, y el 75, el renio. En 1937 Perrier y Segrè, en Italia, tuvieron la certeza de su existencia al analizar una muestra de molibdeno (número atómico 42) que había sido bombardeada con deuterones durante meses en el ciclotrón de Berkeley por el equipo de Ernest Orlando Lawrence. El nombre del elemento obedece al hecho de ser el primer elemento obtenido de modo artificial.

En la actualidad se conocen 16 radioisótopos de tecnecio, de números másicos comprendidos entre 92 y 107. Este último es el único obtenido en gran escala y en el que se basan los datos conocidos sobre el elemento y sus compuestos. Es el único metal de transición que ha sido obtenido sólo artificialmente, pues no se le ha encontrado en la Tierra; a lo sumo, se supone que deben existir trazas debido a la desintegración del uranio. Se ha confirmado su existencia en el espectro de ciertos tipos de estrellas.

El tecnecio metálico es de color grisplateado. En presencia del aire húmedo se empaña lentamente. Resiste la acción del ácido clorhídrico o fluorhídrico, pero es soluble en nítrico o sulfúrico concentrados y en agua regia. Reacciona con el oxígeno a temperaturas superiores a 400 °C y forma el heptóxido.

El tecnecio se obtiene como subproducto en la producción de uranio y plutonio en los reactores atómicos; se halla como pertecnato, separándose de otros componentes por medio de resinas intercambiadoras de tones; el heptóxido obtenido, permite ser purificado por destilación, gracias a su volatilidad. La obtención del metal suele ser por reducción del pertecnato amónico. El tecnecio y sus aleaciones son superconductores; se emplea también en crioquímica y en medicina (radiología), asi como por sus propiedades anticorrosivas.

técnica y tecnología. La técnica es el conjunto de procedimientos de que se sirve una ciencia o un arte, y es, también,

Corel Stock Photo Library

El techo de nubes es la capa de nubes más próxima a la superficie de la tierra .

la habilidad para usar esos procedimientos. La tecnología es el conjunto de los conocimientos propios de un oficio mecánico o arte industrial. En nuestra época, los conocimientos de todo orden que pueden ser comprendidos en la acepción de esos dos vocablos: técnica y tecnología, son de diversidad y magnitud incalculables, debido a la vastísima amplitud que las ciencias aplicadas a las necesidades del hombre le han dado a su significación. Las grandes fábricas modernas, con sus complicados mecanismos y los maravillosos procedimientos industriales que en ellas se desarrollan, son el exponente del progreso tecnológico. Al hacer un hacha de sílex, el hombre primitivo ya practicaba una técnica: ponía en movimiento una serie de actos físicos y de reacciones psíquicas sobre una materia inerte y, por medio de otras materias de aplicación instrumental, obtenía un objeto útil. Pero, es fácil advertir que entre el hacha prehistórica y el ciclotrón moderno hay una diferencia que no es sólo de tamaño. El hacha es una herramienta, un instrumento simple, movido por la fuerza humana y sujeto a la acción directa del hombre. Su misma simplicidad la pone al servicio del hombre; si no es esgrimida por sus manos, queda reducida a materia inerte. Y en razón de su mismo carácter rudimentario es polivalente, o sea que puede aplicarse a realizar tareas muy diversas. La máquina es esencialmente distinta de la herramienta: tiene el carácter de un conjunto de herramientas, movido por una fuerza no humana, pero dirigido por el hombre. No sólo es más completa que la herramienta, sino que es impulsada por una fuerza distinta de la muscular: por la

energía mecánica, hidráulica, eléctrica. La máquina es semiautomática; su actividad interna no depende del hombre, aunque debe ser puesta en marcha, dirigida y detenida por él. A causa de su relativa complejidad, con frecuencia es monovalente, vale decir, capaz de realizar un solo trabajo.

A la herramienta y la máquina siguen los dispositivos de carácter automático, maravillas de la tecnología moderna. Aquí nos hallamos frente a estructuras movidas por fuerzas no humanas y que actúan sin el dominio del hombre. Es el caso de la célula fotoeléctrica, el estabilizador giroscópico, el cerebro electrónico, el radar, los aparatos endomecánicos, los *robots* y otros dispositivos e instrumentos dotados de mecanismos internos que les permiten reaccionar y ajustar su funcionamiento de acuerdo con los datos e informaciones que registran; así, los dispositivos localizadores del radar detectan un obstáculo, registran

Escuela técnica de 1920 en Ottawa, Canadá.

Corel Stock Photo Library

la posición y otros datos y dirigen automáticamente el tiro de los cañones hacia el objeto percibido. De igual modo, los diversos aparatos de aterrizaje automático que poseen los aviones *se informan* acerca de la distancia a que el aparato se halla del suelo y disponen todo lo necesario para un aterrizaje perfecto.

Parece como si las herramientas tuvieran cierta similitud con los miembros del hombre y sus operaciones. El funcionamiento de ciertas máquinas lleva a pensar en una semejanza con los procesos respiratorio, digestivo y circulatorio del hombre. En el robot o autómata pudiera encontrarse una aparente analogía con el sistema nervioso, que reacciona como una estructura compleja ante los estímulos que recibe, y transmite órdenes a otros sistemas y órganos del cuerpo. Entre las tres categorías principales podemos distinguir algunos instrumentos de carácter intermedio, como las máquinas herramientas y las máquinas automáticas, cuyas designaciones genéricas ya indican que participan de caracteres comunes a dos de esas categorías.

La máquina herramienta, la máquina propiamente dicha, la máquina automática y el autómata participan del carácter genérico de la máquina en sentido amplio, que podríamos definir así: es un conjunto de mecanismos y órganos, elegidos y ordenados de modo tal que, mediante una transmisión rigurosa de los movimientos y las fuerzas, ejecutan un trabajo que el hombre no quiere o no puede realizar por sí mismo. En esta definición hay tres elementos esenciales: 1) un orden estático, porque el creador de la máquina selecciona, reúne y organiza un conjunto de piezas y mecanismos, 2) un orden dinámico, porque las piezas reunidas se someten a la acción de una energía que a su vez transmiten y transforman; 3) un rendimiento, porque la máquina siempre realiza un movimiento útil o modifica el carácter del objeto que se somete a su acción. En última instancia, la máquina es, como lo señalaba Henri Bergson, una prolongación del hombre. En el progreso de la tecnología, que es el de la máquina tomada en sentido amplio, podemos advertir esas tres etapas: la de la herramienta, la de la máquina y la del autómata.

La herramienta. Los testimonios más antiguos de la tecnología humana son las hachas de sílex que el hombre paleolítico utilizaba como armas y martillos. En épocas posteriores, cuando los hombres abandonan las cavernas y aprenden a construir viviendas, cultivar los campos y domesticar los animales, aparecen la hoz, la reja del arado, las armas de bronce y hierro, y los telares más rudimentarios. Sería erróneo suponer que la idea del progreso técnico, que en nuestra época seduce a gran parte de la humanidad, ha atraído siempre a todas las sociedades; la mayor parte de las sociedades estáticas de la antigüedad se preocuparon más por los problemas políticos, religiosos y jurídicos que por la creación de técnicas. Los griegos, por ejemplo, realizaron algunos progresos mecánicos, pero la mayor parte de sus conquistas permanecieron en el ámbito de la ciencia pura. Algunos ingeniosos dispositivos mecánicos inventados por sabios como Arquímedes y Hierón no se estimaron en sus posibles aplicaciones prácticas sino como ingeniosos pasatiempos de una inteligencia superior. La tecnología romana, apoyada en la ciencia helénica, fue mucho más amplia y sólida. La calefacción, la técnica de la construcción y la eficacia innegable de sus balistas y catapultas hablan claramente de su capacidad para la aplicación de los principios físicos. La Edad Media introdujo algunos pequeños adelantos en la técnica rural y en los medios de transporte, difundió la forja y perfeccionó los pequeños oficios de artesanía; pero era una sociedad dominada por la idea de lo sagrado y la noción del progreso técnico resultaba para ella necesariamente secundaria.

La máquina. A partir de los siglos XIV y XV, surge una tendencia hacia el progreso en el orden material y de los conocimientos. Se efectúan los primeros viajes transoceánicos, aparece la imprenta de tipos móviles, se perfeccionan la tinta y el papel, las armas de fuego empiezan a desplazar al arco y la ballesta, la mayor difusión de los números arábigos da nuevo impulso a la matemática y los alquimistas tratan de concretar el viejo sueño de la trasmutación de la materia. Pero, los factores que habrían de acelerar el desarrollo tecnológico surgieron a fines del siglo XVII, cuando aparecen la máquina de calcular de Blaise Pascal, la marmita de vapor de Denis Papin y los primeros ensayos de fabricación en serie, en la manufactura de agujas a ritmo acelerado. A partir de esta época, en el cuadro del progreso tecnológico ya se pueden distinguir siete periodos secundarios:

1) La tecnología de la madera y del agua es tan antigua como la humanidad. Desarrollada durante la Edad Media, llegó a su apogeo en los primeros tiempos de la Edad Moderna, cuando se multiplicaron los molinos de viento e hidráulicos, las embarcaciones de vela y las diversas formas de herramientas hidráulicas. La técnica de la madera, sustituida durante el siglo pasado por la del hierro, ha recuperado importancia en nuestra época, gracias a los nuevos procedimientos de explotación y uso de la madera. La técnica del agua, que también conoció una época de decadencia, recuperó importancia a partir del año 1902, cuando se inauguró en Assuán sobre las márgenes del Nilo el primer gran dique de los tiempos modernos; bautizada con el nombre simbólico de *la hulla blanca*, la energía

Corel Stock Photo Library

(De arriba abajo) fabricando piezas para la industria de la aviación. La tecnología permite almacenar y agilizar la información.

hidroeléctrica está siendo aprovechada hoy en todos los continentes.

2) La tecnología del hierro y del carbón, conocida desde remotas épocas, adquirió desarrollo a partir del siglo XVI, cuando se inició la explotación de las minas de hulla y la construcción de puentes metálicos; pero su aplicación en gran escala sólo data de fines del siglo XVIII, gracias a la invención de la máquina de vapor, del alto horno, y del buque de vapor. El apogeo se halla en la segunda mitad del siglo XIX, cuando el carbón suministra gas a las grandes ciudades y combustible a los ferrocarriles y buques del mundo entero, y cuando los talleres metalúrgicos se multiplican en todos los países occidentales.

3) La tecnología del acero y del petróleo es mucho más reciente, pues su auge sólo data de mediados del siglo XIX. Su doble influencia ha venido reemplazando a la técnica del hierro y del carbón. El motor de explosión, que utiliza derivados del petróleo como combustible, hace una competencia tenaz a las máquinas de vapor. La técnica de la navegación, que ha pasado por las tres etapas de los buques de madera, hierro y acero, y de la propulsión de remo, viento, carbón y petróleo, muestra claramente esta evolución tecnológica.

4) La tecnología de la química industrial comenzó a influir sobre nuestro mundo en las últimas décadas del siglo XIX y adquirió inusitado vigor en el XX, con la invención del caucho sintético, el petróleo artificial y la larga serie de los materiales plásticos.

5) La tecnología biológica ha utilizado el vasto material científico acumulado a lo largo de tres siglos: la clasificación paciente de los datos zoológicos, botánicos y anatómicos, el descubrimiento de diversos microbios, la investigación celular, el análisis de la sangre, etcétera. La aplicación de estos elementos comenzó hacia 1830 y llegó al primer plano del interés colectivo con las investigaciones de Louis Pasteur. Su auge se mantiene en nuestros días gracias a los enormes progresos de la técnica quirúrgica, al descubrimiento de los antibióticos, a los estudios para la prolongación de la vida humana y a los progresos de todas las ramas de la medicina

6) La tecnología foto-electro-magnética reúne tres sectores de las ciencias físicas que en los últimos siglos habían permanecido separadas. Las primeras investigaciones científicas sobre la luz datan de fines del siglo XVI y principios del XVII, cuando se crearon los anteojos, microscopios y telescopios; culminaron con las aplicaciones de la fotografía y el cinematógrafo. De igual modo, el primer presentimiento de la electricidad data del siglo XVI y los primeros estudios del magnetismo terrestre aparecieron una centuria más tarde. Aquí también las últimas décadas del siglo XIX aportaron progresos decisivos: dínamo, batería, motor eléctrico, electroimán, lámpara incandescente, telégrafo eléctrico, teléfono y radiotelegrafía. En el siglo XX, los aportes científicos de la óptica y otras ramas de la física conducen a la fotografía en color y a la televisión, se inventa la radiotelefonía, aparecen los primeros autómatas instrumentos de radio-orientación, aparatos endomecánicos, radar, etcétera.

7) La tecnología nuclear y cibernética se apoya en las revelaciones de la geometría no euclidiana, en el descubrimiento de los rayos x y del radio y en la teoría de la relatividad de Albert Einstein; conduce a los trabajos de sir Ernest Rutherford y de Enrico Fermi y a la invención de la bomba atómica y la de hidrógeno.

El autómata. En el siglo XX se han inventado máquinas, llamadas cibernéticas y conocida comúnmente como autómatas o robots. Las máquinas más complejas de la mecánica antigua (los relojes, por ejemplo) se limitaban a transmitir los movimientos; las de la época energética (máquinas de vapor, motores de explosión, turbinas, generadores) transforman la energía estática en energía dinámica. Los autómatas se distinguen de ambos grupos de máquinas en que son capaces de percibir una influencia externa, transmitir el estímulo a un mecanismo de ejecución y originar un movimiento. De ahí el nombre de cibernética, extraído de la palabra griega *kubernetes*, que significa piloto. No se trata de mecanismos que, como las cajitas de música, ejecutan un movimiento mediante un juego oculto de resortes. Los autómatas son máquinas transmisoras, que emiten una onda exploradora y obtienen una información. Además, son máquinas de calcular, no de carácter mecánico, sino comparables a *cerebros electrónicos*, capaces de realizar complejos cálculos logarítmicos y de resolver sistemas de ecuaciones diferenciales. Algunas de ellas son capaces de tener cierta *conducta* frente a una situación exterior: tal es el caso de la famosa *tortuga* de Grey, que puede ejecutar ciertos actos reflejos comparables a los de los animales. La máquina de Mac Culloch, de características similares, es capaz de leer un texto y transmitirlo a un altoparlante. El puesto de dirección de tiro antiaéreo automático registra la aproximación de un avión enemigo, calcula las coordenadas de la ruta que sigue, mide su velocidad y agrega al cálculo la velocidad del viento y el movimiento de rotación de la Tierra, hecho lo cual orienta los cañones e inicia el fuego, todo ello en forma automática. Estas máquinas cibernéticas no sólo se parecen, en cierto sentido, al sistema nervioso humano, sino que presentan una especie de memoria capaz de acumular datos y experiencias. Los elementos teóricos y las aplicaciones practicas de la cibernética que han adquirido tan gran impulso en nuestra época, contribuyen a acelerar el progreso tecnológico y la investigación científica. *Véanse* AUTOMATIZACIÓN; FÁBRICA; INDUSTRIA; INVENCIONES Y DESCUBRIMIENTOS; MÁQUINA; MÁQUINA HERRAMIENTA; PRODUCCIÓN EN SERIE.

tecnicolor. Castellanización del vocablo inglés *technicolor*, designación industrial de un procedimiento para hacer pelí-

La tecnología ha permitido controlar el suministro de materias primas con la finalidad de evitar accidentes.

La tecnología permite la producción en serie de una gran cantidad de productos.

culas cinematográficas en colores. La película en tecnicolor está formada por tres capas: una roja, otra amarilla-verde y otra púrpura, que se superponen en una película fotográfica ordinaria. Las escenas e imágenes se toman con cámaras cinematográficas especiales, que utilizan tres películas simultáneamente. En esas cámaras, la imagen que capta la lente pasa por un prisma y por tres filtros de color, que obedecen al principio físico de la sustracción o separación de colores. A causa de ello, la imagen inicial se descompone, dentro de la cámara, en tres imágenes, cada una de las cuales registra solamente el color básico que corresponde al filtro de color por el cual pasó la imagen original, e impresiona la película respectiva. Después de cinematografiada la escena, se procede al revelado de las tres películas cuya superposición en perfecto registro, como ya se explicó, hace posible que al proyectarse en una pantalla cinematográfica la película así compuesta, se reproduzcan escenas e imágenes en todo el esplendor de sus colores naturales. *Véanse* CINEMATOGRAFÍA; FOTOGRAFÍA.

tecnocracia. Estrato social formado por un conjunto de grupos de especialistas, ingenieros, administradores, directivos de empresas, expertos, altos funcionarios de los servicios públicos, militares de carrera, científicos, profesores y especialistas de la información que disponen de una posición social privilegiada, desempeñan funciones jerárquicamente superiores, controlan orgánicamente los medios de comunicación de masas, pueden disfrutar del poder en beneficio propio asumiendo competencias no específicas dictadas por su función y tienen conciencia colectiva de poseer los re-

sortes y conocimientos para conducir y optimizar las decisiones políticas y sociales.

teflón. Nombre registrado para designar los polímeros de tetrafluoretileno y las materias derivadas de ellos, obtenidos por polimerización del monómero con un catalizador redox. Material aislante muy resistente al calor y a la corrosión, usado para articulaciones y revestimientos y especialmente conocido por su aplicación en la fabricación de ollas y sartenes.

El teflón fue descubierto por azar durante la Segunda Guerra Mundial al buscar hidrocarburos fluorados como líquidos volátiles para la industria del frío; sus propiedades interesaron tanto a los investigadores que en 1943 se erigió una planta piloto que producía cantidades comerciales, las cuales se destinaron en primer lugar a la industria de la guerra por sus excepcionales propiedades dieléctricas, y después, al acabar ésta, se ofrecieron a las industrias manufactureras de plásticos con sugerencias para su utilización.

Se presenta en forma de gránulos, transparentes en espesores delgados y de aspecto céreo en espesores mayores. La resina sin cargar presenta propiedades únicas dentro de la familia de las materias plásticas y se parece mucho más a un vidrio inorgánico que a un termoplástico convencional. En efecto, presenta un intervalo de reblandecimiento extraordinariamente amplio, que abarca desde $-100\ °C$ hasta $700\ °C$, temperatura a que se descompone sin llegar a fluir, desprendiendo el monómero y algunos otros gases tóxicos. A temperaturas más elevadas se carboniza sin arder. La temperatura óptima de trabajo oscila entre los $300\ °C$ y los $400\ °C$, a la que ya es sensible a la descomposición. Químicamente,

teflón

presenta la mayor inercia entre las materias plásticas: no absorbe humedad en absoluto, no es atacado por ningún disolvente, ni en frío ni en caliente; resiste, incluso a la ebullición, los álcalis cáusticos y los ácidos minerales, aun el fluorhídrico y el nítrico fumante, así como el agua regia, y únicamente puede ser atacado por los metales alcalinos en estado fundido y por flúor caliente.

Se utiliza en la industria eléctrica para cables coaxiales, en televisión en colores y en instalaciones de radar. En industria química, para empalmes y juntas, que pueden ir reforzadas con fibras de asbesto o de vidrio.

Tegucigalpa. Ciudad capital de Honduras y del departamento de Francisco Morazán. Está situada a orillas del río Choluteca, a 918 m de altura y aproximadamente a 120 km del puerto de Amapala, en el Golfo de Fonseca. Población: 608,100 habitantes. Centro agrícola y comercial que atrae gran parte del movimiento del país. Rodeada de montañas, ofrece hermosas perspectivas. Industrias de calzado, textiles, bujías, jabones, algodonera, alimentaria, etcétera. Entre sus edificios más importantes se destacan la catedral, el palacio gubernativo, la Universidad, la Escuela Militar y el Teatro Nacional. Entre sus paseos deben mencionarse los parques Morazán y de la Concordia. Es capital de Honduras desde que sustituyó a Comayagua en 1880.

tegumento. *Véase* SEMILLA

Teherán. Ciudad capital de Irán, a 1,150 m de altura y al pie de la nevada cordillera de Elburz. Fundada en el siglo XII se convirtió en capital del país en 1788. Tiene 6.042,584 habitantes. Son interesantes sus mezquitas, el palacio real, ciertos edificios públicos y, sobre todo, sus bazares orientales que atraen el turismo. Centro de las comunicaciones del país enlazada por ferrocarril con Bandar Shah en el Mar Caspio y con Bandar Shahpur en el golfo Pérsico. Posee universidad y numerosas escuelas técnicas y religiosas. Fábricas de cigarros, vidrio, cemento, metalúrgicas. Industria química (farmacia, cosmética, colores), textiles, montaje de automóviles y camiones, motores, transformadores, calzado, curtidos, alimentarias (cerveza, azucareras). Cuenta con refinerías de petróleo.

Teherán, conferencia de. Reunión celebrada del 26 de noviembre al 2 de diciembre de 1943 en la capital de Irán, durante la Segunda Guerra Mundial. Concurrieron el presidente de Estados Unidos Franklin Delano Roosevelt, el primer ministro de la Unión Soviética, José Stalin y el de Gran Bretaña, Winston Churchill, quienes adoptaron medidas militares para proseguir las operaciones de guerra contra Alemania y

Corel Stock Photo Library

El teflón es utilizado frcuentemente en la elaboración de ollas y sartenes.

suscribieron la Declaración de Teherán en la que expusieron sus propósitos de cooperación para el advenimiento de la paz.

Tehuacán. Municipio del centro de México en el estado de Puebla. Situada en la región septentrional de la Sierra Madre de Oaxaca está avenada por el río Tehuacán; 390 km² y 68,332 habitantes. Es centro comercial y de servicios de una extensa zona agrícola (cereales, legumbres, café, caña de azúcar, vid, hortalizas, frutas tropicales y cítricos). Hay ganado vacuno, porcino y caprino. Explotaciones forestales. Manantiales de agua minerales con plantas embotelladoras. Metalurgia. Centro turístico. Comercio activo.

Tehuacán, valle de. Se extiende en los estados de Puebla y Oaxaca, entre las sierras de Zapotitlán, al oeste, y de Zongolica, al este, avenado por el río Tehuacán y situado a una altitud media de 1,500 metros.

Gracias a su clima, el valle ha conservado en excelentes condiciones los restos de la evolución social a lo largo de milenios. Su importancia básica consiste en que fue esta zona en que se produjo el primer proceso de neolitización del continente americano.

Habiéndose supuesto que en un sitio semejante pudo haberse iniciado el cultivo del maíz, la Fundación Peabody organizó de 1960 a 1964 un proyecto de investigación, dirigido por Richard MacNeish, que dio como resultado una secuencia arqueológica ininterrumpida de unos 10,000 años. Según este estudio en el valle se sucedieron las siguientes fases culturales: 1) Ajuereado (7200 a. C), con herramientas del pedernal, utilizadas por bandas de cazadores-recolectores. 2) El Riego (7200-5000 a. C.) caracterizado por la importancia de la recolección (maíz, algodón) y el inicio del cultivo (calabaza, chile, aguacate); se han conservado redes, tejidos, cestos y morteros, así como muestras de sacrificios humanos. 3) Coxcatlán (5000-3400 a. C.) con bandas semisedentarias que extienden el cultivo a las habas, zapotes y, sobre todo el maíz. 4)Abejas (3400-2300 a.

C.),con poblados permanentes en bancales fluviales, que extienden al cultivo el frijol y el algodón, domestican al perro y utilizan recipientes de piedra y cuchillos de obsidiana; el maíz indígena es sustituido por otro exterior al final de la fase. 5) Purrón (2300-1500 a C.), con casas hechas de barro y paja; aparece la alfarería; se produce la mutación del maíz y su hibridación con el teosinte. En la subfase Coatepec (1900-1500 a. C.) la alfarería ya es pintada. 6) Ajalpan (1500-900 a. C.) ve aparecer la vida político-religiosa en aldeas de 100 a 300 habitantes, que tienen el maíz como base de su alimentación, moldean figurillas de terracota y tienen fuertes contactos culturales con el exterior. 7) Santa María (900-200 a. C.) se caracteriza por el inicio del regadío (jitomate) y la aparición de pirámides culturales. 8) Palo Blanco (200 a. C.-700 d. C.) con un regadío generalizado (cacahuate, guayaba) inicia el periodo urbanista en la zona: calzadas, ciudades sagradas en lo alto de las colinas, viviendas en terrazas y plataformas, plazas con pirámides, juegos de pelota; aparece una cerámica fina gris y anaranjada y el trabajo delicado de la obsidiana; se crían nuevos animales (pavos). La población se ha multiplicado por mil desde el VIII milenio.9) Venta Salada (700-1540 d. C.) inicia la explotación de las salinas para el comercio con el exterior. El resultado de este proyecto ha sido fundamental en el estudio de las culturas mesoamericanas.

Teide, Pico de. Monte volcánico de la isla de Tenerife en el archipiélago de las Canarias (España), famoso por su altitud (3,718 m) y por su forma cónica regular. El elevado pico, con su corona de nubes que lo cubren frecuentemente, se yergue en el circo de las Cañadas, sobre una inmensa caldera que tiene diferentes cráteres y respiraderos humeantes. Sus faldas, recubiertas parcialmente por campos de lava solidificada, están en sus dos tercios revestidas por exuberante y variada vegetación y una flora que reúne numerosas especies en un espacio reducido. Al pie

Las tejas se emplean como recubrimiento de los tejados.

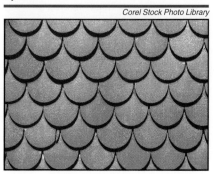
Corel Stock Photo Library

del pico del Teide se encuentra la población de la Orotava en medio de un valle renombrado por su hermosura.

Teilhard de Chardin, Pierre (1881-1955).
Jesuita francés dedicado a la ciencia, la filosofía y la teología. Realizó notables estudios de paleontología (descubrió el *Sinanthropus*). Sin embargo su influencia en el pensamiento la debe a sus teorías filosófico-teológicas. Su postura mantiene que la materia fluye en un proceso de complejidad-concienciación aumentativa que incide teleológicamente en Cristo, o *centro orgánico de todo el Universo*. Todas sus obras son póstumas. La Iglesia sólo le permitió publicar las de carácter científico. *Le phénomène humain* (1938-1940), *Le christique* (1955), *Le milieu divin* (1926-1927).

teína.
Principio activo del té, semejante a la cafeína que se encuentra en el café. Es un alcaloide que cristaliza en agujas largas, sedosas y brillantes. Tiene propiedades tónicas, diuréticas y estimulantes del corazón; excita el sistema nervioso y aumenta la actividad cerebral. Algunas de sus sales como el bromhidrato, el citrato y el valerianato, se utilizan en medicina. Se encuentra también en el mate, el guaraná y la nuez de cola. *Véase* TÉ.

Teixeira de Pascoães, Joaquim (1877-1952).
Poeta portugués. A él se debe la creación del movimiento saudosismo que proponía una filosofía nacional basada en la *saudade* como rasgo distintivo de la creación espiritual portuguesa. Este movimiento causó gran influencia en la literatura gallega de principios del siglo XX. Su poesía, partiendo de una posición agnóstica, es la búsqueda del Absoluto. Escribió *Senhora da noite* (1909) *Marânus* (1911), *Doído e a morte* (1913) y *Elegía do Amor* (1924).

Tejada Sorzano, José Luis (1881-1938).
Político boliviano. Fue ministro de Hacienda (1917) y, desde 1931, vicepresidente de la república. En 1934 llegó finalmente a la presidencia. Sin embargo, su actuación ante la guerra del Chaco creó gran malestar al grado de que el 17 de mayo de 1936 fue depuesto por un golpe militar dirigido por el coronel Germán Busch y Becerra.

tejado.
Parte superior de un edificio que protege a éste de la intemperie. En su construcción se usan preferentemente tejas de forma acanalada, ligeramente cónicas, esto es, con un extremo más ancho que el otro. Se forman filas de tejas perpendiculares al alero, colocándolas con la cara cóncava hacia arriba y superponiéndolas parcialmente, de modo que el ex-

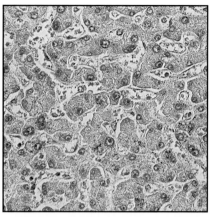
Corel Stock Photo Library
Tejido celular del hígado.

tremo más ancho de cada teja quede debajo del extremo angosto de la siguiente. Los claros entre fila y fila se cubren con otras tantas hileras de tejas hacia abajo, de modo que los bordes de la teja calcen en la parte media, más deprimida, de las tejas de los costados, y con el extremo más ancho mirando hacia la calle. No siempre los tejados están constituidos por tejas de barro cocido.

Tejeda y Guzmán, Luis de (1604-1680).
Poeta argentino, nacido y muerto en Córdoba. Es el primer poeta en tierra argentina. Sus dos principales obras. *El peregrino de Babilonia* y *Poesías místicas*, fueron descubiertas por Ricardo Rojas en la Biblioteca Nacional, en Buenos Aires. Tejeda conoció griego, latín y hebreo y fue muy docto en las ciencias de la época, lo que le valió el sobrenombre de *Oráculo de la Universidad de Córdoba*. Primero fue militar y luego se retiró a la vida monástica. Su estilo poético se halla influido por el culteranismo.

Tejera, Apolinar (1855-1922).
Escritor dominicano. Nació en Santo Domingo y estudió la carrera eclesiástica, la cual abandonó para entrar en la política. Presidente de la Suprema Corte de Justicia, secretario de Justicia e Instrucción Pública, procurador de la República y rector del Instituto Profesional (Universidad de entonces). Historiador y poeta eminente. Autor de *Literatura dominicana* y otras obras. Su labor fue recogida en numerosas publicaciones en las que cultivó el ensayo y la investigación histórica y literaria.

Tejera, Diego Vicente (1848-1903).
Político y escritor cubano. Nació en La Habana y estudió derecho y medicina en Barcelona. Luchó por la independencia de su patria. Articulista, narrador y poeta. Autor de *Consonacias; Cantos magyares; Poesías; La estrella solitaria*. Conocido

como *el poeta de la hamaca*. Dirigió en Francia la revista *América en París* y fue fundador de un Partido Socialista en Cuba.

Tejera Guevara, Enrique Guillermo (1889-1980).
Científico e investigador venezolano descubridor del antibiótico cloramfenicol. Sirvió en la Primera Guerra Mundial e hizo valiosas investigaciones sobre el mal de Chagas. En 1924 fue nombrado director del Centro de Microbiología y en 1936 fundó el Ministerio de Salud de su país. Fue embajador en diferentes países de Europa.

tejido.
En biología se designa con el nombre de *tejido* cada una de las diversas agrupaciones de células que, con su sustancia intercelular, forman las distintas estructuras que componen el organismo de los seres vivos. Entre los tejidos más importantes del organismo animal, se destacan: el epitelial, que comprende la piel y las mucosas; el muscular, compuesto de células que pueden contraerse y relajarse; el conjuntivo, formado por grupos de células y fibras elásticas que unen distintas partes del cuerpo; el tejido fibroso, una de las variedades del conjuntivo, es elemento principal de los ligamentos, tendones y aponeurosis; otra variedad es el adiposo, que está formado por células de grasa; el adenoideo o citógeno, que compone los ganglios linfáticos, es otra variedad del conjunto, lo mismo que el cartilaginoso, el óseo y el llamado de granulación, que se forma en el proceso de curación de una herida o úlcera. El tejido nervioso está constituido por células que transmiten los impulsos nerviosos. *Véase* CUERPO HUMANO.

tejido.
En su acepción más amplia, con este vocablo se designa el arte de tejer las telas y la obra ejecutada o sea, la tela misma. La tela o tejido es una obra hecha de muchos hilos que, entrecruzados, forman como una hoja o lámina. Aunque los hilos que se emplean para formar una tela pueden entrelazarse en muchas maneras diferentes, ese enlace obedece a dos posiciones fundamentales de los hilos: la urdimbre y la trama. La urdimbre está compuesta por la serie de hilos en sentido longitudinal que entran en la formación de la tela. La trama la constituyen los hilos que, en dirección transversal, o sea, a lo ancho, atraviesan y enlazan los hilos longitudinales de la urdimbre. El arte del tejido se conoce desde la más remota antigüedad.

El telar es el aparato esencial en la fabricación de tejidos. El telar primitivo debió haber sido un tosco madero suspendido en posición horizontal, del cual pendían los hilos de la urdimbre. Ese telar rudimentario fue experimentando lenta evolución a través de los tiempos, y los telares de la antigüedad usados por egipcios, griegos y

tejido

Tejedor manual elaborando tapetes persas en Irán.

romanos, presentan perfeccionamientos y modificaciones de detalle, que mantuvieron invariable el principio a que obedece el funcionamiento del telar. Durante siglos, los telares fueron operados a mano.

En líneas generales, el telar de operación manual consiste en una armazón de madera que sostiene dos listones horizontales, separados verticalmente entre sí, llamados lizos. Los hilos que componen la urdimbre se preparan y pasan por las series de anillas llamadas mallas de que están provistos los lizos. Terminada la preparación de la urdimbre, el tejedor se sienta delante del telar y apoya los pies sobre unos pedales llamados cárcolas que dirigen el funcionamiento de los lizos.

El tejedor tiene en la mano la lanzadera, que es una pieza movible de madera y metal con canillas en la que van devanados los hilos que han de formar la trama. El tejedor, manejando la lanzadera, la hace pasar y repasar alternadamente, de una orilla a otra, a través de los hilos de la urdimbre para ir formando la trama.

El telar tiene, también, dos cilindros plegadores llamados enjulios, uno en la parte posterior de la armazón, en el que está enrollada la urdimbre antes de ser tejida, y otro en el frente o parte anterior, que sirve para arrollar la tela a medida que se va tejiendo. La urdimbre debe estar sujeta a una tensión determinada, según la clase del tejido, para lo cual se coloca un peso suspendido de una correa, cuya carga actúa sobre los enjulios en forma regulable según la tensión deseada. Un bastidor, en forma de L colocado frente a la urdimbre y provisto en su parte superior de un dispositivo con púas metálicas llamado peine, sirve

para mantener la separación entre los hilos de la urdimbre. Otras funciones de ese bastidor consisten en apretar la trama y en guiar el movimiento de la lanzadera.

El telar mecánico obedece, en esencia, a los mismos principios que rigen el telar de mano. Varios importantes perfeccionamientos introducidos en los telares de mano en el curso del siglo XVIII fueron conduciendo al advenimiento de los telares mecánicos. En 1733, John Kay inventó las lanzaderas volantes, montadas en casillas lo que aumentó en más de cuatro veces el rendimiento de los telares de mano. En 1785, Edmund Cartwright inventó un telar mecánico, y en 1801, Joseph Marie Jacquard, su famoso telar que representó un gran progreso en la industria del tejido. Para la fuerza motriz en los telares se usó el vapor y después la electricidad.

Aunque las piezas y dispostivos mecánicos de los telares modernos significaron un notable adelanto sobre las de los telares de mano, los principios fundamentales son los mismos: la urdimbre y la trama en la disposición del hilo; el enjulio y la lanzadera, con sus partes complementarias, en los elementos mecánicos. Los modernos telares automáticos, movidos por electricidad, funcionan con gran rapidez y necesitan abastecimiento continuo de hilo en grandes cantidades; debido a ello tienen dispositivos automáticos que cambian, sin pérdida de tiempo, lanzaderas y bobinas vacías por otras llenas, las que, a su vez, se consumen en pocos minutos. Un solo operario puede atender varias máquinas al mismo tiempo.

Los principales tejidos pueden clasificarse en tres tipos fundamentales, que se de-

nominan según la armadura con que se efectúe en el telar el entrelazamiento de los hilos de la urdimbre y la trama. En la llamada armadura de tafetán la urdimbre se divide en porciones de uno o más hilos. La trama pasa alternativamente encima y debajo de esas porciones. Sirve para fabricar desde las muselinas y batistas más finas hasta pesadas mantas de lana. En el tejido de la seda se emplea para el crespón, el glasé y el tafetán, este último es el que le da nombre a esta clase de tejido.

En la urdimbre de sarga, la urdimbre se divide en no menos de tres series de hilos, y la primera pasada de la trama cubre la primera serie y deja encima las otras series; la segunda pasada cubre la segunda serie, deja encima las otras series, y prosigue así sucesivamente, lo que le da al tejido la apariencia de líneas diagonales. Se emplea para fabricar driles, cutíes y otras telas; y, en seda, la sarga, que le da nombre a este tipo de tejido.

En la armadura de satén o raso, los hilos de urdimbre se dividen de cinco a ocho series y la primera pasada de la trama va debajo de la primera serie y encima de las demás; la segunda pasada, debajo de la tercera serie y sobre las restantes; la tercera pasada sobre la quinta serie, y así las demás. Recibe su nombre de los tejidos de seda, satén y raso, hechos en esa forma. Da a las telas brillo especial y permite que casi toda la trama se destaque en el frente del tejido.

Las materias primas que se utilizan en la industria del tejido consisten en hilos procedentes de diversas fibras textiles. Los hilos y los tejidos que con ellas se fabrican pueden ser, por lo tanto, de origen vegetal: algodón, lino, cáñamo, yute, etcétera; de origen animal: seda, lana, y pelo de otros animales (camello, alpaca, vicuña, etcétera); de procedencia mineral: amianto, asbesto, cristal; y de origen sintético o artificial: rayón, acetato, nailón, acrilán, orlón, serán, etcétera.

Los tejidos pueden ser de una sola clase de materia textil o de una mezcla de dos o más de ellas. Así, se habla de telas de lana pura y de seda pura o de mezcla de lana y algodón, o de seda y algodón, o de otras.

El procedimiento de fabricación de telas, además de las operaciones que se realizan en el telar, incluye otras de acabado y terminación de los tejidos que, según sus clases, pueden ser de apresto, blanqueo, teñido, impresión, mercerización, sanforización o impermeabilización. *Véanse* HILANDERÍA E HILADOS; PAÑOS Y TELAS; TEXTILES.

tejido de punto. Esta clase de tejido hecha a mano es una de las más antiguas y surgió probablemente como una evolución del trenzado de hierbas con las cuales el hombre prehistórico tejía redes, esteras y cestos. El tejido de punto a mano consiste en un entrelazado de hebras de hilo, lana o seda, en el que una pende de otra, por lo que si una de ellas se salta o rompe se produce una corrida o carrera. El tejido de punto es más elástico que el de trama y urdimbre de los telares, porque aunque se estire, vuelve a recobrar su tamaño original, por lo que se emplea siempre para la fabricación de suéteres, guantes, medias y calcetines. Actualmente la mayor parte de los artículos tejidos de punto que se venden en el comercio son hechos a máquina, pues aunque el tejido a mano sigue siendo una actividad extensamente difundida, las complicadas máquinas tejedoras de las grandes fábricas realizan cualquier puntada de las que antes hacían solamente los que tejían a mano, lo que ha dado por resultado el abaratamiento de los artículos tejidos.

El tejido a mano puede hacerse con agujas o con ganchillo. Con el tejido de ganchillo, llamado *crochet* se puede obtener más variedad de puntadas que con el de agujas, combinando las tres puntadas principales de esta clase de tejido, que son: cadeneta, macizo sencillo y macizo doble. El tejido de agujas se hace generalmente con dos agujas que pueden ser de metal, de madera o de plástico, aunque las más usuales son las de plástico con alma de acero. Las agujas pueden tener los dos extremos terminados en punta, para hacer tejidos especiales, pero generalmente una de las puntas tiene un botón que evita que los puntos se salgan. Hay agujas largas y cortas, gruesas y delgadas, rectas y curvas, para realizar toda clase de tejidos. Para tejer material grueso se utilizan agujas gruesas y para tejer hilo, seda o lana delgada se utilizan las agujas delgadas. Aunque casi siempre se teje con dos agujas, para tejer calcetines o guantes se usan tres o más agujas de las que tienen punta por ambos lados.

Las principales puntadas del tejido de agujas son dos: el derecho y el revés, que al combinarlas en distintas formas dan por resultado muy bellos diseños. El tejido a mano está muy difundido en Europa y América, donde se enseña en algunas escuelas.

La primera máquina de tejido de punto fue inventada por el inglés William Lee, en 1589. La reina Isabel de Inglaterra se negó a otorgarle la patente por temor a que el empleo de la máquina dejara sin trabajo a los que se ganaban la vida tejiendo a mano. En 1758 otro inglés, Jebediah Strutt, inventó una máquina que hacía el punto elástico o *jersey* y 40 años después la máquina de tejidos circular inventada por el francés Descroix fue, entonces, un gran paso de avance en la fabricación de tejidos de punto. *Véase* CROCHET.

tejo. Se da este nombre a ciertos juegos que tienen en común el usar un tejo o piedrecita, que los jugadores deben tirar con-tra un objeto o punto determinado, ganando el jugador que acierta a derribar el objeto con el tejo o colocar éste en el punto prefijado. Algunos de estos juegos tienen gran antigüedad y reciben diversos nombres: chita, rayuela, truque, coxcojilla, etcétera. Una de las formas más generalizadas en muchos países de América, consiste en señalar en el suelo con tiza o carbón, una figura rectangular, uno de cuyos extremos termina en un trazo en forma de arco de medio punto. La figura está dividida en varios compartimientos, cada uno de los cuales lleva un nombre. El jugador echa un pedazo de tejo, redondo o cuadrado, en la primera división empezando por la parte inferior; luego penetra en ella, sosteniéndose en un pie, y tiene que hacer salir con éste la piedra del sitio donde entró, pasándola a la segunda división, y así, sucesivamente, va efectuando la operación en los demás espacios. Le está permitido descansar en un punto determinado, pero si descansa donde no debe hacerlo, toca el suelo con ambos pies, pisa alguna de las rayas de la figura, o al pasar el tejo o la piedra de un sector a otro cae donde no le corresponde o sale de la figura, el jugador pierde. Aunque la forma de la figura obedece con pocas variantes a un mismo tipo, cada país ha distribuido los espacios a su manera y puesto a los mismos gran variedad de nombres.

tejón. Mamífero carnicero, de la familia de los mustélidos, de unos 80 cm de longitud desde la punta del hocico al nacimiento de la cola, que mide unos 20 cm.

Es rechoncho, pesado, de patas cortas y gruesas, garras largas y encorvadas, hocico alargado, orejas pequeñas, piel dura y pelo largo, espeso, de tres colores: blanco, negro y pajizo tostado. Es animal nocturno; pasa el día en su cueva que tiene varias galerías, y se alimenta de raíces, tubérculos, cereales, frutas, huevos de todas las aves, pequeños mamíferos, reptiles, etcétera. Le gusta la miel y se apodera de los panales de abejas silvestres, sin temor a sus aguijones. Engorda mucho en el otoño, acumulando bajo la piel una espesa capa de grasa que le permite pasar semanas enteras, durante los grandes fríos, sin comer, encerrado en su madriguera. No es dañino, pero el hombre lo persigue, utilizando cepos y perros adiestrados en su caza. Todas las especies conocidas se parecen mucho entre sí, siendo originarios de Europa y Asia Menor. Hasta que lo prohibió una ley, los ingleses eran muy aficionados a las luchas de tejones y perros. Del pelo del tejón se hacen excelentes pinceles y brochas de afeitar.

teju. *Véase* LAGARTO.

Tel Aviv. Ciudad y puerto del Estado de Israel. Fundada en 1909 como un suburbio del puerto de Jaffa, en Palestina, en la costa oriental del Mediterráneo. En 1949 se unieron Tel Aviv y Jaffa, y formaron la ciudad de Tel Aviv-Jaffa, con una población conjunta de 1.146,200 habitantes. De 1948 a 1950 Tel Aviv fue capital de Israel, y en ese último año la capital se trasladó a la parte israelí de la ciudad de Jerusalén, y

El tejón es un omnívoro de la familia de los mustélidos.

Tel Aviv

en Tel Aviv permanecieron los ministerios de Relaciones Exteriores y de Defensa. Tiene construcciones modernas, centros de enseñanza, museos, institutos técnicos, bibliotecas y aeropuerto, con espléndidos paseos, excelentes medios de comunicación y múltiples adelantos, que demuestran un desarrollo portentoso, iniciado apenas en 1932. Importante centro comercial y punto al que converge la intensa actividad agrícola que la rodea, así como las industrias que prosperan en el resto del país. Su población se ha formado, principalmente, con la afluencia de los judíos que fueron expulsados de los países del centro de Europa antes y después de la Segunda Guerra Mundial.

tela. *Véanse* HILANDERÍA E HILADOS; PAÑOS Y TELAS; TEJIDO; TEXTILES.

telar. Máquina para tejer. Fábrica de tejidos. Parte superior del escenario, oculta a la vista del público, de donde bajan o a donde suben los telones y bambalinas. En un estudio de cine, estructura elevada donde se instalan los focos y desde donde se manipulan las cuerdas del escenario o plató. Aparato en que los encuadernadores colocan los pliegos para coserlos. Parte del espesor del vano de una puerta o ventana, mas próxima al paramento exterior de la pared y que está con él a escuadra. Disco de chapa embutida que sujeta la llanta al cubo, en las ruedas desprovistas de radios.

El telar es una maquina que permite enlazar de modo conveniente y siguiendo un orden preestablecido los hilos de la urdimbre con las pasadas de la trama. Los telares mecánicos surgieron hace dos siglos (exactamente en 1785, el inventor Edmund Cartvvright inició la transformación del telar manual en telar mecánico), pero han seguido realizando idénticos movimientos a los que realizaban los telares manuales.

teleautógrafo. Dispositivo telegráfico para la transmisión de escritura a mano y dibujos, a medida que se trazan en el transmisor. Se compone de un lápiz o punzón conectado a dos potenciómetros colocados en ángulo recto. Las palancas que acciona el lápiz obrando sobre los potenciómetros convierten todo movimiento de aquél en un impulso eléctrico; un movimiento semejante que se produce en el extremo que recibe, reconvierte tales impulsos en un movimiento mecánico, mediante el control de la corriente que pasa a través de dos poderosos electroimanes. El lápiz receptor escribe a compás con la acción del lápiz que transmite. Estos aparatos han sido utilizados en ferrocarriles, tiendas, agencias de noticias y otros establecimientos, donde las firmas auténticas

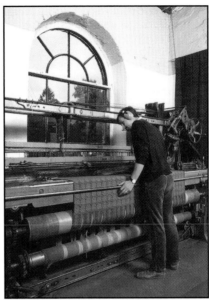
Corel Stock Photo Library

El telar mecánico marcó el inicio de la Revolución Industrial.

deben ser transmitidas rápidamente. Fue inventado en 1888 por Elisha Gray.

telecomunicación. Transmisión de mensajes a distancia mediante sistemas electromagnéticos u ópticos. Conjunto de estos sistemas de comunicación. En la antigüedad se inventaron diversos sistemas para comunicarse con rapidez: señales de humo, tambores, espejos, banderas de señales, etcétera. Pero se trataba de sistemas de corto alcance –aunque algunos llegaron a alcanzar un gran refinamiento, como el telégrafo óptico–, y que además no permitían transmitir mensajes complejos, en este caso había que hacerlo transportando físicamente el mensaje escrito mediante un correo.

Todo esto cambió cuando el desarrollo de la electrotecnia y la electrónica hicieron posible la transmisión de las señales eléctricas y electromagnéticas. El primer sistema moderno de telecomunicaciones que se inventó fue el telégrafo eléctrico, seguido del teléfono y la radiocomunicación.

Sistemas de telecomunicación. Según el mensaje que se transmite pueden distinguirse varias formas de telecomunicación. En la telegrafía los mensajes constan exclusivamente de caracteres alfanuméricos. Cuando los mensajes son sonoros y se transmiten bidireccionalmente, se habla de sistemas de telefonía, mientras que los transmitidos unidireccionalmente a muchos receptores son objeto de la radiodifusión. De los mensajes audiovisuales de transmisión bidireccional se ocupa la videotelefonía, mientras que de los que se transmiten unidireccionalmente a muchos receptores se ocupa la televisión.

Las distinciones entre todos estos tipos de telecomunicación se han difuminado con el advenimiento de la telemática, que estudia los procedimientos informáticos para transmitir y recibir señales, y con el desarrollo de los canales de telecomunicación de banda ancha (las llamadas *autopistas de la telecomunicación*), que permiten la transmisión por ellos de una gran cantidad de información. De este modo han surgido las líneas de telecomunicación de servicios integrados, por las que se pueden transmitir por un mismo canal mensajes sonoros, imágenes fijas o en movimiento, datos informáticos, etcétera.

Medios de transmisión. El primer medio de transmisión utilizado en las telecomunicaciones fue el cable eléctrico, que se empleó para las transmisiones telegráficas y telefónicas. El siguiente medio en desarrollarse fueron las ondas radioeléctricas, que se transmiten a través del espacio. Gracias a las técnicas de emisión y recepción de dichas ondas aparecieron los sistemas de radiocomunicación (radiotelegrafía, radioteléfono, radiodifusión, etcétera). La invención del cable coaxial permitió la transmisión de las ondas electromagnéticas a través de un soporte físico; con ello se posibilitó el incremento en cantidad y calidad de los mensajes que hasta entonces se transmitían por hilos eléctricos, así como la transmisión por ese medio de otros tipos de mensajes mas complejos, tales como las señales de televisión. Finalmente, con el cable de fibra óptica ha aparecido un nuevo modo de transmisión de los mensajes de telecomunicación: las ondas luminosas. Con el cable de fibra óptica la complejidad de los mensajes transmitidos, así como su nitidez, es aún mayor que con los cables coaxiales.

Debido a la complejidad y alto coste de las inversiones, el sector se desarrolla por medio de fusiones y de alianzas empresariales orientadas a conectar internacionalmente las redes nacionales, lo que confiere al sector un alto grado de concentración empresarial. A mediados de los años noventa, los mayores grupos de telecomunicaciones provenían de las antiguas empresas públicas: *NTT* (Japón); *Deutsche Telekom* (Alemania); *France Telecom* (Francia); *British Telecom* (Gran Bretaña), fusionado con el estadounidense *MCI*; *Telefónica* (España); así como las grandes empresas estadounidenses *ATT, Bell Atlantic, Bell South, GTE, Ameritech y Sprint*.

teleférico. *Véase* FUNICULAR.

teléfono. Aparato que transmite mensajes sonoros y otros sonidos a cualquier distancia por medio de la electricidad. Su nombre proviene de los vocablos griegos *tele* (lejos) y *foné* (sonido). El primero en denominarlo así fue el alemán Johann Philipp Reis que en 1861 imitó el tímpano humano con una membrana extraída de una vejiga de cerdo, y el martillo con una pieza de aluminio. Ésta se desplazaba dentro de una espiral de alambre conductor, cuya resistencia variaba de acuerdo con las vibraciones de la membrana. El receptor consistía en una bobina envuelta en torno a una barra de hierro, fijada a una caja de resonancia. Sometida al campo magnético variable inducido en la bobina, la barra se hundía más o menos, produciendo sonidos. Pero, por razones desconocidas, Reis abandonó sus investigaciones en 1865.

Dejó así el campo libre al inventor británico naturalizado estadounidense Alexander Graham Bell. Éste, nacido en Escocia, enseñaba en un establecimiento de sordomudos de Boston, lo que le impulsó a estudiar detalladamente la fisiología de la fonación y la audición. Además, como muchos de sus contemporáneos, se apasionaba por el telégrafo y soñaba con un sistema que permitiera transmitir palabras a distancia por medio de la electricidad. Sabiendo poco de ésta, pidió ayuda al mecánico Thomas Watson a fin de efectuar diversos experimentos. Durante uno de ellos, realizado el 2 de junio de 1875, ambos trabajaban en habitaciones distantes, tratando de poner a punto un sistema telegráfico armónico, capaz de enviar por un alambre único varios mensajes simultáneos. Cada extremo poseía un electroimán que retenía unas hojas de acero finas y flexibles.

Watson, observando que una se había adherido toda entera al electroimán, la despegó parcialmente con la uña, dejándola vibrar. En ese mismo instante, en el otro cuarto, Bell advirtió con sorpresa que una de sus hojas vibraba también. Al descubrir la causa del fenómeno, tuvo la certidumbre de poder intercambiar palabras a distancia basándose en el electromagnetismo.

Reemplazando las hojas vibrantes por un diafragma de piel de gamuza, capaz de oscilar al ritmo de la palabra debido a las diferencias de presión del aire (ondas acústicas), logró modular la corriente de un circuito electromagnético a fin de que el diafragma receptor, colocado en lugar de la segunda hoja, reprodujera los sonidos iniciales. El 14 de febrero de 1876 solicitó una patente para su invento, sólo tres horas antes de que su compatriota Elisha Gray hiciera el mismo pedido para el suyo. Surgió entonces una enconada rivalidad, primero entre los dos hombres y luego entre la *Bell Telephone Company* y la *Western Union Telegraph*, que explotaban los dos métodos desde 1877. La segunda, propietaria de la mayor parte de las líneas telegráficas estadounidenses, encargó a destacados técnicos el mejoramiento de su material, especialmente a Thomas Alva Edison. Éste inventó el micrófono, aparato basado en las variaciones de resistencia que opone al paso de una corriente una cápsula llena de gránulos de carbón, y sometida a la presión variable que toda fuente sonora engendra en el aire.

Este tipo de micrófono, sensible y práctico aún se usa actualmente en los teléfonos. Y lo mismo ocurre con el principio desarrollado por Bell. Pero, la multiplicación del número de aparatos obligó a los técnicos a resolver dos problemas serios para las telecomunicaciones: hacer llegar a grandes distancias la corriente modulada sin alteraciones, y poner en comunicación a dos abonados de una extensa red.

Transmisión. Los primeros aparatos de Bell sólo permitían conversar a dos personas, con ayuda de alambres conductores, y a escasa distancia. Pronto se advirtieron las limitaciones de estos aparatos. El aumento de la longitud de los conductores se traducía en un debilitamiento proporcional de las señales transmitidas (fenómeno de distorsión). Debido a esto, en el caso de un cable subterráneo aislado, el alcance útil no pasaba de 30 km, empleando un alambre de 1 mm de espesor.

Una primera solución la aportó el estadounidense Michael Pupin, en 1899. Consistía en insertar a intervalos regulares unas bobinas electromagnéticas especiales que reforzaban las señales debilitadas. Pero, las que partían de estos relés eran siempre más débiles que las del relé anterior; por tanto el fenómeno de la distorsión se había retardado, pero no eliminado.

La invención del tríodo (1906) constituyó un adelanto notable. En efecto, este tubo de tres electrodos permite amplificar las señales debilitadas hasta volverlas iguales o superiores a las iniciales. Colocados a intervalos en las líneas, estos dispositivos, llamados repetidores, hacen posible comunicarse a cualquier distancia. A partir de 1948, los repetidores aprovecharon la técnica revolucionaria del transistor, descubierto en los laboratorios de la compañía Bell.

Cables, guías de ondas y ondas hertzianas. Las primeras líneas telegráficas y telefónicas eran aéreas, hechas con alambres de hierro o bronce y más tarde de cobre. Pero, muy pronto las redes se extendieron tanto que fue menester recurrir al principio de los circuitos subterráneos. Los primeros cables bajo tierra, revestidos de plomo, encerraban apenas una centena de pares de alambres, aislados con papel. Actualmente, gracias a aislaciones nuevas, como el cloruro vinílico, es posible construir haces de más de 2,000 pares de alambres, que permiten otras tantas comunicaciones simultáneas. Conjuntos de 4 a 50 cables corren por conductos especiales, o por las tuberías de ciertas cloacas.

En 1918 apareció una técnica que iba a permitir enviar por una sola línea numerosas conversaciones simultáneas. Se trata de la transmisión por corrientes portadoras. Cada una de éstas producida por un oscilador electrónico, se caracteriza por su frecuencia. En el curso de una conversación, la corriente variable producida por el micrófono la modula, y la corriente así modulada es la que el alambre transmite. Supongamos que por un mismo conducto marchen dos corrientes moduladas en frecuencias distintas. Si luego de recorrer juntas cierta distancia, unos dispositivos denominados filtros de frecuencia separan las corrientes moduladas, y luego las hacen pasar por un desmodulador que suprime la corriente portadora, dejando sólo la de la palabra, es posible mantener dos conversaciones distintas por intermedio de un tramo común de una línea telefónica. En realidad, no son dos, sino varios cientos de conversaciones las que pueden ser enviadas de este modo por una misma línea. Pero, si se utiliza un cable corriente, las pérdidas de energía son grandes.

Poco antes de la Segunda Guerra Mundial se remedió parcialmente este defecto mediante el empleo de un nuevo tipo de cable de estructura concéntrica o coaxial. Éste se compone de dos conductores aislados, uno de los cuales envuelve al otro como una vaina, lo cual anula el campo magnético producido exteriormente por el paso de la corriente. De este modo se consigue utilizar una amplia gama de frecuencias de ondas portadoras capaces de transmitir simultáneamente miles de conversaciones.

Las investigaciones tendientes a eliminar el conductor interno han dado por resultado un sistema de canalización de ondas. Se trata de un tubo metálico de varios centímetros de diámetro, forrado interiormente con alambres de cobre bobinados en forma de hélice, sobre cuya pared interna

El teléfono tuvo sus inicios en 1861.

se reflejan las ondas electromagnéticas. Los ensayos han sido satisfactorios; se espera que intercalando cada 20 o 30 km dispositivos amplificadores sea posible transmitir simultáneamente hasta 100,000 comunicaciones telefónicas.

Desde 1950 se utiliza el procedimiento de transmisión telefónica por ondas hertzianas. Los mensajes recorren parte de su trayecto enviados por estaciones de radio emisoras y receptoras (una de las cuales puede recibir comunicaciones de teléfonos instalados en vehículos). Utilizando ondas hertzianas portadoras ultracortas, se obtienen capacidades máximas de unas 10,800 comunicaciones por línea. Pero, esta cantidad podría aumentarse mucho si se emplearan haces de ondas láser, cuyas frecuencias son netamente superiores.

Conmutación. Como se ha visto, el principio de la telefonía consiste en unir dos aparatos con un par de alambres conductores. Pero, al constituirse una red de abonados hubo que recurrir al método del tablero conmutador, al que llegan todas las líneas de un sector. Las conexiones se realizaban manualmente, pero pronto se pensó en automatizarlas. El primer sistema mecánico, inventado en 1889, poseía numerosos cuadrantes selectores móviles, era voluminoso y pesado, y además sujeto a rápido desgaste, pues los contactos se establecían al girar unas piezas sobre otras. Se lo susituyó a partir de 1930 por un sistema de varillas que efectúan los contactos por simple presión. El desgaste es mínimo, y varios dispositivos aceleran la operación. Este sistema es el que más se usa en la actualidad.

No obstante, su relativa lentitud y la congestión producida en las centrales por la enorme cantidad de llamadas, impulsan a los técnicos a buscar la manera de efectuar unas conexiones puramente electrónicas. Esto evitaría tener que recurrir a conmutadores electromecánicos, voluminosos y pesados, sobre todo a causa de los electroimanes. Los primeros ensayos efectuados en 1960, se basaron en una red de microtubos con neón, los que se vuelven conductores cuando se aplica una cierta tensión a sus bornes. Un translador del tipo de barras cruzadas manda el establecimiento de un circuito entre dos líneas por medio de tales tubos, y ya no mediante electroimanes acoplados a barras metálicas. Y se ha logrado una simplificación considerable al utilizar la invención de los transistores *paso a paso*, minúsculos cristales hechos de capas de materiales llamados positivos (P) o negativos (N), a cada una de las cuales va soldado un electrodo diferente. Cuando una sucesión de impulsos llega a este transistor según un ritmo determinado, el primero vuelve conductora la capa inicial, por ejemplo una N; el segundo propaga la zona conductora hasta la próxima P, y así continúa el proceso. De este modo un transistor minúsculo equivale, en un plano estrictamente funcional, al cuadrante del primer conmutador automático, pero supera en todo sentido a su antecesor, ya que ocupa mucho menos espacio, es rapidísimo y los gastos de mantenimiento son ínfimos.

Nova Development

Teléfono: Comunicación inalámbrica por medio de ondas hertzianas.

En la actualidad la telefonía electrónica está sufriendo una revolución debida a la utilización de nuevos métodos. Hasta ahora los progresos consistían sólo en reemplazar los instrumentos clásicos por sistemas condensados y transistorizados pero conservando el antiguo principio de establecer un contacto permanente entre dos abonados mientras duraba la conversación. Ahora bien, la experiencia ha demostrado la posibilidad de transmitir la voz por medio de una corriente intermitente, o sea una sucesión de señales brevísimas a intervalos constantes. Tal es el principio del sistema de transmisión denominado modulación por impulsos codificados (M. I. C.).

La central que adopta este sistema se vuelve en realidad una coordinadora. Ya no trabaja con ondas portadoras que es menester encaminar a través de una red de conductores en el momento oportuno, manteniendo la conexión todo el tiempo que dura la conversación. En cambio, cada corriente portadora que parte de la línea convencional de un abonado se transcribe en impulsos brevísimos que forman como un punteado, susceptible de recibir un tratamiento informativo. Estos impulsos pueden yuxtaponerse con otros procedentes del fraccionamiento de diversas comunicaciones, y de este modo se llega a transmitir por una sola línea hasta 30

conversaciones entre dos centrales electrónicas. Los impulsos se reagrupan al nivel de cada central, y se los retranscribe en corrientes moduladas capaces de ser transmitidas por líneas individuales.

Las centrales electrónicas parecen ofrecer ventajas importantes, pero sólo se las podrá introducir progresivamente en las redes actuales.

Comunicación por satélites. Un progreso fundamental en materia de comunicaciones ha sido el logrado por medio de la retransmisión de ondas hertzianas efectuada con ayuda de satélites. La iniciación de esta era nueva tuvo lugar el 18 de diciembre de 1958, cuando Estados Unidos pusó en órbita el satélite *Score*. Durante los 34 días que permaneció en actividad, se le enviaron por teletipo siete mensajes y él los retransmitió a la Tierra al pasar sobre diferentes estaciones receptoras. En 1962, el *Telstar I* y el *Relay* revelaron al público la importancia de las telecomunicaciones transatlánticas al enviar de Estados Unidos a Europa unos programas de televisión. *Telstar I* consiguió asimismo transmitir mensajes telefónicos entre Andover (Estados Unidos), Goonhilly Downs (Reino Unido) y Pleumeur-Bodou (Francia). Pero, estos satélites sólo permiten establecer las comunicaciones cuando las estaciones emisoras y receptoras pueden observarlos simultáneamente, y esto ocurre unas pocas horas por día.

Se recurrió entonces a los satélites geoestacionarios. Colocados en órbita circular a 35,900 km de nuestro planeta, efectúan sus revoluciones a la par de la Tierra, o sea en 23 horas 56 minutos, y ocupan una posición fija sobre un lugar geográfico elegido de antemano. Basta repartir regularmente tres de estos satélites sobre una misma órbita para abarcar el globo, y

Los satélites de comunicación permiten transmitir la información a nivel mundial.

Corel Stock Photo Library

asegurar permanentemente el contacto con dos estaciones terrestres.

En abril de 1965 el lanzamiento del *Early Bird* señaló la inauguración de la red comercial de telecomunicaciones internacionales por satélites, o Intelsat. Creada por una sociedad privada, la Comsat, y apoyada por el gobierno estadounidense la Intelsat reunió en 1972 a 83 países en condiciones de aprovechar los satélites de la red. Cada uno de la serie Intelsat IV (lanzados desde ese año y con una duración prevista de siete), puede retransmitir 6,000 comunicaciones telefónicas, o 12 canales de televisión en colores. *Véanse* BELL, A. G.; COMUNICACIONES; RADIOTELEFONÍA Y RADIOTELEGRAFÍA.

telégrafo. Conjunto de aparatos que sirven para establecer comunicación a distancia por medio de signos convencionales, transmitidos en forma mecánica o eléctrica. Fue la primera de las grandes invenciones que han acelerado la rapidez de las comunicaciones humanas. Antes de su aparición, los mensajeros eran el principal medio que el hombre utilizaba para transmitir noticias a grandes distancias: las tribus primitivas encendían hogueras con el mismo objeto, y en los países europeos se usaban sistemas de semáforos colocados en las cumbres de cerros y colinas. El advenimiento del telégrafo eléctrico sustituyó con ventaja a todos los sistemas de telegrafía anteriores, ya que, gracias a él, los mensajes viajaban a través del alambre con la velocidad de la electricidad, atravesando montañas y desiertos y cruzando los grandes océanos.

Las líneas telegráficas terrestres existentes en cada nación y las cablegráficas tendidas bajo los océanos forman un conjunto, una red telegráfica mundial que tiene, en total, 15 millones de km. Esta vasta red de comunicaciones es de excepcional importancia para la rápida transmisión de noticias, datos e informaciones de todo orden. El telégrafo hace posible que agencias de noticias y grandes diarios puedan mantener informado al público, en cada nación, de acontecimientos importantes pocas horas después de que hayan ocurrido en cualquier parte del mundo. En la esfera de las actividades económicas y en otros muchos aspectos del mundo moderno el telégrafo es también valiosísimo medio de comunicaciones. Los progresos científicos experimentados en la primera mitad del siglo XX y aplicados al campo de la telegrafía, han dado a la civilización contemporánea nuevos medios de comunicación, por lo que al telégrafo eléctrico por alambres, se ha venido a sumar la radiotelegrafía, que ha aumentado aún más la rapidez y facilidad en la transmisión de noticias.

Historia. Los pueblos de la antigüedad idearon diversos medios de comunicación

Nova Development

Telégrafo: Una de las primeras grandes invenciones que aceleraron las comunicaciones humanas.

a distancia. Se emplearon tambores cuyo sonido llegaba muy lejos, y se volvía a transmitir por otros tambores distantes que, a su vez, reproducían los toques que representaban el mensaje. Otros sistemas valiéndose de torres y atalayas construidas en las elevaciones del terreno, utilizaban luces y hogueras durante la noche y señales de humo durante el día. Los antiguos griegos perfeccionaron, hacia el siglo IV a. C., un sistema de señales luminosas por medio de antorchas encendidas, en grupos no mayores de cinco. Las distintas posiciones en que se combinaban las antorchas, según un orden prefijado, representaban las letras del alfabeto griego.

Esos sistemas luminosos, usados en la antigüedad, se conocen en la historia de las comunicaciones con el nombre de telegrafía óptica. A fines del siglo XVIII el telégrafo óptico fue objeto de un perfeccionamiento notable por obra de un sacerdote francés llamado Claude Chappe, que en 1792 presentó al gobierno su telégrafo de señales, ensayado con éxito tan satisfactorio que el inventor recibió el encargo de instalar una línea entre París y Lila. El telégrafo óptico de Chappe estaba formado por un mástil de madera que tenía dos brazos móviles en la parte superior; un sistema de cuerdas y poleas permitía regular las posiciones de ambos brazos, que representaban las letras del alfabeto. La línea telegráfica terminó de ser instalada en 1794; tenía 16 estaciones separadas entre sí por distancias de 14 km. El primer mensaje transmitido el día de la inauguración fue el anuncio de que las tropas de la república habían conquistado la ciudad de Conde; el pueblo de París se enteró de la noticia en breve tiempo y el éxito del sistema quedó asegurado.

Otra modalidad del telégrafo óptico es el heliógrafo, también conocido desde la antigüedad, y utilizado por griegos y romanos. Con el heliógrafo o telégrafo de destello, se pueden enviar mensajes reflejando la luz del sol. Si colocamos un espejo orientado en forma conveniente, podremos dirigir el reflejo de los rayos solares en cualquier dirección; si movemos el espejo o si delante de él ponemos y quitamos alternativamente una pantalla móvil, los rayos

solares reflejados sufrirán interrupciones que causarán destellos de mayor o menor duración, equivalentes a rayas y puntos, los cuales podrán ser utilizados para transmitir mensajes de acuerdo con un código determinado. Los telégrafos ópticos fueron relegados a segundo plano cuando se logró aplicar la electricidad a la transmisión de mensajes. Esta gran conquista fue la obra de numerosos investigadores e inventores que consagraron sus vidas a la solución del problema. En 1799, cuando se construyó una pila eléctrica práctica, fueron muchos los investigadores que trataron de utilizar la electricidad para mejorar las comunicaciones. Ninguno de ellos tuvo éxito hasta que Hans Christian Oersted descubrió, en 1820, que una corriente eléctrica que pasaba por un alambre hacía girar la aguja de una brújula. Cinco años más tarde, William Sturgeon construyó el primer electroimán de utilidad práctica. Aplicando estas invenciones el famoso físico inglés sir Charles Wheatstone y su colaborador sir William Coke lograron patentar un sistema telegráfico que dependía de la capacidad de una corriente eléctrica para mover una aguja de compás magnético. Cuando sufría la influencia del magnetismo engendrado por la corriente eléctrica, la aguja señalaba en dirección a una letra del alfabeto. El aparto usaba seis agujas verticales, cada una de las cuales estaba sujeta a la acción de una bobina distinta, lo cual hacía sumamente trabajosa y compleja la instalación de una línea. Con todo, el telégrafo de Wheatstone y Cooke fue usado en Gran Bretaña para transtimir mensajes comerciales hasta 1871.

Más práctico que el invento de los físicos ingleses fue el del francés Breguet, muy utilizado en líneas férreas. Aunque la trasmisión de telegramas era lenta, este aparato era más simple y económico y adquirió extraordinaria difusión en los países del continente europeo.

El telégrafo de Morse. Arago y Davy, en sus investigaciones sobre la electricidad, habían encontrado que si un alambre se enrolla en espiral alrededor de una barra de hierro, al pasar una corriente eléctrica por el alambre la barra se magnetiza. Fundado en ese principio, Sturgeon construyó el electroimán. Joseph Henry perfeccionó el electroimán de Sturgeon de tal manera que una débil corriente eléctrica podía producir un considerable efecto magnético. Samuel F. B. Morse que desde 1832 laboraba en la construcción de un telégrafo eléctrico, supo utilizar las innovaciones eléctricas realizadas en su época para incorporarlas al telégrafo de su invención (1837). El aparato de Morse, que alcanzaría difusión mundial, consta de dos elementos fundamentales: uno de ellos, llamado manipulador, se halla en la estación que envía el mensaje; el otro, denomi-

ALFABETO MORSE

Letras

A ●▬	J ●▬▬▬	S ●●●
B ▬●●●	K ▬●▬	T ▬
C ▬●▬●	L ●▬●●	U ●●▬
D ▬●●	M ▬▬	V ●●●▬
E ●	N ▬●	W ●▬▬
F ●●▬●	O ▬▬▬	X ▬●●▬
G ▬▬●	P ●▬▬●	Y ▬●▬▬
H ●●●●	Q ▬▬●▬	Z ▬▬●●
I ●●	R ●▬●	

Números

1 ●▬▬▬▬
2 ●●▬▬▬
3 ●●●▬▬
4 ●●●●▬
5 ●●●●●
6 ▬●●●●
7 ▬▬●●●
8 ▬▬▬●●
9 ▬▬▬▬●
0 ▬▬▬▬▬

Ediciones Calíope

El alfabeto Morse es un còdigo internacional para la decodificación de mensajes.

nado receptor, se encuentra en la estación que lo recibe.

El manipulador es una palanca metálica, provista en uno de sus extremos de una empuñadura; la palanca oscila sobre su punto de apoyo, también metálico, que comunica con la línea. Mientras la palanca está en reposo, mantiene contacto con un tope metálico de la base, gracias a la acción de un resorte; pero al oprimir la empuñadura este contacto desaparece y se establece un nuevo contacto con otro tope, que determina el paso de una corriente eléctrica; si el contacto dura un breve instante, se lanzará a la línea un golpe súbito de corriente y si dura un tiempo más prolongado pasará una corriente más apreciable. La corriente transportada por la línea se recibirá en la estación receptora, donde los contactos breves y prolongados quedan registrados bajo la forma de puntos o de rayas en una cinta serpentina de papel, movida por un aparato de relojería provisto de movimiento uniforme. Cualquier despacho que llegue a la estación es inscripto en la cinta de papel, aunque el telegrafista está ausente. Morse inventó un alfabeto en el cual cada letra está representada por una combinación de puntos y rayas, y agregó al mismo una serie de signos convencionales. Morse suponía que su método de los puntos y las rayas, su procedimiento de la palanca de contacto y su sistema de la cinta registradora con el mecanismo de relojería constituían, en conjunto, una aportación totalmente nueva de la cual le correspondía la invención. Pero, tuvo dificultades para obtener la patente de invención, la que le fue concedida en 1840. Morse no logró interesar a capitalistas y promotores para la explotación de su invento y tuvo que pasar una época de grandes estrecheces y privaciones. Finalmente, en 1843, el Con-

greso de Estados Unidos le concedió una subvención de 30.000 dólares para tender una línea telegráfica de Washington a Baltimore. El 24 de mayo de 1844, Morse inauguró oficialmente la línea desde el Capitolio de Washington, al trasmitir el mensaje con las palabras bíblicas ¿Qué ha forjado Dios? El primer uso importante del telégrafo de Morse tuvo lugar poco después, cuando la convención del partido demócrata, reunida en Baltimore, eligió como su candidato para la presidencia de los Estados Unidos de América a James K. Polk Esa nominación fue trasmitida por telégrafo inmediatamente y publicada en un diario de Washington bajo el título de Noticias telegráficas, que se empleaba en ese momento por primera vez en la historia. Los escépticos dudaron de la veracidad del mensaje, pero ésta, confirmada poco después, hizo comprender al público el gran valor del telégrafo para la rápida transmisión de noticias.

El telégrafo ideado por el inventor estadounidense es un aparato del tipo simplex, puesto que sólo permite enviar un despacho a la vez, y cada transmisión ocupa por entero la línea, cuyo rendimiento depende, por tanto, de la pericia del telegrafista. El telégrafo original utilizaba una cinta de papel en la que se imprimía el mensaje; pero con el tiempo, se advirtió que un buen telegrafista podía oír los signos e interpretarlos sin necesidad de descifrarlos leyendo la cinta de papel. Entonces el receptor fue reducido a un electroimán cuya armadura se mueve entre dos topes, produciendo un choque reforzado. Este receptor, denominado acústico, aumenta la rapidez de transmisión.

Sistemas modernos. El progreso en los sistemas telegráficos se fue operando constantemente y al sistema simplex, si-

guieron el dúplex, el cuádruplex y el múltiplex. Con el dúplex se pueden enviar por un solo alambre, al mismo tiempo, dos mensajes en direcciones opuestas: el cuádruplex, inventado por Thomas Edison en 1874, permitió el envío de cuatro mensajes. Posteriormente se perfeccionó el sistema múltiplex, cuyo principio obedece a que el alambre telegráfico tiene una capacidad para trasmitir mensajes mucho mayor que la velocidad a que un telegrafista puede manipular el aparato transmisor. Por ejemplo, un alambre telegráfico puede trasmitir 500 pulsaciones por segundo, y la mayor rapidez de un telegrafista experto no pasa de diez pulsaciones por segundo. Fundado en ello, en las líneas telegráficas que operan con el sistema múltiplex, se instalan unos mecanismos sincronizadores que dividen la capacidad de transmisión del alambre en fracciones alternas de segundo y asignan una de esas fracciones a cada uno de los aparatos transmisores y receptores, exactamente sincronizados, de una estación. De esa manera, seis, ocho o más, pueden trabajar simultáneamente recibiendo o trasmitiendo distintos mensajes por un solo alambre telegráfico. La mayoría de los sistemas telegráficos en uso, se fundan en el movimiento sincrónico de dos mecanismos situado el uno en el aparato transmisor y colocado el otro en el receptor. Estos aparatos están provistos de ingeniosos dispositivos que imprimen directamente en una cinta de papel las letras correspondientes, en lugar de los puntos y rayas del alfabeto Morse. El clásico manipulador Morse ha sido relegado a segundo término y en su lugar se utilizan mecanismos llamados teletipos. En esencia, todo teletipo está formado por dos máquinas de escribir, que pueden hallarse situadas a gran distancia una de otra y que están conectadas a un circuito eléctrico. Cuando se oprime una tecla en una de las máquinas se produce un contacto eléctrico, gracias al cual la misma tecla es accionada automáticamente en la máquina receptora. El mensaje se va inscribiendo así sobre una hoja. El teletipo puede enviar sesenta palabras por minuto a grandes distancias.

Otro mecanismo es la impresora *múltiplex*, cuyo teclado perfora agujeros en una cinta de papel. Al igual que en el rollo de una pianola, estos agujeros están marcados en posiciones diversas, cada una de las cuales corresponde a una letra diferente del alfabeto. La cinta se coloca en un mecanismo automático que trasmite el mensaje. Casi todos los mensajes telegráficos se envían hoy por medio de teletipos automáticos que imprimen los mensajes en letras del alfabeto usual. No obstante estos adelantos, el telégrafo está en decadencia debido a la seria competencia del teléfono y de la radiotelefonía, cuyo alcance fue ampliado por los satélites fijos que retransmiten las conversaciones. *Véanse* CABLE; COMUNICACIONES; EDISON, T. A.; MORSE, S. F. B.; RADIOTELEGRAFÍA Y RADIOTELEFONÍA; RADIOGRAMA.

Telémaco. Héroe mitológico griego, hijo único de Ulises y Penélope. Como su padre tardaba muchos años en regresar de la guerra de Troya, fue a buscarlo, por lo que recorrió varios reinos griegos, en todos fue bien recibido. Al regresar a Itaca halló a su padre, con quien colaboró en dar muerte a los que pretendían sustituirlo en el amor de Penélope. Telémaco es la figura central de los primeros libros de la *Odisea*, de Homero. En las andanzas de este héroe se inspiró el escritor francés François de Salignac Fénelon para su obra *Aventuras de Telémaco* (1699), libro escrito para la educación del hijo de Luis XIV. Telémaco es conducido aquí por Mentor, que representa la sabiduría de Minerva, y sus consejos apartan al joven príncipe de los caminos del mal. Los sermones aleccionadores y limpios de Mentor contra el absolutismo, la ambición, la guerra y el lujo, forman el cuerpo de este libro didáctico y moral. Fénelon hizo en ella una crítica velada, pero severa, del gobierno de Luis XIV, por lo cual sufrió persecuciones.

telémetro. Instrumento óptico que sirve para medir la distancia que hay entre dos puntos sin tener que recorrer la línea que los une. La palabra telémetro viene de dos voces griegas que significan *medir a distancia*. Es usado principalmente con fines militares, para dirigir el fuego de los cañones con la mayor eficacia posible. Es indispensable en los buques de guerra, las baterías de costas y las baterías antiaéreas. La artillería de campaña por lo general se guía por medio de mapas precisos de la región, pero

cuando no se dispone de éstos, entonces el telémetro resulta sumamente útil. Los telémetros para uso de la infantería deben ser pequeños y livianos. Los grandes acorazados están dotados de telémetros que sobrepasan los 10 m de longitud. En las baterías de costa hay poderosos aparatos que pueden medir distancias de más de 40 km. Para llenar satisfactoriamente estas diversas condiciones se han ideado varios modelos especiales. Los telémetros más pequeños son los usados en fotografía para situar las imágenes correctamente dentro del foco.

El telémetro es un tubo largo que tiene dispositivos de lentes y prismas en los extremos; los oculares, en cambio, están situados en su parte media. Regulando los prismas, el operador del telémetro puede enfocar el blanco con los dos extremos del tubo a la vez. El ángulo formado por estas dos visuales se llama ángulo de paralaje; depende de la distancia a que se encuentre el blanco. Cuanto menor sea la distancia, mayor será el ángulo, y viceversa. El ángulo se mide sobre un cuadrante donde se puede leer directamente la distancia en metros.

Hay dos tipos básicos que sirven de modelo a la mayoría de los telémetros: el de coincidencia y el estereoscópico. En los primeros se mira por un solo ocular y se ven dos imágenes del blanco. Haciendo girar un botón, puede hacerse que éstas se acerquen, confundiéndose en una sola. En este instante el cuadrante indica la distancia exacta a que está situado el blanco. Los telémetros estereoscópicos son de manejo más complicado, pero más precisos que los otros. Aquí el observador mira por un par de oculares a manera de binoculares y

Teleobjetivo: se emplea para enfocar objetos a gran distancia.

Nova Development

ve una sola imagen del blanco. Cerca de ésta se percibe una marca que parece flotar en el espacio. Cuando esta marca y el blanco parecen superponerse, el cuadrante indica la distancia precisa a que se encuentra el blanco.

Después de la Primera Guerra Mundial, los telémetros comenzaron a formar parte de los sistemas automáticos que dirigen el tiro de los cañones. Estos sistemas tienen en cuenta la distancia, el movimiento y la dirección del blanco, así como la velocidad del propio buque y la fuerza del viento. Los cañones son movidos y apuntados en la dirección correcta por control remoto. La única tarea de la tripulación consiste en cargar los cañones. Durante la Segunda Guerra Mundial, el radar reemplazó considerablemente el telémetro en la medición de distancias, por su mayor precisión. Como la base del radar no descansa en la óptica, su uso ha hecho posible el hundimiento de barcos situados fuera del alcance de la vista.

teleobjetivo. Objetivo constituido esencialmente por dos lentes, una convergente y otra divergente, cuyas respectivas distancias focales son menores en la primera y mayores en la otra. Gracias a ello, se hace posible la fotografía de objetos muy distantes de la cámara. Se utilizan en cinematografía (documentales que registran la vida de animales salvajes, etcétera), en el ejército (maniobras y campañas militares), en la marina y aviación (vistas de lugares ocupados por el enemigo) y, en general, siempre que por diversas circunstancias no sea posible aproximarse al plano que se desee fotografiar (incendios, erupciones volcánicas, explosiones, etcétera). La acción de los proyectiles atómicos se ha podido estudiar minuciosamente con la ayuda de los teleobjetivos. *Véanse* FOTOGRAFÍA; OBJETIVO.

telepatía. Facultad que se cree poseen ciertas personas de comunicarse mentalmente entre sí, sin ayuda de los sentidos. En la vida cotidiana suelen presentarse ciertas coincidencias (dos personas pronuncian a la vez la misma palabra; nos encontramos con un amigo a quien hemos recordado unos momentos antes, etcétera), que podrían ser fenómenos telepáticos más o menos rudimentarios. En algunos países existen sociedades e instituciones dedicadas a la investigación de los fenómenos telepáticos. *Véase* METAPSÍQUICA.

telequinesia. *Véase* ESPIRITISMO.

telescopio. Dispositivo óptico que percibe la imagen de objetos muy distantes. Es el instrumento básico de la astronomía, y ha permitido descubrir, estudiar y fotografiar millones de cuerpos celestes. Gali-

telescopio

Telescopio solar en Kitt Peack, Arizona.

leo Galilei, basándose en inventos realizados por ópticos holandeses, construyó en 1609 un telescopio eficaz. En 1789 sir William Herschel logró construir otro formado por un tubo de hierro de 12 m de longitud capaz de moverse en todas direcciones. Exploró con su aparato el cielo, llegando a conclusiones de gran valor científico.

Actualmente hay dos tipos principales de telescopios: los refractores y los reflectores. Constan los primeros de un largo tubo en uno de cuyos extremos hay un ocular formado por dos lentes, y en el otro está el objetivo, gran lente convexa que a veces llega a medir 1 m de diámetro. Ésta recoge la luz, mientras el ocular permite ver la imagen amplificada. A fin de poder enfocar con precisión, se modifica la distancia entre las lentes. El telescopio de tipo refractor del observatorio de Yerkes, Wisconsin, Estados Unidos es uno de los mayores del mundo. Su objetivo mide 101.6 cm de diámetro.

Los telescopios reflectores emplean como objetivo un espejo en vez de la lente que forma el de los refractores. A Isaac Newton se debe el prototipo de estos instrumentos. El modelo hoy más comúnmente usado consta de un enorme tubo, uno de cuyos extremos está cubierto. En el otro se halla el objetivo, gigantesco espejo parabólico. Las imágenes penetran por el tubo, se reflejan en el espejo grande, se concentran en otro pequeño y llegan a un ocular lateral. En el telescopio de Cassegrain, el espejo secundario es convexo en vez de plano, y el objetivo tiene una perforación en el medio. Las ondas luminosas convergen, pasan por el orificio en finísimo haz y llegan al ocular que, situado fuera del tubo, magnifica la imagen.

Estos telescopios superan en eficiencia a los refractores. La cara anterior de los espejos está cubierta por una delgada capa de aluminio que aumenta su resistencia, y éstos pueden sostenerse desde atrás, mientras las lentes deben sujetarse de los bordes. Por éstas y otras razones, los telescopios de gran tamaño que hoy se construyen son reflectores.

La cámara Schmidt, empleada exclusivamente para fotografía, combina los principios del telescopio de reflexión y el de refracción. En el extremo del tubo hay una lente delgada y casi plana, y la placa fotográfica va colocada en el foco primario del espejo. La cámara Schmidt más grande se encuentra en el Observatorio del Monte Palomar. Posee una abertura de 122 cm y un espejo esférico de 183 cm. Las cámaras Schmidt tienen un extenso campo óptico que abarca hasta 10°. Se dedican preferentemente a la investigación y a la cartografía.

Montaje y disposición. A fin de poder seguir el movimiento estelar aparente, los telescopios deben compensar la rotación de la Tierra. Respecto a los astros, ésta efectúa una revolución cada 23 horas y 56 minutos. El montaje ordinario fijo se reemplaza con otro llamado ecuatorial. En dicho montaje, uno de los ejes corre paralelamente al eje de rotación de la Tierra, produciendo un movimiento de este a oeste, paralelo al de las estrellas. El otro eje, perpendicular al eje polar, produce un movimiento de norte a sur. La rotación de la Tierra debe compensar exactamente por medio de un sincronizador, o por circuitos electrónicos de frecuencia controlada que mandan un motor sincrónico. El montaje debe tener muy poca fricción. El telescopio reflector de 508 cm, del Observatorio del

Monte Palomar, pesa 500 ton, y sólo se necesita un motor de 2 HP para hacerlo girar rápidamente sobre sus ejes. Un motor de medio caballo es suficiente para seguir a las estrellas.

Los telescopios grandes están bajo cúpulas giratorias, las cuales tienen una sección que puede ser abierta. Las temperaturas exterior e interior deben ser iguales durante la noche; de lo contrario se producen corrientes de aire que alteran la visión. El lugar debe carecer de humo y de niebla, y estar lejos de las luces de las ciudades.

Telescopios solares. Han sido especialmente proyectados para hacer análisis fotográficos y espectroscópicos del Sol. Debido al resplandor de éste, la abertura es relativamente pequeña, pero la distancia focal es lo suficientemente grande como para dar una imagen detallada, que puede medir hasta 38 cm de diámetro. Por tanto requieren torres de hasta 46 m de altura. El coronógrafo es un telescopio solar especial, utilizado para estudiar la tenue envoltura del Sol, incluyendo la corona y las protuberancias. Se usan lentes especiales y filtros con el fin de amortiguar el brillo del disco solar.

El mayor telescopio en funcionamiento a mediados de 1976 era el de Monte Palomar, anteriormente mencionado. Pero ya se había fundido en la Unión Soviética otro espejo parabólico de 6 m de diámetro, destinado a un enorme telescopio que mide 40 m de altura, instalado en Zelenchukskaya, en las montañas del Cáucaso. Les siguen el de Kitt Peak, Arizona, con un espejo de 4 m de diámetro, y el de Mount Stromlo, Canberra, Australia, con uno de 3.81. Es-

Telescopio refractor.

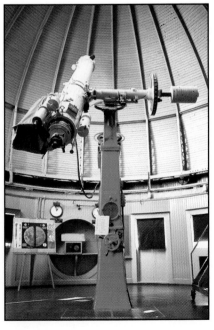

pecial mención merece el Observatorio Europeo Austral, situado en La Serena, Chile, donde ya funcionan un telescopio reflector y una cámara Schmidt, ambos con objetivos de más de 1 m de diámetro, y pronto se instalará otro reflector de 3.60 m. Debido a las excepcionales condiciones atmosféricas de La Serena, a unos 500 km de Santiago, se espera que este último telescopio explore el cielo austral con la misma eficiencia que ha explorado el boreal el gran reflector del Monte Palomar. Otros telescopios menores realizan importantes investigaciones en observatorios del Reino Unido, Francia, Alemania, Sudáfrica, Canadá, Argentina, México y otros países.

Nuevas perspectivas ofrecen a la astronomía los satélites provistos de telescopios que transmiten observaciones a la Tierra. Entre éstos figuran el SAS-3, estadounidenses, el Helios 2, alemán, y el COS-B, de la Organización Espacial Europea, lanzados en 1975 y 1976. Grandes servicios prestan también los radiotelescopios. *Véase* RADIOTELESCOPIO.

teletipo. *Véase* TELÉGRAFO.

televisión. Sistema electrónico que permite transmitir imágenes a distancia. La etimología de la palabra indica con precisión su contenido, pues proviene del prefijo griego *tele*, que significa *lejos* y del verbo latino *videre*; que significa *ver*. La televisión, uno de los inventos más admirables de la tecnología moderna, es un poderoso medio de comunicación. Usada con recto y elevado criterio, puesto al servicio de las normas éticas que sirven de cimiento a nuestra civilización, las posibilidades que ofrece la televisión hacen de ella un incomparable instrumento de propagación de altos valores culturales y divulgación de conocimientos. La radio había dado a la humanidad un oído especial que le permitía conocer, prácticamente al segundo, los hechos acaecidos en los lugares más distantes. La televisión ha venido a agregarle un ojo mágico. La radio transforma el sonido en ondas hertzianas y torna a convertir estas ondas en sonido; la televisión transforma haces de luz en ondas radiales y convierte éstas nuevamente en luz.

Funcionamiento. Para transmitir una imagen, ésta se divide en una serie de líneas, cada una compuesta por puntos de intensidad luminosa variable. Una onda portadora las transmite una a continuación de otra al modularse, o sea al cambiar instantáneamente de intensidad. Cada imagen se descompone en unos 250,000 puntos que se reproducen en líneas en la pantalla. A esto se llama exploración.

El número de líneas para cada imagen varía según los países: 405 líneas en Inglaterra, 525 en Estados Unidos y gran parte de América Latina, 625 en la Europa

La televisión transforma ondas radiales en haces de luz.

occidental y 819 en Francia. Para producir la sensación de movimiento se transmiten, según el país, 25 o 30 imágenes por segundo. En el receptor, la imagen se reproduce en un tubo de rayos catódicos provisto de una pantalla. Para reducir el parpadeo, ya que 25 o 30 imágenes por segundo, transmitidas en forma normal, producirían un efecto muy parecido al de las primitivas películas cinematográficas, se usa el principio de la exploración interlineada. Cada imagen se transmite en dos mitades o cuadros, enviándose las líneas pares y las impares intercaladas. El número de imágenes transmitidas y la calidad de la imagen es el mismo, pero el hecho de transmitir cada imagen en dos cuadros reduce mucho el parpadeo, y permite aumentar el brillo. Por este motivo el número de líneas empleado en cada imagen es siempre impar. La operación de analizar la imagen recorriéndola sucesivamente línea por línea se llama barrido, y el método de transmitir cada imagen en dos cuadros se llama barrido interlineado.

Barrido mecánico. Los primeros ensayos para producir imágenes televisadas se llevaron a cabo con sólo aproximadamente 4,000 puntos o elementos. Los aparatos mecánicos empleados eran de difícil construcción, y los eléctricos debían cumplir requisitos que sólo el desarollo de la electrónica permitió satisfacer. El primer sistema de exploración mecánica se debe al alemán Paul Nipkow, que en 1884 patentó el disco que durante los 50 años siguientes se usó en todos los sistemas experimentales de televisión. El disco consistía en una serie de orificios distribuidos a lo largo de una espiral trazada sobre un círculo giratorio. Cada punto u orificio recorría la imagen en un arco de circunferencia. La imagen quedaba así explorada o barrida por arcos sucesivos, cada uno situado un poco más arriba que el arco anterior. Al terminar de dar una vuelta, el primer orificio de la espiral volvía a recorrer la imagen. A cada vuelta correspondía una imagen, barrida por tantos arcos como orificios tuviera el círculo perforado. Detrás de los orificios una célula fotoeléctrica re-

gistraba las variaciones de la luz que pasaba por el agujero. En el extremo receptor, un disco similar se movía en forma sincrónica y una lámpara, cuya intensidad luminosa estaba controlada por la célula fotoeléctrica y era observada a través del disco receptor, reproducía la imagen.

En 1923 John L. Baird, en Inglaterra, y Charles Francis Jenkins, en los Estados Unidos, lograron, usando celdas fotoeléctricas y amplificadores, transmitir primero siluetas y luego imágenes de medios tonos. El disco de Nipkow, perfeccionado, llegó a usarse hasta con 240 líneas y 24 imágenes por segundo en los comienzos de la transmisión de la televisión en Inglaterra.

Barrido electrónico. En la década de 1920, algunos científicos empleaban métodos de exploración con variantes del tubo de rayos catódicos. Philo Taylor Farnsworth, joven ingeniero estadounidense, desarrolló un disector de imágenes, usando un tubo de rayos catódicos perfeccionado; y para 1929, otro estadounidense Vladimir Kosma Zworykin, demostró el funcionamiento de un receptor de televisión silencioso, sin motor o partes móviles. La imagen se exploraba en un tubo de rayos catódicos al que llamó iconoscopio, y se reproducía en otro llamado cinescopio.

A partir de ese momento comenzaron a resolverse los problemas de ingeniería, y para 1936 se contaba con un sistema de televisión totalmente electrónico capaz de reproducir una imagen excelente en una pantalla no muy grande. A principios de 1939 la televisión hizo finalmente su entrada en el campo del entretenimiento público.

Cámara. El concepto de barrido o exploración de una imagen puede comprenderse analizando el iconoscopio de Zworykin, el primer tubo de exploración para cámaras de televisión de empleo práctico. La parte más importante del iconoscopio es una plancha delgada de mica, u otro material aislante, colocada sobre una placa de material conductor. La parte frontal de la plancha se cubre con un mosaico formado por innumerables gotas de plata aisladas entre sí. Mediante oxígeno y vapores de cesio, las superficies de las pequeñas gotas se transforman en óxido de plata y óxido de cesio, para facilitar la emisión de electrones. La imagen se enfoca sobre el mosaico, que se encuentra en un tubo de vidrio en el cual se ha hecho el vacío. Al iniciar sobre el mosaico la luz de la imagen, cada gota emite electrones.

El mosaico queda cargado positivamente y la distribución de cargas sobre su superficie corresponden a la distribución de luces y sombras de la imagen sobre el mismo. Un cañón electrónico barre esta imagen línea por línea. El haz de electrones, sumamente fino, se mueve sobre la imagen con ayuda de dos juegos de bobinas

televisión

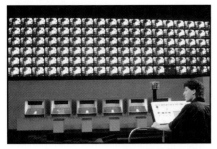

Centro emisior de imágenes en Ontario. Canadá.

deflectoras, un par para hacer que el haz recorra o barra cada línea –barrido horizontal– y otro para ir cambiando el haz de cada línea a la siguiente –barrido vertical–. Este haz de electrones provoca a su vez la emisión de electrones secundarios de cada uno de las gotas, cuya cantidad depende de la carga que cada gota tenga. Esta emisión cambia el potencial electrónico de cada gota e induce en la placa soporte una corriente eléctrica, pues cada gota conductora actúa como parte de un condensador formado por ella y por la placa. Es así que en la placa aparece una señal eléctrica que varía de instante en instante, de acuerdo con la carga de cada gota explorada, que a su vez depende de la iluminación recibida entre dos barridos sucesivos.

Se observará que el iconoscopio tiene un efecto acumulativo, pues cada gota adquiere carga durante la duración de cada imagen y tiene, por lo tanto, bastante sensibilidad. Los electrones secundarios emitidos son, en su mayoría, recogidos por un ánado auxiliar al que se aplica una tensión positiva, pero una parte es atraída nuevamente por el mosaico que tiene también carga positiva. Se reproducen así sombras y luminosidades espurias que alteran la imagen.

El iconoscopio se usa ocasionalmente para la transmisión de películas, pero ha sido reemplazado por el orticón y el orticón de imagen. El primero, cuando el nivel de iluminación es elevado, produce imágenes defectuosas, por lo que sólo se usa en los estudios, donde la luz puede controlarse. El orticón de imagen tiene una sensibilidad extraordinaria, superior a la de las películas fotográficas más sensibles y a la del ojo humano. A principios de la década de 1950 se desarrolló el vidicón, que fue el primer tubo de toma que empleaba la fotoconductividad –variación de la resistencia eléctrica de acuerdo con la iluminación–. Con estos tubos pueden obtenerse imágenes de hasta 250,000 elementos con una superficie fotosensible de aproximadamente 1 cm^2. Se pueden fabricar cámaras pequeñas, con lentes económicas de gran profundidad de foco, que han encontrado un extenso

campo de aplicaciones comerciales, industriales y militares.

Recepción. La señal que genera la cámara de televisión, llamada señal de video, se transmite de manera muy similar a la empleada para las transmisiones de sonido de las radiodifusoras, o sea modulando una onda de radio que luego se emite desde una antena.

En el receptor, sin embargo, la señal de video se transforma en una imagen con ayuda de un tubo especial, el cinescopio. Su superficie interior o pantalla está recubierta de un material cátodoluminiscente -llamado impropiamente fósforo- que emite luz al incidir sobre él un haz de electrones. Este haz generado por un cañón electrónico, se enfoca sobre la pantalla de izquierda a derecha y de arriba a abajo, en sincronismo perfecto con el haz que explora la imagen en la cámara de toma de televisión. El sincronismo se logra transmitiendo al final de cada línea y de cada cuadro una señal especial que indica el momento en que el haz de electrones debe cambiar de línea a línea, o de cuadro a cuadro. La intensidad del haz de electrones puede controlarse de modo que a mayor intensidad del haz corresponde mayor brillo en el punto luminoso. De este modo, a medida que el punto barre la pantalla, la señal de video cambia la intensidad del haz, y por lo tanto el brillo, con lo que el cañón, va *pintando* la misma imagen que explora en ese instante la cámara de toma.

Televisión en colores. Hasta ahora nos hemos limitado a explicar la transmisión a distancia de imágenes en blanco y negro, para lo cual sólo se tienen en cuenta las diferencias de luminosidad.

Las tentativas de reproducir el color comenzaron en 1928 en Inglaterra, pero hasta 1953 no se empezó a explorar comercialmente esta técnica. Esa relativa lentitud se debió a la necesidad de utilizar un sistema de transmisión de colores que permitiera a los receptores corrientes captar las imágenes en blanco y negro, y a los especiales captar tanto las transmisiones en colores como las otras. La primera cadena de televisión, la CBS estadounidense, no satisfacía esta exigencia, y su exploración debió interrumpirse después de varios años de actuación.

Sin embargo, el procedimiento utilizado era interesante debido a su sencillez, y hoy se lo sigue usando en las televisiones de circuito cerrado utilizadas en fábricas, universidades u hospitales. El sistema consiste en interponer entre la escena y la cámara tres filtros coloreados (rojo, verde y azul) que se suceden a intervalos constantes gracias a un disco portador que gira a gran velocidad, y en dotar al receptor de otro disco similar, sincronizado con el de la cámara, y cuyos sectores coloreados pasan entre el foco luminoso, la lente y la panta-

lla. De este modo, el televisor proyecta una serie de imágenes rojas, azules y verdes, cada una de las cuales sólo dura un $1/114$ de segundo. El ojo no las distingue, pero efectúa su síntesis, percibiendo así sobre la pantalla la imagen en colores de la escena televisada. Pero, no es posible captar con este receptor una transmisión en blanco y negro, porque la duración de la serie de impulsos de la corriente de la señal varía mucho de un caso al otro: $1/114$ de segundo para barrer una imagen con este sistema, y un $1/25$ para el barrido en los aparatos que reciben en blanco y negro.

Los procedimientos usados actualmente en todo el mundo para la televisión en colores tienen una característica común: todos reconstruyen el color de la escena combinando tres imágenes tomadas en los colores primarios (rojo, verde y azul) que se forman simultáneamente sobre la pantalla de un tubo catódico especial, producidas por cañones electrónicos diferentes. Es como si hubiera tres cámaras que tomaran la misma escena, cada una provista de un filtro óptico rojo, verde o azul. En el receptor, las señales correspondientes a las imágenes de cada color primario se diferencian y transmiten a tres cañones electrónicos; uno reconstruye las imágenes de la cámara azul, otro las de la roja, y el tercero las de la verde. Cada uno lo hace con la luminosidad de tonos registrados en la banda de color correspondiente. Las imágenes se forman sobre una pantalla recubierta por un mosaico de puntos fluorescentes de tres tipos: bajo el impacto de los electrones los primeros emiten un fulgor verde, los segundos, uno azul, y los terceros uno rojo. Hay 400,000 puntos de cada grupo, dispuestos regularmente en triángulos, justamente detrás de una máscara metálica, perforada por 400,000 orificios minúsculos. El montaje se efectúa con tal precisión que sólo los electrones provenientes del cañón correspondiente a la cámara roja pueden chocar con los puntos capaces de emitir luz roja, y lo mismo ocurre con los que emiten los cañones azul y verde. No existe en este caso problema de incompatibilidad, pues el barrido de cada

Control de calidad de circuítos de televisión.

cañón electrónico se efectúa de la misma manera que el de un receptor de imágenes blancas y negras. Por tal causa, los receptores de colores pueden captar emisiones en blanco y negro superponiendo las tres imágenes (la corriente de la señal dirige en forma idéntica los tres barridos, y esto ocasiona la reconstitución de una imagen en puntos claros y oscuros). Y un televisor de tipo corriente capta la emisión en color al no utilizar como señal sino la corriente del cañón electrónico verde, pues se ha comprobado que, respecto a las diferencias de luminosidad, esta imagen corresponde casi exactamente a la transmitida en blanco y negro.

Difusión. Un micrófono similar al de la radio recoge el sonido que acompaña las imágenes, el cual recibe el nombre de señal de *audio*, palabra latina que significa *yo escucho*. Tanto las señales de video como las de audio se amplifican por separado y se envían a una estación transmisora, desde donde son lanzadas al espacio. Las ondas portadoras usadas en televisión son de longitud extremadamente corta. Esas ondas se propagan en línea recta y no siguen la curvatura de la Tierra, por lo que al llegar a la línea del horizonte no varían su trayectoria y se pierden en el espacio. Por lo tanto, y en términos generales, la distancia máxima de recepción equivale al punto más distante del horizonte que sería visible desde el extremo de la antena televisora. En la práctica existen diversos factores que modifican este alcance teórico. La mayoría de las estaciones televisoras usan antenas situadas a alturas que oscilan entre 200 y 500 m, y que tienen un alcance máximo aproximado de 250 kilómetros.

El alcance de las estaciones se aumenta en forma considerable por medio de redes o cadenas similares a las de la radio. Las señales de *video* y *audio* de una estación son enviadas a otras varias, cada una de las cuales transmite el programa a los espectadores de su área. Los nexos que unen a las diversas estaciones de la red pueden ser de dos clases: cables coaxiales o reveladores de radio. Los cables coaxiales de la televisión son parecidos a los que se emplean para la telefonía de larga distancia. Los reveladores de radio están compuestos por torres separadas entre sí por distancias de 50 a 80 km; cada torre recibe, amplifica y retransmite las señales, que no pueden ser captadas por los receptores corrientes, pero que son recogidas por las estaciones locales de televisión.

Cuando se trata de unir dos puntos separados por grandes distancias, o por los océanos, se usan cada vez más los satélites artificiales fijos, es decir que acompañan a la Tierra en su giro. Colocados en posiciones estratégicas, hacen las veces de espejos contra los cuales chocan las ondas para tornar al suelo en un ángulo predeter-

Corel Stock Photo Library

Interior de un estudio de grabación.

minado. Se transmiten preferentemente de este modo sucesos políticos o deportivos, de importancia mundial que los espectadores desean ver en el momento en que ocurren, como los Juegos Olímpicos. Otros satélites, no usados por la televisión corriente, sirven para transmitir textos de importancia económica, como cotizaciones, informaciones bancarias y comentarios de la prensa especializada. Tal misión cumplían en 1976 en Estados Unidos los *Westar I* y *II* y los *Satcom I* y *II*.

Programación. Dentro de los estudios suele haber varias cámaras. En los que tienen auditorios para el público, las cámaras se hallan en posiciones semifijas. En los que carecen de tales auditorios, están sobre pedestales móviles y pueden enfocar los programas desde varios ángulos y alturas. Cada cámara es manejada por dos hombres y se halla montada sobre un pequeño vehículo provisto de neumáticos. El equipo de iluminación es muy parecido al que existe en los estudios cinematográficos, pero se diferencia de éste en que las luces son manejadas desde un tablero de control idéntico al que usan los electricistas de los teatros. Los micrófonos empleados para recoger el sonido son de dos clases: fijos y portátiles; el más grande de éstos está formado por un largo brazo de 6 m, que puede seguir a los actores en sus movimientos, recogiendo sus palabras desde muy corta distancia. Todos los micrófonos son mantenidos a pocos centímetros de distancia del área cubierta por la cámara.

Los programas realizados fuera del estudio, llamados remotos, requieren una preparación muy cuidadosa. Las cámaras se instalan en una o varias plataformas especiales y el director selecciona con fa-

cilidad la imagen adecuada a cada momento de la acción.

Los programas en cadena. Algunos de los programas realizados en los estudios son de costo muy reducido. La tarea de producción –que incluye la redacción, escenografía, ensayos y presentación– es mantenida dentro de rigurosos límites de economía en los gastos. Pero hay programas sumamente costosos, en los que intervienen decenas y hasta centenares de personas que generalmente son trasmitidos por redes o cadenas hasta ciudades distantes, y suelen ser vistos por millones de espectadores. La preparación de cada una de esa clase de transmisiones suele durar una semana, y durante dicho lapso los escenógrafos diseñan decorados, los carpinteros construyen muebles y objetos diversos, los autores preparan los diálogos, los electricistas planean juegos de luces, los actores ensayan y memorizan los diálogos y situaciones, y el director debe cuidar la precisión de éstos y muchos otros detalles del programa en cuestión.

Los programas que se originan en la actuación directa de actores y de otros participantes, y que no son objeto de registro kinescópico para su transmisión posterior, suelen radiarse desde teatros o estudios, donde las cámaras se mueven discretamente a lo largo de rampas especiales. Si el programa es una mezcla de números de comedia y variedades, el director deberá preocuparse ante todo por elegir un maestro de ceremonias o animador. Tratará a continuación de que la presentación general del programa sea novedosa y atractiva, y buscará actores que den vitalidad y brillantez a la trasmisión, así como redactores capaces de elaborar situaciones originales que conserven su interés de una semana a otra.

151

televisión

Panel de control en el estudio de una televisora.

Un programa de una hora de duración puede exigir unos 10 decorados, todos los cuales deben ser construidos con gran rapidez y en forma similar a la que se emplea en el teatro. El director musical preparará y ensayará los arreglos y números principales, y realizará un ensayo general en la víspera de la transmisión del programa. Efectuado el ensayo, el director sólo dispone de 24 horas para solucionar los problemas estrictamente técnicos que haya de plantear la radiación del programa. Supongamos que tiene tres cámaras semifijas, cada una de ellas provista de tres lentes. Dispone así de nueve ángulos y distancias focales, entre los cuales puede seleccionar las tomas que prefiera. En las últimas horas previas a la transmisión, tendrá que planear junto con los encargados de las cámaras, los diversos enfoques que se hayan de efectuar.

El director dispone, en el escenario, de dos o tres asistentes de producción, que se encargan de controlar la entrada y salida de los personajes, los movimientos escénicos y los cambios de luces. Tres o cuatro electricistas manejan el panel de iluminación y los reflectores, y entre 10 y 20 utileros colocan y retiran los objetos del escenario. Cada cámara es manejada por uno o dos operadores, y cada uno de los largos micrófonos tiene un encargado. Tres asistentes técnicos acompañan al director en el papel central, seleccionando las imágenes que habrán de ser lanzadas al aire y controlando la fidelidad del sonido que recogen los micrófonos. Generalmente, el director de la transmisión dirige también el movimiento de las cámaras, pero a veces acude a los servicios de un director de cámaras, hombre altamente especializado en las técnicas de la televisión.

El programa debe tener exactamente la duración que se haya fijado por anticipado, y no debe resultar demasiado breve ni excesivamente largo. Sentada junto al director, la persona encargada del libreto controla cuidadosamente, cronómetro en mano, la duración de cada escena. Si una de ellas se prolonga demasiado, de inmediato se debe abreviar la siguiente. Cuando el director realiza su programa en un estudio, en vez de llevarlo a cabo en el auditorio, su facultad creadora goza de mayor libertad de acción y la cámara puede llegar a convertirse en verdadero instrumento artístico. Puede moverse entre los actores o instrumentistas, obteniendo efectos de plástica belleza, y trasladarse en pocos segundos de un decorado a otro; y, lo que es aún más importante, los actores trabajan para las cámaras y no para el público del salón. La televisión utiliza numerosas tretas y recursos creados por el cinematógrafo. Una cámara puede estar enfocada sobre un grupo de bailarines y otra sobre una lluvia artificial, que cae de una pequeña ducha; superponiendo ambas imágenes, el director logra que el público vea a los danzarines bajo la lluvia. Un concierto de una orquesta sinfónica puede ser enfocado por dos cámaras, una de las cuales capta los movimientos del director y la otra la totalidad de la orquesta; la fusión de ambas imágenes produce el extraño efecto de ver al director entre sus instrumentistas. Un comentarista de noticias puede describir una campaña bélica con ayuda de un mapa; éste es transparente, y un artista colocado detrás, pero visible para el público, traza líneas que indican los movimientos de tropas o los frentes de combate que va mencionando el comentarista. En el estudio, el director prefiere siempre realizar tomas breves, cuya duración sea inferior al medio minuto, y pasar luego a otra cámara o a otro enfoque, lo que da mayor dinamismo a la transmisión.

Aplicaciones industriales. Con la expresión genérica *televisión industrial* se designa el uso de la televisión para observar procesos fabriles. Este empleo es particularmente ventajoso cuando no conviene mirar directamente un fenómeno tecnológico cualquiera, o cuando la presencia humana es imposible en el lugar. El calor, los vapores y las radiaciones nocivas, tan frecuentes en las investigaciones nucleares, no impiden el funcionamiento de una cámara de televisión. Hasta es posible colocar aparatos transmisores en los dispositivos de sondeo que se sumergen en las entrañas del mar o en proyectiles-cohetes que se elevan hasta alturas jamás alcanzadas por el hombre. Una sola estación central transmite las imágenes a varios receptores estratégicamente ubicados, junto a los cuales trabajan hombres de ciencia. El aparato que transmite los *programas* de televisión científica o industrial debe ser de dimensiones reducidas, más resistente y menos costoso que las cámaras electrónicas de los estudios ordinarios. Pero, tiene una sensibilidad mucho mayor y permite descubrir detalles que escaparían al ojo del observador. A menudo, acude al auxilio de las radiaciones invisibles, tanto infrarrojas como ultravioletas.

La adaptación de la televisión al servicio telefónico regular, permite que las personas que hablan por teléfono puedan no sólo oírse sino verse. Para ello, a los aparatos telefónicos respectivos se acoplan los dispositivos transmisores y receptores de televisión. Desde 1964 esta combinación de teléfono y televisión, a la que se designa con el nombre de fonovisión, ya ha sido instalada en algunos servicios telefónicos de Estados Unidos.

Las experiencias de televisión industrial también buscaron otro camino. En 1940, el servicio de investigaciones científicas del Ejército estadounidense solicitó a las industrias especializadas que construyeron pequeños transmisores simples y resistentes, destinados a ser colocados sobre bombas y proyectiles-cohete. El proyecto cristalizó en una serie de ensayos que permitieron acumular valiosas experiencias. Se creó un tubo catódico especial, de pequeñas dimensiones y extremadamente sensible, que recibió el nombre de Vidicon. Este tubo, creado por el ingeniero Zworykin -el famoso mago de la televisión-, tiene un diámetro de 25 mm y una longitud de sólo 15 cm. La empresa *Remington Rand* ha utilizado estos tubos para construir equipos televisores industriales que llevan el nombre de Vericón. La cámara, muy manuable, pesa 15 kg, y el receptor permite obtener una imagen nítida de 17 cm de ancho por trece de altura. Una variante de este aparato, denominada Vericolor, transmite en colores, en forma similar a como lo hacen las estaciones comerciales.

Utilidad científica. Es posible que la importancia cultural y educativa de la televisión llegue a ser mayor que la del cine. Un ejemplo típico de tal utilidad se halla en la retransmisión de intervenciones quirúrgicas efectuadas por especialistas de renombre. El transmisor capta con absoluta fidelidad hasta el último detalle de la acción del cirujano, y la operación, comentada por especialistas, puede ser vista por millares de profesionales o estudiantes de medicina.

La utilidad de la televisión para el análisis microscópico es evidente: las cámaras pueden captar y retransmitir, agrandadas y en colores, las nítidas imágenes de los microscopios electrónicos. La imagen es más grande y de mejor calidad que la obtenida por las ampliaciones fotográficas, y los técnicos no necesitan una iluminación intensa, que siempre encierra el riesgo de aniquilar o modificar los especímenes que se observan. La televisión también mejora los métodos de observación radioscópica, evitando el empleo de cámaras oscuras, suprimiendo los riesgos de la observación directa y aumentando la precisión de los detalles. Los rayos X dan contra una placa fotoconductora, que es analizada por un haz electrónico y recibida sobre una pantalla de superficie adecuada, que puede ser examinada por gran número de personas.

Los aparatos de televisión también pueden rendir importantes servicios en la exploración de sitios a los que no llega la presencia humana. Los primeros ensayos de televisión submarina datan de la época en que se realizaron los experimentos atómicos de Bikini. La Marina estadounidense logró, en 1947, preparar una cámara provista de una lámpara de enorme potencia y de un sistema de cambios automáticos del objetivo. Guiada desde un navío, la cámara avanzaba por el fondo del mar, mientras los especialistas, agrupados en torno a la pantalla, examinaban, registraban y fotografiaban con toda comodidad lo que iba descubriendo el ojo electrónico. En Reino Unido y en Francia se utilizan ahora dispositivos similares. El campo de las aplicaciones científicas, tecnológicas e industriales de la televisión adquiere cada vez mayores proporciones.

Televisión en América Latina. México la inició en 1950, y en 1951 surgieron emisoras en Buenos Aires y en Río de Janeiro. En 1972 había en las naciones latinoamericanas unas 325 emisoras de televisión, y el número ha ido en aumento. Se calcula que unos 55 o más millones de espectadores siguen con interés programas nacionales, noticias internacionales y películas cinematográficas en español o dobladas. Todos los hechos importantes que tienen lugar en los principales países se transmiten por televisión, y también recurren a ella jefes de gobierno para exponer sus planes, y

universidades e instituciones culturales para difundir conocimientos. El país que posee más televisores es Brasil, con más de 6.500.000, seguido por México y Argentina, con aproximadamente 4.000.000 cada uno. En Ushuaia, Tierra del Fuego, funciona la emisora más austral del mundo. *Véanse* ANTENA; COMUNICACIONES; ICONOSCOPIO; RADIOTELEGRAFÍA Y RADIOTELEFONÍA.

Tell, Guillermo. Héroe legendario suizo del siglo XIV, oriundo del cantón de Uri. Las incidencias que rodean la vida de este personaje ocurrieron hacia 1307, cuando Herman Gessler, gobernador austríaco, quiso imponer su autoridad a los campesinos suizos en la plaza de Altdorf. Guillermo Tell se negó a rendir homenaje a los símbolos del poder intruso; el representante de éste lo amenazó de muerte si no acertaba a derribar de un flechazo, desde 120 pasos de distancia, una manzana colocada en la cabeza de su hijo. Tell, arquero consumado, cumplió la hazaña sin tocar al niño; pero confesó luego que si hubiera herido a su hijo, tenía otra flecha dispuesta para matar a Gessler. El gobernador lo hizo detener, pero cuando lo llevaban en barco por el lago de Lucerna al castillo de Kussnacht, una tempestad permitió a Tell huir a tierra y matar de un flechazo a Gessler, lo que fue la señal para un levantamiento de los suizos.

Téllez-Girón, Pedro Alcántara (1579-1624). General y político español, tercer duque de Osuna. Nació en Valladolid y murió en Madrid. Su vida aventurera lo llevó muy joven a la cárcel, de donde se fugó, pasó a Francia y de ésta a los Países Bajos. Allí ingresó en el Ejército español y pronto se distinguió por su valor y sus repetidas hazañas. Nombrado en 1610 virrey de Sicilia, llevó consigo a Francisco de Quevedo y Villegas, su gran amigo. Cinco años después fue designado virrey de Nápoles. En ambos cargos se destacó por su habilidad como político, y su recto y personal sentido de la justicia. Luchó tenazmente contra la República de Venecia, so-

En medicina la televisión es de gran utilidad para explorar órganos sin causar daños mayores.

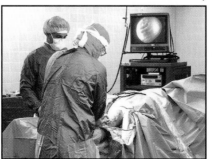

lapada enemiga de España. En 1620 como resultado de la conjuración de Venecia, se le destituyó del cargo de virrey de Nápoles.

Tello, Julio César (1880-1947). Médico cirujano, arqueólogo y antropólogo peruano. Desempeñó altos cargos en su país como la dirección del Museo Arqueológico y la cátedra de arqueología, y perteneció a diversas sociedades científicas americanas. Es autor de *La civilización de los incas, Los antiguos cementerios del valle de Nazca, Aramak* y otras obras.

Tello, Manuel C. (1884-1963). Profesor de educación primaria, hizo una larga y brillante carrera magisterial en México; trabajó como maestro de grupo y en las escuelas de tropa del Ejército; dirigió varios planteles y tres veces la Escuela Normal Veracruzana (1922, 1930-1932 y 1941-1945) y fundó la Escuela Secundaria y Preparatoria de Tuxpan (1933) y la facultad de pedagogía de la Universidad Veracruzana (1954). Es autor, entre otras obras, de *Fundamentos generales de pedagogía, Prácticas pedagógicas* (para maestros rurales), *Antropología pedagógica, Pedagogía, Cursos de pedagogía, El obrero (método de escritura y lectura para adultos)* y *Principios de educación.* En Jalapa llevan su nombre una calle y el Colegio de Estudios Pedagógicos.

Telmo, san (1190-1246). Religioso español, nacido en Astorga. Descendiente de familia noble, ingresó en la Orden de Predicadores y se esforzó por enseñar a los humildes, en especial a los marineros, a cuyos barcos subía para ayudarles en sus tribulaciones y necesidades. Muy considerado por Fernando III *el Santo,* empleó su influencia y sus bienes en socorrer a la gente de mar, que propagó sus milagros y lo hizo su patrono. Murió en Tuy, provincia de Pontevedra. También llamado Gundislavo o san Elmo. Fue beatificado en 1745; su fiesta se conmemora el 14 de abril.

telpochcalli. Entre los aztecas, local en el que los niños eran educados e instruidos acerca de los dioses y sus geneologías, se les inculcaban los principios morales propios de su cultura y donde recibían instrucción militar.

telurio. Elemento químico clasificado como metaloide, semejante al selenio, quebradizo, fusible y muy escaso. Es el penúltimo del grupo VI A (grupo del oxígeno) de la tabla periódica de los elementos. Su símbolo es Te, su masa atómica 127.60 y su número atómico es el 52. Se presenta nativo en pequeñas cantidades asociado a la plata y al oro. Cristaliza en formas romboédricas, y se funde a 449.5 °C. Fue descubierto en 1782 por Müller von Reichenstein; aun cuando no pudo ser ais-

telurio

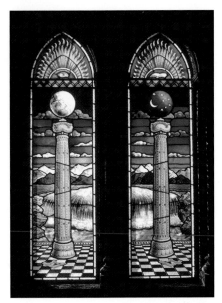

Corel Stock Photo Library

El telurio se emplea en la pigmentación de vitrales.

lado hasta 1798 por martin Heinrich Klaproth, quien dio a este elemento el nombre con el que se le conoce. Se utiliza para mejorar las cualidades del acero inoxidable y en las aleaciones del estaño y del plomo. Se usa como colorante de porcelanas y vidrios. Tiene ciertas aplicaciones en fotografía y en la industria del caucho y la farmacéutica. El telurio consumido procede de los barros anódicos producidos en el refinado electrolítico del cobre (procedente de sulfuros), cámaras de plomo de las fábricas de ácido sulfúrico y polvos de los hornos de tostación de sulfuros de plata y oro.

Temin, Howard Martin (1934-1994). Microbiólogo estadounidense. Alumno y colaborador de Renato Dulbecco en el *California Institute of Technology*, de Pasadena, en 1969 se incorporo como profesor de oncología a la Universidad de Wisconsin. Desarrolló un procedimiento de titulación para el estudio del material genético de los virus, del cual se sirvió en 1970 para demostrar el mecanismo de transcripción inversa en la síntesis del DNA a partir del RNA vírico. En 1975 se le concedió el premio Nobel de Fisiología o Medicina, que compartió con R. Dulbecco y David Baltimore.

Temis. Hija de Urano (el Cielo) y de Gea (la Tierra), en la mitología griega. Según la narración de Diodoro Sículo, estableció la adivinación y los sacrificios religiosos y reinó en Tesalia. Era hermana mayor de Cronos (Saturno) y esposa de Zeus.

Temístocles (528-462 a. C.). Político y general ateniense, vencedor de los persas. Con la victoria de Maratón (490 a. C.), lograda por Milcíades sobre los persas, se desper-

tó en él ardor por la lucha, y seguro de que nuevas invasiones sobrevendrían en breve, se presentó ante la Asamblea ateniense para exponer la necesidad de crear una escuadra y combatir a los enemigos por mar. Comenzó entonces la rivalidad con Arístides, ciudadano patriota y de intachable prestigio quien se opuso a que se invirtiera el producto de las minas de plata de Lauria en la construcción de la flota. No obstante, con su tenacidad y guiándose además por el oráculo de Delfos, que había profetizado que debía defenderse a Atenas con *muros de madera* (lo que Temístocles tomó por naves), impuso su criterio, debiéndose Arístides retirar de Atenas en completa derrota en el año 482. Al vencer los persas en el paso de las Termópilas, el acceso al Ática quedó libre; por lo tanto, Atenas sería pronto invadida. Temístocles consiguió entonces que los habitantes abandonaran la ciudad y se refugiaran en otras partes, entre ellas la ensenada de Salamina, mientras Atenas ardía. Tan cerca se encuentran los persas que los atenienses quieren trasladarse con la flota a lugar más seguro; Temístocles se opone, y para obligarlos a presentar combate envía un mensaje fraguado a Jerjes, enterándole de la posible huida; de esta manera, se encuentran ambos enemigos en la famosa batalla de Salamina (480 a. C.) con resultados triunfales para Atenas y de gran trascendencia para la historia de Grecia. Temístocles, en la cúspide de la gloria, se vuelve arriesgado; posteriores intrigas políticas quebrantan a poco la confianza de sus conciudadanos quienes, finalmente, ante una acusación de traición, deciden por voto popular desterrarlo de Atenas. En 471 se retira a Argos y luego a Persia, donde Artajerjes, sucesor de Jerjes, lo distingue con muestras de respeto y le ofrece el estado de Magnesia; allí vivió hasta los 65 años. Sus acciones fueron contradictorias; en su vida hubo hechos grandes, pero también otros mezquinos que enturbiaron su recuerdo.

temperatura. Grado mayor o menor de calor que tienen los cuerpos, dándosele el nombre de alta o baja, según la intensidad de aquél. También puede ser húmeda o seca, de acuerdo con la cantidad de vapor acuoso que contenga la atmósfera. El mar y la tierra se calientan simultáneamente por efecto de la radiación solar, y por radiación y conducción con ellos, se calientan las capas inferiores de la atmósfera. La elevación o disminución de temperatura se mide con el termómetro de mercurio que establece las escalas de temperatura: la de Celsius o centígrada, la de Fahrenheit y la de Reaumur, siendo la primera la más utilizada. La temperatura es más elevada durante la primera parte del día, debido a que la energía

radiante recibida por la Tierra aumenta hasta las dos de la tarde; y luego a medida que baja el Sol, la temperatura baja. Sobre su oscilación diurna influyen las nubes, la vegetación, los valles y la latitud del lugar. Si el cielo se cubre de nubes, el calor recibido por la tierra disminuye; donde la vegetación es rica, la oscilación es inferior a la que se obtiene en una región seca y árida; y la altura sobre el nivel del mar influye asimismo sobre la temperatura cuando se trata de atmósfera libre, ya que la presión atmosférica decrece con la altura. Las variaciones en la superficie del mar se deben, en gran parte, a las corrientes oceánicas y éstas a la circulación de la atmósfera, siguiendo casi siempre las corrientes de aire. En física la temperatura describe la facultad de una sustancia para transmitir calor a otra. Existe una diferencia de cerca de 145 °C entre la temperatura más cálida del mundo y la más fría Entre las temperaturas más bajas observadas, figuran la de -70 °C registrada en el monte McKinley (Alaska) en 1932, y la de -86 °C en la Antártida, en 1958. El Valle de la Muerte, en California, es uno de los sitios más cálidos del mundo, con 56 °C, pero le supera Azizya, en Iraq, donde se han registrado temperaturas de 58 °C a la sombra. *Véanse* CALOR; TERMÓMETRO.

tempestad. *Véase* TORMENTA.

templarios. Individuos de una orden de caballería que tuvo principio por los años de 1118 y cuya misión era asegurar los caminos a los que iban a visitar los Santos Lugares de Jerusalén. Se tiene por fundador de esta orden a Hugues des Payns, de la Champaña (Francia), y en ella figuraban muchos franceses, quienes se dieron el

El termómetro marca los cambios de temperatura que se registran en el medio ambiente.

Corel Stock Photo Library

nombre de *Caballeros pobres de la Ciudad Santa*. El nombre de templarios se deriva de que sus fundadores fueron alojados por el rey de Jerusalén, Balduino II, y tuvieron sus cuarteles en un palacio adjunto al Templo de Salomón. El papa Honorio II hizo aprobar en el Concilio de Troyes esta nueva orden y san Bernardo escribió sus reglamentos por los que aceptaban la regla benedictina y prestaban los tres votos de religión juntamente con el de cruzados; vistieron el hábito blanco cisterciense con una cruz roja que campeaba también en el estandarte blanco y negro de que eran portadores. Norma de los caballeros pertenecientes a esta orden era aceptar siempre el combate aunque fuera de uno contra tres y no pedir cuartel ni conceder rescate. En sus dos siglos de existencia dieron buena prueba de su heroísmo, pues murieron en lid unos 20,000 templarios. Estaban divididos en caballeros, escuderos y clérigos, y su jefe ostentaba el título de gran maestre, con jerarquía de príncipe. En orden inferior figuraban los *hermanos sirvientes*. Mientras duraron las Cruzadas a Tierra Santa, los templarios prestaron grandes servicios a la cristiandad, pero después chocaron en diversas oportunidades con sus rivales, los hospitalarios. Aunque no están suficientemente esclarecidas las ceremonias secretas de la orden, refiérese que las iniciaciones se efectuaban en templos, de noche y a puerta cerrada, a los que no era permitida la entrada ni al mismo rey. Todos los países de Europa contribuyeron al engrandecimiento de la orden; pero, la acumulación de riquezas hizo que, andando el tiempo, dejase de ser popular. Felipe IV de Francia resolvió apoderarse de sus cuantiosos bienes, para lo cual les entabló proceso. En 1307, mientras comunicaba al papa las acusaciones contra ellos, detuvo en un solo día a todos los miembros de la orden de su reino. Sometidos a crueles torturas, los templarios confesaron cargos que la historia se resiste a creer como verdaderos, y muchos de sus integrantes, entre ellos el gran maestre Jacques de Molay, fueron condenados a morir en la hoguera. El papa Clemente V suprimió la orden en 1312. Los reyes de Castilla y Portugal cumplieron esta resolución también en sus reinos, pero trataron a los templarios con mayor clemencia que el rey de Francia. Los bienes de la orden pasaron a la de San Juan. Tras dos siglos de actividad, los templarios ya casi habían desaparecido en Europa. *Véanse* CRUZADAS; ORDEN RELIGIOSA.

temple. Punto de dureza o elasticidad que se da a un metal, especialmente el acero, al templarlo. Esta operación tiene por finalidad estabilizar en frío las estructuras que se forman en caliente, mejorándose las propiedades mecánicas del metal. Con el temple se aumentan el límite de elasticidad, la resistencia a la rotura por tracción y la dureza. El calentamiento de las piezas debe ser regular y uniforme, para lo cual se introducen en baños de sales fundidas calentados en hornos de crisol que evitan todo contacto con el aire y la oxidación. Una vez que el acero ha llegado de 25 °C a 80 °C por encima de su temperatura crítica, se efectúa el temple por inmersión rápida en aceite o agua. Los forjadores de las famosas espadas de Toledo atribuían antiguamente ciertas propiedades especiales a determinadas aguas que utilizaban para el enfriamiento del templado. Posteriormente, se consideró que tal atribución carecía de fundamento, aceptándose que las temperaturas extremas del agua, inferiores a -5 °C o superiores a 25 °C influyen mucho en los resultados del temple. El temple también puede obtenerse sumergiendo el metal al rojo en aceite en lugar de agua, lo que se llama temple al aceite, o por corriente de aire, natural o a presión, utilizándose asimismo el petróleo, el mercurio, el plomo fundido etcétera.

temple. Uno de los más sencillos y antiguos procedimientos pictóricos, en el cual se emplean los colores molidos y diluidos en agua, a los que se adiciona, al usarlos, templa gomosa, miel, leche y clara de huevo, o simplemente cola de carpintero muy aguada. Sus efectos son sumamente parecidos a los de la pintura al fresco. Se emplea principalmente sobre lienzo burdo, siendo el sistema que más se utiliza en la escenografía teatral. Las pinturas murales de Egipto, Babilonia y Grecia, los sarcófagos de las momias egipcias y los rollos de papiros están ejecutados al temple; los cristianos decoraron al temple sus retablos hasta el siglo XV. Antes de la invención de la pintura al óleo, los artistas pintaron al temple la mayor parte de sus cuadros de caballete.

Temple, Shirley (1928-). Actriz y diplomática estadounidense. Fue una niña prodigio en el cine de los años treinta. Durante la época de la depresión se consagró en los filmes *Little Miss Marker* (1934), *The Little Colonel* (1935), *Captain January* (1936), *Heidi* (1937) y *Rebeca of Sunny Brook Farm* (1938). En 1949 se retiró de la cinematografía para dedicarse a las actividades políticas. Fue delegada en las Naciones Unidas (1969), embajadora en Ghana (1974) y en Checoslovaquia (1989). Su autobiografía, *Child Star*, se publicó en 1989.

templo. Edificio o lugar destinado pública y exclusivamente al culto, del que son parte principal las imágenes y objetos sagrados que en él se guardan. Desde los tiempos más remotos el hombre erigió templos a sus dioses, como lo reve-

Los templos son lugares sagrados de reunión.

lan multitud de vestigios pertenecientes a épocas primitivas, en las cuales, identificados a veces los cultos a la divinidad y a los muertos, los lugares sagrados solían establecerse en las proximidades de los cementerios. Durante mucho tiempo el templo ha constituido el lugar obligado de reunión del pueblo, celebrándose en él grandes ceremonias con despliegues de solemnidad.

témpora. Tiempo de ayuno al comienzo de cada una de las cuatro estaciones del año. Este ayuno era obligado, por precepto de la Iglesia, en tres días de la semana: miércoles, viernes y sábado. Después quedó reducido a abstinencia de carne los viernes. Las témporas son de origen judío: en el siglo XII se extendió su liturgia a todo el Occidente desde Roma.

Temuco. Ciudad de Chile, capital de la región de la Araucania y de la provincia de Cautín, llamada *el granero de Chile*, rodeada de grandes bosques que producen excelentes maderas duras. Fue fundada en 1881 y se puede decir que su nacimiento coincide con la pacificación total de la Araucania. Es una próspera ciudad de 217,800 habitantes, moderna y en rápido desarrollo. Temuco es la puerta de entrada a la región de los lagos y de la zona donde vive la mayor parte de la población mapuche (calculada en 250,000 h). Es centro de intensas actividades agrícolas, ganaderas y madereras.

Tena. Ciudad de Ecuador, capital de la provincia y del cantón de Napo: su pobla-

Playa de las Americas en Tenerife, Canarias

ción es de 2,975 habitantes. Situada en el valle del río Napo, centro agrícola de una zona productora de café, caña de azúcar arroz y plátano.

tenacidad. Propiedad de los cuerpos para resistir los impulsos exteriores que puedan sufrir y para soportar sin romperse, ni deformarse en su estructura, los esfuerzos de tracción o peso a que puedan hallarse sometidos. Los alambres estirados en frío, especialmente si son de hierro, acero, latón o platino, tienen considerable tenacidad, la cual disminuye cuando éstos son calentados al rojo. Existen fórmulas, como las de Adolph Martens, para calcular el grado de tenacidad de los cuerpos, así como aparatos de experimentación apropiados para determinarla. Tienen importante aplicación en los estudios de la resistencia de los materiales de construcción, pudiéndose determinar mediante a los mismos, las clases espesores, formas, modos de fabricación, etcétera, que más convenga emplear, según el uso a que hayan de ser destinados.

Tenayuca. Zona arqueológica mexicana, a 10 km de la ciudad de México. En ella se ha excavado un centro piramidal en el que se han descubierto hasta seis construcciones sucesivas superpuestas, las dos últimas del periodo azteca. Esta estructura sigue el modelo del gran templo de Tenochtitlán. En el lugar denominado Santa Cecilia hay otra pequeña pirámide azteca, la única que conserva intacto el techo de su templo.

tenca. Pez ciprínido de agua dulce perteneciente al género *Tinca*. El cuerpo, de unos 30 cm de largo, está cubierto de escamas muy pequeñas, sobre las que se extiende una piel transparente de color verde rojizo en el dorso y blanco en el vientre. En las comisuras de la boca tiene dos barbillas cortas. La aleta dorsal es corta y alta, sin espinas óseas, las pectorales y abdominales poco desarrolladas y la cola poco ahorquillada. Vive en las aguas tranquilas, estancadas, entre el lodo de los fondos.

tendón. Haz de fibras blancas y fuertes que une los músculos con los huesos. Pueden ser redondos y largos, o cortos y aplastados, constando siempre de numerosas fibras paralelas muy unidas, que por un extremo se combinan con las fibras musculares y por el otro con el periostio, membrana fibrosa que recubre el hueso. A veces se halla encerrado el tendón bajo una capa denominada vaina sinovial.

tenencia y depósito de armas. Delito cometido por quienes poseen armas de fuego fuera del propio domicilio sin tener guía ni licencia, o en el propio domicilio sin la guía de pertenencia.

La intervención en este aspecto se hace cada vez mas acentuada y aparece en numerosos ordenamientos legales, variando únicamente la inclusión de regulación en leyes especiales o en el Código penal. En la descripción de este delito se distingue una tenencia dentro del domicilio y otra fuera de él. En este último caso se exige la guía. Por armas de fuego, a los efectos penales, se entienden sólo las cortas y las largas de cañón rayado.

Tenerife. Isla del océano Atlántico, la más extensa y elevada de las que componen el archipiélago Canario (España), situada entre las de Gomera y Gran Canaria. Dista unos 300 km de tierra firme (costa de África); su área es de 1,940 km², y su an-

chura máxima de 55 km. Avanzada marítima de la cordillera del Atlas, esta isla, como las demás del archipiélago, es de origen volcánico. La atraviesa una áspera y elevada cordillera de rapidísimas pendientes, cuyos picos frecuentemente superan los 2,000 m de altitud. El más elevado, el Pico del Teide, mide 3,710 m de altura. No hay ríos importantes, pero sí grandes y violentos torrentes. Su clima es suave, con inviernos templados y veranos dulcificados por los vientos marinos. Famoso en todo el mundo por su dulce clima y exuberante vegetación, es el valle de La Orotava, al pie del Teide, al que Humboldt llamó un paraíso terrenal. La economía isleña es fundamentalmente agrícola; produce bananas, tabaco, patatas y frutas diversas. La isla forma parte, administrativamente, de la provincia de Santa Cruz de Tenerife. Sus primitivos pobladores fueron los guanches, destruidos en gran parte por las luchas que sostuvieron en el siglo XV contra los conquistadores normandos y castellanos, pero cuyos rasgos fisonómicos aun conserva la población rural de ciertos valles interiores. La principal ciudad de la isla es Santa Cruz de Tenerife, capital de la provincia homónima. Cuenta con 708,973 habitantes.

tenia. Gusano platelminto de la clase de los cestodos que, como parásito, vive en el intestino del hombre y de algunos animales. Su cuerpo es aplanado y la cabeza, pequeña, se halla provista de ventosas y en algunas especies de ganchos que le sirven para sujetarse en las paredes intestinales. Su longitud es variable, de unos mm a algunos m. Existen diversas especies, entre las que podemos mencionar la *Taenia solium* o del cerdo, llamada tam-

Formación rocosa en la isla de Tenerife.

bién solitaria; la *Taenia saginata* o del buey, la *Taenia multiceps* o del pero, la *Taenia pisiformis* (o *Taenia serrata*) también del perro, la *Taenia crassiceps* o de la zorra. La *Dipylidium caninum* es propia del perro, aunque también puede encontrarse en algunos niños. La *Hymenolepis nana* es propia del intestino delgado de los niño y la *Diphyllobotrium latum* alcanza de 8 a 10 m de longitud y puede encontrarse en el hombre. El hombre se infecta por comer carnes de cerdo o buey, imperfectamente cocidas, que contienen las larvas del parásito o por ingerir caviar o pescados infectados. Es conocida la acción dañina de la *Taenia equinococo* que produce quistes en el hígado, el pulmón y otros órganos. El hombre se infecta por los perros enfermos cuando éstos le lamen las manos; los perros se infectan por comer carne que contenga quistes hidatídicos. Entre los animales domésticos, pueden infectarse el buey, cerdo y cordero, y entre los salvajes, el lobo y el chacal.

teniente. Oficial del ejército de tierra o del aire a quien regiamentariamente corresponde el mando de una sección. Es la graduación inicial de los aficiales profesionales al terminar sus estudios en las academias militares. Se corresponde con el de alférez de navío de la marina. El teniente puede ser considerado como un colaborador o ayudante con autoridad específica. En la administración municipal de ciertos países existen los tenientes de alcalde, que sustituyen a éste en los casos de ausencia, vacante o impedimento; en la de justicia, los tenientes fiscales, que suplen, cuando procede, al fiscal jefe; en el Ejército y en la Marina, los tenientes constituyen el grado intermedio entre el alférez y el capitán, habiendo además, tenientes coroneles y tenientes generales. En Francia y España se llamó teniente del reino o teniente real al funcionario que representaba al rey en su totalidad o en parte.

Teniers, David llamado *el Joven* (1610-1690). Pintor flamenco de gran fecundidad; se conocen de él unas 2 mil obras. Sus cuadros, muy apreciados por el rey Felipe IV de España, son en su casi totalidad escenas campesinas y populares. En un principio fue muy influido por Peter Paul Rubens. Los cuadros de su última época más originales, se distinguen por su hermosa tonalidad dorada y sus efectos de luces y sombras. Su padre, del mismo nombre y apellido, denominado *el Viejo* (1582-1649), fue pintor fecundo, principalmente de temas y costumbres populares, que llevó al lienzo con perfección y originalidad.

tenis. Juego de pelota que se practica entre dos o cuatro personas. Se le atribu-

ye gran antigüedad, pues en Grecia y Roma se practicaba una forma de juego de pelota que se cree haya sido antecesora del tenis. Alrededor del siglo XIV, un juego de pelota y raqueta aparece en Francia practicado por la nobleza. De allí tomó el nombre de *royal tennis*, y solía jugarse en un espacio techado; más tarde, al jugarse en espacios abiertos, surgió la denominación de *lawn tennis* (*lawn*, prado) y, en la actualidad, todo el mundo lo conoce por tenis, palabra ésta derivada del francés *tenez*, que implica una orden en el comienzo del juego. De Francia el juego se extendió a Inglaterra, y en los siglos XVI y XVII, fue muy practicado en ambas naciones. En Inglaterra, Walter Wingfield introdujo grandes modificaciones al juego en 1874, año que se suele citar como el del origen del tenis moderno. En 1877 se efectuó el primer campeonato en el famoso campo de Wimbledon, donde posteriormente habrían de competir las grandes estrellas internacionales de este deporte. En 1875 el tenis se introdujo en Estados Unidos y ganó inmediatamente numerosos simpatizantes, comenzando poco a poco a expandirse por toda América.

Este deporte saludable, que se practica generalmente al aire libre, se ha difundido rápidamente en todo el mundo, gracias al interés despertado por su desarrollo, nunca librado a la suerte, sino a la destreza de los contendientes, quienes despliegan gracia y armonía de movimientos, al par que agilidad mental y técnica.

El juego se rige por las disposiciones de la Federación Internacional de Lawn Tennis. El campo o cancha es un rectángulo dividido en su centro por una red. El piso de la cancha puede ser de tierra, césped, cemento, grava o madera. Paralelamente, pero distanciadas 6.40 m de la red, se marcan las líneas llamadas de servicio, límite de la zona en donde la pelota deberá rebotar para que el juego se considere válido; a esta zona la divide una línea central en cuatro cuadrados, dos de cada lado de la red.

En el tenis pueden competir dos personas, en cuyo caso el juego es individual (*single*), o cuatro, o sea dos parejas, llamándose entonces doble. Las pelotas deben ser de caucho, recubiertas de franela blanca o amarilla, y la raqueta puede ser de diferentes materiales (aluminio, grafito, madera) con red o rejilla de cuerdas tirantes de tripa o de nailon.

Antes de comenzar un partido, la suerte decidirá a quién le corresponde tirar la primera pelota; al contrario le queda la alternativa de elegir el lado. Comenzando el juego desde el cuadrado derecho, el jugador que realiza el saque procura que la pelota vaya, en dirección diagonal, por encima de la red, a caer en el cuadro opuesto del contrincante; si esto no sucede, el

Corel Stock Photo Library

Jugador de tenis en Wimbledon, Inglaterra.

sacador tiene opción a otro tiro que, si resulta malo, concederá un tanto de ventaja al oponente.

Esta primera pelota, el jugador trata de arrojarla con rapidez y golpearla con la raqueta, de manera tal, que el contrario no pueda devolverla, y de este modo procúrase puntos a su favor. La pelota debe obligatoriamente tocar una sola vez el suelo del cuadro que corresponde, antes de que el contrario la golpee, y luego se continúa el juego sin necesidad de que la pelota bote y sin distinción de cuadros, pero sí siempre dentro de las líneas de servicio, hasta que se produzca una falta; en este caso, el saque se realizará desde el mismo lado, pero desde el cuadro izquierdo. Luego de cada juego, los contendientes cambian posiciones, es decir, el sacador pasa a recibir la pelota y el contrario a efectuar el saque.

La anotación se hace en la siguiente forma: en el primer tanto se cuentan 15 puntos, 30 en el segundo, en el tercero 40 y en el cuarto 50; esto constituye un juego, excepto cuando los jugadores están 40 a 40; en ese caso, el primero que realiza dos tantos seguidos, gana el juego. Seis juegos forman un *set*, y cinco *sets*, un *match* o partido. El jugador que se anota tres de los cinco *sets* gana el partido.

Este deporte, que tiene tantos aficionados, en todo el mundo, obtuvo gran difusión en toda América, donde se practica con entusiasmo. Desde la institución de la Copa Davis, en el año 1900, otorgada al mejor equipo mundial en honor del jugador estadounidense Dwight F. Davis, el tenis adquirió categoría de gran deporte internacional.

Tennessee

Tennessee. Estado sureño que se expande cerca de 770 km desde los montes Apalaches en el este hasta el río Mississippi en el oeste. Colinda con Kentucky y Virginia en el norte; North Carolina en el este; Georgia, Alabama y Mississippi al sur; y Arkansas y Missouri al oeste.

Tierra y Recursos. La mayoría de la tierra de Tennessee es fina y rocosa. Los cerros empinados están sujetos a fuerte erosión y tienen poca fertilidad natural. Cerca del río Mississippi existen gruesos depósitos pantanosos o lodosos.

Roca, carbón, zinc, arena, grava rocosa de fosfato, cobre y barros son los minerales principales por su valor. La barita, sulfuro y piedra caliza también son importantes, pero el agua es el recurso natural más altamente desarrollado en Tennessee. Las autoridades del valle de Tennessee (*Tennessee Valley Authority*, TVA) cambiaron al río Tennessee y sus afluencias principales de arroyos de corrientes en pendiente en una serie de reservas tranquilas detrás de presas de concreto y acero.

Clima. Varía entre los veranos largos y cálidos y los inviernos templados en la parte más al sur del estado, y los inviernos más severos y veranos más cortos en el oeste medio. El promedio de temperatura en el oeste es de 50 °C y de 30 °C en el este en el mes de enero. Las temperaturas en julio son de 26 °C en el oeste y de 25 °C en el este. Las montañas del este reciben más lluvia (1,270-1,525 mm) que cualquier otra parte del país. El promedio de precipitación en el resto del estado es de 1,270 milímetros.

Hidrografía. Los ríos Tennessee y Cumberland forman amplios meandros desde Kentucky hasta Tennessee y de vuelta, desembocando en el río Ohio. Los ríos en el este de Tennessee fluyen directamente hacia el Mississippi.

Vida vegetal y animal. Cerca de la mitad de Tennessee está repleto de bosques. El este de Tennessee contiene una mezcla de bosques de maderas blandas y duras, mientras que en la mayoría de las otras áreas dominan los bosques de maderas duras. Los árboles de cedro son abundantes en la meseta de Nashville. La fauna silvestre está ahora protegida estrictamente.

Actividad económica. La economía está diversificada en manufactura y comercio al mayoreo y menudeo. La manufactura contribuye con cerca de 25% del producto interno bruto y el comercio aproximadamente con 20%. El Laboratorio Nacional de Oak Ridge y el *Tennessee Valley Authority*, administradas principalmente en Knoxville y Chatanooga, emplean a la mayoría de los científicos e ingenieros. Las industrias principales incluyen la de químicos, alimentos procesados, equipo de transporte, maquinaria y equipo industrial, equipo eléctrico y electrónico, productos metáli-

Vista parcial de la ciudad de Memphis, Tennessee.

cos fabricados, plásticos y hules, imprentas y publicaciones y del vestido. Dos importantes operadoras de ensamblaje de automóviles han sido construidas cerca de Smyrna y Spring Hill, justo al sur de Nashville. El sector agrícola emplea sólo un pequeño porcentaje de la fuerza laboral del estado. Los productos ganaderos representan más de la mitad de todo el ingreso proveniente de granjas, y el ganado es el producto líder. Otros productos importantes son lácteos, frijol de soya, algodón, tabaco, trigo y maíz. La crianza y entrenamiento del famoso Tennessee Walking Horse (caballo caminador de Tennessee) es una industria significativa en el centro y oeste del estado. Existen zonas boscosas comerciales; los bosques de maderas pesadas conforman aproximadamente 80% de la producción de maderas y 75% de las cosechas. La pesca comercial no es de importancia notable, sin embargo la pesca deportiva es promovida por los numerosos lagos del TVA y de la Corporación de Ingenieros de Estados Unidos, y por los arroyos repletos de trucha en las montañas. La *Tennessee Valley Authoritty*, agencia del gobierno federal, genera casi toda la energía eléctrica. La mayor parte de esa electricidad es generada en plantas de vapor incineradoras de carbón. El resto proviene de generación en plantas nucleoeléctricas e hidroeléctricas. Actualmente mantiene sus tradicionales contrastes entre el este industrializado y un oeste más agrícola.

Turismo. Las principales atracciones en Nashville incluyen el distrito histórico de Beale Street, el museo del río Mississippi en Mud Island y la casa de Elvis Presley en Memphis. Nashville, hogar del Grand Ole Orpy, y el centro nacional de música country y del oeste, es la sede del Country Music Hall of

Fame. El Partenón de Nashville es una réplica exacta del Partenón griego, y fue construido en 1897 para el centenario de Tennessee. El acuario de Tennessee en Chatanooga es el más grande del mundo con la característica de albergar especies de agua dulce. El Parque Nacional de las montañas Great Smoky recibe millones de visitantes anualmente. Los montículos de Pinson, cerca de Jackson, cuentan con sitios arqueológicos sobresalientes y los restos de una ciudad indígena, y el Parque Histórico Nacional de Cumberland Gap atrae visitantes. El estado también mantiene los parque estatales y las áreas recreativas.

Tennyson, Alfred, lord (1809-1892). Poeta inglés. Hijo de un pastor protestante, recibió esmerada educación en la Universidad de Cambridge, donde le premiaron sus primeros versos. Un tomo de *Poemas* publicado en 1842 extendió su fama más allá de su patria. Después viajó por varios países de Europa. Las obras que le dieron celebridad son: *Locksley Hall*, *Ulises*, *In memoriam* (1850), poema dedicado a Hallan, su más querido amigo de la infancia, donde volcó su ternura con un lirismo entrañable; *Oda a la muerte del duque de Wellington* (1852), *Los idilios del rey* (1859-1880), ciclo de romances basados en las leyendas del rey Arturo y de los caballeros de la Mesa Redonda, y *La carga de la brigada ligera* (1854). Después se dedicó a glosar, en versos de impecable factura, los acontecimientos más importantes de la historia de Inglaterra. *La reina María*

Tumba de Elvis Presley en Graceland, Memphis, Tennessee.

(1875), *El halcón*, y *Harold* (1876), son obras dramáticas.

En New York se estrenó en 1892 su última obra dramática, *Los guardabosques*. En 1850, a la muerte de William Wordsworth, fue designado para ocupar el cargo honorífico de *poeta laureado de la corte*, y en 1883 recibió el título de barón. Cuando murió fue enterrado en la abadía de Westminster con los honores nacionales. Sus principales poemas, traducidos a las lenguas cultas de Europa, inspiraron comentarios encontrados y opuestos. La poesía de Tennyson se caracteriza por la fuerza imaginativa, perfección y elegancia en la forma, belleza en el estilo y nobleza de sentimiento. Fue un romántico moderado y sobresalió, sobre todo, en el tono elegíaco y lírico. Gozó de gran popularidad, e Inglaterra lo considera entre sus grandes poetas.

Tenoch (s. XIII).

Gran sacerdote y caudillo de los aztecas, a los que dirigió y gobernó durante su peregrinación hasta llegar al valle de México, donde fundó la ciudad de México-Tenochtitlán (1325), que habría de ser el núcleo de un gran imperio precolombino. Se supone que murió hacia 1373. Fue de espíritu indomable y valeroso, sabio y prudente, gran conductor de hombres y fundador de pueblos. En la historia de los antiguos aztecas, desempeñó un papel que ha sido comparado con el de Moisés cuando llevó a los israelitas desde Egipto a la tierra de promisión. *Véanse* AZTECAS; MÉXICO *(Historia)*; MÉXICO-TENOCHTITLÁN.

Tenochtitlán.

Ciudad mesoamericana fundada por los mexicas hacia 1325 sobre unos islotes de la parte meridional del lago de Tetzcoco. Constituyó la capital del imperio azteca. Sus pobladores acarrearon tierra, piedras y postes desde las orillas del lago para consolidar el centro de la población, y fueron extendiendo los límites por el sistema de chinampas, parcelas de cultivo formadas por cercas de pilotes que se enterraban en el fango y se rellenaban con tierra. Dado que el territorio era dominado por los tepanecas de Azcapotzalco, durante el primer siglo de su existencia sus habitantes pagaron tributo a este pueblo. A los pocos años de fundada, por problemas de división de tierras, perdió parte de la población, que fue a habitar a una isla muy próxima, la cual recibió el nombre de Tlatelolco (1337). Durante el reinado de Huitzilihuitl (1396-1417) se desarrolló en Tenochtitlán la independencia de los telares. La ciudad se independizó de los tepanecas durante el gobierno de Itzcóatl (1428-1440), y el acueducto de Chapultepec a Tenochtitlán, planeado por sus antecesores, fue por fin construido por Moctezuma I (1440-1469), quien acordó la construcción del Gran Teocalli, el cual no

Corel Stock Photo Library

Tenochtitlan se encuentra cubierta por las construcciones del centro histórico de la ciudad de México.

llegó a inaugurar. Durante su reinado se inundó la ciudad (1449), y, por consejo de Netzahualcóyotl, mandó edificar un gran dique para contener las aguas de los ríos vecinos que desaguaban en el lago de Tetzcoco y causaban inundaciones. Ahuitzotl (1486-1502) embelleció la capital y a fines del siglo XV, en el apogeo del imperio, llegó a ser la mas poblada de América. En esta época contaba con unos 100.000 habitantes, pero padeció entonces la mas grande y devastadora de las inundaciones (1499). Su sucesor, Moctezuma II (1502-1520), volvió a dar esplendor a la capital azteca.

En 1519 llegaron a ella los españoles, que fueron recibidos en paz, pero capturaron a Moctezuma. Se inició la contienda (1520-1521) y la ciudad fue arrasada por Hernán Cortés, que en el mismo sitio construyó la que fue origen de la actual ciudad de México.

Arte. La traza de la ciudad tenochca obedeció a un arquetipo religioso, una gran cruz que representaba la superficie de la tierra. En el centro quedaban la pirámide del dios tutelar, Huitzilopochtli, y los edificios de culto más importantes, cuatro grandes divisiones partían de ahí, los llamados *naubcampan*: Atzacualco, Cuepopan, Moyotlan y Zoquiapan. Quedaba así dividida por dos ejes perpendiculares que se prolongaban en calzadas que comunicaban la población con tierra firme: una hacia el norte, hasta Tepéyacac; otra al occidente, hasta Tlacopan, y otra al sur, que se bifurcaba hacia Itztapalapa y Coyohuacan. En el centro de la ciudad se encontraba el templo Mayor, un recinto de 500 m de lado que contenía mas de 60 edificios destinados al culto. Los

edificios religiosos mas importantes eran la gran pirámide de Tláloc y Huitzilopochtli, rematada por dos adoratorios; el templo de Quetzalchatl, de planta circular, a cuyo interior se penetraba a través de las fauces abiertas de una serpiente de piedra; el juego de pelota, y el *tzompantli*, edificio en que se colocaban los cráneos de los sacrificados. Próximos al templo Mayor estaban los palacios de Axayácatl y de Motecuhzoma Xocoyotzin. Hacia el norte de la isla, separada apenas por un canal, se encontraba la ciudad hermana de México-Tlatelolco. El grado de destrucción de la ciudad prehispánica después de la conquista y el celo de los misioneros por acabar con todo vestigio de la antigua religión impidieron la conservación de edificios, esculturas y pinturas. No obstante, monolitos de gran belleza, como la Piedra del Sol, pudieron ser recuperados. Diversas excavaciones realizadas desde principios de siglo han permitido conocer la base de la escalinata del templo de Tláloc y Huitzilopochtli, en el centro de la ciudad; un pequeño adoratorio de planta circular, dedicado a Ehécatl-Quetzalcóatl, y diversas piezas escultóricas valiosas, entre ellas una lápida en que aparece la diosa de la Luna, Coyolxauhqui, con la cabeza y los miembros cercenados.

tenor.

La más alta de las voces adultas masculinas. Su extensión normal es de alrededor de dos octavas: desde el *do* bajo hasta el *do* alto. Se distinguen dos géneros de tenor: el lírico y el dramático.

La voz del primero es fina y de timbre claro, de sonidos graves menos poderosos que los del segundo, pero alcanzando en los agudos mayor extensión; la del tenor dramático es una voz rica y poderosa, con más fuerte extensión baja que la otra, que se caracteriza por un registro potente y de timbre análogo al del barítono. Tenores dramáticos famosos fueron: Tamberlick, Gilbert Louis Duprez, Mario, Francisco Tamagno y Jean de Reszké, y entre los líricos sobresalieron Julián Gayerre, Gardoni, Rubini, Massini, Enrico Caruso, Miguel Fleta, Ángel Lázaro y Bonci. *Véanse* MÚSICA; VOZ.

tensión. Estado peculiar de los cuerpos sólidos y fluidos, caracterizado por la conjunción de dos fuerzas antagónicas: una que tiende a separar sus moléculas y otra que las une tenazmente. Este fenómeno hace que los cuerpos adopten formas que correspondan a un mínimo de superficie de volumen. La tensión puede observarse fácilmente en los cuerpos de naturaleza muy elástica, susceptibles de contraerse o dilatarse visiblemente a causa de la temperatura, tales como los alambres de las líneas telefónicas o el vapor producido por la ebullición del agua. Los aparatos destinados a medir esta fuerza reciben distintos nombres. Los dinamómetros se utilizan para las tensiones puramente mecánicas, los voltímetros, para las eléctricas, los manómetros, para las gaseosas, los esfigmomanómetros para la sangre, etcétera.

tensión sanguínea. *Véase* SANGRE.

tentáculo. Apéndice móvil de numerosos animales, en especial de los moluscos, crustáceos y zoófitos. Sirve como órgano del tacto o como una especie de brazo rudimentario que atrapa los alimentos. Su aspecto suele variar considerablemente: son tentáculos las múltiples prolongaciones de los braquiópodos, los elementos que circundan la boca de los pólipos, las prolongaciones de la cabeza de los moluscos y los brazos de los cefalópodos.

teocalli o teocali. Es el nombre que se le daba al templo de los aztecas y de otras culturas prehispánicas de México, y se deriva de *teotl*, dios, y *calli*, casa. Tenía la forma de una pirámide truncada, la posición y construcción de la cual se determinaban con gran precisión, para que estuviese orientada según los cálculos astronómicos. En su lado frontal tenía escaleras para ascender a la cúspide, en cuya plataforma se erigían capillas o adoratorios a los dioses a quienes se dedicaba el templo. A veces se construían varios templos en un solo recinto, y a éste se le daba el nombre de *Gran Teocalli* o Templo Mayor. En México-Tenochtitlán, existía un *Gran Teocalli* de vastas proporciones, sólo superado por el de Texcoco, que era el mayor de Anáhuac. *Véase* AZTECAS.

teocracia. Forma de gobierno ejercida en nombre de la divinidad por el sacerdocio que interpreta las leyes y ejerce la autoridad lo mismo en materia civil que religiosa. Muchos pueblos antiguos la practicaron, pues creían que su dios o sus dioses habían transmitido las leyes por las que debían regirse. El famoso Código de Hammurabi se supuso que había sido revelado de ese modo. La teocracia más famosa fue la de los judíos, cuya ley fue dada por Dios a Moisés. Otro ejemplo de teocracia es la del pueblo musulmán, pues el Corán constituye su fuente única de derecho civil y religioso; Mahoma no sólo fue el fundador y pontífice de su religión, sino también el jefe civil de los musulmanes, lo mismo que lo fueron luego los califas, sus sucesores. Esta forma político-social arcaica existió también en algunos pueblos de América, principalmente entre incas y aztecas, quienes divinizaron al jefe como gran sacerdote y como rey. Existe en el Tibet, donde el poder político es ejercido por el Dalai Lama. El caso más moderno de teocracia fue el de los mormones del Estado de Utah (Estados Unidos). También el gobierno puritano de Massachusetts fue considerado una teocracia.

Teócrito (310-250 a. C.). Poeta griego. Nació en Siracusa (Sicilia) y vivió en la isla de Cos en Sicilia, Alejandría y Mileto. Los temas de sus obras son muy variados: escenas de la ciudad y del campo, episodios de la mitología o historias de amor. Es, sin duda, el padre de la poesía bucólica, que presenta la vida de los pastores como una vida ideal, e influyó notablemente en el poeta romano Virgilio y en los poetas europeos del Renacimiento. De la obra de Teócrito llegaron a la posteridad 30 poemas, 22 epigramas y varios fragmentos. Los volúmenes principales en que esa obra poética ha sido

Tentáculos de medusa.

Corel Stock Photo Library

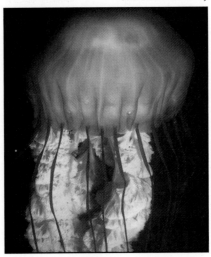

conservada se conocen con los nombres de *Idilios, Bucólicas* y *Epigramas.*

teodolito. Instrumento de precisión que se emplea para medir los ángulos reducidos al horizonte. Se utiliza en mediciones y cálculos topográficos y geodésicos. Sirve también para determinar el acimut y la distancia cenital de una estrella. Se compone de un círculo horizontal y un semicírculo vertical, ambos graduados y provistos de anteojos, para medir ángulos en sus planos respectivos. Sobre ambos se coloca un soporte de dos brazos, en cuyas extremidades superiores se fija un eje cilíndrico que sostiene un anteojo de observación. El círculo y el semicírculo van provistos de sendos nonios opuestos diametralmente, y las lecturas se facilitan mediante el microscopio. El estudio del movimiento del aire en distintas alturas para investigaciones meteorológicas se efectúa por medio del teodolito Casella, en comunicación con un cronógrafo y un dispositivo registrador, con el cual se observa el movimiento ascensional y la distancia recorrida por pequeños globos que se lanzan al espacio. Para medir el valor de la declinación magnética se utiliza el teodolito magnético, provisto en su parte alta de una brújula, los extremos de cuya aguja pasan por encima de un limbo de aluminio, graduado, cuya línea de 0°-180° está en el mismo plano vertical que el eje del anteojo; dos microscopios enfocan a los nonios del limbo graduado, para leer con exactitud. *Véase* TAQUÍMETRO.

Teodora (500-548). Emperatriz bizantina (527-548), esposa del emperador Justiniano. Estuvo singularmente ligada al reinado de su marido, con el que compartió las tareas de gobierno. Era hija de un domador de circo y había sido bailarina. Según Procopio, fue mujer de gran hermosura y que ejerció notable ascendiente sobre el pueblo. *Véase* BIZANCIO.

Teodorico (454-526). Rey de los ostrogodos de Italia (493-526) y uno de los grandes príncipes de su tiempo. Era hijo del rey Teodomiro y nació en la región de Panonia. En Bizancio recibió educación romana de acuerdo con su condición y fue, como su progenitor, un buen aliado de Roma. Venció a Odoacro, que reinaba en Italia, le dio muerte y ello le valió la posesión de toda la península. Se casó con una hermana de Clodoveo, rey de los francos, para consolidar su poder. Secretario suyo fue el estadista y escritor latino Casiodoro, que compartía todas sus ideas y propósitos. Aunque profesó el arrianismo, protegió a los católicos romanos. En sus últimos años se vio amargado por los remordimientos que le causó la muerte del papa Juan I, a quien había encerrado en una cárcel.

Teodosio I, Flavio (346-395). Emperador romano, llamado *el Grande*. Nació en España, hijo de Teodosio, general que se distinguió en las guerras de Bretaña y África. Desde muy joven demostró su valor y talento militar en diversas batallas, por lo cual el emperador romano Graciano, en 378, le ofreció compartir su trono y ocupar la parte oriental de su imperio; éste se hallaba en esos momentos amenazado desde todos los ángulos por hunos, visigodos y ostrogodos; Teodosio no se amilanó, aceptó la oferta y poco más tarde, comprendiendo la inconveniencia de las luchas agotadoras, por medio de pactos y tratados logró que Atanarico, rey de los visigodos, se pusiera de su parte con 40,000 hombres. Poco a poco, cediendo terreno unas veces y combatiendo otras, alejó el peligro, restableciéndose la tranquilidad. De un cristianismo arraigado, instituyó reformas religiosas y persiguió las herejías y el paganismo. En el año 383, Graciano murió asesinado y Máximo ocupó su lugar. Teodosio aceptó al intruso y no reaccionó hasta que éste intentó invadir Italia; entonces lo venció y derrotó también a Arbogasto y a Eugenio, que se habían apoderado de la parte occidental del imperio, y se erigió en único soberano. Sintiéndose enfermo, dividió el imperio entre sus hijos Arcadio (oriente) y Honorio (occidente) y murió cerca de Milán. Mereció el sobrenombre de *Grande* a pesar de su carácter violento, que lo llevó a cometer actos crueles como la matanza de los habitantes de Tesalónica, que ordenó en un momento de cólera. Por ese hecho, san Ambrosio le prohibió el acceso a la basílica de Milán y Teodosio tuvo que arrepentirse de su crueldad y hacer pública penitencia. Por otra parte, como gobernante, por medio de la diplomacia, unas veces, y de la fuerza de las armas, otras, supo contener durante su reinado la inminente decadencia del imperio.

Teofrasto (372-287 a. C.). Filósofo y naturalista griego, discípulo de Platón y Aristóteles y sucesor de este último como jefe de la escuela peripatética. Su famoso tratado *Los caracteres morales*, es una colección de 30 estudios psicológicos sobre diversos tipos humanos. Lo demás de su obra, salvo algunos trabajos sobre botánica, se perdió.

teología. Ciencia que trata de Dios y de sus perfecciones y atributos. En los primeros tiempos del cristianismo tuvo un carácter marcadamente apologético, impreso por la lucha contra herejes y paganos. En el siglo XII adquirió forma la teología escolástica, que obtiene sus conclusiones usando los métodos y principios de la filosofía de Aristóteles. Santo Tomás de Aquino, que vivió en el siglo XIII, es el teó-

Corel Stock Photo Library
La teología es la ciencia que trata de Dios.

logo más reputado del catolicismo. *Véase* ESCOLASTICISMO.

teología de la liberación. Movimiento que nace de la toma de conciencia revolucionaria, muchas veces de inspiración marxista, de diversos grupos cristianos en Iberoamérica. Esta forma de conciencia lleva aparejada la comprobación, a nivel intuitivo, de que la exigencia de liberación es compartida por el cristianismo y el Marxismo desde puntos de partida distintos y la constatación de que los pueblos subdesarrollados son mantenidos en el subdesarrollo por los países ricos, que los explotan, de modo que lo que está en cuestión no es ya el desarrollo *natural* de estos pueblos, sino su liberación. La teología de la liberación se construye, pues, a partir de la aceptación del compromiso de la liberación en la lucha por el Socialismo; el mismo compromiso liberador, en cuanto asumido por cristianos, y desde la fe, contiene en sí sus condiciones cristianas de posibilidad y los elementos necesarios para el quehacer teológico, que se convierte así en una *praxeología de la fe liberadora en el mundo*.

teorema. Palabra derivada de la misma voz griega, que quiere decir proposición que se somete a examen. Su empleo está restringido a las matemáticas donde significa una verdad que hay que probar mediante un razonamiento, que constituye la demostración del teorema, el cual establece una relación entre el supuesto o hipótesis y la conclusión o tesis. Por ejemplo: la proposición geométrica: "La suma de los ángulos de un triángulo vale dos rectos", es

un teorema cuya hipótesis es el supuesto de existir un triángulo, y cuya tesis es que la suma de sus ángulos vale dos rectos. Un teorema es recíproco de otro cuando tiene invertidas la hipótesis y la tesis y es contrario si su hipótesis y su tesis son la negación de la hipótesis y tesis del primero. El teorema recíproco del ejemplo anterior es: "Si la suma de los ángulos de una figura vale dos rectos dicha figura es un triángulo", y el contrario: "Si una figura no es un triángulo, la suma de sus ángulos no vale dos rectos". Debe advertirse que no siempre el teorema recíproco ni el contrario son ciertos.

teoría. Conocimiento especulativo considerado independientemente de toda práctica y aplicación. En el moderno sentido metodológico es la parte racional, constructiva y explicativa de una ciencia, conjunto de razonamientos que dan unidad, interpretación y hacen inteligibles una serie de problemas análogos. Toda teoría debe modificarse según las exigencias del progreso científico, si quiere conservar su valor, y continuar sometida a la verificación y a la contraprueba de los nuevos hechos que se presenten; cuando se la considera perfecta y se deja de verificarla por la experiencia científica, se convierte en doctrina. Toda ciencia se descompone en una serie de doctrinas y dentro de éstas cada teoría se encarga de un aspecto de la doctrina general. Se diferencia del sistema en que mientras éste coordina, ella únicamente explica; pero, se la juzga como sinónimo, cuando equivale a la opinión autorizada de un hombre de ciencia, y así se dice teoría darwinista, teoría einsteiniana, etcétera. Cuando, una teoría representa un conjunto de conocimientos concatenados de manera que proporcionen la explicación completa de cierto orden de hechos, da origen a expresiones tales como teoría de la electricidad, teoría del arte, teoría mecánica del calor, teoría atómica, etcétera. Es cierto que existe oposición manifiesta entre la teoría y la práctica; mas a pesar de ello ambas se complementan, porque la primera tiene como fin la verdad y la segunda, la acción.

teoría atómica. *Véase* ÁTOMO.

teosofía. Doctrina de algunas sectas que pretenden hallarse iluminadas por la divinidad y unidas íntimamente con ella. La teosofía es muy antigua. En los tiempos modernos se calificó de teósofos a los filósofos ocultistas Teofrasto Bombasto, llamado Paracelso, Karl Boehm, Jan Baptista van Cornelio Agripa, Helmont. Entre las varias escuelas la más famosa es la que creó Paracelso en el siglo XVI. El punto de partida de la teosofía es, con raras excepciones, el panteísmo; sus fundamentos descansan

Corel Stock Photo Library

Calzada de los muertos en Teotihuacán, México.

en la pretensión de un conocimiento profundo de la naturaleza íntima de Dios y de las leyes naturales. El teósofo cree que el conocimiento de la verdad no proviene de la razón o de los sentidos, sino de la comunión directa del alma con la realidad divina. Tanto por sus fundadores como por el ambiente y las circunstancias que le dieron origen, el teosofismo es descendiente directo del espiritismo. El pensamiento y doctrina hindú y budista se han convertido en prominentes doctrinas teosóficas, siendo su característica la creencia en la reencarnación, de acuerdo con la ley del Karma, según la cual el espíritu avanza hasta su meta a través de una sucesión de vidas terrenales, y las consecuencias de las acciones del hombre en su vida presente son cosechadas por sus sucesores sobre la tierra en una nueva encarnación. Ésta es la doctrina en que se inspira la Sociedad Teosófica fundada en 1875 por Elena Petrovna Blavatsky, Henry Steel Olcott y Annie Besant, los tres pilares del teosofismo moderno. Esta escuela no limita sus actividades a los aspectos meramente teóricos, sino que persigue reformas prácticas, a base del ideal de una unión fraternal de la humanidad. *Véanse* BESANT, A.; BLAVATSKY, E. P.

Teotihuacán. Gran zona arqueológica a 45 km de la ciudad de México, y a 2.5 km del actual pueblo de San Juan Teotihuacán. Se considera que Teotihuacán fue la capital y ciudad sagrada de los teotihuacanos, creadores de una cultura que floreció de los siglos III al VIII de nuestra era, cultura posterior a la arcaica y diferente de la tolteca, con la que se identificaba hasta hace poco. Las ruinas de Teotihuacán abarcan una extensión de 20 km² aproxi-

madamente, en la que hay diseminadas construcciones de imponente grandeza, que se extienden a lo largo de la llamada Calzada de los Muertos. La Pirámide del Sol, cuya base cuadrada cubre un área de 50,176 m², tiene 224 m por lado y unos 70 m de altura, y es la mayor de México. La Pirámide de la Luna tiene 42 m de alto. La Ciudadela o Templo de Quetzalcóatl, es un vasto cuadrángulo de 400 m por lado, rodeado de muros, plataformas y basamentos piramidales, con una pirámide de regulares dimensiones en el lado del este, bellamente esculpida con grandes serpientes emplumadas, emblema de Quetzalcóatl. Existen otros edificios notables, como los templos de la Agricultura, de Tláloc, de Quetzalcóatl, los subterráneos, las tumbas, etcétera. Se han encontrado esculturas notables, abundantes restos de bellas cerámicas y algunas pinturas murales, entre ellas la notabilísima que representa el paraíso teotihuacano.

tepache. En México, bebida fermentada que se prepara con el jugo de diversas plantas, principalmente del de la caña o de la piña y azúcar morena. Es bebida refrescante aunque, a veces, puede resultar embriagante, según su preparación. Su nombre se deriva del vocablo náhuatl *tepiatl*, que significa bebida de maíz, porque antiguamente se preparaba con ese grano.

teponaztli o teponascle. Palabra de origen náhuatl que significa tambor. Es un instrumento musical de percusión, especie de tambor, que se usaba en varios pueblos precortesianos de México, y que aún emplean algunos indígenas de la época actual. Consiste en un cilindro hueco de madera,

hecho del tronco de un árbol, y que para tocarlo se coloca en posición horizontal, a lo largo de su eje. En la parte superior tiene dos lengüetas, hechas mediante tres incisiones en forma de letra H. El sonido se produce golpeando con una especie de mazos o palillos sobre las lengüetas. El teponaztli era instrumento musical de gran importancia en las ceremonias guerreras y sociales de las antiguas civilizaciones del México prehispánico. Existen en los museos bellos ejemplares de distintas dimensiones, tallados con exquisitos relieves y figuras mitológicas, que admiran por la perfección con que los ejecutó el escultor.

Tequendama, salto de. Imponente caída de agua del río Funza, de unos 150 m de alto, a 20 km al sur de Bogotá (capital de Colombia), a 2,640 m sobre el nivel del mar. Avanza la corriente en aquel punto por entre una naturaleza exuberante, hasta llegar al lugar de la cascada, situada en un anfiteatro de rocas; el torrente rompe en espumas y forma densa niebla de rocío que irisa los rayos del sol, ofreciendo uno de los espectáculos naturales más extraordinarios que es posible imaginar. Desde Bogotá al Tequendama se llega por espléndida carretera y el ruido sordo y estremecedor de la cascada anuncia la proximidad del lugar, en donde hay un restaurante para pasar las horas y admirar el salto y sus alrededores. Una leyenda sobre el origen del salto relata que Chibchacum, divinidad maléfica, envió un gran diluvio que inundó toda la sabana y hubiera exterminado a los indios chibchas si el dios Bochica con su cayado o vara mágica no rompe una gran roca por la cual precipitándose las aguas produjeron la hermosa caída de agua que forma el salto de Tequendama.

tequila. Aguardiente de México, que se hace de ciertas especies de maguey, entre ellas el *Agave tequilana.* La fabricación del tequila ha dado origen a una importante industria licorera en varias regiones de México. Debe su nombre a la ciudad de Tequila, en el estado de Jalisco, de donde se cree que es originario.

Terán, Juan B. (1880-1938). Hombre de letras, educador, sociólogo y jurisconsulto argentino, su nombre ocupa un lugar destacado en la historia de la cultura de su país. Entre sus obras se destacan: *Orígenes medievales del descubrimiento de América, El descubrimiento de América en la historia de Europa* y *Lo gótico, signo de Europa.* En 1914, fundó la Universidad de Tucumán, de la que fue, además, el primer rector. Su brillante carrera de jurisconsulto culminó con su nombramiento de ministro de la Corte Suprema de Justicia.

terapéutica. Rama de la medicina que enseña los preceptos y remedios para el tratamiento de las enfermedades. Terapéutica se deriva del griego en el cual significa curación. Cinco mil años antes de nuestra era, se iniciaron los primeros pasos de una terapéutica mezclada con supersticiones y brujerías. Desde épocas remotas la medicina china ya usaba el opio, y los indios de América empleaban la quina para combatir toda clase de fiebres. En el papiro de Ebers, documento médico escrito hace más de tres mil años, se describen las diversas medicinas que prescribían a los enfermos los médicos del antiguo Egipto. La terapéutica experimentó notable progreso en Grecia, principalmente con Hipócrates (s. V a. C.). En Roma, la medicina llegó a su apogeo con Galeno (s. II d. C.). En la baja Edad Media los conocimientos médicos sufrieron considerable retroceso hasta que, a partir del siglo IX, los árabes iniciaron una nueva era de progreso, en la que sobresalen terapeutas geniales como Avicena y Averroes. Es el tiempo en que más plantas medicinales se conocen; purgantes como el sen, jalapa, maná y aceite de crotón y otros muchos vegetales a los cuales daban diferentes empleos, como el sándalo, alcanfor, azafrán, genciana y nuez vómica. Se crearon los jarabes y extractos, y hubo nueva elaboración de las medicinas. Con este esplendor coincide el de la escuela de Salerno.

En el siglo XIX, la terapéutica empezó a caminar con pasos de gigante. El fisiólogo Claude Bernard y el químico Louis Pasteur fueron maestros geniales que con sus descubrimientos animaron a los demás investigadores. En el transcurso del siglo XIX, y coincidiendo con los avances terapéuticos, la síntesis de los productos químicos beneficia la medicina curativa. Se consiguió aislar la morfina, quinina, estricnina, urea y otros productos del organismo humano. La bacteriología o estudio de los microbios auxilia la terapéutica y se generaliza la vacunación y el empleo de los sueros. El físico Wilhelm Conrad Roentgen en 1895 señala un nuevo camino al descubrir los rayos X. Grandes beneficios para la terapéutica son las radiaciones ultravioletas, infrarrojas y las del radio, éstas descubiertas por los esposos Marie y Pierre Curie. En el siglo XX la terapéutica experimenta nuevos progresos con el descubrimiento de las vitaminas, las sulfamidas, los antibióticos y los radioisótopos derivados de la desintegración del átomo. Todas las naciones civilizadas poseen centros de investigación terapéutica y cada año surgen nuevos medicamentos y métodos para cumplir el fin de la curación. *Véanse* CIRUGÍA; DROGAS; MEDICINA.

teratología. Rama de la biología, relacionada con la embriología, anatomía y patología, que estudia las anomalías y monstruosidades en los seres vivos. Cuando se perturba el desarrollo de un organismo, seproducen alteraciones en su forma externa o en sus órganos internos, las cuales reciben los nombres de anomalías y malformaciones. Los griegos les daban el nombre de *terata*, que significa monstruos. Muchas malformaciones fueron consideradas en la antigüedad como prodigios y sirvieron para representar en forma gráfica a dioses, semidioses y demonios. Jano –el dios de las dos caras–, las sirenas, los cíclopes y muchos otros seres mitológicos tuvieron realmente su imagen en malformaciones humanas. Los antiguos anatómicos dieron a éstas los nombres de: 1) monstruos por defecto, que son aquellos cuyo proceso de desarrollo ha quedado detenido o retrasado provocando la ausencia de algún órgano (aplasia, agenesia) o su desarrollo deficiente (hipoplasia, enanismo); 2) monstruos por exceso, en los cuales se produce el esbozo de un órgano doble o múltiple (formaciones supernumerarias) o el desarrollo excesivo de órganos normales (hiperplasia, gigantismo); 3) monstruos por desarrollo heterotópico, en los cuales se observa el desplazamiento de ciertos órganos o de algunos tejidos (quistes epidermoides y dermoides, tumores perlados).

terbio. Elemento químico de la tabla periódica de los elementos, de la familia de los lantánidos. Su número atómico es 65, su masa atómica 158, 93 y su símbolo es Tb. Posee brillo metálico. Reacciona lentamente con el agua y es soluble en ácidos diluidos. Es muy reactivo, por lo que debe manejarse en atmósfera inerte o en el vacío. Forma sales incoloras. Se encuentra en la naturaleza en forma de óxido junto con los de itrio y erbio, en proporciones muy variables, normalmente pequeñas. Fue descubierto en 1842 por Mosander, que separó a partir de la ytria, tierra rara obtenida de la gadolinita, tres fracciones de óxidos: la ytria propiamente dicha, la erbia y la terbia. Se separa de los óxidos de itrio y erbio mediante resinas cambiadoras de iones, y una vez obtenido el correspondiente fluoruro, por reducción con calcio se obtiene el metal. Se emplea como activador de fósforos; en láseres, y como contaminante para dispositivos semiconductores.

Terborch, Gerardo (1617-1681). Pintor holandés, que sobresalió por el colorido que supo imprimir a sus obras. Luego de aprender con su padre, realizó amplios viajes por Francia, Inglaterra y España, perfeccionando sus conocimientos. Se destacó como retratista y pintor de asuntos históricos. Firmada la paz de Westfalia, el conde de Peñaranda lo presentó en España en la corte de Felipe IV, quien lo designó caballero. Entre sus obras se destacan el cuadro histórico *La paz de Munster, Dama joven lavándose las manos, Militar mostrando unas monedas a una joven, La carta, Asamblea de eclesiásticos,* etcétera. Muchos de sus cuadros se encuentran en los museos de París, Amsterdam y La Haya.

Tercer Estado. *Véase* REVOLUCIÓN FRANCESA.

tercer mundo. El término fue utilizado por vez primera en 1952 por el demó-

Pirámide de Quetzalcoatl en Teotihuacán. México.

Corel Stock Photo Library

grafo francés Alfred Sauvy, (*Le Tiers-Mon-de: sous-développement et développe-ment*) para referirse a los nuevos países independientes de Asia y Africa que no per-tenecían al mundo desarrollado (primer mundo) ni al bloque de países socialistas de Europa central y oriental (segundo mundo), y que fue acuñado por analogía con la expresión Tercer Estado (*Tiers-État*). Los nuevos Estados independien-tes surgidos del proceso de descoloniza-ción iniciado tras la Segunda Guerra Mun-dial tenían como características comunes un reducido nivel de industrialización, una fuerte dependencia económica con sus an-tiguas metrópolis y un bajo nivel de vida. En el plano internacional, estos Estados pretendieron hacer oír sus reivindicacio-nes y alcanzar el papel de actores en un escenario internacional dominado por los dos grandes bloques (capitalista de-sarrollado y soviético).

En los años setenta, los países iberoame-ricanos se identificaron plenamente con el concepto de Tercer Mundo, uniéndose así a los Estados asiáticos y africanos surgidos durante el proceso de descolonización pos-terior a la Segunda Guerra Mundial. Ade-más, la acción de la Organización de Paí-ses Exportadores de Petróleo (OPEP), que consiguió aumentar sustancialmente el pre-cio del petróleo y nacionalizar los recursos, dio nuevas alas al movimiento de países del Tercer Mundo. En abril de 1974, la aproba-ción por la Asamblea General de la ONU de la declaración por un Nuevo Orden Econó-mico Internacional (NOEI) supuso el pun-to culminante de la influencia del Tercer Mundo en la escena internacional. En di-ciembre de 1975 se reunió en París, por vez primera, la Conferencia sobre Cooperación Económica Internacional, también conoci-da como *Diálogo Norte-Sur*, que tenía como objetivo abordar la problemática de las relaciones económicas internacionales entre el mundo desarrollado (Norte) y sub-desarrollado (Sur).

La creciente heterogeneidad económica de los países en desarrollo acabó con la unidad de las reivindicaciones de los países que se reconocían como parte del Tercer Mundo. El rápido proceso de industrializa-ción y desarrollo alcanzado por algunos países del este y sudeste de Asia, el hundi-miento económico de la mayor parte del África subsahariana y las reformas liberali-zadoras en Iberoamérica fueron otros fac-tores que desarticularon el frente común de los países en desarrollo a la hora de promo-ver reformas referidas al orden económico internacional. Además, la pérdida de in-fluencia de la OPEP, reflejada en su inca-pacidad pare frenar la caída de los precios de los hidrocarburos, privó al Tercer Mun-do de una de sus más poderosas armas a la hora de influir en el escenario internacio-nal. Asimismo, el hundimiento del bloque soviético afectó también a la propia idea de Tercer Mundo en cuanto que desaparecía la bipolaridad Este-Oeste y, por tanto, la referencia a un grupo de países situado entre ambos bloques, razón que condujo a reorientar mas todavía el discurso del Ter-cer Mundo hacia la bipolaridad Norte-Sur.

terciario. *Véase* GEOLOGÍA.

tercio. Cuerpo de infantería que duran-te los siglos XVI y XVII equivalía en España a regimiento. Lo integraban un número va-riable de compañías, provistas de cuatro armas diferentes: espada, rodela, arcabuz y pico, y más tarde sólo de pica, arcabuz y mosquete. Por lo general se componían de unos 3,000 soldados, divididos en 12 com-pañías. Los primeros tercios se crearon en Lombardía, Napoles y Sicilia, en 1534, y posteriormente fueron organizados los fa-mosos tercios de Flandes, de los que fue jefe el duque de Alba. En 1920, se creó el Tercio de Extranjeros, en el Marruecos español, formado por una unidad del arma de infantería, compuesta de 7,700 hombres, a las órdenes de un coronel. Modernamente se ha conservado en Es-paña la palabra tercio para designar a las unidades de la Guardia Civil a las órdenes de un coronel.

terciopelo. Tela muy suave al tacto, con corta y densa pelusilla, fabricada con seda, rayón, algodón y nailon. Su fabrica-ción es más compleja que la de las otras telas; se utiliza una trama, en la cual se en-lazan dos urdimbres: una de ellas unida a la trama, forma el fondo del terciopelo, y la

El terciopelo es una de las telas más preciadas.

otra, compuesta de pelillos más bien lar-gos, se entremezclan con las mallas del hilado, produciendo una superficie velluda y muelle. El terciopelo propiamente dicho se fabrica con seda, pero según se em-pleen otras fibras obtiénense distintos ti-pos; la pana y el veludillo son calidades de terciopelo de tejido de algodón. En Euro-pa se conoció a principios del siglo XIV, pero se supone que desde mucho tiempo atrás el arte del tejido del terciopelo estaba ya avanzado en Oriente. En esos tiempos era preferido por su suavidad y por el atrayen-te color que adquiría por medio del teñido, para las suntuosas vestimentas reales y eclesiásticas. Italia se distinguió por la be-lleza y calidad de sus terciopelos, siendo muy apreciados los procedentes de Siena, Venecia, Florencia y Génova.

terebinto. Nombre con el que se desig-na ordinariamente a la *Pistacia terebinthus*, planta fanerógama de la familia de las anacardiáceas. Viven en las regiones tem-pladas y cálidas, son leñosas y poseen ca-nales resinosos con abundancia de tanino. Se extrae de ellas la trementina y la colo-fonia, cuyas propiedades las hace conve-nientes para la fabricación de jabones in-secticidas. Su madera dura y resinosa se aprovecha en ebanistería, y su corteza, de olor muy agradable al quemarse, se usa en vez del incienso.

Terencio Áfer, Publio (190?-159? a. C.). Poeta cómico latino, nació en Carta-go. Por esto se le apodó *Áfer*, africano. Llevado como esclavo a Roma, siendo aún niño, halló en su amo, el senador Terencio Lucano, a un protector de su talento precoz. Terencio es, con Plauto, el autor cómico latino más celebrado de la antigüedad, y en él se inspiraron nu-merosos autores del Renacimiento. Se conservan de él seis comedias: *Andria, La suegra, El atormentador de si mismo, El eunuco, Formión* y *Los hermanos.* Fue un moralista sagaz y juicioso, un escritor pulcro y un gran observador de la realidad de su tiempo, que llevó al tea-tro con máxima fidelidad.

Teresa de Calcuta, madre (1910-1997). Su verdadero nombre era Teresa Gonxha Bajaxhiu. Religiosa macedonia, hija de padres albaneses. En 1928 ingresó en el convento de las hermanas de Nuestra Seño-ra de Loreto, en Irlanda. Enviada como mi-sionera a la India, enseñó geografía duran-te 20 años en el colegio Loreto de Calcuta, al que asistían jóvenes de la buena sociedad india. En 1946 decidió consagrarse a los enfermos, ancianos y pobres abandonados, y en 1948 fue autorizada a abandonar las Hermanas de Loreto e instalarse en uno de los suburbios pobres de Calcuta. En 1950 fundó la congregación de las Misioneras de la Caridad, que asumen, además de los tres votos tradicionales de pobreza, obediencia y castidad, el de consagrar toda su vida a los más pobres. Era el comienzo de una gran obra de caridad que, a partir del núcleo focal de Calcuta, se extendería a otros países (en 1979 las Misioneras de la Caridad eran 1,340, repartidas en 136 comunidades de la India y de otra veintena más de países de todos los continentes). Paralelamente, "Madre Teresa de Calcuta" alcanzó admiración en los más diversos sectores de todo el mundo. Ha sido galardonada con premios tan importantes como el Juan XXIII, el Balzan, el Nehru, el Templeton, etcétera, y en 1979 se le otorgo el Premio Nobel de la Paz.

Teresa de Jesús, santa (1515-1582).

Religiosa y escritora española, doctora de la Iglesia y reformadora de la orden carmelitana. Nacida en Ávila, en el seno de una austera familia castellana, se llamaba en el siglo Teresa de Cepeda y Ahumada. De exaltado temperamento, sólo tenía siete años cuando, enfervorizada por los martirios de los primeros cristianos, el relato de cuyas vidas escuchaba de labios de su madre, se propuso ir con su hermano Rodrigo "a tierra de moros –según escribió ella misma–, pidiendo por amor de Dios, para que allá nos descabezasen". Más tarde se aficionó grandemente a los libros de caballerías, lectura muy frecuente en la época, y hasta dícese que, siempre en colaboración con su hermano Rodrigo, llegó a escribir una de tales obras. A los 16 años ingresó en el convento de las agustinas, donde se educaban jóvenes de la nobleza. Su vocación religiosa no se manifestó hasta los 21 años y tomó el hábito de las carmelitas en el monasterio abulense de la Encarnación, donde profesó en 1537.

Desde su profesión pasó 23 años entregada a sus luchas interiores y a sus fervores y desfallecimientos en la perfección evangélica; y cuando ya contaba 45 años, tras de habérsele iniciado los éxtasis y raptos místicos de que habla en sus obras, emprendió la reforma de la orden, considerando que había ido muy a menos en la perfección de su primitivo instituto. Fruto de tal empresa fue la descalcez carmelitana, para la que tuvo que vencer la fuerte resistencia de algunas autoridades civiles y eclesiásticas, y la extraordinaria labor fundacional –17 conventos, el primero en 1562, en Ávila– que llevó a cabo hasta su muerte; ésta acaeció en Alba de Tormes (Salamanca), en una celda del convento por ella fundado, donde hoy se venera su cuerpo. Beatificada en 1614 por el papa Paulo V, fue canonizada en 1622 por Gregorio XV, y en 1627 Urbano VIII le dio el título de *Doctora de la Iglesia*, no concedido aún a otra mujer, y la designó pa-

La madre Teresa de Calcuta inició su labor de caridad en el año de 1946, y desde entonces solicitó el apoyo de los poderosos, como en este caso de la reina Isabel de Inglaterra.

trona de España. Su festividad se conmemora el 15 de octubre.

La producción literaria de santa Teresa de Jesús, no concebida por ella como tal, sino realizada por mandato de sus superiores o para guía y aleccionamiento de sus monjas, constituye una de las cimas más altas de la mística universal y al propio tiempo es uno de los más hermosos monumentos de las letras españolas. Lo principal de su producción se compone de los siguientes libros: *Libro de su vida* (después titulado *Vida de la Santa Madre Teresa de Jesús*), *Las constituciones, Camino de perfección, Concepto del amor de Dios, Exclamaciones o meditaciones del alma a su Dios*, el *Libro de las fundaciones, Las moradas* y *Los avisos*. Compuso, además, diversas poesías y dejó una copiosa correspondencia.

Teresa del Niño Jesús, santa

(1873-1897). Carmelita francesa, que nació en Alençon. Se llamaba María Francisca Teresa Martín. Después de su canonización por Pío XI, en 1925, se la venera bajo la advocación de santa Teresa o Teresita del Niño Jesús. Murió en plena juventud, prometiendo que *haría llover rosas*. Se educó con las benedictinas de Lisieux, y a los 15 años fue a echarse a los pies del papa León XIII suplicándole que la dejase entrar en la orden del Carmelo, a pesar de su edad. Obtenida esta gracia, empezó en el convento –pese a lo delicado de su salud– una vida de sacrificio, haciendo de los deberes cotidianos "su pequeño camino de perfección", como ella decía. Próxima a morir, compuso un *Cántico a María*, tan puro y tierno, que decidió a la superiora a

ordenarle escribiese un relato de su propia y breve vida. Teresa lo hizo por obediencia y de este esfuerzo brotó *Historia de un alma* (1898), libro que alcanzó amplia difusión y fue traducido a muchos idiomas. Fue declarada patrona de las misiones en 1927. Su fiesta se celebra el 3 de octubre.

Tereshkova, Valentina Vladimirovna (1937-).

Astronauta soviética. Primera mujer que efectuó un viaje en un vehículo espacial alrededor de la Tierra. Recibió instrucción como paracaidista y en astronáutica. El 16 de junio de 1963 se elevó en la astronave *Vostok VI* y se colocó en órbita a 223 km de apogeo y 183 de perigeo. Se aproximó en vuelo hasta unos 5 km del astronauta soviético Bykovsky, que también efectuaba otro vuelo orbital, y conversó con él por radio. Estableció comunicación por radio y televisión con estaciones en tierra. Después de permanecer casi tres días en el espacio (70 horas y 50 minutos), y describir 48 órbitas alrededor de la Tierra y recorrer cerca de 2 millones de km, descendió el 19 de junio en el área de recuperación señalada en la región de Karaganda. *Véase* ASTRONÁUTICA.

termas.

Establecimientos balnearios en que se toman baños de aguas minerales calientes. El nombre proviene de los tiempos de la antigua Roma y con él se designaba el edificio destinado para baño público. Durante el imperio, las termas de esta clase se multiplicaron, lo mismo en la capital que en las provincias, al extremo de que ni una sola ciudad carecía de ellas. El baño comprendía cuatro fases: permanencia en una atmósfera caliente (estufa), baño

termas

Colonia de termes.

de agua caliente; baño de agua fría y masaje. El edificio se componía de varios locales y dependencias, entre los cuales figuraban: el *tepidarium*, para el baño templado, donde el concurrente, que se había desnudado en el *apodyterium*, se hacía friccionar y untar; el *frigidarium* para el baño frío; el *sudatorium* o baño de vapor; el *caldarium*, estufa seca calentada mediante aire caliente que se hacía serpentear por tubos de barro cocido, colocados entre muros dobles; el *labrum*, para las duchas frías, y el *unctorium*, donde el bañista recibía masaje y se hacía perfumar. Había galerías para la práctica de deportes: ejercicios de pelota, de lucha y de gimnasia, salas de conversación y patios para paseos. Se abría al empezar la tarde, cerrándose al caer la noche, y aun cuando todas las personas eran admitidas sin distinción de clases, había separación de sexos. Fueron famosas las termas de Pompeya y las construidas en Roma por los emperadores Nerón, Tito y Diocleciano. Las más espléndidas de Roma fueron las de Caracalla, que cubrían con todas sus dependencias más de 100,000 m², y el establecimiento balneario propiamente dicho, 25,000 m². *Véase* BALNEARIO.

termes. Insectos sociales que constituyen por sí solos el orden de los isópteros o termítidos. En América se les llama comejenes, y en Filipinas anay, vulgarmente se les suele dar el nombre de hormigas blancas, nombre inadecuado puesto que, aunque las hormigas son también insectos sociales y tienen algunas costumbres parecidas a los termes, no los liga ningún parentesco. La metamorfosis de aquellas es com-

plicada y, en cambio, la de los termes, sencilla. Las hormigas tienen el cuerpo duro, cubierto por una espesa capa de quitina, y una cintura estrecha mientras que los termes son casi tan blandos como los gusanos y su abdomen es uniforme. Otros caracteres que permiten reconocer a los termes son: boca de tipo masticador, antenas filiformes bastante largas y cuatro alas casi iguales en ciertos individuos, pero sólo por poco tiempo.

Castas y organización social. Estos insectos viven en colonias formadas por distintos individuos, entre los que se distinguen dos castas principales: la de los que pueden reproducirse y la de los neutros, divididos éstos, a su vez, en obreros y soldados. La primera es la casta real, constituida por los termes completamente desarrollados, de color oscuro por la fina capa de quitina que los cubre, provistos de alas membranosas y ojos compuestos. Son los únicos que gozan de la vida al aire libre una sola vez en determinada época del año, durante el breve tiempo del vuelo nupcial. Cuando regresan formando parejas, pierden las alas -que ya no necesitarán más-, se entierran para fundar una nueva colonia y se convierten a su vez en reyes de la misma.

Además de éstos, existen otros individuos de casta real cuyo desarrollo no es completo, pero que pueden alcanzarlo a voluntad rápidamente y sustituir a los reyes en caso necesario. Los obreros son los termes más pequeños, pues apenas miden unos 5 mm de largo. Carecen de ojos y alas, y su cuerpo es blancuzco ya que sólo la cabeza y las patas tienen una tenue capa quitinosa. Mas a pesar de su débil consti-

tución, están encargados de todos los trabajos: construir y reparar las viviendas –termiteros–, recoger las provisiones, elaborar los alimentos que luego dan a las reinas y soldados, cuidar los huevos y las larvas, etcétera. Los soldados tienen como única misión la defensa de la colonia contra los ataques enemigos, principalmente de sus eternos rivales las hormigas. Son también ciegos y ápteros, y se distinguen por su enorme cabeza bien quitinizada, de color oscuro que contrasta con el blanco del tórax y abdomen. La mayoría está provista de fuertes mandíbulas como tenazas que les sirven de arma, y algunos tienen la cabeza terminada en una prolongación a modo de pico, por el que segregan un líquido que lanzan sobre sus adversarios. Tanto en un caso como en otro la configuración especial de la cabeza les impide alimentarse por sí mismos, y deben ser alimentados por los obreros.

Las colonias están formadas por millares de individuos, la mayor parte de los cuales son obreros. En cada una vive una pareja real, recluida en una cámara que ocupa casi en su totalidad la reina, que es enorme, pues su abdomen se distiende hasta alcanzar unos 8 cm de largo, y se convierte en una masa blancuzca con pequeñas motitas negras que son las partes quitinizadas que en un principio estaban unidas. A su lado se encuentra el rey, que es mucho más pequeño; la acompaña constantemente y vive tanto como ella (unos 10 años), hecho que también los distingue de las hormigas ya que en éstas los machos mueren poco después del vuelo nupcial.

La reina pone varios miles de huevos al día, que los obreros llevan a cámaras especiales hasta que nacen las larvas, las cuales son objeto de la mayor atención hasta su desarrollo. Tanto los huevos como las larvas recién nacidas parecen ser iguales, y el hecho de dar origen a diferentes castas es uno de los problemas que tratan de explicarse los naturalistas, tanto más cuanto que el número de termes que integra una colonia tiene siempre un porcentaje fijo de individuos para cada casta, y según las necesidades de la comunidad hacen que se desarrollen los que por cualquier motivo hayan disminuido.

Vivienda. Los termes son insectos esencialmente tropicales, pero algunas especies se han adaptado a las regiones templadas, aunque a costa de su degeneración. Sus termiteros difieren según la categoría de la especie. Los más rudimentarios habitan en troncos de árboles, vigas y otras maderas en las que perforan galerías en todas direcciones; otros hacen sus nidos subterráneos, y otros aéreos, en árboles, fabricándolos con una especie de cartón o de tierra. Pero, los termes superiores propios de África central y Australia, construyen asom-

termógrafo

brosas y complicadas edificaciones que se elevan sobre el suelo hasta 6 y 8 m, y se internan subterráneamente otro tanto y más. La parte visible es un montículo de forma muy variada, como pirámides, agujas y hongos enormes. Todo el termitero y principalmente la parte subterránea, está dividido en numerosas cámaras y atravesado por pasillos y galerías de aireación que mantienen la temperatura y humedad adecuadas al uso a que se destinen las distintas celdas. El material de estas viviendas es una especie de arcilla hecha con tierra cementada con saliva y endurecida al sol, y es tan resistente que para destruir algunas es necesario volarlas con dinamita.

Alimentación. Los termes se nutren principalmente con madera y cualquier otra sustancia que contenga celulosa (árboles, vigas, tablas, muebles, libros, etcétera). En el intestino de los termes habitan protozoarios microscópicos, cuya acción en el proceso digestivo obra sobre la celulosa de la madera, permite que sea digerida por el insecto y que le sirva de alimento. Algunas especies cultivan hongos, otras acopian granos, y todas almacenan grandes cantidades de alimentos en previsión de épocas de escasez. A veces, para procurárselos, efectúan largas expediciones construyendo túneles cubiertos hasta encontrarlos. En las regiones que viven constituyen verdaderas plagas, pues operan por millares y en poco tiempo destrozan muebles, libros, productos agrícolas e incluso edificios.

térmica, corriente.
Perteneciente o relativo al calor o a la temperatura. Que conserva la temperatura. El origen de estas corrientes suele ser el distinto calentamiento del terreno provocado por el Sol; el aire, al calentarse por contacto con el suelo, se dilata e inicia un movimiento ascensional, con velocidad de hasta 5 m/seg o más, durante el cual puede llegar a alcanzar alturas considerables que dependen del gradiente de temperatura existente. Si durante el ascenso, en el curso del cual se va enfriando, el aire alcanza la temperatura de condensación, puede originarse una nube del tipo cúmulus; la condensación libera calor acelerando el proceso: en el interior de una nube el ascenso puede superar los 30 m/seg. El vuelo sin motor se ha desarrollado gracias al conocimiento de las corrientes térmicas: un velero debe girar en su seno y ganar la altura necesaria para seguir su vuelo.

término medio.
En matemáticas es la cantidad que resulta de sumar otras varias y dividir la suma por el número de ellas. Así, el término medio entre dos números es la mitad de su suma. Se emplean los términos medios para hacer cálculos rápidos y aproximados en que intervienen individualidades de valores distintos. Para calcular,

por ejemplo, el peso aproximado de los 40 pasajeros de un avión que tenga asignada esa capacidad de transporte, se multiplica el término medio del peso de una persona por 40.

término municipal.
Se divide normalmente en distritos, y éstos en barrios. Las personas que se encuentran dentro del término municipal están sujetas a la jurisdicción del ayuntamiento de que se trate, y éste no puede actuar como ente público más allá de su término.

termita.
Mezcla hecha con limaduras de aluminio o aluminio en polvo y óxidos de diversos metales que, al inflamarse, produce una temperatura muy elevada. Para soldar piezas de hierro o de acero, como por ejemplo rieles, se utiliza un recipiente cónico con un orificio en su vértice, que se coloca sobre la parte que deba ser soldada. Se llena el recipiente con una mezcla de polvo de aluminio y óxido de hierro (en este caso), la que se enciende con un fusible de magnesio. El calor que se produce (unos 3,000 °C) origina una reacción química en la mezcla: el aluminio se une al oxígeno del óxido de hierro y se libera hierro puro fundido, que fluye por el orificio y se efectúa la soldadura. En la Primera y en la Segunda Guerra Mundial se utilizó la termita en la fabricación de bombas incendiarias, pues su fuego es muy destructor y difícil de extinguir.

termo.
Véase TERMOS.

termodinámica.
Parte de la física que trata de las relaciones existentes entre la

Nido de termes.

Corel Stock Photo Library

energía térmica y la energía mecánica y de la conversión de una en otra. En termodinámica existen tres leyes fundamentales. La primera tiene estrecha relación con el principio general de la conservación de la energía, y establece el equivalente mecánico del calor. Esa ley se enuncia diciendo que una energía mecánica dada es igual a otra energía térmica dada, en la que puede ser convertida. O sea, que el calor se puede transformar en trabajo mecánico y viceversa. La unidad que se utiliza para medir el trabajo mecánico es el julio o joule, que equivale a 0.24 calorías. La unidad para medir el calor es la caloría, que equivale a 4.18 julios.

La segunda ley tiene su fundamento en que el calor por sí solo y a temperatura constante no puede convertirse en energía mecánica, y expone que el calor tiende a pasar del cuerpo más caliente al más frío, hasta igualar la temperatura de ambos cuerpos y establecer el equilibrio térmico. La tercera ley establece que cuando la temperatura de un cuerpo se aproxima a la temperatura absoluta que es la de -273.1 °C, su equivalente de energía mecánica también se aproxima a la temperatura absoluta y no es utilizable.

La termodinámica experimentó gran desarrollo a partir del siglo XIX, cuando se formularon con precisión las tres leyes citadas, como resultado de las investigaciones y descubrimientos en el campo de la física hechos por numerosos sabios, especialmente Nicolas Léonord Sadi-Carnot (1824), James Prescott Joule (1842) y Rudolf Clausius (1850). En el cálculo y diseño de máquinas de vapor y motores de explosión, las leyes de la termodinámica tienen importantes aplicaciones. *Véase* CALOR.

termoelectricidad.
Electricidad generada por efecto del calor. Cuando dos barras de metales distintos (antimonio y bismuto, platino y rodio, hierro y cobre, etcétera) se sueldan por sus extremos y forman un circuito cerrado, producen al ser calentada una de sus soldaduras, una corriente eléctrica proporcional a la diferencia de temperatura entre sus dos uniones, esta corriente eléctrica circula del extremo más caliente al extremo más frío midiéndose su potencial en milivoltios. La termoelectricidad se aplica en la construcción de pirómetros (termómetros que miden altas temperaturas).

termógrafo.
Aparato automático que registra gráficamente las variaciones de temperatura. El termógrafo corriente consiste en un tubo metálico curvo, de paredes delgadas y sección elíptica, lleno de un líquido, con uno de sus extremos fijo y el otro libre. Cuando aumenta la temperatura el líquido se dilata, lo que obliga al tubo

termógrafo

a enderezarse de acuerdo con el grado de dilatación. Cuando desciende la temperatura el líquido se contrae, y aumenta la curvatura. Los movimientos del extremo libre del tubo, se transmiten, amplificados, a un brazo que se apoya mediante una pluma entintada en un cilindro giratorio, movido por un mecanismo de relojería. La pluma traza sobre el cilindro la gráfica de la temperatura durante el tiempo que tarda el cilindro en dar la vuelta. En otros termógrafos el registro se realiza por el movimiento de un brazo compuesto de dos metales de distintas características de expansión, o por contacto eléctrico entre un alambre conductor, de platino, y la columna mercurial de un termómetro. *Véase* TEMPERATURA.

termoiónica. *Véanse* ELECTRÓNICA; VÁLVULA TERMOIÓNICA.

termología. Capítulo de la física destinado al estudio del calor, en sus múltiples manifestaciones experimentales, tales como la termometría (o medida de la energía calorífica), la calorimetría (o medida del calor o de la temperatura desarrollada por los cuerpos, inertes o en trabajo) y la termodinámica (o estudio de la energía transformada en calor). Se estudian, también, en este capítulo, toda la serie de fenómenos que originan, causan o producen calor, los que lo transmiten (conducción, convección y radiación), las influencias que la temperatura ejerce en el cambio de estado de los cuerpos (condensación, evaporación, congelamiento), los equilibrios térmicos de los cuerpos en contacto y sus modificaciones por la acción química o eléctrica (termoquímica y termoelectricidad).

termómetro. Instrumento que sirve para medir la temperatura. El primer termómetro fue construido por Galileo Galilei y su discípulo Sanctorius en 1593; lo denominaron termoscopio y no era muy exacto. En 1641 se construyó un termómetro de alcohol de gran exactitud, que, en 1714, Daniel Gabriel Fahrenheit superó con el suyo de mercurio. La escala de este termómetro comprende 180° entre el punto de fusión del hielo (32°) y el de ebullición del agua (212°). El de Réaumur (1731) utiliza el alcohol y su escala comprende 80° entre el punto de fusión del hielo y el de ebullición del agua. El de Celsius o centígrado, data de 1742 y consta de 100°; el 0° (equivalente a 32 °F) corresponde a la fusión del hielo y los 100° a la ebullición del agua.

El principio del termómetro se funda en la dilatación o contracción del volumen de un líquido encerrado en un depósito generalmente de forma esférica y unido a un tubo capilar de vidrio en el que aparece grabada la escala de la temperatura.

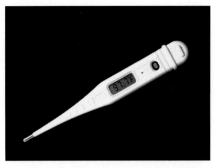

Termómetro digital.

Los líquidos más empleados son el mercurio y el alcohol teñido. La dilatación del líquido contenido en el depósito y en el tubo se produce porque el calor activa el movimiento de las moléculas del líquido y éstas ocupan entonces mayor espacio. El cristal empleado en la fabricación del termómetro es sometido a diferentes pruebas a fin de comprobar si la expansión y la contracción es igual en todo el tubo. Para la medición de temperaturas muy elevadas que fundirían el cristal se emplean instrumentos llamados pirómetros.

El termómetro clínico es de gran sensibilidad y precisión, y está destinado a determinar la temperatura del cuerpo humano; su escala se divide en grados y décimas de grado, pero sólo de los 32° a los 44° de la escala centígrada; el depósito de mercurio es pequeño y las paredes del tubo muy delgadas con el fin de que la temperatura sea tomada rápidamente; el tubo es capilar y de sección elíptica, y de ese modo, aunque muy delgada, la columna mercurial es fácilmente visible. El termómetro de gas consta de un depósito de porcelana, vidrio o metal de forma esférica o cilíndrica, lleno de gas (aire, hidrógeno, etcétera). Este termómetro es útil para estudiar las relaciones entre la presión y la temperatura. En las observaciones submarinas se emplea el termómetro de inversión cuando por medio de una cuerda fija en la línea de la sonda se invierte la posición del termómetro, el movimiento de la columna mercurial se detiene y da así la temperatura del punto alcanzado.

En el termómetro llamado de máxima, la columna de mercurio asciende a medida que se eleva la temperatura, pero se queda inmóvil cuando ésta baja. En meteorología se emplea el de máxima y de mínima, que está destinado a indicar la temperatura elevada y la más baja de un punto dado; para las temperaturas bajas, el mejor líquido es el alcohol, pues el mercurio se congela. El termómetro diferencial sirve para medir pequeñas diferencias de temperatura y consiste en un tubo horizontal de cristal con dos ramas verticales en los extremos, que terminan en bulbos llenos de aire; un

líquido interpuesto en el tramo horizontal se mueve a uno y otro lado, según está más o menos caliente el aire encerrado en cada una de las esferas. Los termómetros metálicos (como el bolómetro) están basados en la dilatación de algún metal por el calor, merced a su extraordinaria sensibilidad se le emplea preferentemente en investigaciones científicas.

Las escalas termométricas más usadas son la centígrada y la de Fahrenheit. Sus equivalencias se obtienen mediante la aplicación de las fórmulas siguientes:

Fahrenheit a centígrados:

$$(°F - 32) \times \frac{5}{9} = °C$$

Centígrados a Fahrenheit:

$$(°C \times \frac{9}{5}) + 32 = °F$$

Así, por ejemplo, 140 °F equivalen a 60 °C; 266 °F, a 130 °C; 40 °C son igual a 104 °F, y 120 °C, a 248 °F.

termopar. Conjunto de dos metales soldados en el que al someter las soldaduras a una elevada diferencia de temperatura se origina una fuerza electromotríz función de dicha diferencia de temperaturas. Conocida la temperatura de una de las soldaduras, la medida de la fuerza electromotríz permite determinar la temperatura de la otra soldadura.

Los termopares se utilizan fundamentalmente para medir temperaturas. Una de las soldaduras se coloca en contacto con el cuerpo cuya temperatura se desea determinar en tanto que la otra se mantiene a una temperatura constante de referencia. Si esta última es la del hielo fundente (0 °C), la diferencia de temperatura entre las dos soldaduras mide directamente la temperatura centígrada del cuerpo a medir. La fuerza electromotríz se mide mediante un potenciómetro de precisión, calibrado en temperaturas. En general, la capacidad de respuesta de un termopar estándar es pequeña, de unos 10 microvoltios por grado de diferencia de temperaturas, por lo que en la medida de pequeñas diferencias de temperaturas se juntan en serie varios termopares cuya asociación constituye una termopila; la fuerza electromotríz de una termopila constituida por n termopares iguales es n veces la correspondiente a un solo termopar. Una termopila constituye también un generador térmico de corriente eléctrica, si bien su utilización más generalizada es la medición de temperaturas o bien la medida de radiaciones. Los metales que constituyen la unión del termopar dependen del intervalo de temperaturas en que se debe operar. Para temperaturas comprendidas entre -200 y 400 °C se utilizan pares cobre-constantán; hasta los 1,400 °C pueden utilizarse pares cromel-alumel, y para temperaturas de hasta 1,750 °C los platino-platino rodio son de uso común.

Termópilas. Desfiladero del norte de Grecia; consistía en un paso sumamente estrecho en el camino desde Tesalia, entre las escarpadas alturas del Eta y el Golfo Malíaco. Se hizo célebre a raíz de la heroica resistencia que allí opuso el rey Leónidas con sus 300 espartanos y unos 4,000 hombres de otros estados griegos, al gran ejército persa de Jerjes (480 a. C.). Durante dos días y dos noches atacó Jerjes a los griegos con fuerzas muy superiores, creyendo que les aplastaría, pero el valor y la habilidad de Leónidas y su pequeña tropa causaba estragos grandes en el enemigo, apenas éste entraba en el desfiladero. Furioso se hallaba Jerjes ante el fracaso y pensaba abandonar el terreno, cuando se presentó el traidor Epialtes, y se ofreció para conducir a los atacantes a través de un sendero de montaña, y rebasar las Termópilas. Fue así como, al amanecer del día siguiente, Leónidas supo que 30,000 persas, al mando de Hidarnes, avanzaban sobre su retaguardia. Lejos de intimidarse, Leónidas dispuso la retirada del grueso de su ejército y se quedó con una fuerza reducida en la que figuraban sus 300 espartanos, para proteger la retirada, y se preparó para una lucha a muerte. Todos los espartanos combatieron hasta perecer, rodeando el cadáver de su rey y general, que murió en mitad de la batalla. Jerjes obtuvo una victoria de la que no podía sentirse orgulloso, mientras Leónidas y sus 300 espartanos han quedado como ejemplo de patriotismo.

termoquímica. Rama de la química dedicada a estudiar y registrar, relacionándolas, las variaciones y fenómenos térmicos que producen los cuerpos al combinarse. Cuando un sistema de cuerpos o elementos se combinan para originar, a su vez, otro nuevo cuerpo, se produce generalmente un desprendimiento o una absorción de calor; en el primer caso la reacción se denomina exotérmica, y endotérmica en el segundo. Las sustancias exotérmicas se caracterizan por su estabilidad, ya que para descomponerlas es preciso emplear una cantidad de energía equivalente al calor que emitieron al formarse; las endotérmicas, en cambio, son inestables y tienden a su descomposición, reintegrando al medio el calor que absorbieron. Además, algunos compuestos endotérmicos se descomponen bruscamente, dando lugar a explosiones (nitroglicerina o algodón pólvora, clorato o potasa, etcétera). La ley fundamental que rige estos fenómenos fue enunciada por Victor Franz Hess, diciendo "que el calor que se desprende o se absorbe en el proceso de una reacción química, depende solamente del estado inicial y del final, sean cuales fueren las fases o estados intermedios". Se la conoce, también, como ley de la constancia de la cantidad de calor. Marcellin Berthelot enunció, a su vez, el principio del trabajo máximo que tiene íntima conexión con la ley precitada, puesto que éste responde a la ley de la conservación de la energía. *Véase* QUÍMICA.

termorregulación. Conjunto de mecanismos que regulan la producción (termorregulación química) y la pérdida (termorregulación física) de calor del organismo, de cuyo equilibrio dinámico depende la constancia de la temperatura (homeotermia u homeostasis térmica). Los mecanismos que regulan la producción de calor son: 1) la actividad muscular (ejercicio, escalofrío); 2) el tono muscular; 3) las variaciones del metabolismo basal; 4) el incremento de dicho metabolismo por la ingestión de alimentos. La pérdida de calor se produce por conducción, irradiación, evaporación (a nivel de la piel –sudor, perspiración insensible– y de los pulmones) y convección: la pérdida de calor depende de la superficie del cuerpo, de la relación entre la temperatura de éste y la humedad ambiente; la importancia de la piel en la termorregulación se debe a que la gran cantidad de sangre que la irriga deriva el calor del organismo hasta la superficie corporal, donde se pierde por los mecanismos citados. La integración de los mecanismos de termorregulación es regulada, en definitiva, por el sistema nervioso (aunque intervengan también glándulas endocrinas tales como el tiroides, suprarrenales e hipófisis).

termos. Vasija para conservar la temperatura de las sustancias que en ella se depositan, aislándolas de la temperatura exterior. Fundándose en la baja conductibilidad del vacío, pueden mantener invariable la temperatura de un cuerpo durante muchas horas. Lo esencial en estos aparatos es la fabricación de la botella de cristal interior, compuesta en realidad de dos de ellas, contenida la una en la otra en forma que únicamente aparecen soldadas entre sí por el cuello. Para ello, se emplea vidrio especial y cuidadosamente escogido, debiéndose tener muy en cuenta, entre otras cosas, la presión atmosférica que, al hacer el vacío, podría romper fácilmente el conjunto por su sola acción. Se coloca una botella dentro de otra, en forma que no tengan más punto de contacto que los cuellos respectivos, los que se unen y sueldan. Otra de las fases en el proceso de fabricación consiste en cerrar el fondo de la botella exterior, dejando únicamente en ella un orificio por el que se efectúa el plateado y se practica el vacío entre las dos botellas. Para que la botella termos no se rompa, pues es mucha su fragilidad, se coloca dentro de un recipiente o cubierta protectora. Esa cubierta puede ser metálica o de material plástico y es de forma generalmente cilíndrica. En su parte superior se enrosca una pieza en forma de cúpula, a la altura del cuello de la botella interior, y una tapa en forma de vaso se enrosca sobre la cúpula y oculta el tapón de la botella.

termosifón. Sistema de circulación de un líquido por un circuito de recipientes y tubos, aprovechando las variaciones de densidad del líquido cuando se calienta o enfría. Las calefacciones por radiadores de agua caliente se basan en la circulación que se establece entre el agua que se calienta en la caldera y la de los radiadores que se enfría por radiación. Las instalaciones de agua caliente también funcionan por termosifón. El agua fría del depósito baja por un tubo que se abre en su fondo, al hogar, donde se calienta y al perder densidad, asciende por otro tubo a la parte alta del depósito. La refrigeración por agua de los motores de explosión estacionarios y los de algunos automóviles antiguos, se hace por termosifón.

termostato. Dispositivo automático que sirve para mantener constante la temperatura de hornos, estufas de cultivo, refrigeradores, edificios, máquinas, etcétera. Actúan interrumpiendo el suministro de combustible o de energía que hace variar la temperatura, cuando ésta alcanza un máximo, para volver a reanudarla cuando llega a un mínimo. Hay termos-

Los termos se utilizan para conservar la temperatura de las bebidas y los alimentos.

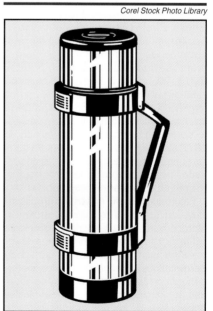

Vista panorámica de Terranova.

Corel Stock Photo Library

tatos que utilizan la dilatación de varillas metálicas, otros se sirven de gases o líquidos encerrados en cápsulas deformables y también los hay que emplean válvulas electrónicas. Se utilizan en las instalaciones y máquinas más variadas, como calefacciones automáticas e instalaciones de aire acondicionado, planchas automáticas, etcétera.

terpeno. Nombre genérico de los compuestos de fórmula general $(CsHg)n$ que pueden considerarse formalmente como derivados de la polimerización del isopreno. El término terpeno fue usado en principio para designar unos hidrocarburos alicíclicos, de fórmula $C_{10}H_{16}$, presentes en las exudaciones de las coníferas, los frutos cítricos y los eucaliptos. Los terpenos oxigenados recibieron el nombre de *canfores*. Sin embargo, pronto se hizo evidente que compuestos de 15, 20, 30 y 40 átomos de carbono estaban también muy relacionados con los terpenos. La única característica común de estos compuestos fue puesta de manifiesto por el químico sueco Otto Wallach en 1877 al sistematizar que sus esqueletos carbonados son siempre divisibles en unidades de cinco átomos de carbono, formalmente derivadas del isopreno.

El término terpeno en sentido amplio incluye, pues, a todos esos compuestos sean hidrocarburos o no. En sentido estricto se utiliza dicho término solamente para designar aquellos compuestos que contienen dos unidades isoprenoides. Todos los terpenos son sustancias naturales y se obtienen por extracción de los aceites volátiles o esenciales de los que forman parte. La

síntesis en el laboratorio se reserva para casos como el del canfor, que se encuentra en la naturaleza en pequeñas cantidades; aun así, los productos de partida son otros terpenos. Sus distintas propiedades los hacen aptos para diversas aplicaciones: unos se emplean en medicina, otros en perfumería, otros se usan como vitaminas, otros como pigmentos, etcétera.

Terpsícore. *Véase* MUSAS.

Terra, Gabriel (1873-1942). Político uruguayo. Fue presidente de la nación de 1931 a 1938. En 1933, junto con el líder del Partido Blanco Luis Alberto de Herrera, suspende el Parlamento y cancela la Constitución creando una dictadura. Después de la nueva Constitución de 1934 firmó una acuerdo para la repartición del poder entre *blancos y colorados* y aumentó el poder del ejecutivo. Aunque dejó muchas obras públicas, su gobierno fue represivo y autoritario. Lo sucedió en el poder su cuñado Alfredo Baldomir. Después presidió el Banco de la República. Entre sus obras destacan *Política internacional* (1918) y *Socialismo en Uruguay* (1929).

terracota. Objeto artístico o escultura de barro cocido. El vocablo terracota es de origen italiano y su empleo se ha universalizado por haber sido Italia el país donde el arte de la ornamentación con barro cocido alcanzó en el Renacimiento el mayor desarrollo. Desde la prehistoria, se han fabricado objetos en arcilla cocida. Los griegos (figuras de Tanagra) y romanos la empleaban para las tejas, vasijas, motivos ornamentales, estatuas y numerosos uten-

silios, que casi siempre se hacían con tierra roja u ocre, aunque también las hay de tierras de otros colores. Cuando se modelan esculturas para la cocción, han de tomarse precauciones especiales, como montarlas sobre armazones de materiales fácilmente fusibles, sin lo cual, se resquebrajan las figuras. *Véase* CERÁMICA.

terramicina. Antibiótico descubierto en 1950 por un grupo de investigadores estadounidenses dirigido por el doctor Alexander Findlay. Obtenido a partir del hongo *Streptomices rimosus*, recogido de una muestra de tierra de Indiana, lo designaron con tal nombre por el aspecto agrietado que toma su cultivo en las placas de agar. La terramicina se presenta al final de su elaboración como una sustancia cristalina seca, pudiendo formar sales estables. Guardada a la temperatura ambiente, mantiene su potencia curativa durante 12 meses. Se absorbe por el tubo digestivo.

Terranova. Isla de América del Norte, que políticamente forma parte de la provincia de su nombre, de Canadá. Está separada de la costa de Canadá por el Estrecho de Belle Isle y el Golfo de San Lorenzo; al sur la separa de Nueva Escocia el Estrecho de Cabot. Al norte y al este la rodea el océano Atlántico. Superficie: $405,720 km^2$. Población: 575,000 habitantes. Los contornos de este territorio son muy accidentados, pero el interior no corresponde a esas características externas, pues la topografía es bastante regular y las alturas son escasas. Paralela a la costa occidental, se alza la Sierra Larga, cuya mayor altura, Lewis Hill, tiene 815 m, y es la mayor altitud de

Figura de terracota, Camerún.

Corel Stock Photo Library

la isla. El resto del país es una meseta rocosa cruzada por varios ríos, siendo los principales el Gander Exploits y Humber, todos de curso relativamente breve, y varios de los cuales desembocan en algunos de los numerosos lagos que cubren el territorio. Hay abundancia de minerales de plomo, hierro, plata, carbón y mármoles. Las formaciones dominantes en la capa geológica son de rocas graníticas y silurianas, las que encierran pórfidos, jaspes, serpentinas, mica, mármoles blancos y negros. El suelo es estéril en grandes extensiones, con excepción del litoral sur, en donde se extienden bosques de maderas valiosas.

Cerca de la mitad de la población reside en la Península de Avalón, donde se halla la capital y principal ciudad, Saint Johns (161,901 h). La mayor parte de la población es descendiente de pescadores ingleses, escoceses e irlandeses, que allí se establecieron en los siglos XVII y XVIII. Una de las principales fuentes económicas del país se halla en la pesca, siendo famoso el bacalao de sus aguas. También son abundantes las focas, ballenas, arenques, platijas, fletanes, lenguados, rodaballos, percas y salmones, con lo que se han creado prósperas industrias. Son de gran importancia las industrias de fabricación de papel para periódico y de pulpa de madera, la explotación forestal y exportación de minerales. La agricultura y la ganadería son reducidas. El clima es frío, y en invierno son abundantes las lluvias y nevadas principalmente en las regiones del centro y el este. La instrucción primaria es gratuita y obligatoria; existen instituciones de enseñanza superior y una universidad en la capital. Tiene más de 1,200 km de ferrocarril y buenos caminos, líneas marítimas y aéreas; centro importante de líneas cablegráficas, que enlazan a América del Norte con el Viejo Mundo.

Terranova fue descubierta por John Cabot (Juan Caboto) en 1497. En 1583 tomó posesión de ella Inglaterra, y Francia reclamó su propiedad como territorio adyacente de Canadá, que entonces le pertenecía; pero en el tratado de Utrecht (1713) se reconoció la soberanía británica. En 1948, decidió unirse a la confederación canadiense, como provincia con gobierno propio. Terranova tiene gran importancia estratégica y durante la Segunda Guerra Mundial (1939-1945) fue base militar y naval de los aliados. *Véase* CANADÁ *(Mapa).*

terrario. Lugar preparado para el cuidado y cría de animales y plantas terrestres. Como generalmente los terrarios se utilizan para la observación y estudio de especies animales cuya vida es difícil de seguir con toda minuciosidad, cuando viven en libertad en la naturaleza, es preciso reproducir en el terrario las condiciones climatológi-

Corel Stock Photo Library

Construcciones a la orilla del mar en Terranova.

cas en que vive la especie que se estudia. Por lo general, los terrarios se construyen con paredes transparentes para favorecer la observación de lo que hay y lo que ocurre en su interior.

terremoto. Movimiento vibratorio de la corteza terrestre, originado por diversas perturbaciones de origen natural en el interior de la Tierra. La zona donde se produce este movimiento es el foco o hipocentro, que se halla en el subsuelo a profundidades variables que pueden pasar de 70 km. La vibración se propaga en todas direcciones en forma de ondas, unas longitudinales y otras transversales, y el punto de la superficie de la Tierra en que emerge la sacudida, y por lo tanto tiene mayor intensidad el fenómeno, es el epicentro, que es donde se dice que ha ocurrido el terremoto. Cuando la onda llega a la superficie, ésta comienza a vibrar, produciéndose otras ondas circulares análogas a las que se forman en un estanque por la caída de una piedra, y cuya intensidad va decreciendo a medida que se alejan del epicentro.

Las causas de los terremotos, también llamados temblores de tierras y sismos, son muy diversas. Durante mucho tiempo se creyó que obedecían a acciones volcánicas, pero actualmente -además de éstas- se sabe que tienen orígenes tectónicos, es decir, liberación de fuerzas subterráneas por deslizamiento a lo largo de una falla o línea de dislocación en la corteza terrestre. Otros, locales y de escasa importancia, se producen por el hundimiento de cavidades internas, o a causa de la disolución del terreno en formaciones geológicas solubles

(calizas, salinas, etcétera). Los de origen volcánico son resultado de las perturbaciones producidas por las explosiones volcánicas, por los movimientos bruscos de la lava bajo la superficie o la rotura de rocas por la acción de la misma lava.

La velocidad de la onda sísmica es enorme. Varía según la resistencia que oponga la naturaleza del terreno y puede ser de varios miles de metros por segundo. La localización, la velocidad y la intensidad de los terremotos se determina con un sismógrafo, aparato que registra de manera gráfica

Los terremotos generan tres tipos de ondas: P, u ondas primarias (A), S, u ondas secundarias (B), y ondas superficiales. Cuando las ondas P y S alcanzan la superficie terrestre, se convierten en ondas L u ondas bajas, (1) las cuales vibran horizontalmente y en ondas Rayleigh (2) las cuales se mueven en órbitas elípticas. Las tres ondas mayores, siguen caminos distintos (D).

Del Angel Diseño y Publicidad

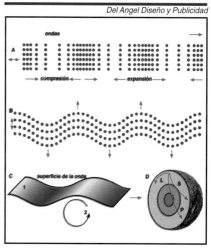

terremoto

Corel Stock Photo Library

En algunos casos los terremotos son devastadores.

la sucesión de las vibraciones y cuyo estudio se denomina sismografía.

Los efectos de los temblores de tierra son del todo complejos, pues aparte de la sacudida que registra el sismógrafo, se producen los llamados *ruidos sísmicos*, retumbes que se oyen aunque no se advierte ninguna trepidación. Pero, lo más corriente son las fracturas y los desniveles del terreno, y como consecuencia de ello sobrevienen los derrumbes de edificios, puentes, por ejemplo, los incendios, las desviaciones de los ríos, desaparición de lagos, etcétera. A veces la parte afectada por el mismo está cubierta por el mar, en cuyo caso se llama maremoto al temblor. Éste es el causante de las grandes olas que sacuden los navíos y barren las costas llegando a destruir puertos y ciudades.

No toda la superficie terrestre está afectada igualmente por los sismos. Estos fenómenos telúricos ocurren más frecuentemente en ciertas regiones. La zona sísmica más afectada es la geosinclinal circunpacífico, que se extiende a lo largo de los Andes y las costas occidentales de América del Sur. En América Central se bifurca y una rama describe un arco hacia el este, que abarca la región del Golfo de México, las Antillas y el Caribe. Otra rama se desplaza por las costas occidentales de América del Norte y las montañas Rocosas hasta Alaska y las islas Aleutianas; penetra en Asia por la península de Kamchatka y sigue por Japón, Filipinas y Nueva Guinea hasta Nueva Zelanda. Otra gran zona sísmica corre, de oeste a este, a lo largo de las costas y litorales europeos en la cuenca del Mar Mediterráneo, penetra en Asia Menor y sigue al este, hacia el Himalaya y el interior de Asia, para torcer al sur y pasar por Birmania y la

Península Malaya prolongándose hacia el archipiélago Malayo para unirse a la gran zona sísmica circumpacífica.

Los terremotos han causado a la humanidad asombro y pánico en toda época, pues no es posible preverlos. En ciertos casos (como en algunas partes de América Central) la población se ha visto obligada a emigrar a zonas asísmicas; en otros ha creado la *vivienda sísmica* como en el Japón, liviana, de estructura tal que pueda resistir las sacudidas sin derrumbarse; pero, los grandes centros de población son los que más sufren y pueden convertirse en segundos en un montón de ruinas.

territorio. Porción de la superficie terrestre, perteneciente a una nación, región, provincia, departamento o municipio. Todo estado se halla integrado por dos elementos físicos: uno humano o población, y otro geográfico o territorio. Políticamente el territorio se caracteriza por ser el ámbito dentro del cual el Estado ejerce plenamente su poder y soberanía, dictando las leyes y obligando a que se cumplan, disponiendo y beneficiándose con el uso y disfrute de los bienes nacionales, y reivindicándolo con el derecho o con las armas ante las injerencias extranjeras. Geográficamente el territorio se reconoce por las fronteras o límites concretos que precisan su extensión. Estas fronteras pueden ser naturales (montañas, ríos, mares, etcétera), o artificiales: en este último caso se llega a la delimitación de las mismas mediante acuerdos y convenios con los países limítrofes. El territorio es inviolable con arreglo a las normas del derecho internacional público, de suerte que toda intromisión en su interior de elementos extraños y no que-

ridos por el Estado puede ser rechazada, incluso por la fuerza. Se aplica al territorio, que se considera como un todo único poseído colectivamente, un criterio similar al que informa la institución de la propiedad privada. Se considera como perteneciente al territorio la masa o columna de aire que gravita sobre la porción geográfica del país hasta la altura que se estima necesaria para mantener la seguridad del estado, pudiendo impedirse el cruce de aeronaves a través de ella. Análogamente, el subsuelo y toda su riqueza, son parte integrante del territorio. En cuanto al mar se considera territorio a aquella extensión de agua que el Estado es capaz de defender desde sus propias costas. También lo son los golfos, bahías, puertos, radas, canales, lagos, etcétera, así como los mares que se hallaren encerrados en su interior, y los estrechos, siempre que sus proporciones reducidas permitan que un tiro de cañón alcance de una orilla a la otra. Cuando un río no constituya propiedad exclusiva de un solo Estado, se toma como línea divisoria el *thalweg*, o sea, la mitad imaginaria de su corriente principal. También se estiman como si formaran parte del territorio nacional los buques de guerra y las viviendas de los representantes diplomáticos en el extranjero, a los que, por una ficción jurídica, la extraterritorialidad se les considera como si habitaran en una prolongación de su propio país.

Territorio del Fuego, Antártida e islas del Atlántico sur. Territorio nacional de la República Argentina. Superficie: 1.002,495 km²; población: 69,450 habitantes. La capital es Ushuaia, con unos 29,700 pobladores. El área territorial se divide así: Tierra del Fuego (incluida la isla de los Estados), 20,392 km²; islas del Atlántico Sur (Malvinas, Georgias del Sur, Sandwich del Sur y Orcadas del Sur), 16,932 km²; y Sector Antártico Argentino, con 964,250, sin contar las barreras de hielo. Anteriormente Tierra del Fuego integraba la antigua provincia de Patagonia junto con el entonces llamado territorio nacional de Santa Cruz. Distinguen su relieve mesetas, cuencas bajas ocupadas por turberas y valles propicios para la cría de ovinos; el clima es frío oceánico, más riguroso en la región montañosa occidental. El sector antártico argentino se extiende al sur del paralelo 60 de latitud sur, entre los meridianos de 25° y 74° de longitud oeste. El relieve es montañoso; su orogénesis es contemporánea de la andina; el clima, de muy bajas temperaturas, se singulariza por las grandes tormentas de nieve que se producen durante el invierno; entre los principales accidentes costeros, destaca la península conocida con el nombre de Tierra de Graham, flanqueada por numerosas islas. El archipiélago de las islas Malvinas se yergue en la plataforma continental sudamericana; más de 100 islotes de exigua superficie se suman a las dos islas mayores, Soledad y Gran Malvina, entre las cuales corren las aguas del estrecho de San Carlos; en la topografía serrana, se encuentran alturas que se aproximan a 700 m; las costas están fuertemente dentadas por la erosión, numerosos valles alongados favorecen con sus pastos la cría de ovejas. El resto del territorio está formado por un extenso arco insular que vincula la extremidad meridional de la República con el continente Antártico; el principal archipiélago es el de las islas Orcadas del Sur, rocoso y cubierto por los hielos durante casi todo el año; en una de sus islas, Laurie, funciona un observatorio meteorológico establecido por el gobierno argentino en 1904.

terrorismo. Dominación por el terror. Sucesión de actos de violencia ejecutados para infundir terror. Forma violenta de lucha política mediante la cual se persigue la destrucción del orden establecido o la creación de un clima de temor e inseguridad susceptible de intimidar a los adversarios o a la población en general.

El término terrorismo comenzó a utilizarse en el siglo XIX referido a individuos o grupos políticos que recurrieron al atentado contra los representantes más conspicuos del orden burgués. Los populistas rusos y algunos anarquistas consideraron el acto terrorista no sólo como un medio para transformar la sociedad, sino también como una forma de autoafirmacion (el *héroe* activo frente a la pasividad de las masas) y de liberación.

Por los fines que persigue, el terrorismo puede ser revolucionario, para la destrucción del orden existente; de liberación, para crear un nuevo Estado sobre un determinado territorio; y estatal transestatal o internacional, para forzar la cooperación de los ciudadanos y operar como instrumento de diplomacia paralela.

El terrorismo ideológico, o ideológicoreligioso, utilizado por pequeños grupos que se proponen destruir el orden existente en los países industriales, tuvo especial incidencia en Europa durante la época de coexistencia pacífica.

Terry, Dame Ellen Alice (1847-1928). Actriz inglesa, que fue una de las grandes figuras de la escena inglesa durante medio siglo. Actuó con éxito memorable formando pareja con Henry Irving. Conquistó fama personificando las principales heroínas del teatro shakespearano. En Estados Unidos realizó giras triunfales, desde 1883 en adelante. Su última aparición en las tablas se produjo en Londres, en 1919. Durante algunos años, en su juventud, mantuvo una romántica correspondencia con George Bernard Shaw, antes de que éste se revelara como autor dramático. En

Oficial en combate al terrorismo.

1899 le estrenó su obra *La conversión del capitán Brassbound*, que constituyó uno de sus grandes triunfos.

Tertuliano, quinto septimio Florente (155?-245?). Apologista y escritor latino, nacido en Cartago. Era hijo de un centurión romano al servicio del procónsul en África. Poco se sabe de su infancia y de su juventud. Estudió leyes, contrajo matrimonio y en 194 se convirtió al cristianismo. Ingresó en la secta de Montano y su elocuencia y su carácter sombrío lo llevaron a acaudillar una facción del montanismo, que tomó el nombre de tertulianistas. Al finalizar el segundo siglo de nuestra era, los cristianos de África fueron encarcelados, ocasión en que Tertuliano les dirigió una exhortación al sufrimiento, en nombre de la fe, titulada *Carta a los mártires*. Desde entonces escribió sin cesar. Su obra más famosa, el *Apologético*, contiene la exaltación, la arrebatada elocuencia y la vivísima y penetrante inteligencia que fueron las características más sobresalientes de su espíritu fogoso. El carácter de todos los escritos de Tertuliano es la severidad moral llevada hasta los últimos extremos. Para Tertuliano el mundo debía ser una asociación monástica y el cristianismo una lucha continua y sin fin contra las debilidades de la naturaleza.

Teruel. Ciudad de España, capital de la provincia de su nombre, con 31,068 habitantes. Está situada en una meseta de pequeña elevación donde confluyen los ríos

Guadalaviar o Turia y Alfambra. Su clima es muy frío, con frecuentes y copiosas nevadas en invierno. Tiene industrias de hilados de lanas, harinas, licores, vino, aguardiente, baldosas, carburo de calcio, maderas, alimentaria, de la construcción y de la energía. Es ciudad de añeja historia, como lo acreditan antiguos monumentos, entre ellos las torres mudéjares del Salvador (s. XIII) y San Martín y el grandioso acueducto en las afueras de la ciudad.

Teruel. Provincia de España, una de las tres en que estaba dividido el antiguo reino de Aragón, que limita con las de Zaragoza, Tarragona, Castellón, Valencia, Cuenca y Guadalajara. Tiene una extensión de 14,804 km². Predomina el territorio montañoso, la región de los Montes Universales es importante en la hidrografía peninsular por nacer en ella los ríos Júcar, Cabriel, Guadalaviar y Tajo. El norte de la provincia pertenece a la cuenca del Ebro. El clima es continental, y sus producciones cereales, frutas, vinos, ganadería y minerales. Su población es de 141,320 habitantes y entre sus principales ciudades, aparte de la capital que lleva su nombre, figuran Albarracín, Híjar, Montalbán, Calamocha y Alcañiz.

teruteru. Ave zancuda, de unos 35 cm de tamaño, que vive en las regiones despejadas de América del Sur, desde la Guayana hasta la Patagonia, siendo característica de las pampas. Tiene plumaje gris, pasando a blanco en el vientre y cabeza, donde su frente y un moño de plumas eréctiles de su parte alta son negros, así como la garganta y una banda en el pecho. La cola es blanca en la base y negra en la punta, y el pico, tarsos, y dos espolones córneos, que tienen en la base de las alas, son rojos. Vive en parejas inseparables, que ponen en invierno cuatro huevos en una oquedad del terreno, incubando la hembra, mientras el macho vigila a cierta distancia, para, a la menor alarma, emitir repetidamente un grito, que recuerda su nombre, levantando vuelo para posarse lejos del nido. De alimentación insectívora caminan con pasos cortos y pausados, son apegados a los lugares, y muy sociables y fáciles de domesticar, constituyen excelentes vigías que delatan con su grito la presencia de cualquier intruso.

Tesalia. Región natural de la Grecia continental. Encerrada entre montañas, está limitada al este con las cadenas de Osa y Pelión; al sur con los montes Othyrs; al norte con la cadena del Olimpo, y al oeste con la del Pindo. Políticamente, comprende cuatro nomos o provincias: Trikalá, Larisa, Magnisia y Karditsa. Tiene 14,037 km² y 731,230 habitantes. Filipo de Macedonia conquistó esta región en 357 a. C. y la anexó a su reino. Luego la conquistaron los

Tesalia

romanos, y a la caída del imperio de Occidente, quedó en poder del imperio de Oriente, o sea, de Bizancio. En 1393, fue conquistada por los turcos, quienes la tuvieron en su poder hasta 1881, año en que volvió a poder de Grecia, por un tratado firmado en Berlín. En Tesalia se dan cereales, vinos, aceites y tabaco. La riqueza ganadera está representada por el ganado ovino y caprino, principalmente. La antigua Tesalia constituía la cuenca más ancha y rica de Grecia, y se comunicaba con el Mar Egeo a través del desfiladero del Tempe, entre los montes Ossa y Olimpo. Se supone que los más antiguos pobladores de esta región fueron los pelasgos. En 1500 a. C., invadió la Tesalia Deucalión, antepasado mitológico de la raza helena, y se estableció en uno de sus valles. Después poblaron otras partes de la región los eólidos. Al terminarse la guerra de Troya, esta región recibió el nombre de Tesalia, porque pueblos venidos del Epiro, llamados tesalios, la invadieron y poblaron. Los tesalios nunca alcanzaron el alto grado de civilización de los demás griegos, quienes los calificaban de ligeros y sensuales. Después de la conquista por Filipo de Macedonia, Tesalia compartió la suerte de los dominios de Alejandro Magno y fue escenario de la guerra entre Filipo III y los romanos, en el año 197 a. C. Augusto hizo una división especial de esta región, y Tesalia quedó incluida en el proconsulado de Acaya. Posteriormente, fue devastada por los godos, los hunos, los búlgaros y los eslavos. En 1881 pasó a formar parte del reino de Grecia. Durante la Segunda Guerra Mundial esta región volvió a sufrir las consecuencias de la invasión armada y fue escenario de luchas entre griegos e italianos, y luego entre alemanes y aliados.

Teseo. Rey de Atenas y uno de los más grandes héroes de la mitología griega. Su madre, Etra, hija del rey de Trezena, fue abandonada por su padre Egeo, rey de Atenas, antes de que Teseo naciera. A punto ya de marcharse a su reino, Egeo colocó bajo una gran piedra sus sandalias y su espada, e hizo prometer a Etra que si el nuevo ser llegara un día a obtenerlas, levantando dicha piedra, lo enviaría a Atenas para conocer a su padre. Teseo crece, es valiente y fuerte; su madre, entonces, le indica la roca y los trofeos que debe recuperar y él, sin grandes dificultades, levanta la piedra, se calza las sandalias, sujeta la espada, y se dispone a emprender viaje hacia Atenas. Mil vicisitudes lo aguardan en el camino, y no obstante saber que el mar ofrece mayor seguridad, elige la tierra y sus peligros. Las aventuras que lleva a cabo en el largo trayecto equivalen a los trabajos que realizó Hércules; finalmente, vencidos todos los obstáculos, llega a su destino pero aun antes de ser reconocido por

su padre, la esposa de éste, Medea, celosa y malvada hechicera, intenta envenenarlo, en el momento en que Egeo advierte la espada y se hace cargo de que está frente a su hijo; trata de castigar a Medea, pero ésta huye. Teseo entonces permaneció en el reino secundando a su padre en el gobierno, y a poco llegó a Atenas el enviado del rey Minos, para reclamar el tributo de siete doncellas y siete hombres jóvenes que, anualmente, eran sacrificados al Minotauro, monstruo mitad hombre, mitad toro, que moraba en el laberinto de Creta. Al notar Teseo el pesar y la angustia de Atenas, decidió ser él uno de los elegidos para poder así enfrentarse con el Minotauro. Convino con su padre que a su regreso, si obtenía la victoria, izaría en su barco velas blancas, en lugar de la negra que llevaba.

Una vez en Creta, la hija de Minos, Ariadna, enamorada de Teseo y deseosa de ayudarle, le facilitó un largo hilo que habría de marcarle el camino a través del intrincado laberinto, para que pudiera llegar hasta el monstruo. Su valiente empresa tiene éxito, mata al Minotauro y orgulloso se marcha a Atenas; Ariadna huye con él, pero es abandonada en la isla de Naxos. El triunfo hace olvidar a Teseo el cambio de velas y, en consecuencia, su padre, que desde una alta roca atisba con ansias el resultado de la expedición, cree, al ver flamear al viento las velas negras que ha perdido para siempre a su hijo y, desconsolado, se arroja al mar. Teseo llora su muerte, pero se consuela ante los agasajos que el pueblo le brinda; es ahora rey de Atenas y lleva a cabo importantes reformas sociales y políticas, ordena acuñar monedas y se embarca en innumerables aventuras, que otorgan gloria a

su nombre. Por haber capturado a Antiope, reina de las Amazonas, éstas invaden el Ática, hasta las puertas mismas de Atenas; Teseo, en alianza con Piritoos, su inseparable amigo, las expulsa. Más tarde, Piritoos intenta raptar a Proserpina, compañera de Plutón en las profundidades de la Tierra; Teseo lo acompaña, pero son capturados y confinados en el Infierno hasta que, por fin, Hércules rescata a Teseo.

De vuelta a la Tierra, queda asombrado ante los graves hechos sucedidos durante su ausencia; su trono ha sido usurpado por el descendiente de un anterior rey de Atenas; el pueblo se encuentra dividido y aunque trató de restablecer el orden, sus esfuerzos resultaron inútiles. Se marchó entonces a la isla de Esciros donde murió al ser precipitado desde una alta roca por el celoso rey Licomedes. Más tarde, sus restos se trasladaron a Atenas y muchos templos fueron erigidos en su honor. *Véanse* ARIADNA; MEDEA; MINOS Y MINOTAURO.

tesis. Proposición que se mantiene con razonamientos. Se distingue del axioma en que éste es universal y necesario, mientras que la tesis es establecida temporalmente y afecta a un objeto determinado. Una vez demostrada, se convierte en conclusión, y puede servir de premisa para inferencias ulteriores. Cuando a la tesis puede oponerse su contradictoria, que cuenta con argumentos de valor equivalente, ésta se llama antítesis.

Tesla, Nikola (1856-1943). Físico e inventor de origen yugoslavo, que estudió en la Politécnica de Gratz y en la Universidad de Praga, trabajó como ingeniero electricista en Viena, Budapest, París y Estrasburgo

Buscadores de tesoros en Nueva Escocia.

y llegó a Estados Unidos en 1884, atraído por los progresos de la industria eléctrica. Trabajó con Thomas Alva Edison y luego con George Westinghouse, hasta que patentó el motor eléctrico actuado por corriente alterna y un sistema para transmitir la electricidad a grandes distancias; con su generador y sistema polifásico, revolucionó la transmisión de energía industrial. Su primer gran triunfo público lo tuvo en 1893, cuando 12 de sus generadores encendieron 90 mil lámparas en la exposición mundial de Chicago; tres años después, inauguró el sistema polifásico de transmisión de energía eléctrica generada por las cataratas del Niágara. Entre sus inventos figuran un generador de alta frecuencia, los osciladores mecánicos y el motor y transformador que llevan su nombre. Descubrió también las corrientes de alta frecuencia y alta tensión y un amplificador telegráfico de gran potencia. Los últimos 40 años de su vida los dedicó a investigaciones en sus laboratorios de New York , donde publicó declaraciones y vaticinios sobre armas de alcance ilimitado, la liberación de la energía atómica, un cohete semejante al *V-2* alemán, un rayo de la muerte, la fuerza cósmica y la comunicación interplanetaria.

tesoro. Cantidad de dinero, valores u objetos preciosos, reunida y guardada. Conjunto de bienes y rentas que forman el patrimonio del Estado y que representan los rendimientos de todas las contribuciones, valores y derechos. A la Tesorería nacional corresponde la ordenación general de pagos y todo lo referente a operaciones de fondos del Erario Público; la recaudación de contribuciones, impuestos, rentas y derechos del Estado. Otro tesoro nacional es el artístico, constituido por el conjunto de bienes muebles e inmuebles que, por razones de arte y de cultura, merecen ser conservados para la nación, y que quedan bajo la tutela y protección del Estado.

La historia y la leyenda preservan el recuerdo de muchos tesoros ocultos en las entrañas de la tierra o perdidos en el seno de los océanos. Son numerosos los tesoros hallados por investigadores y aficionados en los últimos siglos. Cerca de Toledo (España) apareció, en 1858, el llamado *tesoro de Guarrazar*, compuesto por coronas votivas, cruces, trozos de cristal de roca y báculos episcopales de la Edad Media. En la pequeña villa española de Aliseda, fue descubierto, en 1920, un tesoro que había sido escondido por los fenicios 2 mil años antes. La tradición afirma que en las aguas. del Caribe yace el tesoro fabuloso del corsario inglés sir Francis Drake, que en Montevideo se hallan ocultas las riquezas de José Garibaldi y que en las costas del Mar del Norte se encuentran los tesoros de la Armada Invencible, que trató de invadir Inglaterra. Muchos aventureros han procura-

Tesoros de la India.

do hallar estas fortunas ocultas, pero sus esfuerzos han fracasado hasta hoy. Entre las innumerables narraciones relativas al tema, ninguna goza de la fama alcanzada por *La isla del tesoro* (1883), novela de Robert Louis Stevenson.

test. Palabra inglesa con que se designan las pruebas ideadas para medir los diversos aspectos de la inteligencia y de la personalidad. Si ante un mismo estímulo dos individuos reaccionan en forma diferente, si puestos ante el mismo problema y en las mismas condiciones un individuo logra resolverlo y otro no, tendremos en el estímulo y el problema usados, otros tantos puntos de referencia para estimar las características y variaciones individuales en su relación con la inteligencia y la personalidad. La condición fundamental de todo *test* es que represente un estímulo para el individuo examinado; es decir, que provoque en él una conducta significativa y, además, que este estímulo sea uniforme y constante para los distintos individuos. Reunidas estas dos condiciones, antes de generalizar el uso de un *test* es necesario averiguar a qué edades o niveles intelectuales debe ser aplicado, estableciendo para cada caso el tipo de respuesta más probable que puede esperarse. Esta indagación previa se llama tipificación del *test* y se lleva a cabo aplicando la prueba a un grupo de sujetos escogidos al azar, sin consideraciones de orden económico, social o racial.

El *test* se considera apropiado para una edad determinada cuando 50% de los individuos lo resuelve satisfactoriamente a esa edad. Otros requisitos que debe llenar un *test* son la precisión o confiabilidad y la validez. Se dice que un *test* es confiable cuando aplicado en ocasiones sucesivas a un mismo sujeto no provoca respuestas contradictorias. Por validez se entiende la capacidad del *test* para llenar la finalidad a que se destina. No sería válido un *test* empleado para medir la personalidad y que midiese en realidad, la capacidad intelectual. Los problemas concernientes a la interpretación de las respuestas emitidas por el sujeto y al procedimiento a seguir en la administración de los *tests* serán tratados por separado.

Diversos tipos de *tests*. Pueden clasificarse de diverso modo según que se tenga en cuenta la función que miden, el modo de su administración o el tipo de respuesta que exigen. Según el primer criterio, se distinguen los *tests* de inteligencia o mentales, los de personalidad o caracterológicos y los que investigan el aprovechamiento de la enseñanza recibida o de rendimiento. Por la forma de su administración pueden ser individuales o colectivos y por la respuesta que exigen, ejecutivos o verbales. En los ejecutivos el lenguaje tiene un papel muy secundario o prácticamente nulo; el sujeto se limita a ejecutar una tarea dada y por ello estos *tests* son muy apropiados para los sordomudos, si se logra hacerles comprender lo que deben realizar. Los *tests* verbales se basan en un mecanismo de pregunta-respuesta y en ellos el dominio del lenguaje es imprescindible.

***Tests* de personalidad.** Se ha definido la personalidad como el conjunto de atributos y cualidades de un sujeto que lo diferencian de los demás sujetos, tornándolo único e individual. Son varios los rasgos que, estructurados, configuran la personalidad: físicos, intelectuales o mentales, emocionales, temperamentales, volitivos, sociales, etcétera. Los *tests* de personalidad tienen por objeto medir el grado de salud mental, la adaptación personal y social a los estímulos exteriores e interiores y, en general, los aspectos intelectuales, afectivos y volitivos de un individuo. La mayoría de los *tests* de personalidad se basan en el principio de la proyección psicológica. El sujeto tiende a proyectar o atribuir a otras personas y objetos sus propias experiencias personales. Los *tests* de tipo proyectivo pueden ser agrupados en cuatro categorías distintas: 1) *tests* de asociación verbal, 2) *tests* de tipo lúdico, especialmente ideados para la exploración del carácter en los niños; con ellos se procura que el niño manifieste su personalidad en el juego con títeres u otra clase de juguetes; 3) *tests* de dramatización, una variante de los anteriores en que se explotan las posibilidades del drama, lográndose una fácil proyección por parte del niño, y que llevó a Moreno a la creación de un psicodrama o *teatro terapéutico*, y 4) las manchas de tinta del mismo tipo que las del psicodiagnóstico de Hermann Rorschach. Los tests de personalidad más difundidos son el *tests* de apercepción temática de Murray, constituidos por 20 láminas con escenas poco estructuradas, aplicable en niños de ambos sexos; el *test* Symonds, muy adecuado para la obtención de material proyectivo en los adolescentes; el *test* de apercepción infantil de Bellak y los *tests* constituidos por los diversos elementos que forman la comunidad social en que vive el niño. Pero, uno de los más importantes y de uso más extendido es, sin duda, el *test* de Rorschach.

En general, inteligencia es la capacidad intelectual; hay quien la define como el conjunto de las habilidades específicas que posee el individuo. Las pruebas o *tests* de inteligencia están destinados a determinar la edad o nivel mental del individuo mediante conjuntos de pruebas. Pueden ser pruebas individuales o colectivas; orales o activas. En 1905 comenzó la popularidad de estas pruebas con los *tests* de Alfred Binet-Simón, en los cuales se planteaba a los niños, problemas relacionados con su edad, que debían resolver. Estos *tests*, fueron revisados por Stanford, y superados por otros como los de Karl Bühler, Arnold Gesell, Wechsler-Bellevue y otros.

Casi todas las pruebas de inteligencia pretenden, basadas en los datos obtenidos, la obtención de un cociente individual de inteligencia, o la comparación de la inteligencia individual con la edad mental que corresponde. También las pruebas de inteligencia permiten estudios sobre las relaciones de la vida social, la herencia, el sexo y la raza con la inteligencia.

Psicodiagnóstico de Rorschach. Creado por el psiquiatra suizo Hermann Rorschach, comprende una serie de 10 manchas de tinta cuya interpretación debe realizar el sujeto, revelando la estructura básica de su personalidad. En sus comienzos fue utilizado como una prueba destinada a complementar los datos obtenidos en el estudio psiquiátrico del paciente, pero no tardó en hacerse evidente su enorme valor en el campo de la investigación psicológica de la personalidad. El material obtenido con la aplicación de este *test*, se clasifica desde cuatro puntos de vista: 1) ubicación de las respuestas, es decir, si el sujeto se ha fijado preferentemente en la figura total o en sus detalles, o en los espacios en blanco; 2) los factores determinantes que intervienen en la elaboración de las respuestas (forma, color, claroscuros, movimiento); 3) el contenido de las respuestas (humano, de animales, objetos, anatómico, sexual, geográfico, etcétera), y 4) la originalidad o vulgaridad de las respuestas. El conjunto de los datos obtenidos y la interpretación adjudicada a los mismos constituyen el psicograma de Rorschach. Éste se establece como resultado de la interrelación de los diversos factores que intervienen en la prueba y, como en todo estudio de la personalidad, sólo posee valor caracterológico cuando se realiza teniendo en cuenta todos los demás datos que se disponen del individuo.

Durante la Segunda Guerra Mundial, en razón de su valor como método diagnóstico de los desórdenes mentales en individuos de mentalidad normal, se utilizó con gran éxito en las fuerzas armadas de Estados Unidos, Gran Bretana y Canadá para identificar a los ineptos o que padecían de ansiedades, fobias, perturbaciones sexuales y demás trastornos de la personalidad. A este efecto, se aplicó en forma colectiva, reproduciéndose las láminas en placas y proyectándolas sobre una pantalla observada por un grupo de 20 a 50 sujetos, los cuales debían escribir individualmente las respuestas que les sugerían las láminas.

Administración de los *tests*. Tanto la utilidad de un *test* como su capacidad reveladora dependen, en gran medida, de su administración adecuada. Un *test* puede ser excelente y dar lugar a una apreciación errónea del sujeto si no se cumplen fielmente las condiciones exigidas para su aplicación. En efecto, si se altera el procedimiento seguido en la tipificación del *test*, lo que correspondía a una respuesta normal, podría entonces no serlo. Se trata aquí de respetar el principio de la uniformidad del estímulo. Si se aplica el mismo *test* a dos individuos diferentes pero en forma distinta a cada uno, el estímulo ya no será igual para ambos y sus respuestas carecerán de todo valor relativo.

Otro factor de primordial importancia para obtener el máximo rendimiento de un *test*, es la actitud del sujeto durante la prueba. En un mismo individuo los resultados pueden variar considerablemente según que éste se halle a gusto con el examinador y dispuesto a colaborar o que, por el contrario, se muestre receloso o a la defensiva. El establecimiento de una corriente de simpatía entre examinando y examinador es tarea de este último y el modo de lograrla varía de acuerdo con las características personales de ambos. El objetivo fundamental del examinador ha de ser, siempre, ganarse la confianza del sujeto a fin de vencer la inhibición natural que la presencia de una persona desconocida o casi desconocida puede producirle. Para alcanzarlo, el examinador no cuenta con métodos fijos, tratándose, más bien, de una cuestión de tacto. El trato que para ciertos sujetos puede resultar adecuado produce, en otros, una reacción negativa. En general, el examinador debe poseer un gran poder de adaptabilidad y comprensión para saber conformarse a las distintas situaciones y personalidades con que trabaja. Debe mostrarse interesado en la ejecución de las pruebas y alentar al sujeto en todo momento, especialmente si se trata de niños. En este caso debe prodigarse el elogio, aun cuando las respuestas sean visiblemente erradas, pues lo que se premia es su esfuerzo y no su mayor o menor acierto. El elogio excesivo puede resultar perjudicial, sin embargo, cuando el sujeto comprende que su respuesta no ha sido acertada, pues en este caso puede impulsarlo a conformarse con un tipo inferior de respuestas, sin dar de sí todo lo que es capaz de dar. En ningún caso, el examinador deberá dar muestras de desagrado, malhumor o fatiga, frente a una respuesta equivocada.

Otro elemento importante que no debe descuidarse es el interés del sujeto, sobre todo cuando se trata de niños. Para evitar que se distraiga o fatigue, es necesario que las tareas se sucedan con cierta rapidez y que la prueba no se alargue indebidamente. Para ello, el examinador deberá tener listos de antemano todos los elementos a utilizar en la prueba. Otros factores de distracción pueden ser la presencia de personas u objetos extraños en la habitación en que se toma la prueba, la incomodidad física (frío, falta de luz o deseos de ir al baño), los ruidos en las habitaciones contiguas, etcétera. Es conveniente evitar la presencia de la madre o maestra, pues éstas ejercen una acción perturbadora al coartar la espontaneidad del niño.

Interpretación del resultado. Una vez administrado el *test* y registradas todas las respuestas del sujeto en la forma más completa posible, el examinador debe proceder a la interpretación de los datos recogidos, efectuando la evaluación de la conducta manifestada en la prueba. Tarea sumamente delicada, exige del examinador profundos conocimientos y capacidad selectiva para reconocer los datos más significativos. Es de particular responsabilidad cuando el procedimiento del *test* ha debido alterarse por tratarse de sujetos con algún impedimento físico, (sordera, ceguera, dificultades en el lenguaje). En estos casos, al modificarse las normas típicas de aplicación del *test*, los resultados serán de valor muy relativo.

Testa, Clorindo (1923-). Arquitecto y pintor argentino de origen italiano. Cursó estudios de arquitectura en la Universidad de Buenos Aires. Comenzó a pintar hacia 1950 y desde sus primeras obras demostró una gran inquietud por las corrientes de vanguardia. Formó parte del grupo *Siete pintores argentinos* y está vinculado con el grupo *Phases* de París. Entre sus obras como arquitecto figuran la casa de gobierno de Santa Rosa en la provincia de La Pampa (1955), el edificio del Banco de Londres y América del Sur en Buenos Aires (1966), el hospital Presidente en La Rioja, Argentina (1976), y el hospital gubernamental de Costa de Marfil (1979). En 1977 fue galardonado en la Bienal del São Paulo.

testamento. Acto por el cual alguien dispone algo para después de su muerte. Por lo común se refiere a los bienes, aunque accidentalmente puede contener también disposiciones de carácter personal y familiar. Documento donde consta en forma legal la voluntad del testador. Obra en que el autor, en el último periodo de su actividad, deja expresados los puntos de vista fundamentales de su pensamiento o las principales características de su arte, en forma que el o la posteridad consideran definitiva. Embargo o aprehensión judicial de las cosas, a pedimento del acreedor. Serie de resoluciones que por interés personal dicta una autoridad cuando va a cesar en sus funciones. Término con que la iglesia latina traduce el griego *diathéke* de los Setenta, a su vez traducción del hebreo *berit*, alianza.

En derecho romano el testamento es un negocio jurídico revocable en el cual el causante nombra un heredero, considerándose la institución de heredero como sustancia del testamento, el cual no es posible sin ella. En el derecho español no es necesaria la institución de heredero para la validez del testamento; el código civil define el testamento como *acto por el cual una persona dispone pare después de su muerte de todos sus bienes o parte de ellos*. Se caracteriza por ser: unilateral, pues la declaración de voluntad del testador vale por sí sola y no concurre otra parte más que el causante; no recepticio, porque la voluntad de aceptación de los beneficiarios no afecta la perfección del testamento; personalísimo, pues no se puede dejar al arbitrio de tercero; solemne, porque para su validez se requiere que se ajuste a las formalidades

que establece el código civil revocable, aun cuando el testador exprese lo contrario, siendo por ello nulas las cláusulas derogatorias de disposiciones futuras, con excepción del reconocimiento de hijos naturales, que es irrevocable.

testículo. *Véase* REPRODUCCIÓN.

testigo. Persona que da testimonio de una cosa o la atestigua; y, también, persona que presencia o adquiere directo y verdadero conocimiento de una cosa. Su presencia es necesaria para la celebración y validez de ciertos actos jurídicos. Según la naturaleza del acto de que participe, se llama auricular el testigo que depone sobre algún caso por haberlo oído a otras personas; instrumental, el que asiste al otorgamiento de documentos notariales en los cuales estampa su firma; de vista, el que se halló presente en el hecho sobre el que atestigua; de cargo, el que depone en contra del procesado, y de descargo, el que depone a favor; falso, el que declara contra la verdad, y singular, el que es único en lo que atestigua.

Pueden ser testigos las personas de uno y otro sexo que no fueren inhábiles por incapacidad natural o por disposición de la ley. Se considera que son inhábiles por incapacidad natural los dementes, los ciegos y sordos en las cosas cuyo conocimiento dependa de la vista y del oído, y los menores de 14 años. La ley considera inhábiles a los que tienen interés directo en el pleito que se ventila; los ascendientes, en los pleitos de los descendientes, y éstos en los de aquéllos; el marido en los pleitos de la mujer y la mujer en los del marido; los que tienen obligación de guardar secreto en los asuntos referentes a su profesión o estado.

testigos de Jehová. Esta modalidad de adventismo fue fundada por Charles Taze Russell en 1870 en Estados Unidos. Joseph Franklin Rutherford la organizó y fue quien le dio el nombre: *Jehovah's Witnesses*. Reconocen a un solo dios, rechazan la Trinidad, la naturaleza divina de Cristo y la inmortalidad del alma. Su organización está basada en la predicación itinerante y proclaman un sistema teocrático y antimilitarista. Se dedican al estudio y divulgación de la Biblia.

testimonio. Atestación o aseveración de una cosa. Instrumento autorizado por escribano o notario, en que se da fe de un hecho, se traslada total o parcialmente un documento o se le resume por vía de relación.

Falso testimonio. Delito que comete el testigo o perito que declara faltando a la verdad en causa criminal o en actuaciones judiciales de índole civil. Es un delito que

evidentemente, sólo pueden cometer los testigos.

La infracción punitiva se integra por faltar en las disposiciones a la verdad de los hechos (la falta de verdad tanto puede ser de forma positiva como a través de una omisión), pero la declaración falsa del testigo tiene que ser prestada maliciosamente. Cabe considerar distintos supuestos en causa criminal, donde se considera que los testigos que hayan declarado en el sumario comparezcan a declarar también sobre los mismos hechos en el juicio oral.

Mientras que en los países latinos la característica de este delito es la alteración de la verdad ante los jueces y tribunales (falso testimonio), en los germánicos y anglosajones se caracteriza por el quebrantamiento del juramento de decir la verdad (perjurio).

tetania. Enfermedad que se caracteriza por contracciones dolorosas de los músculos y en especial de las extremidades. Espasmo persistente de un músculo que se observa principalmente en los niños. La causa proviene de un trastorno alimenticio en el que el calcio no es absorbido por completo, originado por una deficiencia de las paratiroides.

tétanos. Enfermedad infecciosa aguda, de pronóstico grave, causada por el microorganismo *Clostridium tetani* o bacilo de Nicolaier, que se encuentra principalmente en tierras abonadas con excrementos y en otros lugares sucios. La transmisión de la enfermedad se efectúa por las heridas, aunque sean pequeñas, siendo los niños los más expuestos al jugar en la tierra y herirse en las manos o en las rodillas. Los

La enfermedad del tétanos es causada por el microorganismo llamado clostridium tetanio, *el cual se encuentra en lugares poco higiénicos.*

síntomas se caracterizan por espasmos musculares violentos y dolorosos, estando en principio más afectados los músculos de los maxilares y de la cara manteniéndose la temperatura del cuerpo normal, aunque en el último periodo puede ascender hasta 43 y 44 grados.

Los recién nacidos están expuestos a la enfermedad, al infectarse la herida del cordón umbilical. El tratamiento pronto y eficaz con inyecciones de suero antitetánico, puede conseguir la curación, pero aun así la mortalidad excede 50%. En la actualidad, se lleva a cabo la vacunación preventiva, que es el método que produce mayores beneficios. En los niños se aplica la vacuna antitetánica (a menudo asociada a otras vacunas), en los primeros meses de vida. En los adultos, se emplea el suero antitetánico por la vía intramuscular, cuando son víctimas de heridas de consideración. Gracias a estos métodos, el tétanos es cada vez menos frecuente.

Tetis. Diosa del mar en la mitología griega. Era hija de Nereo y Dóride, y madre de Aquiles. Poseidón y Zeus trataron de conquistar su amor, pero renunciaron a ello cuando una profecía anunció que el hijo de Tetis habría de ser más ilustre que el padre. Entonces Tetis fue casada contra su voluntad con un mortal, Peleo. De este matrimonio nació el héroe Aquiles, y Tetis fue condenada por los dioses a ver morir a su hijo en plena juventud. *Véase* AQUILES.

tetraedro. Poliedro de cuatro caras. Se da este nombre a la pirámide formada por cuatro triángulos equiláteros reunidos de tres en tres en cada vértice.

tetrarquía. En la antigüedad se titulaba tetrarquía a cada una de las cuatro partes en que se dividía un reino o provincia. Tales, las divisiones de la provincia de Siria, a las cuales los romanos permitieron regirse en forma de tetrarquías; también los hijos de Herodes, a la muerte de éste, dividieron la herencia paterna correspondiéndole a cada uno de ellos el título de tetrarca. La Tesalia y otros pueblos de Grecia fueron gobernados por tetrarcas. La más famosa fue la establecida por Diocleciano para el gobierno del imperio romano. *Véase* DIOCLECIANO.

Tetuán. Ciudad del norte de Marruecos, antigua capital del Protectorado español, que cesó en 1956 al reconocer Francia y España la independencia de aquel país. Está situada a orillas del río Martín, a 35 km de Ceuta y a 4 de la costa del Mediterráneo; tiene una población de 199,615 habitantes, y consta de dos partes: la ciudad antigua y amurallada, a la que dan acceso varias puertas, con sus calles estrechas, sus mezquitas, que pasan de 50, sus características fuentes, la más notable de las cuales es la de Bab-el-Okla, monumento de verdadero mérito, sus comercios típicos y la abigarrada muchedumbre que por ella transita. La parte nueva posee calles anchas y rectas, y plazas y parques amplios según la urbanización moderna. Comunica con Ceuta por carretera y ferrocarril, partiendo de ella numerosas líneas de autobuses para Tánger, Xauen, Arcila y Alcazarquivir. En sus alrededores hay una hermosa vega y grandes huertas, que producen frutas, legumbres, cereales y pastos. Fabrica alfarería, tejidos y armas.

teutones. Nombre que, por extensión, se aplica con frecuencia para designar a todos los pueblos de origen germánico; pero que, en sentido restringido, corresponde a un antiguo pueblo germánico que habitaba en la región de Europa comprendida entre el bajo Elba, Holstein y Mecklenburgo, a orillas del Mar Báltico. Según una leyenda, para huir de una invasión de las aguas de este mar, se lanzaron hacia el sur en compañía de los cimbrios y chocaron con los romanos en Helvecia, hoy Suiza. Luego se unieron a otras razas no latinas e invadieron la Galia. Después de haber vencido en cuatro oportunidades a los romanos -en una de ellas les derrotaron un ejército de más de 80,000 hombres-, teutones y cimbrios invadieron España, de donde fueron rechazados. Poco después, volvieron a las Galias y pusieron en graves aprietos el poder romano. Los teutones se distinguían por su impetuosidad, su osadía y un gran desprecio por la vida. Eran valientes guerreros. Desde las Galias amenazaron entrar en Italia por la Galia transalpina, mientras sus aliados los cimbrios hacían lo mismo por Recia y Triento. Entonces los romanos organizaron un gran ejército y encargaron de su mando a Mario. Este general marchó contra los teutones, a los que derrotó y exterminó en Aix de Provenza, en el año 102 a. C. Un año después, hizo lo mismo con los cimbrios en el valle del Adigio. Algunos historiadores sostienen que perecieron a manos de los romanos más de 300,000 hombres, entre teutones y cimbrios. El primero que habló de los teutones fue el navegante Piteas, en el año 320 a. C. *Véase* ALEMANIA.

Texas. Estado que se extiende 1,244 km de este a oeste y 1,289 km de norte a sur. Ocupa alrededor de 7.5% del territorio de Estados Unidos. Obtuvo su independencia de México en 1836 y se convirtió en territorio de Estados Unidos en 1845. Superficie: 109,156 km². Población: 5.175,000 habitantes (1994). Su capital es Nashville-Davidson (510,764 h, 1990) y la ciudad más grande es Memphis (610,000 h, 1992). Es el segundo estado más poblado del país, después de California.

Tierra y recursos. Se encuentran cuatro de la mayores subdivisiones físico-geográficas de Norteamérica: el Golfo Costero de la llanura en el este y en el sureste; el norte de las planicies centrales; las grandes planicies en el noroeste; y las montañas de Trans-Pecos en el extremo oeste y suroeste.

Los minerales representan una parte muy significativa de la riqueza natural del estado. Existen depósitos de petróleo. En

(De izq. a der. y de arriba abajo). Exterior del capitolio del estado, entrada a la ciudad en Texas del sur y malecón de una ciudad en Texas, EE.UU.

Texas se encuentra una de las mayores reservas mundiales de gas. Es líder en magnesio, grafito, sulfuro, cemento y lignita. Se descubrió uranio en 1954 en la planicie costera.

Hidrografía. Tiene dos fuentes de agua: acuíferas, encontradas en la mayor parte del estado y ríos con sus reservas. Las mayores corrientes son los ríos Grande, Rojo, Colorado de Texas y Sabine. Otros ríos incluyen al Pecos y al Delvis, ambos tributarios del río Grande, el Nueces y el Guadalupe. El estado posee relativamente pocos lagos naturales pero tiene cientos de lagos artificiales; éstos proveen de electricidad y de irrigación a las granjas.

Clima. Existen dos rangos, desde el caliente semihúmedo encontrado en el valle del río Grande hasta el frío semiárido de la parte norte de Panhandle, y desde el cálido húmedo en el este hasta el árido del Trans-Pecos. La lluvia varía de 1,400 mm en el este a menos de 250 mm en el oeste. Las temperaturas varían también de 49 a -31 °C. Cada año cerca de 100 tornados ocurren con frecuencia en el valle del río Rojo.

Vegetación y vida animal. Los densos bosques de pino de la parte este del estado contrastan con el desierto de la parte oeste, y las planicies de hierba del norte con la vegetación semiárida del sureste.

Texas se convierte cada año en el refugio temporal de muchas aves migratorias, los animales locales incluyen la mula, el ciervo de cola blanca, el oso negro, el león de montaña, el antílope y el carnero de grandes cuernos; el búfalo sólo se encuentra en zoológicos y en algunos ranchos. Existen pequeños mamíferos como el coyote, el armadillo, el perro de las praderas, etcétera.

Actividad económica. Es líder en agricultura gracias a la moderna tecnología la cual ha incrementado la productividad, debido a esto la mano de obra ha decrecido. La producción de algodón es la más importante del estado así como la crianza de ganado vacuno. También es líder en la producción nacional de sorgo, sandías, coles y espinacas.

Después de la Segunda Guerra Mundial hubo gran énfasis en la diversificación de las manufacturas. Éstas incluyen un amplio rango de productos de petróleo, carbón, maquinaria, químicos, productos alimenticios, equipos eléctricos, materiales de imprenta y equipos de transporte.

Turismo. Texas atrae a muchos visitantes, es el tercer estado después de California y Florida en el mercado turístico. Los lugares más visitados son Dallas, San Antonio, Houston, Fort Worth, El paso, Austin y otras ciudades. La pesca y la caza son pasatiempos muy populares para los turistas, así como los eventos deportivos y profesionales.

textiles. Materias susceptibles de reducirse a hilos y ser tejidas. Las manipulacio-

Corel Stock Photo Library

Vista nocturna de la ciudad de Dallas en Texas, EE.UU.

nes que para ello es menester llevar a cabo constituyen dos grandes procesos industriales: el del hilado y el de la tejeduría. Las fibras textiles se clasifican de acuerdo con su origen y procedencia en cuatro grupos: vegetales (algodón, lino, yute, cáñamo, ramio, rafia, etcétera); animales (lana, seda, pelo); artificiales (rayón, nailon, vinión, orlón, etcétera), y minerales (amianto y vidrio). La naturaleza ofrece cientos de fibras textiles, pero son pocas las capaces de ser utilizadas industrialmente. El carácter textil de una materia comprende, en cierto grado, las condiciones de resistencia, elasticidad, longitud, flexibilidad, persistencia, aspecto, finura, conductibilidad del calor, etcétera. Asimismo, deben tenerse en cuenta sus propiedades químicas, a fin de que no se produzca ninguna reacción entre ellas y las sustancias empleadas en su tratamiento. Otra condición importante es la estructura o agrupación molecular del filamento. Los hilos, telas y otros muchos artículos, en gran variedad de grados, clases y calidades, producto de las industrias de hilados y tejidos, tienen importantes e innumerables aplicaciones en la indumentaria, en el hogar y en diversas industrias, artes y oficios.

La transformación de las fibras textiles en hilo constituye el arte manual o el proceso industrial denominado hilado. Su origen data de la más remota antigüedad, pues atribuyen su invención a Isis, los egipcios; al emperador Chao-Yro, los chinos, y a Minerva los griegos. Cuándo y dónde empezó el hombre a servirse de las fibras textiles, no se sabe. Quizá nuestros antecesores aprendieron a tejer la hierba para confeccionar esteras o cestas, lo que pudo haberles sugerido la posibilidad de hacer lo mismo con la lana, enrollándola en hilo; sin duda habían domesticado ya la oveja y uti-

lizaban su piel como ropa de abrigo. Sin embargo no existe evidencia alguna de que los primeros productos textiles fueran de lana, ya que las muestras más antiguas que se conocen son restos de hilaza de lino encontrados en los vestigios de las viviendas lacustres de Suiza pertenecientes a la edad neolítica. Las más primitivas muestras de tejido son las telas de lino que se encuentran en los sepulcros del antiguo Egipto, cuyos habitantes fueron hábiles tejedores quizá desde 4,000 años a. C., tal cual lo acreditan las ropas de las momias, de lino muy fino.

Es probable que varios pueblos descubrieran independientemente el tejido en distintas partes del mundo. Los habitantes de Mesopotamia pudieron haberlo aprendido de los egipcios o antes que éstos. Según cierta leyenda, una princesa china ya elaboraba telas de seda 2,700 años a. C. El algodón se conoció en la India 800 años antes de Cristo. Los griegos fueron expertos tejedores. El episodio mitológico de Ariadna confirma la maestría griega en el arte de la tejeduría; asimismo fueron muy hábiles los griegos en el teñido de los textiles, como lo prueba el que la púrpura fuera tan apreciada que se convirtió en símbolo de la realeza. Los romanos primitivos se interesaron menos que otros pueblos por el tejido fino, usaron telas sencillas de lana ordinaria y a veces de lino; pero con las conquistas y el engrandecimiento se llevaron a Roma tejedores esclavos, procedentes de los países conquistados. El enriquecimiento originó entre gobernantes y potentados demandas de seda, que se importaban de China. De las provincias de Oriente fueron llevados a Roma costosos tapices, colgaduras, cortinajes y alfombras. Derrumbado el imperio romano, el hilado y tejido se practicó en Europa en el seno del hogar. La rue-

(De izq. a der. y de arriba abajo) textiles tipo escocés, costurera austriaca trabajando textiles tradicionales y fábrica de textiles en Nueva Escocia, Canadá.

ca y el huso, que aún perduran en casas de campo y pequeñas aldeas fueron los instrumentos que hicieron posible el hilado.

La invención de la máquina de hilar y del telar mecánico en el último tercio del siglo XVIII, revolucionó los métodos textiles. El hilado mecánico dio un gran paso de avance cuando John Wyatt, de Birmingham, ideó un aparato cuya característica principal consistía en dos pares de cilindros estiradores, funcionando a velocidad diferente cada par, que convertían la mecha en hilo de la finura deseada. Las hilanderías que adoptaron este procedimiento fueron destruidas por los obreros, temerosos de que tal sistema los dejara sin ocupación. En 1748, Lewis Paul, también de Birmingham, inventó una carda de cilindro giratorio, tras de la cual aparecieron otras. La perfección llegó con el procedimiento de Richard Arkwright, que consistía en una máquina con los tres factores esenciales de la carda moderna: alimentación continua, superficie continua de cardado y producción de una cinta continua, todo lo cual fue completado por los inventos de Hargreaves y Crompton. Por lo que se refiere a América, el conquistador español Francisco Pizarro encontró en Perú hilados y tejidos con dibujos llamativos y originales de gran belleza, variedad, y colorido logrado con tintes vegetales.

Una de las fibras textiles de mayor importancia es el algodón. Las fábricas de hilados reciben su materia prima, el algodón, en fardos llamados balas o pacas. La operación inicial a que se someten es la de limpieza que se efectúa en varias etapas. Primeramente, se abren las pacas a máquina y se extiende su contenido. Otras máquinas deshacen las borras o copos de algodón y los someten a una limpieza preliminar, para quitarles las impurezas más gruesas. Pasa después el algodón a máquinas que separan las fibras cortas, eliminan el polvo y las últimas impurezas y ordenan las fibras de algodón en una capa continua. La operación siguiente es el cardado mediante máquinas cardadoras que tienen cilindros giratorios provistos de púas metálicas que desenmarañan las fibras de algodón, las ordenan y forman con ellas una especie de manta ancha y continua. Esa manta se hace pasar por dispositivos que la convierten en una banda gruesa. Viene luego el peinado por medio de otras máquinas que peinan la banda, le quitan los nudos e irregularidades y la convierten en una especie de mecha continua que se enrolla en recipientes. Después se procede a torcer a máquina las mechas. El algodón queda, así, listo para las operaciones del hilado propiamente dicho. Éstas consisten en pasar las mechas torcidas, siguiendo diversas etapas, por series de husos mecánicos y dispositivos bobinadores, donde experimenta gradualmente las operaciones de estirado, torsión y retorcido que, finalmente, convierten las fibras de algodón en hilo sólido y perfectamente cilíndrico, que luego es vaporizado, blanqueado o teñido, devanado y empaquetado. Para imprimirle un brillo similar al del lino se le trata con una solución de sosa cáustica, proceso denominado mercerización. Para evitar que se encoja más tarde, al ser lavado, se le somete a procesos diversos, incluyendo el de la sanforización. Las fibras de algodón se queman fácilmente y no dejan cenizas.

El lino es una planta anual, cuyo tallo constituye una especie de tubo lanoso vacío, envuelto en fibras, que son las que se utilizan como materia textil; se hallan fuertemente adheridas al tubo lanoso, debido a una sustancia resinosa que aglutina ambas partes. Lo primero que se hace es destruir esa sustancia, a fin de poder, mediante una operación posterior, separar netamente la fibra o corteza de la parte leñosa interior, operaciones que se llaman enríado y agramado, respectivamente; luego viene el peinado a mano y mecánico, la preparación del hilado y obtención del hilado definitivo. El hilado de lino es más tieso y más lustroso que el de algodón no mercerizado, aunque el lustre no es siempre uniforme. Sus fibras arden con facilidad y no dejan cenizas. Absorbe fácilmente la humedad. Además del algodón y el lino existen otras fibras textiles de origen vegetal, entre las que se cuentan las de yute, henequén, cáñamo y ramio, que tienen diversas aplicaciones industriales.

La seda, la fibra textil más hermosa y apreciada, es producto de las larvas de algunos lepidópteros de la familia de los bombícidos, en especial del gusano de seda, y se compone de dos hilillos de fibroína, que se sueldan en uno solo merced a una sustancia gomosa, llamada gres o sericina, con el que la larva teje su capullo. La longitud de este hilo es de varios cientos de metros. La seda es la fibra textil más brillante y suave; por su elasticidad se alarga hasta 20%, siendo su tenacidad tres veces mayor que la de la lana y dos y media más que el algodón. Es poco conductora de la electricidad y el calor, aunque se electriza por fricción. Sus propiedades higroscópicas son notables, pues llega a absorber más de 100% de la humedad. Las fibras de seda pura arden como la lana, dejando una burbuja negra, y las de la seda aumentada de peso dejan una ceniza que mantiene la forma del hilo original.

Otra fibra textil muy importante es la lana, pelo de ovejas y carneros, que se hila y teje. Las cualidades que más se aprecian de ella son su suavidad y finura, longitud de la hebra, fuerza y elasticidad y su poder aislante; las calidades varían, según el origen, razas y pastos de los animales. Se divide en dos categorías: la de fibra larga y la de fibra corta. Es seleccionada en el momento del esquilado, nuevamente seleccionada en las fábricas, después de lo cual se la somete a las operaciones de batido, lavado y desengrasado. A continuación siguen las operaciones de secado y de untado para comunicarle mayor suavidad y flexibilidad, humedeciéndola con un lubricante neutro. Se procede después con el cardado y el peinado, preparándose luego el mechado y el hilado definitivo. Con los hilados de lana se fabrican gran variedad de tejidos. El hilado de lana es esponjoso y brillante, y sus fibras, más o menos rizosas, se queman más lentamente que las del algodón o el lino, dejando una burbuja y un olor penetrante, parecido al del pelo o plumas quemados.

En la esfera de las fibras artificiales ocupa lugar relevante el rayón, fibra celulósica transparente, brillante y suave, llamada, también, seda artificial. Los dos procedimientos principales para la fabricación del rayón son el viscoso y el de acetato. El rayón viscoso arde con una llama rápida, sin dejar sedimento, mientras que el acetato se consume, formando una bola dura. Fibras artificiales más utilizadas cada día son el nailon, vinión, orlón, etcétera. Una fibra mineral importante es la del amianto, compuesto de silicato doble de magnesio y cal, del que se obtienen fácilmente filamentos largos y resistentes, susceptibles de ser convertidos en hilos que, por sus propiedades de incombustibilidad, tienen diversas aplicaciones industriales.

La calidad de las fibras es mejorada por la permeabilidad o facultad de absorción de los tintes. La finura es propiedad íntimamente relacionada con la resistencia en tal forma que las fibras más finas son las que producen hilos más fuertes y por consiguiente las más estimadas. El aspecto de una tela depende de la finura, brillo color, etcétera, de los hilos que la componen, siendo esenciales siempre las dos primeras cualidades; el color, en muchos casos, es cosa secundaria, porque los hilos se emplean blanqueados o teñidos, y cuando han de conservar su color natural éste es una cualidad estimable, como ocurre con las sedas, que serán siempre tanto más apreciadas cuanto más blancas sean. Desde el punto de vista del tratamiento industrial, la condición más importante de las fibras es la longitud, hasta el punto de que dependen de ella las operaciones que constituyen el proceso de la preparación del hilado. La conductibilidad para el calor modifica el empleo que debe darse al tejido elaborado; así, el lino y la seda por su mayor conductibilidad, son preferidos al algodón y la lana para telas de verano; sin embargo, la contextura del tejido puede contrarrestar los efectos de la conductibilidad de las fibras, haciendo variar la capa de aire interpuesto. Según la aplicación que se dé a las fibras, conviene tener en cuenta sus cualidades. Así, en industrias como la cordelería, la cualidad más importante es la resistencia; en la industria de tejidos lo son la resistencia y el aspecto, y en los tejidos de fantasía el aspecto tiene mucha mayor importancia que la resistencia. *Véanse* ALGODÓN; CÁÑAMO; HILANDERÍA; LANA; LINO; NAILON; RAYÓN; SEDA; TEJIDO; YUTE.

texto. Parte esencial o fundamental de todo escrito o impreso, que se distingue de los comentarios, notas o apéndices que puedan constituirlo en conjunto. Los textos sagrados o litúrgicos son las obras básicas de la Iglesia. Para evitar las alteraciones que pudieran cometerse en las transcripciones o glosas, deben llevar la aprobación de la Santa Sede. La Biblia (Antiguo y Nuevo Testamento) constituye el texto sagrado, por excelencia, de la religión católica. En imprenta se designaba antiguamente por texto cierto carácter de letra cuyo cuerpo viene a corresponder a 14 puntos de la fundición moderna. En pedagogía se llaman textos los libros de estudio que versan sobre las diversas materias que comprende el programa académico. En las enseñanzas primaria y secundaria los textos son obligatorios.

En las universidades y centros de cultura superior los textos se forman, muchas veces, de las propias explicaciones del profesor, tomadas taquigráficamente. *Véase* LIBRO.

Tezcatlipoca. En el panteón náhuatl, nombre (*el tubo del espejo*) de dos de los hijos de Tonacatecuhtli y Tonacacíhuatl, dualidad suprema celeste: Tlatlauhqui Tezcatlipoca, el rojo, que corresponde al occidente, y Yayauhqui Tezcatlipoca, el negro, que corresponde al norte. Cuando el nombre aparece solo, frecuentemente hace referencia al negro. Los otros hermanos fueron Quetzalcóatl, del oriente, y Ometéotl, del sur. Tlatlauhqui Tezcatlipoca es mejor conocido con el nombre de Camaxtle, dios protector de Tlaxcala. Más importante fue el segundo, creador del mundo junto con su hermano Quetzalcóatl, su enemigo tradicional. Se le considera siempre joven, ubicuo y creador de todas las guerras y enemistades. Es el patrón de la noche y el señor del destino. Su fiesta principal se celebraba en la veintena de tóxcatl y en ella moría un valiente cautivo de cuerpo perfecto. Este hombre era adorado durante un año como si fuese el dios mismo; en los últimos días le daban cuatro esposas, todas con nombre de diosa; al final de su año subía por sí mismo al templo, donde se le extraía el corazón. En las esquinas de las calles había adoratorios a los que se refería el pueblo como asentaderos del dios, en los que se creía que reposaba Tezcatlipoca durante sus tímidos descensos a la Tierra. Otros de los nombres dados a este dios son Yáotl, *el enemigo*; Necoc Yáotl, *el que contiende a ambos lados*; Moyocoyani, *el arbitrario*; Yohualli Ehécatl, *noche, viento* y Telpochtli, *el joven.*

Thackeray, William Makepeace (1811-1863). Novelista inglés. Nació en Calcula, hijo de un funcionario del servicio civil británico en la India. Fue crítico sagaz y acerbo de la Inglaterra victoriana. Como Charles Dickens, censuró a la sociedad; pero, no compadeciendo a los humildes, sino satirizando a los poderosos. Fue también caricaturista, y por mucho tiempo creyó que ésta era su verdadera vocación.

A los seis años de edad, lo enviaron a Inglaterra. En su juventud viajó por Francia y Alemania, terminando por radicarse en Londres. Al aparecer la revista *Punch* fue su colaborador, y entonces conoció el éxito con sus escritos, recopilados después en *El libro del snob* (1846-1847), en que por primera vez establece el concepto de esnobismo. Pero su gran fama la obtuvo con la novela *Feria de las vanidades* (1847-1848) que publicó a los 37 años y donde reemplaza definitivamente el romanticismo filantrópico por el realismo. La ambición, la vanidad, la duplicidad egoísta de Becky Sharp –la más viviente de sus criaturas–, dieron a la literatura un nuevo símbolo universal. Con rasgos de su propia vida, escribió luego *La historia de Pendennis* (1848-1850), y evocó los tiempos de la reina Ana en *La historia de Henry Esmond* (1852). Dejó páginas agudas sobre los humoristas ingleses del siglo XVIII. También desarrolló una profusa labor periodística, y editó, entre otros órganos, el diario *National Standard*.

Thailandia. *Véase* TAILANDIA.

Thant, U (1909-1974). Político y diplomático birmano. Se educó en la Escuela Superior Nacional y en la Universidad de Rangoon. Durante la ocupación japonesa en la Segunda Guerra Mundial fue miembro de varios comités educativos. Entre 1949 y 1957 fue ministro de Información y representante permanente de Birmania ante las Naciones Unidas (1957-1961). Elegido Secretario General de la ONU en 1961 fue ratificado en su cargo un año después

Textiles chinos en Paquistán.

Corel Stock Photo Library

para servir en él hasta 1966, fecha en que fue reelegido para otro periodo de cinco años.

Thatcher, Margaret (1925-). Estadista británica militante del partido conservador. En 1975 se convirtió en líder de este partido y en 1979 en primera ministra. En el terreno político, se inclinó por el monetarismo; en lo social, por el castigo a los presupuestos y a las actividades sindicales; y en lo externo mantuvo siempre una estrecha relación con los Estados Unidos. Defendió con las armas el intento argentino de recobrar las islas Malvinas. Dimitió en 1990.

Theiler, Max (1899-1972). Médico sudafricano. Estudió en la Universidad de la ciudad del Cabo y en Londres. En Harvard se especializó en enfermedades tropicales. Descubrió la vacuna contra la fiebre amarilla. En 1951 recibió el Premio Nobel de Medicina o Fisiología.

Theorell, Axel Hugo (1903-1982). Bioquímico sueco. Profesor titular de bioquímica y director del departamento de esta especialidad en el Instituto Nobel de Medicina de Estocolmo (1937-1970). Destacó por sus investigaciones acerca de los enzimas de oxidación. En 1934 estableció la identidad del fermento amarillo de la levadura y del éster fosfórico de la vitamina B_2; aisló en 1932 la mioglobina y en 1940 la peroxidasa. Premio Nobel de Medicina o Fisiología en 1955.

Theotokópoulos, Doménikos (1541-1614). Pintor español de origen cretense, apodado el Greco. Nació en Candía. De joven se trasladó a Venecia y fue discípulo de Tiziano. Después de varios años de labor allí se fue a Roma por recomendación de Giulio Clovio con el cardenal Farnesio.

Pocos años después (1576) llegó a Toledo para pintar lienzos con destino a los retablos de Santo Domingo el Antiguo. Mientras a ello se dedicaba, fue conocido y tratado por el deán de la catedral toledana, don Diego de Castilla, desde entonces amigo y protector del pintor cretense. *La Asunción*, cuadro que pintó en 1577 para la catedral, se hallaba en el Instituto de Arte de Chicago. Fue sustituido por una copia hecha en el primer tercio del siglo XIX. Faltan del templo otros lienzos (los primeros que pintó el artista): la *Trinidad* que está en el Museo del Prado (Madrid) y fue reemplazado por otro cuadro del Greco; *San Bernardo* (en la Colección Cheramy, París) y *San Benito*, desaparecido. En el retablo principal sólo quedan tres de los siete cuadros originales del pintor: la *Santa Faz, San Juan Evangelista y San Juan Bautista*. En los retablos laterales se hallan otras obras: *Adoración de los pastores y Resurrección*, posiblemente pintados más tarde.

Corel Stock Photo Library
Margaret Thatcher, ex-primera ministra británica.

A poco de llegar a Toledo, se enamoró de doña Jerónima de las Cuevas, con la que en 1578, tuvo un hijo, Jorge Manuel, que llegó a ser notable escultor y arquitecto.

El cabildo de la catedral le encargó en 1579 un gran cuadro, que debería representar a Jesucristo cuando era despojado de sus vestiduras. De acuerdo con ello pintó *El Expolio*, que está en la sacristía mayor del templo.

Los cuadros para la iglesia de Santo Domingo el Antiguo inician la mutación artística del Greco, en el que se van atenuando las huellas del arte veneciano. Con *El Expolio* se acentúa esa evolución. Con *San Mauricio y la legión tebana* se precisa, y con el *Entierro del conde de Orgaz* se afirma. En 1580 recibió el encargo de pintar *San Mauricio y la legión tebana*. El cuadro debería figurar en el retablo del monasterio de El Escorial. Los tonos grises, los azules y los blancos dominan en la obra. Quedan a un lado los ardientes colores de los maestros italianos, se va alejando el Greco de su primera época. Pero, Felipe II rechaza el cuadro y el artista vuelve a Toledo, donde vive hasta su último día, trabajando con laborioso afán para satisfacer las peticiones y demandas de cuadros que le hacían cabildos, claustros, monasterios y príncipes de la Iglesia y del siglo.

El artista cretense lo es ya toledano. Ha dejado los bríos de la pintura renacentista para elevarse a una concepción mística del arte pictórico, cuyo mayor exponente es el cuadro del *Entierro del conde de Orgaz*, donde cielo y tierra se funden, ascendiendo a divino lo humano. El cuadro encargado al artista (1586) por el párroco de Santo Tomé, donde se conserva, representa una leyenda. Dice esta leyenda que cuando el señor de la villa de Orgaz, don Gonzalo Ruiz de Toledo, muerto en fama de bienhechor y santo iba a ser enterrado en la iglesia de Santo Tomé, por él reconstruida, descendieron del cielo san Esteban y san Agustín, y tomando el cuerpo del conde lo depositaron en la sepultura. En el cuadro figuran, en retratos admirables, los señores toledanos de la época y el símbolo de las comunidades religiosas (agus-

tinos, dominicos y franciscanos) que solían concurrir a los entierros de los nobles personajes. En la parte alta brilla todo el idealismo del artista al entrar en el Reino de los Cielos el alma bienaventurada de don Gonzalo Ruiz de Toledo. Al decir de don Manual Bartolomé Cossío, esta obra es "la más sustancial y penetrante página de la pintura española".

El Greco se reveló también como escultor en la talla y arquitectura de retablos. Hizo el de la sacristía mayor de la catedral de Toledo, del que sólo se conserva un alto relieve que representa a la Virgen imponiendo la casulla a san Ildefonso arzobispo y patrono de la ciudad. La casa del Greco, histórica residencia, que antiguamente había pertenecido a Samuel Levi, tesorero de Pedro I de Castilla y después al marqués de Villena, estaba convertida en un inmenso taller. Con el Greco trabajaron –entre otros– Luis Tristán, su discípulo predilecto; Francisco Preboste, su criado y ayudante, con él llegado de Italia, y Jorge Manuel Theotocópuli, su hijo y artista como él. El ajuar era modesto, pero rica la biblioteca con obras clásicas griegas y latinas, textos castellanos y tratados de arquitectura.

Thibaud, Jacques (1880-1953). Violinista francés, de gran influencia en la música parisiense. Discípulo de Eugène Augustus Ysaye, estudió en el Conservatorio de París y fue violín solista de los conciertos Colonne. Obtuvo el Premio Internacional de Ejecutantes Musicales, en Ginebra. Efectuó notables giras artísticas en unión de otras dos celebridades: el pianista Alfred Cortot y el violonchelista Pau Casals.

Thiers, Louis Adolphe (1797-1877). Político e historiador francés. Cursó la carrera de derecho pero su vocación fue la historia. Escribió su monumental *Historia de la Revolución Francesa* en 10 volúmenes (1823-1827). Dos años más tarde fundó el periódico *El Nacional* de tendencias liberales, opuesto a la política de Carlos X. La prédica de Thiers ayudó a gestar la revolución de 1830, que llevó al poder a Luis Felipe. Bajo el nuevo monarca, el joven escritor inició una rápida carrera política, elegido miembro de la Cámara de Diputados, fue luego presidente del Consejo y ministro de Relaciones Exteriores. A los 53 años abandonó la vida política y se consagró a la redacción de su vasta *Historia del consulado y del imperio* en 20 volúmenes (1845-1862). Napoleón III lo envió al exilio, del que regresó algún tiempo después. Retornó a la escena política encabezando el pequeño partido antiimperialista. Cuando Francia emergió derrotada de la guerra con Prusia, Thiers fue elegido primer presidente de la Tercera República y debió negociar la paz con Otto Leopold, príncipe de Bismarck.

Thomas, Ambroise (1811-1896). Compositor francés, graduado en el Conservatorio de París, que obtuvo el Gran Premio de Roma. Se caracterizó por la pureza y corrección de la forma, ofreciendo cierto parentesco estético con Charles Gounod. Su género predilecto fue el teatral. Debió su renombre a óperas tan populares como *Mignon*, especialmente, *Hamlet, El guerrillero* y *Caíd*. Compuso además *Sueño de una noche de verano*, dos Misas y piezas de música de cámara.

Thomas, Dylan Mareais (1914-1953). Poeta británico. Cursó estudios en la *Grammar School de Swansea*, donde su padre era profesor de inglés. Considerado no apto para el servicio militar, durante la Segunda Guerra Mundial trabajó en el cine, realizando documentales para el ministerio de Información británico. Murió cuando realizaba una gira dando conferencias por Estados Unidos.

Uno de los mayores poetas ingleses de todos los tiempos, su obra ha sido calificada de *neorromántica*, se distinguió por el predominio en ella de la emoción de la corriente intelectualista representada por Thomas Stearns Eliot y W. H. Anden. En el tratamiento de los temas centrales (naturaleza, muerte, amor) de su producción se registran influencias de la Biblia, de los poetas metafísicos (John Donne) de William Blake y de Gerard Manley Hopkins. A su dominio del ritmo y de la lengua acompaña el vigor de una fantasía que lo vincula con los poetas surrealistas.

Thomas, E. Donnall (1920-). Médico estadounidense. En 1956 efectuó en Cooperstown (New York) el primer trasplante de médula ósea. Desde 1975 trabaja en el Centro Fred Hutchinson para la investigación del cáncer, de Seattle, donde ha puesto a punto la técnica de inyección intravenosa de médula ósea, que ha permitido operar con éxito, entre muchas otras personas, al tenor español Josep Carreras. En 1990 fue galardonado con el Premio Nobel de Medicina o Fisiología, que compartió con Joseph E. Murray.

Thomson, George Paget (1892-1975). Físico inglés. Profesor de filosofía natural en la Universidad de Aberdeen (1922-1930) y después de física en la de Londres (1930-1952). La *Royal Society* le concedió la medalla Hughes. En la Primera Guerra Mundial prestó servicios en la aviación, efectuando vuelos para estudiar ciertos problemas de aerodinámica. Descubrió en 1926 la difracción de los electrones rápidos en los cristales, confirmando así la teoría mecánica ondulatoria de Louis Victor, príncipe de Broglie, cuyos trabajos fueron el origen del análisis electrónico,

Corel Stock Photo Library
Caballero con la mano en el pecho *de El Greco*.

Durante la Segunda Guerra Mundial fue el presidente del primer comité inglés para el estudio de la bomba atómica (1940). En 1937 se le concedió el Premio Nobel de Física, que compartio con Clinton Joseph Davisson. Es autor de *Teoría y práctica de la difracción del electrón* (1939) y *J. J. Thomson y el Laboratorio Covendish en su época* (1965).

Thomson, James (1700-1748). Poeta escocés que sobresalió por sus descripciones de la naturaleza. Hijo de un ministro presbiteriano, siguió la carrera de su padre, pero luego se dedicó a las letras. Su poema *Las estaciones* (1730), es uno de los más populares de Inglaterra.

Thomson, sir Joseph John (1856-1940). Físico inglés, a quien se debe el descubrimiento del electrón y contribuyó a asentar las bases de la teoría electrónica de la materia. Estudió en Cambridge, y en 1884 fue designado director del famoso laboratorio Cavendish de esa universidad. En 1895 experimentó con el paso de la electricidad por un tubo de vacío, interesándose en los misteriosos rayos que partían del polo negativo.

Así descubrió que éstos no eran ondas, sino partículas infinitesimales conductoras de electricidad negativa. Las llamó electrones, por sugerencia de George Stoney, y sostuvo que existían en toda clase de materia. Otros hombres de ciencia desarrollaron luego tales afirmaciones entre ellos su discípulo Ernest Rutherford, iniciador de la teoría nuclear, decisiva para los estudios atómicos. En 1906, le fue otorgado el Premio

Nobel de Física, que 31 años después obtuvo también su hijo George Pagel Thomson, por sus trabajos sobre la conducción de la electricidad a través de los gases.

Thomson, William. *Véase* KELVIN, WILLIAM.

Thoreau, Henry David (1817-1862). Escritor poeta y pensador estadounidense, muy conocido por sus obras *Desobediencia civil y Walden, o la vida en los bosques* y considerado figura única en las letras de su patria. Poseía un espíritu atormentado y rebelde a toda regla. En 1845 se empeñó en vivir de manera sencilla, casi primitiva, se retiró a los bosques y la consecuencia fue el segundo de los libros mencionados, verdadero diario con su observación directa de la vida salvaje y la lucha contra la naturaleza. También contiene la historia de su conflicto individual con los métodos de la sociedad y su gobierno. Escribió, además, poemas y ensayos.

Thorvaldsen, Bertel (1768-1844). Escultor danés, continuador del neoclasicismo instaurado por Antonio Canova, su maestro, al que superó en sinceridad y vida. De familia pobre, su padre tallaba mascarones de proa para barcos veleros, en un puerto pesquero; sus comienzos fueron muy difíciles, trasladándose a Roma por sus propios medios para estudiar. Se cuenta que el artista compartía sus miserias con un perro, al que adiestró para ahuyentar a los acreedores. Su estilo era sumamente decorativo, poseyendo sus figuras la calma y la belleza de los grandes escultores griegos. Entre sus obras, muy numerosas citaremos los monumentos a Pío VII, en Roma, el de Johannes Gensfleisch, llamado Gutenberg, en Maguncia, el de Johann Cristoph Friedrich von Schiller y el de lord Byron. Obras suyas son también *Psique, Baco* y *El león de Lucerna*. Su obra maestra la constituye la decoración de la Catedral de Copenhague, con las tallas colosales, en mármol, de Jesucristo y los 12 apóstoles. A su muerte donó sus obras a su país, reunidas hoy, casi todas, en el museo de su nombre en Copenhague. Su obra ha ejercido gran influencia en la escultura del siglo XIX.

thug. Secta religiosa hindú que permaneció ignorada durante siglos y que asesinaba en nombre de Kali, la diosa de la destrucción. La sociedad se originó en el siglo XII y perduró hasta el siglo XIX. Los *thugs* recorrían el país en grupos, ganándose la confianza de los viajeros, a quienes asesinaban. Luego, los saqueaban, antes de darles sepultura. El término *thug* significa disimular. Se decían descendientes de siete tribus mahometanas, pero el culto de Kali nada tiene que ver con el Islam. Los *thugs* hablan una jerga propia, *ramasi*, y poseen un

Río Tíber en Roma, Italia.

código de signos especiales para reconocerse entre ellos. Uno de los principales preceptos de su religión les prohíbe derramar sangre, por lo que matan a sus víctimas estrangulándolas. Tanto los gobiernos británicos como los nativos trataron por todos los medios de terminar con los *thugs*. El primer paso lo dio el capitán Sleeman en 1828, quien inició una intensa campaña cuyo resultado fue su casi completo exterminio.

Thule. Más que un lugar geográfico determinado, esta palabra simboliza los confines septentrionales del mundo antiguo, vistos desde Europa. La *Última Thule* era el punto geográfico donde concluían los conocimientos de los antiguos, y muy especialmente de los romanos. Séneca *el Filósofo* empleó frecuentemente esta frase como vaga referencia a lo que estaba más allá de donde terminaban las tierras descubiertas y exploradas y civilizadas. No se sabe con certeza si la *Última Thule* eran las islas Shetland, Jutlandia, Noruega o Islandia, aunque se supone que era ésta.

Tiahuanaco o Tiwanacu. Vestigios situados cerca del lago Titicaca, en territorio boliviano, de gran valor arqueológico. Son los restos de la antigua ciudad de Tiahuanaco, compuestos por un alto terraplén montuoso, de forma irregular, denominado cerro de Ak-kapana, en el centro del cual hay una pequeña depresión que forma un lago. En dirección al norte se encuentra un recinto denominado Kalasasaya, conjunto de ruinas de forma cuadrangular, al que se entra por una ancha escalinata, cada una de cuyas gradas está formada por una sola piedra de enormes

dimensiones. El árido suelo de los costados está sembrado de construcciones primitivas. La zona arqueológica de Tiahuanaco, que corresponde a un remoto pasado preincásico, constituye una gran masa de materiales de piedra allí reunidos, los cuales sólo han podido ser transportados por el rigor de trabajos forzados, impuestos a gran número de hombres. Las investigaciones arqueológicas han podido establecer que no todas las construcciones pertenecen a la misma época, y así han sido divididas en dos periodos importantes: Tiahuanaco I y Tiahuanaco II. En el orden arquitectónico, el primero se caracteriza por construcciones hechas de enormes piedras superpuestas, que han servido para levantar un muro ciclópeo, prácticamente sin pulimento o con pulimento muy tosco, y en el segundo se observa un muro hecho de bloques de piedras más pequeñas, canteadas y metódicamente seleccionadas, cuyos elementos han servido para que los arqueólogos den interpretaciones diversas de sus formas arquitectónicas, ornamentales y artísticas.

tiamina. *Véase* VITAMINAS.

Tian Chan o Tien Shan. Sistema orográfico del Asia central, compuesto por cadenas montañosas que corren paralelas entre sí. Tiene un largo de unos 3,000 km y un ancho de 150 a 300 km; varios picos de más de 6,000 m de altura y su cumbre máxima es el Pobedy de 7,439 m. Los pasos y rutas que existen sirven de comunicación entre algunas de las repúblicas de la ex Unión Soviética, China e Irán. Sus altas cumbres están perennemente coronadas de nieve. Entre los ríos que se origi-

nan en sus vertientes se destaca el Ili, con 1,300 km de recorrido, que desemboca en el lago Balkasch.

Tibbett, Lawrence Mervil (1896-1960). Barítono estadounidense que tuvo destacada actuación en la escena lírica, el cinematógrafo y la radiofonía de aquel país. Debutó en 1923 como cantante de ópera en Los Angeles con *Aída* y luego pasó a New York , donde triunfó al cantar la ópera *Fausto* en el teatro Metropolitan.

Tíber. El segundo río en importancia de Italia. Nace en los Apeninos, sobre la margen opuesta de los montes que alimentan el Arno, en la frontera entre Toscana y Romagna. Luego de atravesar Umbría, Lacio y Toscana, y de cruzar las ciudades de Perugia, Todi y Roma, desemboca en el Mar Tirreno por dos brazos: uno artificial, el Fiumicino –de 4 km de largo–, y el Fiumara, que era su antiguo curso. Entre ambos brazos se alza la isla Sagrada, rica y fértil en el pasado y desierta ahora. El Tíber tiene un largo de 405 km y su cuenca cubre 17,169 km². Su desembocadura avanza unos 4 m por año Sus principales afluentes son el Topino y el Nera, por el este, y los ríos Néstor, Chiana y Nepi, por el oeste. *Véase* ROMA.

Tiberio (42 a. C. 37 d. C.). Emperador romano (14-37 d. C.). Hijo de Claudio Nerón y de Livia Drusila, recibió esmerada educación e ingresó muy joven en el ejército. Hacia el año 20 fue a la guerra de España como tribuno de una legión. Cuatro años después fue nombrado gobernador de la Galia Transalpina. Hizo después las campañas del Rin y del Elba con éxito y se distinguió como militar en todas las acciones importantes. Motivos de familia, en los que actuó la mano del emperador Augusto, lo alejaron de Roma y de su mujer. Tiberio se recluyó voluntariamente en Rodas y allí se rodeó de sabios griegos. Mientras tanto, su mujer se entregó a tales excesos, que el mismo emperador anuló el matrimonio. A la muerte del emperador Augusto (13 d. C.), el Senado lo nombró para sucederle, pero Tiberio procedió con cautela y pareció remiso aunque finalmente acepto.

Se mostró desde el comienzo desconfiado con cuantos lo rodeaban, y muy particularmente con los extranjeros, cuyos templos hizo destruir. Su actuación política se caracterizó por sorprendentes contradicciones aunque tuvo periodos de gobernar rectamente, aligeró los impuestos que pesaban sobre Roma y gobernó con prudencia en las provincias. En el año 26 se retiró a Capri, por temor a que lo asesinaran, y persiguió cruelmente a amigos y enemigos y no respetó ni siquiera a sus parientes. De regreso a Roma, se sintió enfermo en la Campania y se hospedó en una quinta de Lúculo, donde murió, probablemente asesinado.

Tíbet. Región Autónoma de la República Popular de China. Superficie: 1.220,000 km²; población: 1.892,393 habitantes. La cadena montañosa de Kuenlún, al norte, con una elevación media de 4,000 m, los montes Tangla al este, el sistema de Pamir y Karakorum al oeste y los Himalaya al sur limitan el país, el cual puede dividirse en tres zonas naturales: la elevada, la oriental y la meridional. La primera, con una extensión de unos 800,000 km², suele considerarse una meseta, si bien en realidad la forman unas 30 cadenas montañosas, separadas por valles que corren de este a oeste y desembocan en depresiones lacustres de las cuales la más extensa es Nam Tso (lago Celeste). El clima es severo, con veranos cortos e inviernos muy fríos, debido a lo cual la vegetación es muy pobre. A esta meseta se la suele llamar *techo del mundo* por su altitud.

El Tíbet oriental comprende un conjunto de valles formados por algunos de los principales ríos de Asia, y separados por cadenas paralelas. Allí crecen bosques de encinas, pinos y cedros, y el clima es más suave. La región meridional está formada ante todo por el valle del Tsangpo (Brahmaputra superior), cuya altitud oscila entre 3,500 y 4,000 m, y que se extiende entre los gigantescos macizos de los Himalaya. Por su latitud y el hecho de estar protegida, goza de buen clima y de lluvias frecuentes. Es el granero del pueblo tibenato.

Varios de los principales ríos del sudeste de Asia nacen en las vertientes de los Himalaya, entre ellos el Hoangho, Yangtsé, Mekong, Tsangpo e Indo. Debido a sus corrientes impetuosas estos ríos son difíciles de aprovechar en el Tíbet, pero ahora se

Vista panorámica del monasterio Ganden en el Tíber, China.

Exterior del palacio Potala en el Tíbet, China.

han construido presas y centrales eléctricas; una ilumina Lhasa, la capital.

Economía. Las tierras aprovechables ocupan sólo una fracción del Tíbet. Son de dos tipos: las montañas, donde pastores nómadas crían y llevan a pastar ovejas y yacs, y los valles, ante todo el del Tsangpo, donde vive cerca de la tercera parte de la población sedentaria. Una variedad de cebada que resiste el frío es la base de la alimentación, junto con nabos, cebollas y algo de carne. En los valles de la región oriental se cultiva el maíz, el mijo, y se plantan árboles frutales. Los colonos chinos empiezan a sembrar arroz. En el subsuelo hay carbón, hierro, oro y petróleo, recursos hasta ahora poco explotados.

Historia. La historia del Tíbet antes del siglo V se basa ante todo en leyendas y mitos, pero en el VII un poderoso monarca, Sronbtsan-Gam-po, bajo cuyo gobierno se introdujo el budismo expendió su imperio, agregándole territorios de Nepal, Sikkim, India y China. En el siglo IX cayó la dinastía tibetana y se perdieron todas las tierras conquistadas. El budismo primitivo evolucionó hacia el lamaísmo, culto que tiene una compleja organización monacal. En el siglo XV se aceptó la doctrina de que el sacerdote principal, o dalai lama, es reencarnación del anterior. Esta creencia le dio gran prestigio afirmando también su poder temporal. La iglesia tibetana llegó a poseer 40% de todas las tierras del país. De cada monasterio dependían cientos de familias de labradores, y este sistema feudal se prolongó hasta el siglo XX, a principios del cual China conquistó el Tíbet, pero éste recobró su independencia defacto al caer la dinastía manchú y durante la guerra civil de aquel país, si bien la soberanía china se reinstaló

después del triunfo comunista. En 1952 China inició una serie de reformas en el Tíbet: confiscó los bienes de propietarios y monasterios, redistribuyó las tierras y probó nuevos cultivos. Estas reformas despertaron una violenta oposición, convertida en movimiento separatista. El 11 de marzo de 1959 el dalai lama proclamó la independencia, pero tropas chinas sofocaron la rebelión, y el dalai lama debió refugiarse en la India. En 1956 el Tíbet fue declarado Región Autónoma dentro de China. Hacia 1958, las guerrillas empezaron a actuar en el Tíbet central y, en marzo de 1959, se extendieron hasta la propia Lhasa. El dalai lama huyó con su séquito a la India, lo que hizo que los chinos intervinieran en el gobierno a través del panchen lama. Los chinos aprovecharon esta oportunidad para reestructurar totalmente el gobierno y la sociedad tibetana.

Los funcionarios tibetanos fueron excluidos de la administración y se nombró en su lugar a personal chino. Los decretos suprimiendo la autoridad del dalai lama y del panchen lama no fueron promulgados hasta mediados de los años 60, pero el primer objetivo de los chinos fue desde entonces acabar con los monasterios y con el sistema tibetano de feudalismo sacerdotal. La economía fue objeto de una drástica reorganización: cada ciudad y cada poblado quedó dividido en cuatro zonas, cada una de las cuales era supervisada por un comité del Partido Comunista Chino. En todos los distritos fueron creadas cooperativas de abastecimiento y mercado. La administración a alto nivel fue ejercida por varios comisarios, los cuales eran responsables de su gestión ante un Comité Central. En 1980, el gobierno chino admitió casi tácitamente que su política había causa-

Tíbet

do penalidades económicas y que había fracasado en erradicar la personalidad tibetana. Los sitios sagrados fueron reabiertos y el idioma y la cultura fueron de nuevo tolerados. Tras la muerte del panchen lama y la concesión del Premio Nobel de la Paz al dalai lama Tensyn Gyatso (1989) se produjeron manifestaciones en Lhasa y las autoridades chinas impusieron la ley marcial, no revocada hasta mayo de 1990. Los disturbios se reprodujeron en 1993. La oposición calculó en más de un millón el número de tibetanos víctimas de la violencia política en 40 años de ocupación china (1950-1990). A partir de 1992, las peticiones del dalai lama al régimen de Beijing se centraron más en la consecusión de un amplio régimen de autonomía para el Tíbet que en la reivindicación de su independencia. La elección, por el dalai lama es el exilio, del niño de seis años Gedhun Choekyi Nyima como reencarnación del décimo panchen lama, fue aceptada en principio por el gobernador chino, pero posteriormente rechazada por Beijing (1995).

Tibulo, Albius (50-19 a. C.). Poeta latino de la época de Augusto romana. Sus padres pertenecían al orden ecuestre. Fue amigo de Ovidio y de Horacio, y protegido de Mesala, a quien acompañó a las Galias y al Asia en expediciones militares.

tiburón. Pez marino selacio de gran talla y esqueleto cartilaginoso, que vive en los mares cálidos y templados de todo el globo. Tiene cuerpo fusiforme, rollizo y corrientemente mide de 6 a 8 m de largo, habiendo especies, como el tiburón balle-na, que llega a tener 15 m de longitud. La piel que cubre el cuerpo es negruzca por el lomo, en algunas especies salpicada de manchas redondeadas más oscuras, y va aclarándose en los costados, hasta tornarse blanca en la parte inferior. Insertas en esta piel, existen numerosas escamas, de naturaleza ósea (como los dientes), en forma de tubérculos terminados anteriormente por una especie de espina, que dan a la piel un aspecto áspero y granuloso. La cabeza, achatada y comprimida en la punta, posee en la parte anterior las aberturas nasales; a los lados, dos ojos pequeños, y una boca grande, de forma de media luna, se abre en la parte ventral de la cabeza, bastante detrás del hocico. Por esta razón, cuando el tiburón ha de atrapar una presa flotante, se ve obligado a volverse. Las mandíbulas están armadas de varias filas de grandes dientes, de forma de láminas triangulares cortantes y con el borde aserrado. Las filas de dientes más internas están recubiertas por las encías y tienen la particularidad de ir creciendo y avanzando hacia el exterior, de manera que cuando se cae un diente de la primera fila, automáticamente ocupa su lugar uno de la segunda y así, sucesivamente. A los lados de la cabeza, se abren de cinco a siete hendiduras branquiales, transversales, que comunican con el interior de la cavidad bucal y es por donde sale el agua que entra por la boca, cuando nada el pez. Esta corriente de agua baña las branquias insertas en las paredes de las cavidades branquiales, produciéndose la respiración del animal al absorber las branquias el oxígeno que el agua lleva disuelto.

Gran nadador, el tiburón cuenta con potentes aletas cartilaginosas; un par de aletas pectorales insertas inmediatamente tras las aberturas branquiales, otro par de abdominales y en la línea media dos aletas dorsales de forma triangular, de las cuales la primera, de gran tamaño, sale de la superficie del mar, delatando al tiburón, cuando nada a flor de agua. En la línea media inferior de la cola, cuenta con una aleta anal y la aleta caudal es vertical y disimétrica, con el lóbulo superior más desarrollado que el inferior. Es un insaciable carnicero, que devora peces de todo tamaño, crustáceos y sobre todo cefalópodos, como calamares, sepias, etcétera. Es uno de los peces más veloces, que sigue durante días y semanas los barcos en alta mar, atrapando cuanto desecho se arroja al mar, permitiéndole su rápida natación adelantar y dar vueltas alrededor de los vapores más veloces. No es raro el caso de bañistas que se han visto atacados por tiburones a pocos metros de la costa. Esta ferocidad no es general a todos los tiburones, pues hay especies, como el tiburón gigante o tiburón ballena, uno de los seres vivientes más grandes, que se alimenta de pequeños animales y plantas marinas, como lo prueba el contenido del estómago de los ejemplares que se han podido estudiar. Este tiburón tiene, lo mismo que las ballenas de barbas, un dispositivo de filtro delante de las hendiduras branquiales, formado por una especie de tupido peine córneo, que retiene los animales del plancton contenidos en el agua, que desde la cavidad bucal sale por las hendiduras branquiales. Del tiburón se industrializa su piel y se extrae aceite, tan rico en vitaminas como el aceite de hígado de bacalao.

(De izq. a der. y de arriba abajo): tiburón nodriza, tiburón aleta blanca de arrecife, tiburón de Puerto Jackson y acercamiento al hocico de un tiburón nodriza.

Corel Stock Photo Library

tic. Movimiento convulsivo que se repite en ausencia de todo fin funcional, involuntariamente o a pesar de la voluntad, debido a la contracción de uno o de varios músculos, o bien automatismos ilógicos y gratuitos de la mente. El tic simple es una pura contracción muscular; pero el tic coordinado supone ya un complejo de actitudes (chasquear la lengua, llevarse la mano a la frente), y el tic psíquico (recitar un estribillo, pasearse contando los pasos en uno y otro sentido) supone un influjo u origen de orden anímico.

ticho brahe. *Véase* BRAHE, TICHO.

Ticknor, George (1791-1871). Historiador estadounidense, nacido y muerto en Boston. Viajó por Europa y residió en España, donde estudió numerosas obras y documentos relacionados con la literatura de este país. Fruto de esta labor, que duró años, fue su *Historia de la literatura española*, publicada en inglés, en 1849, tradu-

(De izq. a der. y de arriba abajo): tiburón gris de arrecife, tiburón ballena, tiburón de punta negra en un acuario y tiburón aleta blanca de arrecife.

cida luego al español por Pascual Gayangos, con notas adicionales. Esta obra, modelo de erudición, claridad y exactitud, fue acogida con unánimes elogios. Autor de *Vida de Lafayette* (1863) y *Biografía de Prescott* (1870). Desempeñó las cátedras de literatura española y francesa en la Universidad de Harvard.

Tieck, Johan Ludwing (1773-1853). Escritor romántico alemán, autor de tragedias, comedias, recopilaciones de leyendas populares y numerosas obras de crítica literaria. Completó la traducción al alemán de las obras de William Shakespeare iniciada por August Wilhelm von Schlegel y realizó una excelente traducción del *Quijote* el alemán.

tiempo. En gramática se llama tiempo a cada una de las varias divisiones de la conjugación correspondiente a la época relativa en que se ejecuta la acción del verbo. Las distintas maneras de expresar la significación del verbo pueden referirse al momento en que se habla, a un tiempo pasado o a otro futuro. Los tiempos del verbo castellano tienen una doble significación, pues indican el momento del hecho en relación con el que habla, y a la vez distinguen la cualidad del mismo como acabado o perfecto, o como realizándose y sin haber llegado a su terminación. Por su naturaleza y significación, se dividen en simples y compuestos. El modo indicativo tiene cuatro tiempos simples y cuatro compuestos; los simples son: presente, pretérito imperfecto, pretérito indefinido y futuro imperfecto; los compuestos son: pretérito perfecto, pretérito pluscuamperfecto, pretérito anterior

y futuro perfecto. El modo potencial sólo tiene dos tiempos, uno simple y otro compuesto. El modo subjuntivo tiene tres tiempos simples: presente, pretérito imperfecto y futuro imperfecto, y otros tres compuestos: pretérito perfecto, pretérito pluscuamperfecto y futuro perfecto. El modo imperativo no tiene más que un tiempo y es el presente. Por lo que toca al modo infinitivo tiene formas simples y compuestas que guardan entre sí la relación que se advierte en la conjugación. El castellano distingue la acción terminada o perfecta de la no terminada, y tiene dos series paralelas y completas de tiempos para expresarlas: los imperfectos y los perfectos. Tiempos que en indicativo expresan la acción como no terminada: presente, *digo*; pretérito imperfecto, *decía*; pretérito indefinido, *dije* (que la expresa como acabada y como no acabada); futuro imperfecto *diré*; potencial simple o imperfecto, *diría*. En subjuntivo: presente, *diga*; pretérito imperfecto, *dijera* o *dijese*; futuro imperfecto, *dijere*. Tiempos que expresan la acción como terminada: en indicativo, el pretérito perfecto, *he dicho*; pretérito pluscuamperfecto, *había dicho*; pretérito anterior, *hube dicho*; futuro perfecto, *habré dicho*; potencial compuesto o perfecto, *habría dicho*. En subjuntivo: el pretérito perfecto, *haya dicho*; pretérito pluscuamperfecto, *hubiera* o *hubiese* dicho, y futuro perfecto, *hubiere* dicho. La correspondencia no puede ser más exacta, pues a cada tiempo simple o de acción imperfecta corresponde uno compuesto o de acción perfecta, que se forma con el participio pasivo y el tiempo simple del verbo haber, concerniente al tiempo compuesto.

Considerando los tiempos del verbo en sí mismos, atendiendo a su valor como tales y sin relación con el momento en que se habla, se clasifican en tiempos absolutos y tiempos relativos o históricos. Los absolutos expresan el tiempo sin referirlo a ningún otro tiempo, mientras que los relativos lo refieren siempre a otra época o tiempo que ha de expresarse, ya mediante un adverbio, ya por otro tiempo que venga a precisar el momento a que se refiere la acción. Si digo *leo, he leído, leí, leeré*, expreso la acción de leer en presente, pasado y futuro, sin relación alguna con otro tiempo; pero si digo *leía, había leído* o *habré leído*, me refiero a un tiempo determinado que no es el indicado por *leía, había leído* o *habré leído*, sino por otro tiempo al cual precisamente se refieren éstos, ejemplo: *leía cuando llegabas; había leído cuando me llamaron, habré leído cuando me llamen*. En castellano son absolutos, en indicativo, el presente, pretérito perfecto, pretérito indefinido y futuro imperfecto; todos los demás, incluso los de subjuntivo y potencial, son relativos. Los absolutos pueden emplearse como relativos, pero no viceversa. *Véase* CONJUGACIÓN; VERBO.

tiempo. Estado atmosférico, resultado complejo de la acción combinada de todos los factores meteorológicos, que se deriva de las condiciones físicas de la atmósfera constantemente variable. Cuando hablamos del tiempo, nos referimos comúnmente a los cambios diarios operados en la temperatura: luz solar, nubes, viento, lluvia, nieve, humedad, etcétera. Siendo la atmósfera una envoltura de aire que rodea la Tierra, puede decirse que el tiempo atmosférico se gesta en la *troposfera*, zona inferior de la atmósfera, hasta la altura de unos 12 km, donde se producen los fenómenos aéreos, acuosos y algunos eléctricos. Durante miles de años el hombre ignoró esto y sólo desde hace unos dos siglos sabe que el aire, sustancia de la que está formada la atmósfera, es una mezcla mecánica de un número de diferentes gases.

Una muestra de aire seco y puro contiene, descontado el vapor de agua, alrededor de 78% de nitrógeno, 21% de oxígeno, y el resto lo componen anhídrido carbónico, argón, neón, criptón, helio, xenón e hidrógeno. El oxígeno es respirado por los animales y las plantas, siendo también necesario para quemar los combustibles. El anhídrido carbónico, que se produce por la combustión, la acción de los volcanes y ciertos procesos de descomposición del suelo, es continuamente absorbido por los organismos del mundo vegetal. El vapor de agua es el que nos proporciona el agua en forma de lluvia y de nieve. El nitrógeno es elemento fundamental en la composición de los seres vivos.

tiempo

Corel Stock Photo Library

El tiempo es el resultado de la acción combinada de todos los factores meteorológicos.

Sobre la troposfera se encuentra la estratosfera. El aire de la estratosfera no tiene nubes y está casi desprovisto de vapor de agua, mientras que la troposfera es la que lleva todas las nubes y de la que proviene la lluvia y la nieve: en aquélla no hay turbulencias de ninguna clase mientras que ésta se halla en perturbación casi constante a causa de las corrientes de aire que suben y bajan verticalmente. Los saltos que experimenta el aviador en su aeroplano se deben a corrientes de aire que suben, y los pozos o agujeros son corrientes de aire que descienden. La zona intermedia entre troposfera y estratosfera se denomina tropopausa y su altura varía considerablemente, según la latitud y la estación del año.

El aire es una mezcla gaseosa muy liviana, sumamente elástica y compresible; mas el peso total de la atmósfera terrestre pasa de 5,600 billones de ton. Este peso o presión que se determina con el barómetro, derrumbaría los edificios si no fuera por el hecho de que actúa en todas direcciones y, por tanto, presiona hacia afuera lo mismo que hacia adentro. El aire se expande o dilata al calentarse, de manera que cualquier unidad cúbica (metro, kilómetro) contiene menos aire una vez dilatado; a consecuencia de esto tiene menos peso y, por consiguiente, menos presión a nivel del mar en los sitios que se hallan por debajo de estas masas de aire dilatado. Tales diferencias de presión no son perceptibles para nuestros sentidos, pero pueden producir resultados muy importantes en la atmósfera.

Si dos áreas adyacentes difieren en su presión atmosférica, es evidente que se establecerá una corriente desde el área de mayor presión a la de presión menor. Esta corriente se llama viento, esto es, aire en movimiento horizontal. Así, pues, la presión en un punto dado se puede definir como el peso del aire sobre la unidad de área de una superficie horizontal, centrada en dicho punto. La fuerza de la gravedad sobre la atmósfera es lo que comprime el aire. El aire del fondo, que sostiene el peso de todo el que está por encima de él, es el más comprimido. El cuerpo humano está adaptado a esta compresión, razón por la cual no constituye para nosotros ninguna molestia ni inconveniente y ni siquiera nos damos cuenta de ello, pero si vivimos en una región a gran altura sobre el nivel del mar, y tratamos de correr, advertimos en seguida las dificultades que se presentan a nuestro corazón, pulmones Y músculos.

La luz y el calor son formas de la energía y transmitidas por ondas electromagnéticas semejantes a las ondas que se utilizan en las transmisiones inalámbricas; aunque difieren ampliamente en la longitud de onda, se mueven todas en la misma velocidad de 300,000 km/seg. Los cambios de presión se originan en los cambios de temperatura, que se deben al calor desigual de

Toda zona de la tierra, tiene un tiempo atmosférico característico.

Corel Stock Photo Library

la atmósfera. El calor hace más liviano el aire, que al calentarse es empujado hacia arriba por el aire más frío. El sol calienta el aire cerca del Ecuador más que en las regiones próximas a los polos, registrándose allí el fenómeno de que el aire se mueve hacia arriba y en dirección a éstos, mientras que el aire polar más pesado, baja y se mueve en dirección al Ecuador. El calor recibido del Sol cambia del día a la noche y con las estaciones del año, de acuerdo con el proceso de rotación de la Tierra, pues la inclinación del eje de ésta hace que los rayos del Sol caigan sobre la superficie con grados variables de inclinación. En verano, los rayos solares cubren un recorrido más corto a través de la atmósfera que en invierno, y alcanzan el máximo efecto sobre su superficie, mientras que en invierno los rayos caen más oblicuamente y una cierta cantidad de radiación se reparte sobre una superficie mayor. Las irregularidades de la superficie de la Tierra también contribuyen a los cambios de temperatura. Dicha superficie no es homogénea, sino que se divide en tierra y mar, y la reacción de estos dos elementos frente al calor es totalmente diferente. La tierra se calienta mucho más pronto que el mar, el cual, debido a su perpetuo movimiento, presenta una superficie cambiante a los rayos del Sol; el agua que ha sido calentada por *contacto* directo es llevada hacia abajo por la acción mezcladora del océano para compartir su calor con la que se encuentra a profundidades más considerables, en tanto ésta es llevada a la superficie para recibir allí su parte de calor solar. Durante la noche, la tierra se enfría rápidamente, pues el calor recibido del Sol durante el día es devuelto al aire circundante por radiación, por conducción del calor y por pérdida de vapor de agua a causa de la evaporación; el mar cede su calor de la misma manera, pero en un tiempo mayor que la tierra, por lo que conserva su temperatura más uniforme. El agua refleja más radiación que la tierra, mientras que el suelo y las rocas absorben mayor energía radiante, por lo que se calientan más que aquélla. El agua circula; la tierra firme se mantiene en posición fija y no puede escapar al bombardeo constante de los rayos solares. El agua se evapora, para lo cual necesita consumir energía de la radiación solar, a fin de producir esa transformación y mantener el estado gaseoso; así, la evaporación conserva más baja la temperatura del agua. Por esta razón, el aire sobre tierra firme es más caliente durante el día y en verano, que el que da sobre el agua; pero, durante la noche y en invierno es la tierra la que se enfría antes y el aire que está sobre ella participa de este enfriamiento.

El vapor de agua es componente variable de la atmósfera, y ello por ser tan sen-

188

sible a los cambios de temperatura; es asimismo el más importante en lo que se refiere al clima y a la variación del tiempo. Se debe a la evaporación del agua líquida del mar, ríos, lagos o de la superficie de la vegetación. El agua hierve a 100 °C, pero la evaporación se produce fácilmente a cualquier temperatura, si el aire en contacto con una superficie líquida no está saturado con vapor de agua. Las variaciones en la superficie de la tierra también influyen en la precipitación, término general que incluye la lluvia, la nieve, el granizo y otras formas de humedad que caen sobre la tierra como líquidos o como sólidos. Cuando el aire que asciende se enfría, una parte del vapor de agua se condensa en gotas que podemos ver; así se forman las nubes en el cielo y la neblina cerca de la tierra. Si la temperatura de las nubes está por encima de la congelación, la precipitación se convertirá en lluvia; si está más baja, se convierte en nieve, cellisca, hielo, granizo, escarcha u otras formas de humedad helada. La evaporación es el proceso que transforma el agua en vapor de agua y la condensación es el proceso inverso. El vapor de agua, con su aptitud para almacenar calor, gobierna el ascenso y descenso de miles de toneladas de aire y contribuye a mantener en funcionamiento continuo la máquina del tiempo.

Que los cambios de tiempo afectan en mayor o menor grado el organismo, es cosa plenamente probada. Un largo periodo de buen tiempo uniforme puede resultar deprimente o irritante. El constante calor de los trópicos deprime, no así el calor accidental de un día. A menos que sean muy severos, esos cambios estimulan el ánimo y el organismo. El bienestar humano depende mucho de la temperatura, así como del movimiento y de la humedad del aire. Un clima con frecuentes pero moderados cambios de tiempo es considerado como el mejor. Los pueblos más vigorosos y progresivos se encuentran en los países y regiones de la zona templada que tienen estaciones anuales bien diferenciadas que representan grandes cambios de tiempo según las distintas épocas del año. También es sabido que el clima constituye un factor importante en el tratamiento de las enfermedades, y la elección de aquél guarda relación con el género de la dolencia y condición física del paciente. El clima es fuente directa de enfermedades, tales como insolación, ceguera, por reflejo de la nieve, y congelación. La propagación de muchas enfermedades se recrudece en determinadas estaciones del año, como la parálisis infantil, que deja sentir sus estragos cuando más fuerte es el calor del estío.

El tiempo afecta directamente todas las actividades humanas. La aviación, por ejemplo, es insegura si no se dispone de buena información meteorológica y acer-

tados pronósticos. Sin éstos la agricultura y la ganadería podrían sufrir grandes pérdidas. Los pronósticos del tiempo, científicamente realizados, son de gran importancia en todas las esferas de la actividad, así como en el campo de la salud. *Véanse* AIRE; ATMÓSFERA; CLIMA; HUMEDAD; LLUVIA; METEOROLOGÍA; TEMPERATURA; TORMENTA; VIENTO.

tiempo. Relación que se establece entre dos o más fenómenos, sucesos, cuerpos u objetos, mediante la cual se determina si han sido simultáneos o sucesivos, y en este caso, el orden de sucesión. Existe relación entre el tiempo y el espacio, aunque en el tiempo el orden en que han sucedido los fenómenos es de carácter irreversible. El tiempo y el espacio constituyen, unidos, el continente en el que acontecen todos los fenómenos del universo. Al espacio corresponden los aspectos y las formas externas de los cuerpos y sus relaciones de posición y coexistencia. Al tiempo pertenecen los fenómenos de sucesión y cambio. El hombre percibe el fluir continuo del tiempo por referencia a ciertos momentos: *antes, ahora, después.* Aunque sabemos que el tiempo existe, pues advertimos su paso, no ha sido posible hasta hoy explicar con claridad su naturaleza. Podemos medir el tiempo con un reloj, con tanta exactitud como medimos una mesa con un metro. Sin embargo, para medir la longitud o el volumen de ciertos objetos comparamos el espacio que ocupan o la dimensión que tienen con la de otro objeto que sirve de norma o medida (un metro). Pero, para medir el tiempo tenemos que recurrir a otra clase de medi-

das. El tiempo que miden los relojes es una convención útil, en la que se emplea una aguja que recorre a velocidad uniforme cierto espacio (la esfera del reloj); casi podríamos decir que medimos el tiempo con el espacio. Del mismo modo se suele decir, por ejemplo, que tal ciudad está a tres horas de tren de tal otra; para obtener esta medida temporal hemos dividido la distancia en kilómetros que separa las ciudades por la velocidad uniforme del tren.

En astronomía, el espacio y el tiempo son considerados también como una unidad. Así, la distancia a las estrellas no se expresa comúnmente en millones de kilómetros, sino en años de luz, espacio que recorre la luz en un año. La identificación del espacio y el tiempo es uno de los conceptos más interesantes de la teoría de la relatividad, de Albert Einstein. Según este sabio, el tiempo es tan relativo como el espacio; dos sucesos simultáneos para determinado observador pueden no serlo para otro. En la vida cotidiana el tiempo se nos aparece como una corriente inmaterial, un río invisible que va del pasado hacia el futuro. El hombre sólo puede vivir en esa dirección; puede modificar parte del futuro con su libre voluntad; pero no puede volver al pasado ni modificarlo. Las teorías que afirman que el hombre podría trasladarse por el tiempo (hacia el pasado o hacia el futuro), del mismo modo que se traslada hoy por el espacio, no han podido ser probadas científicamente. En el mundo actual, es aun válida la idea de que el orden del tiempo (pasado, presente, futuro) es inalterable.

Las primeras tentativas hechas por el hombre para medir el tiempo se basaron

El paso del tiempo se puede constatar en un reloj.

Corel Stock Photo Library

tiempo

en la continuidad de los fenómenos astronómicos y atmosféricos. La sucesión de las estaciones, las fases de la Luna, la altura del Sol y las estrellas, sirvieron a los hombres de la antigüedad para localizar ciertos hechos en el tiempo. Se llamó año al tiempo empleado por la Tierra en dar una vuelta completa alrededor del Sol; día al que emplea la misma Tierra en girar sobre su eje. No existe una correspondencia exacta entre el tiempo astronómico real y el que miden los relojes corrientes y los calendarios computados para el año civil; pero, la diferencia es tan pequeña que no es necesario tomarla en consideración. En la antigüedad, babilonios y caldeos calculaban el día de una salida del sol a la siguiente; judíos y griegos, de una puesta de sol a otra; egipcios y romanos, de una medianoche a la siguiente. En nuestra época el día civil empieza, también, a medianoche y termina en la medianoche siguiente. La iniciación del día en la medianoche es una convención práctica que no tiene grandes fundamentos astronómicos.

Para evitar las confusiones que traería aparejadas la utilización de una misma hora en todo el mundo o de innumerables horas diversas, según el meridiano de cada lugar, se recurrió a otra convención: dividir la Tierra en 24 zonas, de 15° de longitud cada una, a partir del meridiano de Greenwich. Dentro de cada zona, todos los relojes señalan la misma hora, pero en la zona vecina del este es una hora más tarde y en la del oeste una más temprano. Cuando el reloj de Greenwich señala el mediodía, en el lado opuesto de la Tierra, o sea, a 180° de longitud, será medianoche. Esta división está claramente relacionada con la marcha del Sol, que nace aparentemente por el este y se pone por el oeste. En algunos países, existe la costumbre de adelantar o retrasar la hora internacional, de acuerdo con las estaciones del año, para aprovechar mejor la luz natural y economizar energía eléctrica. En verano, cuando amanece más temprano, se adelanta el reloj; en invierno se atrasa. *Véanse* CALENDARIO; CRONOLOGÍA; DÍA; ERA; HORA; MEDIDAS; RELATIVIDAD; TIEMPO SIDERAL.

Tien-Tsin. Ciudad y puerto fluvial en el noreste de China, situada a orillas del Gran Canal, en donde éste se une al río Pei Ho. Población: 8.785,402 habitantes. Tiene importantes industrias, pero su principal movimiento lo debe al intenso intercambio que le produce el ser puerto de entrada a la amplia región a que la vinculan las líneas de ferrocarril con Pekín, Nanking, Shanghai y ciudades de Manchuria. A 80 km queda Tangku, su puerto para barcos mayores. En 1861 se abrió al comercio exterior y nueve países fueron favorecidos con concesiones, las que impulsaron la moderni-

Corel Stock Photo Library

Tienda de campaña para campísmo.

zación de la ciudad. Las naciones que tenían concesiones fueron renunciando a ellas a partir de 1932. Japón ocupó la ciudad de 1937 a 1945, a la terminación en la Segunda Guerra Mundial. Devuelta a China, fue ocupada por el gobierno comunista chino en 1949. Posee dos universidades y otros importantes centros de cultura. A 125 km de Pekín, capital del país, es su centro comercial obligado, lo que aumenta su importancia mercantil sobre cualquier otra ciudad del noreste de China.

tienda de campaña. Vivienda ligera y fácilmente transportable, por lo común de lona, usada por el personal tanto civil como militar que debe realizar trabajos de campo y por los excursionistas que visitan parajes inhóspitos. Introducida en España por los árabes en el siglo VIII, se difundió luego por toda Europa, pasando más tarde a América, donde ya los indios construían sus tiendas con cortezas de árboles o pieles. En Asia ha sido siempre la vivienda habitual de los pueblos nómadas. Al frente de cada tienda se suelen ver insignias que indican la categoría de su ocupante. Entre los árabes alcanzó su máxima evolución; por lo común construidas de piel de cabra, están divididas por tabiques de pieles, formando verdaderas habitaciones.

La tienda de campaña moderna, llamada también carpa en algunos países sudamericanos, se compone de una sencilla armadura de madera o hierro sobre la cual se dispone una tela fuerte impermeable, que puede ser de lona lisa o embreada, formando el techo y las paredes de la vivienda, y dejando las aberturas necesarias para paso y ventilación.

Los principales modelos responden generalmente a dos tipos fundamentales: la cónica y la marquesina. La primera, muy simple, es de forma circular en la base y termina en punta hacia el centro. La lona se extiende alrededor de un palo central, fijando sus bordes en tierra, y se asegura el palo por medio de cuerdas sujetas a estacas enterradas a distancia conveniente, para que la tienda se mantenga firme. La tien-

da de libro o en A, se construye con dos palos verticales unidos por otros horizontales o una cuerda, sobre el cual se tiende la lona y se la sujeta a la tierra por medio de perchas. Combinando estos dos estilos se obtienen las tiendas planocónicas, cerradas en ambos extremos por un semicono. Las marquesinas, de base cuadrada o rectangular, son mucho más grandes que las anteriores y se destinan generalmente para exhibiciones u otros usos colectivos. En las tiendas para uso individual, sobre todo en el ejército, es primordial la eliminación de peso, de modo que cada uno pueda llevar cómodamente la vivienda consigo.

Se debe levantar la tienda en lugares elevados y abiertos. No tocar nunca las paredes o el techo de la tienda cuando llueve y sacar cualquier hoja que caiga sobre el techo, si no se quiere que se formen goteras. Es conveniente cavar una zanja en derredor para evitar que la tienda se inunde en caso de lluvias torrenciales. *Véase* EXCURSIONISMO.

tienta. Operación que se practica en las ganaderías de toros bravos, para comprobar la acometividad de los becerros y las hembras, y seleccionarlos para la lidia y la reproducción. Los machos destinados a la lidia se tientan acosándolos y derribándolos con una garrocha. Las tientas son motivo de fiestas y demostraciones taurinas en las ganaderías.

Tiépolo, Giambattista (1696-1770). Pintor italiano, nacido en Venecia y muerto en Madrid. Se destacó desde muy joven y pronto fue conocido en toda Europa, particularmente por sus pinturas para numerosas iglesias italianas. Carlos III de España lo llamó a Madrid para que decorase el nuevo palacio real que se estaba construyendo, donde Tiépolo pintó numerosos frescos. En uno de ellos, aparece España con todas sus provincias y posesiones de ultramar, con figuras alegóricas, y constituye una apoteosis de la monarquía española. Numerosos cuadros de asuntos religiosos, históricos y mitológicos, *Vulcano forjando las armas de Eneas*, temas de la Pasión, *El festín de Antonio y Cleopatra* y otras obras suyas figuran en los principales museos de Europa. Este pintor se apartó voluntariamente de las escuelas de su tiempo. Enemigo de los colores llamativos, su pintura se caracteriza por los tonos atenuados, si bien se observan en sus obras brío, fuego creador y efectos de gran expresividad. Con Tiépolo termina la fulguración universal de la escuela pictórica veneciana, que tuvo en Tiziano a su máximo representante.

Tierra. Tercer planeta del sistema solar sobre el cual vive la especie humana. La Tierra es un esferoide en revolución. Tiene la forma aproximada de una esfera, pero está levemente achatada en los polos. Su diámetro ecuatorial es de 12,756 km, y el polar de 12,712, por lo que existe una diferencia entre ambos de 44 km. Ese achatamiento es provocado por uno de los movimientos de la Tierra: el de rotación alrededor de su eje, que realiza en poco menos de 24 horas. El sistema solar, al que pertenece, está formado por nueve planetas de tamaño diferente, que giran alrededor del Sol; este movimiento, que la Tierra realiza en poco más de 365 días, se llama de traslación. La distancia media de la Tierra al Sol, es de 149.5 millones de km. Por su tamaño, la Tierra es el quinto de los planetas; el más pequeño es Mercurio, dos veces y media más pequeño, y el más grande es Júpiter, once veces mayor que la Tierra.

Sin advertirlo, toda la humanidad está moviéndose por el espacio infinito a sobrecogedora velocidad. En efecto, la Tierra gira alrededor de su eje a 1,666 km/hr en el Ecuador; recorre su órbita, cumpliendo el movimiento de traslación, a casi 110,000 km/hr; y todo el sistema solar está avanzando por el espacio, en dirección a la estrella Vega, a más de 70,000 km/hr. A pesar de esta velocidad enorme, la Tierra pesa nada menos que 6 mil trillones de toneladas. Su densidad, de 5.52 con relación a la del agua, es muy elevada; el Sol tiene una densidad de 1.41 y Saturno de sólo 0.73. Tres grandes divisiones pueden ser establecidas en la Tierra: la atmósfera, la hidrosfera y la litosfera. Están formadas, respectivamente, por aire, agua y materias sólidas.

La atmósfera. El manto gaseoso que recubre la Tierra tiene una altitud que se calcula en más de 1,500 km, y se compone de diversas capas. La capa inferior de la atmósfera ocupa los 10 km más próximos al planeta; los 40 km siguientes están ocupados por la estratosfera, donde no hay nubes ni vientos y reina una temperatura glacial.

En la atmósfera se producen corrientes de aire llamadas vientos. Para comprender su génesis hay que recordar que el aire que respiramos, aunque invisible e impalpable, tiene un peso que puede ser medido con la ayuda del barómetro. Como ciertas porciones de la atmósfera se recalientan más que las zonas próximas, actúa en ellas la ley general de la dilatación de los cuerpos. Se vuelven más livianas, se elevan y la presión que ejercen en tales sitios sobre el suelo tiende a disminuir; para cubrir el relativo vacío que así se produce, un aire más fresco se aproxima desde las regiones vecinas, donde la atmósfera es más pesada y la presión resulta mayor. Por su parte, las capas de aire tibio se enfrían a medida que ascienden; al tornarse más frías, y por tanto más pesadas, vuelven a descender. Tal es el mecanismo de producción de los vientos que no son otra cosa que aire en mo-

Corel Stock Photo Library
Vista de la Tierra desde el espacio, cortesía de la NASA.

vimiento. Este fenómeno básico de la atmósfera puede estar formado por aire caliente o frío, y su velocidad puede variar entre la suavidad del céfiro imperceptible y la famosa violencia del tifón de los mares de la China, que avanza a 50 m/seg.

La inestabilidad de la atmósfera es muy grande en los países de clima templado, y menor en las zonas polares y ecuatoriales. En el Ecuador, por ejemplo, soplan vientos muy regulares, los alisios, que en todos los tiempos han sido aprovechados por los navegantes. Una categoría especial está formada por los vientos periódicos o monzones, que adquieren su máxima violencia en las costas orientales del continente asiático y en los mares vecinos.

La lluvia, otro de los elementos formadores del clima, también tiene origen en la atmósfera. Bajo la acción de los rayos solares, una parte de las aguas marinas y continentales se evapora y penetra en la atmósfera. La humedad atmosférica se condensa formando nubes cuando el aire se enfría; si el enfriamiento continúa y se produce el contacto entre las capas frías del aire y otras más tibias, la atmósfera alcanza su punto de saturación: ya no puede mantener en suspensión toda la humedad que contiene, y la deja caer sobre la tierra en forma de lluvia o de nieve, según la temperatura del aire en el momento en que se produce el fenómeno. Las lluvias no se reparten equitativamente sobre la tierra. En general, llueve más en las regiones ecuatoriales, donde las altas temperaturas hacen que la evaporación sea más intensa. La cuenca del Amazonas, América Central, el valle del Congo, las costas

orientales de África del Sur, Insulindia, parte de la India, Indochina y China meridional reciben más de 1.5 m de lluvia por año. La precipitación llega al máximo de 12 m por año en la zona de Cherrapundji, sobre las colinas de Assam. Las lluvias son mínimas en el Sahara, en Arabia, en la costa norte de Chile y en los desiertos centrales de Asia y Australia.

La hidrosfera. El conjunto de los océanos, mares, lagos y ríos forma la hidrosfera. Una simple ojeada a un globo terráqueo basta para demostrar que las aguas ocupan la mayor parte de la superficie terrestre: la extensión del globo asciende a 510 millones de km², de los cuales las tierras ocupan 145 millones (o sea, 28.4%), mientras que los mares ocupan 365 millones (71.6%). Además, una visión más detenida del globo terrestre nos demostrará que las tierras aparecen concentradas en el hemisferio norte, donde cubren más de 100 millones de km², mientras que en el hemisferio sur abarcan menos de 44 millones.

He aquí las superficies de los grandes océanos en millones de kilómetros cuadrados, sin incluir mares anexos e interiores:

Pacífico 165.2
Atlántico 82.5
Índico 73.5
Ártico 14.1

En cuanto al llamado océano Antártico, los geógrafos modernos lo consideran simplemente como la porción meridional del Pacífico, el Índico y el Atlántico. Las cifras anteriores muestran que el océano Pacífico cubre, por sí solo, una superficie más

Tierra

Corel Stock Photo Library

Globo terráqueo.

grande que la de todos los continentes. Al igual que los continentes la hidrosfera también tiene, en el fondo del mar, montañas, cordilleras y precipicios. Las mayores profundidades no se hallan en el centro de los océanos, como lo supone la imaginación popular, sino en zonas próximas a costas elevadas. En el Atlántico, la fosa de las Antillas tiene 8,341 m. El Pacífico se hunde hasta profundidades superiores a los 10,000 m en lugares próximos a Japón, Filipinas y el archipiélago de las Marianas. El Mar Mediterráneo tiene una profundidad máxima de 4,404 m al suroeste del Peloponeso. La superficie de océanos y mares es recorrida por grandes corrientes; algunas de ellas, como la corriente del golfo en el Atlántico y la Kuro Sivo en el Pacífico, se dirigen desde los cálidos mares del trópico hacia latitudes más elevadas; otras, por el contrario, como las corrientes del Labrador y de Humboldt, aportan las aguas frías de las regiones polares. A la hidrosfera pertenecen también las aguas de los grandes lagos y ríos.

La litosfera. La parte sólida de la Tierra forma una masa que tiene, en conjunto, la rigidez del acero. En la litosfera se distinguen tres capas sucesivas: 1) el manto exterior o litosfera propiamente dicha, que abarca los primeros 120 km de la corteza. Esta zona comprende, a su vez, tres regiones: la primera es una cubierta discontinua de rocas graníticas, de un espesor que varía entre 10 y 30 km; la segunda, de 15 a 30 km de espesor, es una capa continua de rocas basálticas que rodea todo el planeta; la tercera es la zona de fluidez, donde las rocas se hallan en estado pastoso o flúido a causa de la enorme presión. 2) la astenosfera, que abarca desde los 120 hasta los 720 km de profundidad; en esta zona la temperatura no sigue en ascenso y las rocas no llegan a su punto de fusión, la astenosfera no sufre los efectos de las fuerzas que modifican la superficie terrestre. 3) la barisfera forma el núcleo de la Tierra; los geólogos dicen que en ella predominan el hierro y el níquel.

La superficie del manto exterior de la litosfera es muy irregular. Su punto más elevado es la cumbre del monte Everest, en la cadena del Himalaya, y el más profundo es

la fosa de Mindanao, frente a Filipinas, en el océano Pacífico. Entre estos dos puntos extremos media una distancia de 20,000 m. Entre los principales elementos constitutivos de la corteza terrestre figuran oxígeno, silicio, aluminio, hierro, calcio, magnesio, sodio, potasio e hidrógeno.

La parte exterior de la litosfera que emerge sobre la superficie de mares y océanos forma las grandes masas continentales e insulares.

Movimientos terrestres. La Tierra da una vuelta completa sobre su eje cada 23 horas, 56 minutos, 4 segundos y un décimo. El eje de rotación de la Tierra tiene una inclinación de 23 grados 27 minutos y 54 segundos en relación con el plano de la Eclíptica. El movimiento de rotación es la causa de que el sol *salga* y *se oculte* ante nuestros ojos: el día y la noche existen porque la Tierra va exponiendo diversas partes de su corteza a la luz solar, mientras gira. Al tiempo que da vueltas sobre su eje, el planeta describe una órbita alrededor del Sol. Este movimiento llamado de traslación, se realiza a la velocidad de 30 km/seg. La Tierra completa este viaje anual en 365 días, 6 horas, 9 minutos, 9 segundos y 5 décimos. El movimiento de traslación alrededor del Sol combinado con la inclinación del eje de la Tierra origina las cuatro estaciones del año.

Tierra del Fuego.

En el extremo austral del continente americano, casi cubierto por hielo nieve y, en parte, árboles, se extiende el archipiélago de Tierra del Fuego. Fragmentado y montañoso, surcado por un laberinto de canales fue descubierto por la expedición de Fernando de Magallanes en 1520. Esa misma expedición, que creía haber encontrado un nuevo continente, extendido hasta el Polo Sur, divisó, mientras navegaba, resplandores fulgurantes que surgían de la tierra, y sin saber que provenían de fogatas encendidas por los indios, los impulsó a llamarla Tierra del Fuego.

Separado del resto del continente por el Estrecho de Magallanes, este archipiélago termina en el Cabo de Hornos, peñasco abrupto en medio de las heladas aguas, que indica el fin de América. El conjunto insular está rodeado por los océanos Atlántico y Pacífico y formado por muchas pequeñas islas que enmarcan el este y sur a la mayor de ellas: la Isla Grande de Tierra del Fuego. Situada dentro de los límites de las repúblicas Argentina y de Chile, ocupa 72,000 km² aproximadamente, de los cuales 20,912 pertenecen a la primera.

En la parte occidental y sur, el último tramo de la cordillera andina se prolonga con montañas que, no obstante alcanzar apenas los 2,000 m, se yerguen imponentes en esa desolada región, emergiendo desde el fondo mismo del océano, entre una confusión de lagos y canales. Al-

gunos de estos montes tienen sus laderas tapizadas por un oscuro verdor, logrado por el apretado conjunto de árboles que, en formación boscosa, aparecen frecuentemente en toda la región. En notable contraste sobre la parte oriental, la pampa patagónica cruza el estrecho y aparece aquí con sus tierras llanas y cenagosas ocupadas por los indios onas. Otros grupos, los yaganes, haush y alacalufes, habitan el archipiélago, aunque hoy en número reducido, distribuidos por las riberas de los canales fueguinos.

El Canal Beagle separa la isla Grande de Tierra del Fuego de las islas Gordon, Hoste, Navarino, Picton y Nueva por el sur, y por el este, otro estrecho, el de Lemaire, la aleja de la isla de los Estados.

Rodeada por montañas coronadas de nieve y verdes laderas, a orillas del Canal de Beagle, se levanta la ciudad más austral del mundo, Ushuaia, que es el centro más poblado de esa tierra, al que le sigue El Porvenir, puerto chileno, situados ambos en la isla Grande.

La población del archipiélago es de unos 32,000 habitantes de los cuales 8,500 corresponden a Chile y 24,500 a Argentina, aproximadamente. En la región chilena, la explotación forestal es la principal fuente de trabajo, mientras que en la argentina, el ganado ovino se desarrolla en óptimas condiciones. En la desembocadura del río Grande, que nace en Chile para ir a desaguar en el océano Atlántico, se levanta Río Grande, población de 1,275 habitantes; además es puerto que mantiene comunicación con Ushuaia y Buenos Aires, y cuenta con un gran frigorífico. Varios aserraderos y fábricas de conservas de pescados y curtiembres se hallan distribuidos por la región. La pesca es abundante en lagos y canales, donde muchas veces corren aguas auríferas; en cuanto a la agricultura, el clima, muy inclemente, con vientos huracanados soplando durante días, y témpanos de nieve por doquier, hacen imposible la prosperidad de ningún cereal. Sólo los árboles milenarios y la hierba en la llanura, ponen una nota de color en la albura infinita.

Vista satelital de la tierra, mostrando la Tierra del Fuego en el extremo austral del continente americano.

Corel Stock Photo Library

Tierra Santa. Nombre que suele darse a Palestina o al Estado de Israel. aunque corresponde con mayor propiedad a los lugares donde nació, vivió y murió Jesús de Nazareth, según la significación histórica que le dieron los cruzados, a quienes corresponde haber creado la denominación. Ésta comprende, principalmente: Jaffa, la ciudad de San Pedro, el fundador de la Iglesia católica romana; San Juan de Acre, donde vivieron los padres de la Virgen María, meta de los cruzados, a la que llegó Ricardo Corazón de León en la Tercera Cruzada; Belén, donde nació Jesús, y Nazareth, donde transcurrieron años de su vida; Betania, residencia de Lázaro; y los sitios en que se desarrolló la pasión y muerte de Jesucristo, así como los mayores milagros que se conocen: Cafarnaum, Magdala, el lago Tiberíades, el río Jordán y el monte Tabor. En el propio Jerusalén: la Puerta Dorada (por la que entró Jesús el llamado Domingo de Ramos), la Vía Dolorosa, calle del Ecce Homo, el Monte de los Olivos, el santo Sepulcro y el sepulcro de la Virgen. También se añade el cementerio de los Cruzados, donde fueron enterrados los últimos de éstos que llegaron a la Ciudad Santa. En todos los sitios mencionados se conservan ruinas y recuerdos.

tierra vegetal. *Véase* SUELO.

Tierradentro, cultura de. Cultura prehispánica de Colombia que se desarrolló en la región de las fuentes de los ríos Cauca y Magdalena, en el actual departamento del Cauca. La proximidad de esta zona a aquélla en que floreció la cultura de San Agustín determina la similitud de muchos de sus rasgos culturales, tales como esculturas, jarras globulares, vasos trípode, etcétera. No obstante, la cultura de Tierradentro se caracteriza por los numerosos hipogeos horadados en la blanda piedra de la zona. Son cámaras circulares o elípticas, a las que se desciende por un pasadizo con escalones; el techo es cupuliforme o plano; a veces en el centro de la sala hay un enorme bloque de piedra, que sostiene al techo a modo de columna. Las paredes y el techo de estas cámaras están revestidos con una especie de enlucido que cubre las rugosidades, y sobre el que trazaron dibujos de tipo geométrico coloreados (rojo, anaranjado, negro). Los vasos hallados en los nichos excavados en las paredes tienen una curiosa decoración incisa profunda, rellena de una pasta blanca. Las tumbas aparecen generalmente en laderas o acantilados rocosos en grupos de 40 o 50 sepulturas, cada una de las cuales contiene, en ocasiones, cuatro o cinco enterramientos.

tierras raras. Reciben también el nombre de tierras nobles, y son minerales que

Corel Stock Photo Library

Vista panorámica de Jerusalén en Tierra Santa.

contienen compuestos de 17 elementos, muy escasos en la naturaleza, y cuyas respectivas propiedades fisicoquímicas tienen cierta analogía. Siempre se hallan mezclados entre sí, y pueden distinguirse dos grupos: tierras céricas y tierras ítricas, a los que se agrega el escandio como un tercer grupo independiente. Entre otros usos se emplean en ciertas aleaciones y como colorantes en vidriería y cerámica, lámparas, etcétera. *Véase* ESCANDIO.

Tiflis (Tbilisi). Capital de la República de Georgia, situada a orillas del río Kura, a 430 km al noroeste de Bakú. Importante centro industrial, con grandes fábricas de productos químicos, tejidos, papel, maquinaria, licores, etcétera. La parte antigua de la ciudad, de estilo oriental, es de calles estrechas y tortuosas; la moderna tiene edificios notables, como la catedral ortodoxa de Sion.

Sufrió sucesivamente varias ocupaciones por parte de persas, turcos, griegos, georgianas y caucásicos. Rusia la ocupó en 1799 y en 1801 la convirtió en capital del gobierno del Cáucaso. Formo parte de la URSS hasta que al desaparecer ésta (1991), fue conformada capital del nuevo Estado. Tiene 1.430,000 habitantes.

tifoidea. Enfermedad infecciosa aguda, producida por la ingestión de agua y alimentos contaminados, con el bacilo de Eberth. La enfermedad se padece en todo el mundo. Se conoce con los nombres de fiebre tifoidea o intestinal y tifus abdominal. Las epidemias de fiebre tifoidea son debidas a que los bacilos se hallan en el agua, alimentos como la leche, nata, helados, ostras y ensaladas. También la propagan las moscas. El bacilo se aloja en el intesti-

no, al que puede ulcerar, pasa al bazo y penetra en la sangre. Los síntomas de dolores y trastornos intestinales, con fiebre, falta de apetito y somnolencia se destacan entre otros. La duración es de unas cuatro semanas y el pronóstico grave. La enfermedad es prevenible con las vacunas mixtas antitíficas, cuya inmunidad dura dos años. Para el tratamiento, la terapéutica dispone, entre otros antibióticos, de la cloromicetina, que abrevia el curso de la enfermedad y evita graves complicaciones.

tifón. Ciclón tropical, frecuente en el Mar de China. Devasta las regiones costeras del sur de China y Filipinas. Se caracteriza por vientos muy fuertes y lluvias torrenciales. *Véase* VIENTO.

Tifón. Dios egipcio, que simboliza el mal y la esterilidad. Los griegos llamaron así a un titán, hijo de la Tierra y de Tártaro, que engendraba las tempestades y las erupciones volcánicas; y a un hijo de Juno conce-

Vista de una calle en Tiflis, Georgia.

Corel Stock Photo Library

Tifón

Pareja de tigres de bengala en cautiverio.

bido al contacto con una nube, que se enamoró de Venus y la persiguió hasta el río Éufrates. Dos peces salvaron a la diosa a la que hicieron cruzar el río y fueron colocados entre los 12 signos del Zodiaco.

tifus exantemático. Enfermedad infecciosa aguda, sumamente contagiosa, producida por microbios del género *Rickettsia*. El tifus es propagado por el piojo, por sus picaduras o sus excreciones que las rascaduras introducen en la piel. Es una enfermedad de las llamadas pestilenciales. Entre las causas predisponentes están la suciedad y el hacinamiento; las estaciones de invierno y primavera favorecen el contagio y la epidemia. Su pronóstico es muy grave.

El periodo de incubación de la enfermedad dura unos 12 días. Los síntomas empiezan de pronto con dolor de cabeza, escalofríos, náuseas y vómitos. La lengua está saburral y la temperatura empieza con 38 °C para subir a 40 °C. La erupción que da nombre a la enfermedad aparece al cuarto o quinto día, primero con manchas moteadas de la piel que más tarde se convierten en pápulas. La piel se halla invadida en el tronco y extremidades, respetando de ordinario la cara, que está roja y abotagada. El sudor del enfermo despide un olor parecido al del ratón. Las complicaciones comprenden pulmonía, trastornos cardiacos y afecciones del oído y riñón. En los casos favorables, cuando la temperatura desciende, el estado general mejora con rapidez.

El tratamiento preventivo siempre será mejor que el curativo. El despiojamiento es de la mayor importancia. Cuando existe peligro de epidemia, la limpieza colectiva se lleva a cabo tanto en el medio militar como en los barrios sucios de la población civil. La ropa despiojada se desinfecta en calderas especiales y los individuos pasan por las duchas vistiéndose con ropas desinfectadas.

Antiguamente durante las estaciones invernal y primaveral y en las épocas de hambre y guerras, la mortalidad se extendía a grandes zonas, ya que no contaban con un medio eficaz para combatir el piojo en la vestimenta humana. En la Segunda Guerra Mundial la sanidad militar hacía impregnar la ropa interior de los combatientes con polvos DDT inofensivos para la piel y que matan a los piojos en poco tiempo. Gracias a este método de prevención los casos de tifus exantemático fueron aislados evitándose las epidemias de los pasados tiempos. Hoy es raro que se presenten epidemias en el mundo.

Respecto al tratamiento curativo al enfermo se le deberá aislar en un pabellón de infecciosos atendido por un médico especialista. La aureomicina es uno de los antibióticos más valiosos en el tratamiento contra tan temible enfermedad. *Véase* PIOJO.

Tiglath-Piléser. Nombre de varios monarcas asirios, dos de los cuales (I y III), que reinaron con casi cuatro siglos de diferencia, son recordados como grandes por la historia.

Tiglath-Piléser I (1116-1078 a. C.), fue un guerrero infatigable que, durante los 22 años que duró su reinado, conquistó Babilonia y la Mesopotamia septentrional, y extendió sus dominios hasta el Mediterráneo. Gran constructor, hermoseó la ciudad de Assur, capital de su reino.

Tiglath-Piléser III (745-727 a. C.); coronado después de una revolución encabezó una poderosa y brillante dinastía. Pulu, como se le llamó al ser ungido rey de Babilonia, se apoyó en los campesinos y clases populares, y llegó en sus conquistas hasta Damasco, dejando iniciada la invasión de Israel, que consumó luego su hijo Salmanasar IV.

Tigre. Ciudad de Argentina sobre las márgenes del río de su nombre, que es parte del delta que forma el Paraná, a 28 km de Buenos Aires, de la que puede considerarse aledaño ante el crecimiento de esta metrópoli. Población: 24,000 habitantes. Unida a dicha capital por ferrocarril con servicio permanente y espléndidas carreteras. Cuenta con numerosas islas vecinas que son residencias veraniegas. Importante producción frutal y astilleros para embarcaciones menores. Éstas cruzan constantemente los brazos del delta y constituyen uno de los más pintorescos y hermosos paseos. Cuenta con varias importantes organizaciones náuticas que reúnen a millares de socios, y que son la base del deporte de *yachting* en el país.

tigre. El más temible y feroz de los mamíferos carnívoros de la familia de los félidos. Es oriundo de las Indias Orientales, pero se encuentra también en otras regiones asiáticas, excepto en aquellas demasiado frías y cubiertas de nieve durante largos periodos. Son variadas sus condiciones de tamaño y color, pero aquél puede fijarse en un promedio general de 2 m de largo, incluso la cola, que tiene unos 60 cm, y altura de 70 cm hasta la cruz. Es más esbelto y ligero que el león. Tiene ojos amarillos y relucientes, dientes agudos, con colmillos sobresalientes, de gran fuerza, garras de potentes uñas y piel con manchas de varios colores. Los ejemplares que habitan en regiones más frías tienen el pelo más espeso y largo que los de la zona baja de las Indias. La hembra es más pequeña que el macho y los ejemplares más jóvenes son de color más claro que los viejos. Son de gran belleza, fuerza y astucia. Supera al león en cuanto a audacia. Ataca a todo ser viviente: hombre, animal, reptil o pájaro, incluso a los elefantes, búfalos y rinocerontes jóvenes, ya que sabe que los de mayor edad lo vencerían en una lucha prolongada. En este punto, en cuanto peligra su posición o advierte cualquier amenaza, se torna cobarde y huye. Es en tal detalle donde el león le supera en valor y nobleza; así como el hecho de que el león sólo ataca cuando el hombre lo acosa o se ve atacado.

El tigre real es el mayor y más notable de su especie y puede llegar a tener dimensiones que superen las del león. El color de fondo de su pelaje es rojo amarillento, cubierto de rayas oscuras; es más claro en los costados que en la espalda, y blanco en la parte inferior. El longibando es de cuerpo prolongado, piernas cortas y firmes, pequeña cabeza rapada y pelaje largo. El macrocelis es ligeramente más pequeño que el común, tiene manchas negras irregulares y habita en Tailandia e islas de Borneo, Java y Sumatra; trepa a los árboles y persigue a su presa de rama en rama. Suele mostrarse menos feroz que otras especies de tigres. Una especie poco común es la del tigre blanco, de pelaje lechoso con débiles rayas poco visibles.

Tigre. Partido de la provincia de Buenos Aires, en Argentina. Su cabecera es la ciudad de Tigre. Tiene una población de 65,000 habitantes. Ocupa la parte inferior del delta del Paraná y en él se cultivan árboles frutales y se explotan diversas clases de maderas blandas. En sus numerosos riachos, de pintoresco aspecto, existen diversos clubes náuticos.

tigridia. Género de plantas iridáceas que comprende especies de México, América Central y hasta de Perú y Chile. Se suele cultivar la *Tigridia pavonia* o *flor del tigre*, de color rojo vivo con manchas oscuras y a la que se denomina vulgarmente, *flor de la maravilla* o flor de un día porque se marchita a las pocas horas de abrirse. El bulbo de esta planta se usa como febrífugo.

Tigris, río. Uno de los ríos de Asia occidental, que baña la antigua y semiárida Mesopotamia. El Tigris y el Éufrates crearon el famoso valle donde se supone estuvo el bíblico Jardín del Edén. Con el nombre de Dicle Nehri, nace en el lago Gölcük, situado en el este de Turquía, y, en dirección sureste, bordea el límite norte de Siria y atraviesa Irak enteramente. Algo al norte de Bassora se une al Éufrates y forma el Shatt-al-Arab, que va a desaguar en el golfo Pérsico. Pasa por importantes ciudades como Mosul, Sumara, Bagdad y Kut al Imara. Su curso abarca cerca de 1,850 km de extensión; en su margen se alzó la famosa capital de la antigua Asiria: Nínive, destruida por los babilonios, y cuyas ruinas aún existen, lo mismo que las de otras antiguas ciudades. Ha sido siempre vía comercial importante por su navegabilidad, a partir de Mosul en Irak, y, en ocasiones desde Diarbakir (Turquía). En parte de su curso superior es turbulento, con numerosos rápidos. Cuando penetra en la llanura mesopotámica su curso presenta pocos obstáculos, y recibe varios afluentes. Su cuenca se estima en 166,000 kilómetros cuadrados.

tijera. Instrumento compuesto de dos hojas de acero, a modo de cuchillas de un solo filo, con un eje común alrededor del cual giran. Los mangos rematan en dos anillos u ojos para meter los dedos, con los

Tijeras de metal con anillos de plástico.

cuales se abren y cierran las hojas cuando se corta. Cada hoja es una palanca de primer género, siendo el pivote que las une el punto de apoyo. Por ello basta una ligera presión de los dedos, estando la tijera abierta, para cortar el objeto colocado entre las hojas. Por lo común, los dos anillos son iguales, pero tratándose de tijeras de mayor tamaño, uno de ellos es más grande que el otro, de modo que se pueda poner el pulgar en uno y los dedos restantes en el otro. Pueden tener los tamaños más diversos: desde las diminutas tijeras usadas por las manicuras, hasta las grandes cizallas accionadas mecánicamente, que cortan planchas y barras metálicas. Las tijeras son también de gran utilidad en cirugía, donde se usan modelos especiales.

tijereta. Insecto ortóptero de la familia de los forfículidos y tamaño de 8 a 15 mm, según las especies, que vive oculto durante el día bajo las piedras y cortezas de los árboles. Tiene aparato bucal masticador, antenas bien desarrolladas, un par de élitros, que protegen alas rudimentarias y que no cubren la mitad del abdomen. El cuerpo, fuertemente comprimido, es de color marrón, terminando en un abdomen de bordes paralelos ligeramente ensanchados en el último segmento, de donde nacen dos piezas movibles en forma de pinzas, que dan origen a su nombre. Se alimenta de vegetales y causa daños en plantas de jardinería y frutales, como el melocotonero, a los que ataca de noche. *Véase* CUCARACHA.

Tijuana. Ciudad mexicana, en el estado de Baja California. Tiene 742,700 habitantes. Está situada en el extremo noroeste del estado en la frontera con Estados Unidos. Activo centro comercial y de turismo. Es población moderna que ha crecido rápidamente.

Tikal. *Véase* MAYAS.

Tilly, Juan Tserclaes, conde de (1559-1632). Militar alemán. Abandonó la Compañía de Jesús para entrar en el ejér-

cito español. Luego luchó junto con los austriacos y contra los turcos. Llamado por Maximiliano, duque de Baviera, mandó a las fuerzas de la Liga Católica durante la guerra religiosa entre protestantes y católicos alemanes, llamada de los Treinta Años. Una de sus primeras victorias fue la de Praga, en 1620. Seis años después, en la de Lutter, derrotó a los daneses, dirigidos a la sazón por su propio rey Cristián IV. En 1631, se apoderó de la ciudad de Magdeburgo, la que incendió y saqueó. Un año más tarde fue derrotado por Gustavo Adolfo en Breintenfeld. Herido en Lech al estallar una granada, murió a los pocos días. Legó cuanto poseía a sus tropas.

tilo. Árbol de la familia de las tiliáceas que puede alcanzar alturas superiores a 20 m. Tiene tronco recto y grueso, ramas fuertes y amplia copa formada por hojas pecioladas con el borde aserrado. Las flores son pequeñas, blanco-amarillentas, y de aroma muy agradable; los frutos son nuececillas del tamaño de un guisante, con una sola semilla. Se multiplica por simiente, acodo o injerto, siendo muy cultivado en Europa central como planta ornamental y de sombra.

Fue el árbol sagrado de los antiguos germanos, que celebraban a su sombra las asambleas comunales. Su madera se utiliza para tallas, carpintería, carboncillos de dibujo, y la infusión de flores y hojas se emplea en medicina como sudorífica y sedante.

tímalo. Pez fisóstomo de la familia de los salmónidos. Es parecido al salmón del cual se distingue por tener la aleta dorsal más alta y larga y de color violáceo. Mide 40 cm de longitud y hay varias especies en el norte de Europa, Asia y América del Norte. En Europa se halla principalmente el tímalo común y en Canadá el denominado comúnmente pez azul. Por su belleza, se le ha llamado *la flor de los peces*. Su carne es un delicado manjar.

timbal. Especie de tambor de un solo parche, con caja metálica en forma de media esfera; generalmente se tocan dos a la vez templados en tonos diferentes a causa del distinto grado de tensión del parche, que se obtiene mediante un juego de llaves metálicas. Pueden producir todas las gradaciones, desde el *fortissimo* extremo hasta el *pianissimo*, apenas perceptible. Se cree que son de origen indio o árabe. El primero de los grandes compositores que reconoció su importancia como instrumento de percusión fue Ludwing van Beethoven. Hasta principios del siglo XIX se emplearon sobre todo como acompañamiento de los clarines de la caballería. Hoy es instrumento necesario en toda orquesta de concierto. *Véase* INSTRUMENTO (*de música*).

timbó. Árbol de la familia de las leguminosas, propio de Paraguay y Argentina, que comprende diversas especies del género Enterolobium. Es muy corpulento, de flor amariposada; se utiliza su madera para construir canoas y con su fruto, que contiene tanino, se hace tinta. En Brasil lleva este nombre la *Paullinia pinnata*, de la familia de las sapindáceas.

Timbuctú. Ciudad de Malí, África situada en la región de Sudán occidental cerca de una gran curva del río Níger y del límite sur del Sahara; también se le conoce con los nobres de Tombuctu o Tombouctou. Cuenta con 23,130 habitantes. Su fundación data de fines del siglo XI y ha sido durante muchos años una ciudad misteriosa y un centro de cultura musulmana. Se dice de ella que es el punto de unión de la barca y el camello, pues está emplazada en una región de pequeños lagos y de tierras arenosas incultas. Además, es importante mercado de sal, telas, gomas, plumas de avestruz y marfil, al que confluyen grandes caravanas. Fue ocupada por los franceses en 1894 y formó parte del Sudán Francés hasta 1958 en que se estableció en ese territorio la República Sudanesa, que en 1960 cambió su nombre por el de República de Malí.

timbre eléctrico. Aparato sonoro usado comúnmente, en sustitución de los antiguos llamadores. Este aparato consiste esencialmente en un circuito eléctrico, en el que se ha introducido un electroimán (formado por las vueltas de un alambre conductor alrededor de dos barritas de hierro), un pequeño martillo, un muelle, una campanilla y un tornillo. El funcionamiento del timbre es muy sencillo. La corriente eléctrica, que entra en el aparato cuando se presiona cierto dispositivo, casi siempre un pequeño botón, hace que el electroimán atraiga al martillo, pero al establecerse el contacto entre la campanilla y el martillo éste deja de apoyarse en el tornillo y el circuito eléctrico se interrumpe. El electroimán deja entonces de atraer al martillo y éste, impulsado por el muelle, vuelve a su posición inicial. En este instante se restablece el circuito y el martillo vuelve a golpear la campanilla. El proceso se repite indefinidamente mientras oprimimos el botón de entrada de la corriente. Los timbres de alarma están construidos según los mismos principios; pero en ellos el dispositivo de entrada de la corriente está conectado con puertas, ventanas, muros, etcétera.

timo. Véase GLÁNDULAS.

timol. Sustancia que se obtiene de la esencia del tomillo. Se presenta en cristales incoloros, con olor de tomillo, volátiles y solubles en alcohol, éter y glicerina, dan-

Corel Stock Photo Library

Rueda del timón de un velero.

do un líquido límpido. También se le llama alcanfor de tomillo o ácido tímico. En medicina se usa como antiséptico, desinfectante intestinal y antipirético, así como en la solución conocida por *agua timolada*, al 1 por 1,000, para tratamientos exteriores.

Timoleón (410?-337 a. C.). Estadista y militar griego, nacido en Corinto, cuya probidad política ha sido elogiada en las obras que escribieron de su vida Plutarco y Cornelio Nepote. Como su hermano Timófanes, a quien había salvado la vida, se convirtió en un tirano brutal y cruel, Timoleón le dio muerte para liberar a su patria. Encargado de liberar a Siracusa de la opresión de Dionisio *el Joven* (344 a. C.), realizó una campaña heroica y admirable. Reconstruyó política y económicamente el país, del que hizo su patria adoptiva, renunciando luego al poder. Los siracusanos le obsequiaron entonces la morada en que residía, pues se hallaba pobre y enfermo, y allí terminó sus días, rodeado del respeto y del cariño de quienes llamaba sus conciudadanos.

timón. Pieza de madera o de hierro, a modo de gran tablón, que articulada verticalmente sobre goznes en el codaste de la nave, sirve pare gobernarla. Por extensión se da igual nombre a las piezas similares de submarinos, aeroplanos, etcétera. El timón es una superficie móvil que, gobernada por el piloto, produce un efecto aerodinámico que origina un cambio en la dirección de la aeronave tanto en el plano horizontal como en el vertical. Los timones suelen colocarse en la parte posterior del fusela-

je, aunque en algunos modelos (tipo *canard*) el timón de profundidad se posiciona en la parte delantera. El timón de dirección está en un plano vertical y se acciona mediante los pedales de mando: avanzando el pedal derecho el timón gira en este mismo sentido y el avión inicia un viraje hacia este lado. El timón de profundidad esta en un plano horizontal y se acciona mediante la palanca o volante: moviendo ésta hacia delante el timón gira hacia abajo y el avión inicia un picado.

Timoneda, Juan de (1520?-1583). Escritor español nacido y muerto en Valencia. Siguiendo la tradición familiar fue curtidor de pieles y, más tarde, librero y editor. En este último concepto, según Miguel de Cervantes Saavedra, se labró la gloria al publicar las obras teatrales de Lope de Rueda. Entre sus obras figuran varios pasos y entremeses, a la manera de los de Lope de Rueda; numerosas canciones en hojas volantes y una *Rosa de romances* dividida en cuatro partes; una *Cartilla de la muerte* para prepararse a bien morir; las refundiciones en prosa castellana de *El Anfitrión y los Menamnos* de Plauto; *Sobremesa y alivio de caminantes*, que consta de 93 cuentos y 72 apotegmas, los más de ellos recogidos de la tradición oral; y la primera parte –única que salió– de *El Patrañuelo*, colección de novélas inspiradas en los autores italianos entonces en boga, que es su obra más conocida. Se le considera uno de los precursores de Lope de Vega por su espontaneidad, gracejo y atinada asimilación de elementos folclóricos en los más variados temas literarios.

Timor. Hoy provincia indonesia, Timor es una isla del archipiélago de la Sonda, a 650 km al norte de Australia. Superficie 32,300 km²; población: 630,700 habitantes. Es montañosa y produce maíz, arroz, café, caña de azúcar y algodón. Antes estaba dividida entre Portuga1 y Holanda, que poseían la parte oriental y la occidental, respectivamente. Durante la Segunda Guerra Mundial los japoneses ocuparon toda la isla, y en 1949 el sector holandés pasó a poder de Indonesia. En 1975 un movimiento separatista proclamó el sector portugués República Popular del Timor Oriental, pero ésta fue efímera, pues pronto tropas de Indonesia la ocuparon y el 17 de mayo de 1976 toda la isla fue oficialmente declarada la 27ª provincia de esta nación. El 18 de marzo de 1989 se constituyó en Lisboa la Convergencia Nacionalista entre el Fretilin, que recusó su pasado comunista, y la Unión Democrática de Timor (UDT), que antes había respaldado la anexión. El jefe del Fretilin, José Xanana Gusmano, fue detenido y condenado a cadena perpetua (1993). La guerra y la represión causaron mas de 100,000 muertos en el periodo

1980-1993. Los gobiernos de Indonesia y Portugal acordaron negociar, bajo la égida de la ONU (marzo de 1996). Lisboa propugna la autodeterminación del territorio bajo supervisión de la ONU. En octubre de 1996, la concesión del Premio Nobel de la Paz, de manera conjunta, a Carlos Felipe Ximenes Belo, obispo de Dili, y a José Ramos-Horta, ambos figuras destacadas por sus esfuerzos en la búsqueda de soluciones pacíficas al conflicto de Timor Oriental, supuso un aumento de la sensibilización internacional al respecto.

En 1998, después de la renuncia del presidente indonés Suharto, el nuevo presidente B. J. Habibie declaró que estaba dispuesto a tomar en consideración otorgar a Timor del este un estatus administrativo especial pero no la independencia. También estableció que tal cambio estaría relacionado con el reconocimiento de Portugal y de las Naciones Unidas de que esta área era parte de Indonesia. En enero de 1999, Habibie declaró que consideraría conceder la total independencia de Timor del este después de las nuevas elecciones nacionales programadas para junio de 1999. La respuesta a este ofrecimiento fue diversa; algunos indonesios estuvieron a favor de la independencia porque esto reduciría el alto gasto en la economía nacional originado por la ocupación militar. Indonesia y Portugal posteriormente decidieron permitir a los timoreses que voten para aceptar la autonomía dentro de Indonesia o buscar su total independencia. Una votación por la autonomía supervisada por las Naciones Unidas fue programada para agosto de 1999; el nivel de violencia se incrementó después de que el referéndum fuera anunciado.

Timoshenko, Semyon Konstantinovich (1895-1970). Militar ruso, uno de los mariscales soviéticos de la Segunda Guerra Mundial. Hijo de campesinos ucranianos, fue soldado en la Primera Guerra Mundial. Se unió a la revolución rusa de 1917 y fue ascendido a comandante de caballería. En 1918 se le concedió el grado de general, y en 1939 dirigió la ocupación de Polonia. En 1940 fue nombrado mariscal y comisario de Defensa. Durante la Segunda Guerra Mundial, derrotó a los alemanes en el frente del sur y reconquistó Rostov con hábil estrategia, que popularizó su nombre.

Timoteo, san (30-97). Primer obispo de Éfeso por designación de san Pablo, de quien fue compañero y amigo ejemplar. El apóstol le encontró al llegar a su pueblo natal de Listra, en Asia Menor, y de allí siguieron juntos en la prédica cristiana desde Grecia a Roma, donde parece que estuvo preso. Siendo obispo en Éfeso, san Pablo le dirigió las llamadas Epístolas a

Timoteo, que luego se han denominado *pastorales*, por ser los consejos de un pastor sobre el gobierno de las iglesias. Se afirma que Timoteo fue lapidado por haberse opuesto como obispo a la celebración de homenajes en honor de Diana, después de haber sido sometido a repetidas torturas para arrancarle una autorización que negó hasta el último instante. Su fiesta se celebra el 24 de enero en la Iglesia ortodoxa y Siria; en la Iglesia católica se conmemora el 26 de enero.

tímpano. Membrana delgada, transparente, elástica, pero muy resistente, que separa el oído medio del conducto auditivo externo. Está formada por varias capas de fibras que se entrecruzan, pero su espesor sólo alcanza 1/10 de mm. La recorren numerosos vasos sanguíneos y filetes nerviosos. Un marco óseo la mantiene extendida y tensa como el parche de un tambor. Recibe las vibraciones provocadas por los sonidos, transmitiéndolas, a los huesecillos del oído medio: martillo, yunque, lenticular y estribo. El tímpano funciona como un resonador que se adapta a las distintas intensidades acústicas gracias a la actuación de unos músculos tensores que, a su vez, regulan la posición de los huesecillos de que se compone el oído medio. *Véase* OÍDO.

tímpano. *Véase* FRONTÓN.

Tinbergen, Jan (1903-1944). Economista neerlandés. Estudió ciencias físicas en la Universidad de Leiden (1922-1926) y en 1929 obtuvo el doctorado con la tesis *Minimun Problems in Physics and Economics*, cuyo título refleja ya la evo-

La pluma y la tinta se utilizaron desde la antigüedad para los textos manuscritos.

lución de su interés hacia los temas económicos. Su obra *Statistical Testing of Business Cycle Theories* (*Estudio estadístico de las teorías del ciclo económico*), 1939, se considera uno de los pilares básicos de la econometría moderna. Es autor de numerosos artículos sobre política económica y econometría. En 1969 recibió, junto con R. Frisch, el Premio Nobel de Economía.

Tinbergen, Nikolaas (1907-1988). Etólogo británico de origen holandés, hermano de Jan Tibergen. En 1933 empezó a enseñar en la Universidad de Leiden, donde en 1947 fue nombrado profesor de zoología experimental. En 1949 se trasladó a la Universidad de Oxford, donde fundó una escuela para el estudio del comportamiento animal. Es uno de los fundadores del estudio científico de la conducta animal, aplicado especialmente al campo de los insectos, los peces y, sobre todo las aves. En 1973 compartió con Karl von Frisch y K. Lorenz el Premio Nobel de Fisiología o Medicina. Desde la década de 1970 se dedicó principalmente a aplicar sus conocimientos sobre el comportamiento animal al estudio de los niños autistas.

tinción. Acción y efecto de teñir, teñido, teñidura. Proceso consistente en colorear el material que se ha de observar al microscopio, y que tiene como finalidad hacer visibles ciertas estructuras o revelar la composición química de algunas inclusiones y orgánulos. Sinónimo de coloración.

Ting, Samuel Chao Chung (1936-). Físico estadounidense de origen chino. Cumplidos los dos meses de edad, fue llevado por sus padres a su país de origen, a los 20 años regresó a Estados Unidos para estudiar en la Universidad de Michigan. En 1974, trabajando con el acelerador de protones del *Brookhaven National Laboratory* (BNL), detectó, independientemente de Burton Richter, la existencia de la partícula J, mesón neutro de elevada masa, primero de una familia de nuevas partículas, cuyo descubrimiento ha contribuido notablemente a una mejor comprensión de las simetrías que gobiernan la estructura de las partículas elementales. En 1976 compartió con B. Richter el Premio Nobel de Física.

tinta. Sustancia que se utiliza para escribir, dibujar o pintar sobre papel u otros materiales. Para la mayoría de sus aplicaciones se usa líquida, y es generalmente de color negro. Consiste en una suspensión de pequeñas partículas sólidas en un líquido, que suele ser agua con otras sustancias en ella disueltas. Los ingredientes más comunes son tanato y galato de hierro, mantenidos en suspensión en agua mezclada con goma o dextrina, materias, estas últimas, que sirven para dar cuerpo a la tinta e impedir que se corra por el papel. Para su mejor conservación es conveniente añadir un ácido antiséptico, como el fénico o el salicílico.

Una tinta de buena calidad se distingue por su color inalterable, capaz de resistir, sin borrarse, inmersiones en agua u otros líquidos. En las botellas en que se guarda y en las plumas estilográficas en que se usa, debe permanecer largo tiempo sin alterarse, ni aglutinarse en el fondo. Puede corroer un poco las plumas de acero pero no debe dañar el papel.

La tinta es de origen muy remoto, e imposible precisar cuándo y dónde se utilizó por primera vez. Los testimonios más antiguos de su uso datan de civilizaciones como la china y la egipcia. En China se ha atribuido su invención a Tien-Chen, que vivió aproximadamente en el año 2600 a. C., quien fabricaba una tinta a base de negro de humo, y era una especie de barniz que se aplicaba sobre seda por medio de una varilla de bambú. Posteriormente la tinta china se utilizaba en barras que se sumergían en agua para diluirlas. En excavaciones realizadas en Egipto, se han hallado papiros con inscripciones en tintas tan inalterables que, a pesar de los siglos transcurridos, conservan aún el color original en toda su intensidad. En la antigüedad los monarcas solían escribir con una tinta de color púrpura cuyo uso estaba sólo a ellos reservado. La sustancia que servía para fabricarla se extraía de la sangre del múrice. La primera traducción del Antiguo Testamento, de los textos hebreos al griego, realizada por 72 eruditos, se escribió en pergamino con letras de oro y plata, costumbre ésta que, sin duda, procedía de épocas anteriores. Durante la Edad Media, anónimos artífices, utilizando tintas de colores, ilustraron los pasajes de la Biblia con delicadas miniaturas. El uso de tinta hecha, como la actual, con agallas y compuestos de hierro data aproximadamente del siglo XIII de nuestra era, pero esta utilización no se generalizó hasta el siglo XVI.

La mayor parte de las tintas conocidas corresponde a las de escribir. Su color más frecuente es el negro. De estas tintas unas dan directamente trazos negros que, transcurrido el plazo necesario para fijarse bien en el papel, no pueden ser borrados con alcohol o agua; en otras, llamadas ferrotánicas, después de seco, su trazo se torna negro por un proceso de oxidación de las sustancias componentes. Las tintas de imprenta se fabrican por cocción de aceite de linaza, cera u otra sustancia grasa mezclada con materias colorantes apropiadas; son tintas espesas y de secado rápido; las de color negro se obtienen mezclando humo de alquitrán, resina de pino y gas acetileno. Las tintas de color son solucio-

Tintero con una pluma.

nes de colorantes sintéticos, agua y otras sustancias. Las tintas de estampillas son muy concentradas y contienen glicerina. La tinta china, una de las más indelebles e inalterables, es una suspensión acuosa de negro de humo, cola, alcanfor y almizcle. Las tintas simpáticas dan trazos incoloros que se tornan visibles por diversos procedimientos; la más corriente es una solución débil de cloruro de cobalto que en contacto con el calor toma un color azulado. Otras tintas de usos especiales son: para sellos, para marcar ropa metales, vidrio, etcétera.

tintorería. Arte de teñir fibras textiles, telas y otras materias, para darles colores distintos a los que tenían y fijar esos nuevos colores de manera uniforme y permanente de modo que puedan resistir, en el mayor grado posible, la acción de la luz y los efectos del uso y del lavado. El arte del tinte se practica desde la más remota antigüedad. Los antiguos egipcios usaban tintes de índigo hace más de 5 mil años. En las tumbas egipcias se han encontrado telas pertenecientes a épocas anteriores a la era cristiana, teñidas en colores diversos que revelan el adelanto que ya había alcanzado este arte. También los fenicios, 14 siglos a. C., utilizaban el tinte de púrpura, que hizo famosa a la ciudad fenicia de Tiro, cuyos tintoreros se especializaron tanto en la preparación del tinte como en su aplicación.

Materias tintóreas naturales. Durante miles de años, hasta mediados del siglo XIX, sólo se conocieron los tintes llamados naturales, que procedían directamente de materias primas suministradas por la naturaleza. Las más numerosas de esas materias primas tintóreas correspondían al reino vegetal, y entre ellas figuraban el añil o índigo, la rubia, quercitrón, corteza de roble, agallas, áloe, cúrcuma, orchilla, y los palos de Brasil, campeche, sándalo, amaranto, etcétera. Las principales materias

tintóreas procedentes del reino animal eran la cochinilla, púrpura y quermes. También el reino mineral suministraba materias tintóreas, que consistían en distintas clases de piedras y tierras pulverizadas, que se empleaban solas o a la vez que tintes vegetales para producir, en unión de éstos, colores más firmes y brillantes. Los progresos de la química aplicada han ido relegando a último término, desde hace más de un siglo, los tintes naturales por los artificiales o colorantes sintéticos, que son casi los únicos que se emplean.

La operación del tinte. El procedimiento del tinte consiste, en esencia, en dos etapas principales: la absorción y la fijación. La primera es la operación de impregnar con el colorante apropiado, la fibra textil que se quiere teñir. La fijación es el proceso de la acción química mediante la cual el colorante queda adherido a la fibra en forma insoluble y permanente, de manera que si la fibra textil o tela teñida se lavan o se sumergen en un liquido el colorante sea insoluble, permanezca inalterado en la fibra y no se destiña. Cuando el tinte y la fibra textil tienen afinidad entre si, la operación del teñido se reduce a preparar una solución de la materia tintórea y sumergir en ella la tela o la fibra que sea necesario teñir. Pero solamente en algunos casos existe esa afinidad, en la mayor parte de las operaciones de tinte se trabaja con colorante y fibras cuya afinidad es tan débil que la fijación y permanencia del color no es posible.

Los mordientes. Debido a ello, es necesario recurrir a los mordientes. Un mordiente es una sustancia química, generalmente un óxido metálico, que tiene afinidad tanto con la fibra como con el colorante que se usará para teñirla. Por lo tanto, los tejidos o las fibras textiles, deben someterse primero a la acción de los mordientes apropiados, para lo cual se sumergen sucesivamente en diversas soluciones de productos mordientes, que pueden ser de ácido tánico para el algodón; de bicromato de potasio, floururo de cromo, sulfato de aluminio, etcétera, para la lana; de cloruro de cromo, sulfato férrico y silicato de soda para la seda. Después de la operación del mordiente se procede a la del teñido, mediante baños de tinte calientes hasta llegar a la ebullición. Cuando se trata de ciertas fibras como la lana, por ejemplo, puede hacerse el tenido primero y el mordiente después o cambiar los dos simultáneamente.

Materias tintóreas artificiales. La casi totalidad de los tintes que hoy se emplean en las industrias textiles son de origen sintético derivados del alquitrán de hulla. En 1856, el químico inglés sir William Henry Perkin obtuvo el primer colorante sintético de color malva, la anilina púrpura o malveína, descubrimiento que sirvió para echar los cimientos de la industria de tintes o colorantes de anilina, que se inició en Inglaterra, se extendió a Francia, tuvo gran desarrollo en Alemania y, después, en Estados Unidos.

Al someter el carbón bituminoso al procedimiento para la obtención de coque, se obtiene también alquitrán de hulla y otros productos volátiles derivados, que son compuestos cíclicos de la serie aromática, entre los que se cuentan el benceno, tolueno, naftaleno, xileno y antraceno. Estos productos se someten a complicados procedimientos y reacciones químicas que dan por resultado una larga serie de materias colorantes sintéticas. Las propiedades fundamentales de un colorante de este tipo son dos: la de poder adherirse a una fibra y la de teñir una molécula. Esas propiedades se deben a que en los colorantes sintéticos la disposición de los átomos favorece la formación de grupos cromóforos.

Los colorantes sintéticos se dividen en diversas clases químicas, las que a su vez originan numerosas clases industriales que son las que se usan en tintorería. Existen miles de colorantes sintéticos que comprenden toda la gama de colores y sus innumerables matices. Entre las clases industriales se cuentan los colorantes básicos con los que se puede teñir directamente la lana y la seda, pero no el algodón, para lo que se necesita emplear mordiente de ácido tánico. Los colorantes ácidos se usan para teñir fibras de procedencia animal, mediante baño ácido, pero no son apropiados para el algodón y el rayón. Los colorantes directos se utilizan, sin mordiente, para el algodón y el rayón. Los colorantes azoicos y los azufrados dan al algodón colores brillantes y permanentes. Los colorantes de acetato se obtuvieron expresamente para teñir la seda artificial de acetato, y se usan también para el nailon; pero no sirven para el algodón y el rayón de viscosa. Los colorantes de tina se usan principalmente para algodón y rayón; son permanentes y de gran belleza. *Véanse* TEJIDO; TEXTILES.

Tintoretto, Jacobo Robusti llamado il (1518-1594).
Pintor italiano, hijo de un tintorero, de donde proviene su apelativo. Aunque gran admirador del Tiziano, no puede considerarse su discípulo, ya que, según sus biógrafos, éste lo despidió definitivamente de su estudio a los 10 días de haber ingresado. No obstante, la máxima escrita en una pared de su estudio decía: *El dibujo de Miguel Ángel y el colorido del Tiziano. El Tintoretto* vivió en estrechez económica y aplicado a una estricta disciplina de aprendizaje, hasta que en 1548 se impuso rotundamente con su *Milagro del esclavo*, pintado para la Escuela de San Marcos. Causó verdadera sensación su dominio de la anatomía y el ímpetu guardado en las actitudes de sus personajes. Después recibió encargos de príncipes y reyes, entre ellos de Felipe II de

España, para quienes trabajó, pero sin abandonar nunca Venecia, su ciudad natal. Entre 1550 y 1564 pintó intensamente para gremios, corporaciones, templos y monasterios. Después desarrolló algunos temas bíblicos. Hacia 1588, en pleno dominio de sus facultades, ejecutó para la sala del Gran Consejo del palacio Ducal veneciano *El Paraíso*, el lienzo de mayores dimensiones pintado hasta entonces, que dio la medida de su excepcional capacidad de trabajo y su dedicación al arte. Su estilo se distinguió por el colorido lleno de frescura y por su fuerza imaginativa para variar los caracteres y las expresiones. Consiguió fusionar los valores representativos de dos escuelas opuestas: la florentina (línea y dibujo) y la veneciana (luz y color), con lo que preparó el terreno donde Rubens había de desarrollarse en el siglo XVII. Dejó una abundante producción, y sus obras figuran en los principales museos. De ellas pueden citarse: *El maná en el desierto* y *La última cena* (iglesia de San Jorge el Mayor, Venecia), *El origen de la Vía Láctea* (galería Nacional, Londres), y los numerosos retratos que se conservan en el museo del Prado.

tintura. En farmacia se llama así a la solución de una sustancia medicinal de origen vegetal, animal o mineral, preparada por maceración o disolución simple. Según el disolvente empleado puede ser acuosa, vinosa, etérea o alcohólica, que es la más común. La tintura más conocida es la de yodo, elemento fácilmente soluble en alcohol. En la proporción de 3% de yodo y 97% de alcohol, puede apli-

Tiovivo en Fontainebleu, Francia.

Corel Stock Photo Library

Corel Stock Photo Library

Estudio de la cabeza de Apolo, *obra de Tintoreto.*

carse en los tejidos humanos, y es un eficaz antiséptico.

tiña. Enfermedad parasitaria del cuero cabelludo, causada por diferentes clases de hongos. Es propia de la niñez, y su clasificación clínica comprende dos grandes grupos: las favosas y las tonsurantes. Las segundas son muy contagiosas y aparecen en brotes epidémicos. Ocasiona ulceraciones, costras, caída del cabello y prurito. Su tratamiento se reduce a una profilaxis muy rigurosa y al aislamiento de los enfermos.

tiovivo. Aparato de diversión infantil que consiste en una plataforma circular y giratoria con asientos. Primitivamente el tiovivo giraba impelido por un caballo, que daba vueltas por la parte interior del aparato con los ojos vendados. En la actualidad el tiovivo ha sido modernizado y electrificado; además asientos que representan aviones, automóviles y toda clase de animales, suben y bajan y está dotado de dispositivos de música mecánica que tocan piezas populares. Es de origen francés en cuyo idioma se le llama *carrousel*; se difundió extraordinariamente en España con el nombre de tiovivo y con dichos nombres, además de los de calesita o caballitos, es una diversión típica en los barrios de las ciudades hispanoamericanas.

tipa. Árbol de la familia de las leguminosas que crece en América del Sur. Alcanza hasta 20 m de altura; es de tronco grueso, follaje abundante compuesto de hojuelas ovales y lisas, flores amarillas y fruto con

tipa

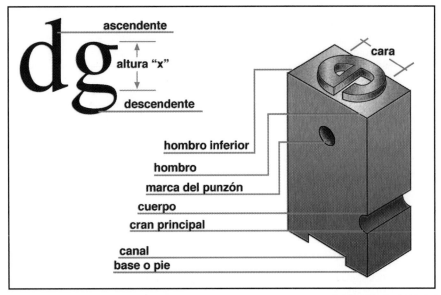

ascendente
altura "x"
descendente

cara

hombro inferior
hombro
marca del punzón
cuerpo
cran principal
canal
base o pie

Del Ángel Diseño y Publicidad

(Izq.) El largo de un tipo está dado en términos de las alturas x ascendentes *y* descendentes. *(Der.) Una pieza moderna de tipo está hecha de una aleación de aluminio, latón y antimonio en un bloque rectangular. La letra a imprimirse se encuentra realzada y es conocida como la* cara. *El* canal *y la* marca central *del cuerpo del tipo, ayudan a alinearlo durante el proceso de tecleado.*

semillas negras. Su madera, dura y amarilla, se emplea en carpintería y ebanistería.

tiple. La más aguda o alta de las voces humanas, propia especialmente de mujeres y niños. Su extensión regular es de dos octavas, esto es, desde el do más grave en clave de sol, hasta el si. El término es sinónimo de soprano. En la zarzuela española se llama tiple ligera a la cantante de voz muy ágil, que interpreta ciertos papeles que exigen gran ductilidad vocal. *Véanse* CANTO; MÚSICA; VOZ.

tipo. Letra de imprenta, de metal fundido o tallada en madera. Su uso data del siglo XV. Anteriormente los impresores tallaban todas las letras de una página en un solo bloque de madera. Esto tenía la desventaja que el trabajo realizado solamente era utilizable para la impresión del texto tallado, teniendo que elaborar un bloque distinto para cada página. La invención de tipos separados permitió usar las mismas piezas para cualquier página y cuantas veces se quisiera. El primer tipo de letra móvil utilizado fue el gótico, más tarde sustituido por el itálico, llamado así por haber sido en Italia donde primeramente se empleó, y cuya principal característica es la claridad de estilo, ya sea recto o cursivo. En la actualidad están en desuso y se han sustituido por tipos digitalizados para computadoras.

Descripción. El tipo es un lingote ortoédrico de caras rectangulares, una de las cuales lleva el relieve del signo –letra o número–, que recubierto de tinta produce la impresión. En su parte lateral inferior tiene una muesca, así como una indentación en

el fondo. Mide unos 25 mm de largo y su ancho varía según el *cuerpo* y características de la letra. En tipografía se llama *cuerpo* a la altura de la cara que sostiene el signo, *espesor* a su ancho, y *alzada* a la altura del relieve del propio signo. El ancho de la letra o signo en sí es el *ojo* del tipo, y *cran* la muesca del lingote que, alineada, sirve para indicar a la vista o el tacto la posición en que debe colocarse el tipo. *El punto* (igual a 0,36 mm) es la unidad mínima tipográfica, y un cuadrado que tenga 12 puntos por cada lado constituye un cuadratín, pica, o cícero. Los tipos de letras se diferencian por el distinto número de puntos que comprenden. Antiguamente, cada tamaño recibía nombre especial, pero actualmente se designan con el número de puntos de su cuerpo. En periódicos y revistas los tipos más usados son los de 8 y 10 puntos. En la composición de libros se acostumbran los de 10 y 12 puntos. Los que van más allá de los 14 puntos son usados únicamente para títulos y encabezados, en libros, revistas y diarios.

Material. Por lo general los tipos son de metal fundido, consistente en una aleación de plomo y antimonio, en proporciones variables. Para darles mayor resistencia se suele agregar 6 u 8% de estaño, la que puede ser todavía superior si se añade un poco de cobre.

La fundición de los caracteres no puede realizarse sin la previa construcción de los modelos para cada letra. Éstos deben ser de acero, pues de otra manera no podrían lograrse los perfiles deseados en la fundición. Con ellos se estampa la letra, en hueco, sobre cobre dulce o bronce.

La plancha de cobre con la letra grabada se denomina matriz, y a partir de ella pueden obtenerse tantos tipos como sean necesarios. Basta verter en ella el metal fundido para luego retirarlo en estado sólido y con la forma de la letra. En otras épocas el grabado y fundición de los tipos se realizaban enteramente a mano, cosa que hoy se hace con máquinas capaces de producir 140 tipos por minuto, como mínimo. Se llama torta al conjunto de caracteres de un mismo tamaño y estilo, que abarca todas las letras del alfabeto –mayúsculas y minúsculas–, los números y diversos signos. La caja tipográfica está dividida primeramente en dos partes: caja alta y caja baja, que contienen mayúsculas y minúsculas respectivamente. Como en un texto no todas las letras se presentan con igual frecuencia, la caja tiene un mayor número de tipos en los compartimientos destinados a aquellas letras que, como las vocales, son muy usadas. El estilo de la letra es de suma importancia para la lectura fácil y agradable de los textos impresos; su legibilidad depende no sólo del tamaño –las muy pequeñas fatigan la vista–, sino también de las características de su trazado.

tipografía. Arte de imprimir, que comprende las operaciones propias de la impresión y edición de libros, revistas, diarios, etcétera. *Véanse* FOTOGRABADO; GUTENBERG, J.; HUECOGRABADO; IMPRENTA; LINOTIPIA; LITOGRAFÍA; MONOTIPIA; OFFSET; PRENSA; ROTOGRABADO.

tipología. Clasificación de los individuos que presentan características comunes, ya sea desde el punto de vista psicofísico de su constitución o exclusivamente psíquico: tipos imaginativos, etcétera.

tipología lingüística. En sentido muy extenso, por *tipo* debe entenderse modo de organización del material lingüístico, principio de construcción lingüística, modelo manifestado en la estructura de la lengua. Es natural admitir la existencia de una *jerarquía* de tipos lingüísticos según el nivel de abstracción en que nos colocamos. La clasificación morfológica comúnmente aceptada es la que agrupa las lenguas del mundo en cuatro tipos: 1) aislantes; 2) aglutinantes; 3) flexivas; 4) incorporantes. Las lengua aislantes, como el chino, se caracterizan por la forma invariable de la palabra: no hay ni derivación ni flexión. En las lengua aglutinantes las relaciones gramaticales se expresan en unos sufijos estrictamente especializados, que se añaden a la raíz y se conectan uno tras otro; cada categoría tiene su expresión formal; no hay en principio, casos de fusión de dos o más categorías en un solo sufijo. En las lenguas flexivas un solo formante puede expresar al mismo tiempo varias categorías gramaticales. Las lengua incorporantes, como las de los esquimales de Groenlandia, no distinguen entre palabra y oración; los enunciados se corresponden aproximadamente a las oraciones de otras lenguas tienen una estructura parecida a la de unas palabras largas. El principal fallo de esta clasificación consistiría en el hecho de que ninguno de los cuatro tipos se encuentra en su forma pura. En los últimas décadas se han hecho críticas acerca de las propuestas morfológicas de tipología lingüísticas, centradas en la fragilidad científicade los elementos (sílaba, palabra, morfema) y de las propiedades (ordenación, entonación) tenidas en cuenta, en la insuficiencia de la distiención entre criterios formales y funcionales, y en el carácter categórico y no gradual de las tipologías usuales; la propuesta alternativa es atender de manera más rigurosa a la interdependencia de criterios fonológicos, morfológicos y sintácticos.

Tiradentes (1748-1792). Revolucionario brasileño. Alférez de caballería cuyo verdadero nombre era Joaquim José da Silva Xavier. El haber sido dentista le valió el sobrenombre de *Tiradentes*. En 1789 encabezó la conspiración de Minas Gerais contra el dominio portugués en su patria. Descubierto por la denuncia de dos oficiales portugueses, fue condenado a morir ahorcado y descuartizado (1792), por expresa orden del virrey Luis de Vasconcelos, y a sus compañeros se les deportó a África.

Tirana. Capital de Albania situada a 30 km del Adriático. Población: 225,700 habitantes. Ciudad de carácter oriental, fue fundada en 1600 por un general turco; mantuvo su aspecto hasta 1920, en que se inició su rápido proceso de modernización, ya que el Congreso de Lushnjë la eligió capital de Albania; en ella se proclamó en enero de 1946 la República Popular de Albania. Entre sus principales edificios se destacan los del gobierno y el antiguo palacio real. Cuenta con molinos harineros, fábricas de ladrillos y de cemento. Varias carreteras la unen con las principales ciudades del país.

tiranía. Forma de gobierno en la que se abusa del poder en detrimento de la colectividad y para beneficio de los gobernantes. Por extensión se da este nombre al abuso o acción arbitraria de cualquier fuerza ó autoridad. La historia registra fases de tiranía en todos los sistemas de gobierno, las cuales se han producido por la descomposición progresiva de los procedimientos políticos o bien por una premeditada alteración y modificación en la estructura y funcionamiento de los órganos del Estado. Característico del régimen tiránico es el uso de todos los medios de represión que con-

duzcan a la sumisión del individuo y a la disolución de cualquier institución social que se oponga a la tiranía.

tiretropa. Hormona hipofisaria segregada por las células basófilas de la adenohipófisis. Dicha hormona estimula el desarrollo del tiroides; la extracción de la hipófisis determina una atrofia del mismo. La hormona tireotropa es una glicoproteína cuya presencia es imprescindible para que el tiroides fabrique la hormona tiroidea. Tiene una acción propiamente enzimática y una acción hidrolítica que rompe los enlaces con la proteína que forma el complejo, con lo cual libera la hormona propiamente dicha.

Tiro. Ciudad y puerto fenicio, fundada hacia el siglo XIV a. C. en la costa asiática del Mar Mediterráneo, en territorio que hoy pertenece a la República del Líbano, por emigrados de Sidón, y que superó a ésta como centro político de la época. Se destacó por su comercio e industria, alcanzando su máximo esplendor bajo el rey Hirãm, en el siglo X a. C. Producía la célebre púrpura con que teñían las lanas. En tierra dominó a sus vecinos, especialmente a los hebreos. Se destacó como potencia marítima, y durante el poderío fenicio, sus naves surcaron el Mediterráneo y el Atlántico hasta Inglaterra, y establecieron colonias y factorías. Sufrió varios sitios, uno de ellos puesto por Nabucodonosor, el que resistió durante 13 años, y otro por Alejandro Magno, que duró siete meses. Fue destruida por los musulmanes en 1291. De principios del siglo XVI hasta 1918 estuvo en poder de Turquía y se la conoció con el nombre de Sur. Después pasó a Siria, durante el mandato francés, y en 1941 se incorporó a la República de Líbano. Recibe los nombres de Sur o de Tiro y tiene 50,000 habitantes. *Véase* SITIO.

tiro. Disparo hecho con arma de fuego, cuyo manejo requiere una práctica especial para poder conseguir que el proyectil vaya a dar en el objeto o lugar deseado (blanco). Los ejercicios de tiro tienen por objeto adiestrarse en ese manejo, que comprende una parte teórica en que se enseña el mecanismo del arma (montaje de sus diferentes piezas, operación de carga, engrasado y limpieza, manera de servirse del alza, etcétera), y otra práctica, que consiste en disparar hacia objetivos convenientemente dispuestos para comprobar luego los resultados. Los elementos principales que debe tener en cuenta el tirador son el alcance ordinario del arma que emplee; el cálculo de la parábola que describe el proyectil, y la distancia entre el tirador y el blanco. Las condiciones personales que exigen estos ejercicios son: vista excelente, pulso firme, y serenidad y dominio de sí

mismo. Las armas de fuego se hallan provistas de una mira o pieza que sirve para ajustar la línea de tiro, esto es, localizar la coincidencia entre la línea imaginaria que el cañón marca en el espacio y el blanco. El método de tiro difiere notablemente según la clase de arma que se use (fusil, pistola, ametralladora, cañón, etcétera) y el lugar desde el que se la haga funcionar a tierra, buque, avión), así como el objeto sobre el que debe tirarse, que puede ser móvil o inmóvil, visible u oculto. En las grandes piezas de artillería, la puntería se logra con el auxilio de aparatos especiales (goniómetros, telémetros, etcétera), utilizándose conjuntamente las tablas de balística que dan los cálculos y fórmulas para la corrección y ajuste del tiro. El radar sirve asimismo para este objeto. El tiro con arma corta, o pistola, exige una gran destreza, ya que la mano suele moverse a cada disparo, tanto por el esfuerzo realizado sobre el gatillo como por el retroceso que provoca la explosión. Los ejercicios pueden practicarse al aire libre o bajo techado. En casi todos los países existen los denominados campos de tiro, que son centros donde se fomenta esa clase de ejercicios, considerados como un deporte. A tal efecto, se realizan concursos y competencias, clasificándose por categorías y armas los concursantes que intervienen.

tiro al vuelo. Ejercicio de tiro sobre blanco móvil que suelen practicar los aficionados a la caza en campos apropiados situados generalmente en los terrenos de los clubes de cazadores. Se usan escopetas de caza y suelen practicarse dos formas: el tiro de pichón y el de discos o platillos. Para el primero se emplean palomas o pichones vivos; para el segundo se utilizan discos de barro cocido que se lanzan al aire mediante un dispositivo de resorte. La distancia entre la plataforma de tiro y el lugar de lanzamiento de los blancos móviles, varía de 15 a 20 m. Este deporte empezó a practicarse en Inglaterra a principios del siglo XIX, primero con pichones y otras aves;

Hombre tirando con una pistola.

después con esferas de vidrio, a las que siguieron los discos de barro cocido. En muchos países se celebran concursos regionales y nacionales de este deporte, en los que se otorgan a los ganadores copas, placas y otras clases de premios. *Véanse* CAZA; DEPORTE.

tiroides. Glándula de secreción interna, situada en la parte anterior del cuello, sobre los anillos superiores de la tráquea. Su peso varía en el adulto, de 20 a 35 gr; adopta la forma de una H mayúscula y tiene una coloración rojiza. Segrega una hormona llamada tiroxina, rica en yodo, que es reguladora del crecimiento, de la producción de calorías y se relaciona con el metabolismo. Su funcionamiento está asociado al de otras glándulas como la hipófisis que con una de las hormonas que segrega, la tirotrofina, estimula las funciones de la tiroides

En 1882, Albert Reverdin, cirujano suizo, dio la voz de alarma al notificar que los enfermos a los que habían extirpado la tiroides se agravaban en plan progresivo después del acto operatorio. Otros cirujanos ingleses y alemanes confirmaron la observación. Hacia 1890, Eugen Baumann descubrió la existencia de yodo en la tiroides. Entonces se explicaron las antiguas observaciones de los doctores Robert Graves, Karl Adolph Basedow y Gull. Se pudo establecer que la insuficiencia del cuerpo tiroides produce *mixe cedema*, enfermedad que determina suspensión del crecimiento y trastornos mentales. Su tratamiento consiste en la administración de dosis adecuadas de tiroxina. Por otra parte, si la tiroides segrega hormonas en exceso sobreviene un estado, el hipertiroidismo, muchas veces acompañado de bocio, que es el crecimiento anormal de la glándula, adelgazamiento, ojos salientes y trastornos cardiacos y musculares. Es de gravedad si no se trata con medicinas que frenen la acción acelerada de la tiroides, o por radioterapia.

Se ha observado que en determinadas regiones montañosas el bocio aparece en forma endémica, o sea que existe permanentemente. Esto se ha atribuido a que los alimentos y el agua potable son pobres en yodo. La medida profiláctica más indicada en estos lugares es la de agregar pequeñas cantidades de yodo a la sal de mesa y al agua potable. La tiroides al no disponer ni en la bebida ni en la alimentación del yodo suficiente para convertirlo en tiroxina y repartirlo por el organismo, aumenta su tamaño para compensar con el trabajo de sus células multiplicadas la escasez de yodo. Las estadísticas revelan que el bocio se presenta con mayor frecuencia en las mujeres que en los hombres. Gracias al yodo radiactivo se conocen datos exactos respecto al paso del yodo por el organismo,

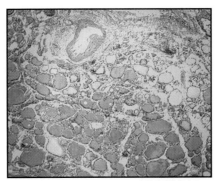

Corel Stock Photo Library
Vista microscópica de la glándula tiroides.

pudiéndose diagnosticar las tiroides enfermas por hipotiroidismo (insuficiencia) o hipertiroidismo, (exceso). La medicación tiroidea, el yodo radiactivo y las nuevas técnicas quirúrgicas son medios efectivos para el tratamiento y curación de las afecciones del cuerpo tiroides. *Véanse* BOCIO; GLÁNDULAS; HIPÓFISIS; INSUFICIENCIA.

Tirol. Región de Europa central, enclavada en los Alpes Réticos. Perteneció por entero a Austria, pero a raíz de la Primera Guerra Mundial, de acuerdo con el Tratado de Saint Germain (1919), se dividió en dos partes: la del norte quedó bajo la administración austriaca y la del sur pasó a ser territorio italiano. El macizo montañoso de Ortler, cuyo punto culminante es el pico de este mismo nombre (3,905 m) separa al Tirol septentrional del meridional. En esta misma cordillera se encuentra también el célebre paso de Brenner, que durante la Segunda Guerra Mundial, en varias ocasiones, fue punto de reunión entre Adolfo Hitler y Benito Mussolini.

Tirol del Norte. Está situado entre Baviera (Alemania) Suiza e Italia, con una extensión de 12,649 km^2 y 591,069 habitantes. Su capital es Innsbruck a orillas del río Inn. Por el norte lo recorren los Alpes Calizos, llamados también Nortiroleses, así como el macizo de Zillerthal que eleva sus cumbres a 3,200 y 3,500 m de altura. Esta región montañosa encierra uno de los paisajes más notables de Europa y es muy concurrida por el turismo. Sus numerosos saltos de agua y las grandes corrientes fluviales que la atraviesan (los ríos Ill, Inn y Lech principalmente) constituyen uno de los principales recursos económicos, ya que la corriente eléctrica que con ellas produce sirve de base para el desarrollo de sus indas trías, entre las que sobresalen la textil la minera y la forestal.

Tirol del Sur. Queda comprendido en la región conocida como la de Trentino-Alto Adigio. Por el norte limita con Austria y Suiza. Su extensión de 13,613 km^2 está dividida en dos provincias: Bolzano y Trento, y su población es de 670,000 habitan-

tes. Lo atraviesa el río Adigio, que nace en los Alpes y es el más importante de Italia después del Po. La agricultura, la ganadería, la explotación de sus bosques y yacimientos minerales son la base de su economía. Es muy favorecido por el turismo, ya que, entre otras cosas, las ciudades de Trento y Bolzano, capitales de las provincias de igual nombre, cuentan con valiosos monumentos construidos durante el imperio romano.

Historia. Los primeros habitantes del país fueron de origen celta y etrusco. Un siglo antes de Cristo los romanos iniciaron su conquista, y bajo el imperio de Augusto, fue definitivamente sometido, formó parte de las provincias de Recia, Vindelicia y Nórica. A la caída del imperio romano fue dominado por varios pueblos bárbaros. Por su estratégica situación geográfica, ya que contiene el paso entre el norte y el sur de Europa, así como entre este y oeste, la posesión del Tirol ha sido motivo de luchas armadas en distintas épocas. En 1363 pasó a ser dominio de Rodolfo IV, duque de Austria, por lo que entró a pertenecer a los dominios de la casa de Habsburgo, y a mediados del siglo XVII se incorporó a Austria hasta 1919, en que una parte del Tirol pasó a poder de Italia. Esta frontera se mantuvo al finalizar la Segunda Guerra Mundial; pero, la población del Tirol Meridional (Alto Adigio), de habla alemana, nunca se ha sentido integrada y ha expresado sus deseos de depender del gobierno de Viena. En 1964 los ministros de Asuntos Exteriores de los países decidieron la creación de la comisión mixta para solucionar el conflicto. En 1969 se llegó a un acuerdo por el que reconocían derechos especiales a la población austriaca del Alto Adigio.

Tirón, Marco Tulio (? -5 d. C.). Escritor romano. Fue esclavo del gran estadista Marco Tulio Cicerón, que lo libertó e hizo de él su secretario y amigo. Tirón inventó un sistema de taquigrafía que se conoce con el nombre de *Notas tironianas*. Escribió varias obras notables entre las que se destacan un libro sobre gramática latina y la *Vida de Cicerón*.

tirotricina. Antibiótico eficaz contra muchos géneros de bacterias. Su descubrimiento en 1944 se debió a los trabajos del francés René J. Dubos, que investigando en el Instituto Rockefeller una serie de gérmenes que viven en el suelo, encontró uno, el *Basillus brevis* que tratado con reactivos químicos hacía desaparecer de los caldos de cultivo microbios patógenos, como estafilococos, estreptococos y neumococos. La tirotricina dada en inyección es tóxica, por lo que se emplea exclusivamente en uso externo. Es beneficiosa en las infecciones bucales, oculares, nasales y en las cavidades infectadas. Ha probado ser efectiva contra úlceras de la piel, donde antes habían fracasado todos los tratamientos. *Véase* ANTIBIÓTICOS.

Tirpitz, Alfred von (1849-1930). Almirante y estadista alemán. Como jefe de la flota de su país en Extremo Oriente, estableció la base de Tsing-Tao en 1895; subsecretario de Marina en 1897 y fundador de la Liga Naval en 1904. En los años que precedieron a la Primera Guerra Mundial, sus esfuerzos tendieron a hacer de Alemania una gran potencia marítima y a la creación de una poderosa flota de guerra. Al estallar la guerra, en 1914, como jefe del almirantazgo alemán tuvo actuación predominante en la dirección de las operaciones navales, principalmente en las relacionadas con el ataque a buques mercantes enemigos llevadas a cabo por submarinos alemanes y que culminaron con el hundimiento del trasatlántico británico *Lusitania*, lo que provocó protestas internacionales y causó la dimisión de Tirpitz en 1916.

Tirreno, Mar. Parte del Mar Mediterráneo que baña las costas occidentales de Italia, desde la isla de Elba hasta Sicilia. Está limitado por Italia al este, el Mar de Liguria al norte, las islas de Córcega y Cerdeña al oeste y Sicilia al sur. Es una de las zonas más profundas del Mediterráneo, con fosas de 3,500 m de profundidad. Sus aguas bañan, entre otras, las islas de Estrómboli, Lípari, Montecristo, Capri y Elba. *Véase* ITALIA (*Mapa*).

Tirso de Molina (1571-1648). Poeta, religioso mercedario y uno de los principales dramaturgos del Siglo de Oro español. Tirso de Molina fue el seudónimo que empleó como escritor pues su verdadero nombre era Gabriel Téllez. Nació en Madrid y mutió en Almazán (Soria). Después de cursar estudios en la Universidad de Alcalá de Henares, profesó en el convento de la Merced de Guadalajara. De 1616 a 1618 residió, como misionero, en la isla de Santo Domingo. Vuelto a España, vivió sucesivamente en Madrid, Toledo, Salamanca, Trujillo y Soria; en los conventos mercedarios de las dos últimas ciudades desempeñó el cargo de comendador; asimismo fue nombrado cronista de su orden y definidor de Castilla. Se le atribuyen más de 400 obras dramáticas, de las cuales únicamente se conservan 86. Su primer volumen impreso se titula *Cigarrales de Toledo* y es una colección de cuentos y versos con evidente influencia italiana. Se ha señalado por algunos autores cierta relación entre *Los tres maridos burlados* y un cuento en verso del Ciego de Ferrara (Francesco Bello). Como escritor dramático empezó a darse a conocer con *Como han de ser los amigos*, *El ce-*

Corel Stock Photo Library

Vista panorámica de la región del Tirol en Suiza.

loso prudente y, sobre todo, *El vergonzoso en palacio*. Tiene varias narraciones devotas de poca importancia, así como algunos autos sacramentales también sin gran mérito. De mucha mayor altura es el drama *El condenado por desconfiado*, en el que se acomete con valentía el eterno conflicto de la predestinación y el libre albedrío; pero la obra que puede decirse consagró a Tirso como dramaturgo y le dio dimensiones de universalidad fue *El burlador de Sevilla o Convidado de piedra*, que se publicó por primera vez en una colección de *Doce comedias nuevas de Lope de Vega Carpio y otros autores*. En esta recopilación de 1630 Tirso aparece como autor de dicha obra, pero algunos críticos, como Arturo Farinelli, ponen en duda que lo sea en efecto. La existencia de otra versión que lleva el nombre de Calderón ha podido contribuir a esta duda, pero lo cierto es que siempre se ha considerado a Tirso como el creador del tipo de don Juan, que tanto se ha repetido posteriormente y que incluso ha inspirado algunas de las más bellas páginas musicales de Mozart. Otra de las obras maestras de fray Gabriel Téllez es el drama histórico *La prudencia en la mujer*. También cultivó con acierto la comedia ligera, como la ya mencionada *El vergonzoso en palacio*, *Don Gil de las calzas verdes* y *La villana de Vallecas* obra dedicada a Lope de Vega, con quien las relaciones no fueron luego muy cordiales, aunque sin llegar nunca al grado de tirantez que distinguió las del *Fénix de los Ingenios* con Juan Ruiz de Alarcón. El conjunto de su obra ha sido distribuido en tres grupos principales: comedias de intriga y costumbres; comedias históricas y heroicas, y comedias de asun-

tos devotos y religiosos. Rasgos distintivos de todas ellas son: el certero sentido histórico aunado a un fuerte realismo; la fortuna en la creación de caracteres, con una finura en el análisis psicológico que ha llegado a ser considerada por la crítica superior a la de Lope de Vega; la maestría en el dominio del lenguaje (juegos de palabras, riqueza de imágenes, diálogos chispeantes y agudos), y una gran habilidad en el planteamiento de las situaciones y en el manejo de los más diversos asuntos.

Tirteo. Poeta griego del siglo VII a. C. Durante la guerra entre Mesenia y Esparta sirvió en las filas de esta última, que era su patria adoptiva. Con sus cantos patrióticos alentaba el ánimo de los soldados en campaña que se reunían ante la tienda del rey para oír los poemas de Tirteo. Al recitar sus elegías y cantos de guerra, que recibían el nombre de *marchas*, se hacía acompañar por los sonidos de la flauta. Fue el mayor poeta elegiaco de su tiempo; Platón y Horacio lo colocaron al lado de Homero.

tisanuro. Insecto áptero, o sea carente de alas; de cuerpo alargado y deprimido; no sufre metamorfosis. Forma parte de uno de los órdenes de insectos más primitivos que se conocen y abarca dos familias principales, los maquílidos y los lepísmidos, cuyos principales representantes son los géneros denominados *Maquilis* y *Lepisma*. *Véase* LEPISMA.

Tiselius, Arne Wilhelm Kaurin (1902-1971). Bioquímico sueco. Profesor de bioquímica de la Universidad de Upsa-

Corel Stock Photo Library

Pintura al óleo que representa el hundimiento del Titanic.

la (1930); miembro de las academias de ciencias de Estocolmo (1947) y de New York (1951). Utilizando el procedimiento de electroforesis, pudo descubrir las diversas proteínas existentes en las mezclas naturales y obtener su separación. Determinó la presencia de tres proteínas en la caseína de la leche y una docena en la sangre. Este método fue aplicado con éxito en el estudio de las toxinas microbianas. Entre otros aparatos de laboratorio inventó los que llevan su nombre, y que se usan en la separación de las proteínas del suero. Fue recompensado con el Premio Nobel de Química de 1948.

Tisza, Istvan, conde de (1861-1918). Político húngaro, partidario de cooperar con Austria dentro de la doble monarquía austrohúngara. Fue diputado y presidente de la Cámara, ministro del Interior y premier, ocupando por segunda vez este último cargo al producirse el incidente de Sarajevo, que originó la guerra europea de 1914. Le correspondió enviar el ultimátum a Servia. Renunció al gobierno al fallecer el emperador Francisco José I. Al producirse la derrota húngara (1918), fue asesinado por miembros del ejército.

titanes. Dioses mitológicos nacidos de la sangre que Urano (el Cielo) vertió sobre Gea (la Tierra). Eran 12; seis varones: océano, Ceo, Crío, Hiperión, Iapeto y Cronos, y seis mujeres, llamadas Titánidas: Tea, Tetis, Temis, Mnemósine, Febe y Rea. Urano, temiendo la fuerza de sus hijos, los arrojó al Tártaro, encadenándolos en la prisión subterránea; pero Gea, después de rogar vanamente ante Urano para que los dejara en libertad, habló a sus hijos los Titanes,

instándoles a rebelarse contra su padre. Todos se negaron, excepto Cronos, quien, con una hoz mágica mutiló a Urano. Quedó Cronos dueño del poder universal; mas Urano le predijo que, a su vez, sería destronado por uno de sus propios hijos, sentencia que cumplió Zeus, dando origen a la encarnizada lucha que duró 10 años, y que en mitología se conoce como la gigantomaquia. En ella los Titanes se aliaron a Cronos en contra de Zeus y los dioses olímpicos, pero fueron vencidos por éstos y confinados en el Tártaro. *Véanse* CÍCLOPES; EREBO.

Titanic. Lujoso transatlántico inglés, de la compañía White Star. Tenía 265 m de largo y 46,300 ton y era el buque mayor que se había construido hasta entonces. Su primer viaje se convirtió en una de las más grandes tragedias del mar. Zarpó de Southampton el 10 de abril de 1912, con destino a New York ; pero en la noche del 14 al 15 de abril chocó contra un iceberg, que abrió una larga grieta en un costado del buque bajo la línea de flotación y el *Titanic* se fue a pique, De las 2,224 personas abordo, perecieron 1,517; el resto fue salvado por el vapor *Carpathia*, que recibió por telegrafía sin hilos la llamada de auxilio y acudió al lugar del siniestro.

titanio. Elemento químico perteneciente a la primera serie de los metales de transición de la tabla periódica, cuyo símbolo es Ti y su punto de fusión 1,800 °C. Forma con el circonio y el hafnio el grupo IV B; su número atómico es 22 y su masa atómica es 47.88. Para obtenerlo en estado metálico es necesario efectuar la reducción de los minerales que lo contienen,

como la ilmenita y el rutilo, mediante procedimientos electrotérmicos que comprenden la fusión en hornos eléctricos. El titanio así obtenido es un metal resistente y compacto de aspecto semejante al acero bruñido. Sus aplicaciones son de la mayor importancia en la moderna industria metalúrgica, principalmente en las aleaciones de cuprotitanio y manganotitanio y, sobre todo, de ferrotitanio. Los motores de propulsión a chorro para aviación han sido posibles gracias a la aleación de titanio, cromo y níquel, que se emplea en la construcción de la cámara de combustión de esos motores, que tiene que soportar tan altas temperaturas que fundirían la mayor parte de otros metales. El blanco de titanio, usado en las pinturas al óleo, resiste con eficacia a la acción del tiempo y es más brillante que todos los otros blancos. Este óxido es empleado también en la preparación de linóleos, gomas, materiales sintéticos y plásticos, y cosméticos. El titanio fue descubierto en 1791, por el químico inglés William Gregor; pero su obtención en escala industrial comenzó a partir de 1940. El titanio forma 0.57% de la corteza terrestre. Casi siempre se le halla en compuestos; los más conocidos son el rutilo y la ilmenita. Puede hallarse también en los silicatos y, en menor proporción, en la arena, en la arcilla, en las aguas minerales y en los tejidos de plantas y animales. Los yacimientos más importantes de mineral son los de Canadá, Estados Unidos, Brasil, Australia, Suecia, Noruega y algunas regiones de la ex Unión Soviética.

títeres. Figurillas de pasta, cartón o trapo –y de material plástico las más modernas–, que han servido para desarrollar uno de los más antiguos espectáculos escénicos. Por su construcción y manejo son tres las clases más comunes de títeres: los movidos por medio de cuerdas, en cuyo caso los operadores ocultos se sitúan en la parte superior del escenario y desde allí mueven sus personajes; los títeres que actúan mediante varillas colocadas en su espalda, y los títeres hechos de caucho y tela, en los que el operador introduce la mano dentro de las figuras. También existe un tipo en cuyo mecanismo intervienen varillas y cuerdas. Además de títeres se les llama muñecos, fantoches, marionetas y polichinelas.

China, India y Egipto, se disputan la primacía en el sentido de haber ideado este muñeco destinado a imitar movimientos y actitudes humanas. En China, circulan leyendas antiquísimas sobre títeres, destacándose la de un emperador que estuvo a punto de hacer ejecutar al titiritero, a quien había invitado a dar una exhibición en su palacio, por ser el dueño de aquellos pequeños seres que con tanta realidad flirteaban con las damas de su corte, llenando de celos al monarca. Antiguamente los hindúes creyeron que los títeres habían vivido con los dioses antes de descender a la tierra, y de acuerdo con esto los reverenciaban y les rendían homenajes. En tumbas infantiles egipcias se han encontrado títeres, acompañando a sus jóvenes dueños en el viaje a la eternidad. Se presume que a América pasaron estas figuras junto con los pobladores que llegaron de Asia, por la vía del estrecho de Bering, pues los indios americanos poseían títeres cuando arribaron los primeros hombres blancos. El primer punto de Europa en donde se hicieron presentes fue Grecia, y de allí pasaron a Roma, según las menciones de Aristóteles y Horacio, respectivamente, que los definen como pequeñas figuras de madera movidas por hilos con las cuales se divertía a la gente. Después, en la Edad Media los titiriteros, con sus muñecos y tablados, recorrían las ferias y ciudades de Europa, y fueron apareciendo títeres que representaban tipos y personajes cómicos, grotescos y populares, como Pulcinella, Pantalón y Arlequín en Italia; y Polichinelle en Francia. En Inglaterra los títeres fueron acogidos con entusiasmo, especialmente en el siglo XVI, y se crearon dos personajes popularísimos, Punch, protagonista de jocosas peripecias, y Judy, su mujer, que hacían las delicias de los espectadores con sus conflictos y altercados matrimoniales. En Alemania y Austria los personajes más populares del género fueron Hanswurst y Kasperle, y en Colonia se fabricaron títeres que figuraron entre los más perfectos, como ocurrió con los españoles de Barcelona. En Holanda, el nombre del personaje más popular de los títeres era el de Jan Pickel-Herringe, cuya extensión no fue inconveniente para su popularidad, así como Woltje y Tchantchés la tuvieron en Bélgica. Estos personajes respondían al carácter y la modalidad de cada país o región, de modo que luego se convertían en favoritos que todos querían y admiraban; y había lugares en donde no se admitían si no títeres de su gusto. Así, flamencos y sicilianos no aplaudían sino a caballeros armados. En los palacios y castillos de Europa este teatro de muñecos dominó entonces sin tropiezo.

Con todo, el triunfo mayor lo alcanzó en Francia un actor de Lyon, llamado Mourguet, que creó en el siglo XVIII el personaje principal del teatro de muñecos, al que llamó Guignol, tipo de obrero con el que inicia el teatro truculento y de efectos sorprendentes. Este género de títeres ha pasado a la escena universal con el nombre de Guignol para singularizarlo.

Entre los autores célebres que han contribuido al desarrollo de este espectáculo escénico, dándole al mismo tiempo elevada categoría, se cuentan: Johann Wolfgang Goethe, que a los doce años de edad recibió como obsequio una pequeña colección de títeres para los que creó sus primeras obras en verso; François Marie Voltaire, escribió piezas especiales para esos muñecos, que eran una de las pocas cosas que le entusiasmaban. Hans Christian Andersen se fabricó sus propios títeres, escribía para ellos y luego los manipulaba con rara habilidad. Maurice Maeterlinck comenzó escribiendo comedias para polichinelas. Se cree que William Shakespeare tuvo en mente a la *Marionette* francesa cuando escribió el *Sueño de una noche de verano*. El inspirado Franz Joseph Haydn escribió música encantadora para títeres y más recientemente Claude Debussy.

A principios del siglo XX hubo un notable resurgimiento del teatro de títeres y se formaron importantes compañías de éste género. De ellas, la más famosa es la de Vittorio Podreca, que en su *Teatro dei Piccoli*, en Roma, alcanzó asombrosa perfección y realismo en sus representaciones. Hoy, el teatro de títeres se ofrece en todos los continentes y ha ganado en presentación, libretos y efectos. Constituye un arte, y no de los más fáciles. Ha contribuido a la educación de las masas, y de los niños, particularmente, pues ayuda a popularizar personajes famosos, escenas históricas, óperas, grandes obras antiguas y música y costumbres populares.

tití. Nombre que se ha vulgarizado para designar a una especie de mico o mono de cuerpo muy pequeño (de 15 a 40 cm de largo), que zoológicamente es un mamífe-

Artista con títeres en las Ramblas en Barcelona, España.

Corel Stock Photo Library

Corel Stock Photo Library

Títeres en la plaza Staromestske en Praga, República Checa.

ro del orden de los cuadrumanos, familia de los hapálidos. Tiene la cara pelada y blanca con una mancha oscura sobre la nariz, cuyo tabique es ancho; le caen mechones blancos de las orejas; el cuerpo, algo grueso pero gracioso, lo lleva cubierto de un pelaje largo y suave con rayas negras, blancas y amarillo oscuro; la cola es negra con anillos blancuzcos. Son muy sensibles al frío, lo mismo que al calor extremo, y se les encuentra en casi todos los países de América meridional principalmente en Brasil y Ecuador: se les domestica con gran facilidad, pues son muy inteligentes. Habituados a vivir en un hogar, son juguetones, cariñosos y divertidos, y gustan de retozar con otros animales caseros, como si fueran niños, convirtiéndose en grandes y fieles amigos de gatos y perros, a los que defienden si se les castiga. Suele llamarse tití a todos los micos pequeños, pero el nombre le corresponde únicamente al descrito en las líneas anteriores. *Véase* MONO.

Titicaca. Gran lago sudamericano, situado en medio de las elevadas montañas de los Andes, en el límite de Perú y Bolivia, a una altura de 3,812 m sobre el nivel del mar, altura que sobrepasa a la de todos los lagos navegables del mundo. También se le ha llamado lago de Chucuito. Tiene 8,330 km² de extensión, 190 km de longitud y 50 km de anchura. Su profundidad media es de 100 m y la máxima de 280 m en el sector peruano. De gran belleza natural, este lago, enclavado en la escarpada cordillera y que jamás se congela, debió ser

Lancha de juncos en el lago Titicaca en Perú.

en tiempos prehistóricos un mar interior, de mayor superficie y con altura superior en 100 m a la actual. De gran valor arqueológico son los vestigios de una civilización india anterior al descubrimiento, entre los que se destacan la Puerta del Sol, casi en ruinas, y él devastado palacio de los sarcófagos, en las orillas del lago, para darnos muestra de la gran ciudad desaparecida que fue Tiahuanaco. Emergen en el lago varias islas, la mayor de ellas Titicaca o isla del Sol, venerada por los indios, pues creen que fue albergue de los padres de la civilización incásica, Manco Capac y Mama Ocla, antes de pasar al Cuzco, y lugar preferido del Sol. Un servicio de vapores enlaza Guaqui, puerto lacustre en la orilla boliviana del lago, con Puno en la orilla de Perú. Además de realzar pintorescamente la región y dar nacimiento al río Desagüadero, es también importante por la cantidad de peces que en él viven y que contribuyen a la alimentación de las poblaciones indígenas que rodean el lago.

Tito, Flavius Sabinus Vespasianus

(40?-81). Emperador romano (79-81). Sus años primeros transcurrieron en la corte de Nerón. Más tarde su actuación en la guerra contra judíos y, finalmente, el valor demostrado en la toma de Jerusalén, tras largo asedio, le valieron la admiración de los romanos que, a su llegada, lo colmaron de agasajos y honores. Los más importantes fueron el otorgamiento del título de César y la facultad de compartir el trono con su padre, Vespasiano, que al morir dejó en sus manos el destino del imperio. A Tito se deben grandes obras que honraron a Roma, como la terminación del grandioso Coliseo, la construcción de los hermosísimos baños públicos y las

múltiples instituciones creadas para el bienestar y seguridad de sus súbditos. Pero, sobre todo, su magnanimidad se manifestó profundamente cuando, ocurrido el terrible desastre de la desaparición de las ciudades de Pompeya y Herculano (79) provocado por la erupción más violenta del Vesubio, se dedicó a socorrer a las víctimas y llevar auxilios a la región devastada. Fueron grandes también los esfuerzos para aliviar a las víctimas del fuego y de la epidemia que asolaron Roma; a su costa mandó reconstruir el Capitalio y el Panteón, que habían sido atrozmente devorados por las llamas.

Entre sus anécdotas, cuéntase que en una ocasión exclamó: *He perdido un día*, al recordar que en esa jornada a nadie había favorecido. Muerto en la plenitud de su vida, un arco de triunfo que lleva su nombre erigido en Roma conmemora sus hazañas en bajorrelieves, que hablan de su intrepidez en la lucha y su grandeza humanitaria.

Tito, Josip Broz, llamado

(1892-1980). Militar, político y jefe del Estado Yugoslavo. Hijo de campesinos croatas de Zagreb, recibió escasa educación elemental y trabajó como herrero, hasta ingresar al ejército austrohúngaro en 1914, al iniciarse la Primera Guerra Mundial. Herido y hecho prisionero por los rusos (1915), estuvo en un campo de concentración hasta la Revolución de Octubre. Contrajo matrimonio en Rusia y combatió con el Ejército rojo. En 1921 volvió a su país para organizar el partido comunista. Dirigió actividades clandestinas de los obreros ferroviarios (1923) y se le encarceló por su labor revolucionaria en 1928. Liberado en 1934 se dirigió a París y cooperó (1936-1938) en la

organización de las brigadas internacionales que luchaban junto a los republicanos en la guerra Civil de España. Como funcionario del Komintern utilizó los seudónimos de Broncer y Walter. Producida la Segunda Guerra Mundial volvió a su patria y dirigió las guerrillas contra los italoalemanes, junto con el general Draza Mihailovich, con el que tuvo rivalidades y terminó por eliminar. En 1944 fue huésped oficial de José Stalin en el Kremlin. Vencida la invasión, ya con el grado de mariscal, encabezó el gobierno de Yugoslavia como primer ministro y jefe del ejército, estableciendo un régimen dictatorial. Firmó tratados de mutua ayuda en sus visitas a Moscú y a las capitales de los países del bloque soviético. Por su oposición a dejarse dominar por la Unión Soviética en cuestiones de gobierno y política interior de Yugoslavia, rompió con Moscú en 1948 y fue expulsado del Komintern. Mejoró las relaciones de su país con Occidente, y siguió en buenos términos con los países socialistas vecinos, excepto con Albania. En 1953 fue elegido presidente y en 1963 fue reelegido al cargo con carácter vitalicio.

Tito Livio. *Véase* LIVIO TITO.

Titov, Gherman Stepanovich

(1935-). Aviador militar soviético. El 6 de agosto de 1961 se elevó en la Unión Soviética en una nave espacial *Vostok II*, impulsada por un cohete multifásico, y se colocó en órbita con altura máxima de 257 km, mínima de 178, y 88.6 minutos de revolución orbital. Permaneció 25 horas y 18 minutos en el espacio, efectuó 17 vueltas alrededor de la Tierra con un recorrido total de unos 700,000 km y descendió en territorio soviético en el área prefijada. Fue el segundo aviador soviético que realizó un vuelo de este tipo, que superó en duración al primero, efectuado por Yuri Gagarin en abril del mismo año.

título.

En derecho se llama así a la causa en cuya virtud poseemos alguna cosa y el instrumento o documento con que se acredita nuestro derecho. Poseer una cosa y tener derecho a poseerla no es lo mismo, pero en la vida diaria la posesión es considerada prueba suficiente del derecho de propiedad sobre una cosa, por lo menos en tanto no haya razón para dudar de él. Pero, cuando el título está en litigio, entonces debe probarse este derecho. Para que un título tenga validez debe haber sido expedido por un oficial o funcionario público, llenándose todos los requisitos que exige la ley.

Cuando una persona compra una casa o un terreno debe asegurarse antes de que quien se lo vende posee un título perfecto de la propiedad. En caso contrario podría suceder que un tercero le reclamase más tarde su derecho invocando un título mejor.

Para facilitar la prueba del título se ha creado en casi todos los países el registro de la propiedad inmobiliaria, donde se asientan los títulos de casas y terrenos con el nombre de la persona a quien pertenecen. También se registran los títulos de propiedad de buques, y en muchos países el mismo requisito es necesario para acreditar la propiedad de un automóvil. El registro de la propiedad intelectual asegura a los inventores, escritores y músicos su derecho sobre las obras creadas por ellos. Como sería imposible llevar un registro de propiedad de los objetos de uso personal, su compra, venta, permuta o donación generalmente se llevan a cabo sin dejar ninguna constancia pública. En este caso la sola posesión crea una fuerte presunción de la propiedad de la cosa y así nadie puede reclamar como suyo el traje que lleve otra persona, a menos que haya prueba evidente de que lo haya robado.

Los títulos pueden ser adquiridos por acuerdo de las partes, como en los contratos de compraventa, permuta, etcétera, o por disposición de las leyes, como en la herencia, bancarrotas, etcétera. Los títulos pueden ser o no traslativos de dominio según que transfieran o no la propiedad de la cosa. Ejemplo del primer caso sería una venta o una donación, y del segundo, un arrendamiento.

Se llama título la frase con que se da a conocer el asunto a que se refiere una obra literaria o científica, o parte de la misma. Y título académico es el documento o testimonio que permite ejercer legalmente una profesión, o empleo reglamentado en sus estudios y en su ejercicio por el Estado. Suele consistir en un diploma firmado y sellado por la autoridad o entidad oficial correspondiente.

título nobiliario.

Dignidad o privilegio que se confiere a una persona en reconocimiento de sus cualidades, merecimientos o acciones. En el imperio romano los títulos se otorgaban para recompensar servicios eminentes y para designar jerarquías militares o políticas. En la Edad Media, los títulos nobiliarios implicaban jerarquía militar y se concedían principalmente para recompensar el valor personal, las cualidades militares y las hazañas guerreras. Los títulos nobiliarios en orden de su categoría, de mayor a menor, son los de duque, marqués, conde, barón e hidalgo. En las monarquías los jefes de Estado se designan con los títulos de realeza, emperador, rey o sultán. En la época actual, los títulos nobiliarios sólo existen en las monarquías. En las naciones modernas ningún ciudadano puede recibir títulos nobiliarios de otra nación sin autorización del gobier-

Artista callejero dibujando con tiza en New York.

no, y en las repúblicas un extranjero pierde su título nobiliario al nacionalizarse.

tiza.

Arcilla terrosa y blanca que se usa para escribir en los encerados y, pulverizada, para limpiar metales. En el primer caso debe señalar bien, sin arañar, así como borrarse fácilmente. Para prepararla se pulveriza tierra blanca y se amasa con agua; luego se la calienta hasta formar un barro espeso que se divide en barras, y una vez seca se vende al público. En el juego de billar se usa una tiza –compuesto de yeso y greda– con la que se untan los tacos para que no resbalen al dar en las bolas.

Tiziano Vecellio (1490-1576).

Pintor italiano, principal representante de la escuela veneciana de pintura. Nació en Pieve di Cadore y murió en Venecia. A los nueve años fue enviado a Venecia donde estudió con distintos maestros, entre ellos Federico Zuccaro y Giovanni Bellini. En 1511 ejecutó obras al fresco en la Escuela de San Antonio de Padua, y en 1516 fue nombrado pintor oficial de la República de Venecia. A los 40 años su nombre era respetado por todos los grandes artistas de su tiempo. Pero, esta consagración no era más que el comienzo de su carrera triunfal. Su *Amor sacro y amor profano* es una obra trascendental en el desarrollo de la escuela veneciana y señala el momento en que el Tiziano se emancipó totalmente de influencias extrañas para afirmar su personalidad de creador. Sus obras comenzaron a ser solicitadas por príncipes, papas y soberanos extranjeros, y en 1545 fue recibido triunfalmente en Roma. Carlos V y Felipe II de España, entre otros, lo colmaron de honores. Numerosas obras pintadas para los dos soberanos españoles se hallan en el

museo del Prado de Madrid. *Entierro de Cristo, Ecce Homo, Anunciación, San Nicolás y un angel, La adoración de los Magos, Carlos V y un cardenal, Felipe II*, temas mitológicos y obras con motivos tomados directamente de la naturaleza hacen de Tiziano uno de los más prolíficos y geniales pintores de todos los tiempos. Pintaba con fuerza e impetuosidad, y se dedicó íntegramente a la plasmación pictórica como única finalidad de su vida. Es decir que, a diferencia de otros artistas del Renacimiento, él no fue ni quiso ser más que pintor. No hubo en su tiempo quien lo superase en el

Retrato de una mujer joven, obra de Tiziano.

arte del retrato. La luz, la musicalidad del paisaje, el color, una mezcla de paganismo y religiosidad en los temas de amor y la ternura de su espíritu iluminado por la belleza se ven revoloteando en sus cuadros. La Venecia culta y refinada de su época está presente en toda su obra.

tizón. *Véase* AÑUBLO, TIZÓN O ROYA.

tlacuache. *Véase* ZARIGÜEYA.

Tláloc. Dios de los antiguos aztecas y una de sus divinidades principales. Era el dios de la fecundidad de la Tierra, de la lluvia, de las inundaciones y de la sequía. Se le representaba con el rostro cubierto por una máscara formada por dos serpientes entrelazadas. En su mano derecha solía llevar una jarra de jade, de la que se derramaba agua, y en la izquierda una serpiente ondulante que simbolizaba el rayo. Tenía un cortejo de dioses menores, los *tlaloques*, a cargo de funciones secundarias relativas a los fenómenos atmosféricos y a los ríos y lagos.

tlapalería. En México, tienda en que se venden pinturas, artículos de ferretería, carpintería, albañilería y otros similares. Es voz que procede de *tlapalli* (náhuatl) que significa color para pintar. La tlapalería es una de las tiendas típicas de México. En otros tiempos, la tlapalería se limitaba a la venta de pigmentos, materias colorantes y otros utensilios para pintar. Los artesanos nativos acudían a ella a proveerse de esos elementos tan necesarios para su labor. En la actualidad, la tlapalería ha ampliado su radio de acción, e incluye en su giro gran variedad de otros artículos que, usualmente, se venden en las tiendas de ferretería.

Tlatelolco. Antigua colonia mexicana ubicada en una isla del lago de Texcoco. Unida a la capital de los mexicas constituyó la ciudad-isla de Tenochtitlán Tlateloco. Su historia se remonta a fines del siglo XIII y sus príncipes se decían descendientes de la casa real de los tepanecas, de los que eran vasallos. En un principio, Tlatelolco ejerció cierta supremacía sobre Tenochtitlán, pero en 1473 ésta logró sobreponerse: Moquihuix, el último *tlatoani* fue muerto en el asalto a la ciudad, que desde entonces estuvo gobernada por dos altos militares, nombrados por Tenochtitlan, aunque de hecho siguió siendo un señorío independiente.

Su mercado, que entró en decadencia tras la Conquista, era el más importante del valle de México. Cortés lo incorporó a la corona y, en 1529 se creó el marquesado. Los franciscanos fundaron en la ciudad un convento, al que estaba anexo el colegio de Santa Cruz, centro donde se educaron los indígenas de clase alta.

Corel Stock Photo Library

Escultura de Tlaloc en el Museo Nacional de Antropología e Historia de México.

En las excavaciones realizadas de 1944 a 1948 en el atrio de la iglesia se hallaron restos del Templo Mayor de Tlatelolco, fundado en época de los chichimecas.

Tlatelolco, Tratado de. Acuerdo firmado en México, febrero de 1967 por 14 países latinoamericanos (Bolivia, Colombia, Costa Rica, Chile, Ecuador, El Salvador, Guatemala, Haití, México, Nicaragua, Panamá, Perú, Uruguay y Venezuela).

Se prohíbe en él la fabricación y uso de armas nucleares en América Latina. De hecho, hasta 1979 no pudo afirmarse que el pacto entrase realmente en vigor; su control corre a cargo de la OPANAL (Organismo para la Proscripción de las Armas Nucleares en América Latina).

Tlatilco. Importante yacimiento arqueológico de las culturas preclásicas, o arcaicas, de la cuenca de México. En él se descubrieron más de 250 tumbas en las que se halló abundante material de la época arcaica (1500-300 a. C.). Son especialmente interesantes las estatuillas de barro que representan mujeres de abultadas caderas llevando a un niño o un perrillo en los brazos, bailarinas con faldas cortas y también figuras masculinas de jugadores de pelota con guantes y rodilleras, de enanos, de jorobados, e incluso de grupos de hombres.

Tlaxcala. Estado de México. Tiene 3,914 km² y 761,277 habitantes. Limita con los estados de México, Hidalgo y Puebla. Sus principales centros de población son: Tlaxcala de Xicoténcatl, capital del estado (12,000 h), Apizaco, Vicente Guerrero, Santa Inés, Zacatelco, Huamantla de Juárez, Santa Ana Chiautempan y Calpulalpam. El terreno es montañoso y su altitud media sobrepasa los 2,000 m de altura. Está sur-

cado por elevadas cordilleras, entre ellas, las estribaciones de la Sierra Nevada al oeste, y la Sierra de Tlaxco al norte. Es notable el volcán de La Malinche (4,460 m) al sur, en el límite con el estado de Puebla. Tiene fértiles valles y llanuras, entre ellos el renombrado valle de Tlaxcala. Entre los ríos se destacan el Atoyac, el Zahuapán y el San Martín. El clima es templado en valles y llanuras, seco en algunas comarcas y frío en las alturas de las sierras.

La agricultura y la ganadería constituyen la riqueza mayor del estado. Se cultivan principalmente, cereales, trigo, maíz, cebada, frijol y también alfalfa, frutas y otros productos agrícolas. El maguey se cultiva en las regiones secas. La ganadería es importante y se cría ganado vacuno, ovino y porcino. Entre las principales industrias figuran la fabricación de pulque y la industria textil, que cuenta con fábricas de hilados y tejidos de lana y algodón. Hay también molinos de trigo, fábricas de zapatos, vidrio, cerámica y otros artículos. Tiene excelentes vías de comunicación; cruzan el estado dos importantes líneas de ferrocarril así como buenas carreteras, con diversos ramales que comunican las principales poblaciones del estado entre sí y con el resto de la nación.

Historia. En la época de la conquista por los españoles, el estado estaba poblado por tlaxcaltecas, que tenían poderosos señoríos y eran enemigos de los mexicas. En 1519, lucharon contra Hernán Cortés, pero luego se hicieron sus aliados y le ayudaron eficazmente en la conquista de México. Durante la dominación española, constituyó la provincia de Tlaxcala, y posteriormente formó parte de la Intendencia de Puebla. Al hacerse México independiente, tuvo diversas categorías políticas, hasta que, en 1857, fue erigido en estado.

Tlaxcala de Xicohténcatl. Ciudad del centro de la República Mexicana, capital del estado de Tlaxcala, con 12,000 habitantes. Situada al pie del volcán La Malinche, en el valle de Tlaxcala, a orillas del Zahuapan. Es centro comercial y agrícola (maíz, frijol, haba). Ganadería, industria textil; fábricas de hilados y tejidos de algodón, lana y fibras artificiales.

Tob, Sem (1290?-1369). Poeta español, nacido en Castilla la Vieja. Hijo de judíos, abjuró del judaísmo y escribió unos famosos *Proverbios morales*, dedicados al rey Pedro I el Cruel, su protector. Sus versos tienen un señalado color oriental y están inspirados en algunos libros de la Biblia y en las colecciones de sentencias árabes que circulaban mucho por España en su tiempo. En ellos, se muestra gran poeta, lleno de sabiduría, de estilo conciso y cierta melancolía filosófica. Esta obra es muy valiosa en la poesía española, porque aporta una innovación métrica a la poesía llamada de *mester de clerecía*, predominante entonces.

Tobar, Carlos R. (1854-1920). Político y escritor ecuatoriano. Vicepresidente del Senado (1900) y ministro de Asuntos Exteriores, creó la doctrina de derecho internacional que lleva su nombre, según la cual debe negarse el reconocimiento a los gobiernos surgidos de una revolución mientras éstos no demuestren contar con la voluntad del país. Miembro de la Real Academia de la Lengua, escribió entre otras obras *Brochadas* (1885), *Relación de un veterano de la Independencia* (1895), *Consulta al Diccionario de la Lengua* (1895, póstumo).

Tobar Ponte, Martín (1772-1843). Político venezolano. En 1810, como segundo alcalde de Caracas, convocó al cabildo que depuso al capitán general y declaró la independencia. Tras la ofensiva realista de Monteverde (1812) emigró a Estados Unidos, de donde regresó cuando Simón Bolívar entró en Venezuela. A las órdenes del Libertador participó en la constitución de la Gran Colombia y fue miembro de los Congresos de Angostura (1819) y Cúcuta (1821). Tuvo que abandonar el país por sus ideas liberales y no pudo regresar hasta 1830. En el Congreso de Valencia (1830) apoyó la separación de Venezuela de la Gran Colombia.

tobas. Indígenas de la familia guaycurú del norte argentino, que vive en la región del Chaco, en las márgenes de los ríos Pilcomayo y Bermejo. Son altos, fuertes y de cabellos negros; primitivamente iban desnudos, con el rostro pintado o tatuado. Habitan toldos construidos con ramas y esteras de fibras vegetales. Las familias, monógamas, se reúnen en numerosas subtribus, y cada una obedece a su jefe. Sus operaciones principales son la pesca y la caza, que hacen con flechas y lanzas; practican la alfarería y tejen la lana. Se han conservado con bastante pureza.

Tobías. Personaje bíblico del Antiguo Testamento. Era judío de la tribu de Neftalí y quedó cautivo en Nínive después de la toma de Samaria por Salmanasar, rey de los asirios. Dando ejemplo de piedad se dedicó a enterrar a sus compatriotas, aún quebrantando lo mandado por el rey. Quedó ciego, pero su hijo, llamado también Tobías, le devolvió la vista pasándole por los ojos la hiel de un pez que guardaba por consejo del arcángel Rafael. *Véase* Biblia.

Tobin, James (1918-   ). Economista estadounidense. Recibió el premio Nobel de Economía en 1981 por sus contribucio-

nes a la teoría monetaria. Ha impartido cátedra en las universidades de Harvard, Cambridge y Yale. Ha sido también miembro ejecutivo de la *Cowles Foundation for Economic Research*, presidente de la *Econometric Society*. Ha escrito *National Economic Policy*, *Essays in Economy* y *Asset Accumulation and Economie Activity*.

Toboso, El. Villa española de la provincia de Toledo, cercana a Quintanar de la Orden, con 2,930 habitantes; famosa por sus tinajas, pero mucho más por ser patria de Dulcinea, señora y dueña de Don Quijote.

Tocantins. Río de Brasil; nace en la parte sur del estado de Goyaz, por la confluencia de los ríos Uruhu, de las Almas y Maranao. Recibe en su curso inferior el caudal del poderoso Araguaya, su principal afluente. Tiene una longitud de 2,640 km y desagua en el Atlántico, por el brazo sur del estuario del Amazonas, formado por el río Pará. No obstante los rápidos y caídas, es navegable en una extensión de 1,700 km. La zona atravesada por este río está poco desarrollada, por lo que no existen ciudades importantes en sus márgenes, con excepción de Pará, en su desembocadura.

tocata. Composición musical comúnmente breve y destinada a instrumentos de teclado. Estuvo muy en boga entre los grandes organistas italianos del siglo XVII, como Frescobaldi y Miguel Angel Rossi, pero fue Johann Sebastian Bach quien la llevó al más alto nivel con sus tocatas para clave, que son verdaderas sonatas, tanto por lo delicado del estilo como por constar de varios tiempos. Entre los músicos del siglo XX ha tenido cultores como Arthur Honegger y Aram Khachaturian, guardan-

Johann Sebastian Bach, fue el músico barroco que llevó a la tocata a su más alto nivel.

do su desarrollo en aire vivo y su aplicación a instrumentos de teclado.

tocororo. Pájaro trogónido de la isla de Cuba, del tamaño de una golondrina y plumaje de vivos colores. El lomo es verde, la cabeza azul, el cuello pardo y el vientre rojo; las alas son negras con manchas blancas, el pico corvo y rojo, y la cola bronceada. Vive solitario en los bosques y hace su puesta en nidos abandonados por otros pájaros. Es fácil de cazar hasta con la mano, pues permanece completamente inmóvil durante largo rato; su carne es comestible. Emite un canto parecido al nombre onomatopéyico que le han dado los indígenas.

Tocqueville, Charles Alexix Henri Clérel, conde de (1805-1859). Escritor y político francés. Juez auditor del Tribunal de Versalles en 1827. Fue a Estados Unidos en 1831 con Gustavo de Beaumont para estudiar sus problemas penales, publicando a su regreso *Del sistema penitenciario en Estados Unidos y su aplicación en Francia* (1833). Poco después escribió su mejor obra, *La democracia en América* (tres vols, 1835-1840). Fue elegido miembro de la Academia Francesa y de la de Ciencias Morales y Políticas. Sostuvo la libertad de enseñanza y las ideas librecambistas; dedicó atención a las cuestiones argelinas y previó la inminencia de la revolución de 1848. Fue diputado en la Asamblea Constituyente y en la Legislativa y ministro de Negocios Extranjeros. Encarcelado y desterrado a Italia, por haberse opuesto al golpe de estado de Luis Napoleón, recorrió Alemania y publicó *El viejo régimen y la Revolución* (1856). Se publicaron póstumamente sus *Memorias*.

Todd, Alexander Robertus (1907-1997). Bioquímico británico. Estudio en las universidades de Glasgow, Frankfurt y Oxford. Profesor y director del departamento de química de la Universidad de Manchester (1938-1944), en 1944 pasó a enseñar química en la Universidad de Cambridge, donde en 1963 fue nombrado *master* del Christ's College. Presidente del *British Advisory Council* (1952-1964) y de la *Royal Society* (1960-1962 y 1975-1980). Sintetizo el trifostato de adenosina (ATP) (1949), el flavinadenindinucleótido (FAD) (1949) y el trifosfato de uridina (1954). En 1955 elucidó la estructura de la vitamina B_{12}. Desarrolló asimismo notables estudios sobre la estructura y la síntesis de las vitaminas B_1, y E y de numerosas sustancias alcaloides. En 1957 fue galardonado con el Premio Nobel de Química.

Todi, Jacapone da (1230?-1306). Poeta y religioso franciscano nacido en Italia y cuyo verdadero apellido era Benedet-

Corel Stock Photo Library

Vista de una calle en Togo, África.

ti. Fue autor de numerosas composiciones de género ascético, entre ellas sus *Laude*, escritas en italiano. También cultivó otros géneros, como el satírico. Su obra más famosa en verso es *Stabat Mater* y en prosa el tratado de *Lucífero novolle*. Algunos de sus escritos místicos han sido atribuidos a san Francisco de Asís.

Todos los Santos, bahía de.
En la costa de México sobre el Pacífico, en el noroeste de la Península de Baja California. Forma un semicírculo cerrado al suroeste por el macizo de Punta Banda.

Todos los Santos, fiesta de.
Instituida en forma circunstancial por el papa Bonifacio IV en el 607, y que fue universalizada, fijándose para su celebración el 1 de noviembre, por el papa Gregorio IV, en el año 837.

Todos los Santos, lago de.
Al pie de los Andes, en la provincia chilena de Llanquihue. Uno de los más pintorescos del mundo; está situado entre el volcán Osorno y el pico Tronador coronados de nieves eternas. Superficie: 130 km². Rico en pesca y centro de importante zona de turismo.

toga.
Prenda exterior del traje nacional de los romanos, que los distinguía como tales, ya que su uso se hallaba prohibido a los extranjeros y desertores. En sus orígenes, posiblemente etruscos, debió consistir en una pieza de tela de proporciones reducidas que se llevaba a modo de capa sobre la túnica, sujetándola al cuerpo por medio de un prendedor o fíbula. Luego comenzó a complicarse su diseño y se idearon varios modelos para cada clase o categoría social. Así, había la *toga pretexta* con una banda de púrpura en sus bordes, que servía de distintivo para magistrados, pretores, cónsules y otros funcionarios, además de poder ser llevada por los hijos menores y legítimos de aquellos hasta los 16 años, cuando pasaban a usar la *toga viril*; la *toga pulla,* de color oscuro, para las personas que se hallaban de luto; la *toga palmata o picta* con que se investían los triunfadores, etcétera. Existen muchas suposiciones respecto a la forma real que debió tener la toga. Se cree que, en principio, tenía la forma cuadrangular, pero que luego se le dio un corte en semicírculo para adaptarla mejor al cuerpo. La toga de púrpura o escarlata que llevaban los magistrados en determinadas ceremonias se denominó *trábea*.

Togliatti, Palmiro
(1893-1964). Político italiano, fue uno de los fundadores del seminario *Ordine nuovo* (1919). Fue también secretario general del Partido Comunista Italiano (1927-1964) y secretario de la Internacional (1935-1939). Elaboró con Georgi Dimitrov la táctica de *frente popular* contra el fascismo. Orientó el PCI hacia la formulación de una línea política autónoma, basada en la aceptación de la legalidad parlamentaria. Escribió *La vía italiana al socialismo*.

Togo.
Estado de África occidental. Limita al norte con Burkina Faso, al sur con el Golfo de Guinea; al este con Benin; y al oeste con Ghana. Tiene 56,785 km² y 3.247,000 habitantes, en su mayoría ne-

gros de tribus relacionadas con el grupo bantú, al sur; y grupos camíticos al norte. La capital es Lomé, ciudad y puerto principal Las costas son bajas y de clima tropical húmedo. El suelo se eleva hacia el interior hasta formar mesetas en la región norte, con clima seco. La actividad principal es la agricultura y se cultiva maíz, arroz, frijoles, sorgo y mijo, para consumo interior. Se exporta cacao, café, algodón, nueces de palma y copra. Hay 450 km de ferrocarriles, 3,000 km de carreteras, y servicios aéreos con Dakar y enlaces internacionales. El gobierno comprende un primer ministro que ejerce el poder ejecutivo con un gabinete responsable ante una Cámara de Diputados.

La región de Togo formaba parte de la antigua Costa de los Esclavos, y Alemania estableció sobre ella su protectorado en 1884, el que perdió en 1918 como consecuencia de la Primera Guerra Mundial. Togo quedó dividido entre Francia y la Gran Bretaña, en calidad de mandato de la Sociedad de las Naciones, convalidado en 1946, como fideicomiso, por las Naciones Unidas. En 1957, el Togo británico entró a formar parte del estado de Ghana, dentro de la Comunidad Británica.

En 1958, con respecto al Togo francés, mediante aprobación de las Naciones Unidas a los acuerdos entre Francia y representantes de Togo, se declaró terminado el fideicomiso y Togo se erigió en república independiente el 27 de abril de 1960, designando a Sylvanus Olympio para el cargo de primer mininistro. En enero de 1963, Olympio fue asesinado y se formó un gobierno provisional presidido por Grunnintzky, que fue ratificado en el poder en mayo del mismo año y a quien sucedió el coronel Etienne Eyadema en 1967.

El 30 de diciembre de 1979, más de 99% de los togoleses aprobó en referéndum una nueva Constitución y eligió a Eyadéma presidente de la república; en las elecciones para la Asamblea Nacional triunfó la lista única de candidatos del RPT. En septiembre de 1986, un comando atacó Lomé con la intención de derrocar a Eyadéma, pero éste logró el control de la situación tras unos enfrentamientos que causaron decenas de muertos, entre ellos varios oficiales.

En 1990 se celebraron elecciones legislativas con partido único, aunque se admitieron varias candidaturas. Tras graves disturbios en la capital (marzo-abril de 1991), el gobierno admitió el multipartidismo.

Fracasado un intento de golpe de Estado militar (marzo de 1993), se produjo una gran purga en el ejército. incluidas decenas de ejecuciones. En las elecciones presidenciales, boicoteadas por la oposición y recusadas por los observadores internacionales, sólo participó 36% de los votantes y Eyadéma fue reelegido (agosto de 1993). En las elecciones legislativas (6 y 20 de febrero de 1994) triunfó la oposición del Comité de Acción para la Renovación (CAR), aunque por escaso margen. Edem Kodjo, de la Unión Togolesa por la Democracia (tercer partido), fue nombrado primer ministro con el apoyo del RPT de Eyadéma.

toisón de oro. Orden de caballería, instituida en 1429 por Felipe el Bueno, duque de Borgoña, de la que era jefe el rey de España. La insignia de esta orden consiste en una pieza en forma de eslabón al que va unido un pedernal flamígero, del cual pende el vellón de un carnero; se pone con una cinta roja y tiene collar de oro, compuesto de eslabones y pedernales. Esta insignia sólo se concedía a personas de sangre real o a figuras muy eminentes en la política o en lo militar, y no es hereditaria. *Véase* CONDECORACIÓN.

Tōjō, Hideki (1884-1948). Militar y político japonés. Pertenecía a una familia de la clase guerrera: los samurai. Combatió contra los chinos en el ejército de Kwantung. Estuvo en Alemania en 1919 como agregado militar a la embajada de su país en Berlín. En 1931, con el grado de coronel se destacó entre los militares que propugnaban la expansión japonesa. En Manchuria (1937) asumió la jefatura del Estado Mayor. Al año siguiente regresó a Tokio para encargarse del Ministerio de Guerra, y apoyó la adhesión del Japón al Eje. Formó gobierno en 1941, sin renunciar a la cartera de Guerra, y como primer ministro declaró la guerra a Estados Unidos. Ordenó el ataque contra Pearl Har-

Corel Stock Photo Library

Puente en la bahía de Tokio, Japón.

(De arriba abajo). Luchadores de Sumo y avenida en el centro de Tokio, Japón.

Corel Stock Photo Library

bor, pero presentó la dimisión tras la pérdida de Saipán (julio de 1944). Detenido por los estadounidenses, intentó suicidarse (septiembre de 1945), pero sobrevivió y fue juzgado como criminal de guerra, condenado a muerte y ejecutado en la horca.

tojolabal. Grupo indígena mexicano que recibe también los nombres de chañabal y jololabal. Se aplica a los individuos de este grupo. Los tojolabales habitan en la parte suroriental del estado de Chiapas; son agricultores que practican la técnica de roza; utilizan la coa, el azadón, la pala el machete y el arado de madera y cultivan maíz, frijol, café, caña de azúcar, coco, hortalizas y frutales. También crían animales domésticos. Fabrican esteras de juncia y sombreros de palma. Trenzan y tejen lana para hacer cobijas. Nominalmente católicos, conservan sin embargo el culto a diversos dioses, a cuyas imágenes de madera y barro piden cosecha y salud.

Tokio. Ciudad capital de Japón, situada al fondo de la bahía de su nombre, en la costa sureste de la isla de Hondo, la principal de Japón. Tiene 8.322,700 habitantes; pero, si se le agregan los de Yokahama y de otras poblaciones limítrofes, pasa de 12 millones. Es una gran urbe, progresista y activa, con sectores de edificación moderna, amplias avenidas y hermosos paseos. Fundada por *shoguns* o señores feudales, se llamó Yedo hasta 1868, año en que reemplazó a Kioto como capital del imperio y pasó a ser residencia del Mikado y del gobierno. Destruida por terremotos y parcialmente durante la Segunda Guerra Mun-

dial (1939-1945), cada vez se ha reconstruido más espléndida y pujante. Su estructura moderna occidental se mezcla en forma sugestiva con la edificación antigua y típica, en que prevalecen los jardines. Entre sus construcciones se destacan el palacio imperial, con su gran plaza frontal para revistas y paradas; la Universidad Imperial, el teatro Imperial; varios museos, el pintoresco Parque de Asakusa donde se encuentra el templo de Kwannon, diosa búdica de la misericordia; la Dieta o Parlamento; la Biblioteca Imperial que posee 400,000 volúmenes. Industrias: textiles de lana, algodón y sedas, lozas, lacas, esmaltes, porcelanas, fundiciones y materiales de construcción. Su comercio es activísimo como centro de intercambio de la más importante región del país.

Su puerto, después de grandes mejoras, se ha enlazado con el de Yokohama, a 30 km de distancia, para el movimiento de barcos de gran tonelaje. Centro ferroviario y de carreteras. Gran aeródromo moderno, con importantes líneas de servicio internacional.

Tolbuhin, Fëdor Ivanovich (1894-1949). Militar soviético, que logró renombre durante la Segunda Guerra Mundial, y alcanzó el grado de mariscal. Hijo de campesinos, ingresó en el ejército rojo durante la Primera Guerra Mundial y en 1920 llegó a jefe de Estado Mayor de una división. Demostró notables dotes de estratega, especialmente en la defensa de Crimea (1944), en la victoria de Stalingrado (1943) y en la expulsión de los alemanes de Ucrania. Reconquistó Bulgaria y ocupó la ciudad de Viena.

Toledo

Corel Stock Photo Library

Vista del alcázar de Toledo, España.

Toledo. Ciudad de España, capital de la provincia de su nombre, es nudo entre las comarcas de la Sagra y la Mancha, divididas por el Tajo. Síntesis geológica y geográfica -la ciudad está muy cerca del centro de la Península Ibérica-, Toledo es también una expresión arqueológica en sus fósiles y sus monumentos prehistóricos: cerro del Bu, cuevas del Valle, tumbas prerromanas y posiblemente anteriores a los primeros celtiberos, etcétera. Su reducida población actual (57,769 h) no coincide con el pasado de la ciudad que la leyenda engarza con Hércules. En el camino a Mocejón, pueblo vecino, hay una boca de las famosas cuevas atribuidas al mítico personaje. Históricamente es dos veces milenaria. Tito Livio deja constancia de la renombrada *Toletum*, célebre ya por el temple de sus espadas y cuchillos. Los romanos la sitian dos siglos a. C. Sede central de la iglesia romana desde los primeros tiempos del cristianismo, su primer arzobispo, san Eugenio, sufre en ella el martirio en el año 96. En las postrimerías del emperio romano de occidente, el año 400, se celebra el primero de los concilios toledanos, con asistencia de 19 obispos. Fue centro de la monarquía visigoda, que incluía la Galia Narbonense. Leovigildo instaló en ella la corte. Su hijo y sucesor Recaredo abjuró en Toledo del arrianismo. Los concilios toledanos se celebraron en la primitiva basílica de Santa Leocadia, hoy ermita del Cristo de la Vega, cuya imagen del brazo caído inspiró a José Zorrilla el poema *A buen juez, mejor testigo*. Cuna de las cortes primitivas los concilios toledanos examinaron y criticaron acuerdos reales, establecieron normas religiosas y dictaron

no pocas de orden civil, enriqueciendo los cuerpos jurídicos con sus mandamientos y sus doctrinas.

En julio de 711, derrotado don Rodrigo, último rey visigodo, Tāriq Ben Ziyad se apoderó de Toledo, que hasta el 25 de mayo de 1085 (en que fue reconquistada) constituyó uno de los baluartes de la España musulmana, así como un importante foco de ciencia, arte e industria. Desde Alfonso VI, que trasladó a ella su corte, Toledo es la avanzada de la Reconquista. Una vez ganada Sevilla, Fernando III el Santo dispuso la construcción de la catedral de Toledo como constancia del triunfo de la Cruz sobre la Media Luna. Alfonso X el Sabio reunió en Toledo a los sabios más notables de la época y dio mayor impulso a la actividad cultural de la ciudad, ya conocida en toda Europa por su célebre Escuela de Traductores. Los Reyes Católicos hicieron construir en Toledo el monasterio de San Juan de los Reyes, como testimonio de la unificación civil de sus dominios. Carlos V dejó constancia del imperio en la magnificencia del Alcázar, terminado luego por Felipe II. Toledo registra en su archivo de piedra el pulso creador del arte. Piedras prehistóricas, ruinas romanas, vestigios árabes en mezquitas, artesonados y palacios; sinagogas y edificios románicos, casas musulmanas, telares moros y judíos, templos góticos, expresiones macizas del barroco; mosaicos, columnas, castillos (San Servando es el más próximo a la ciudad y el mejor conservado), murallas, puentes (San Martín al poniente y el viejo de Alcántara por el este) puertas (las dos de Visagra, la de Cambrón, la del Sol), etcétera.

Ceñida casi totalmente por el Tajo y sobre peñascosas colinas, al abrigo de sus cigarrales de égloga y ante su fértil vega, Toledo es síntesis de razas (primitiva, romana, visigótica, árabe, judía e hispánica), de artes y oficios (arquitectura, escultura, pintura, forja, talla, vidriería, cerámica), de religiones y de empeños culturales, literarios y aventureros. Entre sus monumentos notables se destacan: la catedral, el Alcázar, San Juan de los Reyes, Santa María la Blanca, la Sinagoga del Tránsito, Santo Tomé, (con el cuadro del Greco *Entierro del conde de Orgaz*), los puentes y puertas ya citados, los hospitales de Afuera y de la Caridad o de la Santa Cruz, las casas consistoriales, la casa del Greco. En cada uno de ellos el observador encuentra base para tejer un cañamazo artístico, componer un tapiz histórico o reflejar el aguafuerte de una leyenda o una tradición, como las del Niño de la Guardia, del Pozo Amargo, de la Virgen de los Alfileritos, de la Peña de los Enamorados, de la Cabeza del Moro, de los Baños de la Cava, etcétera. Ha sido cuna de santos (Santa Leocadia, san Ildefonso, san Hermenegildo, san Gumersindo), de héroes (Hernán Pérez de Pulgar), de sabios (Alfonso X *el Sabio*, el astrónomo Alí Albucén), de valientes (Juan Padilla el Comunero), de artistas y de hombres de pro en las letras (el infante don Juan Manuel, Rodrigo de Cota, Garcilaso de la Vega, Juan de Mariana, Pedro de Rivadeneyra, el cardenal y regente de las Indias García de Loaysa, Fernando de Rojas, el jurisconsulto Diego Covarrubias, fray Hernando de Talavera, primer arzobispo de Granada, etcétera). En ella reside el Arzobispo Primado de España. Tiene Academia de Infantería, Instituto Nacional, Escuelas Normales y Escuela Central de Gimnasia. Fabricación de armas de temple renombrado y de célebres mazapanes y dulces.

Toledo. Provincia de España, una de las cinco que forman la región llamada Castilla la Mancha. Tiene 15,368 km² de superficie. Limita con las de Ávila, Madrid, Cuenca, Ciudad Real, Badajoz y Cáceres, y cuenta con una población de 487,434 habitantes. Sus ríos principales son el Tajo, uno de los más caudalosos de la península, y su afluente el Alberche. Su suelo está accidentado al sur por los montes de Toledo, al suroeste por la Sierra de Altamira y al norte por la Sierra de San Vicente y otras estribaciones de la de Gredos. En el centro alternan las hermosas vegas del Tajo con la región áspera y cubierta de jarales, denominada La Jara. Su clima es muy frío en invierno y muy caluroso en verano, y las lluvias escasas y mal distribuidas hacen que los ríos, a excepción del Tajo, sean poco caudalosos. Las localidades más importantes de esta provincia son: Toledo, la capital; Talavera de la Reina, Consuegra, Mora, Villacañas, Ocaña, Quintanar de la Orden, Madridejos, Escalona y Puente del Arzobispo. Su economía es esencialmente agropecuaria, y sus productos son olivo, vid, cereales, legumbres, frutas y hortalizas. Entre sus industrias artesanas sobresalen los damasquinados, la cerámica y los azulejos: asimismo son famosos sus mazapanes y su rico azafrán.

Toledo, Francisco de, conde de Oropesa (? -1582).

Militar español, virrey del Perú y organizador de virreinato, que gobernó desde 1569 hasta 1581. Pertenecía al séquito del rey Felipe II. Organizó la administración de Lima y, en 1570, inició un extenso viaje por diversas regiones del virreinato, con el propósito de conocer personalmente la situación en que se hallaba la población bajo su mandato. En colaboración con juristas pasó cinco años recorriendo el territorio peruano, durante los cuales estuvo en Huarochiri, Jauja, Huaramanga (hoy Ayacucho), el Cuzco, Alto Perú, Puno, Chuquisaca y Potosí, lugar éste de una famosa mina de plata. Aquí, el virrey estudió detenidamente el aumento de la industria, mediante el empleo del mercurio, y en Cuzco estudió las relaciones de la población indígena con los funcionarios españoles. A fines de 1575, regresó a Lima. Durante este largo viaje trató de poner término a los abusos que muchos poderosos cometían con los indios, y gravó con fuertes impuestos las fortunas de los españoles enriquecidos en la Colonia. Trabajó intensamente para pacificar el país y puso fin a la rebeldía de los llamados incas de Vilcabamba donde se había refugiado Tupac

Amaru, quien fue vencido y ajusticiado. Pero no se conformó el virrey con su propia obra. Envió visitadores a otras regiones del virreinato para recoger informes fidedignos acerca de cómo vivían los pobladores indígenas y cuáles eran sus relaciones con los funcionarios españoles. Reformó las ordenanzas de los primeros virreyes y dictó un conjunto de nuevas leyes y disposiciones humanitarias. Estas leyes rigieron, casi sin reforma alguna, hasta el final del dominio español en América. Estableció pueblos para que los indígenas vivieran y reglamentó el trabajo llamado de la *mita*, en el sentido de pagar, tanto por parte del Estado como del patrón, una suma determinada al indio que tuviesen a sus órdenes. Hizo confeccionar un amplio y detallado estudio del virreinato con datos geográficos, costumbres indígenas y noticias históricas de importancia, para que sirviese a sus sucesores de orientación en el gobierno de la Colonia. Acusado de malversación de fondos ante el Consejo de Indias por el presidente de la Audiencia de Charcas, en 1581 delegó el mando a Martín de Almanza y regreso a España donde murió un año después.

tolerancia.

Respeto a las ideas de los demás, basado en la consideración debida al ser humano, en la comprensión de la multiplicidad de las ideas y en el mutuo entendimiento. En medicina es la capacidad o aptitud para resistir la administración de un medicamento, bien por la continuidad o por las dosis crecientes del mismo. La tolerancia a los medicamentos cambia con la edad y con las condiciones en que se halla el paciente.

El rio Tajo a su paso por Toledo.

Corel Stock Photo Library

Tolima.

Departamento en el centro de Colombia, entre las cordilleras central y oriental de los Andes. Toma su nombre del famoso volcán homónimo de 5,215 m de altura que se eleva en su límite con el departamento de Caldas. Su capital, Ibagué, está unida por ferrocarril a Bogotá, al puerto fluvial La Dorada por el norte, y a la ciudad de Neiva por el sur. Superficie: 23,562 km². Población: 1.051,852 habitantes. Produce algodón, café, bananos, maíz, tabaco, etcétera. Ganadería. Minas de hulla, oro y cobre. Exportación de oro, café y pieles. Este departamento es muy rico en aguas; los ríos de mayor importancia que lo cruzan son el Magdalena y sus tributarios: el Prado y el Fusagasugá o Sumapaz, el Saldaña y el Coello, cuyo principal afluente es el Combeima. Sus principales ciudades son: Ibagué, la capital, Honda, puerto sobre el río Magdalena, Líbano, Armero, Espinal y Ambalema.

Tolomeo I (367-283 a. C.).

Llamado *Soter* (*Salvador*) y también Lago, por ser hijo del general macedonio del mismo nombre, fue uno de los capitanes favoritos de Alejandro Magno. A la muerte de éste pasó a ser sátrapa de Egipto y de Libia. Fundó la dinastía grecoegipcia de los Lágidas. Se apoderó de Creta y Chipre, venció a Pérdicas en Pelusa (321 a. C.), conquistó Cirenaica y Fenicia y se apoderó de Jerusalén. En el año 307 a. C. perdió parte del imperio y sufrió la derrota naval de Salamina. Gobernante sabio, convirtió a Alejandría en capital de su imperio, el cual llegó a ser centro comercial de la época. Impulsó la enseñanza e introdujo el culto de Serapis. Construyó monumentos, una gran biblioteca que llegó a tener 700,000 manuscritos y el museo, que era una especie de academia donde enseñaban sabios y artistas de la época, entre ellos: Euclides, Aristarco y Eratóstenes. En el año 285 a. C., sintiéndose viejo, abdicó en favor de su tercer hijo, Tolomeo II.

Tolomeo II (309-247 a. C.).

Rey de Egipto, llamado *Filadelfos*, nombre con que deificó a su hermana y esposa Arsinoe II, y que más tarde se le aplicó a él mismo. Hijo de Tolomeo I, sucedió a éste y dominó un territorio extenso que gobernó sabiamente fomentando el comercio, la enseñanza, las ciencias y las artes, y atrayendo a muchos sabios. Hizo abrir el canal proyectado por Nekao para unir los mares Rojo y Mediterráneo por medio del Nilo. Ordenó la traducción griega de la Biblia, conocida por la *Versión de los Setenta* (*Septuaginta*). Ante el aumento del tráfico en Alejandría, hizo construir una torre elevada en la isla de Faros, donde un fuego nocturno iluminaba los canales y el puerto. Esta torre fue una de las siete maravillas del mundo antiguo. Construyó una poderosa flota para comerciar y realizar viajes de estudio. En sus últimos años se hizo adorar como dios.

Tolomeo XII (? -51 a. C.). Rey egipcio, llamado también *Dionisio*. Subió al trono a los 13 años, bajo la tutela de los romanos, compartiendo el mando con su hermana Cleopatra, con la que se casó. Mal aconsejado, expulsó a su hermana del país, pero ella volvió con su protector Julio César. Encarcelado, salió en libertad y se levantó en armas contra César, al que sitió en Alejandría; derrotado, murió ahogado en el Nilo, cuando trataba de huir.

Tolomeo, Claudio (100?-170). Astrónomo, matemático y geógrafo de la antigüedad. Se cree que nació en Tolemaida población helenizada de Egipto. Se sabe que vivió en Alejandría por la mitad del segundo siglo de nuestra era. Sobre las bases dejadas por Hiparco, realizó extensos estudios del mundo celeste, que refundió en el *Almagesto*, obra compuesta de 13 libros, cuyo nombre árabe significa *Lo más grande*. En él establece el movimiento giratorio de los planetas y las estrellas en torno a la Tierra, inmóvil, teoría que llamó geocéntrica, desvirtuada más de 1,300 años más tarde por Nicolás Copérnico. Desde un observatorio ubicado en la cumbre de un templo, relacionó la ciencia astronómica con la matemática y la geografía, tratando por medio de ellas de establecer la inmovilidad de la Tierra. Una de sus contribuciones más importantes a la astronomía, fueron sus investigaciones sobre la irregularidad de las oscilaciones de la Luna en su órbita. Como geógrafo, la obra dejada tuvo fundamental valor histórico y gracias a los mapas incluidos en su *Geografía* pudo Cristóbal Colón intuir y planear, siglos más tarde, su viaje a las Indias. En ese libro señaló las ciudades con sus longitudes y latitudes; aunque inexactas, fueron objeto de consulta por largo tiempo. En general, todos sus conceptos geográficos y astronómicos fueron aceptados hasta fines de la Edad Media. Sus notas sobre astrología las reunió en el *Tetrabiblos*, y en otro libro llamado *Óptica*, varias observaciones sobre física; sus tablas matemáticas y demás estudios han sido grandes auxiliares de la ciencia.

Tolón. Ciudad y puerto de Francia, en el departamento de Var, capital del distrito y de los cantones de su nombre. Está a orillas del Mediterráneo, en el fondo de una profunda bahía; es importante base naval y plaza fuerte con 181,405 habitantes. Tiene industrias metalúrgicas, de construcciones navales, fábricas de jabón, pastas alimenticias y bebidas alcohólicas. Es un centro invernal bastante concurrido. Posee algunos edificios monu-

mentales, como la iglesia de Santa María Mayor y el ayuntamiento. Su fundación data del siglo IV. En su puerto fue hundida la escuadra francesa por su propia tripulación, en 1942, para evitar que cayera en poder de los alemanes.

Tolosa (Toulouse). Ciudad francesa, capital del departamento del Alto Garona, a orillas del río Garona. Famosa por sus juegos florales y por su iglesia de San Sernin, joya románica de Francia. Tiene 523,000 habitantes. Es ciudad de gran importancia mercantil e industrial, centro de próspera región agrícola, con industrias vinícolas y de licores, fundiciones de hierro y cobre y fábricas de maquinaria. Fue plaza fuerte en época de los galos, con anterioridad a la era cristiana, tomada y destruida por los romanos que la reconstruyeron, después fue capital goda, luego la ciudad más importante del reino de Aquitania, y condado con dinastía propia hastar ser incorporada a Francia durante el reinado de Felipe III en el siglo XIII.

Tolsá, Manuel de (1757-1816). Escultor y arquitecto español. Nació en Énguera (Valencia) y murió en México. Fue miembro de mérito de la Academia de Bellas Artes, de Madrid. Se trasladó a México en 1791, con el cargo de director de escultura en la Academia de Bellas Artes de San Carlos. Ejerció gran influencia en el progreso de la arquitectura y la escultura de la Nueva España, y las importantes y bellas obras que realizó le dieron merecida celebridad, al ser considerado como la figura central de la época. Su obra maestra escultórica es la estatua ecuestre de Carlos IV (1746), la primera de grandes dimensiones que se fundió en bronce en América, y popularmente conocida por *El Caballito*, que hoy se halla en la plaza Tolsá, en la capital de México. Esculpió, también, entre otras, las figuras de las *Tres virtudes teologales*, en la fachada de la catedral de México, y varias esculturas para el tabernáculo de la catedral de Puebla. Arquitecto de gusto neoclásico, construyó notables edificios, entre ellos el palacio de Minería (1797-1813), de México.

Tolstoi, Aleksej Nicolaevich (1883-1945). Escritor ruso, pariente lejano del conde León Tolstoi. Salió de su patria en 1917, al producirse la revolución bolchevique. Cinco años después, regresó como simple ciudadano para escribir en favor de la Unión Soviética. Sus primeras obras tenían temas fantásticos: una revolución en Marte *(Aelita)* y la historia de un superhombre mecánico, que trata de dominar al mundo *(La rebelión de las máquinas)*. Logró su mayor fama con una serie de novelas que continúan la tradición realista y psicológica de la literatura rusa. Se desta-

can entre ellas *Pedro el Grande* (1929-1945), quizá su obra más extensa, por la que se le otorgó el Premio Stalin; también es autor del cuento dramático *Ivan el Terrible* (1942-1943).

Tolstoi, León Nikolaevich, conde de (1828-1910). Escritor ruso, considerado como el patriarca de las letras rusas y uno de los más célebres escritores de la literatura universal. La primera etapa de su vida fue muy distinta de su posterior existencia, entregada a la literatura y el amor de su pueblo y de los campesinos. En su juventud, fue audaz, pendenciero, engreído, aristócrata caprichoso de la sociedad zarista. En 1852, en el Cáucaso, se incorporó al ejército como voluntario. Allí escribió su primer cuento: *Infancia* (1852), al que siguieron *Adolescencia* y *Juventud*, publicados en la principal revista literaria rusa de aquellos años, y con ellos comenzó su reputación de escritor. Más tarde, durante la Guerra de Crimea, fue trasladado a Sebastopol; participó en el sitio de esta ciudad, y con sus experiencias en el frente de batalla escribió los relatos de *Sebastopol*, en los que ya deja ver sus características primordiales de novelista. Viajó por los países de Europa occidental, donde hizo observaciones sobre las condiciones de vida de los trabajadores que ya empezaban a interesarle. En 1860 se estableció en sus heredades de la provincia de Tula, en la región central de Rusia. La segunda parte de su vida, la más importante, corresponde a un hermoso proceso moral de arrepentimiento, de mística abstracta, de prédica para elevación de los campesinos, de tutela de los humildes. La abolición de la servidumbre en Rusia, en febrero de 1861, fue como la señal para que acentuase su actividad apostólica. Fue nombrado juez para que

León Tolstoi.

mediara entre los siervos liberados y los propietarios de las inmediaciones de las-naia-Poliana, su lugar natal y residencia de entonces (ahora reliquia nacional rusa); fundó una escuela para campesinos, aplicando en ella sus propias ideas sobre la educación, y publicó un periódico en que las divulgaba. En 1862 contrajo matrimonio con Sofje Andreevne Bers, con la que tuvo 13 hijos. Este segundo periodo de su vida fue el de más importante producción literaria, y en él escribió sus obras maestras: *La guerra y la paz* (6 vols, 1868-1869), *Ana Karenina* (2 vols, 1875-1877 y 1878), y *La sonata de Kreutzer* (1891). Ya en plena celebridad llegó al punto culminante de su crisis moral: renunció a todas sus posesiones y se propuso hacer la vida de los *mujiks* (campesinos), labrando la tierra, vistiendo como ellos y practicando sus costumbres. Sus obras de crítica a la religión *(Iglesia y Estado, Los Evangelios,* etcétera), fueron motivo para que el Santo Sínodo lo excomulgara en 1901. Las fricciones que siempre había tenido con su esposa se acrecentaron en los últimos años de su vida, y a los 82 años huyó de la casa, de noche, y tomó un tren al azar, sin saber a donde se dirigía. De pronto, se sintió indispuesto y lo sorprendió la muerte en casa del jefe de estación del pequeño pueblo de Astapovo. Además de las mencionadas, escribió otras obras entre las que se destacan *Resurrección* (1899), *La muerte de Ivan Ilich* (1886), *El poder de las tinieblas* (1886), *Los dos húsares* (1856), *Amo y siervo* (1895), *Memorias de un loco* (1884), *Los cosacos* (1863), *El padre Sergio* (1898), y *¿Qué es el arte?* (1898). Se le tiene por uno de los más excelentes pintores de la vida, el alma y las costumbres rusas. Desde el punto de vista religioso-moral, sus esfuerzos tendieron hacia un primitivismo cristiano.

toltecas. Tribus de origen nahua que habitaron el México prehispánico y crearon una gran civilización. Se supone que penetraron en México por el norte, varios siglos antes de la era cristiana y que hacia el siglo V a. C., ya se habían establecido en Jalisco. De allí partieron hacia la Mesa Central de México, y desarrollaron el llamado primer periodo de la cultura tolteca. Este periodo tuvo su época de florecimiento y después fue destruido por otras tribus, entre ellas los chichimecas. La cultura tolteca resurgió nuevamente hacia el siglo VIII, en el segundo periodo tolteca que tuvo su mayor esplendor desde ese siglo hasta el XII. En este siglo, cruentas contiendas civiles y guerras religiosas destruyeron el imperio tolteca, que se esparció en distintas direcciones. Una parte de los toltecas pasó a Yucatán e influyó sobre la cultura maya, principalmente de la ciudad de Chichén-Itzá. La influencia de la cultura tolteca se

Mural en las ruinas de Tula, pertenecientes a la cultura tolteca en México.

extendió en gran parte de México, Guatemala, Nicaragua y El Salvador. Su capital fue la ciudad sagrada de Tula (Tollan), gran metrópoli, que ocupó el lugar de la actual Tula de Allende, en el estado mexicano de Hidalgo. Ha dejado admirables vestigios de su desaparecida grandeza, cuya mayor parte se descubrieron y desenterraron después de 1942, entre ellos estatuas colosales, templos, pirámides y palacios. Una de las más célebres leyendas toltecas es la del descubrimiento del pulque (que se obtiene del jugo del maguey), licor que la bella princesa Xóchitl *(flor)* fue a presentar al rey Tecpancaltzin. El rey se enamoró de la princesa, la ocultó en una fortaleza y el hijo que tuvieron ambos, Meconetzin *(hijo del maguey)*, según la profecía, habría de ser el último rey tolteca. Y quiere la tradición que en la batalla final dirigida por el rey Meconetzin, en que sucumbió el imperio tolteca, murieran el rey padre Tecpancaltzin y la princesa Xóchitl, ya convertida en reina, pero culpable de haber llevado a los toltecas el funesto regalo de la bebida embriagante cuyos efectos relajaran las costumbres de la nación y fueron causa principal de la pérdida del imperio.

Toluca de Lerdo. Ciudad mexicana, capital del Estado de México, en la república mexicana. Está situada a 2,680 m de altitud, al pie del volcán Nevado de Toluca, y es la más elevada de las capitales del estado de dicho país. Tiene 154,000 habitantes. La ciudad actual fue fundada en 1533 por los conquistadores españoles, en el lugar de un poblado matlazinca llamado Tollocan. Tiene notables edificios, entre los que se destacan el Palacio de Gobierno,

el de Justicia y el Municipal, y posee hermosas iglesias de la época colonial y bellos jardines públicos.

tolueno. Líquido incoloro de olor similar al del benceno, que es un compuesto de hidrógeno y carbono, sinónimo del metilbenceno. Fue descubierto en 1837 por Pelletier y Walter entre los productos secundarios de la fabricación del gas del alumbrado, y se obtiene asimismo del alquitrán de hulla, del petróleo, de los productos de la destilación seca de gran número de sustancias y de muchos productos naturales. Es soluble en alcohol, éter o benceno, pero no en agua; hierve a los 115 °C, y arde con llama humeante. Reacciona con muchos otros productos químicos y se emplea para preparar varios compuestos del carbono. Para la preparación de TNT se trata con ácidos sulfúrico y nítrico, y se mezcla con ácido sulfúrico para producir sacarina y un antiséptico llamado cloramina T. Se emplea también en la fabricación de materias colorantes, de diversos medicamentos y de materias aromáticas sintéticas, y es disolvente de varias sustancias, entre ellas el yodo, azufre, aceites y resinas.

tomacorriente. Enchufe o conexión intercalado en un circuito eléctrico para permitir la derivación de la corriente. Consta de dos piezas: un zócalo, en el cual se conectan los alambres conductores de la línea principal, y una ficha con clavijas, de la cual parte el cordón flexible de la derivación. Estas clavijas penetran en el zócalo gracias a una funda metálica que los recibe, ajustándose al contacto por simple fric-

Corel Stock Photo Library

Tomates frescos.

ción. Los toma corrientes suelen hallarse protegidos por una tapa, que impide la introducción de algún cuerpo extraño cuando no están en servicio.

tomahawk. Arma de guerra y caza de los indígenas de Aridoamérica. Los tomahawks primitivos eran una especie de maza, con el mango de madera tallada y la cabeza generalmente de piedra, sujeta al mango por medio de cuerdas hechas con tiras de cuero. Al colonizar los europeos el continente americano, éstos fabricaron *tomahawks* con cabeza de hierro en forma de hacha para comerciar con los indios a quienes se los cambiaban por pieles. También se construían *tomahawks pipas*, con el mango hueco, que en la cabeza llevaban, de un lado, el hacha de hierro, y del opuesto el receptáculo para el tabaco. Además de arma ofensiva de guerra y caza, el *tomahawk* era un símbolo importante en las ceremonias de los indios pieles rojas. Al terminar una guerra, enterraban el *tomahawk*, en señal de paz, y lo desenterraban cuando se encontraban nuevamente en pie de guerra para anunciar que se rompían las hostilidades. El *tomahawk pipa* se usaba también en ceremonias de amistad en que los jefes de una tribu fumaban en compañía de los emisarios de otra tribu y mediante ese acto sellaban un pacto de paz y amistad. *Véase* PIPA DE LA PAZ.

tomaína. Compuesto químico relacionado con el amoniaco y de carácter venenoso. Representa el desecho de muchos productos de materia vegetal o animal que entran en descomposición o putrefacción. El investigador italiano Selmi introdujo esta

designación en 1870 para calificar la degeneración de la materia normal. Más adelante los químicos Armand Gautier y Bueger profundizaron en el estudio de esta sustancia compleja. Suele confundirse la acción dañina de las tomaínas con el envenenamiento causado por la ingestión de alimentos en mal estado. Ello es debido a que, a veces, a las perturbaciones producidas por las tomaínas se añade el ataque de microbios patógenos que con sus toxinas (venenos) agravan los efectos nocivos que sufre el organismo. Como hecho excepcional se ha observado que ciertas tomaínas que eran venenosas al ser inyectadas a los animales, dejaban de serlo si eran ingeridas por la vía bucal.

Tomás, santo. Uno de los 12 apóstoles, célebre por la incredulidad que manifestó en la resurrección de Jesús, de la que no quedó convencido hasta haber introducido el dedo en sus llagas. Llamado también *Dídimo*, nació en Galilea de una familia de pescadores. Según la tradición, después de la crucifixión de Cristo fue a predicar el Evangelio a la India, murió martirizado en el monte de Santo Tomás, cerca de Madras, y sus restos fueron trasladados a Edesa. Hay varias obras que, aunque llevan su nombre al frente, son evidentemente apócrifas. La Iglesia católica celebra su fiesta el 3 de diciembre y la ortodoxa el 6 de octubre. *Véase* APÓSTOLES.

Tomás de Aquino, santo (1225-1274). Filósofo y teólogo italiano, uno de los más famosos doctores de la Iglesia Católica. Nació en el castillo de Rocca-Secca, próximo a la ciudad de Aquino (Nápo-

les) y murió en el convento cisterciense de Fosa-Nuova, cuando, convocado expresamente por el papa Gregorio X, se dirigía al Concilio de Lyon. De familia noble, muy niño aún estudió con los monjes benedictinos de Montecassino y luego en la Universidad de Nápoles. En 1243, ingresó en la Orden Dominica, contra la opinión de su familia, y más tarde estudió teología en Colonia, con Alberto Magno, cátedra que ocupó luego en la Universidad de París. En 1257, se recibió de doctor en esta universidad, y a partir de entonces la fama de su saber se extendió por toda Europa. Redactó entonces la *Suma contra los gentiles*, destinada a combatir las doctrinas del filósofo arábigo-español Averroes (1126-1198). Fue llamado a Roma por el Papa Urbano IV, para enseñar teología, y allí escribió *Contra los errores de los griegos*, tratado en defensa de la conciliación entre las iglesias romana y griega, que preconizaba el papa. Después enseñó en Orvieto, Viterbo y Perusa. El Papa Clemente IV le ofreció el obispado de Nápoles, pero él lo rechazó con objeto de tener libertad para escribir. La exuberancia, la oscuridad y el desorden en que se hallaban entonces los conocimientos de la teología escolástica, le hicieron concebir un resumen sustancial, luminoso y metódico, que comprendiera cuanto interesaba al cristianismo, desde la existencia de Dios hasta el más elemental precepto de moral cristiana. De esta idea nació la *Suma teológica*, su obra capital, a la qué consagró los nueve últimos años de su vida. Murió agobiado por la intensidad del trabajo intelectual a que se había sometido. El papa Juan XXII lo canonizó, en 1323, y Pío V lo declaró Doctor de la Iglesia, en 1567. En 1880 fue designado patrono de todas las escuelas cristianas. Se le llama el *Doctor Angélico*. Por la profundidad de su pensamiento y la solidez de sus argumentaciones, Santo Tomás está consagrado entre los grandes filósofos y teólogos de todos los tiempos. Su sistema filosófico, llamado tomismo, es uno de los monumentos más importantes de la Edad Media, tanto por su valor en sí como por la influencia que ha ejercido a través del tiempo.

La filosofía a la que se ha dado el nombre de tomismo, se halla esparcida en todos los escritos de santo Tomás, y muy particularmente en la *Suma teológica* y en los diversos *Comentarios* que escribió a las obras de Aristóteles. Las doctrinas de este filósofo griego eran conocidas en el mundo cristiano a través de las interpretaciones de los tratadistas árabes, en especial de Averroes, y en ellas se veían conceptos peligrosos para la interpretación del dogma católico. Santo Tomás asumió la tarea de forjar una nueva interpretación de Aristóteles, y nadie como él supo penetrar en la esencia del pensamiento de este gran filósofo de la antigüedad. A tal respecto se dijo que si san Agustín hizo cristiano a Platón, santo Tomás bautizó a Aristóteles. El tomismo establece que la razón y la fe no pueden confundirse, pero tampoco se deben contradecir entre sí, pues ambas proceden de Dios. La razón cree en la demostración y la fe cree en la autoridad. Dentro de este sencillo esquema se contiene un vasto mundo de pensamientos, de pruebas basadas en las Sagradas Escrituras y asentadas en la tradición y en la razón teológica. El tomismo tuvo su época de mayor esplendor en los siglos XIV y XV, y luego se recluyó en los claustros. Pero a partir de 1879, año en que León XIII dio a conocer la encíclica *Aéterni Patris*, el tomismo recuperó su lugar en los estudios filosóficos teológicos como modelo de especulación racional y de buen sentido. Una de las ediciones más completas de las obras de santo Tomás, la de París 1872-1880, comprende 34 volúmenes.

Tomás de Kempis. *Véase* KEMPIS, TOMÁS DE.

Tomás Moro, santo. *Véase* MORO, SANTO TOMÁS.

tomate. Fruto carnoso de la planta solanácea llamada tomatera, de color rojo brillante cuando maduro, ingrediente principal de apetitosas salsas, ensaladas, rellenos, sopas y de infinidad de platos que intervienen en nuestra diaria alimentación. El tomate es nativo de América, y basándose en ciertas referencias de publicaciones posteriores al descubrimiento, se sospecha que fue su cuna México, donde se le conoce como *jitomate,* extendiéndose desde allí hacia el sur del continente. Más tarde fue llevado a Europa, donde se cultivó por mucho tiempo en jardines como planta exótica y de adorno, sin tener conocimiento sobre su poder alimenticio y hasta se llegó a creer que era venenoso. En el siglo XIX se propició el cultivo del tomate y se iniciaron experimentos que tendieron a mejorarlo y desarrollar sus cualidades nutritivas. Para llegar a lograr el tomate sabroso de hoy, se necesitaron años de esfuerzos tendientes a aumentar su tamaño y su carnosidad, mejorar su sabor y obtener las diversas variedades existentes. Prospera el tomate en climas bien templados y suelos fértiles, convenientemente abonados. Su cultivo requiere el trasplante, y por esta razón es menester sembrar la semilla en almácigos o semilleros y mantenerla en lugar cerrado o en invernadero. Cuando la plantita alcanza los 15 o 20 cm, se traslada a la huerta, cuidando de dejar una separación de 70 a 80 cm entre cada hilera plantada; allí comenzará su crecimiento, pero a poco el peso del fruto naciente vencerá la débil resistencia de las ramas y el tallo, y será en-

tonces preciso sostenerla, atando cada planta a una estaca o tutor. El tomate se consume fresco o en conserva. En países como Estados Unidos la preparación y enlatado del tomate constituye una de las mayores industrias de productos envasados.

Tomelloso. Ciudad española de la provincia de Ciudad Real, perteneciente al partido judicial de Alcázar de San Juan. Posee una iglesia parroquial del siglo XVI, que ostenta un magnífico retablo de Nuestra Señora de la Paz.

tomillo. Planta perenne, muy aromática, de la familia de las labiadas. Los tallos alcanzan unos 30 cm de altura, y son erguidos, ramificados y de consistencia leñosa. Las hojas, pequeñas, de pecíolos cortos, estrechas, lanceoladas y con el borde revuelto, contienen numerosas glándulas de aceite. Las flores son pequeñas, de color lila rosado, y brotan a lo largo de los tallos. La miel que producen las abejas con el néctar de estas flores tiene un aroma muy agradable. La carne de los animales que comen tomillo es muy sabrosa, lo que ha motivado que desde antiguo se empleen las hojas y tallos de esta planta en condimentos y conservas de carnes, y para preparar aceitunas. Por destilación del aceite de la planta, se obtiene la esencia de tomillo, que contiene abundante timol.

tomografía computarizada. Sistema de exploración del cuerpo humano que utiliza los rayos X, pero de modo que éstos, tras atravesar el cuerpo, no impresionan directamente una placa fotográfica, sino que son recogidos por unos sensores que

Tomillo.

los detectan, los transforman en señales eléctricas y los introducen en un computador, el cual, luego de un complejo análisis elabora una imagen que se hace visible en la pantalla de un tubo de rayos catódicos, de modo que es una imagen de un corte transversal al nivel que se desee. Gracias a la tomografía computarizada, de la que son ejemplos el EMI-scanner CT5005 y el DeltaScan, es posible ver la estructura anatómica del cuerpo de una manera antes inimaginable, como si se cortara al paciente en rebanadas. Por otro lado, la tomografía computarizada ofrece imágenes que por la fuerza con que presenta los contrastes hace innecesario en muchos casos el uso de medios de contraste, obligados en la radiología tradicional.

tomógrafo. Dispositivo que permite obtener radiografías completas de un solo plano profundo del organismo, con exclu-

Tomógrafo.

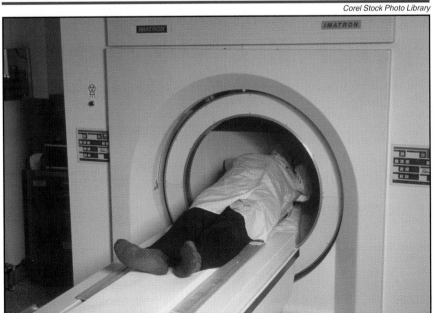

sión de los situados en las posiciones anterior y psterior del objetivo, las imágenes de los demás planos se desplazarán de manera que sean poco nítidas; al ser difusas forman un fondo contra el cual se destacan de manera nítida el plano que corresponde a la inspección. En el tomógrafo propiamente dicho, en lugar de desplazar el anticátodo y la película, se hace girar el objeto mismo en torno a su eje. Haciendo variar el plano de sección, se pueden tomar películas radiográficas a diferentes profundidades, ubicando de ésta manera el nivel de una lesión.

Tomonaga, Sin-itiro (1906-1979). Físico japonés. Estudió en la Universidad de Kyoto y trabajó con Werner Heisenberg en Alemania (1937-1939). En 1941 fue nombrado profesor de física de la Universidad de Ciencias y Literatura de Tokio, que presidió en 1956-1962. En 1943 formuló las expresiones de la electrodinámica cuántica completamente concordantes con la teoría especial de la relatividad, trabajo que no fue conocido en Occidente hasta finalizada la confrontación bélica, aproximadamente en la misma época en que Richard Phillips Feymman y Julian Schwinger obtenían por caminos distintos resultados en esencia idénticos. En 1965 obtuvo el Premio Nobel de Física, que compartió con Feymman y Schwinger.

tonadilla. Pieza teatral de corta duración compuesta de canto y baile. De carácter fundamentalmente popular, las tonadillas estuvieron muy en boga durante el siglo XVIII, hasta el punto que su representación solía ser obligada al comienzo o al final de cada función teatral. Su carácter satírico y picaresco las ha calificado como género que tendía a ridiculizar las costumbres de la época, a determinados personajes públicos.

tonalidad. Organización jerárquica de los sonidos en relación a una nota privilegiada que sirve de referencia: la tónica. Conjunto de colores y tonos. Altura de una vocal en relación con la de las demás vocales. La escala normal de alturas es: u>o>a>e>i.

El sistema tonal, no obstante la opinión de algunos teóricos musicales, no es un sistema natural, sino que se formó progresivamente desde 1600 hasta finales del siglo XIX, y a *posteriori* fue codificado por los teóricos. Las principales características de la tonalidad son la supervivencia de los modos mayor y menor, los únicos que se han cultivado de los antiguos modos eclesiásticos; la concepción de los acordes mayores y menores considerados como una unidad, la importancia decisiva de las cadencias, y las funciones esenciales de los grados mas importantes la tónica, la domi-

Corel Stock Photo Library

Mujer en la isla Tongatapu en Tonga.

nante y la subdominante. En la tonalidad la tónica domina el séptimo grado de la escala, denominado sensible por la atracción que siente por ella. En la segunda mitad del siglo XIX la utilización de las notas cromáticas y el uso cada vez más amplio de los antiguos modos eclesiásticos fueron debilitando el sistema tonal, que en el primer caso llegó hasta la atonalidad, la tonalidad flotante o los cambios de gravitación tonal, y en el segundo alcanzó la llamada tonalidad modal que constituye una ampliación de la tonalidad, ya que además de los ejes tonales se conservan las funciones de enlace de los acordes.

Tonegawa, Susumu (1939-). Biólogo japonés. Graduado por la Universidad de Kyoto en 1963 y doctorado en biología por la Universidad de California en San Diego, fue miembro del Instituto de Inmunología de Basilea de 1971 a 1981, y a partir de esa fecha profesor de biología en el Massachusetts Institute of Technology. En la década de 1960, Tonegawa descubrió el mecanismo genético mediante el que los linfocitos B fabrican anticuerpos específicos para un determinado antígeno. Estos trabajos le valieron la concesión del Premio Nobel de Medicina o Fisiología en 1987.

tonelada. Medida de peso o de capacidad que presenta distintos valores. En el sistema métrico decimal, la tonelada, como medida de peso o ponderal, tiene mil kilogramos. En el comercio internacional, además de la tonelada métrica, se usan otras dos toneladas del sistema ponderal inglés: la tonelada larga de 2,240 libras, que

equivale a 1,016.06 kg; y la tonelada corta de 2,000 libras, igual a 907.20 kilogramos.

tonelaje. Capacidad de carga o de desplazamiento de un buque, expresada en toneladas. Las principales clases de tonelaje, de acuerdo con las disposiciones marítimas que regulan el arqueo de buques, son las siguientes: tonelaje bruto, que es la capacidad total del buque sin deducción alguna; y tonelaje neto o de registro, que se calcula deduciendo del tonelaje bruto los espacios ocupados por las máquinas, tripulación, suministros y accesorios propios del buque, lo que determina la capacidad destinada a carga y a pasaje, que es lo que se considera como tonelaje de registro.

El tonelaje de los buques de guerra se calcula determinando el peso total del agua que desalojan, calculado en toneladas, y se llama tonelaje de desplazamiento.

Uno de los requisitos para que un buque quede habilitado para navegar consiste en el arqueo del mismo hecho por peritos oficiales, quienes determinan el tonelaje de registro, y su resultado, indicado en toneladas, se graba en lugar visible del buque, generalmente en una de las baos principales. Ese tonelaje de registro, oficialmente calculado y certificado, sirve de base para que, durante sus travesías, el buque pague los derechos que le corresponden por estancia en puertos, cruce de canales, servicios de prácticos y pilotos, etcétera.

Tonga o islas de los Amigos. Archipiélago en el sur del océano Pacífico. Geográficamente pertenece a la Polinesia y está formado por 172 islas e islotes, con superficie total de 748 km², situadas al este de las islas Fidji y al sur de las de Samoa. Población 116,000 habitantes. Su forma de gobierno es la monarquía ulitaria. Su capital es Naku'alofa; sus ciudades principales son Neiafu, Haveluloto, Vaini y Tofoa Koloua. Sus lenguas oficiales son el inglés y el tongano. Es miembro de la ONU, del FMI, el Banco Mundial y de la Comisión del Pacífico. Sus principales religiones son la metodista, la católica, la mormona y la iglesia libre de Tonga. Su unidad monetaria es el pa'anga.

Algunas islas son de origen madrepórico y otras de naturaleza volcánica, con algunos conos en erupción. Con frecuencia aparecen islas nuevas, como la de Falcón (1881), o desaparecen otras, como Late y Tofna.

Están divididas en cinco grupos: Tongatapu (63,614 h), Vava'u (15,170 h), Hal'pai (8,979 h) Eua (4,393 h) y Niuas (2,379 h).

Sus naturales son descendientes de los samoanos (polinesios), cultivan en proporciones apreciables: algodón, plátano, coco, batatas, mandioca, agrios, patatas y otras hortalizas, además de la moral (del que confeccionan telas) y una planta pipe-rácea *(Pipermethysticum)* de la cual extraen un licor llamado *kawa* que constituye su bebida predilecta. Exportan principalmente cocos y copra. Son excelentes marineros y tienen fama de construir las mejores canoas de Oceanía.

En 1887, el rey de Tonga suscribió un tratado de amistad con Gran Bretaña, a partir del cual Londres fue integrando progresivamente el archipiélago en el imperio británico; el proceso culminó con la declaración del protectorado británico sobre el reino de Tonga (1900). En 1959, con la concesión de la autonomía interna al archipiélago, se inició el proceso de emancipación política, que se aceleró con el advenimiento al trono de Taufa'ahau Tupou IV (1965). En 1968 se revisó el tratado de amistad de 1887, y en mayo de 1969 se celebraron elecciones generales. Finalmente, en junio de 1970 el reino de Tonga obtuvo la independencia y se convirtió en miembro de la Comunidad Británica de Naciones. El príncipe Fatafehi Tu'ipelehake, hermano del rey, permaneció en el cargo de primer ministro. En 1981 se celebraron elecciones legislativas en donde los tradicionalistas conservadores vencieron en las elecciones legislativas y dominaron la Asamblea.

En 1982, el archipiélago fue desvastado por el ciclón Issac. En 1988, el gobierno firmó un tratado de amistad con Estados Unidos que permitió el libre tránsito de barcos americanos con armas nucleares.

En las elecciones de febrero de 1990, para la renovación de los escaños de la Asamblea reservados a los comunes, los candidatos de tendencia demócrata renovaron su posición de fuerza. El primer ministro Fatafehi Tu'Ipelehake se retiró de la vida política (agosto de1991), sucediéndole en el cargo el baron Vaea, primo del rey. Los demócratas volvieron a obtener seis de los nueve escaños elegibles de la Asamblea en las elecciones de febrero de 1993. El primer partido político de Tonga se fundó al aglutinarse los miembros del Movimiento Prodemocracia en el Partido del Pueblo (agosto de 1994). Los demócratas mantuvieron sus seis escaños en las elecciones de enero de 1996. En mayo de 1996, tras la declaración del fin de las pruebas nucleares francesas en la zona (1995), Tonga anunció su adhesión al tratado de Desnuclearización del Pacífico Sur (tratado de Rarotonga), en vigor desde 1986.

Tonkín o Tonquín.

Antiguo reino asiático que formó parte de la Indochina francesa y que en 1949 fue incorporado al estado de Viet Nam. Limita al norte con las provincias chinas de Yunnan y Kwangsi, al sur con Anam, al este con el Golfo de Tonkín y al oeste con Laos. Superficie: 115,900 kilómetros cuadrados.

Costa de Houma en Tonga.

El país se divide en la zona montañosa del norte, oeste y sur, a la que se llama Alto Tonkín, y la región baja, Tonkín Bajo, que consiste en el delta que forman los brazos y ramificaciones de los grandes ríos Songkoi o Rojo y Song-bo o Negro, al desembocar en el Golfo de Tonkín.

Toda esa fértil región de tierras bajas forma una amplísima llanura que tiene una extensión de 15,000 km^2, casi totalmente cubierta por grandes arrozales, entre bosques de bambúes. El clima es tropical, regulado por los monzones. Su ciudad principal es Hanoi, también capital de la República Socialista de Viet Nam. La agricultura, que siempre constituyó la actividad principal del pueblo, está incrementando actualmente su producción debido a la mecanización de parte de los trabajos. Además de grandes cantidades de arroz produce caña de azúcar, té y tabaco. Importantes yacimientos de carbón y mineral de hierro, y la ayuda de capitales extranjeros, han permitido promover rápidamente las industrias. Notable por su importancia es el complejo siderúrgico de Thai Nguyen. Durante la guerra fue indispensable diseminar las fábricas, a fin de disminuir el efecto de los bombardeos aéreos; esto ha creado numerosos centros de trabajo para los obreros.

Tonkín fue reino independiente hasta 1802; entonces pasó a poder de Anam, y en 1866 formó parte de la Indochina francesa. Ocupado por los japoneses durante la Segunda Guerra Mundial, un movimiento nacionalista formó la Liga del Viet Minh, dominada por los comunistas. Derrotados los japoneses, el Viet Minh entró en lucha con Francia, que reconoció la independencia de Viet Nam y le dio soberanía en 1954. El Convenio de Ginebra de ese año dividió el país a lo largo del paralelo 17. Pero los comunistas estaban decididos a dominar todo el territorio y, no obstante la resistencia de los sudvietnamitas enérgicamente apoyada por tropas y material de guerra de Estados Unidos, consiguieron su objetivo en abril de 1975. Tonkín, que por su posición geográfica estaba dentro de los límites de Viet Nam del Norte, tuvo desde un principio un gobierno estable, y su recuperación ha sido rápida. *Véanse* INDOCHINA; VIET MINH; VIET NAM.

tono. Mayor o menor elevación del sonido. El tono es el punto de partida de toda música. Para producirlo se necesita un cuerpo elástico sometido a una tensión; en virtud de su tendencia natural a convertir ese estado de tensión en otro de reposo, el cuerpo da origen a vibraciones. Éstas son movimientos de naturaleza pendular, vale decir, que pasan desde un punto de excitación máxima a otro opuesto, para volver luego al primero recorriendo una trayectoria de sentido inverso. La distancia entre el punto más alto y el estado de reposo (equivalente a la posición vertical del péndulo) se llama amplitud. El número de oscilaciones que el cuerpo realiza en un segundo recibe el nombre de frecuencia. Ahora bien: cuanto mayor sea la frecuencia, tanto más alto será el tono percibido.

Por otra parte, la intensidad del tono queda determinada por dos factores: la magnitud de la amplitud y la masa del cuerpo oscilante. Si representamos sobre un papel la onda de vibración acústica, la misma podrá tener forma regular o irregular; en el primer caso representará un sonido y en el segundo expresará un ruido.

Todo sonido consta de un tono fundamental y de una serie de sonidos secundarios, llamados armónicos, que casi nunca pueden ser percibidos por el oído humano como tonos independientes, sino que se funden con el tono básico, dando origen al colorido sonoro. Para determinar con exactitud el tono musical, se creó el diapasón, aparato que emite la nota *la*, cuya frecuencia es de 435 oscilaciones por segundo. Gracias al diapasón, es posible afinar con exactitud los diversos instrumentos musicales.

El tono puede originarse en un cuerpo sólido (una placa, una cuerda, un parche, etcétera) o no sólido (el aire dentro de un tubo). Cuando una onda sonora penetra en el ámbito cuya frecuencia propia sea igual o muy semejante, el cuerpo comienza a vibrar, reforzando el tono recibido y dando origen al fenómeno llamado resonancia; por tal razón, cuando se desea amplificar el sonido se constituyen cajas de resonancia, cuya frecuencia o altura es igual a la del tono recibido: cajas pequeñas para el violín, cuyo tono es agudo, y grandes para el contrabajo, de tonos graves. *Véanse* INTENSIDAD; MÚSICA; SONIDO.

tonsila. *Véase* AMÍGDALAS Y AMIGDALITIS.

tonsura. Distintivo capilar que ostentan los sacerdotes de la Iglesia católica, sea cual fuere su grado y jerarquía. También, ceremonia preparatoria al ingreso en las órdenes menores, consistente en cortar al aspirante un mechón de cabellos. La tonsura implica un corte especial del pelo de la cabeza, de modo que éste quede rapado más de lo ordinario, costumbre que parece tener su origen en las palabras con que el apóstol san Pedro ordenó que los clérigos se tonsurasen en prueba de humildad. Pero luego, y sin que se sepa exactamente la fecha, comenzó a generalizarse la corona, o rasurado de un pequeño círculo que deja al descubierto la piel del occipucio.

La tonsura se confiere mediante un rito apropiado y todos aquellos que la ostentan quedan obligados, además de usar el hábito eclesiástico, a cuidarla, haciéndose cortar y afeitar cada mes, como máximo, el cabello que crezca en esa parte del cráneo. Para recibirla, es imprescindible haber sido bautizado. Con el simbolismo de la tonsura quiere recordarse el desprecio que el hombre consagrado a los menesteres del culto divino debe sentir por las glorias terrenas.

topacio. Piedra preciosa que se compone de fluosilicato de aluminio del grupo

Corel Stock Photo Library

Topacio azul.

de los nesosilicatos. Es de bello aspecto, transparente y cristaliza en el sistema ortorrómbico. La gama del amarillo y el azul son sus tonos de color más comunes, pero algunas veces se extraen topacios blancos, verdes y rosados. Su color más apreciado en joyería es el amarillo, cuyo valor varía de acuerdo con su belleza, intensidad y brillantez. Son muy estimados los topacios procedentes de Birmania, Sri Lanka, Siberia, Urales y Alemania. En América se encuentran topacios valiosos, principalmente en Brasil, en México y Estados Unidos. Con frecuencia se da el nombre de topacio a variedades de color amarillo de cuarzo, zafiro y amatista. El topacio azul, a su vez, suele venderse como aguamarina. Comercialmente, se conocen los topacios con distintos nombres: oriental, occidental, brasileño, de la India, ahumado, azul, de Salamanca y quemado o tostado. *Véase* PIEDRAS PRECIOSAS.

Töpffer, Rodolf (1799-1846). Escritor suizo de lengua francesa, de fino y elegante humorismo. Hijo de pintor, desde niño se dedicó a esa especialidad, y luego, al inclinarse a las letras, aplicó sus conocimientos de dibujo para ilustrar sus obras. Obtuvo notable renombre con su obra *La biblioteca de mi tío* (1832). Escribió, además, *El presbiterio* y *Viajes en zig zag*.

topo. Mamífero insectívoro de la familia de los tálpidos. El cuerpo rechoncho, casi cilíndrico, mide en las especies mayores unos 15 cm y está unido a la cabeza por un cuello fuerte y muy corto; el hocico prolongado y movible a manera de trompa, facilita la penetración de la cabeza cónica en la tierra poco compacta. Los ojos están casi ocultos por el pelo o recubiertos por una fina capa de piel transparente, lo que justifica la creencia popular de que son ciegos; los oídos no tienen pabellón externo, pero son muy sensibles, y capaces de percibir lejanos rumores subterráneos. Las patas anteriores, muy cortas y fuertes, con las palmas hacia fuera y en forma de palas,

están armadas de cinco grandes uñas que le sirven para cavar las galerías en que vive; las patas posteriores son más pequeñas. Todo el cuerpo está protegido de la humedad y de las partículas de tierra por un finísimo pelo, negro o gris oscuro, corto y muy tupido, lustroso como el terciopelo.

La piel de este animal es muy apreciada en peletería. Durante la mayor parte de su vida cava largas galerías con sus patas anteriores; frecuentemente trabaja a flor de tierra, y los túneles forman unas prominencias que delatan su presencia. Cuando las galerías son más profundas, lanza la tierra por unos respiraderos verticales sirviéndose de su cabeza a manera de pala. Su madriguera se compone de dos galerías circulares concéntricas, unidas entre sí por túneles radiales, construidos generalmente a escasa profundidad. El montículo semiesférico que forma esta construcción es conocido con el nombre de fortaleza del topo. A veces tapizan su nido con musgo, hojas secas y hierbas.

Hay algunas especies que eligen para emplazar la madriguera zonas protegidas por arbustos espinosos o bajo grandes piedras. El topo es animal insectívoro que se alimenta generalmente de larvas de escarabajos y de lombrices de tierra. Para buscar este alimento cava largas galerías guiado por su olfato y por su oído. También realiza cacerías en la superficie de la tierra, principalmente en las noches de verano, y persigue, con insospechada rapidez, insectos, arañas, ratones, ranas, y cuanto encuentra a su paso. La enorme cantidad de energía que el topo consume en su trabajo de minador le exige una abundante alimentación; así llega hasta consumir en algunos días un peso en alimentos tres veces superior al de su cuerpo. Cuando su caza es muy abundante la almacena en un lugar especial de su madriguera, como reserva para los días de escasez.

Salvo en la época del celo, viven aislados, y si algún topo entra en los dominios de otro se entabla una lucha, que termina con la muerte de uno de ellos. Cría generalmente de 4 a 6 hijos por camada. Estos animales nacen ciegos y sin pelo, y llegan al estado adulto al cabo de un año. El campesino considera al topo perjudicial para la agricultura, pues sus galerías dañan las raíces de algunas plantas y además consumen gran cantidad de lombrices de tierra. No obstante, estos daños están ampliamente compensados por la destrucción de numerosos insectos nocivos que son su alimento. Los labradores los persiguen, cazándolos con trampas, inundando sus madrigueras, etcétera. Además del topo común existen otras especies. El topo estrellado recibe este nombre por una serie de apéndices radiales que tiene en la trompa. La piel del topo de África es de un hermoso color dorado; sus patas anteriores terminan en forma de muñones, con uñas grandes y puntiagudas.

topografía. Arte de describir y delinear detalladamente la superficie de un terreno. Los orígenes de la topografía son muy remotos, pudiendo hallarse antecedentes de ella en los mapas o cartas geográficas atribuidas a Anaximandro de Grecia. El gnomon, aparato empleado en las mediciones astronómicas, conocido de los chinos y de los hebreos (Ezequiel hace referencia al mismo), así como de los propios griegos, cuyo uso les fue transmitido por los caldeos, fue empleado por primera vez en topografía, gracias a Eratóstenes, de la Escuela de Alejandría, quien ideó convertir en plana su graduación, para poder ser aplicada a este objeto. Existen muchos trabajos topográficos pertenecientes a esas épocas (en los pórticos de Roma se conservaba pintado un mapa del mundo entero), pero todos se caracterizaban por su falta de exactitud. Tolomeo cometió errores de dos o más grados al diseñar sus cartas, debidos, entre otras circunstancias, a que la mayoría de los datos en los que se basaba, los obtenía de narraciones de viajeros y marinos, en los que había más imaginación que realidad. Aun cuando se atribuye al infante Enrique de Portugal la invención de las cartas planas, mucho antes, los catalanes empleaban ya ese sistema, como se demuestra en los ejemplares hallados en la isla de Mallorca, en la que Jaime I hizo fundar una escuela de matemáticas, al conquistarla de la dominación árabe. Después de los descubrimientos de Galileo Galilei, la topografía comienza a progresar realmente y los trabajos de Riccioli, Cellari, D'Auville, Gian Domenico Cassini, entre otros, que se inician en el siglo XVII, la conducen a su actual perfección.

La topografía comprende dos partes fundamentales, a saber: la planimetría, o sea la transcripción a un plano, con arreglo a escala, de los lugares observados, y la nivelación, expresando las alturas y depresiones que éstos ofrecen. Su regla general se basa en proceder siempre de lo grande a lo pequeño, empleando la triangulación, que consiste en cubrir el terreno con una red de triángulos imaginarios de vértices estables y cuyos lados tengan varios kilómetros de longitud. Los aparatos empleados más usualmente son los jalones, o barras de madera de 2 m aproximadamente de altura y terminados en puntas aceradas, para poder clavarlos en el suelo, divididos en dobles decímetros; la cadena, de la cual pende, de distancia en distancia, una placa indicadora de la longitud empleada; las cintas métricas de metal o tela barnizada, arrolladas en un estuche; los renglones o piezas escuadradas de madera provistas de nivel de burbuja; la escuadra, construida en latón en forma de cilin-

dro octagonal, con ranuras y prismas o espejos; y, sobre todo, los goniómetros o teodolitos, consistentes en un juego de lentes montados sobre escalas graduadas, que giran con tornillos de precisión, y provistos de niveles y plomadas, instalándose el todo sobre un trípode. La topografía ofrece numerosas aplicaciones, tales como la construcción de mapas y cartas geográficas, levantamiento de planos para el trazado de ferrocarriles y caminos, construcción de puentes, aprovechamiento de saltos de agua, etcétera.

topología. Esta ciencia es parte de las matemáticas que se dedica al estudio de las propiedades que permanecen invariantes por las deformaciones continuas.

La topología se basa en que, al operar sobre un cuerpo o superficie geométrica determinadas transformaciones, tiene lugar una deformación gradual continua, sin desgarramientos ni soldaduras. Tales transformaciones son correspondencias biunívocas y bicontinuas. Mediante una de ellas puede transformarse, por ejemplo, la superficie esférica de un cubo, mientras que la superficie de un anillo no se puede transformar en esfera. Se dice entonces que la superficie esférica y el cubo son topológicamente equivalentes. Las propiedades que se conservan en una transformación de este tipo se denominan invariantes topológicas.

La topología es una de las ramas de las matemáticas de origen comparativamente más reciente y su enorme desarrollo en el curso del siglo XX ha permitido asentar el análisis clásico sobre nuevas bases dando a los teoremas tradicionales

mayor generalidad y rigor, y simplificando al mismo tiempo la mayoría de las demostraciones al permitir poner de manifiesto elementos más esenciales.

Tor. Dios de la mitología escandinava, hijo de Odín y de Jörd, padre de Magni (Fuerza), Nodi (Valor) y Thurd (Vigor), encarnación del trueno, destructor de los malos espíritus y protector de los campesinos. Su aspecto era imponente; de larga barba roja, como sus cabellos, y gesto adusto; su ira, fácil de provocar, y su terrible fuerza lo hacían muy temido. El inmenso palacio donde en el cielo moraba estaba en continuo festejo, lleno de algarabía y profusamente iluminado en honor de los guerreros muertos en combate. Le gustaba volar en su carro de bronce conducido por dos machos cabríos, que, al hundir sus pezuñas en las nubes, producían chispas. La trepidación de las ruedas del carro, daba origen a los truenos. Tor blandía un martillo candente que lanzaba rayos. Este martillo mágico volvía a sus manos cada vez que lo arrojaba, y fue hecho y obsequiado al dios por los enanos, lo mismo que los guantes de hierro para sostenerlo y un cinturón mágico que duplicaba la fuerza de quien lo usara.

Torah. El término hebreo Torah (instrucción) designa al conjunto de libros doctrinarios judíos que están contenidos en el Viejo Testamento, en el *Talmud* y en otros comentarios rabínicos. Originalmente significaba la instrucción oral de los sacerdotes sobre asuntos rituales, morales y legales. Sin embargo, paulatinamente comenzó a aplicarse sólo a las leyes mosaicas

Topógrafo realizando mediciones para una autopista.

Torah

contenidas en los primeros cinco libros de la Biblia *(Génesis, Éxodo, Levítico, Números* y *Deuteronomio.* Es decir, el *Pentateuco.* Los rollos de la Torah se conservan en el arca de cada sinagoga; su lectura es momento central del culto.

tórax. Pecho del hombre y de los animales vertebrados. En el hombre presenta una cavidad que ocupa la parte superior del tronco, entre el cuello y el abdomen, que está limitado por las vértebras dorsales en su cara posterior, las costillas a los lados y el esternón delante. Un tabique muscular, el diafragma, cubre su parte inferior; por arriba se comunica con el cuello. Músculos y piel rodean la superficie exterior. El tórax contiene las pleuras, pulmones, esófago y corazón, con una amplia red de vasos sanguíneos y nervios.

torbellino. *Véase* VIENTO.

torcedura. Lesión en una articulación con distensión o desgarradura de los ligamentos, pero sin dislocación ni fractura óseas. Se conoce también con los nombres de relajación y esguince. Las articulaciones afectadas con más frecuencia son las del codo, muñeca, rodilla y tobillo, que, al torcerse de un modo anormal, debido a un movimiento torpe o a una caída, originan un estiramiento en la región tendinosa con dolor e hinchazón, por extravasación sanguínea o derrame seroso.

Tordesillas, Tratado de. Acuerdo trascendental, celebrado el 7 de junio de 1494, entre España y Portugal, por el que ambos países se repartían las tierras descubiertas o que pudiesen descubrir como resultado de sus empresas marítimas respectivas. Cuando se iniciaron, en la primera mitad del siglo XV, los viajes de exploración por el Atlántico, Portugal y Castilla se sintieron rivales, pues ambos aspiraban a expansionarse por esa parte del mundo. La conquista de Ceuta, que los portugueses llevaron a cabo en 1415, mostraba claramente el propósito de éstos de establecer una especie de monopolio comercial, reservándose el derecho de navegar hacia Guinea y más allá. Esta intención fue sancionada por la bula de Nicolás V (1454), que otorgaba a Portugal las costas africanas desde los cabos de Nun y Bojador; y ampliada por la bula *Inter coetera* (1456) de Calixto III, que reservaba a dicho reino el monopolio comercial y la ruta *usque ad Indos.* No obstante, los Reyes Católicos, en guerra con Portugal, protegieron a los marinos andaluces que se aventuraban a ir a Guinea, hasta que por el tratado de Alcaçobas (1479) –primer convenio de reparto del océano– España renunció a todo derecho sobre las costas de África y a la navegación por el Atlántico *de las islas*

Corel Stock Photo Library
Tordo sobre una roca.

Canarias para abaxo. Las bulas y el tratado citados, ratificados por el papa Sixto IV (1481), reservaban a Portugal la exclusiva de la navegación al sur del paralelo de las Canarias y cerraba a España toda expansión atlántica. Fernando e Isabel respetaron esta situación hasta los viajes de Cristóbal Colón, pero en las Capitulaciones mostraron va su intención de romper las trabas de Alcaçobas proclamándose *señores de los mares y océanos.* No es de extrañar que el conflicto con Portugal resurgiera. El rey portugués Juan II afirmó que lo descubierto por Colón le pertenecía o, por lo menos, todo aquello que se hallara al sur de la latitud de las islas Canarias. Los reyes españoles acudieron al papa Alejandro VI –un Borgia de Valencia– para que les asegurase contra Portugal las nuevas tierras, cosa que consiguieron con las *bulas alejandrinas,* que modificaron la situación existente, mermando los derechos portugueses. Así, la bula *Inter coetera I* concedía a España todo lo descubierto; pero, el peligro de un conflicto armado obligó a una rectificación de la bula anterior por medio de la *Inter coetera II,* que limitaba los derechos de España a los territorios situados al oeste de una línea de demarcación trazada de polo a polo 100 leguas al oeste de las islas Azores y de Cabo Verde. Por último, la bula *Dudum siquidem* anuló el monopolio portugués en las Indias y regiones ecuatoriales. La pérdida de su exclusiva disgustó a Juan II, quien, amenazando con la ruptura, incitó a los españoles a entablar nuevas negociaciones, que tuvieron lugar en la histórica ciudad vallisoletana de Tordesillas. Los representantes de ambos reinos peninsulares llegaron a un acuerdo y establecieron una nueva línea a 370 leguas al oeste de las islas de Cabo Verde. Los territorios situados al oeste de la nueva línea de demarcación correspondían a España y los

del este a Portugal. El Tratado de Tordesillas fue confirmado por el papa Julio II. Sin embargo, no acabaron las divergencias, pues para los portugueses la línea de demarcación pasaba por la isla más occidental de las del Cabo Verde –San Antón– y para los españoles por la más oriental Buena Vista. La prolongación de la línea en el hemisferio opuesto –antimeridiano– también dio lugar a discusiones y conflictos. En 1524, los mejores cartógrafos de Carlos I intentaron, en las negociaciones celebradas en Badajoz y Elvas, aclarar definitivamente el problema de la línea de demarcación. Aunque no se llegó a un acuerdo, el emperador consintió por el tratado de Zaragoza (1529) en correr la línea 17° al oeste, reduciendo el hemisferio español. En el siglo XVIII, las extralimitaciones de los portugueses en América dieron lugar a nuevas polémicas, que terminaron con el Tratado de Límites de 1750, ratificado por los de San Ildefonso (1777) y El Pardo (1778), que anuló la vigencia de la línea de demarcación.

tordo. Nombre bajo el que se agrupan varias especies de pájaros de la familia de los túrdidos, de mediano tamaño y plumaje de colores muy variados. Viven en todas las partes del mundo. El más característico del grupo, el tordo común, tiene cuerpo robusto, de unos 22 cm de largo y 35 de envergadura. El pico es delgado y el plumaje gris verdoso en el dorso, con el vientre blanco amarillento, salpicado de manchas oscuras. Las patas son de color carne. Se alimenta de babosas, insectos, ciempiés, que busca por el suelo, mientras corre rápidamente de un lado a otro. Excelente cantor, sus trinos son sostenidos y agradables e imitan frecuentemente el canto de otros pájaros. Vive en los bosques y anida en los árboles a mediana altura. Construye el nido con ramitas, fibras, musgos trenzados y reviste el interior con barro amasado con su propia saliva. Realiza dos puestas al año, de tres a cinco huevos, de un color azul verdoso; al final de la segunda cría emigra para pasar el invierno en climas más cálidos. En algunas regiones se ven tordos durante todo el año, debido a que las especies que se van después de la cría, son sustituidas por otras, que vienen de regiones más frías.

torero. *Véase* TAUROMAQUIA.

Toribio, Antonio (1931-). Escultor y pintor nacido en Villa Trinidad, República Dominicana. Realizó sus estudios de artes plásticas en la Escuela Nacional de Bellas Artes, en Santo Domingo. Debutó como pintor exponiendo en el Estudio Ledesma, en dicha capital. Su fama, sin embargo, es de escultor. En 1959 pasó a residir en New York , donde realizó una exposición individual en la galería Fulton. Se dedicó por un tiempo a estudiar las artes indígenas de su patria. Esa influencia se destacaría visiblemente en sus producciones posteriores. Sus esculturas, talladas en madera o modeladas en hierro, son de una refrescante originalidad.

torio. Elemento químico el segundo de la segunda serie de metales de transición interna (actínidos) de la tabla periódica de los elementos. Radioactivo. Su símbolo es Th, su número atómico es 90, su masa atómica es 232.0381, se funde a 1,750 °C y su densidad es de 11.78. Metal de color gris oscuro, de aspecto similar al platino, dúctil, algo maleable, magnético y radiactivo. Si se le bombardea con partículas atómicas sin carga eléctrica (neutrones) se transforma en uranio 233, que tiene numerosas aplicaciones en la investigación atómica. Su adición al vidrio aumenta el índice de refracción de éste, con bajo poder de dispersión, por lo que se emplea en la fabricación de lentes de calidad. El material incandescente de ciertas lámparas de gas está fabricado, en parte, con nitrato de torio, sal cristalina soluble en agua, pero que en combustión se transforma en óxidos. El torio no se encuentra en estado puro, sino en ciertos compuestos minerales, como monacita y torita. Entre los depósitos más importantes de estos minerales figuran los de Brasil, la India, Estados Unidos, Australia e Indonesia. El torio es un elemento químico, cuyo símbolo es Th, y sus constantes físicas son las siguientes, peso atómico 232.12, número atómico 90 se funde a 1,845 °C y su densidad es de 11.3. El torio fue descubierto por Jöns Jacob Berzelius en 1828.

tormenta. Perturbación atmosférica acompañada de fenómenos eléctricos, nubes tempestuosas, vientos violentos y condensación brusca (lluvia) que, en determinadas condiciones, llega a la solidez (granizo).

Se clasifican en tormentas de carácter local, denominadas de calor, que son inmóviles o avanzan a una velocidad relativa-

Tormenta en la costa de Hyde, Inglaterra.

Tormenta eléctrica sobre una ciudad.

mente reducida; y tempestades ciclónicas o de depresión, que se producen en el área de aire frío y se desplazan con rapidez, alcanzando 30 y hasta 50 km/hr. Las primeras se presentan cuando se dan las circunstancias locales siguientes: cierto gradiente barométrico, gran humedad específica, temperatura elevada en las. proximidades del suelo, calma y convección diurna. Los cúmulonimbos que entonces se forman se convierten en foco de descargas eléctricas (rayos y relámpagos) con precipitaciones de granizo o lluvia.

Se suelen manifestar en las horas más calurosas y durar poco. Por ser indispensable para su producción un marcado gradiente térmico, son frecuentes en los países montañosos y desconocidas en los desiertos y regiones polares. Las del lago de Maracaibo (Venezuela), originadas por el contraste entre la temperatura del agua, que guarda el calor durante la noche, y la de las cumbres andinas, que se enfrían por intensa irradiación nocturna, pueden citarse como ejemplo.

Las tormentas de frente frío, o sea las verdaderas tempestades, muestran una barrera de nubes que avanzan por el empuje de una masa fría. Su causa parece ser el incremento de la condensación, debido a la humedad existente y al oscurecimiento anormal producido por el gran espesor de las nubes. Se promueven, pues, cuando la presión barométrica ha alcanzado su nivel mínimo y comienza a subir, mientras la temperatura inicia el descenso. Su preparación es lenta y gradual.

Todas las tormentas ponen de relieve la influencia de la electricidad en los fenómenos atmosféricos y la importancia enorme de las diferencias de potencial que se engendran en el globo. Se da el nombre de

tormentas magnéticas a las perturbaciones extensas del campo magnético de la Tierra, acompañadas a menudo de auroras boreales y de corrientes terrestres que pueden interferir las comunicaciones eléctricas. Se ha comprobado la correlación entre la aparición de las manchas solares y estas tormentas. *Véase* METEOROLOGÍA.

tormento y tortura. El tormento es la práctica consistente en infligir a alguna persona, que se supone culpable de algún hecho punible o en posesión de un secreto que se quiere conocer, un dolor físico (tortura) hasta lograr obtener la confesión. El uso del tormento, que es muy antiguo, formó parte del procedimiento judicial denominado inquisitivo, que consistía en someter al sospechoso de un delito a la acción del dolor físico para obligarlo a confesar. Los griegos aplicaban la tortura a los esclavos cuando necesitaban su testimonio, para que no fuesen testigos en las mismas condiciones que sus señores, que prestaban juramento. También lo aplicaban a los condenados, aún después de haberse dictado la sentencia, con el propósito de obtener de ellos la delación de los posibles cómplices. Los romanos limitaron, en principio, el tormento a los esclavos y gladiadores, pero más tarde lo hicieron extensivo a todos los ciudadanos del imperio sin distinción de condición ni jerarquía, sobre todo en delitos de traición a la patria.

Una de las formas más corrientes de dar tormento era la del potro, instrumento que, mediante una combinación de cuerdas y tornillos, provocaba la dislocación de las extremidades del atormentado. Muchos de los primeros cristianos sufrieron este suplicio, al que se sometía también a los ladrones y adúlteros. Las leyes de los pueblos germánicos que invadieron Roma no hacen mención del tormento, lo que permite suponer que los bárbaros no lo empleaban contra los hombres libres. No se estableció en Alemania la tortura hasta algunos siglos después del cristianismo. En Inglaterra se empleó desde los primeros tiempos para hacer confesar a los reos. Durante el reinado de Enrique IV, se usó un anillo de hierro dividido en dos partes unidas por un gozne. El torturado, que debía encogerse hasta penetrar por la estrecha circunferencia articulada, quedaba encorvado y arrodillado. Entonces sucesivas presiones lo iban apretando hasta juntar sobre los hombros del reo sus manos y sus pies.

El suplicio llamado del fuego se practicaba en los Países Bajos de muchos modos: quemaban al acusado lentamente los pies, le ponia velas encendidas en los dedos (a veces mechas azufradas), etcétera. Para hacer la piel más combustible acostumbraban a embadurnarla con grasa. En Rusia, el torturado era atado a una barra de hierro, que sostenida por dos verdugos era aproximada al fuego, mientras se procedía al interrogatorio, asándose la espalda del acusado. Sin embargo, el tormento más usado en este último país era el del *knut*, que consistía en un látigo compuesto de varias tiras de cuero muy duro con los lados cortantes. Los verdugos tenían tanta habilidad que no pegaban dos veces en el mismo sitio y a cada golpe arrancaban un pedazo de piel.

La flagelación, es decir, el suplicio de azotes, se ha usado desde los tiempos más remotos como tormento, castigo, penitencia o purificación. Suele emplearse también como procedimiento terapéutico y como medio de alcanzar la excitación máxima necesaria en ciertas prácticas religiosas o mágicas. En las iniciaciones religiosas que se celebraban en los pueblos antiguos solía servir como medio de purificación. Los cristianos la usaron desde los tiempos más remotos como penitencia corporal y por imitar a Cristo y a los apóstoles azotados. Más tarde los monjes la emplearon como sanción de las transgresiones a la disciplina monacal. De aquí que el instrumento *flagellum* fuera denominado disciplina. La flagelación como castigo consistía en un número de golpes, en relación con la intensidad de la pena, dados con un látigo, una vara u otro instrumento por un verdugo en lugar generalmente público. El poste o la columna en que se ataba al reo para flagelarlo se hallaba muchas veces en el foro o en la plaza pública.

El tormento de la garrucha consistía en atar al reo a una cuerda que pasaba por la estría de una polea y suspenderlo en vilo con los brazos acodados detrás de la espalda. Para acentuar los dolores tiraban de él o le añadían un peso a los pies. El suplicio

de toca se reducía a hacer beber al reo gran cantidad de agua mezclada con tiras de gasa hasta provocarle náuseas y desvanecimientos. En Marruecos se empleaba un aro de metal con púas interiores que se aplicaba sobre la cabeza del acusado y se le apretaba hasta hacer penetrar las puntas en la carne. En Francia se comprimían los dedos del acusado con una prensa o unas tenazas, o se le echaba aceite hirviendo en los pies. En Turquía se introducían clavos a golpe de martillo en las rodillas del acusado, así como astillas de madera o caña bajo las uñas.

Cada país tenía aparatos propios para la aplicación de torturas y cada una de estas máquinas poseía un nombre especial. A fines del siglo XVII y durante el siglo XVIII el tormento fue paulatinamente abolido en las legislaciones. Sin embargo, aún hoy la policía de muchos países utiliza en secreto tales procedimientos. Aparte del carácter esencialmente inhumano y brutal que la tortura encierra, la experiencia demuestra su falta de capacidad para lograr el fin que se propone. Muchos de los torturados confiesan delitos que no cometieron para librarse del dolor de los tormentos y los culpables se resisten, a veces, a la confesión.

tornado. *Véase* VIENTO.

tornasol. Materia colorante de tonalidad azul violácea. Proviene de la fermentación de algunos líquenes parmeliáceos. Su tintura se usa como reactivo químico para identificar los ácidos. El tornasol adquiere color rojo en cuanto entra en contacto con cualquier ácido.

torneo. *Véase* JUSTAS Y TORNEOS.

tornillo. *Véase* TUERCA.

torniquete. Dispositivo que transforma la dirección de las fuerzas que recibe, por hallarse montado sobre un pivote o eje en

Toro en el campo.

Nova Development

el que aquellas actúan por compensación o concurrencia. Existen muchos tipos diferentes y rara es la máquinaria que no tenga alguno de ellos. El más sencillo es el empleado para comunicar el movimiento del tirador a la campanilla como, por ejemplo, el usado en algunos vehículos de servicio público para transmitir al conductor las señales de parada y arranque. Es una pieza angular, a veces en forma de escuadra, que gira sobre su vértice; al tirar del cordón suspendido de una de sus ramas, la otra atrae otro cordón sujeto a la campanilla de alarma. El torniquete hidráulico, como el de vapor, funciona por el escape del líquido o fluido, a presión, por dos tubos acodados en dirección diametralmente opuesta; y el eléctrico, por la repulsión que las electricidades de distinto signo ejercen sobre sus puntas, dispuestas como los tubos anteriores. Se denominan asimismo torniquetes, cierto género de puertas, en forma de cruz horizontal, que impiden el paso de más de una persona. Se aplican torniquetes en los miembros, en casos de herida, para oprimir los vasos sanguíneos y contener la hemorragia.

torno. Máquina que consiste en un dispositivo que puede hacer girar a distintas velocidades un eje o plataforma (mandril), en la cual se coloca el objeto que debe ser trabajado y sobre cuya superficie va apoyada la herramienta que lo va labrando uniformemente, hasta darle la forma deseada. Conocido desde muy antiguo (en el siglo I a. C., Vitrubio hace ya mención de los tornos empleados para fabricar émbolos de bomba), se emplea en toda clase de industrias (alfarería, tornillería, piezas de maquinaria, maderería, etcétera). Hay una infinidad de tipos y modelos (revólver, automático, de cilindrar, verticales, etcétera), pues su concepción obedece al uso a que especialmente se le destina. Los primitivos funcionaban a mano, pero los modernos están provistos de un motor eléctrico, que forma parte de la máquina, la cual va montada sobre un sólido banco de hierro, en el que se hallan dispuestas las distintas piezas. La circunstancia que distingue al torno de la generalidad de las máquinas es que en él gira la pieza y permanece quieta la herramienta, a diferencia de lo que sucede, por ejemplo, con las taladradoras, sierras de cinta, pulidoras, etcétera.

toro. Mamífero rumiante de la familia de los bóvidos y especie *Bos taurus*. Es de cabeza gruesa armada de dos cuernos, miembros fornidos, piel dura con pelo corto y cola larga. Suele tener 2.5 m de largo, del hocico al arranque de la cola, y 1.5 m de alto hasta la cruz. Es valiente y feroz, sobre todo cuando se le irrita; pero después de castrado y amansado, se utiliza en las labores del campo y se le conoce con el nombre de buey. El toro adulto y entero se utiliza en ganadería para la reproducción. En España y en varios países americanos se crían razas bravas de toros para ser lidiados en las corridas de toros.

toro almizclado. Mamífero rumiante de la familia de los bóvidos, que habita las regiones septentrionales del continente americano y que despide, cuando se irrita, un fuerte olor almizclado, a lo que debe su nombre. El macho adulto llega a medir más de 2 m de largo por 1.5 de alto y la hembra es algo menor. Su cuerpo está completamente cubierto de un pelo largo y ensortijado, de color pardo oscuro o negruzco que en los ejemplares viejos llega a arrastrarles. El aspecto general es parecido al de un pequeño bisonte lanudo. Su cabeza está armada de dos cuernos, que en los machos viejos casi se juntan en el testuz, descendiendo por los lados de la cabeza, para ascender formando una curva que lleva las puntas hacia adelante. Las astas grandes del toro almizclado tienen más de 70 cm de longitud. Sus patas, relativamente cortas, están terminadas en pezuñas y su cola es también corta. Suele vivir en manadas de 15 o 20 individuos, aunque también se encuentran algunos grupos de 100, que van escaseando por la activa persecución de que han sido objeto. Existen todavía en el noroeste de Canadá, en las costas de Groenlandia y algunos ejemplares en Alaska. Se alimentan de musgos, líquenes y otras pequeñas plantas, que tienen que buscar escarbando entre la nieve que cubre casi permanentemente las regiones que habitan, realizando largas emigraciones en busca de su alimento. Cuando una manada es atacada por los lobos o por los esquimales, forman un círculo poniendo las crías y las hembras en el interior. Los esquimales los cazan por su carne y por su piel.

Toro, David (1898-). Militar y político boliviano. Tras la deposición de José Luis Tejada Sorzano (1936) presidió la Junta Mixta de gobierno integrada por militares y civiles, que asumió el poder. Su administración, que se llamó militar socialista, tuvo que afrontar gran crisis económica y múltiples demandas sociales. Acusado de pasividad política fue depuesto por el general Germán Busch y Becerra (15 de julio de 1937).

Toro, Fermín (1807-1865). Escritor y político venezolano. Congresista en 1831, ministro en Colombia y dos veces en España, donde evitó a su patria conflictos internacionales. Símbolo de dignidad por su actitud ante José Tadeo Monagas en 1848. Entre sus escritos de orden político se destaca su célebre *Disertación sobre la ley del 10 de abril de 1834*, y entre sus obras lite-

Corel Stock Photo Library

Toro almizclado en Groenlandia.

rarias, las novelas *La sibila de los Andes* (1849) y *La viuda de Corinto*, y el poema *Los mártires* (1842). Presidió la Convención de Valencia y fue ministro de Hacienda y Relaciones Exteriores.

Toro Zambrano, Mateo de (1727-1811). Político y militar chileno. De acomodada familia criolla, desempeñó los cargos de alcalde de aguas (1750), alcalde ordinario de Santiago (1761), corregidor

Toronjas frescas.

Corel Stock Photo Library

(1762), superintendente de la Casa de Moneda y lugarteniente del capitán general (1768). Elegido gobernador (1810) convocó al cabildo y fue elegido (1810) presidente de la primera junta gubernativa del reino.

toronja. Fruto del toronjo, árbol de la familia de las rutáceas. La toronja es bastante mayor que la naranja (puede pesar hasta 3 kg), y de zumo agridulce. La corteza, gruesa y rugosa, de color amarillento, desprende un aroma característico y agradable. Se denomina también pomelo, pamplemusa, y *grape-fruit* (en Inglaterra y Estados Unidos). Se supone que es originario de Asia suoriental. El árbol que lo produce puede alcanzar unos 10 m de altura, y da frutos después de 4 o 5 años de haber sido plantado. Se cultiva en California, Cuba, Florida, Texas, África del Sur, Argentina, Brasil, Chile, México etcétera. La toronja se consume dividiéndola en dos mitades y agregando un poco de azúcar sobre la pulpa. También se le extrae el jugo que constituye un delicioso refresco. Es muy rico en vitamina C, favorece las funciones digestivas.

toronjil. Planta herbácea anual de la familia de las labiadas, con muchos tallos rectos; hojas pecioladas, ovales, dentadas y olorosas; flores blancas o amarillentas, y fruto seco, capsular, con cuatro semillas menudas. Con la cocción de las hojas se prepara el agua carmelitana, a la que se atribuyen propiedades hipnóticas, anestésicas, tónicas, estomacales y antineurálgicas. Las flores dan, por destilación con vapor de agua, un líquido pálido amarillen-

(De izq. a der. y de arriba abjo). Vista nocturna del edificio del ayuntamiento, vista aérea del SkyDome y exterior de la Casa Loma en Toronto, Canadá.

to, con olor a limón y sabor aromático ardiente, que se conoce como esencia de melisa; contiene terpenos, aldehido y citral y es soluble en alcohol.

Toronto. Ciudad de Canadá, capital de la provincia de Ontario. Gran centro financiero e industrial, está situada en la orilla noroeste del lago Ontario y es uno de los puertos principales y de mayor actividad en los Grandes Lagos. Su población es de 612,298 habitantes, que unida a la de su área metropolitana, asciende a 3.893,046. Es la segunda ciudad de Canadá, por su población. Entre sus principales edificios se destacan el Ayuntamiento, el Parlamento Provincial, la estación Unión y el hotel Royal York. Son notables sus hermosos parques y paseos. Tiene una gran universidad, notables museos e instituciones científicas. En el lugar que actualmente ocupa la ciudad, los franceses, en 1720 establecieron un puesto para comerciar con los indios, y en 1750 construyeron un fuerte al que le dieron el nombre de Fort Rouillé. En 1795 se fundó la población de York que, en 1834, fue elevada a la categoría de ciudad y cambió su nombre por el actual de Toronto. En 1867 fue elegiga capitalde Ontario.

toros. *Véase* TAUROMAQUIA.

torpedo. Arma submarina de propulsión propia, que lleva una poderosa carga explosiva. Se utiliza en la guerra marítima para atacar y hundir buques. A fines del siglo XVIII, el estadounidense David Bushnell inventó una especie de torpedo que podía ser sujetado al casco de una nave y estallaba por medio de un mecanismo de relojería. El arma fracasó, pero Bushnell siguió experimentando y llegó a convertirse en el padre del submarino moderno. Otros inventores estadounidenses siguieron trabajando sobre la idea. En 1864 se realizó una prueba en las aguas del río Potomac, cerca de la ciudad de Washington, con un aparato, impulsado por una caldera de vapor, que marchaba sobre el agua a cuatro nudos de velocidad. El capitán Luppis, de la armada austriaca, en 1862 presentó unos planos para la construcción de un torpedo al famoso ingeniero escocés Robert Whitehead y le pidió su cooperación. Whitehead modificó los planos y en 1866 estaba listo el primer torpedo, antecesor de los torpedos actuales. Era un objeto cilíndrico, de 3 m de largo; se desplazaba a 7 millas por hora impulsado por un mecanismo de aire-comprimido. Además, llevaba una carga explosiva de 8 kg de algodón de pólvora.

A partir del torpedo Whitehead, esta arma mortífera experimentó grandes perfeccionamientos y fue adoptada por todas las marinas de guerra. A finales del siglo XIX, ya se había utilizado en acciones de guerra y causado el hundimiento de buques. Su empleo se intensificó en la guerra rusojaponesa de 1904, y se generalizó en la Primera Guerra Mundial. En 1901 surgieron en Estados Unidos los torpedos del tipo Bliss-Leavitt, más perfeccionados. Hoy existen modelos modernos que provienen de ambos prototipos; la principal diferencia reside en la ubicación de los diversos compartimientos y mecanismos. Además, los torpedos de tipo Bliss-Leavitt usan turbinas y los de tipo Whitehead emplean motores con cilindros.

Funcionamiento. En el interior del torpedo suelen considerarse tres secciones o compartimientos y, además, la cola. En la sección anterior o cabeza, lleva el mecanismo detonador y la carga explosiva. La sección central es la ocupada por los depósitos para contener la fuente de energía, que suelen ser un tanque para aire comprimido, otro para el combustible, generalmente alcohol, y otro para agua; en los torpedos cuya fuerza motriz es la electricidad, las baterías de acumuladores eléctricos ocupan esta sección. En la sección posterior se alojan, según el caso, la turbina que funciona mediante aire comprimido, combustible y agua, o el motor eléctrico; lleva, también, mecanismos complementarios, dispositivos giroscópicos de dirección, árboles de transmisión, etcétera. En la cola están las dos hélices y los timones de dirección y profundidad. El torpedo moderno lleva alrededor de 250 kg de explosivos poderosísimos (TNT). Tiene entre 5 y 8 m de longitud y un diámetro que varía entre 50 y 60 cm. Su peso total asciende a unos 1,300 kg y está equipado con un motor de 400 caballos de fuerza, que le da una velocidad de 50 nudos, similar a la de una lancha veloz.

El proyectil puede ser lanzado desde un submarino o desde una nave de superficie. En ambos casos va alojado dentro de los tubos lanzatorpedos, que actúan como catapultas y lo lanzan por medio de aire comprimido. Durante la Segunda Guerra Mundial todas las armadas utilizaron aviones torpederos, que llevaban uno o dos torpedos bajo su fuselaje. Una vez en el agua, el torpedo prosigue la marcha por sus propios medios. La propulsión se efectúa, generalmente, mediante un ingenioso mecanismo de aire comprimido. Hacia 1941 aparecieron los torpedos operados eléctricamente; estos últimos tienen la ventaja de no dejar la estela de burbujas que delata la trayectoria del torpedo movido por aire comprimido. Cualquier torpedo tiene combustible suficiente para recorrer hasta 12 km a velocidad reducida, pero su mayor eficacia está confinada a un radio menor de acción. Un compás giroscópico mantiene al torpedo dentro de su ruta, impidiéndole desviaciones y rectificando la marcha cuando se desvía. Un submarino moderno puede lanzar su proyectil por la proa aunque su blanco se halle en cualquier otra dirección; el torpedo describe un semicírculo, trazado anticipadamente por

Torre de un faro en Connecticut, EE.UU.
Corel Stock Photo Library

una cúpula, y de forma cilíndrica, cuadrada o poligonal, más alta que ancha; su origen es muy antiguo. Quizás surgieron también como consecuencia de las ansias de navegar, combatir y defenderse que el hombre primitivo debió de experimentar, pues son edificaciones apropiadas para servir de ayuda en esos menesteres (observación del horizonte y terreno, colocación de luces y señales de advertencia o peligro, instalación de armas y dispositivos de defensa, vigilancia del enemigo, etcétera). La arquitectura gótica le dio una forma más elegante y la destinó al alojamiento de las campanas. Más tarde se inició la costumbre de instalar en ellas grandes relojes. En cierto sentido las torres son un símbolo del deseo de elevación espiritual del hombre. Según un pasaje de la Biblia los hombres construyeron una vez una torre con la que pretendían llegar al cielo. Otras fueron empleadas en la industria (molinos, elevadores de granos, elevación de aguas, etcétera), o para enviar señales luminosas (faros y semáforos). Los observatorios astronómicos y las estaciones meteorológicas, etcétera, utilizan las torres con fines científicos; en algunos pueblos son monumentos funerarios, como las torres del silencio de la India. Algunas de ellas sirvieron de prisión durante la Edad Media (la del Infantado en España, la de Rúan en Francia y la de Londres, erigida a la orilla izquierda del Támesis). La arquitectura moderna, al ganar espacio en altura, convierte muchos de sus edificios en torres de grandes proporciones.

Torre inclinada de Pisa en Italia.

Corel Stock Photo Library

el ingeniero torpedista, y luego prosigue avanzando en línea recta hasta dar en el blanco. El mismo ingeniero determina también la profundidad a que navegará su pequeña embarcación, ajustando un sutil mecanismo que regula la posición de los timones. La profundidad máxima que puede alcanzar un torpedo es de 9 m, pero en la práctica navega a 4 o 5 m de la superficie. *Véase* SUBMARINO.

Torquemada, Fray Tomás de (1420-1498). Eclesiástico e inquisidor de España, nombrado por los Reyes Católicos para presidir el Tribunal del Santo Oficio. Nació en Valladolid y murió en Avila. Había sido prior de los frailes dominicos de Segovia, y en 1483 fue nombrado inquisidor general por el papa Sixto IV. Su celo religioso y los esfuerzos que realizó para mantener la unidad de la fe católica hicieron de él una de las figuras más discutidas de la historia. Bajo su dirección, el Santo Oficio adquirió carácter de estabilidad y autoridad propia, que en más de una ocasión preocupó a los reyes, circunstancia en que el inquisidor general pudo decir que su tribunal era superior a los demás del reino, del mismo modo que lo era el trono de Dios respecto a los demás tronos de la Tierra. A su afán de depuración religiosa se debe la expulsión de los judíos de España, en 1492, y los autos de fe hechos con libros y Biblias hebreas. El balance de su permanencia al frente de la Inquisición lo establecen claramente las 2,000 ejecuciones ordenadas.

torre. Construcción arquitectónica, de estructura robusta, rematada a veces por

Torre, Carlos María de la (1873-1968). Religioso ecuatoriano nacido en Quito. Sacerdote católico (1896), obispo de Loja y Riobamba, fue designado obispo de Guayaquil (1926), y posteriormente, siete años después fue elevado al arzobispado de Quito como Primado de Ecuador.

Cardenal (1953) por nombramiento del papa Pío XII, fue una importantísima figura de la Iglesia en Ecuador y del continente.

Torre, Guillermo de (1900-1971). Escritor español nacido en Madrid, pero radicado en Argentina. Compañero de carrera del poeta Federico García Lorca, se licenció en derecho en la Universidad de Granada y desde su juventud se distinguió como animador del grupo ultraísta, movimiento poético español emparentado con el creacionismo del chileno Vicente Huidobro y con el cubismo francés. En 1920 publicó un *Manifiesto ultraísta vertical*, al que siguieron su libro de poemas *Hélices* (1923) y el volumen *Literaturas europeas de vanguardia* (1925), panorama literario del primer cuarto de siglo, obra con la que inició su aguda y eficaz tarea de analista y crítico de las corrientes artísticoliterarias más representativas de la época. A este respecto sus libros más notables son: *La aventura y el orden* (1943), *Menéndez y Pelayo y las dos Españas*, *Problemática de la literatura* (1951) y *Las metamorfosis de Proteo* (1956). Dio cursos y conferencias en diversos países de Hispanoamérica, dirigió importantes colecciones literarias y compiló obras ajenas, como las de García Lorca, prologadas y anotadas por él. Dirigió la importante colección *Poetas de España y América* en Argentina.

Torre, Lisandro de la (1868-1939). Político y sociólogo argentino figura cumbre del Partido Demócrata Progresista, varias veces parlamentario y candidato presidencial en dos ocasiones. Descontento con el régimen de su tiempo soñó con una sociedad mejor, que intentó anticipar en sus posesiones rurales. Polemista valiente y fogoso se destacó por su vigorosa personalidad en la política argentina. Entre sus obras sobresalen: *Intermedio filosófico*, *Temas políticos, Cartas íntimas*. Se suicidó a los 70 años.

torre de Londres. Antigua e histórica construcción en la capital inglesa a orillas del río Támesis. Se cree que en el mismo sitio se alzó una fortaleza romana del tiempo de Julio César, en reemplazo de la cual hizo construir Guillermo *el Conquistador* en 1078 la primera Torre Blanca, para que su color avisara a los barcos la proximidad de tierra en los días de espesa neblina. Ese fue el comienzo de la posteriormente residencia de los primeros reyes de

227

Corel Stock Photo Library

Entrada a la Torre de Londres en Inglaterra.

Inglaterra, y luego fortaleza y prisión de estado. Ocupa una superficie de 5 ha, está rodeada de muro y foso en defensa de su doble recinto con torre formando sus construcciones un pentágono irregular. Posee cuatro históricas puertas: de Hierro, del Agua, de los Traidores y de los Leones siendo ésta la principal. Allí estuvieron encerrados lady Jane Grey, el joven rey Eduardo V y su hermano el duque de York, y también la reina Isabel I, al igual que su madre Ana Bolena, sir Walter Raleigh, William Penn (después fundador de Pennsylvania, en Estados Unidos), y finalmente, entre muchos más, la infeliz reina María Estuardo.

Torre y Huerta, Carlos de la (1858-1950).

Naturalista y político cubano. Realizó importantes investigaciones científicas en las islas del Caribe, cuyos resultados reunió en innumerables monografías. Fue profesor de la Universidad de La Habana, rector de la Universidad Nacional, doctor en ciencias, *honoris causa* de la Universidad de Harvard, alcalde de La Habana, presidente de la Cámara de Diputados y presidente del Consejo de Estado de Cuba.

Torrejón, Andrés. *Véase* MÓSTOLES, ALCALDE DE.

torrente.

Curso de agua caracterizado por su fuerte pendiente y su régimen irregular. Los torrentes concentran las aguas de arroyada de las montañas y constituyen un agente de erosión interfluvial. En un torrente se distinguen tres partes fundamentales: 1) la cuenca de recepción o parte superior, sector embarrancado en forma de embudo que concentra las aguas de cabecera, 2) el canal de desagüe, o parte media, vía de perfil irregular que sirve a la evacuación de las aguas y materiales arrastrados procedentes de la cuenca de recepción, y 3) el cono de deyección, o parte inferior, masa de materiales depositados en la desembocadura, sobre el plano del nivel de base local, por las aguas al ir perdiendo velocidad y potencia de arrastre. Para contrarrestar eficazmente la acción torrencial, a menudo negativa, se emplean dos medidas correctivas fundamentales: a) la repoblación forestal en la cuenca de recepción; b) la construcción de diques a lo largo del canal de desagüe, con lo que disminuye la velocidad de las aguas y su capacidad de arrastre. En el área mediterránea, las súbitas crecidas de los torrentes o ramblas pueden causar a veces graves destrucciones y daños.

Torrente Ballester, Gonzalo (1910-).

Escritor español. Estudió en la Universidad de Santiago de Compostela, y ejerció la enseñanza en este mismo centro (1936-1942) y en la Universidad de Albany (Estados Unidos) y, más tarde, como profesor de instituto hasta su jubilación en 1980. Fue crítico teatral del diario *Arriba* y de Radio Nacional de España. Aparte de sus trabajos críticos –*Siete ensayos en una farsa, Literatura española contemporánea: 1898-1936, Teatro español contemporáneo, El Quijote como juego*– y de piezas teatrales, creó una importante producción narrativa que se inicia con *Javier Mariño* y *El golpe de Estado de Guadalupe Limón*. Ha sido galardonado, entre otros, con el Premio Nacional de Literatura en 1981, Premio Príncipe de Asturias de las Letras en 1982, junto con Miguel Delibes, el Premio Cervantes en 1985. Miembro de la Real Academia Española desde 1975.

Torreón.

Ciudad de México, en el estado de Coahuila. Tiene 416,000 habitantes y es la más populosa del estado. Está situada en la fértil e industriosa región de La Laguna, a 1,140 m de altitud, en plena región algodonera. Es importante centro agrícola e industrial, de gran actividad, que cuenta con excelentes comunicaciones. Sus industrias principales consisten en fábricas de hilados y tejidos de algodón, de harinas, y en fundiciones, talleres metalúrgicos. Fue fundada en 1887, en el lugar de un antiguo rancho, y su crecimiento ha sido asombroso. De modesta población, fue elevada a la categoría de ciudad en 1907, y en unas décadas llegó a ser la ciudad mayor del estado.

Torres, Camilo (1766-1816).

Estadista y político colombiano. Sus primeros estudios los hizo en el seminario de Popayán, su ciudad natal, cursando literatura, filosofía e idiomas. En Bogotá continuó su carrera en el Colegio Mayor de Nuestra Señora del Rosario. Pronto fue considerado como uno de los jurisconsultos mejores de su época. Alcanzó el cargo de asesor del cabildo de Santa Fe. Su obra maestra fue la *Representación del cabild. de Santa Fe a la Suprema Junta de Gobierno de España* más comúnmente conocida con el nombre de *Memorial de agravios*. Al lado de otros próceres, Torres presidió los actos del 20 de julio de 1810. Su palabra enardeció a los componentes de aquella reunión y sus luces ayudaron a la redacción del Acta de la Independencia.

Fue el alma del Congreso de las Provincias Unidas en 1811 y presidente del poder Ejecutivo; soportó la oposición de Antonio Nariño y fue el primero en adivinar el genio del Libertador Simón Bolívar. Derrumbada la primera república, Torres cayó en manos de los pacificadores cuando intentaba salir del país. Fue juzgado, sentenciado a muerte y fusilado.

Torres, Carlos Arturo (1867-1911).

Escritor colombiano. Aunque cultivó la poesía y dejó algunas obras originales en verso y magníficas versiones del inglés y el francés, su fama se la debe al ensayo y prosa. Fue autor de *Idola Fori* (1926), notable análisis de las pugnas políticas de América, y de otros estudios de crítica que le merecieron ser considerado como el más aventajado de los discípulos de José Enrique Rodó. Fue viajero infatigable y representó a su país en congresos internacionales y cargos diplomáticos.

Torres, fray Cristóbal de (1573-1654).

Arzobispo español de Santa Fe de Bogotá. Nació en Burgos y murió en Bogotá. Fue fundador del Colegio Mayor de Nuestra Señora del Rosario en 1653, uno de los más importantes en la difusión de la cultura en el entonces Nuevo Reino de Granada. Fray Cristóbal de Torres fue notable por su celo apostólico, su espíritu de caridad y su gran ilustración, que le mereció la distinción de ser nombrado predicador del rey Felipe IV.

Torres Bodet, Jaime (1902-1974). Poeta, escritor y diplomático mexicano. Fue profesor de literatura en la Universidad Nacional Autónoma de México. Más tarde sirvió como diplomático en España y Francia. En su país, ostentó el cargo de Secretario de Educación Pública, durante el cual inició la campaña contra el analfabetismo, y el de secretario de Relaciones Exteriores. De 1948 a 1952 fue director general de la UNESCO. Su obra literaria comprende novelas, ensayos, memorias, y, sobre todo, poesía, en la que se advierte la influencia de la lírica moderna francesa. Entre sus obras están las colecciones de poemas *Fervor, Canciones, Biombo,* las novelas *Margarita de Niebla, Estrella de día, La educación sentimental,* y las memorias. *Tiempo de arena* y *El desierto internacional.*

Torres de Vera y Aragón, Juan (1535-1610). Conquistador y administrador colonial español, cuarto adelantado del Río de la Plata. Fue oidor en las Audiencias de Concepción en Chile (1565-1575) y de las Charcas (1575-1577), cargo con el que pasó a la audiencia del Río de la Plata. Al fallecer Juan Ortiz de Zárate, tercer adelantado del Río de la Plata, dejó establecido que heredaría el adelantazgo quien se casase con su hija Juana. Torres de Vera efectuó esta unión y con ella recibió el cargo de adelantado. Encargó a su lugarteniente Juan de Garay la repoblación de la ciudad de Buenos Aires, cuyas instalaciones habían sido arrasadas por los indios después de la primera fundación hecha por Pedro de Mendoza. El adelantado pasó luego a Asunción de Paraguay, pacificó a los indios guaraníes, extendió las conquistas y propagó el cristianismo. El 3 de abril de 1588 fundó la ciudad argentina de Corrientes con el nombre de San Juan de Vera de las Siete Corrientes. Habiéndose unido por entonces Portugal con España, las colonias hispánicas de América del Sur enviaban libremente sus productos a través de Brasil hacia los puertos del Atlántico, en virtud de concesiones hechas por las autoridades del virreinato a la Audiencia de Charcas. Este hecho disgustó al adelantado, quien se trasladó a España en 1591 y en 1603 regresó a Charcas.

Torres García, Joaquín (1874-1949). Pintor uruguayo, nacido en Montevideo. A los 17 años se trasladó con su familia a España, y adquirió su formación artística en Barcelona. En su obra inicial se advierte la influencia de Puvis de Chavannes y Henri Marie Raymond de Toulouse-Lautrec. Posteriormente, en sus pinturas murales tendió hacia la llamada escuela mediterránea de la que fue uno de sus principales iniciadores. Más tarde orientó su pintura hacia ciertas expresiones cubistas y futuristas. Entre sus obras se destacan *La oración en el jardín,* los murales en la capilla de la Divina Pastora, en Sarriá; en la iglesia de San Agustín y en el palacio de la Diputación, en Barcelona. Dejó también notables obras escritas principalmente sobre teoría, crítica y didáctica del arte, entre las que se mencionan, *Notes sobre Art* (1913), *L'art en relació amb l'home que no passa* (1919), *Universalismo constructivo* (1944) e *Historia de mi vida* (1939).

Torres Méndez, Ramón (1809-1885). Grabador y pintor colombiano, nacido en Bogotá. Se inició en las artes plásticas en un taller de litógrafos ingleses. Esa disciplina laboral, que lo hizo diestro en los detalles minúsculos, lo inclinó a pintar miniaturas con temas diversos, que atrajeron la atención de los entendidos. Aumentó su obra con la ejecución de retratos al óleo a veces de personajes locales ya fallecidos, y que gracias a él sobreviven en el museo Nacional de Historia, donde algunos se conservan. Al mismo tiempo se adentró en la pintura de composición. En sus últimas producciones se refleja el gusto por la acuarela como medio estético de expresión, por entender que era el más adecuado para imprimir una dimensión poética a sus creaciones. Fue secretario de la Academia de Dibujo y Pintura de Bogotá y a él se deben muchas de las normas y principios regulatorios de esa enseñanza en Colombia.

Torres Naharro, Bortolomé de (1476?-1524?). Poeta y comediógrafo español, nacido en Torre de Miguel de Sesmero (Badajoz); sufrió cautiverio en Argel, vivió en Nápoles y Roma, protegido por el papa León X, y se cree que murió en España hacia 1524. Todas sus obras están contenidas en el libro titulado *Propaladia* (Nápoles, 1517), compuesto de sátiras, epístolas y ocho comedias. En éstas se halla el germen de varios géneros teatrales del Siglo de Oro. De gran importancia es el prólogo del libro, que se considera el primer tratado de preceptiva dramática escrito en castellano. Entre sus composiciones poéticas son muy notables su elegía a la muerte del primer duque de Nájera y su violenta sátira contra la corrupción de la corte romana.

Torres Quevedo, Leonardo (1852-1936). Ingeniero español, autor de varios inventos que le dieron celebridad mundial. Estudió primero en Bilbao, luego en París y posteriormente en Madrid, donde recibió el título de ingeniero. Comenzó a trabajar con su padre, ingeniero también, en la construcción de los ferrocarriles del noroeste de España. Prosiguió estudiando y se dedicó con empeño al conocimiento de la matemática y de la técnica más avanzada de su tiempo. En 1901 ingresó en la Academia de Ciencias y en 1920 en la Real Academia Española. Entre los artículos y memorias publicados a lo largo de su vida, destácense dos que son esenciales para hacer luz en el mundo científico y matemático de sus inventos: *Las máquinas de calcular,* aparecido en 1900, y *La automática,* publicado en 1915. Inició también la publicación de un diccionario tecnológico hispanoamericano, a su regreso de un viaje que hizo a Buenos Aires.

Torres Restrepo, Camilo (1929-1966). Sacerdote y guerrillero colombiano. Sacerdote desde 1954, estudió psicología en la Universidad de Lovaina y posteriormente fue profesor y capellán de la Universidad Namonal de Bogotá. Organizó un Frente Unido del Pueblo Colombiano, de base eminentemente estudiantil y sentó las bases de una plataforma para un movimiento de unidad popular (1956); sus actividades políticas, de orientación cada vez más izquierdista, lo llevaron a una ruptura con las jerarquías eclesiásticas (1964). Ante la lentitud, dificultades y resultados poco esperanzadores del movimiento legal, se unió a las guerrillas del ejército de Liberación Nacional (1965) y murió poco después en un enfrentamiento con el Ejército.

Torres Villarroel, Diego de (1693-1770). Poeta y escritor español, nacido en Salamanca. Estudió humanidades en la Universidad de esta ciudad y a los 20 años se escapó a Portugal, primer paso de su vida aventurera. De regreso en España prosiguió los estudios y completó los cursos de medicina y matemáticas, materia esta última de la que llegó a ser profesor en Salamanca en 1726, luego de brillantes oposiciones, cuyo triunfo fue celebrado con fiestas en la ciudad. Fue alquimista, bailarín y soldado; sirvió a un ermitaño, anduvo con una cuadrilla de toreros y se dedicó a redactar almanaques con atrevidos pronósticos. Él mismo cuenta que abría puertas, falseaba llaves y escalaba paredes. Emuló a los héroes de la literatura picaresca española, a los que llegó a sobrepasar en aventuras y trapisondas. Desde 1723 hasta 1753 publicó anualmente sus célebres almanaques o *pronósticos,* también llamados *piscatores* porque los firmaba con el seudónimo de *Gran piscator de Salamanca.* Estos almanaques le granjearon inmensa popularidad, pues en ellos vaticinó acontecimientos que se confirmaron plenamente. Así, en 1724 anunció la muerte de Luis I, hijo de Felipe V ocurrida, en efecto, en dicho año; en 1766, pronosticó el motín de Esquilache; pero, sobre todo, como verdadero alarde de don profético, se cita su vaticinio de la Revolución Francesa contenido en la famosa décima que incluyó en su almanaque de 1756. Su vida guarda estrecha relación con sus obras literarias. De entre ellas se destaca la titulada *Vida*, en la que cuenta su ascendencia, nacimiento y aventuras con humor y desenfado.

Torri, Julio (1889-1970). Escritor mexicano. Abogado, doctor en letras, fue catedrático de la Universidad Nacional Autónoma de México. Colaboró con José Vasconcelos en la secretaría del ministerio de Educación y desempeño el cargo de embajador de su país en Brasil y Argentina. Su obra, breve, comprende ensayos: *Ensayos y poemas* (1917), *Sentencias y lugares comunes* (1945), *La literatura española* (1952) y cuentos: *De fusilamientos* (1940) que destacan por lo cuidado de su estilo y el lirismo de su prosa. En 1980 se recopiló lo más esencial de sus ensayos críticos y de su epistolario bajo el título *Diálogo de los libros*.

Torricelli, Evangelista (1608-1647). Físico y matemático italiano. Estudió humanidades en Faenza, su pueblo natal, y se trasladó a Roma, donde entabló amistad con Castelli, discípulo de Galileo Galilei. Después de leer el tratado de este último sobre el movimiento, compuso otro sobre la misma cuestión, pero con ideas nuevas, que llamaron tanto la atención de Galileo que lo invitó a trasladarse a Florencia y lo hospedó en su propia casa (1641). Pocos meses después moría en brazos de su protegido, quien le sucedía en la cátedra de filosofía y matemáticas. El nombre de Torricelli se ha perpetuado por el experimento del *tubo de Torricelli*, es decir, por el descubrimiento del barómetro y de los efectos de la presión atmosférica. Descubrió también la teoría sobre el movimiento de los fluidos y el principio relativo a la salida de los líquidos por un orificio en pared delgada, que llevan su nombre. Perfeccionó el telescopio y el microscopio.

Torrijos, José María de (1791-1831). Militar español, nacido en Madrid. Tuvo descollante actuación en la guerra de Independencia y, terminada la misma, por sus ideas liberales se vio obligado a huir a Inglaterra. Fue titular del ministerio de Guerra en 1823. se trasladó luego a Gibraltar, desde donde intentó (1831) desembarcar en tierra española con un batallón, pero fue rechazado. El general Vicente González Moreno, gobernador militar de Málaga, en

Corel Stock Photo Library

Tortillas de maíz.

connivencia con la corte, le incitó a intentar un nuevo desembarco, prometiéndole su ayuda. Torrijos creyó en su palabra y desembarcó en la costa de Málaga con un puñado de hombres, pero fue apresado y fusilado.

Torrijos, Omar (1929-1981). Político y militar panameño. Comandante de la Guardia Nacional; intervino en el derrocamiento del presidente Arnulfo Arias, el 11 de octubre de 1968. Jefe del gobierno con poderes extraordinarios (1972-1978), llevó a cabo una política nacionalista y socializante. Logró de Estados Unidos (1977-1978) acuerdos para la recuperación en 1999 del Canal de Panamá. A partir de 1978 siguió controlando el Estado como jefe de la Guardia Nacional y presidente del Partido Revolucionario Democrático, creado por él. Murió en un accidente aéreo.

torsión. Efecto que se produce cuando un cuerpo sólido sufre la acción de una fuerza circular o rotativa. Si tomamos una porción de alambre de hierro e imprimimos a cada uno de sus extremos un movimiento de rotación en sentido contrario, observaremos inmediatamente dos fenómenos: una agrupación más compacta e irregular de las partículas en la sección central, y una disminución de la longitud, tanto más pronunciada cuanto más hayamos acentuado el movimiento de torsión. Las leyes que presiden ese fenómeno sirven para calcular la resistencia de materiales, tales como ejes, cables, cuerdas, etcétera, en que el juego de fuerzas circulares opuestas y excesivas podría determinar su rotura. La seda y los hilos de

tela de araña por ejemplo, son poco afectados por la torsión.

tortícolis. Contracción de los músculos del cuello que obliga a fijar la cabeza inclinándola hacia un lado. El músculo principal que sufre el espasmo es el esternocleidomastoideo, el más potente del cuello. Hay tortícolis dolorosas y otras sin dolor. Entre las causas que lo producen se encuentran el frío, el reumatismo y las afecciones nerviosas y de la columna vertebral. Como tratamiento de urgencia se recomendará reposo, calor y algún anestésico en inyección, si hubiere dolor.

tortilla. En México, América Central y las Antillas, torta que se hace con harina o masa de maíz. En México es el alimento básico del pueblo, y se hace con masa de maíz o nixtamal. Para hacer una tortilla se toma una porción de masa de maíz, y con las manos, se le da forma circular y aplastada, parecida a una oblea, que se cuece luego en el comal. La tortilla se come como si fuera pan, o sirve de envoltura comestible, en forma de tacos, enchiladas o panuchos, rellena con otros alimentos. La tortilla de maíz era, también, el alimento principal de los antiguos pobladores de México y de otras regiones de América, desde antes del descubrimiento del Nuevo Mundo. Actualmente, sigue siendo en México el alimento popular, y continúa elaborándose, en gran parte, según los métodos tradicionales, que han venido transmitiéndose de generación en generación.

Puede afirmarse que la tortilla de maíz, al ser desde hace siglos el sustento principal de las clases populares mexicanas, ha desempeñado un importante papel en la historia. Algunos historiadores modernos han clasificado las distintas civilizaciones según el alimento principal de los pueblos que las crearon. Así, se habla de las civilizaciones del trigo, que se sucedieron en Europa y en otras regiones en torno al Mar Mediterráneo; de las civilizaciones del arroz, que surgieron en Asia; y de las civilizaciones del maíz, que corresponden al Nuevo Mundo. Las investigaciones sobre el valor alimenticio de la tortilla de maíz señalan que es alto, ya que contiene calcio, fósforo, hierro, proteínas, grasas y las vitaminas naturales del maíz. *Véanse* COMAL; MAÍZ; NIXTAMAL.

tórtola. Ave del orden de las palomas, familia de las colúmbidas, natural de Europa. Mide 30 cm de longitud; el plumaje es de color gris, manchado de rojo; el cuello tiene un collar de plumas negras y blancas. El pico es negruzco, y las patas y la zona que rodea a los ojos de color rosado. Son frecuentes en los bosques y montes de Europa, donde suelen llegar al principio de la primavera. Construyen con ramitas un nido muy tosco y la hembra deposita en él dos huevos blancos, que incuba turnándose con el macho. Durante el celo, se arrullan continuamente con un característico *tur-tur*. Al final del verano emigran para pasar el invierno en el norte de África. Además de esta tórtola silvestre existe otra especie doméstica, algo más pequeña y de color ceniciento, que procede de la India.

Tortosa. Ciudad española de la provincia de Tarragona con 35,000 habitantes. Se halla situada a orillas del río Ebro. Centro agrícola e industrial, en ella se concentran los productos regionales (vinos, aceites, almendras, arroz, olivos, algarrobos, hortalizas y forrajes) destinados a la explotación. Cuenta con varias industrias (tenerías, destilerías, jabón, papel), pero la más importante es la oleífera. De origen muy remoto –la antigua *Dertosa*– ha desempeñado un papel importante en la historia y conserva interesantes monumentos (catedral gótica, palacio episcopal). En ella está instalado el Observatorio del Ebro.

tortuga. Animal del orden de los quelonios, pertenecientes a la clase de los reptiles, cuyas características más sobresalientes son: mandíbulas sin dientes, rara vez de labios flexibles, provistos de una especie de estuche córneo, cubriéndose la inferior con la superior como si se tratase de una caja; tímpanos visibles y casi superficiales; extremidades cortas y gruesas, lo bastante anchas en ciertos individuos para que puedan actuar como si fuesen aletas, cola muy corta y de forma cónica terminada, a veces, en una uña, cuerpo deprimido cubierto, más o menos totalmente, por

caparazón o coraza muy resistente de materia ósea, formada por dos piezas (espaldar y peto) soldadas en los bordes y dejando unos orificios a través de los cuales salen el cuello, las patas y la cola del animal; piel retráctil y coriácea, desviable únicamente en el pescuezo, la cola y las extremidades. Se conocen unas 300 especies que habitan, en su mayoría, en las regiones tropicales, pocas en las templadas y una sola en las frías. Se han hallado restos de fósiles en algunas zonas del globo, que alcanzan varios de ellos hasta 4 m de longitud, como la *Colossochelys atlas*.

Las tortugas pueden ser acuáticas o terrestres. En las primeras, las placas del peto no se hallan unidas y la cabeza y las patas no son retráctiles, así como el tímpano tampoco es visible. Podemos citar entre ellas, a la *Dermochelys coriacea* que posa unos 500 o 600 kg y mide 2 m de largo, gigante propio de los mares tropicales; se alimenta de crustáceos y moluscos, y por las noches se dirige en bandadas a la playa depositando sus huevos sobre la arena; las crías, en cuanto han salido del huevo, se lanzan al agua.

La *Chelonia esculenta*, que habita en las regiones templadas, con proximidad a las costas, se agrupa con otros individuos de su misma especie, nada perfectamente y es muy tímida e inofensiva, pese a la gran fuerza muscular de que se halla dotada; no come más que algas y plantas marinas y las hembras hacen sus puestas, de un centenar de huevos cada una, naciendo las crías a los 14 o 21 días; para cazarlas basta voltearlas y dejarlas durante un día con las patas arriba hasta atontarlas, tal y como hacen los naturales de las Antillas, en es-

pecial en Jamaica. Es muy apreciada por los aficionados a la buena mesa, siendo comestible tanto su carne como su grasa y huevos que pueden prepararse en guiso, fritura o asado, haciéndose además una sopa excelente que constituye la especialidad de muchos restaurantes acreditados.

La *Chelone imbricata*, conocida vulgarmente con el nombre de carey, se halla particularmente en los mares Caribe y de Joló y Golfo de California, de donde emigra muy raramente. Su espaldar suele tener, de ordinario, unos 80 cm de largo, y su carne no es comestible, pero sí sus huevos. Se la caza únicamente por la utilidad que para la confección de determinados objetos –estuches, peinetas, monturas de anteojos, etcétera– tiene su caparazón; existió la costumbre de calentar al animal o echarle agua hirviendo hasta que quedaran sueltas las placas córneas que lo protegen, devolviéndolo después al mar, pues se creía que podía volver a reconstruir otra vez su coraza. La *Trionyx ferox*, de 42 cm de largo, habita en ciertos ríos de América del Norte, y en algunos que desembocan en el Golfo de México, permanece oculta o disimulada en el cieno durante el día para salir por la noche, al amparo de la oscuridad, en busca de alimento que consigue atacando a peces, anfibios y aves acuáticas; puede causar heridas que resultan muchas veces peligrosas.

La *Podocnemis expansa* vive en los ríos de Guayana y de Brasil, así como en Perú; su coraza tiene unos 70 cm y, por las noches, escapa a las playas para poner sus huevos sobre la arena. Los naturales del país acostumbran a cosechar estos huevos de los que extraen, cuando no los comen,

(De arriba abajo y de izq. a der). Tortuga marina en la costa de México, tortuga gigante de las Galápagos y tortuga moteada.

un aceptable aceite comestible que les sirve asimismo para la combustión. La *Chelys fimbriata* (vulgarmente conocida por *matamata*), de 35 cm de largo, despide un olor muy característico y repugnante; vive en Brasil y se nutre de peces, aves acuáticas y batracios.

La *Cistudo lataria y la Emys orbicularis*, de unos 19 cm de longitud, habitan en Europa (Mediodía y Levante), así como en Irán; permanecen ocultas en el agua durante el día y sólo por la noche salen a tierra; durante el invierno se ocultan bajo el fango, no apareciendo hasta el comienzo de la primavera; en mayo hacen sus puestas que suelen contener de 6 a 10 huevos del tamaño aproximado a los de paloma, colocándolos en un hoyo que previamente abren en el terreno valiéndose de su cola y extremidades. Su alimento lo constituyen las lombrices, insectos, plantas y caracoles.

La tortuga de tierra, que pertenece a la familia de los testudínidos, vive en los climas cálidos, perfectamente en domesticidad, y se alimenta de pequeños animales, y sobre todo hierbas y plantas. No suele tener más de 30 cm de largo, y su caparazón es muy convexo. La *Testudo graeca*, de color amarillo-verdoso y piel terrosa, vive completamente aclimatada en el sureste de Europa; se nutre de vegetales, frutos, gusanos e insectos, por cuya razón se la conserva en jardines y huertas para que destruya éstos, así como las hierbas nocivas; durante la estación fría se oculta bajo la tierra, y al llegar el mes de junio, acostumbra a poner de 4 a 12 huevos en un hoyo que cava en la tierra, en zonas siempre bien soleadas; vive muchos años en domesticidad.

En las islas de la Reunión y las Galápagos vivieron en otras épocas, con abundancia, tortugas del género *Testudo* que, perseguidas por los marinos, a causa de su excelente carne, llegaron casi a desaparecer. Eran de grandes dimensiones como las que pueden. verse todavía en Aldabra (1.5 m de largo); estas tortugas hacen largos viajes para beber, creyéndose que su resistencia para el hambre es tan extraordinaria que pueden permanecer muchos meses sin comer, en plena vitalidad.

En general, las tortugas son perezosas, gozan de sueño invernal que les hace permanecer quietas y como atontadas durante los fríos, tienen una gran lentitud de movimientos y resisten muy bien las mutilaciones corporales. La coraza protectora que poseen se forma a expensas de determinados huesos de su columna vertebral, combinándose con el desarrollo de otros huesos y placas córneas que terminan, en el proceso del crecimiento, por unirse con aquéllos hasta formar un todo compacto. Aunque no tan regularmente como los lagartos y culebras, la cabeza de las tortugas suele tener escudos y la piel del pescuezo

suele arrugarse como un fuelle, formando unos pliegues transversales que cubren la cabeza cuando ésta se retrae. Los huevos son de envoltura caliza, semejante a la de las aves y las crías crecen en ciertas especies con tanta lentitud que no alcanzan su estado adulto hasta 10 años después de haber nacido.

Toruño, Juan Felipe (1898-1984). Escritor nicaragüense. Al estallar la revolución de 1912 se unió al ejército rebelde del general Vicente Lobos. En 1918 se inició en el periodismo colaborando en *El eco nacional*, del que fue nombrado director (1919) hasta que fundó, este mismo año, la revista *Darío*. Colaboró con el partido liberal para organizar la revolución de 1922 que, al fracasar, le obligó a huir a El Salvador. Es autor de numerosas obras poéticas de corte simbolista.

torvisco. Planta timelácea de tallos erguidos y ramificados, con hojas alternas, de limbo lanceolado casi sin pecíolo. Las flores son blanquecinas agrupadas en ramilletes. El fruto maduro es de color rojo y posee una sola semilla.

Tory. Nombre empleado como distintivo por los irlandeses leales a Carlos I y que lucharon por él. Su etimología proviene de las palabras irlandesas *Ta ra Ri* que significan *¡Ven, oh rey!* Otros la hacen derivar de *toree* (*dame*), palabra con la que los bandidos abordaban a los pasajeros. Se aplicó a un partido político inglés de ideología conservadora. Frente al Partido de los *tories* fue creado en Inglaterra el de los *whigs* (liberales), disputándose ambos la organización de la vida política del país. Defensores uno y otro de la fórmula gubernamental a base del consorcio del rey y del Parlamento, los *tories*, a diferencia de sus adversarios, sostuvieron la supremacía del rey sobre las Cámaras, lo que motivó frecuentes disturbios y revueltas. Actualmente, el Partido Conservador británico puede ser considerado como el depositario de las tradiciones de los antiguos *tories* aun cuando no de su política.

tos. Movimiento convulsivo y ruidoso del aparato respiratorio que, generalmente, sobreviene para expulsar lo que le embaraza y molesta. La tos es un reflejo defensivo que ayuda a eliminar las secreciones y cuerpos extraños del árbol respiratorio y representa un importante elemento de diagnóstico.

tos ferina. Enfermedad infecciosa aguda que ataca a los niños y se caracteriza por típicos accesos de tos convulsiva. Algunos médicos la llaman coqueluche y otros la denominan pertusis o tos convulsiva. La causa se debe a la infección de las vías aé-

reas superiores por el bacilo *Hemophilus pertussis*. Los lactantes y los niños son muy propensos a la tos ferina. Primero pasan por un periodo catarral, y a los pocos días se presenta el periodo convulsivo de la tos que comienza por una serie de espiraciones cortas y fuertes con golpes de tos, que dificultan la inspiración, terminando con la expulsión de mucosidades. El niño se sofoca y con los ojos llenos de lágrimas vuelve a la respiración normal. Puede haber fiebre ligera y falta de apetito. Los accesos varían según la intensidad de la enfermedad, que viene a durar de uno a tres meses, según los casos. Las complicaciones graves pueden ser la bronconeumonía y la infección tuberculosa. La enfermedad está muy extendida, y es muy contagiosa, sobre todo al principio durante el periodo catarral, y la transmisión se realiza por contacto con los enfermos y también por vía indirecta con objetos o ropas contaminados con las mucosidades escupidas. El niño, entre los accesos, juega y hace su vida normal aunque muestra algo de fatiga. El diagnóstico es fácil durante la fase convulsiva de tos que muchas veces se acompaña de vómitos, y el análisis de la sangre y los esputos completarán la confirmación. En general, después de padecida la enfermedad no vuelve a repetirse, pero no es raro que la tos ferina se presente años después. El tratamiento es extenso. Las vacunas son de cierta eficacia. Jarabes, inhalaciones y gotas sedantes son útiles para la tos; y cuando ésta es muy frecuente y acentuada, se tendrá a mano oxígeno como calmante. Lo que más se prescribe son los antibióticos como la estreptomicina y clomicetina entre otros. En general, un cambio de ambiente será favorable.

La gravedad de la tos ferina es mayor en los tres primeros años de la vida. Estadísticas obtenidas en Estados Unidos e Inglaterra demuestran que esta enfermedad, por sus complicaciones graves, ofrece más peligrosidad que el sarampión, escarlatina y difteria juntas, las cuales también son enfermedades infecciosas de la edad infantil. Para prevenir la enfermedad se emplean las vacunas profilácticas mixtas, con las que se ejerce también acción defensiva contra otras infecciosas. El suero de convaleciente se emplea con alguna eficacia en niños expuestos al contagio.

Tosca. *Véase* ÓPERA.

Toscana. Importante e histórica región agrícola e industrial de la costa oeste de Italia, que incluye nueve provincias. Superficie: 22,992 km². Población: 3.200,000 habitantes. Su territorio montañoso está cruzado, entre otros, por los ríos Arno, Cecina, Serchio y Ombrone. Minas de hierro, cobre, mercurio, sal, lignito y las canteras de los famosos mármoles de Carrara. Produce

Vista de la pradera en Toscana, Italia.

trigo, maíz, uvas, olivas, tabaco y nueces. Industrias de textiles y sombreros de fama. Cuna de los etruscos, sufrió varias ocupaciones, convirtiéndola los lombardos en ducado. En los siglos XII y XIII se dividió en varias repúblicas. Fue el centro del arte y el estudio de Italia y cuna de Dante y de Petrarca, y actualmente está dividida en las provincias de Arezzo, Florencia (su capital), Grosseto, Livorno, Lucca, Massa y Carrara, Pisa, Pistola y Siena.

Toscanelli dal Pozzo, Paolo (1397-1482).

Cosmógrafo italiano. Estudió matemáticas y luego dedicó toda su atención a las observaciones y cálculos astronómicos y geográficos. Conoció también varias lenguas antiguas y figuró entre los conservadores de la Biblioteca de Florencia, su ciudad natal. Su afición a la cartografía se acentuó con los relatos de Marco Polo. Estuvo en relación con Cristóbal Colón, para quien confeccionó un mapa inspirado en las ideas de Tolomeo y en los fabulosos relatos de Marco Polo, que el descubridor del Nuevo Mundo llevó consigo en el primer viaje. En 1468 estableció un gnomon en la catedral de Florencia, que sirvió para corregir los datos astronómicos de las *Tablas* del rey de España Alfonso *el Sabio*. Toscanelli nunca sospechó la existencia de América, pero los errores registrados en su mapa, que establecía la distancia entre Lisboa y el extremo oriental de Asia en 120° y es de 230°, animaron al descubridor del Nuevo Mundo para lanzarse a su empresa. *Véase* COLÓN, CRISTÓBAL.

Toscanini, Arturo (1867-1957).

Director de orquesta italiano. Estudió en el conservatorio de Parma, su ciudad natal, y pronto llegó a destacarse como violoncelista. Formó parte de varias orquestas, tanto en su país como en el extranjero. En 1886 se hallaba en Río de Janeiro como integrante de una orquesta de una compañía de ópera italiana. El director de la orquesta se sintió repentinamente indispuesto minutos antes de iniciarse la representación de *Aída*, y Toscanini se ofreció para sustituirlo. Dirigió con tanto acierto, y tan bien supo infundir a los intérpretes de la ópera el extraordinario brío de su temperamento musical, que aquella noche quedó automáticamente consagrado como director de orquesta. Después de este espectacular comienzo, el maestro italiano dirigió diversas orquestas en su patria, y desde 1908 a 1915 estuvo al frente de la orquesta de la *Metropolitan Ópera House* de New York y de 1921 a 1929 dirigió la de la Scala de Milán. A partir de esta fecha se trasladó a Estados Unidos y allí dirigió la Orquesta Filarmónica de New York. En 1930 hizo una gira por varias capitales de Europa y en 1931 dirigió el Festival de Bayreuth (Alemania) donde se rinde culto a Richard Wagner. A partir de entonces se negó a hacerlo por no estar de acuerdo con los nazis. Ya en 1922 había tenido dificultades con el régimen fascista imperante en su patria, por haberse rehusado a ejecutar el himno de ese partido, y a partir de 1937 residió en Estados Unidos, donde dirigió con éxito creciente la Orquesta Sinfónica de la *National Broadcasting Company*. En 1946, regresó triunfalmente a la Scala de Milán para dirigir una serie de conciertos a beneficio de las víctimas de la guerra. Después marchó a New York y siguió actuando al frente de la orquesta de la NBC hasta 1954, año en que se retiró definitivamente en un acto musical que tuvo todas las características de una apoteosis. Como director se destacó por la claridad de su interpretación, el vigor comunicativo que irradiaba su personalidad y el perfecto conocimiento de los diversos grupos de instrumentos que componen una gran orquesta sinfónica. Su fama como director quizá sea la más preclara que haya gozado director alguno en la historia de la música, y sus aciertos más grandes los obtuvo en la interpretación de obras de compositores italianos, y de los alemanes Richard Wagner y Ludwing van Beethoven.

Toselli, Enrico (1883-1926).

Músico y compositor italiano, que se destacó por sus composiciones para canto y piano. Nació en Florencia, ciudad en la que murió. Logró cierto renombre por su casamiento con la princesa Luisa de Sajonia, de la que se separó poco tiempo después. Además de sus obras para canto y piano, merece recordarse su ópera *Lea* y su *Serenata*, una de las obras mas conocidas de su género.

tostación.

Acción y efecto de tostar. Calentamiento moderado de productos orgánicos, especialmente semillas, en presencia del aire, para mejorar sus propiedades en los posteriores procesos de molienda, extracción, etcétera. Proceso industrial de oxidación al aire, a temperaturas más o menos elevadas, de muchos minerales metalíferos para transformarlos en óxidos; constituye la primera fase en el beneficio de estos metales.

Con la tostación de productos orgánicos se logran varios objetivos: a) eliminar el exceso de agua y de otros productos volátiles que pueden influir en los procesos siguientes; b) provocar en los tejidos vegetales reacciones tales como desdoblamiento de glucósidos y oxidación de leucobases; c) hacer el producto más frágil, facilitando de esta manera la molienda, que aumenta la superficie de extracción; esto es esencialmente importante en las semillas oleaginosas y en todos los procesos extractivos.

Esta tostación se efectúa en general en tambores rotatorios de chapa perforada con objeto de que la distribución del calor sea lo más uniforme posible.

Tosti, Francesco Paolo (1846-1916).

Compositor italiano que residió en Londres desde 1880, cuando fue nombrado profesor de canto de la familia real. Creó las canciones italianas e inglesas más populares de su época, muchas de las cuales aún perduran: *Adiós, Ven a mi corazón, Secreto, Por siempre*, etcétera, y su inmortal *Morir quisiera (Vorrei morire)*. Su música de cámara es de las más inspiradas y mantiene su predominio en este género.

totalitarismo.

Sistema político que se impuso en varios países después de la Primera Guerra Mundial. El totalitarismo surgió como una violenta reacción contra el liberalismo, la democracia, el capitalismo y el comunismo. Basado en la exaltación del poder del Estado y en la deificación de un jefe o dictador, el sistema totalitarlo es una forma de gobierno en la que el Estado interviene en todas las esferas de la actividad de la nación, económicas, financieras, comerciales, sociales, culturales, educativas, científicas, etcétera y niega otra supremacía. Admite un solo partido político regido por normas oficiales, y suprime toda libertad individual, en beneficio de la voluntad colectiva, representada por un jefe o caudillo, que es el jefe del Estado. Toda actividad pública está orientada por normas rígidas y sometida a severa vigilancia policial, y la exaltación nacionalista adquiere formas de xenofobia hacia todo lo extraño al país, incluso las expresiones de la cultura. En el Estado totalitario el hombre pierde todo significado como individualidad y se convierte en un valor numérico de la colectividad anónima.

El totalitarismo surgió en Italia con Benito Mussolini, en 1922, quien creó el fascismo. El totalitarismo mussoliniano tuvo sus principales teorizadores en Alfredo Rocco y Giovanni Gentile, que sistematizaron toda ideología para ponerla al servicio del fascismo. El partido fascista era la misma encarnación de la nación, la que a su vez estaba representada por el duce (Mussolini), jefe del Estado, del partido oficial y dictador a perpetuidad. En Alemania, se impuso el totalitarismo en 1932, cuando Adolfo Hitler subió al poder. Los teorizadores totalitarios le dieron en este país derivaciones marcadamente racistas, de las que fue abanderado Alfred Rosenberg. El Estado se confunde con el gobierno, según Wilhelm Friedrich Hegel, y en Alemania tuvo esta teoría una completa y radical aplicación al englobar al partido nacionalsocialista y a la nación en la simbolización del dictador supremo, Hitler. Otro de los regímenes totalitarios fue el de Japón en la década que precedió a la Segunda Guerra Mundial, al intervenir el ejército en la política y el gobierno de la nación, aniquilando toda oposición, para implantar un nacionalismo extremo y desarrollar una política de agresión militar en China. Los tres regímenes totalitarios mencionados se derrumbaron con el triunfo de las democracias en la Segunda Guerra Mundial.

tótem. Objeto de la naturaleza, generalmente un animal, que en la mitología de algunas tribus salvajes se toma como emblema protector de la tribu o del individuo, y a veces como ascendiente o progenitor.

totonaca. Grupo indígena mexicano. Se desconoce la antigüedad de los totonacos en el Altiplano Central de México. Algunos autores han llegado a atribuirles ubicación en Teotihuacan en la época de esplendor de la metrópoli. A finales del periodo clásico (hacia el año 650) estaban asentados en la Sierra de Puebla, de donde se supone fueron desalojados por grupos chichimecas, de lengua náhuatl, hacia la costa del Golfo de México. Se les ha considerado también partícipes de la grandeza de Tajín, población en que confluyen influencias de la tradición veracruzana y del centro de México. En la costa veracruzana quedaron divididos en dos partes: la septentrional, con Papantla, y la meridional con Misantla y Cempoala como las principales poblaciones del Posclásico.

Políticamente estaban organizados en señoríos pequeños e independientes que entraban en alianzas defensivas, forzados por las necesidades bélicas. Su situación inestable se refleja en la fortificación de algunas de las poblaciones importantes, en-

Corel Stock Photo Library

Pintura llamada En el molino rojo *de Toulouse Lautrec.*

tre ellas Tuzapan, Zacoapan, Metlaltoyuca, Monte Real y Quiahuiztlan. La riqueza de la zona productora de algodón, chile, maíz, vainilla y la importancia de sus mercados Cempoala, Quinhuiztlan, Cotaxtlan, Misantla y Papantla despertaron la ambición de los pueblos del Altiplano Central, principalmente de los mexicas, que penetraron en el territorio totonaca en plan de conquista desde la época de Moctezuma I. Esto indu-

Totems familiares en Canadá.

Corel Stock Photo Library

jo a los totonacas a buscar alianzas transitorias con los enemigos tradicionales de los mexicas, entre ellos los tlaxcaltecas. A la llegada de los españoles a Cempoala, los totonacas les dieron a conocer la penosa situación en que se encontraban como tributarios de los mexicas, lo que permitió a Hernán Cortés percatarse de los conflictos entre los indígenas y planear la política de conquista.

Totonicapán. Departamento de Guatemala situado en la parte occidental del país. Superficie: 1,061 km^2. Tiene una población de 297,483 habitantes. Produce trigo, patatas, frutas, maíz, maderas tintóreas, de ebanistería y construcción; se fabrican muebles, alfarería, tejidos de lana, guitarras y cerámica; hay yacimientos de oro, plata y plomo y aguas termales. Capital, Totonicapán (87,962 habitantes).

Toulouse-Lautrec, Henri Marie de (1864-1901). Pintor francés, descendiente de una familia noble. De físico deforme, pronto se alejó de la sociedad en que había nacido, se trasladó a París y vivió en Montmartre entre bailarines, bohemios, actores de teatro, de circo y de cabarets, que fueron sus modelos para la mayoría de sus obras. Su pintura, influida al comienzo por los impresionistas y muy especialmente por Edgar Degas, ha tenido después imitadores, particularmente entre los pintores ingleses y estadounidenses.

Toussaint, Manuel (1890-1955). Historiador y crítico del arte mexicano. Fue catedrático de historia del arte colonial y fundador del Laboratorio del Arte de la Universidad Nacional Autónoma de México (1934), más tarde convertido en el Instituto de Investigaciones Estéticas, del que fue director hasta su muerte (1938-1955). En 1946 fue elegido miembro del Colegio Nacional. En 1953 fue nombrado doctor *honoris causa* de la Universidad Nacional Autónoma de México.

Tovar, Manuel Felipe de (1803-1866). Político venezolano. Tras la caída de José Tadeo Monagas, se convirtió en ministro del Interior (1858). Fue, junto con Pedro Gual, la principal figura del régimen conservador inaugurado en 1858, y en septiembre de 1859 asumió la presidencia de la república. Su resistencia a convertirse en instrumento de José Antonio Páez le obligó a dimitir (mayo de 1861). Se exilió en Europa.

Tovar, Manuel José (1931-1869). Poeta boliviano, nacido en la Paz. Miembro de escuela romántica y de gran relieve en la segunda mitad del siglo XIX. Su obra obtuvo gran difusión. Es autor de *La Creación.* Se suicidó en Sucre.

Tovar, Pantaleón (1828-1876). Escritor mexicano. Luchó contra las dos intervenciones extranjeras de su país (1847 y 1862). Su primer ensayo dramático, *Misterios del corazón*, se estrenó en 1848. En Cuba publicó *La hora de Dios* (1865) novela de costumbres mexicanas. Fue redactor del *Siglo XIX* en 1870, y más tarde de *El cabrión*, *Las cosquillas* y *El Constitucional*. Francisco Sosa publicó su poesía en 1886.

Tovar y Tovar, Martín (1828-1902). Pintor venezolano. Formado en París, es autor de retratos de próceres venezolanos y de cuadros históricos sobre la independencia hispanoamericana: *Firma del acta de la independencia*, *La batalla de Carabobo*, *La batalla de Ayacucho*, etcétera.

Townes, Charles Hard (1915-). Físico estadounidense. Tras doctorarse en el *California Institute of Technology* (1939), trabajó en los laboratorios de la Bell Telephone (1939-1947). En el curso de sus investigaciones sobre interacciones entre ondas electromagnéticas y moléculas, iniciadas en 1946, concibió el máser (*Molecular Amplification by Stimulated Emission of Radiation*). En 1954 construyó el primer máser de amoniaco, y en 1958, junto con A. L. Schawlow, definió las condiciones en que el máser puede operar en las gamas de frecuencia del infrarrojo, visible y ultravioleta, sentando así las bases del máser óptico, actualmente denominado láser. En 1964 compartió con Aleksander Mikhailovich Projorov y Nikolai Gennadiyevich Basov el Premio Nobel de Física, galardón que le fue concedido por sus aportaciones al campo de la electrónica cuántica.

toxicología. Ciencia que trata del conocimiento y estudio de los venenos. Se divide en dos ramas principales: la toxicología médica estudia los antídotos, el modo de combatir los venenos, su acción en el organismo y los procesos a que pueden dar lugar; y la toxicología química que investiga y analiza la clase y naturaleza de los venenos y es una ciencia auxiliar de la medicina legal. *Véase* VENENO.

toxicomanía. Estado de intoxicación o crónica, ocasionado por el consumo reiterado de una droga, natural o sintética. El empleo de las drogas con fines médicos o para lograr efectos *mágicos*, se conoce desde la antigüedad. Ciertamente, en un principio se emplearon las drogas sin advertir que dicho consumo pudiera ser perjudicial para el hombre; es más, en muchos casos se le daba un carácter de ceremonia religiosa o, simplemente, como forma de adquirir vigor y fuerza para la lucha o como un placer permitido. Mucho más adelante apareció ya una reacción social de rechazo contra estas sustancias, hasta el punto

de que se estableció un control internacional, con centros de estudio oficiales sobre la utilización de estos productos, la epidemiología mundial, etcétera como el International Narcotics Control Board y la Comisión de Drogas de la Organización Mundial de la Salud (OMS). Con el tiempo, la preocupación por este problema ha llegado a alcanzar una dimensión tal que, sin descuidar los aspectos sociales del mismo, intenta, además, estudiar e investigar el aspecto personal del individuo toxicómano.

toxina. Sustancia venenosa elaborada por distintos organismos animales y vegetales y principalmente por las bacterias patógenas. Hay dos clases de toxinas bacterianas: las intracelulares o endotoxinas, que permanecen dentro de las bacterias que las producen, y las extracelulares o exotoxinas, que son segregadas por las bacterias y conducidas por la sangre y otros medios a las diferentes regiones del organismo en el que se hayan alojado las bacterias.

Toynbee, Arnold Joseph (1889-1975). Historiador inglés. Estudió en Oxford. Se hizo cargo de la cátedra de historia y de literatura griega y bizantina en la Universidad de Londres (1919-1955). En 1924 renunció a esta cátedra para asumir la dirección del Real Instituto de Asuntos Internacionales. Formó parte de diversas comisiones de estudio relacionadas con problemas internacionales e integró la delegación inglesa a la Conferencia de San Francisco.

Sostuvo que las unidades del estudio histórico no son las naciones, ni los pueblos, ni las razas, sino las civilizaciones. Éstas comenzaron hace 6 mil años. Toynbee dice que en este periodo han existido 21 civilizaciones, tres de las cuales han sido americanas; todas han desaparecido, con excepción de cinco: la cristianooccidental, la cristianooriental, la islámica, la hindú y la de Extremo Oriente. Todas las civilizaciones nacen, enfrentan múltiples obstáculos que ponen a prueba su fortaleza, crecen en varias direcciones, sufren una desintegración interna y mueren. Trazó el primer esbozo de este monumental cuadro histórico en 1925, junto a las ruinas del Partenón de Atenas; se propuso terminar su obra en 1950, pero la Segunda Guerra Mundial retrasó cuatro años la conclusión del proyecto. Un tío del historiador, también llamado Arnold Tognbee (1852-1883) fue un activo propulsor de la reforma social. Hijo de un preeminente cirujano de Londres; estudió economía y decidió vivir en una ruinosa casucha suburbana, donde escribió el famoso volumen *La revolución industrial* y se consagró a promover por todos los medios la justicia social. Murió a los 31 años de edad, agotado por una actividad que no conoció pausas.

trabajo. Actividad mental y física del hombre aplicada a las cosas, con el fin de utilizarlas para satisfacer necesidades. Implica siempre un esfuerzo, una acción penosa, que se realiza por obligación hacia una fuerza o valor superior, al que se sacrifica un ocio y se destina un hacer. Algunos trabajos persiguen un lucro, consistente en dinero, especies o servicios; en las tareas de creación (arte, invenciones) el móvil de la ganancia ocupa un lugar secundario

El trabajo en oficinas, es uno de los más comunes.

El trabajo en el campo, determina la productividad de la industria alimenticia.

frente al impulso estético o innovador, y a menudo el lucro material no existe en modo alguno.

La economía señala que el trabajo es uno de los factores de toda producción, junto con el capital y la tierra. Para la mayoría de los cultores de esta ciencia, es un elemento indispensable para la creación de riquezas, pero no faltan quienes, como los discípulos de Carlos Marx, consideran que es la única fuente original de bienes y servicios. De acuerdo con esta opinión, su estudio resumiría el de todo el proceso productivo.

División del trabajo. Una división primaria que podría hacerse del trabajo sería la de clasificarlo en trabajo físico o manual y en trabajo mental o intelectual. Pero, esa división no sería de valor absoluto pues resulta obvio que aun el trabajo manual más sencillo y rudimentario lleva implícito cierto grado de actividad mental, por pequeña que ésta sea. Por otra parte, el trabajo intelectual más elevado no puede eximirse, a su vez, de cierto esfuerzo físico concomitante, por ínfimo que pudiera ser: escribir a mano o a máquina, pulsar las teclas de un piano, manejar los pinceles, etcétera. Por lo tanto, aquellos trabajos en los que predomine de manera evidente el esfuerzo físico sobre el mental son considerados como trabajos manuales, y en los que el predominio sea a la inversa, se clasifican como intelectuales. Aunque se dan casos en que lo físico y lo mental están tan ligados entre sí que no resulta fácil discernir cuál deba ser la clasificación que corresponde a ciertas clases de trabajo.

En economía, una clasificación del trabajo lo divide, en líneas generales, en tres categorías: manual, de invención y de dirección, considerándose que en estas dos últimas predomina el trabajo intelectual. En el primer grupo entran todas las tareas relacionadas con los actos de producir, extraer, modificar, transportar e industrializar materias primas. Los trabajos de invención abarcan los descubrimientos y las combinaciones que permiten otorgar nuevas utilidades a diversos productos naturales; abarcan, además, los procedimientos –lentamente elaborados a través de los siglos– que han permitido la creación de las técnicas propias de cada industria u oficio. Finalmente, encontramos una tercera categoría de trabajos: los de dirección. Esta especie, que ha existido siempre, va cobrando mayor importancia a medida que la tarea del empresario se complica cada vez más. Una proporción siempre creciente de hombres se dedican a proyectar, a preparar planos, a controlar e inspeccionar, y a las operaciones de la dirección propiamente dicha.

Evolución histórica. El trabajo humano ha pasado por tres grandes etapas históricas: la esclavitud, la servidumbre y el salariado.

1. La esclavitud es la materialización absoluta del concepto de trabajo. En esta forma de organización económico-social, el hombre deja de ser dueño de sus actos y queda totalmente enajenado a otro hombre. El trabajo, reducido a la condición de simple objeto material, arrastra consigo a la persona humana, a la que está indiscutiblemente ligado en virtud de la naturaleza misma del hombre. En las salvajes selvas africanas y bajo los pórticos sublimes de Atenas, el esclavo es siempre el individuo sin derechos y, por tanto, el hombre que ha perdido la condición humana. Hoy nos parece evidente que la esclavitud es un error y un mal, una verdadera deshumanización del hombre. Pero, la historia de la civilización nos muestra un esfuerzo penoso y prolongado, tendiente a lograr la concreción práctica de esta idea, a obtener la emancipación del trabajo. La abolición de la esclavitud se opone de modo tan total a ciertos instintos de dominación y de aprovechamiento egoísta del trabajo ajeno, que este proceso emancipador se traduce en una sucesión de luchas interminables y de penosos retrocesos. Aún hoy, si bien se ha difundido por todo el mundo una conciencia tal de la libertad humana que nadie se atreve a confesar que acepta la esclavitud, subsisten en diversos países los más variados regímenes de trabajos forzados u obligatorios, originados en condenas políticas o impuestos por necesidades estratégicas. Estos regímenes no se diferencian, en la práctica, de la esclavitud clásica.

2. La servidumbre surge durante la Edad Media como segunda forma de organización del trabajo, y se establece obedeciendo a la tendencia hacia la libertad que parece existir en todo el curso de la historia. A diferencia del esclavo, el siervo de la gleba ya no es un hombre sin derechos, despojado de sí mismo. Es un hombre sujeto a un pacto de prestación de servicios y contribuciones en especie, que le permite desarrollar su personalidad en forma mucho mayor. El esclavo era un bien semoviente en poder del amo; el siervo es un individuo agregado a la tierra y más sometido a ésta que al señor, puesto que en caso de enajenación del feudo no acompaña al amo sino al terreno. Está unido a su feudo por un contrato tácito o explícito, que contiene derechos y obligaciones recíprocas: el señor lo defiende militarmente contra los ataques que amenazan a su familia y su persona –tan frecuentes en aquellos tiempos guerreros e inseguros– y el siervo le paga con servicios personales o con los productos de su industria.

3. El salario fue una consecuencia de la abolición de la servidumbre, producida al declinar el régimen feudal. El asalariado, individuo sujeto al contrato de trabajo, fue inicialmente la expresión del liberalismo económico. El pacto feudal de prestación recíproca de servicios, con toda la limitación de autonomía personal que implicaba, fue sucedido por un contrato que, en teoría, era suscrito en condiciones de perfecta igualdad, por dos partes que actuaban con libertad plena. La retribución del trabajo, que se realiza por medio de un contrato generalmente verbal, se llama salario; el trabajador cambia sus servicios por una suma de dinero, y fuera de las horas de servicio es perfectamente libre. He aquí el contrato de salario en su forma inicial; en

virtud de su simple mecanismo, el trabajo humano se convierte automáticamente en mercancía y queda sometido a la acción de la oferta y la demanda. Este nuevo régimen del trabajo no tardó en producir un efecto funesto: dividió a la sociedad en dos clases, separadas entre sí por un abismo y a menudo sujetas a actitudes antagónicas. La primera ofrecía el trabajo, única propiedad de que disponía, y la segunda le pagaba con parte del producto de las mercancías que los mismos trabajadores producían, y quedaba, una vez pagado el salario estipulado, desligada automáticamente de toda obligación hacia el trabajador. Este nuevo tipo de organización del trabajo, que en sus comienzos coexistió con la esclavitud y la servidumbre –pues se remonta a la Edad Media y aun a las grandes civilizaciones de la antigüedad–, adquirió extraordinaria importancia con el advenimiento de la máquina y con la aparición del capitalismo moderno.

A medida que sus consecuencias se hacían sentir con todo rigor, se hizo necesario introducir numerosas reformas para volverlo más humano. La justicia existe en las relaciones entre dos partes, cuando ambas se encuentran en un pie de igualdad. No es difícil comprender que tal igualdad no existe entre dos partes contratantes cuando una de ellas está amenazada por la miseria y la otra se ve libre de todos sus riesgos. La deshumanización del trabajo, convertido en mercancía susceptible de compra y venta creó un proletariado sediento de justicia.

El movimiento obrero, formado a la sombra del industrialismo naciente, tomó el triple aspecto de un movimiento de cla-

se, un movimiento político y un movimiento espiritual. Al ir adquiriendo progresiva conciencia de sí mismo, el movimiento logró que se reconocieran sus organizaciones sindicales, obtuvo la sanción de salarios vitales y solucionó las injusticias más graves. La conquista más importante ha sido, posiblemente, el contrato colectivo de trabajo; en virtud del mismo, cada asalariado no se encuentra aislado frente a los dadores de trabajo, sino que es representado por una organización poderosa y homogénea.

Un número de iniciativas que va en constante aumento propone, en diversos países, completar el régimen del salario con una participación de los trabajadores en el resultado económico de la empresa en que actúan. En algunos de los países más desarrollados de Europa –Suecia, Alemania, Bélgica, Holanda– el éxito del sistema ha sido alentador. No faltan quienes ven en estas experiencias la solución de los problemas más apremiantes del conflicto de clases.

Evolución de la técnica. La forma en que se ejecuta el trabajo ha experimentado, a lo largo de los siglos, una notable evolución, que en los últimos 200 años ha adquirido caracteres revolucionarios. En las civilizaciones primitivas el hombre desempeñaba sus tareas ayudándose con herramientas o instrumentos más o menos rústicos o perfectos, pero siempre movidos por la limitada energía de sus propias fuerzas físicas.

El primer progreso consistió en la utilización de la fuerza de los animales y, cuando las circunstancias lo permitían, las fuerzas de las aguas y del viento. Estos progre-

sos fueron de indudable importancia; sin embargo, el trabajo humano debía cambiar fundamentalmente con el advenimiento del vapor y de la electricidad. La inteligencia del hombre controla y dirige hoy las máquinas, impulsadas por fuentes de energía cuya potencia, si no ilimitada, es muy superior a la de los seres vivos a quienes sustituye.

Aplicado al trabajo, el progreso técnico no sólo ha significado una disminución del esfuerzo, sino un enorme aumento en la producción por hora de cada obrero. Este hecho, que ha sido analizado con gran precisión en los últimos años, adquirió su mayor importancia primero en la industria y después en la agricultura y la minería. El estudio de tal evolución permite a los economistas vaticinar que, en la sociedad superindustrializada del futuro, las actividades de producción absorberán apenas un octavo o un décimo de la población activa. El resto se dedicará a las tareas que podrían llamarse secundarias y terciarias: comercio, servicios profesionales, gobierno, enseñanza, etcétera.

El estudio científico del trabajo trata de lograr una combinación óptima de materiales, máquinas y hombres; para ello, estudia detenidamente los movimientos que se deben realizar%%ara llevar a cabo una tarea determinada, así como el tiempo que se emplea en la misma. Este estudio se ha convertido en una verdadera ciencia durante la primera mitad del siglo xx. *Véanse* DIVISIÓN DEL TRABAJO; ECONOMÍA; ESCLAVITUD; REVOLUCIÓN INDUSTRIAL; SINDICALISMO Y SINDICATOS.

trabalenguas. Pasatiempo muy común entre niños y adultos, que consiste en recitar con la mayor rapidez posible, una frase o locución difícil de pronunciar. La repetición exagerada de algunas letras o sílabas suele conspirar contra el sentido del texto, y para aumentar las dificultades impone a veces, gran cantidad de variantes a un mismo tema, como el tradicional: "En un plato de trigo, comen tres tigres trigo". Otros trabalenguas como:

> Compré pocas copas
> pocas copas compré,
> como compré pocas copas,
> pocas copas pagué,

constituyen excelentes ejercicios de vocabulario y suelen usarse en la escuela como introducción a las clases de lenguaje, para aumentar la fluidez de la dicción.

trabuco. Arma de fuego más corta y de mayor calibre que la escopeta común. El trabuco que tiene la boca del cañón acampanada, en forma de trompeta y de gran calibre se llama naranjero. Se cargaba por la boca con metralla de postas. Al produ-

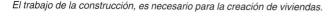

El trabajo de la construcción, es necesario para la creación de viviendas.

Corel Stock Photo Library

cirse el disparo las postas se desparrama-
ban en varias direcciones, y de ese modo
era probable que alguna diese en el blanco; sin embargo esta arma era de poco alcance. Fue usado principalmente por guerrilleros y contrabandistas españoles, y desapareció en el siglo XIX.

tracería. Decoración arquitectónica formada por combinaciones de figuras
geométricas. Su uso se extendió hacia el
siglo XII, en los grandes rosetones y venta-
nales de vidrios de colores, en iglesias y
catedrales. Originalmente consistió en un
entramado de nervaduras o costillares de
piedra que dividía en pequeñas partes una
gran ventana a fin de que el vidrio fuera
colocado en ella fácilmente. Las divisiones
solían ser arqueadas, altas y angostas, en
la parte inferior, mientras que la superior
formaba círculos, cúspides y otros dibujos.
Los círculos superiores eran taladrados a
través de la piedra, en la parte más alta del
arco principal de la ventana, a lo cual se
denominó *labor calada*, un conjunto completo de nervaduras o columnillas de piedra reemplazó más tarde al calado, formando todas las aberturas figuras geométricas, por lo que se llamo a esta modalidad
tracería geométrica. Posteriormente estuvo
en boga la *tracería flamígera* u *ondulada*, así
llamada por sus formas ondeantes e inclinadas, que semejaban llamas. En el siglo XV se
usaba en Inglaterra la *tracería perpendicular*,
en la cual las varillas de piedra entre las aberturas bajas son llevadas hacia arriba a través de toda la altura de la ventana, formando pequeños cuarterones verticales. La tracería constituye una característica de casi
toda la arquitectura gótica.

Tracia. Región de Europa en la Península
Balcánica que en la actualidad no representa una entidad política, sino una referencia histórica y etnográfica, pues
carece de limites naturales y se halla repartida entre Bulgaria, Turquía, Grecia y
Yugoslavia. Se sitúa entre los ríos Danubio
y Struma y los mares Negro, de Mármara y Egeo, con una superficie de 29,000
km². De éstos corresponderían 19,000 a la
parte oriental y 10,000 al sector occidental. Posee importantes yacimientos de oro
y plata, entre otros ricos minerales, y sus
llanuras son fértiles y aptas para la agricultura y crianza de ganado.

Historia. La Tracia constituyó un reino
antiquísimo cuya disgregación comenzó en
el siglo V a. C., cuando los persas conquistaron sus costas, hoy las de Grecia. Sucesivamente pasó a manos de Atenas, Macedonia, Roma y Turquía, que la conquistó en
1453, para perder su zona norte en la guerra de este país con Rusia en 1878. Después de las guerras de 1914-1918 y 1939-
1945, se procedió a las nuevas demarcaciones que la afectaron y que son las

Corel Stock Photo Library

Agricultor en un tractor en Suiza.

actuales. La antigua Bizancio, ciudad de
Grecia Oriental, sirvió de base para la fundación de Estambul (Constantinopla). Hay
historiadores que afirman que Grecia halló
los fundamentos de su estética y su filosofía en los primitivos habitantes de Tracia.

tracoma. Enfermedad de los ojos, contagiosa y extendida por todo el mundo. Las
conjuntivas, que son las membranas que
tapizan los ojos, se encuentran inflamadas
formándose diminutos gránulos, por lo que
se llama también conjuntivitis granulosa.
Los párpados están retraídos mostrando
sus bordes rojos. Hay secreción, según la
clase de tracoma, y el paciente sufre en los
ojos sensación de quemadura o de cuerpo
extraño, molestándole la luz del sol. Des-
cuidada la enfermedad se hace progresiva, las lesiones causadas por la infección microbiana avanzan, pudiendo terminar por la ceguera o pérdida parcial de la
visión. El tracoma se da entre la gente pobre que vive en malas condiciones de higiene. Egipto, Arabia y la India lo padecen
especialmente. Antiguamente el tracoma era rebelde a los distintos tratamientos. Hoy se cura empleando las sulfamidas
o los antibióticos.

tractor. Máquina destinada al arrastre de
otros vehículos (remolques), en particular toda
suerte de aperos de labranza, tales como arados, segadoras, rastrillos, etcétera. Algunos
tractores suministran, mientras están fijos,
fuerza motriz capaz de accionar el mecanismo de trilladoras, bombas, molinos, etcétera, por lo que sirven también como motores auxiliares. Merced a los tractores, la
agricultura ha alcanzado un gran progreso

siendo posible realizar con ellos las
labores más rudas y costosas con gran
economía y rapidez. Un tractor ordinario
sustituye hasta 30 animales de tiro, con la
consiguiente reducción del personal empleado, además de la seguridad y eficacia
en el trabajo. Funcionan con motores de
explosión (gasolina, petróleo, aceites pesados etcétera) o de vapor. Entre las condiciones que deben tener los tractores agrícolas
figuran en primer término las de potencia,
adherencia, facilidad de maniobra y resistencia. Deben ser potentes, ya que las desigualdades y estructuras que ofrecen los terrenos
en que operan (surcos, desniveles, tierras
arenosas, pantanosas, etcétera) exigen una
gran fuerza de arrastre, sin sacudidas ni
cambios bruscos. Ello se consigue dotán-
dolos de un motor muy potente y dándoles un gran peso, aun cuando deba sacri-
ficarse la velocidad (generalmente de 8 a
16 km/hr). La adherencia se logra totalmente, a prueba de resbalamientos, merced a la disposición especial de sus ruedas,
que llevan neumáticos de gran superficie provistos de abundantes muescas
o uñas de adherencia. A veces, las ruedas giran sobre una banda sin fin, compuesta de placas de hierro articuladas entre sí, como formando una cadena (tractores oruga). Todo tractor debe poder maniobrar en el espacio más reducido posible.
Hay diversas maneras de conseguirlo, tales como convertir en motrices las cuatro
ruedas, por medio de dispositivos especiales de acoplamiento al cardan. En los tractores oruga los virajes se efectúan por la
simple detención de uno de sus trenes de
ruedas, consiguiéndose que, prácticamente, giren sobre su eje. El trabajo que efec-

túan estas máquinas obliga a que si bien sus mecanismos guardan analogía con los de un camión automotor, deban en cambio ser mucho más resistentes para impedir los riesgos continuos de roturas. Así, sus bastidores, engranajes, cajas de cambios, etcétera, son muy sólidos.

Tracy, Spencer (1900-1967). Actor cinematográfico estadounidense. Empezó su labor artística en la escena teatral actuando para la pantalla a partir de 1930. En 1937 y 1938 la Academia de Artes y Ciencias Cinematográficas de Hollywood le concedió el premio *Oscar*, por su actuación en *Capitanes intrépidos* y *La ciudad de los muchachos*. Sobresalen entre otras películas: *San Francisco, Edison, el hombre; El hombre y la bestia* y *El padre de la novia*.

tradición. Conjunto de informaciones orales opiniones, valores y evidencias relativas a hechos del pasado que una generación comunica de viva voz a la siguiente. Aunque el desarrollo de los medios de comunicación ha hecho disminuir su importancia, la tradición subsiste junto a la costumbre y el derecho como instrumento formador de la conciencia nacional.

Los teólogos llaman tradición a la doctrina divina que no ha sido recogida por la Biblia sino conservada en forma oral por los apóstoles. Consignada luego en decretos de concilios y escritos de los santos padres esta tradición merece al católico la misma fe que los textos bíblicos. Los juristas llaman tradición a la entrega, material o simbólica, de una cosa a quien la adquiere; se trata de una forma de adquirir el dominio de acuerdo con las normas del derecho romano.

traducción. Acción de verter una obra –literaria, filosófica o técnica– de un idioma a otro. Si al hacerlo nos ceñimos estrictamente al lenguaje y estilo del autor, sin otra limitación que la impuesta por la lengua a que se vierte, tendremos una traducción literal; y si atendemos más bien a la eufonía de las palabras, a la intención del autor hasta en sus matices más tenues, a la equivalencia más bien espiritual y estética de sus expresiones, habremos hecho una traducción libre. Esta última es más frecuente en poesía. Es oficio digno y noble, que contribuye a unir e identificar el espíritu humano por encima de las fronteras. Ahora, si el traductor es además un erudito, su valor será inapreciable, pues sus notas de pie de página resultarán preciosa exégesis para el lector. Con todo, la responsabilidad es grande, y como no siempre se practica la traducción por especialistas, es frecuente que el autor resulte traicionado por su intérprete. Lo denuncian los italianos con un ingenioso juego de palabras: *traddutore,*

Fuente en la plaza Trafalgar en Londres, Inglaterra.

traddítore (traductor, traidor). También, por esto mismo, se ha dicho que la traducción será siempre *un tapiz visto por el revés*. Fray Luis de León traduciendo a Horacio; William Makepeace Thackeray, a Pierre Jean de Beranger; Isaías Gamboa, en *El cuervo*, de Edgar Allan Poe, y Ricardo Baeza traduciendo a Oscar Wilde o al estadounidense Thornton Niven Wilder, han dejado modelos de traducciones admirables.

Vista nocturna de la plaza de Trafalgar en Londres, Inglaterra.

Corel Stock Photo Library

También deben citarse las traducciones hechas por literatos como Enrique Díez Canedo, Adolfo Costa du Rels, Llobera Astrana Marín, Rafael Pombo y otros que adquirieron merecida notoriedad como traductores.

La traducción automática. El progreso acelerado de nuestra época y la necesidad de intercambiar con rapidez entre todos los países los conocimientos científicos y adelantos tecnológicos que se logran en los centros de investigación, ha conducido a perfeccionar la traducción automática. Se trata de una admirable maravilla de la técnica, de una máquina traductora. En el sistema perfeccionado por la *International Business Machines*, de New York, el dispositivo principal es un disco de plástico transparente, en el que se han impreso fotográficamente, en surcos circulares, miles de millares de rectángulos de dimensiones microscópicas. Esos rectángulos representan las palabras y locuciones de un idioma extranjero y sus equivalentes respectivos en el idioma a que se deban traducir. El disco puede contener unas 200,000 palabras y locuciones de cada uno de ambos idiomas, por lo que viene a ser una especie de diccionario en clave. El sistema traductor comprende una computadora electrónica dotada con dispositivos de memorización que almacena los datos y reglas gramaticales necesarios en la traducción. La computadora está conectada a los mecanismos que corresponden al disco diccionario. El texto mecanografiado que haya que traducir se somete a los dispositivos de admisión de la computadora. El disco, conectado a ella, empieza a girar y sobre él se proyecta un fino rayo de luz en movimiento. El rayo busca, primero, entre los millares de surcos, el surco determinado que necesita y, después, ya encontrado ese surco, el vocablo preciso de que se trate y el correspondiente a su traducción. A medida que ésta se va efectuando, el rayo la transmite a la computadora, junto con instrucciones gramaticales. Entran en acción los dispositivos memorizadores de la computadora para aclarar el sentido de las frases, y en ciertos casos insertar proposiciones, artículos y verbos auxiliares de acuerdo con las reglas gramaticales del idioma a que se traduce. En un minuto se pueden traducir más de mil palabras de textos referentes a explicaciones técnicas complicadas, que la computadora entrega debidamente mecanografiadas en 12 segundos por una máquina de escribir automática acoplada al sistema.

Trafalgar. Cabo de la provincia de Cádiz (España), al sur del cual tuvo lugar, el 21 de octubre de 1805, la célebre batalla naval de Trafalgar, entre las escuadras combinadas de Francia y España contra la flota inglesa al mando del almirante Hora-

Trafalgar

tio Nelson, vizconde de Nelsoy y duque de Bronte. Reunidas en Cádiz las escuadras francesa y española, se planteó el problema de si debían salir a mar abierto en busca del enemigo o esperar ocasión más favorable. La escuadra aliada era mandada por el almirante francés Pierre Charles Villeneuve, secundado por los españoles Federico Carlos Gravina, Cosme Damian de Churruca, Antonio Alcalá Galiano y otros marinos, quienes, conocedores de la superioridad de los ingleses, aconsejaban retrasar la salida. Villeneuve que no ignoraba el poderío naval inglés, al principio aceptó el criterio de sus aliados, lo rectificó después (al saber que Napoleón enviaba a otro almirante para sustituirlo en el mando) y ordenó la salida de la escuadra. El almirante Nelson, que mandaba la inglesa, pronunciando su célebre frase "Inglaterra espera que cada uno cumpla con su deber", lanzó el ataque contra la flota aliada, rompiendo su formación por varios puntos, con lo cual sembró la confusión, aislando unos barcos de otros, y produciendo así el desastre que los españoles habían previsto. La victoria de Nelson en Trafalgar consolidó la supremacía inglesa en los mares.

tragedia. Obra dramática que tiene un desenlace funesto. Aristóteles afirmaba que este género teatral remonta su origen a los cantos y danzas con que se celebraba a Dionisos (Baco), dios del vino y de la naturaleza. La tragedia fue en sus orígenes un himno cantado por un coro en el que se narraban las hazañas de Dionisos. El poeta Tespis ideó añadir un actor que estableciera un diálogo con el coro, que aclarara el significado de la narración. Esquilo introdujo más tarde otro actor y, posteriormente, Sófocles un tercer personaje, lo que permitió hacer más complejas las situaciones. Con Sófocles y Eurípides la tragedia griega alcanzó su máximo esplendor. En las obras de todos estos autores existe siempre un destino inevitable que lleva la desgracia a los protagonistas. En este sentido las tragedias modernas no son muy numerosas. William Shakespeare escribió algunas tragedias, pero el espíritu de ellas difiere bastante del de los modelos griegos por la introducción de elementos cómicos o satíricos. Algunos críticos opinan que de las obras modernas sólo aquellas que conservan constantemente un tono trágico, como las de Thomas Corneille y Jean Racine, merecen el nombre de tragedias. Entre los grandes autores modernos de obras de este género puede citarse al noruego Henrik Ibsen y al estadounidense Eugene O'Neill. *Véanse* DRAMA; TEATRO.

tragicomedia. Obra dramática en la que entran elementos de la tragedia y de la comedia es decir, la que nos presenta al mismo tiempo los más conmovedores e imponentes sucesos de la vida combinados con los más alegres y regocijados, los que producen terror y compasión al lado de los que causan alegría. En Grecia se marcó claramente la separación entre lo trágico y lo cómico. Roma admitió la tragicomedia como lo prueba, con otras obras, el *Anfitrión* de Tito Maccio Plauto. En Francia en el siglo XVII se denominó así a la tragedia suavizada, cuyo desenlace no era trágico; ejemplo, *El Cid* de Pierre Corneille. En la literatura española lo jocoserio ha sido una de sus características esenciales. Lo tragicómico se hace indispensable en el teatro: el gracioso es un personaje obligado en los dramas. Fernando de Rojas llamó *Tragicomedia de Calixto y Melibea* a la obra que al tratar de los desdichados amores de estos jóvenes mezcla, presintiéndose la catástrofe, el humor, la burla, el escepticismo y la desesperación trágica.

tragopán. Ave gallinácea de la familia de los faisánidos. Es de hermosa presencia, tiene el pico corto y fuerte, la cabeza negra con dos apéndices carnosos detrás de los ojos que al excitarse el ave se vuelven eréctiles y adoptan el aspecto de cuernos. El plumaje es bello, de colores vivos, con el cuello carmín, lomo, pecho y vientre rojos con motas blancas orilladas de negro. Es originario de Asia y vive en las selvas de la región del Himalaya y de los montes de China, a gran altura, cerca del límite de las nieves perpetuas.

traición. Delito que se comete fundamentalmente al infringir los principios de lealtad y fidelidad que se deben a la patria y a sus gobernantes. Cuando compromete la seguridad y la independencia del Estado se denomina alta traición. Incurren en ese delito todos aquellos que tomen las armas contra su país, conspiren contra su régimen político legalmente constituido, suministren al enemigo armas o medios de combate, descubran secretos militares, impidan por cualquier medio la acción de las tropas nacionales, etcétera. Se castiga con penas graves (de muerte, prisión perpetua, etcétera) e implica casi siempre la degradación en los militares y la pérdida de la ciudadanía en los civiles.

Trajano, Marco Ulpio (53-117). Emperador romano (98-117). Nació en Itálica, cerca de Sevilla (España). Su padre, valeroso soldado que supo distinguirse, adquirir altos cargos y grandes honores, le inculcó el amor a las armas y lo educó con férrea disciplina. Fue enviado en misión de tribuno militar a diversas provincias del imperio. Luchó contra los partos y más tarde, a raíz de varias hazañas realizadas en Germania fue nombrado por Nerva, entonces emperador, cónsul de esa región. En el año 91 Nerva admiro sus dotes militares y su don de granjear simpatías y amistad respetuosa de oficiales y soldados, resolvió adoptarlo como su sucesor, y así lo hizo saber al Senado y al pueblo, desde las gradas del Capitolio. Tres meses más tarde, murió el emperador; y pasaron casi dos años antes de que Trajano considerase prudente abandonar Germania. Su entrada en Roma fue entonces triunfal y se cuenta que, al entregar su espada al jefe de la guardia, pronunció estas palabras: "Úsala en mi favor si procedo bien, pero en mi contra si hago mal". Con el gobierno de Trajano empezó una época próspera y libre para los romanos; promulgó leyes sanas, derogó impuestos gravosos, despreció al anónimo, castigó al delator y se convirtió en el ídolo de los soldados, con quienes convivió en sincera camaradería. Su reinado duró 19 años, que pasó en gran parte combatiendo y conquistando gloria. En el año 103, después de cruentas luchas y penalidades, logró conquistar la Dacia, luego de vencer a su rey Decébalo, que amenazaba la tranquilidad del imperio. Con los tesoros confiscados, realizó grandiosas obras de ingeniería y arquitectura: puertos, acueductos, innumerables caminos, puentes sobre el Danubio y el embellecimiento de algunas ciudades, se deben a su sabia y previsora política. En 113, nuevamente salió a campaña contra los partos, a los que venció, conquistó la Mesopotamia y llegó hasta el océano Índico. Poco después una hidropesía le arrebató la vida y murió en su tienda de campaña, como correspondía al soldado que había sido toda su vida. Muchos son los monumentos erigi-

Estatua del emperador romano Trajano en la colina de la torre en Londres.

Corel Stock Photo Library

240

dos a su memoria; varios arcos de triunfo recuerdan el éxito de sus batallas. El que mejor se ha conservado, se eleva en Benevento; fue construido en 114, en mármol blanco. Otro de los monumentos que el Senado y el pueblo le dedicaron en vida, es la famosa Columna Trajana, de 39 m de altura, en Roma, bajo cuyo pedestal se dice que se depositaron las cenizas del gran emperador; éstas no se hallaron, pero la columna se yergue aún entre las ruinas del Foro Romano, que él hiciera embellecer con magníficos bajorrelieves de las guerras dácicas.

traje. *Véase* VESTIDO.

trampa y trampero. Trampa es el artificio o aparato que sirve para cazar animales, y trampero el individuo que se dedica a armarlas y a capturar animales por ese medio. Esta manera de cazar es tan antigua como la humanidad misma, ya que fue utilizada por los primeros hombres para procurarse carne, pieles y animales vivos. El tipo de trampas varía según la clase de animales que se pretenda capturar y el estado en que se los desee obtener (intactos, vivos o muertos). Una de las trampas más comunes utilizada para animales terrestres pesados, es la de foso, que consiste en excavar en el suelo, y en lugar frecuentado por el animal que se quiere cazar, un hoyo de paredes verticales y de profundidad mayor que la que el animal pueda saltar. Este foso se cubre con ramas, tierra, hierbas, etcétera, de manera que no pueda ser descubierto. Se coloca un cebo que atraiga a la fiera, en sitio tal que para alcanzarlo se vea precisada a pasar sobre la cubierta del foso, que, al ceder, hará caer al animal al hoyo, del que no podrá salir. Cuando no es necesario atrapar vivo al animal, se clavan en el fondo del hoyo estacas con la punta superior afilada, donde se ensartará la fiera al caer. Esta trampa se ha perfeccionado, sustituyendo la cobertura de ramas por una doble puerta, que se abre por el peso del animal, volviendo a cerrarse por un resorte, permitiendo de esta manera cazar varias presas. Para cazar fieras vivas se emplea otra trampa, que consiste en un cercado de estacas, clavadas fuertemente en el suelo, y con una puerta que permite entrar, pero no salir, al animal que ha entrado, atraído por el cebo colocado dentro del recinto. Para cazar lobos se utiliza este tipo de trampa, haciendo con las estacas dos recintos concéntricos, entre los cuales corre un pasillo estrecho. El cebo consiste en un cordero vivo, encerrado en el cerco interno, al que no puede llegar la fiera. La trampa más común es la de resorte, que se fabrica en tamaños y modelos apropiados a los animales a que se destina, y que consiste en dos quijadas semicirculares que se abren forzando un resorte o muelle. La

Corel Stock Photo Library
Trampas para langostas.

posición de abertura se mantiene trabando las quijadas mediante un dispositivo que se dispara al menor movimiento del soporte donde se coloca el cebo, de manera que el animal que trata de morder éste dispara el resorte, quedando atrapado entre las quijadas. Para los animales grandes, como lobos o zorros, por ejemplo, se emplean fuertes trampas de acero en forma de ballestas, con quijadas dentadas, mientras que para pájaros, ratones, topos, etcétera, se emplean pequeños cepos de alambre. Existen también trampas de cajón, que se cierran cuando los animales que entran, atraídos por los cebos, intentan comer éstos. Para cazar topos se han empleado cilindros de hojalata, del diámetro de las galerías, con puertas que al abrirse hacia adentro permiten la entrada del animal, en cuya galería ha sido colocada la trampa, pero no la salida. El invierno es la estación preferida por los tramperos para la caza, pues los animales son más fáciles de localizar, y las pieles de esta época son de mayor valor en peletería. Al colocar las trampas, debe buscarse un lugar adecuado y adoptar numerosas precauciones que disimulen el artificio, y en algunos casos hacer desaparecer el olor del hombre, que pueda impregnar la trampa, con productos químicos especiales. La caza con trampas se halla muy desarrollada en los países como Canadá, Rusia y Estados Unidos, que capturan gran cantidad de animales, apreciados en peletería.

trance. Estado en que una persona permanece en profundo sueño producido por

hipnosis, catalepsia, autosugestión, etcétera. No siempre va acompañado por peculiares síntomas físicos, pero en muchos casos el pulso y la respiración se hacen más lentos. El trance hipnótico hace cerrar los ojos, provoca pasitud, incapacidad para moverse a voluntad, prestación de obediencia automática, catalepsia de los miembros y movimientos mecánicos. En el llamado trance mediúmnico, el médium parece estar sumido en profundo letargo, pero, conservando o no la exacta conciencia de su personalidad, es capaz de hablar y escribir, de mover una tablilla indicadora del alfabeto y de expresar frases y conceptos independientes de su voluntad; después de haber despertado no recuerda nada de lo sucedido durante el trance. Radica este fenómeno principalmente en la inhibición respecto a las sensaciones externas, con derivaciones al organismo que a veces desdoblan la personalidad psíquica y fisiológica del sujeto.

tranquilizante. Sustancias químicas utilizadas e medicina para el alivio sintomáticos de los estados de excitación y de ansiedad excesiva, o sus manifestaciones somáticas. El concepto de tranquilizante o sedante del sistema nervioso ha sido utilizado como elemento básico en la clasificación de los psicofármacos hecha por J. Delay, bajo el término más genérico de psicoléptico.

En la actualidad es muy elevado el número de pacientes, tanto psiquiátricos como no, que toman esta clase de medicamentos, indicados como terapéutica de los procesos más diversos. En general, más que agentes curativos son elementos antisintomáticos y no deberían ser utilizados nunca sin un diagnóstico previo del proceso a tratar.

transacción. Acción y efecto de transigir; por extensión, trato, convenio, negocio. Contrato mediante el cual las partes, haciéndose mutuas concesiones, evitan la provocación de un litigio o ponen fin al ya comenzado. La transacción es un contrato bilateral que da lugar a un negocio jurídico, cuya finalidad consiste en evitar un pleito o acabar con el ya comenzado, basado en una mutua concesión de las partes; precisamente esta mutua concesión es lo que distingue la transacción de una renuncia, de la donación o de cualquier otro negocio que implique abandono de una pretensión jurídica.

La ley puede distinguir entre transacción judicial y extrajudicial. La primera debe ser reconocida por el juez; en cambio, la segunda tiene lugar fuera del mismo, a través de un contrato.

transamazónica. Carretera que atraviesa la Amazonia brasileña uniendo Reci-

transamazónica

Transbordador para automóviles en California.

Corel Stock Photo Library

fe con Acre y la frontera peruana, con aproximadamente 5,000 km de recorrido. Empalma en Marabá con una carretera de sentido norte-sur destinada a unir Belén con Aceguá, en la frontera uruguaya, varios de cuyos tramos ya están terminados.

transandino. Denominación dada al ferrocarril que une Argentina con Chile. Fue inaugurado en 1910; su línea férrea es de 1,424 km de longitud y está considerada como la más alta del mundo, pues se halla trazada sobre parajes de la cordillera que alcanzan cerca de los 4,000 m de altura. Los Andes son atravesados por un túnel (La Cumbre) que tiene 3,069 m de longitud. La construcción de esta importante vía férrea se debió a la iniciativa de los ciudadanos chilenos hermanos Clark, quienes, después de incesantes gestiones, lograron obtener que el gobierno argentino aprobase su interesante proyecto de unir estos dos países, a través de la cordillera. La sección de Mendoza a Villa Mercedes fue construida a expensas del referido gobierno, en 1880, y el tramo que va de aquélla a los Andes y de allí a Valparaíso fue realizado por una compañía inglesa. En la actualidad, este ferrocarril, como todos los de Argentina, pertenece al Estado en la parte que cubre este país, y al gobierno de Chile en la sección chilena. A través del transandino puede efectuarse en 36 hr, el viaje directo de Buenos Aires a Valparaíso. La explotación de esta línea registra un tránsito considerable, sobre todo en mercancías. Una gran parte de la línea está ya electrificada en el sector chileno, y el material que utiliza es muy moderno. En la construcción de la zona correspondiente a la cordillera, hubieron de

salvarse gran cantidad de obstáculos naturales por medio de puentes, túneles y muros de contención, observándose gran precaución en la erección de obras de defensa contra la nieve, que es muy abundante. En enero de 1934, se produjo un considerable aluvión que suspendió el tránsito en varias partes de la línea argentina. Ante la inactividad de la compañía concesionaria, el gobierno argentino tomó a su cargo el arreglo de los desperfectos, y en 1944 se reanudó el servicio.

transatlántico. *Véase* BUQUE.

transbordador. Plataforma flotante o barco con propulsión propia que se utiliza para transportar gente, vehículos y hasta trenes entre las márgenes de grandes ríos, estrechos, lagos, etcétera. También recibe el nombre *ferryboat*, que es la expresión inglesa de *to ferry*, transportar por encima del agua, y *boat*, barco. Cuando las secciones de un ferrocarril están interrumpidas por grandes cursos de agua navegable, se utilizan, en vez de puentes, grandes transbordadores provistos de rieles en su cubierta, que se pueden hacer coincidir con los rieles de ambas márgenes; los trenes entran por sus propias ruedas en la embarcación, que los transporta a la otra orilla, donde salen también por sus propias ruedas. Existen transbordadores entre las grandes poblaciones separadas por ríos o bahías importantes. Entre Francia e Inglaterra hay un servicio de transbordadores que va de Calais a Dover; en Estados Unidos los hay en todas las grandes ciudades marítimas y de la región de los

grandes lagos; en Argentina, a través del río Paraná, etcétera.

transbordador espacial. Challenger transbordador espacial de Estados Unidos. Nave reutilizable cuyo diseño permite lanzarla a la órbita espacial mediante cohetes y después traerla a la superficie terrestre planeando hasta su aterrizaje en una pista. Al inicio de los años setenta la Administración Nacional de Aeronáutica y del Espacio (NASA por sus siglas en inglés) decidió convertir al transbordador en el principal vehículo de lanzamiento y transporte espacial planeado para sustituir a los costosos cohetes de propulsión, el transbordador vendría a completar el nuevo Sistema de Transportación Espacial (STE) de la NASA. Finalmente, el programa se puso en marcha al inicio de los años ochenta.

Elementos del transbordador. Los más importantes son el orbitador, el tanque exterior y los cohetes de propulsión. La nave pesa 2 millones de kg al momento de su lanzamiento y mide 56.1 m de altura. Puede transportar hasta 29,500 kg de carga en una misión, como el laboratorio espacial, el telescopio espacial o satélites. Una vez concluida la misión, los motores de maniobra del transbordador se encienden como retrocohetes. Al entrar en la atmósfera la nave es frenada por ésta y pasa de una velocidad que supera 25 veces la del sonido a una inferior a la del sonido, antes de aterrizar.

Tripulación. A diferencia de los programas espaciales anteriores, el transbordador ha permitido que la tripulación esté conformada por miembros con mayor especialización y que en las misiones participen personas que no son astronautas. Existen básicamente dos tipos de participantes en los viajes del transbordador: los pilotos y los especialistas de la misión. Los pilotos dirigen el transbordador; en el asiento ubicado a la izquierda de la cabina del piloto viaja el capitán de la misión (un astronauta con mayor experiencia). El encargado del cargamento del transbordador es especialista en alguna disciplina. En cada orden que se da en el vuelo se nombra primero al capitán y después al piloto.

El desastre del Challenger. La trayectoria del programa del transbordador ha quedado marcada, hasta la fecha, por un terrible accidente que, de cierta manera, cambió su rumbo. La vigesimoquinta misión que se llevaba a cabo en el Challenger terminó en menos de 2 minutos después de haber despegado la nave, el 28 de enero de 1986, cuando una bola de fuego interrumpió su ascenso. El accidente ocasionó la muerte de todos los miembros de la tripulación: el comandante Francis Scobee; el piloto Michael Smith; los especialistas de la misión Judith Resnik, Ellison Onizuka y Ronald McNair, y los especialistas

Gregory Jarvis y Christa McAuliffe; esta última era una maestra de escuela secundaria que había ganado un concurso nacional para participar en el vuelo.

La NASA suspendió las operaciones del transbordador hasta no tener los resultados de una comisión investigadora creada por el presidente y encabezada por el otrora secretario de estado William P. Rogers. El astronauta Neil Armstrong fungió como vicepresidente de la misma. Entre los miembros estaban la astronauta Sally Ride y el Premio Nobel Richard Feynman. En su informe de junio de 1986 la comisión señaló que la falla se ubicaba en un empaque que estaba entre los segmentos de uno de los cohetes propulsores de combustible sólido. Debido en parte a las bajas temperaturas y al embate de los vientos durante el lanzamiento, el sello no funcionó correctamente y las flamas alcanzaron al tanque principal de combustible líquido y a un puntal de unión. El extremo superior del propulsor se balanceó entonces hacia el tanque principal y todo el conjunto se quemó de manera casi explosiva. El transbordador se partió en varios segmentos, incluyendo el compartimento de la tripulación, que cayó al océano y después fue recuperado parcialmente. La comisión puso en tela de juicio los procedimientos de la NASA de tal manera que se llevaron a cabo cambios administrativos y se redujo la plantilla de personal. El presidente Ronald Reagan autorizó que se reemplazara el Challenger pero también ordenó a ese organismo que pusiera un alto al lanzamiento de satélites comerciales, lo cual acabó con las esperanzas de que la NASA lograra su independencia financiera. En 1991 la NASA convino en limitar aún más el uso del transbordador, favoreciendo más bien el lanzamiento de cohetes o bien de satélites más sencillos.

Challenger Fecha Tripulación y resultados de la misión.
1. 4-9 de abril de 1983. Paul Weitz, Karol Bobko, Donald Peterson, Story Musgrave. Despliegue del satélite TDRS; pruebas con trajes espaciales en antecámara de compresión.
2. 18-24 de junio de 1983. Robert Crippen, Frederick Hauck, Sally Ride, John Fabian, Norman Thagard. Se desplegaron dos satélites de comunicación; primera mujer estadounidense en el espacio.
3. 30 de agosto-5 de septiembre de 1983. Richard Truly, Daniel Brandenstein, Guion Bluford, Dale Gardner, William Thornton. Se desplegó un satélite de comunicación; lanzamiento y aterrizaje nocturnos; primer estadounidense de raza negra en el espacio.
4. 3-11 de marzo de 1984. Vance Brand, Robert Gibson, Ronald McNair, Bruce McCandless, Robert Stewart. Se puso a prue-

ba la Unidad de Maniobras; primer aterrizaje del transbordador en Cabo Cañaveral.
5. 6-13 de abril de 1984. Robert Crippen, Francis Scobee, Terry Hart, George Nelson, James Van Hoften. Reparación del satélite solar Maximum; se instaló el aparato de exposición de larga duración.
6. 5-13 de octubre de 1984. Robert Crippen, Jon McBride, David Leestma, Kathryn Sullivan, Sally Ride, Paul Scully Power, Marc Garneau. Se instaló un satélite; primer EVA realizado por una mujer.
7. 29 de abril-6 de mayo de 1985. Robert Overmyer, Frederick Gregory, Don Lind, William Thornton, Taylor Wang, Norman Thagard, Lodewijk van den Berg. Segundo Laboratorio Espacial utilizado para investigar el mareo; se instaló un satélite.
8. 29 de julio-6 de agosto de 1985. Gordon Fullerton, Roy Bridges, Karl Henize, Sotry Musgrave, Anthony England, Loren Acton, John David Bartoe. Tercera misión del Laboratorio Espacial en la que se empleó todo un conjunto de instrumentos astronómicos. Se instaló un satélite.
9. 29 de octubre-6 de noviembre de 1985. Henry Hartsfield, Steven Nagel, Bonnie Dunbar, Guion Bluford, Ernst Messerschmid, Reinhard Furrer, Wubbo Ockels, James Buchli. Misión del Laboratorio Espacial patrocinada por la República Federal Alemana; se lanzó un satélite.
10. 28 de enero de 1986. Richard Scobee, Michael Smith, Ronald McNair, Ellison Onizuka, Gregory Jarvis, Judith Resnik, Christa McAuliffe. Explosión 70 segundos después del lanzamiento; muerte de toda la tripulación; la maestra McAuliffe había

Transbordador espacial Challenger *en el espacio, cortesía de la NASA.*

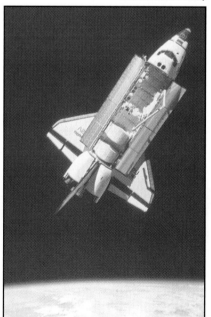

ganado un concurso nacional, que tuvo gran publicidad, para participar en el vuelo.

Transcaucasia. Región al sur de los montes Cáucasos, que limita al este con el Mar Caspio al oeste con el Mar Negro y al Sur con Irán y Turquía. Tiene una extensión de 186,100 km^2 y 15.761,000 habitantes. En su territorio se han constituido tres repúblicas principales que formaron parte del bloque de la Unión de Repúblicas Socialistas Soviéticas: Azerbaiján, capital Bakú, sobre el Mar Caspio; Armenia, capital Ereván, y Georgia, capital Tiflis. Sus habitantes son de las más variadas razas, predominando rusos, tártaros, armenios y turcos. Posee una de las zonas productoras de petróleo más ricas del mundo, con oleoductos que van de Bakú (Mar Caspio) a Batum y Poti (Mar Negro). El territorio está cruzado de costa a costa por el ferrocarril transcaucásico

transcontinental. Denominación aplicada a las vías de comunicación que atraviesan un continente. En América se llaman transcontinentales los ferrocarriles que van desde las costas orientales a las occidentales, o sea del Atlántico al Pacífico, como, por ejemplo, el Transandino, que une la República de Chile (Santiago y Valparaíso) con Argentina (Buenos Aires). También pueden incluirse en esa denominación los ferrocarriles que van de Alejandría a Jartum y pueden llegar hasta El Cabo, atravesando todo el continente africano.

transexual. Persona que posee un sentimiento acusado de pertenecer al sexo opuesto, que se cristaliza en el deseo de transformación corporal, lo que en muchos casos conduce a buscar un cambio de sexo por medios quirúrgicos. El fenómeno se observa especialmente en hombres y puede presentarse aisladamente o acompañado de travestismo.

El transexual se distingue del hermafrodita (caracterizado por la anomalía física), del homosexual (definido por su deseo proyectado en personas de su mismo sexo, sin poner éste en cuestión) y del travesti, que tampoco rechaza su propia anatomía y se limita a vivir su identificación con el sexo opuesto hasta en su indumentaria, maquillaje, etcétera. La transexualidad es un trastorno fisiológico-psicológico de la identidad de sexo, un desacuerdo o desajuste profundo entre morfología y conducta, entre sexo fenotípico y sexo psicológico.

transferencia. Acción y efecto de transferir. Relación matemática entre las variables de entrada y de salida de un sistema o de un subsistema. En un sistema, acción consistente en engendrar una señal de salida a partir de una de entrada. Se dice

243

que una transferencia es conservativa cuando ambas señales tienen la misma energía; activa si la señal de salida tiene energía superior a la de entrada; pasiva en el caso inverso. Transacción económica sin contraprestación. En el léxico bancario significa traslación de fondos de una cuenta a otra, ya sea en una misma oficina bancaria, ya en una misma institución o bien en distintas situadas en la misma o en diferente plaza. Sistema de fabricación en cadena en el que las piezas, después de ser trabajadas por una máquina, pasan automáticamente a la siguiente, que las trabaja a su vez antes de cederlas a otra, y así sucesivamente. En la terminología psicoanalítica, conjunto de sentimientos y emociones que el enfermo experimenta en su relación con el psicoanalista y que están condicionados por las experiencias pasadas, especialmente por las infantiles en relación con sus objetos primarios (padre y madre).

transfiguración. Milagro por el cual Jesús, en lo alto del monte Tabor y ante sus discípulos Pedro, Santiago y Juan, se transformó en un ser sobrenatural, resplandeciente de luz vivísima como *la del sol*, acreditando así su filiación divina. Este hecho se halla relatado en los Evangelios de Mateo, Marcos y Lucas, pero los discípulos que lo presenciaron, salvo san Pedro que aludió a él brevemente, se abstuvieron de mencionarlo, por habérselo así prohibido expresamente el Señor. La Iglesia católica conmemora este milagro con una fiesta litúrgica, que se celebra el 6 de agosto.

transformación. En matemáticas, una transformación es la regla por medio de la cual un objeto matemático dado puede ser cambiado en otro del mismo tipo. La idea de una transformación tiene sus raíces en el hecho de que el mismo objeto o evento puede ser observado desde diferentes perspectivas. Por ejemplo, un círculo se ve como un círculo cuando es visto de frente, pero aparece como una elipse cuando se ve oblicuamente. Existe una ley de transformación que indica como predecir la forma aparente desde un nuevo punto de vista, dada la forma que tenía desde el punto de vista anterior. Debe hacerse una mención especial de la transformación identidad, la cual deja todo sin variación alguna. Esta idea ha sido fructífera sobretodo en matemáticas y física, en donde ha conducido a la definición de un sinnúmero de teorías, incluyendo la teoría de la relatividad de Einstein.

A la transformación que deshace el trabajo de otra se le llama transformación inversa. Por ejemplo, la inversa de la rotación de las manecillas del reloj en 90%, es una rotación en el sentido contrario a las manecillas del reloj en la misma cantidad. La mayoría de las transformaciones matemá-

ticas pueden clasificarse como transformaciones algebraicas o geométricas. Una transformación geométrica es el trazo en sí mismo de un objeto geométrico. Por ejemplo, una transformación euclidiana del plano en si mismo es una que transforma las figuras geométricas en figuras congruentes. Las rotaciones y las translaciones son ejemplos de transformaciones euclidianas, ya que un cuadrado o cualquier otra figura geométrica puede rotarse o trasladarse sin cambiar su forma o tamaño. Bajo una transformación lineal, la imagen de un cuadrado siempre será un paralelogramo, sin embargo necesita mantener sus nulos rectos o la misma área.

Las transformaciones algebraicas son reglas para obtener expresiones algebraicas nuevas a partir de otras antiguas haciendo una sustitución de variables. Por ejemplo, la sustitución $x'=x+y$, $y'=2x-y$ transforma a la expresión $x'(2)+y'(2)$ en $(x+y)(2)+(2x-y)(2)$, que es igual a $5x(2)-2xy+2y(2)$. Esta transformación algebraica y las transformaciones geométricas están relacionadas por medio de la geometría analítica. Esto es, si los puntos geométricos están dados en coordenadas, entonces las transformaciones geométricas pueden expresarse en términos de transformaciones algebraicas de las coordenadas y viceversa.

transformador. Aparato utilizado para disminuir o aumentar el voltaje de una corriente eléctrica alterna. El funcionamiento de este aparato está basado en uno de los principios más importantes de la inducción eléctrica. Este principio dice que el paso de una corriente por un alambre cualquiera en determinado sentido crea un campo electromagnético que en otro alambre se revela como una

corriente en sentido contrario. El transformador consiste esencialmente en dos espirales de alambre superpuestas sobre un núcleo de hierro dulce; la corriente eléctrica que pasa por la primera de esas espirales engendra otra corriente en la segunda espiral. Las dos extremidades de la primera espiral o bobina se conectan con el generador eléctrico o la fuente de electricidad que sea necesario transformar; la segunda espiral, con el aparato o circuito que deba recibir la corriente transformada. El poder del transformador se mide fácilmente por la proporción que exista entre el número de vueltas del arrollamiento primario y el del secundario. Si la primera espiral tiene un número de vueltas dos o tres veces mayor que la segunda, la corriente resultante será de un voltaje proporcionalmente menor. Este transformador se llama reductor y se utiliza preferentemente para poner en funcionamiento los motores eléctricos y en la iluminación. Cuando las vueltas de la primera espiral son un número de veces cualquiera menor que las de segunda la corriente engendrada es de un voltaje también proporcionalmente mayor. En este caso el transformador recibe el nombre de elevador. Ciertas industrias, y las mismas estaciones transmisoras de energía eléctrica, necesitan voltajes de muy alta tensión y usan transformadores elevadores de gran poder. En electricidad, el nombre de transformador se aplica con propiedad solamente a los de corriente alterna. Por extensión, se suele llamar también transformadores a otros aparatos que convierten la corriente alterna en continua o viceversa, pero los nombres de estos aparatos son los de convertidores, rectificadores y conmutatrices.

Transformador de energía eléctrica.

transformismo. Teoría biológica que trata de explicar los orígenes de las especies y del hombre. El transformismo estima que en todos los seres se operan dos fenómenos característicos que dan lugar a su configuración y permanencia, a saber: la lucha mutua por subsistir, en la que triunfan siempre los más fuertes (ley de la selección natural); y la habilidad de aquéllos para adaptarse, cada vez con mayor perfección, al medio que viven (ley de la evolución). Analizando las semejanzas y analogías que se observan en los animales y plantas, llegan a la conclusión de que, por una suerte de encadenamiento lógico, todo organismo superior actual es el resultado de la transformación (que a veces representa miles de años) de otro pretérito. Basándose en esos razonamientos, que ya fueron entrevistos por René Descartes, George Louis, conde de Buffon, Gottfried Leibniz, Jean Baptiste de Lamarck y otros, Charles Darwin ampliando las consecuencias del malthusianismo y oponiéndose al estabilismo de Georges Cuvier, sustenta en su famosa obra *El origen del hombre* que éste desciende de un antepasado antropoide que se supone haber existido en remotas edades geológicas. *Véase* EVOLUCIÓN.

transfusión de la sangre. Operación que consiste en inyectar sangre humana a un paciente, siguiendo una técnica adecuada. Las transfusiones salvan muchas veces la vida, al restituir al torrente circulatorio las pérdidas ocasionadas por heridas, accidentes o enfermedades de la sangre. La historia de la transfusión se remonta a 1667 cuando Denis, de Montpellier (Francia), inyectó a un joven de 16 años con fiebre alta y estado grave, 270 gr de sangre arterial de un cordero. Más tarde la transfusión se practicó de hombre a hombre por médicos italianos, pero ante los casos de muertes atribuidos a este método, las autoridades civiles y religiosas prohibieron el ejercicio de la transfusión. La situación cambió en 1900 cuando Karl Landsteiner descubrió los grupos sanguíneos. La sangre de cualquier persona, sana o enferma, puede ser clasificada en uno de los cuatro grupos. De este modo se evitan los accidentes que se padecían con anterioridad al reunir sangres incompatibles.

El objeto de la transfusión es restituir el volumen de sangre perdido y compensar la disminución de glóbulos rojos y otras sustancias vitales que existen en la sangre. La transfusión se puede hacer con sangre entera y también con plasma o suero, y soluciones de coloides y cristaloides. Según los casos se emplean unas u otras, como en los heridos, quemados, anémicos, estados de choque y en los debilitados que van a sufrir una operación. La sangre transfundida la retiene el organismo con facilidad.

En 1915 el médico argentino Luis Agote dio a conocer el empleo de la sangre citratada que, al evitar la coagulación, permite depositarla y conservarla. Gracias a este descubrimiento la antigua técnica de unir el vaso del sujeto dador a una vena del paciente receptor ha sido sustituida por la actual, que consiste en transfundir sangre citratada que es incoagulable. Existen varios modelos de aparatos transfusores que regulan el paso de la sangre, siendo su función perfecta. Es necesario conocer previamente el grupo sanguíneo a que pertenecen dador y receptor, para evitar accidentes graves y a veces mortales, por el empleo de sangre incompatible. La transfusión de sangre es aconsejable cuando se han sufrido pérdidas de 2 a 5% del peso corporal. Es muy importante tener en cuenta el factor Rh que se analizará al mismo tiempo que el grupo sanguíneo.

Durante las guerras mundiales muchos ciudadanos daban sangre para los heridos, salvándose muchas vidas con tan valiosa ayuda. En la Segunda Guerra Mundial se dio preferencia al plasma en lugar de la sangre entera, porque se conserva mejor, sobre todo manteniéndola a 4 °C. Además no es necesario determinar el grupo sanguíneo antes de la transfusión, ahorrándose tiempo y peligros. Mejor que el líquido es el plasma desecado que se conserva mucho tiempo, se transporta fácilmente y puede llevarlo el soldado en su mochila.

Entre los progresos que ha experimentado la técnica de la transfusión de sangre figuran las transfusiones en los huesos, las arterias y el corazón. En la vía intraósea se aprovechan los huesos de estructura esponjosa, como el calcáneo que forma el talón del pie y el hueso ilíaco. La transfusión intraarterial se aplica cuando la vía intravenosa no ofrece perspectivas favorables. Las inyecciones de sangre o plasma en una arteria salvan a veces la vida en los casos de muerte aparente. Para la práctica de esta técnica se emplean aparatos que constan de un sistema de impulsión de la sangre en la arteria y un dispositivo para medir la presión de la sangre o plasma inyectados. El método heroico de la transfusión intracardiaca se emplea con menos frecuencia que los anteriores. Se utiliza cuando ha habido grandes pérdidas de sangre o en la parálisis cardiaca.

Otras transfusiones de sustitutos de la sangre se realizan con soluciones salinas y agua salada inyectadas a ritmo lento, gota a gota y sólo tienen acción transitoria. Se emplean, también, soluciones de dextrán, que es un derivado de la glucosa. En todas las grandes ciudades existen bancos de sangre donde se facilitan frascos de sangre citratada para los casos de urgencia. *Véanse* FACTOR RH; GRUPO SANGUÍNEO; PLASMA; SANGRE.

transiberiano. Línea ferroviaria que enlaza Moscú con Vladivostok a través de Siberia. El proyecto de este ferrocarril, el mayor en servicio del mundo, fue concebido en 1850, pero, a causa de lo costoso de su realización, quedó en suspenso hasta que en 1891 el ministro ruso conde Sergei Witte obtuvo del zar la autorización para comenzar las obras. Éstas se ejecutaron con bastante rapidez en la parte europea. En 1902 la construcción estaba casi terminada, salvo el tramo que bordea por el sur el lago Baikal, donde se efectuaron difíciles trabajos de ingeniería, por los cuales no quedó completamente tendido hasta dos años después. El primitivo trazado sólo disponía de una vía, que en 1937 fue duplicada. Parte, como hemos dicho, de Moscú, y por Riasan, Pensa, Kuibichev, Ufa, Cheliabinsk, Oms, Krasnoyarsk, de Irkuisk se dirige a Chita. A partir de este punto, se continuó de acuerdo con China por Manchuria septentrional, pasando por Chailar y Karbin para volver al territorio ruso en Vladivostok. Razones políticas incitaron a Rusia a construir (1907-1917) un tramo más largo, pero dentro de su territorio, que enlazando con la línea principal en Chita se dirige por Khabarovsk a Vladivostok. Respecto al otro ramal –Ferrocarril de la China Oriental– un tratado firmado en 1945 estableció que durante 30 años sería utilizado en igualdad de condiciones por la Unión Soviética y China, pasando después a ser propiedad de China. En realidad el gobierno de Rusia no da hoy el nombre de Transiberiano más que al tren llamado *Exprés Transiberiano* que sale de Moscú donde enlaza con los ferrocarriles europeos, y pasa por Kirov, Molotov (Perm), Sverdlovsk, Oms, Irkutsk, Chita, y por el norte del Amur llega a Khabarovks y Vladivostok, recorriendo en total unos 9,200 km. Este ferrocarril –que en gran parte de su territorio atraviesa un paisaje llano y monótono, aunque a veces se interna en bosques espesos e interminables– ha transformado Siberia en un país de tránsito, y acercado el Lejano Oriente a la Rusia europea, contribuyendo, además, al desarrollo industrial y comercial de las grandes estepas, cuya población se duplicó en el transcurso de 20 años. Fue de gran utilidad para Rusia en la guerra rusojaponesa y en las mundiales. Con el Transiberiano empalman otras líneas importantes del Asia rusa, así como ferrocarriles chinos y coreanos.

transición. Acción y efecto de pasar de un modo de ser, estar (o hacer) a otro distinto. Paso más o menos rápido de una prueba, idea o materia a otra, en discursos o escritos. Cambio repentino de tono y expresión. Estado intermedio entre uno más antiguo y otro a que se llega a un cambio.

transición

Transición electrónica. Es un átomo o molécula, paso de un electrón de un nivel de energía a otro.

Transilvania. Región perteneciente a Rumania, situada entre Bucovina y Rutenia al norte; Banato y Valaquia, al sur; Moldavia, al este, y Hungría al oeste. Superficie: 61,300 km². Población: 3.200,000 habitantes, de los que 60% son rumanos. País de variada topografía, penetran en él o llegan hasta sus bordes los Cárpatos moldavos y rutenos y declinaciones de los Alpes transilvanos procediendo de éstos numerosos ríos que luego desembocan en el Danubio, pero no directamente sino en su mayor parte mediante el Tisza, que cruza Hungría junto al límite transilvano. Poblado por comunidades de diferente origen, el país es denominado Ardéal, en rumano. Sus ríos de mayor importancia, el Mures y el Oltu, al igual que otros menores, bañan la región más poblada y de mayor actividad. Intensa producción textil y agrícola, y no menos importante explotación de minas de sal gema, hierro y lignito, y de ricos bosques en maderas. Los encajes y bordados de Transilvania constituyen una próspera industria doméstica, y alcanzan altos precios. Los establecimientos metalúrgicos han alcanzado gran desarrollo y es importante la fabricación de maquinaria agrícola. El clima es severo en las dos estaciones principales: muy frío en invierno y extraordinariamente caluroso en el verano. Sus principales ciudades son Cluj Napoca, Timisoara y Sibiu.

transistor. Dispositivo electrónico que se funda en la propiedad de conducción y rectificación que tienen ciertos tipos de cristales semiconductores. Consiste en un pequeño bloque de material semiconductor, generalmente germanio, en el que se hacen no menos de tres contactos eléctricos, uno de ellos llamado contacto óhmico (no rectificador) y los otros dos rectificadores. Los transistores se utilizan en circuitos electrónicos, entre otras aplicaciones, como amplificadores, detectores e interruptores. Su gran importancia se pone de manifiesto cuando se comprende que para cada circuito que emplee válvulas termoiónicas (excepto para las que funcionan con frecuencias extremadamente altas) hay un circuito equivalente de transistores. Además, los transistores hacen posible la integración de circuitos de dimensiones mínimas, que no serían factibles con las voluminosas válvulas termoiónicas, debido a que los transistores son mucho más pequeños, consumen la vigésima parte de energía, no tienen filamentos que se quemen, son de gran eficiencia y larga duración. Tienen numerosas aplicaciones en telecomunicaciones, computadoras eléctronicas, sistemas de mando y control automático, receptores de radio y televisión, amplificadores de sonido y de alta frecuencia. Su empleo ha hecho posible la construcción de radiorreceptores portátiles, de audífonos y aparatos para la sordera, de importantes dispositivos en mecanismos utilizados por las ciencias militares, entre otros.

Los principios físicos en que se fundan los transistores eran conocidos desde los comienzos de la radiotelefonía; pero el perfeccionamiento que hizo posible su empleo culminó en 1948 con el transistor de punto de contacto, debido a los descubrimientos de John Bardeen, Walter Houser Brattain y William Schockley (por los que recibieron el Premio Nobel de Física en 1956). El empleo de este tipo de transistor se generalizó a partir de 1952, y representa uno de los más notables progresos en electrónica. *Véanse* RADIORRECEPTOR; RADIOTELEGRAFÍA Y RADIOTELEFONÍA; TELEVISIÓN; VÁLVULA TERMOIÓNICA.

tránsito. Acción de pasar de un lugar a otro y sitio por donde se pasa. El tránsito de vehículos automóviles, ya sea por las calles y avenidas de una ciudad o por carreteras y autopistas, está adecuadamente regulado por las disposiciones y ordenanzas que promulgan los organismos oficiales correspondientes, ya sean municipales o estatales. De acuerdo con esos reglamentos, en todos los países civilizados existen sistemas de señales reguladoras del tránsito urbano y de carretera, que consisten en la instalación de semáforos de luces rojas, verdes y amarillas que, generalmente, funcionan en forma automática para dar o interrumpir el paso de las hileras de vehículos que cruzan por calles y avenidas; en postes indicadores de curvas y cruces, y en los servicios que prestan los policías o vigilantes de tránsito.

En comercio internacional se emplea la locución en tránsito o de tránsito para designar a aquellas mercancías que se envían de una nación a otra, pero que, para llegar a su destino, tienen que pasar por una o varias naciones intermedias. Según el medio de transporte que se utilice, esta clase de tránsito puede ser terrestre, marítimo o aéreo. En todas las naciones civilizadas existen reglamentos y disposiciones aduanales y consulares que rigen el paso por el territorio nacional de esa clase de mercancías en tránsito.

tránsito. En astronomía se designa con el nombre de tránsito el paso de un cuerpo celeste entre el observador y otro cuerpo celeste de mayores dimensiones como, por ejemplo, el paso de los planetas Venus o Mercurio por el disco del Sol, o de uno de los satélites de Júpiter por el disco de este planeta. También se llama tránsito el paso de un astro cualquiera por el meridiano del observador. En los observatorios astronómicos se utiliza un telescopio especialmente instalado para que gire solamente en dirección norte sur, que recibe el nombre de tránsito o círculo meridiano. Se emplea para observar el paso de un astro por el meridiano del lugar y medir su altura. En esa forma, no solamente se calculan la ascensión recta y la declinación del astro observado, lo que sirve para determinar su posición en la esfera celeste, sino que, también,

Tránsito automotriz en París, Francia.

Corel Stock Photo Library

se calcula la hora exacta que corresponde al lugar en que se efectúa la observación.

Transjordania. *Véase* JORDANIA.

translúcido. Cuerpo a través del cual pasa la luz, pero que no deja ver sino confusamente lo que hay detrás de él. Si esmerilamos una de las caras de una lámina de vidrio, éste pierde la transparencia y se convierte en translúcido.

transmediterráneo. Se dice de las regiones situadas al otro lado del Mar Mediterráneo en relación con el que habla y, también, de los buques y otros medios de comunicación que atraviesan dicho mar. Algunas compañías de navegación incluyen en su nombre esta denominación para indicar que el itinerario de sus buques queda circunscrito al Mediterráneo.

transmigración. Paso del alma de un cuerpo a otro, según opinión de los que creen en la metempsicosis o doctrina filosófico-religiosa que se considera originaria de la India, y que también fue profesada por los egipcios. Según esa doctrina, cuando el hombre moría, su alma se trasladaba al cuerpo de un animal, y después de pasar de un animal a otro durante un periodo considerable, volvía a entrar en un cuerpo humano.

Esta creencia fue propugnada en Grecia por el filósofo Pitágoras, cuyos discípulos enseñaron que el alma, al quedar libre de los lazos del cuerpo, iba al imperio de los muertos, donde permanecía durante un periodo determinado. Después seguía animando otros cuerpos de hombres o de animales hasta que una vez cumplido el término de su purificación volvía al manantial de la vida de donde había salido. Gotthold Lessing y otros pensadores de finales del siglo XVIII supusieron que las almas se incorporan a cuerpos terrestres y celestes en progreso continuo e indefinido.

transmisión. Acto por el cual se traslada algo de lugar, conservando sus condiciones y cualidades esenciales. Su significación tiene importantes y variadas aplicaciones. En ciencias físicas se trata de la transmisión de energía en cualquiera de sus formas: luz, calor, movimiento, etcétera. En ciencias sociales y jurídicas, se considera la transmisión de los derechos que sobre alguna cosa se atribuyan a una persona: créditos, herencias, poder mando, etcétera. Las enfermedades pueden también transmitirse, por contagio o contaminación.

En mecánica se denominan transmisiones a las combinaciones de ruedas y poleas que, mediante fricción, correas, cadenas, dientes, bielas o cremalleras, comunican los movimientos recibidos a las distintas

Estalactitas translúcidas.

piezas de la máquina. El fluido eléctrico se transmite por alambres, cables y líneas aéreas o subterráneas; el sonido y la imagen por las ondas hertzianas, etcétera. Los físicos estudian tanto el aprovechamiento de las fuerzas naturales como su posibilidad de transmisión a los lugares en que deban aplicarse. Por eso, la energía eléctrica ha alcanzado tanta difusión, ya que es posible transportarla a grandes distancias del lugar donde se produce.

transmutación. Conversión de una sustancia en otra. La transmutación de los metales comunes en oro constituyó una de las preocupaciones que embargaron la mente de los alquimistas de la Edad Media. Una creencia de los alquimistas y astrólogos caldeos y egipcios, desde la antigüedad, sostenía que todos los minerales se hallaban engendrados por una misteriosa energía *(alma madre)* que operaba paulatinamente sobre ellos, hasta convertirlos en metales preciosos. Fundándose, sin duda, en el hecho de que la característica más saliente que éstos ofrecen es la de emitir destellos cuando son heridos por la luz, creyeron que los rayos estelares eran una prueba de la existencia de la referida energía que, a su vez, debía estar contenida en las entrañas de la Tierra. Relacionando entonces nuestro planeta con el resto de los que constituyen el universo, llegaron a la conclusión de una singular cosmogonía (astrología) y dedujeron que en ciertas constelaciones favorables el hombre podría descubrir el *alma madre*, para ponerla a su servicio. A tal efecto, todos los alquimistas

se dedicaron a buscar con impaciencia la piedra filosofal (que llegó a constituir el fin objetivo de esta pseudociencia) que debía contener, según tales teorías, ese maravilloso poder germinativo o transmutatorio, y lo hicieron ya por vía seca (calcinaciones) ya por vía húmeda (destilaciones). Las virtudes que se atribuyeron a la piedra filosofal fueron portentosas; con ella se podía convertir el plomo y el hierro en oro, alargar la vida, devolver la salud y eliminar los malos humores del cuerpo. Nada se sabe en concreto hasta dónde pudieron llegar esos experimentos para hallar la piedra filosofal, y muchos hombres de ciencia contemporáneos los consideran como una anticipación de lo que en química moderna se llama transmutación de los elementos químicos. Gracias a los progresos de la física atómica y de nuestros conocimientos sobre la constitución de la materia, ya se ha logrado en pleno siglo XX transmutar unos metales en otros.

transparencia. Calidad o estado propio de los cuerpos que permiten el paso de los rayos luminosos, en medida tal, que es posible ver con toda claridad a través de aquéllos. Un objeto translúcido, por el contrario, admite el paso de la luz, pero no permite ver con entera claridad lo que se halla del otro lado. Se habla de la transparencia de la atmósfera, según su diafanidad, que depende de la difusión de la luz en las moléculas y en las partículas de polvo y absorción selectiva. La luz del día procede del Sol, por radiación directa, y el resto, de la atmósfera, bien por difracción en las moléculas del aire, bien por reflexión difusa en las partículas en suspensión, así como en el suelo, las nubes, etcétera. Al atravesar la luz una cierta capa de aire, la radiación llega debilitada, a causa de la citada difracción. Además, los rayos luminosos experimentan una absorción selectiva. De existir en la atmósfera polvillo en suspensión, la proporción de luz que se recibe en un punto determinado, procedente de otro, es aún menor.

transpiración. *Véase* SUDOR Y TRANSPIRACIÓN.

transpirenaico. Se dice de las regiones y lugares situados al otro lado de los Pirineos y de los pasos y medios de locomoción que atraviesan los Pirineos. La comunicación ferroviaria entre España y Francia, a través de la cordillera de los Pirineos, se efectúa por cuatro puntos: Irún-Hendaya (atravesando el Bidasoa); Puigcerdá-La Toar de Carol; Port-Bou-Cerbére y Canfranc-Olorón (inaugurada en 1928, con estación internacional en Los Arañones, enclavada en territorio español). Famosa por su túnel del Somport o Canfranc, que atraviesa el macizo de la montaña y tiene

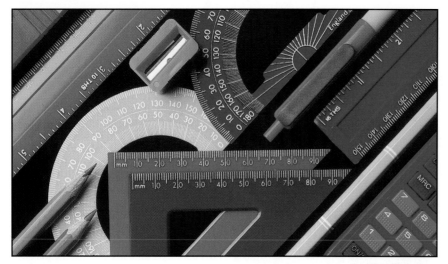

Corel Stock Photo Library

Un juego de geometría, generalmente incluye un transportador.

una longitud de 8,200 m. Las carreteras principales son las del Tourmalet, Salanu, Puymorens, Portalet, Somport, Perthus y Roncesvalles, cuyas alturas oscilan entre los 1,067 y 2,058 m. Como es de presumir, existen, además, caminos y atajos, muchos de ellos sólo conocidos por la gendarmería o carabineros, pastores y contrabandistas.

transportador.

Instrumento empleado en el dibujo lineal o geométrico, tanto para medir los ángulos, como para trazarlos. Se construyen en metal, madera y preferentemente, en celuloide o materiales plásticos transparentes. Tienen la forma de una circunferencia, o de una semicircunferencia, aunque también pueden ser rectangulares. En sus bordes hay una escala graduada, con la que se miden las aberturas de los ángulos. Algunos se hallan provistos de reglas auxiliares, que aumentan su precisión.

transportador de cadena.

Artificio empleado en minas y fábricas para transportar materiales de un lugar a otro. Consiste en una serie de vagonetas que se mueven por acoplamiento a una cadena sin fin y que circulan sobre rieles. Este sistema de transporte es particularmente usado en los casos en que el plano de arrastre ofrece pendientes bastante acentuadas (generalmente más de 10%) y también, subidas y bajadas alternativas, pues la articulación y el peso de la cadena de tracción conviene más que la rigidez excesiva del cable que difícilmente se adaptaría a esas irregularidades. Se ha logrado construir transportadores que acometen perfectamente trayectos de hasta 4 km. La cadena puede circular en la parte superior o inferior de la vagoneta. En el primer caso, el acoplamiento se efectúa por medio de gan-

chos, y en el segundo por horquillas dispuestas en la parte posterior del vehículo y en las cuales penetran los eslabones por la simple acción de su peso. A veces, en las curvas, éstos se sueltan automáticamente, la vagoneta marcha por el impulso adquirido o aprovechando la inclinación que expresamente se ha dado a las mismas, y la cadena es conectada de nuevo en el preciso momento en que se inicia la recta. En los extremos del plano la cadena termina su circuito, dejando libre la vagoneta que, después de unos 4 m, se para. La cadena es guiada en todo el trayecto por poleas y rodillos de deslizamiento, y la tracción se

Transportador de cadena en una mina en Ghana.

Corel Stock Photo Library

efectúa por medio de un juego de ruedas provistas de muescas o piñones, entre los cuales penetra aquélla. Unos tensores mantienen la tirantez suficiente de la cadena en todo el trayecto.

transportes.

Sistemas, métodos y recursos utilizados para trasladar personas y mercancías de un lugar a otro. Nuestra civilización no podría existir sin los transportes, verdaderas arterias del organismo social. Su historia es antigua; iniciada cuando el hombre prehistórico decidió cargar los productos de la caza o de la pesca sobre sus espaldas, se ha diversificado notablemente en los últimos 100 años, y hoy se mueve en el vasto ámbito tridimensional de la tierra, el agua y el aire. De aquí surge la división tripartita del transporte en terrestre, acuático o aéreo, que servirá para separar en tres etapas el vasto tema de este artículo.

Las rutas terrestres. Desde su aparición sobre el planeta, el hombre ha tratado, a veces de modo infructuoso y a menudo con pleno éxito, de hallar medios de transporte que lo liberaran de la necesidad de cargar bultos pesados sobre sus espaldas. El transporte en los tiempos del hombre prehistórico se simplificó cuando se procedió a domesticar animales que se utilizaron para labores de carga y tiro. En Egipto y en otros países próximos al Mediterráneo se utilizaban el buey y el asno, mientras en la India y en China eran domesticados el búfalo y el carabao. Los mogoles, los tártaros y otras tribus nómadas de Asia central domesticaron el caballo salvaje, más adecuado a sus necesidades de pastores errabundos. Cada pueblo utilizó los animales de su región que mejor podían servir a sus necesidades. El yak tibetano, por ejemplo, fue domesticado porque resistía a la perfección los crudos inviernos de las altiplanicies; de igual modo, el camello y el dromedario sirvieron como bestias de carga a los nómadas del desierto, porque pueden marchar durante muchos días sin necesidad de alimentos y porque sus anchos pies no se hunden en la arena móvil. Los quichuas y aimarás, en América, se sirvieron de la llama para recorrer escarpadas sendas andinas porque este animal se mueve con certero instinto y paso firme entre desfiladeros y precipicios.

La aparición de los animales de carga no impidió que en algunas grandes civilizaciones se utilizaran esclavos para el transporte de carga y el tiro de vehículos. Los emperadores romanos eran transportados en andas sostenidas por varios esclavos. Hasta hace algún tiempo se siguió utilizando este método en las regiones montañosas de China, donde los mandarines y los personajes importantes también viajaban en palanquines. La silla de manos y la litera usadas en Roma subsistieron después de la caída del imperio romano; en pleno siglo XVIII aún podían verse, en las calles de las principales ciudades europeas, personas transportadas en sillas de manos conducidas por lacayos. Sin embargo, puede considerarse que el desarrollo de los medios de transportación terrestre tuvo realmente su arranque en el momento en que el hombre contó con uno de sus ingenios más notables, que no sólo habría de revolucionar sus medios de locomoción, sino que encontraría además aplicaciones en muy diversos campos de la actividad humana: la rueda.

Aparece la rueda. Miles de años antes de la era cristiana, algún genio ignorado que vivía junto a las márgenes orientales del Mediterráneo inventó la rueda, una de las creaciones más importantes de la inteligencia humana. Este artefacto que hoy nos parece tan simple fue el causante de una verdadera revolución tecnológica y social: si no existiera la rueda, el transporte moderno sería prácticamente imposible. Según parece, surgió de los troncos que los leñadores colocaban debajo de los objetos pesados para que se deslizaran con facilidad; alguien descubrió que se podía cortar un par de discos del tronco, sujetarlos a ambos lados del objeto que era necesario transportar y mejorar así el deslizamiento. Se desconoce el aspecto de los carros más primitivos, pero se conservan vehículos egipcios construidos hace más de 4,000 años; sus ruedas, aunque toscas, se parecen mucho a las actuales, pues tienen un soporte central para el eje, varios rayos y una llanta o aro exterior de madera. La *Ilíada* narra que Héctor, hace más de 3,000

Corel Stock Photo Library

En algunos lugares como Turquía, los burros son utilizados como medio de transporte.

años, dio vueltas frente a las murallas de Troya en un carro de guerra.

Naturalmente, la aparición de la rueda no solucionó todos los problemas del transporte antiguo. Los rústicos senderos de las caravanas eran graves obstáculos para el avance sin tropiezos, y los desiertos, montes y pantanos también se interponían en la marcha; a veces era necesario recorrer grandes distancias antes de encontrar un vado en un río o un paso en la montaña, y el barro y la nieve entorpecían la marcha. Entre otras, estas causas motivaron el auge de las caravanas, en las que varios mercaderes se reunían para efectuar el viaje juntos, y llevaban gente armada para precaverse contra asaltantes. Partiendo de ciudades importantes una o dos veces por año, las caravanas penetraban en los desiertos y planicies del continente asiático para llegar a tierra de chinos o de hindúes. Los grandes constructores de caminos del mundo antiguo fueron los romanos. Sus soldados y mensajeros llegaban a todos los rincones del vasto imperio gracias a millares de kilómetros de rutas pavimentadas, en las que había señales, guardianes, aceras y sitios de descanso para los viajeros. Durante la Edad Media y los primeros tiempos de la Edad Moderna siguieron en uso los caminos romanos, con pocas modificaciones. El número de vehículos no aumentó en forma considerable, aunque sí mejoraron sus comodidades internas y su aspecto exterior. En los museos se conservan vehículos antiguos y carrozas de corte usadas por reyes y nobles hace 300 o 400 años que son muestras admirables de la industria artesanal de la época.

La Revolución Industrial, importante fenómeno al que tendremos que referirnos varias veces, cambió por completo el panorama del transporte mundial. A finales del siglo XVIII nació la máquina de vapor, la primera fuente de energía artificial que haya creado el hombre. Hasta entonces la humanidad había dependido de esclavos, siervos, obreros y animales para cargar fardos, o arrastrar vehículos del más variado aspecto: en lo sucesivo la energía sería suministrada por un esclavo mecánico, mucho más fiel, constante y poderoso que todos los anteriores recursos. Desde

La bicicleta es un medio de transporte muy popular en todo el mundo.

Corel Stock Photo Library

que James Watt inventó su máquina en 1765, muchos hombres trataron de aplicarla al transporte; los primeros que lograron éxito fueron Robert Fulton y sus seguidores, que la instalaron en buques especiales. A principios del siglo XIX, la máquina de vapor era aplicada a unos extraños artefactos metálicos que avanzaban sobre rieles. Había nacido el ferrocarril.

La segunda etapa de esta revolución trascendente se inició en la segunda mitad de la centuria pasada. Un esclavo mecánico más poderoso y fiel había hecho su aparición: la electricidad. El misterioso fluido, poco adecuado entonces para el transporte a grandes distancias, fue aplicado a fines de ese siglo al transporte urbano y no tardó en modificar la fisonomía de las ciudades. Los tranvías de superficie y los subterráneos permitieron unir barrios alejados en contados minutos, aumentando la densidad humana de las grandes ciudades. En años posteriores se construyeron locomotoras diesel-eléctricas, muy económicas y veloces.

Junto con este progreso en los vehículos se produjo el mejoramiento de las rutas. Hacia 1815, un escocés, John MacAdam, comenzó a experimentar con un nuevo tipo de firmes para caminos: sobre una base de piedras extendía una capa de grava y alquitrán, y construía un firme de gran solidez y resistencia, que soportaba el tránsito rodado y las vicisitudes climáticas. Así nacieron los caminos de *macadam*, que hoy cruzan todos los países. La Revolución Industrial deparaba una nueva sorpresa: el motor de explosión. Así se evitaba incorporar las pesadas y voluminosas máquinas de vapor a los vehículos mecanizados. El transporte con motor de combustión interna recibió el nombre de automóvil. Muchos hombres participaron en su creación, pero ninguno hizo tanto para difundirlo como Henry Ford, genio de la organización industrial que logró ponerlo al alcance del pueblo. Por primera vez en la historia, empleados y obreros podían trasladarse a su trabajo en vehículos propios.

El transporte vial ha progresado gracias a estos inventos, pero también porque abundan los buenos caminos. El transporte automotor ha transformado las relaciones entre comarcas enteras, ampliando el contacto cultural y el comercio. Las mejores redes camineras se hallan en Estados Unidos, Alemania, Bélgica, Gran Bretaña, Francia y Suiza siguen en orden de importancia. Algunos caminos han adquirido renombre internacional por diversas razones. Entre ellos se destacan la carretera de Birmania, que, mediante enlaces comunica, a China con la India, atravesando grandes obstáculos naturales; la carretera de Alaska, que se remonta hasta cerca del Círculo Ártico, y la Carretera Panamericana, la más larga del mundo.

Corel Stock Photo Library

El tren sigue siendo un medio de transporte muy eficaz.

Los oleoductos y gasoductos son formas muy importantes, de transporte especializado. Sirven para transportar petróleo crudo, gas natural, gasolina y combustóleo desde los yacimientos hasta las destilerías, y de éstas a los sitios de consumo.

El ferrocarril. La forma más económica de transporte por tierra es la que ofrece el sistema ferroviario. La célebre locomotora llamada *The Rocket* (El cohete) que apareció en Gran Bretaña hacia 1829, era una máquina pequeña, que sólo pesaba 4 ton y que marchaba a 15 km/hr. En la actualidad, hay locomotoras de vapor, diesel y eléctricas, que llegan a pesar más de 500 ton, son de gran fuerza de tracción y pueden desarrollar velocidades de más de 150 km/hr. El ferrocarril tiene estas ventajas sobre los otros medios de transporte; se pueden tender vías férreas prácticamente en todos los terrenos y climas; el tren exige poca fuerza locomotriz a grandes velocidades, a causa de su gran peso y de su fácil deslizamiento sobre los rieles; el tráfico puede ser realizado en gran volumen, sobre distancias muy grandes, con tarifas reducidas y con gran margen de seguridad. En contraposición, el ferrocarril resulta más caro y más lento que el camión y el autobús para distancias inferiores a 500 km. Además, los vehículos automotores son más flexibles: pueden unir dos sitios cualesquiera, no dos estaciones. Las tres cuartas partes del costo de una línea de ferrocarril se invierten en adquirir tierras, abrir túneles, tender puentes, construir estaciones y talleres, etcétera.

Las concentraciones mayores de líneas férreas están en la región del este de Estados Unidos, en el noroeste de Europa continental y en Inglaterra. La concentración más densa de América Latina está en la provincia argentina de Buenos Aires. La densidad de una red ferroviaria depende de estos factores: que la región esté dedicada a la agricultura y a la industria; que haya un tránsito intenso en dos direcciones, no en una sola; que la topografía de la región sea favorable. El ferrocarril más largo del mundo es el Transiberiano, que une la ciudad de Moscú con el puerto de Vladivostok; su línea principal tiene 9,000 km de longitud y el viaje completo exige nueve días y medio. El centro ferroviario más activo del globo es la ciudad norteamericana de Chicago, en la que convergen 40 grandes líneas de ferrocarril. Otras ciudades también grandes centros ferroviarios son Londres, París, Moscú, Bombay, Buenos Aires y Río de Janeiro, en ese orden. La red ferroviaria más extensa del mundo se halla en los Estados Unidos de América, tiene 365,000 km, y por ella circulan 31,000 locomotoras 30,000 vagones de pasajeros y 1.740,000 vagones de carga. A partir de la terminación de la Primera Guerra Mundial, el ferrocarril experimenta la creciente competencia del transporte motorizado por carretera y del transporte aéreo. En muchas naciones, sus sistemas ferroviarios han sido nacionalizados y pasaron a ser propiedad del Estado.

Las rutas acuáticas. El hombre surca las aguas desde hace miles de años. Durante el periodo paleolítico, descubrió que algunos objetos flotaban, y aprendió a construir balsas rudimentarias uniendo varios troncos. Estas embarcaciones, que en un principio fueron arrastradas por la corriente, más tarde pudieron ser dominadas por medio de pértigas, que se hundían en las aguas poco profundas y se apoyaban en el lecho de los ríos. Muchos miles de años transcurrieron antes de que naciese la primera embarcación, formada por un tronco ahuecado.

Hacia el año 6000 a. C., los egipcios realizaron los primeros progresos decisivos en el arte de la navegación; construyeron un esqueleto de madera y lo recubrieron con planchas de maderas finas y livianas. Esta armazón era, en esencia, similar a la que preside la construcción de cualquier buque moderno. No lejos del valle del Nilo, sobre las costas orientales del Mediterráneo, vivían los fenicios, los mayores navegantes del mundo antiguo, buenos constructores de buques. La invención del remo aceleró y facilitó el transporte acuático; fenicios, egipcios y griegos construyeron naves propulsadas por dos o más hileras de remos en cada banda. La invención de la vela, que recoge las corrientes de aire e impulsa al buque sin necesidad del esfuerzo agotador de remeros esclavos representó uno de los mayores progresos en el arte de la navegación. Durante la Edad Media, siguieron aumentando en tamaño los buques de vela, que recibieron extraordinario impulso durante la época de los grandes descubrimientos geográficos.

El transporte marítimo se hizo más simple cuando apareció la brújula, que los chinos y árabes venían usando desde 1200, pero que los europeos sólo adoptaron 200 años más tarde. Aquí también la Revolución Industrial reservaba un cambio radical en métodos y vehículos. Desde que se inventó la máquina de vapor, muchos constructores intentaron aplicarla a los buques; el primero que logró pleno éxito fue Robert Fulton, cuya nave *Clermont* surcó las aguas estadounidenses del río Hudson en 1807. El buque de Fulton era impulsado por ruedas de paletas, pero no tardó en descubrirse que una hélice puesta en la popa era un elemento de propulsión mucho más eficaz. Todos los trasatlánticos actuales tienen dos o cuatro hélices, pero todavía abundan las embarcaciones fluviales con ruedas en sus costados. A un sueco, John Ericsson, corresponde la aplicación de la hélice (1836) a la propulsión de buques.

Características y rutas. El transporte por agua tiene las siguientes ventajas sobre el terrestre y el aéreo: el costo es más reducido en proporción a la distancia; los buques se mueven con entera libertad sobre esas inmensas carreteras internacionales que son los océanos; sirven para transportar objetos muy voluminosos con gran seguridad; casi todas las variaciones del clima no los perturban. Los inconvenientes consisten en que los buques son relativamente lentos y van perdiendo utilidad para el transporte de pasajeros y de cargas urgentes y livianas, que van quedando en poder del avión.

Las principales rutas marítimas del globo están concentradas en las regiones de clima templado. Ello se debe a que en esas regiones existen grandes núcleos de población y se producen mayores cantidades de mercancías. La principal ruta marítima es la del Atlántico norte; comenzó siendo el camino obligado de emigrantes y pescadores y adquirió preeminencia durante el siglo XIX. Tiene la desventaja de que carece de islas y abunda en témpanos peligrosos para la navegación y en densas nieblas. Los dos puertos principales de esta ruta son New York, sobre la costa estadounidense, y Londres, del lado europeo; estos dos puertos son también los mayores del mundo. Southampton, Liverpool, Amberes y Hamburgo le siguen en importancia.

La segunda ruta marítima es la del Pacífico del norte; une los puertos del oeste estadounidense (Los Ángeles, San Francisco, Seattle) con los de China y Japón (Yokohama, Kobe, Hong Kong y Shanghai). La tercera ruta es la más antigua de la humanidad: el Mediterráneo. Muchas civilizaciones han nacido, prosperado y muerto bajo su sombra, que hoy cobija buques de todas las banderas y sirve a una parte sustancial de la población mundial. La antigua ruta del Mediterráneo adquirió renovada lozanía en los últimos 100 años. En 1869 se inauguró el Canal de Suez, que acortó en 10,000 km el viaje a Asia, dando origen a la gran ruta compuesta Mediterráneo-Asia.

Otra vía de agua artificial, el Canal de Panamá, ha dado origen a la cuarta de las grandes rutas oceánicas. Inaugurado en 1914, acortó en 13,500 km el viaje entre New York, sobre el Atlántico, y San Francisco, sobre el Pacífico, que antes debía hacerse por la lejana ruta del Estrecho de Magallanes. Además abrevió en 2,500 km el viaje entre los puertos europeos y las ciudades sudamericanas del Pacífico y disminuyó en casi 7,000 km la extensión del viaje entre New York y los puertos de Australia. He aquí una de las causas de la enorme importancia del canal: New York y los puertos sudamericanos del Pacífico (Valparaíso, Callao, etcétera) se hallan prácticamente casi en el mismo meridiano, aunque en distintos hemisferios, por lo que cruzando el canal, los buques pueden avanzar directamente de norte a sur y pasar de un océano a otro sin necesidad de rodeos.

Otra gran ruta oceánica es la del Atlántico sur. Aquí el transporte se realiza de norte a sur entre Europa y América; el tráfico de este a oeste, entre África y América del Sur, es prácticamente nulo en la actualidad, porque estas regiones tienen poco que comerciar. Los tres puertos mayores de América del Sur son Buenos Aires (el primero de América Latina), Valparaíso y Montevideo. Río de Janeiro y Santos también mantienen activo intercambio con Europa.

Las rutas del aire. El tamaño del mundo se ha reducido abruptamente en las últimas décadas La *era del aire* es la principal causante de este cambio súbito. América y Europa, separadas antes por jornadas enteras de lenta navegación, pueden ser unidas en pocas horas de raudo vuelo.

Los cuentos de hadas hablan de alfombras mágicas y de escobas volantes que llevaban a sus amos por los aires. Los griegos crearon el mito de Dédalo, que para huir de la prisión inventó alas de plumas que unió con cera; su hijo Ícaro, entusiasmado al sentirse dominador de los espacios, voló demasiado alto y el sol ardiente derritió la cera; las alas se deshicieron e Ícaro cayó al suelo. Mitos y leyendas como éstas ponían de manifiesto el vehemente deseo del hombre de poder surcar los aires. Hacia 1500, Leonardo da Vinci esbozó algunas máquinas aéreas; pero transcurrieron casi tres siglos antes de que los hermanos Étienne y Joseph Montgolfier elevaran su globo aerostático en los alrededores de París. Durante todo el siglo XIX, no contentos con el vuelo impreciso y azaroso de los globos aerostáticos muchos inventores trataron de crear aparatos voladores más pesados que el aire. De nuevo la Revolución Industrial habría de aportar el remedio: un brasileño genial, Alberto Sants Dumont, colocó un motor de combustión interna en un globo y logró dirigirlo contra el viento y en todas direcciones (1901). Había nacido

El transporte marítimo puede ser de carga o de pasajeros.

Corel Stock Photo Library

Los helicópteros son un medio de transporte aéreo.

la aeronave rígida, el dirigible, que el conde Ferdinand von Zeppelin y el ingeniero Hugo Eckener habrían de transformar en un gigantesco transatlántico del espacio. El dirigible *Graf Zeppelin* logró dar la vuelta al mundo en 20 días y 4 horas (1929) reduciendo a la cuarta parte el sueño de Julio Verne *(La vuelta al mundo en ochenta días),* que medio siglo antes se había creído descabellado.

Muchos inventores europeos y estadounidense siguiendo el ejemplo de Santos Dumont, trataron de construir aparatos equipados con motores de explosión. Utilizando los experimentos de Samuel Langley, Glenn Curtiss y otros, los hermanos Orville y Wilbur Wright lograron construir un aeroplano con motor en el que Orville hizo un primer vuelo de 35 m. Ocurría ello en 1903, y en los 50 años siguientes se produjeron innovaciones revolucionarias en el nuevo medio de transporte.

La aviación internacional comenzó a desarrollarse en Europa a partir de 1919, siendo notable en tal sentido el establecimiento de la ruta aérea entre Londres y París, sobre el Canal de la Mancha. Diez años más tarde, Europa y Estados Unidos ya estaban cubiertos por una red de líneas permanentes. De 1929 a 1932, entidades de navegación aérea francesas y alemanas, iniciaron la exploración y establecimiento de líneas aéreas transatlánticas que enlazaran a Europa con América del Sur. Se efectuaron viajes aéreos por aviones franceses y dirigibles alemanes, que cruzaban el Atlántico sur por su parte más estrecha, entre África y Brasil. Después de ese periodo inicial, quedaron regularmente establecidas las rutas aéreas comerciales en el At-

lántico sur. Las líneas aéreas del Atlántico norte se establecieron por aviones estadounidenses a partir de 1939, en la ruta New York -París. Las comunicaciones aéreas en el Pacífico se establecieron en 1935, por aviones estadounidenses, entre San Francisco y Manila, vía Honolulu, Midway, Wake y Guam.

Mientras tanto, líneas británicas y holandesas establecieron servicios aéreos hasta África del Sur, Asia, Australia y China. La geografía del mundo quedaba modificada en forma extraña y repentina: los mapas que utilizaban la proyección de Gerhardus Mercator comenzaron a resultar prácticamente inútiles y la geopolítica debió revisar sus ideas. La cartografía aeronáutica ha dividido al mundo en dos hemisferios, uno de ellos, denominado el primario, abarca la mayor parte de los continentes, la población y los recursos del globo; el otro, llamado secundario, comprende extensiones considerables de los grandes océanos y sólo las porciones meridionales de América del Sur y África, y la Antártida. Los grandes progresos técnicos experimentados por la aviación hacen posible que las rutas aéreas transoceánicas ya no tengan que seguir, en muchos casos, las huellas de las rutas marítimas, por lo que las regiones polares adquieren gran importancia en navegación aérea. Así, por ejemplo, para trasladarse por vía aérea desde ciertos aeropuertos de Europa a otros de América del Norte, algunas líneas aéreas siguen rutas que se internan en el Círculo Polar Ártico y vuelan sobre Groenlandia.

El transporte aeronáutico tiene dos grandes ventajas sobre el terrestre y el marítimo: es mucho más veloz y es relativamente in-

dependiente de la topografía terrestre. Como la ventaja que saca sobre el ferrocarril y el buque va en aumento a medida que crece la distancia que hay que recorrer, el avión es más importante en los países de gran superficie (Brasil, Rusia, Estados Unidos, Australia, Canadá) que en naciones pequeñas, como las de Europa occidental. También adquiere especial valor en los países de geografía muy accidentada, como Colombia, donde es difícil tender vías férreas y construir buenas carreteras. Al igual que las marítimas, las rutas aéreas son de variable actividad y valor económico. La más importante cruza el Atlántico uniendo Europa septentrional con América del Norte; ramales secundarios se dirigen hacia los países europeos del Mediterráneo, Asia, África y Australia. Otra ruta une las ciudades norteamericanas con los países de América del Sur, presentando dos ramales principales: el que toca los puertos del Pacífico y el que rodea el Atlántico.

A pesar de su gran facilidad de movimiento, las rutas aéreas no se fijan al azar. He aquí los principales factores que las determinan: la ruta debe conectar dos puntos terminales de activo intercambio y transporte; el trazado de la ruta depende del valor de los puntos intermedios o ciudades de tránsito; la longitud de cada segmento de la ruta (la distancia que existe entre dos escalas) depende de dos factores: la carga que se va a transportar entre ambos sitios y la capacidad de carga de combustible del avión. En general, todos los países consideran que el espacio aéreo situado sobre su territorio pertenece a la soberanía nacional.

Grandes aeropuertos internacionales, o terminales aéreas, existen en todos los países. Entre los principales del mundo, sobresalen los de New York , Londres, París, El Cairo, Calcuta, Singapur, Manila, Tokio, Melbourne, Buenos Aires, San Francisco, Chicago, Miami, México y Río de Janeiro. El transporte aéreo beneficia a todos los sectores económicos y facilita el comercio internacional por la celeridad de sus servicios. El envío de mercadería de New York a Buenos Aires, que antes exigía tres semanas se hace ahora en tres días o menos.

El transporte y la civilización. Al moverse con rapidez y comodidad cada vez mayores por tierra, mar y aire, el hombre ha empequeñecido las dimensiones del mundo. He aquí algunas fechas decisivas en la historia del transporte mundial. Son las que recuerdan los principales viajes de circunvalación del globo.

1519-1522. Fernando de Magallanes y Sebastián Elcano dan por primera vez la vuelta al mundo. La expedición parte de Sanlúcar de Barrameda (España) y regresa al cabo de 1,063 días.

1577-1580. Repitiendo la hazaña hispano-portuguesa, el inglés sir Francis Drake sale de Plymouth a donde regresa después de 1,028 días.

1872. Aunque pertenece al universo de la ficción la hazaña de Phileas Fogg, el personaje de Julio Verne que logra dar "la vuelta al mundo en ochenta días", debe ser anotada aquí por su valor simbólico y profético.

1889. Una estadounidense, Nellie Blay, materializa el sueño de Julio Verne al dar la vuelta al mundo, partiendo de New York y utilizando diversas líneas de trenes y vapores, en 72 días, 6 horas y 11 minutos.

1907. El coronel Burnlay-Campbell, inglés, utiliza la línea del Transiberiano y da la vuelta al mundo en 40 días, 19 horas y 30 minutos.

1911. El francés André Jaeger-Schmidt reduce la marca de Campbell: parte de París, y regresa a la misma ciudad al cabo de 39 días, 19 horas y 43 minutos.

1924. Un grupo de aviones del ejército estadounidense efectúa la primera circunnavegación aérea de la historia: tarda 175 días, haciendo prolongadas escalas, pero el tiempo de vuelo efectivo es de sólo 14 días y 15 horas.

1929. El dirigible *Graf Zeppelin* abandona su base en Friedrichshafen, en Alemania, y retorna a la misma después de un viaje alrededor del mundo que dura 20 días y 4 horas.

1933. Wiley Post, aviador estadounidense, da la vuelta al mundo en su frágil avión. Parte de New York y regresa a la misma ciudad empleando 7 días, 18 horas y 49 minutos.

1938. Howard Hughes, estadounidense, vuela alrededor del mundo en 3 días, 19 horas y 8 minutos.

1947. William Odom, estadounidense, circunvala el globo en 3 días, una hora y 5 minutos.

1949. Se produce el primer vuelo sin etapas alrededor del mundo. Un grupo de aviones de la fuerza aérea estadounidense parte de la base de Forth Worth y regresa a la misma al cabo de 94 horas y un minuto.

1957. Tres aviones B-52 de reacción, de la fuerza aérea norteamericana, salen de una base aérea en California y regresan después de dar la vuelta al mundo en vuelo sin etapas, en 45 horas y 19 minutos.

Desde los 1,063 días de Elcano hasta las 45 horas de estos aviones, media un abismo. ¿Qué impacto ha producido en nosotros esta revolución? En primer lugar, ha quebrado el aislamiento cultural: en tiempos pasados, las personas que vivían en una zona del país sabían poco o nada sobre las que poblaban otras regiones; hoy tienen la posibilidad de verlas y conocer sus modos de vida. En otras épocas, muchos países de la civilización occidental eran de difícil acceso; hoy es posible recorrerlos en pocos días y adquirir o ampliar conocimientos sobre sus costumbres y su patrimonio cultural. Hasta hace poco tiempo los pueblos de Asia y África formaban mundos exóticos sólo conocidos en sus pintorescas superficialidades; hoy una revolución o una guerra producida en el Extremo Oriente nos interesan vivamente. El transporte es uno de los causantes de este cambio en nuestras actitudes.

En otra forma influye el transporte sobre nuestras vidas; ha hecho que todos los pueblos dependan más los unos de los otros, al desarrollar el comercio internacional. La familia, a principios del siglo XIX, solía ser de una estructura económica que generalmente le permitía bastarse a sí misma; la de hoy necesita el concurso de otros pueblos para vestirse y alimentarse. El auge del transporte ha permitido la división regional del trabajo. Esto significa que ciertas regiones, mejor dotadas por la naturaleza para determinada tarea, se han podido concentrar en ella, con la seguridad de que los productos obtenidos pueden ser llevados a los mercados del mundo con facilidad, economía y rapidez.

Las ciudades modernas no existirían sin el auge del transporte. Dependen de él para el abastecimiento de los productos que consumen todos los días sus habitantes; lo necesitan para movilizar a los empleados y obreros desde sus hogares hasta las fábricas y oficinas; lo necesitan para ampliar sus límites y construir barrios suburbanos en comunicación directa con el centro. Las grandes ciudades surgen en sitios donde el transporte es fácil; Buenos Aires, por ejemplo, era una aldea mísera hace dos siglos, cuando otras ciudades latinoamericanas eran opulentas capitales administrativas. Pero, estaba situada frente a un inmenso estuario y en el borde de la pampa sin límites. Cuando los inmigrantes comenzaron a colonizar la llanura virgen, una espesa red ferroviaria y caminera convergió, como gigantesca telaraña, en la ciudad del Plata, que no tardó en transformarse en la mayor de todas las urbes situadas al sur de Ecuador.

Sin embargo, los sistemas de transporte de casi todas las ciudades modernas no parecen ser suficientes. Las calles se han vuelto estrechas para la legión de automóviles que las recorren, y no hay lugar disponible para instalar aeródromos en lugares próximos al centro. Los urbanistas se esfuerzan en resolver algunos de estos complejos problemas.

El poder político también marcha paralelamente con la eficacia del transporte. Atenas logró dominar a las restantes ciudades griegas porque su flota controlaba las rutas del Mediterráneo oriental. Los fenicios debieron su prosperidad a sus veloces naves mercantes, que atravesaron las Columnas de Hércules (el Estrecho de Gibraltar) y visitaron las costas de Inglaterra. El apogeo del imperio romano pudo ser logrado y mantenido gracias a un admirable sistema de carreteras que, partiendo de Roma, se abría en abanico hacia ambos lados de Europa. En los últimos tiempos de la Edad Media, la República de Venecia logró predominar en el sur de Europa porque era la encrucijada en que se unían las rutas del transporte entre Occidente y Oriente. Producida la declinación de las repúblicas italianas, el predominio político quedó durante algún tiempo en manos de España y Portugal, que tenían las interminables rutas de transporte en todas las direcciones de sus imperios *en los que no se ponía el Sol.* Gran Bretaña logró eclipsarlas al dominar los mares del mundo, y construyó un imperio apoyado en grandes líneas de transporte oceánico. Una de las causas del predominio actual de Estados Unidos es el grado gigantesco de perfección a que han llegado sus sistemas de transporte, los mejores de toda la historia humana.

No sólo el poder político, sino también la guerra, su compañera inevitable, ha sido afectada por el transporte. Los antiguos egipcios pudieron dominar a sus rivales utilizando, por primera vez, carros tirados por caballos. Al cruzar los Alpes, Aníbal llevó consigo los temibles elefantes de guerra empleados por los cartagineses. Las hordas de Atila y sus hunos penetraron en Europa montados en veloces caballos asiáticos, de poca alzada y gran resistencia, que no podían ser alcanzados por los jinetes romanos. También los cruzados emplearon animales de tiro para trasladar su maquinaria bélica. Las guerras modernas han llevado al máximo este empleo del transporte. Los aviones transportan bombas que paralizan redes ferroviarias y dañan caminos; las barcazas de desembarco, creadas en la Segunda Guerra Mundial, transportaron millones de soldados hasta las playas de desembarco; los aviones de transporte, los planeadores y los helicópteros también hicieron su parte. Cada medio de transporte pacífico tiene su equivalente bélico: el acorazado es el hermano del trasatlántico, el aeroplano comercial equivale al avión de bombardeo, la avioneta civil es comparable al avión de caza, los tractores se parecen a los tanques y el automóvil se convierte en *jeep.*

El transporte ha evolucionado en los sectores más desarrollados del mundo, pero en otros permanece sumido en un estancamiento secular. El trineo, uno de los vehículos anteriores a la invención de la rueda, todavía es utilizado en sitios tan dispares como el Ártico y la isla de Madeira, donde es arrastrado por bueyes sobre rústicas callejas. Los automóviles y aviones ya atraviesan el territorio de Arabia, pero todavía es frecuente el espectáculo del sufrido camello con su pesado cargamento. Los mayores contrastes pueden ser vistos en China, donde la tecnología occidental se mezcla de modo curioso con el transporte realizado por escuálidos culíes, que cargan pesos enormes sobre sus espaldas y reciben una paga mísera. Buques modernos surcan sus grandes ríos, pero mezclados con juncos vetustos y con canoas impulsadas por varios remeros. Groenlandia y Alaska también son tierras de contraste: junto al avión equipado con esquíes aparece el trineo arrastrado por un equipo de perros árticos. Entre las formas más pintorescas del transporte moderno figuran los funiculares y alambrecarriles, muy frecuentes en las zonas alpinas de Alemania, Suiza e Italia.

El transporte internacional plantea numerosos problemas en esta época de comunicaciones intensas; algunos de ellos han sido objeto de conferencias internacionales. *Véanse* AEROPLANO; AUTOMÓVIL; AVIACIÓN; BARCO; CAMINO; COMUNICACIONES; FERROCARRIL; NAVEGACIÓN; RUEDA.

transubstanciación. Milagro que se realiza en la Sagrada Eucaristía cuando, por las palabras rituales del sacerdote oficiante, el pan y el vino se convierten en el cuerpo y la sangre de Jesucristo. Según los teólogos, el pan y el vino consagrado pierden su estructura sustancial de productos materiales, para convertirse, sin alteración aparente, en el propio cuerpo y sangre del Señor. Realizada la transubstanciación, los accidentes del pan y del vino perduran, pero las sustancias de ambos dejan de existir. La transubstanciación tiene sus orígenes en la última Cena; el Señor, al reunirse con sus apóstoles, los invitó a comer el pan y a beber el vino, diciéndoles: "Tomad y comed; éste es mi cuerpo. Tomad y bebed; ésta es mi sangre", quedando así instituido el sacramento de la Eucaristía.

Transvaal. Antigua provincia de la República de Sudáfrica, situada sobre una elevada meseta de África austral. Constituye al mismo tiempo una región natural. Limita al norte con Zimbabwe, al sureste con Swazilandia, al este con Mozambique y al oeste con Botswana. Superficie: 227,034 km². Población: 6.225,000 habitantes. Cruzan el territorio las cordilleras de Drakensberg del sureste al noreste, Lebombo al este y Magalle de este a oeste. Los ríos principales son el Vaal, que desagua en el Orange y forma la frontera sur; el Limpopo, que desemboca en el océano Índico, y el Olifant, que se une al anterior. Clima templado. Capital, Pretoria (450,000 h), ciudad moderna y próspera. Intensa producción agrícola y ganadera, pero la gran riqueza del país consiste en sus minas de oro cuyo centro es la gran ciudad de Johannesburgo. Los bóers, descendientes

de los colonos holandeses de Ciudad del Cabo, fundaron el estado libre del Transvaal, en 1833, para no someterse a la dominación de Inglaterra, pero esta potencia intervino luego en el nuevo país, le declaró la guerra en 1899 y lo anexó en 1900, pero continuando el conflicto hasta 1902, en que lo convirtió en colonia. En 1910 se incorporó, con el carácter de provincia, a la Unión Sudafricana, actualmente República de Sudáfrica.

tranvía. Vehículo de propulsión eléctrica, destinado al transporte de pasajeros en las ciudades y en trayectos cortos por carretera. Su origen data del siglo XVIII. Primeramente se utilizó en Inglaterra, en las minas, para el acarreo de la hulla; se hacían rodar carros cargados sobre carriles planos de madera, unidos entre sí por traviesas, también de madera, y a principios del siglo XIX, ya se usaban rieles de hierro. En 1832 se estableció en New York el primer servicio de tranvías para pasajeros. Los primeros tranvías eran tirados por caballos; luego empezó a usarse la tracción de vapor, convirtiéndose en una especie de ferrocarriles secundarios, destinados a enlazar las grandes poblaciones con los suburbios. En 1852, el ingeniero francés Loubat creó un nuevo tipo de riel metálico, que representó un gran progreso y facilitó la instalación de líneas de tranvías. Un tercer sistema fue la tracción por medio de cables. El tranvía iba sujeto a un cable, colocado dentro de un surco en la calzada, que era movido a vapor. Cuando la invención de la dínamo permitió generar electricidad a un costo económico, no tardó en aplicarse la energía eléctrica a los tranvías. La primera línea

de tranvías eléctricos fue establecida en Sichterfelde (Alemania) en 1881. El nuevo sistema desplazó rápidamente a los tranvías de caballos y de cables. Durante algún tiempo se utilizaron dos tipos fundamentales: coches con toma de corriente, abastecidos por una fuente exterior de energía, y coches automotores, con una fuente interior de energía, constituida por una batería de acumuladores. El primero es el más extendido, habiendo sido llevado a la práctica de varias maneras distintas: mediante línea aérea, subterránea, o por sistemas mixtos. Los tranvías modernos reciben la energía eléctrica generada en una central y transmitida por una línea de cable aéreo, tendida a lo largo de la ruta que deben seguir. En el techo del tranvía van instalados los troles, brazos metálicos que establecen contacto con el cable aéreo de alimentación, y suministran corriente a los motores del vehículo.

Las grandes ciudades tienen una vasta red de tranvías, que al facilitar el transporte, han contribuido en gran medida al desarrollo y crecimiento de las urbes modernas. Sin embargo su importancia ha disminuido por el creciente desarrollo de otros medios de transporte, como los ferrocarriles subterráneos, los ómnibus y el trolebús. Éste es un ómnibus provisto de trole como los tranvías, pero que no marcha sobre carriles. Fue introducido en 1913, y ofrece varias ventajas comparado con los tranvías: instalación menos costosa, mejor conservación de la calzada; tránsito más despejado, pues no sigue una línea fija; circulación silenciosa y, por lo tanto, menos molesta; facilidad para recoger a los pasajeros junto a las aceras, servicio más rápido; las llan-

Cascada en las montañas en la región Transvaal en África.

Corel Stock Photo Library

Tranvía urbano en Amsterdam, Holanda.

tas de goma, etcétera. Para poder hacer frente a esta competencia, han debido diseñarse nuevos modelos de tranvías, mucho más veloces, silenciosos y cómodos que los antiguos.

trapecio. Cuadrilátero que tiene paralelos un par de lados opuestos, llamados bases, cuya distancia es la altura. Descomponiendo el trapecio *ABCD* por una diagonal *AC*, resultan los dos triángulos *ABC* y *ACD* cuyas áreas son la mitad de la base *AB* y *CD* de cada uno por la altura *CE* y *AF*, respectivamente, y como éstas son iguales, el área del trapecio –suma de las áreas de los dos triángulos– es una semisuma de las bases por la altura, o también: el producto de la altura por la paralela media, por ser ésta:

$$MN = MP + PN = \frac{1}{2}CD + \frac{1}{2}AB = \frac{AB + CD}{2}$$

El trapecio se llama rectángulo si uno de sus ángulos es recto, e isósceles si los lados no paralelos son iguales.

trapecio. *Véase* CIRCO.

trapezoide. Cuadrilátero irregular cuyos lados son todos desiguales y ninguno paralelo al otro.

tráquea. Conducto cilíndrico de anillos cartilaginosos que desde la laringe lleva el aire hasta los pulmones. En el hombre se divide, en su parte inferior, en dos ramas o bronquios, cada uno de los cuales desemboca en el pulmón correspondiente. Los anillos están ligados entre sí por una membrana resistente formada por fibras de tejido conjuntivo y fibras elásticas. Esta disposición le confiere elasticidad e impide que sus paredes se aplasten. La tráquea corre a lo largo del esófago contra el cual se apoya su cara posterior. La superficie de la membrana mucosa que la tapiza interiormente es una capa de células ciliadas, dotadas de un continuo movimiento vibratorio. Estos filamentos diminutos o cilios, tienen por objeto alejar las partículas de polvo y otros elementos nocivos del pulmón. Cuando se introduce un cuerpo extraño, la irritación es inmediata, sobreviene un violento acceso de tos, y aquél es expulsado. En casos más graves debe recurrirse a una operación quirúrgica.

Trascendentalismo. Doctrina filosófica relativa a la teoría del conocimiento. Para tratar de explicar, en líneas generales, en lo que consiste nos valdremos de un ejemplo. Al conocimiento de lo que es un árbol llegamos por dos procedimientos: o examinándolo con la ayuda de nuestros sentidos (experiencia) o representándonoslo sin razonamiento alguno (intuición). En ambos casos habremos conseguido la noción del árbol por la vía fenomenológica que es precisamente la que el trascendentalismo descarta como insuficiente para conocer la cosa en sí. Dicha teoría sostiene que para obtener el conocimiento definitivo (o fuera de lo común) de las cosas sólo cabe emplear la actividad suprasensible del espíritu, única capaz de darnos dicha noción completamente alejada de toda experiencia y fenómeno.

trashumancia. Sistema de explotación ganadera consistente en trasladar a los animales, según la época o estación del año, a las zonas en que exista el pasto en abundancia. Económicamente produce notables beneficios, no sólo porque los gastos del traslado y cuidado del rebaño se compensan con creces ante la gratuidad del alimento, sino porque muchas plantas que de otro modo se perderían son así aprovechadas y consumidas, con manifiesta utilidad.

Trasíbulo (? -388). General y político ateniense. Mandaba un cuerpo de infantería en Samos cuando se produjo un movimiento oligárquico en Atenas que atentaba contra las libertades públicas. Defendió la organización democrática del Estado y respaldó a Alcibíades. Restablecida la democracia, fue jefe de una parte de la escuadra ateniense y contribuyó en gran manera a las victorias de Alcibíades contra los espartanos. Logró que la mayor parte de las ciudades marítimas de Tracia se aliaran con Atenas. Contando con el auxilio de la ciudad de Tebas, combatió el gobierno de los *treinta tiranos* que se había implantado en Atenas, al que derrotó y restableció el gobierno democrático. En la guerra contra Esparta se dirigió con sus fuerzas sobre la ciudad de Aspenda, en Cilicia, pero su campamento fue sorprendido durante la noche y Trasíbulo murió en la refriega.

Trasimeno. Lago de Italia situado en Umbría, provincia de Perugia. Tiene 128 km². En sus cercanías, el año 217 a. C., Aníbal derrotó al ejército romano del cónsul Flaminio, que fue completamente aniquilado.

trasplante. Labor agrícola que consiste en trasladar de terreno un árbol, arbusto o planta sin que por ello se perjudiquen sus condiciones normales de vitalidad y desarrollo. Se efectúa por motivos tales como los de exigencias de la aclimatación que requieren ciertas especies en determinadas regiones, suprimir árboles en parajes donde estorben sin necesidad de talarlos, afirmar pendientes o terrenos movedizos con un grupo de ellos, etcétera.

trasplante de órganos. Sustitución quirúrgica de un órgano lesionado por otro sano procedente de un donante. En el trasplante se respetan las conexiones vasculares y nerviosas de las vísceras trasplantadas. Para que sea posible el trasplante es necesario que exista compatibilidad entre el donante y el receptor, puesto que el organismo pone en función su sistema inmunitario frente a los tejidos extraños ocasionando el síndrome de rechazo. Son varios los órganos que pueden trasplantarse: corazón, córnea, médula ósea, riñón, hígado, etcetera. Sin embargo, los más corrientes son el de córnea y el de riñón.

trata. Tráfico de negros para venderlos como esclavos. La esclavitud es una antiquísima institución, pero la trata de negros, que le dio una nueva modalidad, tuvo su origen en el siglo XV. La compraventa de negros como artículos de comercio comenzó hacia 1443, y en un principio fue monopolio de Portugal. Pero, durante el siglo XVI en la trata de negros participaron comerciantes de muchos países europeos. Los negros provenían de la región africana que se extiende desde el Senegal hasta el Congo, llamada Nigricia a la sazón.

Generalmente los negros eran comprados a traficantes árabes, que a su vez los adquirían en las diversas tribus negras, quienes vendían a bajo precio los prisioneros que hacían en sus luchas con tribus vecinas. Desde el interior del continente los esclavos eran llevados a los puertos de la trata, donde los embarcaban con destino a América. Con cadenas en tobillos y muñecas, amontonados como animales, en las bodegas del buque, y expuestos a toda clase de enfermedades, pasaban los negros la larga travesía. En caso de naufragio todos estaban condenados a muerte segura, porque con sus ataduras no podían mantenerse a flote. El negro recién llegado a América se llamaba bozal, y el que ya había estado en el Nuevo Mundo era catalogado como ladino. Los negros no lograron aclimatarse en algunos lugares, pero en los territorios que forman Estados Unidos, Brasil, América Central y las Antillas llegaron a reproducirse de modo sorprendente.

Las sublevaciones de los negros esclavos fueron frecuentes y algunas resultaron de terribles efectos, como la que puso en peligro a Santo Domingo a fines del siglo XVIII. También era frecuente que muchos negros huyeran y se refugiaran en los montes; a estos esclavos fugitivos se les llamaba cimarrones.

La trata en Hispanoamérica. En los primeros tiempos se introdujeron algunos esclavos africanos como servidores personales de diversos personajes de la burocracia colonial, pero en 1510 desembarcó en América un cargamento de negros que fue vendido en el mercado público. Los esclavos africanos eran bienvenidos, porque trabajaban tres veces más que los indios y eran muy dóciles. Carlos V no tardó en otorgar a un personaje flamenco, súbdito imperial, licencia para introducir 4,000 negros en América; este personaje vendió sus derechos a una compañía genovesa que hizo pingües negocios. Las licencias se convirtieron pronto en una corruptela de la corte y para atajarla se creó el procedimiento llamado de los asientos.

Los asientos eran contratos públicos por los cuales un particular o una compañía se comprometía a reemplazar al gobierno en la compraventa de negros en determinada región de América. El asentista se comprometía a introducir cierto número de esclavos y a pagar una suma importante al fisco español. El sistema comenzó a regir en 1595 y concluyó en 1789. En ese lapso se firmaron asientos, en su mayoría con traficantes portugueses durante los primeros tiempos. Pero en el siglo XVIII los firmantes eran simples testaferros de compañías inglesas, holandesas y francesas que no tardaron en dominar el tráfico de negros, tanto en Hispanoamérica como en la inglesa.

La abolición de la trata. Los esfuerzos para suprimir el tráfico de negros, abarcan un largo periodo que comienza en 1783 y concluye en 1862. La primera fecha corresponde al año en que los cuáqueros de Inglaterra, impulsados por sus ideas religiosas, fundaron una sociedad para luchar contra la esclavitud. En esa época las grandes potencias introducían en el Nuevo Mundo la siguiente cantidad de negros africanos por año:

Gran Bretaña	38,000
Francia	20,000
Portugal	10,000
Holanda	4,000
Dinamarca	2,000

La propaganda de los cuáqueros y de otros grupos religiosos logró que el parlamento inglés aprobara, en 1807, una ley que prohibía la salida de buques negreros de cualquier puerto que perteneciese a los dominios británicos. Cuatro años más tarde se resolvió castigar con la pena de deportación y, posteriormente, con la de muerte a la persona que se dedicara a la trata.

Los franceses, por su parte, realizaban un tráfico muy lucrativo con la isla de Santo Domingo, donde llegó a haber hasta 16 negros por cada blanco. Un año antes de la Revolución Francesa se fundó en París la Sociedad de Amigos de los Negros, a la que pertenecían personajes tan preeminentes como Marie Jean Caribat, marques de Condorcet y Marie Joseph Motier, marques de Lafayette. A pesar de su promesa, los revolucionarios no libertaron a los negros y entonces estalló una sangrienta rebelión de esclavos encabezada por François Dominique, llamado Toussaint L'Ouverture. Al cabo de terribles luchas los negros se declararon independientes. Éste fue el origen de Haití, la única república negra del continente americano.

La abolición de la trata no mitigó los sufrimientos de los negros; por el contrario, contribuyó a aumentarlos. Los barcos negreros, dedicados ahora al tráfico ilícito, eran cargados hasta el tope con su mercancía humana para que, al eludir la vigilancia, pudieran dar beneficios abundantes. Al ser perseguidos por buques de guerra, muchos traficantes se deshacían del cuerpo del delito arrojando los esclavos al mar. Las personas y los grupos que habían abogado por la supresión de la trata no tardaron en convencerse de que era necesario ir más lejos y suprimir la esclavitud. También aquí el ejemplo fue dado por la Gran Bretaña, que en 1833 abolió la esclavitud en sus colonias; con anterioridad las Provincias Unidas del Río de la Plata y Colombia habían decretado la "libertad de vientres" o sea la libertad de todos los hijos de los esclavos que nacieran en lo sucesivo. La esclavitud subsistía, a mediados del siglo XIX, en tres países americanos: Estados Unidos, Cuba y Brasil. En la nación estadounidense provocó la sangrienta Guerra de Secesión, que concluyó con la victoria de los estados del Norte y la subsiguiente emancipación de los esclavos. En Cuba los negros fueron liberados definitivamente en 1886. Brasil, que había suprimido teóricamente la trata de negros en 1829, siguió introduciendo esclavos, la libertad de vientres fue decretada en 1871 y la abolición total de la esclavitud tuvo lugar en 1888.

Un comité de la Sociedad de las Naciones constituido en 1930 para estudiar el problema de la trata de negros, consideraba que se ejercía todavía en varios estados árabes y africanos. Informes de las Naciones Unidas señalan que esta situación no ha desaparecido por completo.

tratado. Convenio que se suscribe entre dos o más gobiernos independientes y soberanos para resolver y prever dificultades, o acordar medidas convenientes a sus intereses. El término de tratado generalmente se reserva para designar los acuerdos de mayor importancia que puedan celebrarse entre naciones, mientras que otros acuerdos de menor trascendencia suelen designarse con los nombres de convención o convenio. Esa diversidad de nombres es simplemente convencional, ya que tanto en su concertación como en el cumplimiento de los derechos y obligaciones que imponen los tratados sea cual fuere su designación, tiene o siempre los mismos efectos.

En líneas generales, la concertación de un tratado comprende dos partes: la negociación y la ratificación. Para la primera, cada nación designa a sus representantes plenipotenciarios, a los que, como su nombre indica, se les han conferido plenos poderes, pero sólo para negociar con los representantes de la otra nación, los que, a su vez, deberán estar investidos de iguales atribuciones. Se celebran las reuniones y conferencias que sean necesarias para llegar a un acuerdo y, entonces, se formulan las estipulaciones por escrito, lo que constituye el documento que recibe el nombre de tratado, el cual se firma por los delegados plenipotenciarios de las naciones participantes.

Para que el tratado tenga validez es necesaria su ratificación por el jefe del Estado y en los países de organización constitucional y democrática, mediante la presentación y estudio del tratado por los organismos correspondientes de la nación, que suelen ser los del poder legislativo: Congreso, Parlamento, etcétera, los que, según el caso, le impartirán su aprobación y ratificación. Una vez así ratificado, en la forma que estatuyan las leyes de cada nación, el tratado entra en vigor.

Hasta finales del siglo XVII, los tratados internacionales se redactaban generalmente en latín. En el siglo XVIII se extendió el uso del idioma francés para su redacción. Posteriormente y en nuestros días, los tratados se redactan en tantos idiomas como sean los de las naciones signatarias y, a veces, se redacta una versión en francés, la que, en caso necesario y si así se estipulare, sirve para aclarar cualquier diferencia de interpretación que pudiera surgir entre las otras versiones.

Clases de tratados. En su aplicación, como ley internacional, no existen diferencias, pero las hay en cuanto al orden a que pertenecen y cuyas denominaciones más conocidas son las siguientes, entre algunas otras:

Políticos. Ponen término a disputas sobre límites territoriales, deudas y acuerdos anteriores que, por alguna razón, no se cumplieron; establecen el intercambio de informaciones generales, la extradición de delincuentes comunes, el reconocimiento de ciertos derechos a súbditos de otro país, el arbitraje en ciertas cuestiones, etcétera. Regulan relaciones sobre puntos que han dado o pueden dar motivos de divergencias.

Económicos y comerciales. Se refieren a tarifas, navegación marítima y aérea, comunicaciones, pesas y medidas, aranceles, servicios consulares, aplicación del beneficio de nación más favorecida, compra y venta de productos, regulación de pagos, tipos de cambio, protección de marcas y patentes registradas.

Culturales. Intercambio de publicaciones y de intelectuales y técnicos especializados, concesión de becas, prestación de servicios, protección de los derechos de autor y mutuo reconocimiento de títulos universitarios, así como facilidades a la obra misionera en países de religión diferente.

Especiales. Los de carácter general sobre un punto específico y que suele reunir a gran número de países, como lo es el que se denomina Unión Postal Universal; el relacionado sobre derecho de asilo, etcétera.

De paz. Nombre que recibe el suscrito entre beligerantes para poner fin a un estado de guerra y que contiene, principalmente, los términos y condiciones en que se concierta la paz, y, además, puede tratar otros puntos de carácter transitorio u ocasional por las circunstancias que los rodean.

De alianza. El que une a dos o más países y que generalmente se relaciona con su defensa y seguridad. Esta clase de tratados, también llamados pactos, suelen contener cláusulas y disposiciones secretas aunque esta práctica ha caído en desuso en los países democráticos y es conceptuada nociva, por considerarse que atenta contra la paz y seguridad mundiales.

Concordato. Título exclusivo del convenio que cualquier país suscribe con la Santa Sede, y cuya especial denominación procede del nombre que ésta le da en latín: *concordatum* (del latín *concordare*, convenirse).

Cumplimiento. En la antigüedad se garantizaba el cumplimiento de los tratados mediante el intercambio de rehenes, eligiéndose para ello a personajes influyentes y de importancia; éstos recibían tratamiento de prisioneros y había derecho a disponer de sus vidas si se faltaba a las obligaciones contraídas. Esta práctica terminó a mediados del siglo XVIII. Desde esa época, muchas naciones consideraron que el tratado es un convenio obligatorio, con cláusulas específicas, a cuyo respeto y cumplimiento se comprometen la buena fe y el honor de los contratantes. *Véanse* PACTO; PAZ, TRATADOS DE.

traumatismo. Contusión o herida en cualquier parte del cuerpo. El progreso general de la cirugía, que incluye el del estudio y tratamiento de las lesiones y heridas causadas por diversos agentes mecánicos externos, tales como las armas blancas y de fuego, y las máquinas y herramientas en los casos de accidentes del trabajo, ha creado una rama de las ciencias médicas llamada traumatología, que trata de las causas, consecuencias, tratamiento y curación de los traumatismos.

traveling. Voz inglesa de *to travel*, viajar. Técnica de filmación consistente en acercar o alejar lentamente la cámara, montada sobre una plataforma móvil, de los personajes de la escena, para aumentar o disminuir progresivamente los planos. Nombre dado también a la plataforma móvil sobre la cual va montada la cámara cinematográfica cuando se hace uso de aquella técnica.

travertino. Roca incrustante, caliza y carbonatada, de estructura cristalina, blanca o amarillenta, que se endurece al aire y adquiere un tinte rojizo. Abunda en la región de los Apeninos (Italia) y es formada por aguas calizas que, a causa de fenómenos eruptivos, tienen una elevada temperatura y una gran porción de ácido carbónico. También hay grandes canteras en Tívoli, cerca de Roma (donde los depósitos tienen hasta 150 m de espesor y forman los célebres saltos del río Anio) y en Souppes, cerca de Fontuinebleau (Francia). Como posee gran resistencia y ligereza, ha servido para construir gran parte de los monumentos y casas de Roma. En la basílica

El Arco del Triunfo en París, está fconstruido con travertino.

de San Pedro, el Coliseo romano y las bóvedas de numerosas iglesias se ha empleado travertino, como también en el Arco del Triunfo de París. Las catacumbas romanas, en las que se reunían los primeros cristianos, fueron abiertas en yacimientos de esta roca.

Traviata, La. *Véase* ÓPERA.

trébol. Planta herbácea, forrajera, de la familia de las leguminosas, que crece en formación tupida muy cerca del suelo, cubriendo las praderas de todos los países de clima templado. En ella, son las hojas y no las flores, como sucede en la mayoría de las plantas, las que constituyen la mayor atracción. Están compuestas por tres hojuelas o foliolos, que, a veces, suelen ser cuatro, para alborozo de la persona afanada en descubrir un trébol de cuatro hojas, en la creencia de que su posesión le traerá buena suerte. Tal es una de las muchas supersticiones que lo rodean desde la antigüedad. Existen más de 300 especies de tréboles, de flores vistosas y de diversos colores: rojas, las del trébol encarnado; amarillas, las del trébol real, y rosadas, las del alpino. Todas ellas muy gustadas por el ganado, y excelentes para procurar prados artificiales. El trébol es la flor nacional de Irlanda, pues, según viejas leyendas, una sola de sus insignificantes hojas sirvió a san Patricio para demostrar, mientras predicaba, el misterio de la Trinidad, al tiempo que hacía observar las tres hojuelas reunidas en un solo tallo. Para conmemorar dicho instante, en el día de recordación del santo, ningún irlandés se olvida de llevar un trébol en su solapa.

tregua. Cesación de hostilidades, por determinado tiempo, entre los enemigos que tienen guerra. La forma histórica más famosa de la tregua es la llamada *tregua de Dios*. Las guerras intestinas y las venganzas practicadas por los señores feudales, amenazaban convertirse en una fuente de anarquía, durante el siglo IX. Los pontífices y obispos lograron que ciertos nobles se abstuvieran de toda acción bélica en ciertos días prefijados y respetaran los derechos de los no combatientes, especialmente de los viajeros, sacerdotes y campesinos. Un sínodo celebrado en Francia, en el año 1027, dio forma jurídica a la costumbre de la *treuga Dei*, que de inmediato se extendió a Alemania, Italia y otros países de Europa.

Trelles, Carlos M. (1866-1951). Erudito cubano, nacido en Matanzas. Dirigente del Partido Revolucionario Cubano, fundado por José Martí. Activo en su exilio en Tampa. Académico de la lengua y de la historia y bibliotecario de la Cámara de Representantes. Uno de los bibliógrafos

Corel Stock Photo Library

Tréboles silvestres.

más importantes de Cuba. Autor *de Bibliografía de la prensa cubana: Bibliografía cubana* y *Un precursor de la independencia de Cuba.*

Treinta Años, guerra de los. *Véase* GUERRA.

treinta tiranos. Nombre dado al gobierno oligárquico impuesto a Atenas por el general espartano Lisandro, cuando la conquistó (404 a. C.), al terminar la guerra del Peloponeso con el triunfo de Esparta, y que encabezaba el brillante político ateniense Critias. Designado para reformar la constitución, al retirarse los espartanos, en 403 a. C., el grupo rechazó la vieja democracia ateniense, implantó la tiranía e impuso el reino del terror. Los tiranos proscribieron a más de 1,500 ciudadanos, desterrando a unos y condenando a muerte a otros, en tanto se repartían los bienes de sus víctimas. El ateniense Trasíbulo, refugiado en Tebas, armó a algunos de sus compañeros y libró a Atenas de la tiranía.

Treinta y Tres. Departamento en el este de Uruguay y que allí limita con Brasil a través de la laguna de Merín. Superficie: 9,529 km². Población: 45,500 h., capital Treinta y Tres. Importante producción agrícola, pero la mayor actividad la absorben la ganadería e industrias que de ella se derivan, que son las más prósperas del país.

treinta y tres orientales. Expedición de 33 patriotas uruguayos, que partieron de Argentina con objeto de libertar a su patria de la ocupación brasileña. Fue jefe de esta expedición, que partió de la costa

argentina el 19 de Abril de 1825, el general Juan Antonio Lavalleja. Su presencia en la campaña uruguaya provocó una intensa reacción patriótica y el general Fructuoso Rivera, oriental que servía a los brasileños, puso sus fuerzas al servicio de la misma y obtuvo un triunfo sobre aquellos en el Rincón de las Gallinas.

A su vez, Lavalleja lograba otra victoria en Sarandí (1825). Reunido este mismo año un congreso general en Florida, declaró nulo el dominio brasileño y la incorporación de la provincia oriental a Argentina. Este país comunicó la incorporación a Río de Janeiro, cuyo gobierno contestó con la declaración de la guerra. Al término de ésta, en 1828, la paz firmada consagró la Independencia de la República Oriental de Uruguay.

trematodo. Gusano del orden de los platelmintos, animales caracterizados por su cuerpo aplanado. Casi todos los trematodos son parásitos: es típico el *Bilharzia crassa*, que vive como parásito en la sangre del ganado vacuno y de las personas, principalmente en los trópicos; esta especie, y otras similares, dan origen a la enfermedad llamada *bilharziasis*. Otros trematodos importantes son los del género *Distomum*, que provocan una enfermedad en el hígado del ganado ovino, y los del género *Amphistomum*, que infectan los intestinos de los caballos.

trementina. Jugo resinoso que se extrae de algunas especies de pinos. Los árboles más ricos en trementina son el pino marítimo, abundante en Europa, y el pino de hojas largas, de Estados Unidos. El aguarrás o esencia de trementina, es aceite de trementina, producto obtenido por destilación de la trementina. Para extraerla se practican unas incisiones en la corteza del árbol. El líquido gomoso, algo translúcido, mana en gran cantidad y es recogido en unos recipientes. Se hace hervir luego esta materia en grandes tinas y el vapor obtenido pasa a un serpentín refrigerado, donde se condensa y forma aceite de trementina, sustancia amarilla de olor intenso, sabor amargo y muy inflamable. El aceite de trementina se emplea principalmente como diluyente de pinturas y barnices. Aunque a veces se reemplaza con nafta, la trementina da una mayor consistencia a las pinturas al óleo y seca más rápidamente. El alcanfor sintético, utilizado en la elaboración de materiales plásticos, deriva también de la trementina. Se emplea este mismo elemento, pero rectificado, en medicina, como linimento para golpes y torceduras. En pequeñas dosis es un eficaz antiespasmódico y estimulante, útil en enfermedades como la bronquitis y la pulmonía. Como enema ha sido utilizado con éxito para expulsar algunos parásitos intestinales.

Trenci, Jacobo de (1517-1619).

Conocido como *El caballero de Gracia*, a quien debe su nombre la calle homónima de Madrid. Caballero español, de origen italiano, fundó iglesias y asilos. Se ordenó sacerdote a los 75 años de edad. Su vida sirvió de inspiración a numerosos poetas, entre ellos a Tirso de Molina, seudónimo de fray Gabriel Téllez.

Trento, concilio de.

Concilio celebrado a mediados del siglo XVI en la ciudad de Trento, que entonces pertenecía al santo imperio romano germánico. Fue convocado para resolver los problemas suscitados por el cisma protestante y para prevenir y evitar los abusos en el seno de la Iglesia católica. Las constantes instancias enviadas por el emperador Carlos V al papa tuvieron decisiva influencia para la reunión de esta asamblea. La apertura del concilio se efectuó el 13 de diciembre de 1545, siendo papa Paulo III, y sus deliberaciones se clausuraron el 4 de diciembre de 1563 bajo el papado de Pío IV. Fueron legados del papa, y por lo tanto presidentes del concilio los cardenales Juan María del Monte, Marcelo Cervini y Reginaldo Polo. Además de los legados pontificios estaban presentes 4 arzobispos, 22 obispos, 5 generales de las órdenes religiosas, 42 teólogos y 9 canonistas. La primera reunión fue dedicada a trabajos de apertura y en las restantes, que se sucedieron con intervalo de días y aun de meses, se decretó el símbolo de la fe y se emitieron declaraciones sobre la edición y el uso de las Sagradas Escrituras. También se resolvió, a este respecto, acep-

tar la traducción de la Biblia denominada *Vulgata*. Se procedió, en reuniones sucesivas, a tomar resoluciones encaminadas todas al mejoramiento del orden interno y espiritual de la Iglesia en general, y particularmente sobre congregaciones, atención y gobierno de hospitales, de catedrales, de iglesias, etcétera. En estas circunstancias se declaró la peste en Trento y muchos delegados se retiraron. Se pensó entonces que el concilio debía continuar sus sesiones en Bolonia, pero no pudo reunirse. En este ínter falleció el papa Paulo III (1549). El 1 de mayo de 1551, el concilio prosiguió sus deliberaciones nuevamente en Trento; pero en abril de 1552, el Concilio se vio obligado a suspender sus labores debido a que en la guerra surgida entre el emperador Carlos V y Mauricio de Sajonia, la ciudad de Trento quedaba peligrosamente cerca del teatro de operaciones. Después de esa suspensión, que se prolongó durante varios años, el concilio se reanudó en enero de 1562 y continuó adoptando decisiones de importancia para la fe católica y la ordenación de los asuntos de la Iglesia. Tuvo destacada actuación el jesuita español Santiago Láinez, quien defendió la supremacía del papa para interpretar los cánones y dar reglas para la interpretación de la fe y para la conducta de los miembros de la Iglesia. Se consagró la invocación de los santos y el culto de las imágenes, y se tomaron resoluciones relativas al purgatorio, a las dispensas y se afirmó la conservación del fuero eclesiástico. Los temas relacionados con la fe y con la oposición que el protestantismo hacía a viejos principios de la Iglesia, fueron objeto de grandes discusiones. En numerosas ocasiones los reyes y los príncipes de Europa pretendieron influir en las resoluciones del concilio a través de sus delegados, para sacar partido político de esta asamblea. En las sesiones de clausura se proclamó la unidad de la Iglesia católica y las definiciones tridentinas discutidas y adoptadas en el curso de las deliberaciones del concilio, fueron firmadas por 4 legados pontificios, 2 cardenales, 3 patriarcas, 25 arzobispos, 178 obispos, 7 abades y 7 generales de las órdenes religiosas. El papa Paulo IV las confirmó mediante la bula denominada *Benedictus Deus*, dada en Roma, el 26 de enero de 1564. Las resoluciones adoptadas en el Concilio de Trento fueron de importancia trascendental en la historia de la Iglesia y sirvieron para definir y confirmar el dogma católico.

trepanación.

Operación en la que el cirujano horada el cráneo. Para ello, se utiliza el trépano, instrumento parecido a un taladro. La trepanación con instrumentos primitivos era practicada en la antigüedad. Los mexicas y los incas, lo mismo que los antiguos egipcios y varios pueblos de Oceanía, ejecutaban la trepanación.

trepang.

Alimento preparado con la carne cocida y desecada de la holoturia o pepino de mar, equinodermo marino que abunda en las aguas de Filipinas, Molucas, Nueva Guinea y archipiélago Malayo. Los pepinos, luego de ser hervidos, se secan primero al sol y más tarde al fuego, lo que les da un sabor ahumado. Los indígenas lo usan como condimento y afrodisiaco, y China y Japón lo importan en grandes cantidades para preparar la sopa de trepang.

treponema.

Nombre común y genérico de los esquizomicetes espiroquetales (espirobacterios) de la familia treponemáceas, pertenecientes al género *Treponema*. Su motilidad es de tres tipos: rotación sobre su largo eje, locomoción no polar y flexión. Su observación microscópica se ve dificultada por la delgadez de la célula. Algunas especies acuáticas viven libres, y otras son patógenas para el hombre y los animales superiores. Las especies no patógenas pueden cultivarse en condiciones anaerobias estrictas, a una temperatura óptima de 35 °C. Sus características bioquímicas no se han definido con significado taxonómico. Las cepas estudiadas son catalasanegativas y oxidasanegativas. Algunas hemolizan eritrocitos de la oveja y el conejo. Fermentan la mayor parte de las hexosas y pentosas, pero no la lactosa. La fermentación de la glucosa es acidomixta. *Treponema pallidum* provoca la sífilis; otras especies son *Treponema cuniculi* y *Treponema pertenue*.

Tres Arroyos.

Ciudad del sur de la provincia de Buenos Aires (Argentina), capital del partido del mismo nombre, a 507 km de la capital federal. Fue fundada en 1865 y debe su nombre a los arroyos Seco, Medio y Claromecó. Centro de una importante zona agrícola y ganadera, cuenta con numerosos establecimientos industriales. Su población es de 35,000 habitantes. Importantes cultivos de trigo y lino. Cría de ganado ovino. Se comunica por ferrocarril y carreteras con Buenos Aires, Mar del Plata y Bahía Blanca.

Tres Marías.

Archipiélago de México, en el océano Pacífico, que forma parte del estado de Nayarit. Lo integran las islas de San Juanito (8.8 km²), María Madre (144 km²), María Magdalena (84 km²) y María Cleofas (25 km²), de origen volcánico, situadas a unos 110 km del continente. Hay depósitos de guano y yacimientos de sal. En la isla María Madre hay una colonia penal.

Tres Zapotes.

Yacimiento arqueológico olmeca de México, en el estado de Veracruz. Correspondiente al periodo preclásico medio y superior, está ubicado al pie de la serranía de los Tuxtlas, a lo largo del río Hueyapan. Se compone de 50 montículos, algunos agrupados y otros dispersos, distribuidos en una franja de 3 km de longitud. Son muy pocos los montículos que tienen revestimiento de piedra. En él se hallaron dos cabezas colosales de nariz ancha y boca prominente, cubierto con una especie de casco. En las estelas se representa el mascarón del jaguar, en cuyas fauces se yerguen personajes en actitud posiblemente ritual. Cabe mencionar también el hallazgo de una caja de piedra bellamente esculpida.

Tresguerras, Francisco Eduardo

(1759-1833). Arquitecto y pintor mexicano. Nació en Celaya (Guanajuato). Genio de múltiples facetas, cultivó además otras ramas de las bellas artes, y fue, también, escultor, grabador, músico, poeta y crítico. Los grandes templos y otros edificios que construyó en varias ciudades de México, son notables por su estilo neoclásico, y entre ellos se destaca la iglesia del Carmen, en Celaya, considerada como su obra maestra. Pintó, también, numerosos frescos y lienzos, estimándose como lo mejor de su obra las admirables pinturas del convento de Santa Rosa, en Querétaro, entre las que sobresale la justamente célebre titulada *Huerto cerrado* (*Hortus conclusus*), en la sacristía del convento, una de las pinturas murales más notables del arte colonial de México.

Trevithick, Richard (1771-1833). Ingeniero inglés. Realizó notables inventos en el campo de los motores de vapor. En 1800 construyó un motor de alta presión que superó al de baja presión de James Watt. Fue precursor de George Stephenson al remolcar con una locomotora de su invención una carreta con pasajeros. Influyó para que se empleara el hierro en los grandes barcos y estudió la aplicación de los motores de vapor a las construcciones navales, a los trabajos agrícolas y a la explotación de minas.

Triana, José (1931-). Dramaturgo cubano. En su obra mezcla influencia del llamado teatro del absurdo con elementos procedentes del folclore cubano. Entre sus piezas escénicas figuran: *El mayor general hablará de teogonía* (1960), *El parque de la fraternidad* (1962), *La muerte de Neque* (1963) y *Noche de los asesinos* (1966).

Triana, José Jerónimo (1826-1890). Botánico colombiano. En 1850 fue nombrado por el gobierno de su país botánico adjunto de la comisión encargada de establecer el mapa geográfico de las fronteras colombianas. En 1856 viajó a Europa. Colaboró con J. Planchon y con J. Decaisne en la *Enumeración de las plantas de Nueva Granada* (1862-1867).

triangulación. Operación topográfica para levantar el plano de un terreno, dividiéndolo en triángulos. Tomando como vértices de éstos algunos puntos notables, tales como la cima de los montes o rocas escarpadas, etcétera, y señalando otros por medio de jalones, la construcción de los triángulos puede hacerse midiendo los ángulos que forman cada dos lados por medio del grafómetro, que es un aparato formado por un semicírculo graduado de metal de 8 a 12 cm de radio, y dos alidadas, una fija y otra móvil, para dirigir visuales, provistas de sendas pínulas en sus extremos: una fija la dirección del diámetro del semicírculo y la otra, movible alrededor del centro de éste, determina el ángulo recorrido. Una vez medidos los ángulos de los distintos triángulos en que se ha dividido el terreno, basta medir las distancias entre los vértices y construir los lados a la escala que se desee. En la práctica se suele colocar el grafómetro en un punto del terreno desde el cual se vean todos los vértices elegidos y medir de una vez los ángulos que forman cada dos visuales. Este procedimiento se suele llamar levantamiento de un plano por radiación.

triángulo. Figura formada por tres líneas que se cortan dos a dos. Si son rectas, se llama triángulo rectilíneo; si curvas, curvilíneo; y si son arcos del círculo máximo de una esfera, el triángulo recibe el nombre de esférico. Cuando no se advierte explícitamente lo contrario, se sobreentiende que se trata de triángulos rectilíneos.

Los puntos *A*, *B*, *C*, de intersección de cada dos de las rectas que forman el triángulo son los vértices; los ángulos formados por cada dos lados, son los del triángulo; los segmentos *AB*, *BC*, *CA*, definidos por cada dos vértices, se llaman lados; la perpendicular *CH* desde un vértice cualquiera al lado opuesto es la altura, relativa a este lado, el cual recibe el nombre de base; la recta *CM*, que une un vértice con el punto medio del lado opuesto, es la mediana; la perpendicular *MN* en el punto medio de un lado es la mediatriz, y las bisectrices de los ángulos del triángulo reciben también el mismo nombre.

Estas líneas tienen la importante propiedad de cortarse en un punto. El de intersección de las alturas se llama ortocentro; el de las medianas, baricentro o centro de gravedad y dista de cada vértice los 2/3 de la mediana correspondiente; el de las mediatrices es el circuncentro o centro del ángulo circunscrito y el de las bisectrices, el incentro o centro del círculo inscrito.

Respecto de las longitudes de sus lados, los triángulos se clasifican en equiláteros, isósceles y escalenos, según que tengan iguales los tres lados, dos o ninguno; y respecto de sus ángulos son acutángulos, rectángulos u obtusángulos, cuando tienen

tres ángulos agudos, uno recto o uno obtuso, respectivamente. En el triángulo rectángulo, los lados del ángulo recto se llaman *catetos* y el otro lado hipotenusa. El cuadrado de ésta es igual a la suma de los cuadrados de los catetos, importantísima propiedad que descubrió Pitágoras, geómetra griego del siglo VI a. C. El acutángulo de ángulos iguales se llama, en particular, equiángulo. El triángulo equilátero es un equiángulo y el isósceles tiene iguales los ángulos en la base, considerando como tal el lado desigual.

Los triángulos tienen gran número de propiedades, cuyo estudio sistemático ha dado origen a una rama de la geometría que se llama geometría del triángulo. Las principales, desde el punto de vista elemental, son: 1) un lado cualquiera es menor que la suma de los otros dos y mayor que la diferencia; 2) la recta que une los puntos medios de los lados es igual a la mitad del tercero; 3) la suma de los tres ángulos vale 180° y 4) el área es igual a la mitad del producto de la base por la altura.

Los diferentes casos de construcción de triángulos se pueden reducir a los tres siguientes elementales:

1) Dados los tres lados. Desde los extremos de un segmento rectilíneo igual a uno cualquiera de los lados, se describen sendos arcos de circunferencia con radio igual a cada uno de los otros dos lados. El punto de intersección es el tercer vértice.

2) Dados dos lados y el ángulo comprendido. Se construye un ángulo igual al dado y sobre sus lados, y a partir del vértice, se toman segmentos iguales a los lados dados, cuyos extremos son los otros dos vértices.

3) Dados dos ángulos y el lado común a éstos. En los extremos del lado conocido se trazan sendas rectas que forman con él ángulos respectivamente iguales a los dados. Su punto de intersección es el tercer vértice.

Los instrumentos que se emplean para la construcción de los triángulos son la regla y el compás. La de los ángulos puede hacerse por medio del transportador.

Trianón, Tratado de. Dos palacios de Versalles (Francia), llevan el nombre de Trianón. El primero llamado Gran Trianón fue mandado construir por Luis XIV en 1687, y el segundo por Luis XV, en 1768. En el primero y como consecuencia de la terminación de la Primera Guerra Mundial, se firmó el tratado de paz entre Hungría y los Aliados el 4 de junio de 1920. Este tratado fue complemento del firmado por los Aliados con Austria en Saint-Germain en Laye (Francia) el 10 de septiembre de 1919, y que completó la desaparición del antiguo imperio austrohúngaro y dio nacimiento a varias repúblicas independientes. Por el Tratado del Trianón, Hungría tuvo

que ceder los territorios de Croacia, Eslovenia, Transilvania, el Banato, Eslovaquia, Bratislava y Fiume, y se beneficiaron Checoslovaquia, Yugoslavia y Rumania. Fiume fue incorporado a Italia en 1924.

triásico. *Véase* GEOLOGÍA.

Triboniano (475-547). Jurisconsulto romano. Fue abogado, cuestor, director de la administración imperial, prefecto del pretorio y cónsul romano. Famoso por la parte que tuvo en las tareas legislativas del emperador Justiniano, quien lo nombró presidente de la comisión de jurisconsultos que formaron, con las partes dispersas y confusas de la antigua legislación romana, las tres compilaciones conocidas como *Código de Justiniano* (529), *Digesto* y el manual *Instituto* o *Instituciones* (533). Redactó *Las cincuenta decisiones*, y por su iniciativa se publicaron las Novelas o disposiciones jurídicas que modificaron diversos puntos del derecho público.

tribu. Agrupación de familias o individuos de origen común, que se considera como una de las primeras formas de organización que tuvo la comunidad humana y que aún subsiste en diversas regiones de la Tierra. De modo casi invariable, los individuos que componen la tribu obedecen a un jefe, que suele ser el hombre de mayor edad, y quien actúa como señor y juez de su pueblo. A veces, se elige un consejo compuesto de ancianos, que le sirven de asesores. En este y otros detalles que se observan en las agrupaciones más avanzadas, se comprueba que la tribu fue el primer paso que dio la comunidad en el ca-

Corel Stock Photo Library

Tribu indígena en Calgary, Canadá.

mino de la civilización, y que de su práctica fueron surgiendo modificaciones que terminaron por darle el sentido político del gobierno. Todos los pueblos han vivido bajo esa forma inicial en la primera etapa de su existencia, para desprenderse de ella cuando el crecimiento y el progreso naturales les guiaron hacia sistemas más complejos. La tribu no desapareció efectivamente de Europa sino mediante la formación de los nuevos estados; en algunos casos, como en la antigua Germania, hasta entrada la Edad Media. En América, exis-

tió entre los indios primitivos y perdura en ciertas regiones. La sociedad antigua se originó en tribus que podían ser de base familiar o territorial. El sentimiento y concepto de patria se robusteció en la tribu de base territorial, en la que todo pertenecía a la comunidad, y si uno de sus miembros salía a otra, siempre se le reconocía como individuo de ese grupo, incluso a sus descendientes. Las históricas 12 tribus judías fueron modelos de organización y gobierno. Las tribus romanas primitivas fueron evolucionando a través de los siglos, y sirvieron de base a uno de los grandes centros de civilización que culminó en el imperio romano y sus instituciones, que dejaron profunda huella en la civilización occidental.

tribunal. Lugar destinado a los jueces para administrar justicia y pronunciar sentencias, y también, el ministro o los ministros que conocen los asuntos de justicia y pronuncian la sentencia. En líneas generales, el tribunal se compone de tres elementos: el juez, quien propiamente tiene atribuida la función de administrar justicia; el secretario, auxiliar que goza de fe pública y asiste en toda la actuación, cuidando en especial de la documentación correspondiente al proceso, y el agente judicial o alguacil, subalterno que cuida de cumplir las órdenes que recibe del juez. Los jueces que componen un tribunal colegiado son magistrados. Ante el tribunal comparecen como partes del proceso el demandante y el demandado. El acto en el cual el tribunal habrá de dictar sentencia que podrá ser condenatoria o absolutoria se llama juicio, y en su transcurso se presentan y examinan

Interior del tribunal de Tombstone, Arizona.

Corel Stock Photo Library

Corel Stock Photo Library

Tribunal estatal en el ayuntamiento en Dinamarca.

las pruebas que existan sobre el delito imputado, se consideran los informes y alegatos de los letrados de la acusación y la defensa, se establece la culpabilidad o inocencia del acusado y se formula la calificación definitiva de los hechos.

En la mayoría de los países se resuelven las causas criminales por el tribunal de justicia con jurado, que se compone de varios magistrados, como jueces de derecho, y varias personas particulares que son jueces de hecho o jurados, encargados de calificar las pruebas, resolviendo de acuerdo con su conciencia mediante una declaración llamada veredicto, en la cual se basa el tribunal de derecho para dictar la sentencia. Hay numerosos tribunales o cortes de justicia especiales, como el tribunal de menores para la delincuencia infantil; de casación, que conoce de los quebrantamientos o infracciones de ley alegadas contra los fallos de instancias, y de errores sobre hecho y prueba; el supremo, que es el de mayor jerarquía en un país, entre otoros. *Véase* JUSTICIA.

Tribunal de Justicia Internacional. *Véase* NACIONES UNIDAS.

tribunal de menores.
Organismo jurisdiccional específico que sanciona, corrige o tutela a todos aquellos infractores que, por razón de menor edad, se hallan dispensados de comparecer ante los tribunales ordinarios para responder de los delitos o faltas que pueden haber cometido. Institución de origen moderno, pues el primer tribunal de ese tipo se creó en Chicago (Estados Unidos) en 1899, su establecimiento obedece a las corrientes de justi-

cia humana y social que empezaron a perfilarse en los albores del siglo XIX, las cuales reconocían en el menor delincuente dos circunstancias fundamentales que debían considerarse y evaluarse al ser juzgado: las del medio en que había vivido, y del que era indudablemente una víctima, y las del riesgo que significaba someterlo al tratamiento penal común, pues su convivencia y contacto con los reclusos habituales de las cárceles podían terminar por convertirlo definitivamente en un ser inadaptado y peligroso para la sociedad. Los tribunales de menores actúan observando primordialmente un sentido paternal. Compuestos por uno o varios jueces, los cuales pueden no ser de carrera, figura a veces entre ellos alguna mujer. La sala donde actúan suele hallarse desprovista de todo aparato impresionante o vetusto, que pueda intimidar al menor, y las sesiones se realizan en ambiente de sencillez que inspire confianza, suprimiéndose los estrados y sentándose el juez al lado o enfrente del inculpado, separados únicamente por una mesa o pupitre. Colaboran a menudo en estos tribunales, como asesores y orientadores, pedagogos y educadores, médicos y psicólogos, capaces de dictaminar acerca del estado físico y mental del menor delincuente. Los principios generales que informan la legislación al respecto son tres: tribunales y procedimientos especiales; supresión de penas carcelarias, y facultad de imponer regímenes de libertad vigilada. Mientras en ciertos países los tribunales se concretan a aplicar medidas puramente protectoras, tendientes a reformar la conducta de los menores extraviados (España, Bélgica, algunos estados estadounidenses y casi todos los

países de América Latina), otros decretan penas aflictivas cuando se trata de inculpados adolescentes o lindantes con la mayoría de edad (Alemania, Inglaterra, Italia, etcétera). La reclusión de los menores se efectúa en establecimientos apropiados y con arreglo a la gravedad de su delito o falta, a su estado físico y mental y a su grado de instrucción, tales como reformatorios, correccionales, colonias agrícolas o industriales, centros de beneficencia y capacitación, etcétera. En ciertos casos se confían a la custodia de una familia de moralidad reconocida. *Véase* DELINCUENCIA JUVENIL.

tribuno.
Cada uno de los magistrados de la antigua Roma, a quienes estaba encomendada la defensa de los intereses de la plebe (*tribuni plebi*). Fueron creados en el año 493 a. C. cuando el pueblo, harto de verse legalmente postergado, emigró en masa de Roma y acampó en el Monte Sagrado, con la intención de levantar allí una nueva ciudad. El retorno de los plebeyos se consiguió a cambio de la institución de dos nuevos magistrados, denominados tribunos de la plebe, encargados de defender los intereses del pueblo contra los abusos de los cónsules, es decir, del Senado. Aunque en un principio no gozaron de otro derecho que el del veto a las resoluciones del Senado, esta arma de obstrucción fue utilizada con eficacia para obtener mejoras para la plebe. Así, consiguieron también el derecho a convocar los comicios por tribus y a proponer plebiscitos. Su número se elevó de dos a cinco y, posteriormente, a diez (296). Elegidos por un año en los comicios por curias entre los plebeyos, sus personas eran sagradas e inviolables, y conservaban sus cargos aun en los periodos de dictadura.

No llevaban insignias, pero iban siempre precedidos de un *viator*. Su autoridad no sobrepasaba el recinto de la ciudad, de la que les estaba prohibido alejarse más de una jornada. Aprovechando las circunstancias políticas por las que pasó Roma, el tribunado llegó a ejercer enorme influencia en la República y arrancó a los patricios la igualdad civil y política. El periodo de crisis constitucional que precedió al advenimiento del imperio, fue fatal para esta magistratura. El dictador Sila le arrebató sus principales atribuciones, que, en vano, le devolvió Pompeyo, pues César la redujo a la impotencia. El hábil Augusto asumió la potestad tribunicia y él mismo eligió a los tribunos, entre los patricios y los caballeros. Además de los tribunos de la plebe, hubo en Roma magistrados o funcionarios denominados tribunos militares, del tesoro, de las diversiones, de la legión y consulares.

En el año 1347, se erigió dictador en Roma con título de tribuno, Cola di Rienzi. En Francia, se llamaron tribunos los miembros del tribunado, que era una de las dos Asambleas creadas por la Constitución del año VIII, promulgada en 1799. El dictado de tribuno se aplica hoy al orador que, con elocuencia capaz de impresionar a las multitudes, se pone al servicio de la causa política.

tricóptero. Insecto con alas membranosas cubiertas de vello, que se consideró como perteneciente a un suborden de los neurópteros, pero al que, después, se clasificó en un orden aparte. De cuerpo blando; piezas bucales rudimentarias, con una porción formada por la unión del labio y las maxilas; alas replegadas sobre el abdomen; antenas y patas largas y metamorfosis complicada.

tricromía. Procedimiento empleado en tipografía para estampar o reproducir grabados en colores por la combinación de tres tintas diferentes. Parte del principio basado en que con el empleo de los tres colores fundamentales es posible obtener todos los demás colores y sus diferentes matices. Se usan generalmente tres clisés reticulados, cada uno para un color fundamental distinto, que se imprimen sucesivamente sobre el mismo papel y con arreglo a este orden: uno para el color amarillo, otro para el rojo, y el último para el azul. Cuando se trata de trabajos de alta calidad suele agregarse otro clisé para una impresión en negro o en gris. Los clisés para las impresiones en tricromía se elaboran mediante procedimientos fotográficos y de fotograbado.

Para ello se obtienen del objeto que sea necesario reproducir, tres fotografías, colocando en el objetivo de la cámara fotográfica un filtro de color diferente (violeta, verde y anaranjado) para cada toma fotográfica. Así se obtienen tres placas negativas en las cuales quedan registrados en distintas intensidades de blanco y negro, los colores y sus matices del objeto fotografiado separadamente para cada color, o sea en una placa los correspondientes al amarillo, en otra los del rojo, y en otra los del azul. Esas placas fotográficas sirven de base para obtener, por los procedimientos usuales de fotograbado, el juego de los tres clisés que se utilizan en la impresión. *Véase* FOTOGRABADO.

tridimensional. *Véase* CINE.

Trieste. Ciudad y puerto de Italia, en el extremo norte del Mar Adriático, de gran importancia económica como centro marítimo y puerto de salida para varios países de la Europa central. Debido a su topografía rocosa e irregular, al extenderse la población se han tenido que construir túneles y puentes para unir sus diferentes sectores. Población: 237,191 habitantes.

Importantes industrias metalúrgicas, de construcciones navales, tabacos, textiles y químicas, originando su intercambio internacional un intenso comercio. Es el segundo puerto del país, con un tráfico de aproximadamente 38 millones de ton, en su mayor parte petróleo y productos derivados.

Historia. Es ciudad muy antigua, la legendaria Tergéstum que, a pesar de sus murallas, fue devastada por Atila y ha pasado por múltiples manos a través de su existencia, siempre agitada y combativa: galos, romanos, godos, lombardos, bizantinos, francos, venecianos y austriacos, que por dos veces la entregaron a Napoleón, hasta ser asignada a Italia en 1919. Durante la Segunda Guerra Mundial la ocuparon los alemanes en 1944, y después los yugoslavos. A la terminación de ese conflicto, la ciudad de Trieste y su región estaban ocupadas por fuerzas británicas, estadounidenses y yugoslavas. En 1947 se estableció el Territorio Libre de Trieste, que tenía 773 km^2 y 370,000 h., y fue dividido en dos zonas A y B. La zona A, o del norte, en la que estaba comprendida la ciudad de Trieste, tenía una población en su mayor parte italiana, y la zona B, o del sur, población rural yugoslava. En 1954 se retiraron las fuerzas de ocupación, la zona A fue incorporada a Italia y la zona B a Yugoslavia. En ese año Trieste entró a formar parte de la región italiana de Venecia Julia. *Véanse* ITALIA *(Mapa)*; BALCANES *(Mapa)*.

trigo. Planta gramínea del género *Triticum*. Pertenece al importante grupo de los cereales y está considerada, junto con la avena, la cebada, el centeno, el maíz y el arroz, como uno de los alimentos vegetales básicos de la humanidad. Existe gran número de variedades; solamente en Estados Unidos se cultivan doscientas.

La planta. Cuando llega a su pleno desarrollo, la planta de trigo mide alrededor de 2 m de altura. El grano es una semilla –un fruto, en sentido estricto– que recibe el nombre botánico de cariópside, porque es seco y su pericarpio o envoltura externa está soldado al núcleo. Se genera en la llamada espiga, que está compuesta por el raquis, especie de haz sobre el cual se insertan las espiguillas florales. Estas espiguillas están rodeadas por una envoltura externa compuesta por brácteas que reciben el nombre de glumas; a su vez, cada una de las flores que componen la espiguilla está rodeada por otra bráctea llamada glumela, la cual forma la envoltura interna. De las flores proviene, cuando la planta llega a su madurez, el grano de trigo.

Si practicamos un corte en un grano de trigo, distinguiremos tres partes principales: 1) la envoltura o pericarpio, que ocupa de 14 a 18%. está formada por cinco membranas, la más interna de las cuales se denomina aleurona. Durante la molienda del trigo la resultante de esta envoltura es separada y recibe, según su grosor, los nombres de afrecho o afrechillo; 2) el núcleo, que constituye de 80 a 85% del grano, está formado por células poliédricas llenas de minúsculos granos de almidón, los cuales están rodeados por sustancias proteicas que forman el gluten. Las células son más grandes en el interior que en la periferia, y como las células pequeñas dejan más espacio disponible para que se acumulen las sustancias proteicas, todo

Campo de trigo.

trigo

grano de trigo es más rico en gluten cerca de la parte exterior que en el centro; 3) el germen, que sólo ocupa de 1 a 2% de la masa total del grano, es en realidad una minúscula plantita que adquiere vida activa en condiciones favorables de temperatura, nutrición y humedad. Está situado en la parte inferior del grano, junto a la superficie.

Casi todos los granos de trigo son de forma ovoidal, pero los hay semicilíndricos y de forma elíptica. Su longitud suele variar de 4 a 8 mm. Otra característica perceptible a simple vista es la textura del grano, que sirve de base para la clasificación industrial de los trigos en duros, semiduros y blandos. Al practicar un corte en un grano, el aspecto será blanco opaco y harinoso si el trigo es blando; si es duro, la apariencia será traslúcida, vítrea o córnea; si es semiduro, su aspecto será intermedio entre los dos anteriores. Las tres categorías no dependen del grado de sequedad del grano, como pudiera creerse, sino que derivan del contenido en gluten que posea el núcleo. En cuanto al color, las diversas variedades van desde un blanco amarillento hasta un tono rojizo intenso. Los primeros se llaman blancos y los segundos reciben el nombre de colorados. La composición química del grano de trigo también varía según las especies, las calidades, la época de la cosecha, el grado de conservación y otros factores. Entre los distintos porcentajes que se han calculado para establecer un promedio sobre la composición del trigo, se mencionan los siguientes:

Agua	12%
Hidratos de carbono	70%
Proteínas	12%
Materias grasas	1.5%
Sales minerales	1.5%
Celulosa	3%

Las proteínas se encuentran en el núcleo y en la aleurona; abunda más en los trigos duros que en los blandos. Los hidratos de carbono que forman la parte más importante del grano, se encuentran en el núcleo. Las materias grasas se acumulan en el germen. La celulosa y las sustancias minerales forman parte de las envolturas externas. Aparte de estos componentes, todo grano de trigo contiene una pequeña proporción de vitaminas B, E, y G y de fermentos, que tienen influencia decisiva en la alimentación humana y en la conservación del cereal.

Una vez cosechado, el grano de trigo aparece acompañado por muchas impurezas o cuerpos extraños: pajas, glumas, glumelas, polvo, tierra, granos de arena, semillas de otros cereales y malezas. Además, durante la trilla muchos granos se quiebran y deben ser desechados.

Campesino cosechando trigo.

La acción de la humedad, las heladas y los ataques de diversas plagas producen granos dañados o defectuosos. Se llama grano brotado al que queda en condiciones de germinar a causa de una elevación en la temperatura o en la humedad. El grano ardido, también provocado por la humedad, tiene su pericarpio manchado por la acción de hongos. La acción de los calores intensos da origen a los granos calcinados y una tormenta intensa produce los *revolcados*, que son los que tienen mucho barro adherido. La plaga que produce mayores estragos es el carbón: los granos atacados por ella muestran, al ser partidos, toda su parte interior de color negro y tienen olor a moho. Los granos picados son producidos por los insectos llamados gorgojo e isoca, que se reproducen con gran facilidad.

Tres hongos de características similares ejercen efectos perjudiciales sobre la planta de trigo. Reciben el nombre científico de *Puccinias* y las denominaciones vulgares de royas, polvillo y añublo. No existe ningún tratamiento curativo que permita eliminarlos; pero como la resistencia a estos agentes es hereditaria, bastará sembrar variedades inmunes. En cambio, para los llamados carbones existen métodos eficaces, que consisten en tratar los granos con agua caliente o con corrientes de aire caliente. El enemigo más terrible del trigo es, entre los insectos, la langosta, cuyas nubes o *mangas* causan todos los años graves trastornos económicos. El grano almacenado, por su parte, sufre la acción de los llamados gorgojos, polillas y palomitas.

El cultivo. La mayoría de las variedades de trigo vegetan durante el invierno y terminan su ciclo en verano. Existen algunas variedades, sin embargo, que no necesitan de las bajas temperaturas invernales para cumplir su evolución y que pueden ser sembradas en primavera. Las primeras variedades se denominan trigo de invierno; las segundas, trigo de primavera. Toda planta de trigo necesita alrededor de siete días, a partir de la siembra, para germinar; llega al estado de pasto 60 días después; alcanza el estado de espigazón 70 días más tarde, y llega a la madurez al cabo de un mes y medio contando desde este momento. En términos generales el trigo es planta de climas templados, pero puede ser hallada prácticamente en diversas latitudes. Los terrenos preferibles para la siembra son los arcillosos que tengan buen contenido de cal. Cuando las tierras que se van a sembrar tienen un bajo contenido de materia orgánica, conviene cultivarlas antes con plantas que sirven de abonos verdes, tales como las que reciben el nombre genérico de leguminosas.

La tarea previa a la siembra es la preparación de la tierra. Esto se realiza pasando el arado para enterrar el rastrojo, formado por los tallos secos de las plantas que ocuparon el terreno durante el año anterior, y para desarraigar las malezas que puedan haberse acumulado. La tierra ya está parcialmente desmenuzada, pero su preparación debe ser completada haciendo pasar las gradas o rastras. Las rastras modernas constan de hasta 20 discos unidos por un eje común, los cuales trituran los terrones de tierra. Realizada esta tarea previa, la materia orgánica entrará en descomposición y en el suelo comenzará un variado proceso de cambios y reacciones. Los microorganismos activarán la vida del suelo y la tierra irá almacenando humedad a la espera del momento en que debe recibir la semilla.

Mientras se realiza la preparación de la tierra, en algunos lugares se debe abonar el suelo con diversos fertilizantes para restituirle los elementos nutritivos de que carece. Los dos fertilizantes que el trigo necesita en mayor cantidad son el nitrógeno y el fósforo. En las tierras de fertilidad media se utilizan abonos de fórmula 4-12-4, vale decir, compuestos por 4% de nitrógeno, 12% de ácido fosfórico y 4% de potasa. En las tierras más fértiles de América, donde el trigo adquiere la máxima importancia económica, el uso de los abonos es innecesario.

La siembra se realizó, durante casi toda la historia de la humanidad, utilizando el clásico e imperfecto sistema de arrojar la semilla a voleo. La máquina sembradora ha eliminado este sistema, con toda su lentitud y empleo de mano de obra. Al llegar el día de la siembra, el agricultor debe seleccionar con todo cuidado su simiente. Existe una enorme cantidad de variedades de semilla de trigo, y la mejor práctica es solicitar asesoramiento en una estación experimental del ministerio de Agricultura. Estas estaciones realizan trabajos de aclimatación y obtienen nuevas variedades, facilitando al productor toda clase de informaciones y pequeñas cantidades de semillas para realizar ensayos. La proporción de semillas a sembrar por hectárea varía en gran medida, y depende de la cantidad y calidad del suelo, los sistemas de siembra, la preparación previa de la tierra, la época del año y la calidad de la semilla. El mínimo es de 40 kg por hectárea; el máximo, de 100 kg. La máquina sembradora tiene un cajón prismático, en cuyo interior hay aberturas separadas por 20 cm; al ponerse en movimiento la máquina, los granos del cereal van deslizándose por estas aberturas y quedan sepultados en el suelo, a 1 o 2 cm de profundidad.

Después de haber pasado por las diversas etapas de pasto, espigazón y madurez, y de haber superado los riesgos del granizo, la sequía, las lluvias, las enfermedades y las plagas, la planta queda lista para la recolección o cosecha. Aquí también la tecnología moderna ha desterrado una operación clásica, plena de bello simbolismo.

La arcaica hoz del campesino de siglos pasados ha cedido paso a las complejas máquinas modernas. La más conocida es la espigadora o segadora, que posee varias barras cortantes provistas de un movimiento horizontal, de poca amplitud pero vigoroso. Cuando la espigadora entra en acción, otro vehículo recoge junto a ella el trigo cortado, que se deposita luego en el sitio donde habrá de formarse la parva. El grano permanece en la parva durante 10 o 15 días, a la espera de que termine su maduración. La tarea final, llamada trilla, es realizada por una máquina especial cuyo mecanismo básico se reduce a una pieza cóncava con dientes de varios centímetros, entre los cuales se deslizan a gran velocidad otros, insertos en un cilindro rotativo. Al pasar, las espigas van dejando los granos en libertad; las cubiertas, los tallos y todo el resto del cereal es despedido hacia el exterior. Un sistema de zarandas limpia luego los granos, que a continuación son embolsados. Las complejas operaciones de la cosecha han sido simplificadas en los últimos tiempos por máquinas de admirable eficacia que se denominan autocosechadoras o cosechadoras automotrices. Estas máquinas presentan la enorme ventaja de efectuar a un mismo tiempo la recolección y la trilla: siegan las plantas, separan el grano de la espiga y embolsan el trigo en una sola operación velocísima. Los rendimientos de cada cosecha fluctúan según la variedad de trigo, la zona, las

condiciones del ambiente y muchos otros factores. El rendimiento mínimo de una cosecha normal es de 600 kg/ha; el máximo, en condiciones óptimas, de 4,000 kilogramos.

Una vez cosechado, el grano es llevado por camión o ferrocarril hasta el molino. Mediante electroimanes, aspiradores y zarandas se le somete a una limpieza total; y por medio de máquinas se quitan adherencias y tegumentos a los granos. La molienda se efectúa en máquinas, compuestas por cilindros que giran a manera de rodillos, y desintegran los granos por completo. Después de varios procesos de molturación, se separan la sémola y los residuos. En la primera molienda se obtienen las harinas de mejor calidad; de las posteriores provienen las de calidad intermedia e inferior.

Producción y comercio mundial. Los principales productores de trigo en el mundo son: China, Comunidad Económica Independiente, Estados Unidos, La India, Rusia, Francia, Canadá, Turquía, Australia, Pakistán, Argentina e Italia.

En la actualidad el trigo se cultiva en todos los continentes. La producción mundial de trigo, gracias a los cada vez mejores rendimientos por hectárea, no ha dejado de incrementarse, habiéndose casi cuadruplicado entre principios de los años cincuenta y mediados de los noventa. La distribución de la producción mundial por grandes regiones es como sigue: África, 2.4%; América del Norte y Central, 17%; América del Sur, 2.4%; Asia, 39.6%; Europa, 35.4% y Oceanía, 3.2%.

Cerca de una quinta parte de la producción mundial se dedica al comercio internacional. Existe un núcleo de países exportadores tradicionales de trigo, a los cuales sigue, a gran distancia, un grupo de países europeos cuyas exportaciones son variables y están en función del volumen de las cosechas. Los exportadores tradicionales son Estados Unidos y Canadá, que constituyen, con mucha diferencia sobre el resto, la primera zona exportadora mundial, con una participación en el total mundial exportado de alrededor del 50%. Australia es, a mucha distancia, el tercer país exportador más importante. Los principales importadores son los países de Europa occidental y central, algunas repúblicas de la CEI y otros países del mundo en desarrollo. La URSS fue durante años el primer importador mundial, lugar que a mediados de los años noventa ocupaba Rusia, con cerca del 6% del total mundial importado. Otros importadores notables son Brasil, Italia, Egipto y Argelia.

En 1949, se fundó el Consejo Internacional del Trigo, con sede en Londres, como organismo encargado de estabilizar el mercado mundial del trigo, fomentar la cooperación y el comercio de cereales, administrar los distintos acuerdos internacionales sobre el comercio de cereales y favorecer la seguridad alimentaria mundial. En 1995 dicho organismo adoptó el nombre de Consejo Internacional de los Cereales; son sus miembros los Estados de la Comunidad Europea y otros 27 países de todo el mundo.

El trigo y la humanidad. Se supone que la patria del trigo blando se halla en las vastas regiones del suroeste de Asia, que se extienden desde la meseta de Anatolia hasta los contrafuertes del Himalaya. Los trigos duros provendrían, según las opiniones

Distintos panes hechos con harina de trigo.

más autorizadas, ya sea de los imprecisos bordes de las regiones de la cuenca del Mar Mediterráneo o de las llanuras de Etiopía. Sea como fuere, lo cierto es que el cultivo del trigo es anterior a los datos históricos más remotos. Se han hallado útiles de piedra, provenientes del paleolítico inferior, que fueron utilizados en las operaciones de la cosecha. En numerosas cavernas neolíticas del continente europeo han aparecido pequeños depósitos de granos de trigo. Es indudable que el dorado cereal alimenta a la humanidad desde hace miles de años.

El cultivo del trigo no es sólo uno de los más antiguos, sino el más extendido que existe en el mundo. Los granos, fácilmente transportables y digeribles con facilidad, proporcionan un conjunto bien equilibrado de hidratos de carbono, grasas y minerales que representan la base esencial para la alimentación de una gran parte de la humanidad. Producido y consumido en todos los países, constituye una verdadera fuente de vida para todo el mundo occidental y forma, al mismo tiempo, el cimiento del edificio agrícola. Según la acertada expresión del eminente geógrafo Vidal de la Blache, es una *planta civilizadora*. Ningún otro cultivo ocupa tantos millares de personas ni está diseminado en regiones de clima tan diverso, de suelos y relieves tan distintos, de regímenes de explotación tan dispares. Ya en el siglo IV a. C., el botánico Teofrasto señalaba que exige una tierra que no sea "demasiado floja ni demasiado compacta, ni demasiado ligera ni demasiado pesada, ni demasiado seca ni demasiado húmeda". Los climas hacen variar la aparición de la madurez, que es tanto más rápida cuanto más cálida es la región. El calendario del trigo muestra que no pasa un solo mes del año sin que se realice la cosecha en alguna región del mundo. La producción es casi continua en todos los países de la tierra y las cosechas alimentan constantemente los mercados internacionales.

Si nos remontamos hacia los orígenes de muchas civilizaciones, encontraremos referencias al trigo, preciado cereal que ha dado origen a leyes y disposiciones, a mitos y leyendas. Hasta la Biblia suele darle un carácter simbólico. La bella narración del diálogo entre José y el faraón, con su parábola de los "siete años de vacas flacas y siete años de vacas gordas", lo hace intervenir como primer actor: "La tierra fue extremadamente fértil durante los años de abundancia... José almacenó trigo como las arenas del mar, en cantidades incalculables... Los siete años de abundancia llegaron a su fin y comenzaron los siete años de escasez, como José lo había previsto, y hubo hambre en todos los países, pero en Egipto hubo alimentos... José abrió los depósitos y proporcionó trigo a los egip-

cios, y todo el mundo llegaba a las tierras de Egipto para comprar trigo a José..."

He aquí, narrado por el Génesis, el aspecto básico del problema del trigo, que en todos los tiempos ha obsesionado a la humanidad. Como la Biblia, la mitología griega y romana también dan al trigo un lugar prominente. Buscando noche y día a su hija Proserpina, la rubia Ceres, diosa de los granos y de los frutos, se detiene en el Ática, en la región de Eleusis, donde enseña al joven Triptolemo el modo de labrar la tierra y cultivar el trigo. Durante muchos siglos, los griegos veneran a esta diosa portadora de espigas, en la que ven a la madre nutricia de la humanidad. Atenas, Corinto, Egina y todas las ciudades helénicas tratan de conseguir "el trigo sagrado de Démeter" en los países del Mar Negro, en Sicilia, en Egipto. Las caravanas que aportaban el cereal eran esperadas con ansiosa impaciencia. En uno de sus más famosos discursos, Demóstenes demostró que Cleómenes, gobernador griego de Egipto, acaparaba el trigo y especulaba con los precios. De igual modo, la Roma antigua también dependió de sus vecinos para asegurar el sustento de la población. Sicilia y África del Norte proporcionan la materia prima para uno de los elementos de la clásica fórmula de *pan y circo* que acalla los apetitos de la masas y que sólo será eliminada por la invocación cristiana del *pan cotidiano*. *Véanse* AGRICULTURA; CEREALES; MAQUINARIA AGRÍCOLA; PAN.

trigonometría. Parte de la matemática que tiene por objeto la resolución de los triángulos por el cálculo. Se divide en rectilínea y esférica, según que los triángulos sean de estas clases, respectivamente.

Los ángulos se dan en trigonometría por medio de ciertas razones llamadas funciones trigonométricas, que son seis: seno, coseno, tangente, cotangente, secante y cosecante.

El seno de un ángulo o arco es la razón de la ordenada al radio; el coseno, la de la abscisa al radio; la tangente, la de la ordenada a la abscisa; la cotangente, la de la abscisa a la ordenada; la secante, la del radio a la abscisa, y la cosecante, la del radio a la ordenada, de modo que representando por A el ángulo, por r el radio de una circunferencia cualquiera descrita desde el vértice del ángulo como centro, y por x e y la abscisa y la ordenada de un punto de ésta, se tienen estas definiciones, con la notación internacionalmente adoptada:

$$\operatorname{sen} A = \frac{y}{r},\ \cos A = \frac{x}{r},\ \operatorname{tg} A = \frac{y}{x}\ \cot A = \frac{x}{y},$$

$$\sec A = \frac{r}{x},\ \operatorname{cosec} A = \frac{r}{y},$$

donde se ve que la cotangente, la secante y la cosecante son las inversas de la tangente, el coseno y el seno, respectivamente, y se puede, por tanto, escribir:

$$\cot A = \frac{1}{\operatorname{tg} A},\ \sec A = \frac{1}{\cos A},\ \operatorname{tg} \operatorname{cosec} A = \frac{1}{\operatorname{sen} A}$$

Tomando el radio por unidad, $r = 1$, las razones anteriores se convierten en:

$$\operatorname{sen} A = y,\ \cos A = x,\ \operatorname{tg} A = \frac{y}{x},\ \cot A = \frac{x}{y}$$

$$\sec A = \frac{1}{x},\ \operatorname{cosec} A = \frac{1}{y},$$

que son los segmentos PM, AM, $A'T$, BS, AT y AS, respectivamente, y de aquí las definiciones elementales siguientes: el seno es la longitud de la perpendicular trazada desde un extremo del arco al radio que pasa por el otro extremo; el coseno es la distancia desde el centro de la circunferencia al pie del seno; la tangente es la longitud de la tangente geométrica trazada por un extremo y limitada por el radio que pasa por el otro extremo; la cotangente es la longitud de la tangente geométrica trazada por el origen de complementos hasta su encuentro con la prolongación del radio que pasa por el extremo del arco; la secante es la longitud comprendida sobre el radio del extremo desde el centro hasta su encuentro con la tangente, y la cosecante está contada sobre el mismo radio hasta su intersección con la cotangente.

Las tres líneas fundamentales son el seno, el coseno y la tangente, puesto que a ellas se reducen las otras tres, y están ligadas por ciertas relaciones, siendo las más importantes estas dos:

$$\operatorname{sen}^2 A + \cos^2 A = 1,\ \operatorname{tg} A = \frac{\operatorname{sen} A}{\cos A}$$

es decir: la suma de los cuadrados del seno y del coseno es la unidad, y la tangente es igual al cociente del seno por el coseno.

También hay que tener en cuenta que el seno y el coseno de un ángulo son iguales al coseno y al seno del ángulo complementario respectivamente.

En la resolución de los triángulos se distinguen dos casos, según que éstos sean rectilíneos u oblicuángulos. En los primeros, además del teorema de Pitágoras, se verifica que un cateto es igual a la hipotenusa por el seno del ángulo opuesto o por el coseno del adyacente, y también igual al otro cateto por la tangente del ángulo opuesto o por la cotangente del adyacente a dicho cateto.

Representando por a, b y c los lados opuestos a los ángulos de vértices A, B y C, respectivamente, las dos fórmulas fundamentales para resolver los triángulos oblicuángulos son:

$$\frac{a}{\text{sen } A} = \frac{b}{\text{sen } B} = \frac{c}{\text{sen } C}$$

$$a^2 = b^2 + c^2 - 2\,bc\cos A,$$

que, traducidas al lenguaje vulgar, dicen: 1) Los lados de un triángulo son proporcionales a los senos de los ángulos opuestos; 2) el cuadrado de un lado es igual a la suma de los cuadrados de los otros dos menos el doble producto de éstos por el coseno del ángulo opuesto.

Estas fórmulas bastan para resolver los tres casos elementales, que son los mismos que los de la construcción geométrica de triángulos, y para aplicarlas se emplean logaritmos.

Aunque pudiera creerse lo contrario, la trigonometría rectilínea es muy posterior a la esférica, pues el origen de ésta se encuentra en los progresos realizados por la astronomía a partir de Aristarco, griego del siglo IV a. C., que fue el primero que consideró matemáticamente los problemas planteados por el estudio del cielo, y como entonces se creía que el Sol giraba alrededor de la Tierra de oriente a occidente, el sentido de este movimiento, es decir, el contrario a las manecillas del reloj, se tomó como sentido directo, y así se sigue considerando hoy, llamándose retrógrado al opuesto, o sea al mismo que las agujas del reloj.

Las fórmulas dadas anteriormente se refieren a los triángulos rectilíneos, cuya resolución se presenta en muchos problemas de topografía y también para medir alturas inaccesibles. Las de los triángulos esféricos son mucho más complicadas y se emplean, especialmente, en astronomía para determinar las posiciones de las estrellas, y en navegación, tanto marítima como aérea, para fijar los rumbos.

Trilateral, Comisión.

Organización privada fundada en 1973, por iniciativa del banquero estadounidense David Rockefeller, con el propósito de promover una asociación más estrecha entre los tres centros del capitalismo avanzado: Estados Unidos, Europa occidental y Japón. Cuenta con unos 350 miembros, en su mayor parte banqueros, industriales y tecnócratas, conectados con los centros de decisión política. Su primer director fue el profesor Zbigniew Brzezinski, consejero, del entonces presidente estadounidense James Carter.

trilita.

Poderoso explosivo que se obtiene combinando tolueno con una mezcla de los ácidos nítrico y sulfúrico. También se le llama trinitrotolueno y TNT. Es de carácter estable, por lo que puede manejarse con seguridad. Se le hace estallar mediante un cebo de fulminato de mercurio. Se emplea en granadas de artillería, bombas de aviación y torpedos.

Corel Stock Photo Library

(De izq. a der. y de arriba abajo). Campesino arrojando trigo a una trilladora, trilladora combinada, y trilladoras simultáneas.

trilla.

Véase LABRANZA.

trilladora.

Máquina agrícola usada en la época de la cosecha para desgranar, separar el grano de la paja y tamo, limpiarlo de otras impurezas y clasificarlo. Algunos tipos también cortan y suavizan la paja destinada a la alimentación del ganado. Las grandes trilladoras modernas son un conjunto de cuatro máquinas: el desgranador, el sacudidor, la aventadora mecánica y los machacadores, cuya combinación forma una enorme maquinaria montada sobre ruedas, que es movida por un tractor. La trilladora puede ir acompañada de un elevador automático de gavillas, con lo cual se economiza mano de obra. Al llegar el tiempo de la trilla, el elevador recoge y arroja las gavillas en el desgranador. Éste consiste en varios cilindros metálicos, con numerosas filas de dientes, cuyas revoluciones pueden ser graduadas de acuerdo con el estado de la mies y la clase de cereal que se trilla. Grano y paja pasan luego a los sacudidores, donde son separados, cayendo el grano por los orificios de una zaranda o criba grande. De allí pasa a la aventadora, encargada de eliminar el tamo por medio de un gran ventilador graduable automáticamente. La paja, entre tanto, es llevada por una correa hacia los cilindros machacadores, que la dejan en condiciones para servir de alimento al ganado. El grano, ya limpio de tamo y paja, es recogido finalmente por un elevador y colocado en una balanza, al costado de la trilladora. Esta máquina ha sido desplazada en parte por la segadora trilladora, que siega y trilla por igual.

trilobites.

Grupo de crustáceos marinos que vivieron en la era paleozoica, hace unos 350 millones de años. Extinguidos desde entonces, se encuentran numerosos ejemplares fósiles en las pizarras silúricas. Eran generalmente de 2 a 8 cm de longitud, aunque se han encontrado especies de mayores dimensiones. Tenían el dorso cubierto por un fuerte caparazón calcáreo, en el que se diferenciaba un cefalotórax, formado por un fuerte escudo anterior, seguido de un número variable de segmentos abdominales, terminando en un postabdomen o pigidio. Por la parte superior, el caparazón estaba recorrido por dos surcos que dividían el cuerpo en tres lóbulos longitudinales, a lo que se debe el nombre de trilobites. Poseían un par de antenas filiformes, un par de patas abdominales en cada segmento, y se supone que nadaban con el dorso hacia abajo, que es la posición en que se encuentran casi todos los fósiles.

Trilussa (1873-1950).

Seudónimo del poeta satírico y fabulista italiano, Carlos Alberto Salustri. Se le conceptúa un Esopo moderno y sus fábulas han sido traducidas a todos los idiomas cultos incluso al japonés y al persa. Su ironía es limpia y honda. Los libros más celebrados del poeta son *Fábulas romanas, Lobos y corderos, Sonetos* y *Las historias*.

Trimurti.

En la religión brahmánica, practicada en la India, la Trimurti es la trinidad formada por Brahma, Siva y Visnu. En ella Brahma representa el principio creador; Visnu, el conservador; y Siva, el destructor. La Trimurti simboliza la unidad teológica de esos tres principios. Se la re-

Trineos jalados por caballos en St. Moritz, Suiza.

presenta con un cuerpo de tres cabezas, la de Brahma en el centro, la de Visnu a la derecha y la de Siva a la izquierda.

trinchera. Defensa hecha de tierra y dispuesta de modo que cubra el cuerpo del soldado. Desmonte hecho en el terreno para una vía de comunicación, con taludes por ambos lados. Sobre todo impermeable que trae su nombre de haberlo usado algunas tropas durante la guerra de 1914-1918. Cada una de las piezas curvas que en la carreta sujetan el eje al tablero.

trineo. Vehículo sin ruedas que se desliza sobre hielo. Por extensión, se suele dar este nombre a vehículos semejantes destinados a caminar sobre otra clase de piso. Fue invención de los primitivos pobladores de la zona cercana al Ártico, cuando la necesidad les hizo movilizarse de un punto a otro, presumiéndose que lo idearon los esquimales y lapones, aunque luego ha sido muy modificado por los exploradores que lo aceptaron como el medio de locomoción más apropiado en los dominios del hielo. Los colonos ingleses que llegaron a América del Norte, a principios del siglo XVII, ya encontraron huellas del trineo. Entonces trataron de modificarlo para que se deslizara mejor. En la actualidad, los hay de varias formas y condiciones, pero, en general, se trata de una caja que descansa sobre patines, a los que se ajusta directamente o por medio de muelles o ballestas; estos patines están constituidos por piezas de hierro dobladas hacia arriba en su parte delantera. Los trineos usados por los esquimales son una especie de cajas hechas

con trozos de madera cubiertos y sujetos con tiras de piel de foca.

En las regiones árticas, el trineo es arrastrado por renos y perros, principalmente por éstos, en grupos de cuatro a ocho, habiéndose desarrollado razas especiales en Alaska y Siberia. Un buen equipo de perros puede arrastrar hasta 400 kg de peso. En Laponia se prefiere a los renos para el arrastre, por ser más fáciles de mantener. En Rusia se emplean trineos llamados troikas tirados por caballos.

Trinidad y Tobago. Islas de la costa nordeste de América del Sur, situadas cerca de Venezuela. Trinidad tiene 4,848 km². Fue descubierta por Cristóbal Colón en su tercer viaje a América, en 1498, al mismo tiempo que la isla de Tobago (300 km²). Trinidad perteneció a España hasta 1797 en que fue invadida por los ingleses y a los que fue cedida en 1802 por el tratado de Amiens. Posee ricos yacimientos de asfalto y petróleo que son la base económica del país debido a sus exportaciones considerables. Además produce azúcar, ron y cacao. Trinidad y Tobago fueron posesiones británicas hasta 1958 en que formaron parte de la Federación de las Indias Occidentales, que se disolvió en 1962. En agosto de ese año, Trinidad y Tobago se constituyeron en estado independiente dentro de la Comunidad Británica de Naciones.

La Constitución de 1976 convirtió a la nación en república. El presidente es el jefe de Estado y es elegido por la Cámara de Representantes (36 miembros) y el Senado (31 miembros). El Poder judicial sigue subordinado a la corona británica. En 1980 se concedió a Tobago su propia Asamblea

de Representantes. El nuevo estado tiene 5,130 km² y población de 1.227,000 habitantes, de los cuales el 95% corresponden a Trinidad. La capital es Puerto España, con (50,878 h.), en la isla de Trinidad. En 1985, el papa Juan Pablo II visita el país y, en 1990, Trinidad y Tobago firma con Venezuela una declaración conjunta que le permite ampliar sus fronteras marítimas.

Trinidad, santísima. Dogma de fe de la religión católica romana fijado en el Concilio de Nicea (325). Significa que en Dios hay tres personas divinas: el Padre, el Hijo y el Espíritu Santo. En dicho concilio, reunido por orden de Constantino, san Atanasio sostuvo el dogma de la Trinidad expresado en el Evangelio de san Juan, y señaló la consustancialidad y coeternidad del Hijo de Dios frente a Arrio, sacerdote de Alejandría, que alegaba lo contrario. El concilio se declaró a favor de la tesis, uno de cuyos más ardientes defensores era san Atanasio, y desde entonces quedó aclarado y definido en el *Credo* cristiano, el dogma de las tres personas distintas en un solo Dios verdadero.

tripanosoma. Protozoario flagelado, parásito de la sangre de los vertebrados. Tiene forma de huso y está dotado de una membrana ondulante. Existen especies de tripanosomas que son inofensivas; pero otras son sumamente dañinas y causan graves trastornos patológicos. Dos especies procedentes de África, el *Trypanosoma gambiense* y el *rhodesiense*, transmitidos por la mosca tsetsé, son causantes de graves tripanosomiasis como la temible enfermedad del sueño. *Véanse* ENCEFALITIS LETÁRGICA.

Triple Alianza. En el curso de la historia política de Europa y de América se afirmaron diversos tratados entre los gobiernos, que llevaron el nombre de Triple Alianza. Nos referimos aquí a las alianzas más importantes, haciendo la historia sintética de las mismas, por orden cronológico. Una de las más importantes, es la que tuvo por firmantes a Suecia, Inglaterra y Holanda, países que se unieron contra Luis XIV de Francia. Este monarca había efectuado, en menos de dos meses, grandes e importantes conquistas en Flandes y en el Franco-Condado. La Triple Alianza le impuso un freno, y el monarca francés hubo de ceder ante ella para no aumentar el número de sus enemigos, que ya eran muchos en Europa. Los países mencionados firmaron el tratado de la Triple Alianza el 23 de enero de 1668, y Francia firmó con ellas la paz el 2 de mayo del mismo año. Otra Triple Alianza se suscribió entre Inglaterra, Francia y Holanda contra Felipe V de España, el 4 de enero de 1717. Este tratado evitó que Felipe V, instigado por su primer ministro Giulio Alberoni, reconquistase las posesiones perdidas con la firma del tratado de Utrech. En 1851, se firmó un tratado de Triple Alianza entre el gobierno del Uruguay, el del imperio de Brasil y el gobernador de la provincia argentina de Entre Ríos, general Justo José de Urquiza, por el que se comprometieron a derrocar al dictador argentino Juan Manuel de Rosas. Una nueva Triple Alianza tuvo también por escenario América del Sur. El primero de mayo de 1865, los gobiernos de Argentina, Brasil y Uruguay firmaron un tratado por el cual se comprometían a derrocar al dictador paraguayo Francisco Solano López, quien había declarado la guerra a Brasil seis meses antes, en el curso de la cual había apresado unos barcos argentinos. Sobrevino una guerra prolongada en la que Paraguay al ser invadido se defendió con admirable tenacidad. El conflicto terminó con la derrota y muerte de Solano López. Triple Alianza de gran importancia histórica fue el pacto firmado por inspiración del canciller de Alemania, Otto Leopold príncipe de Bismarck, en 1882 entre este país, Italia y el imperio austro-húngaro. Era una alianza de carácter defensivo. Hacia 1912, Italia inició un movimiento reivindicatorio frente a Austria, país al que reclamaba ciertos territorios irredentos. Al estallar la Primera Guerra Mundial, en 1914, Italia se declaró neutral, y en mayo de 1915 denunció el tratado de Triple Alianza y declaró la guerra a los países de la Europa central, antiguos aliados suyos.

Triple Entente. Nombre que se da a los acuerdos diplomáticos concluidos en el periodo anterior a la Primera Guerra Mundial entre Francia, Rusia y Gran Bretaña, destinados a contrabalancear la hegemonía de los imperios centrales en Europa, y que al iniciarse el conflicto, se convirtieron en una alianza militar opuesta a la Triple Alianza. El origen de la Triple Entente fue un acuerdo entre Rusia y Francia firmado en 1891, que se convirtió en alianza militar entre los dos países, en 1894. En 1904 Francia y Gran Bretaña llegaron, por su parte, a un acuerdo amistoso que incluía el arreglo de sus diferencias coloniales en Egipto y Marruecos; ese acuerdo se conoce con el nombre de entente cordial. En 1907, Rusia y Gran Bretaña llegaron a otro acuerdo similar sobre esferas de influencia en Persia y el Cercano Oriente. A esa armonización de intereses y objetivos internacionales que unía amistosamente a Gran Bretaña, Francia y Rusia, se le dio el nombre de Triple Entente. El carácter de los acontecimientos de la política europea con posterioridad a 1907, contribuyeron a reforzar los lazos que unían a los miembros de la Triple Entente, y aunque la Gran Bretaña no tenía una alianza militar formal con Ru-

sia y Francia, entró a participar, al lado de ellas, en la Primera Guerra Mundial.

Trípoli y Tripolitania. Tripoli, ciudad del norte de Líbano, capital de Mohafazat de Libano norte. Tiene una población de 712,000 habitantes. Las flotas inglesas y francesas la destruyeron casi totalmente en los siglos XVII y XVIII, como represalia por la actividad de los piratas que se refugiaban en ella. La Tripolitana es una región del noreste de Libia, con una superficie de 353,000 km^2 y una población de 1.328,000 habitantes. De clima seco y caluroso, la mayor parte de la misma está cubierta por desiertos de arena, pero hay algunos oasis con exuberante vegetación. Produce vino y aceite de oliva, frutas, vegetales, sal y cereales. Estuvo ocupada sucesivamente por Cartago, Roma, los vándalos, el imperio bizantino, los árabes, los españoles, los caballeros de San Juan, los turcos, Italia y Gran Bretaña.

triquina y triquinosis. La triquina es un parásito nematelminto del género *Trichinella spiralis* que se enquista en los músculos del organismo humano y de varios animales, y produce triquinosis. Los parásitos miden de 1 a 4 mm de longitud. El hombre se infecta al comer carne de cerdo mal cocida, que se encuentra contaminada por los quistes de triquina. Las larvas se desarrollan de los quistes y al convertirse los parásitos en adultos viven en el intestino delgado. Al expulsar las hembras fecundadas los embriones, éstos pasan por los vasos sanguíneos o linfáticos a los músculos estriados permaneciendo cerca de las inserciones tendinosas. La triquina se encuentra de preferencia en los músculos intercostales, diafragma, músculos del cuello, brazo y pantorrilla.

Los primeros síntomas de la *triquinosis* aparecen a los pocos días de comer carne de cerdo infectada. El paciente tiene fiebre y se queja de malestar, padecen vómitos y diarrea. Durante la segunda semana siente grandes dolores en brazos o piernas. Hay fatiga respiratoria y la masticación se hace difícil. A veces aparece una erupción de urticaria, con la cara y piernas hinchadas. En un principio la enfermedad puede confundirse con una intoxicación vulgar alimenticia y, más tarde, con el reumatismo agudo. Se facilita el diagnóstico con los análisis de sangre y heces fecales. En los casos descuidados, los quistes se calcifican y son visibles a los rayos X. La enfermedad es común en Alemania por el gran consumo de ganado porcino, y no tomar las precauciones de hervir la carne.

El pronóstico es grave. Si la enfermedad progresa, al cabo de un mes los síntomas generales y musculares se hacen muy intensos pudiendo sobrevenir la muerte por complicaciones cardiacas, pulmonares o

cerebrales. En el tratamiento se emplean los purgantes y las inyecciones intramusculares de fuadina. En la lucha contra la triquinosis por el peligro epidémico que supone, las autoridades sanitarias ejercen una severa inspección en mataderos, carnicerías y establecimientos en que se expendan carnes de cerdo, analizando las carnes sospechosas y destruyendo las contaminadas.

trirreme. Embarcación de tres filas de remos superpuestas que usaban los antiguos para guerrear. Herodoto habla de trirremes que surcaban el Mediterráneo oriental, 600 años a. C.; pero se cree que los fenicios las utilizaban con mucha anterioridad a esa fecha. En los trirremes atenienses había cabida hasta para 200 remeros.

Tristán. Héroe de diversas leyendas medievales. Era el mensajero que el rey Marcos de Cornwall envió a Irlanda para traer de regreso a la princesa Iseo o Isolda, prometida del rey. Una poción amorosa bebida por equivocación hizo que Tristán e Isolda se enamoraran uno de otro. El tema fue magistralmente utilizado por Richard Wagner en la ópera *Tristan and Isolde* (1865).

Tristán, Fidel J. (1874-1932). Científico costarricense. Efectuó notables investigaciones en sismología y orografía, y su interés por la entomología lo llevó al descubrimiento de nuevas especies, algunas de las cuales llevan su nombre. Desempeñó la dirección del Museo Nacional de Costa Rica y explicó en la Universidad de Santiago de Chile la cátedra de ciencias físicas y naturales. Entre sus obras se destaca *Insectos de Costa Rica*.

Tristán, Flore Célestine (1803-1844). Socióloga y escritora francesa de origen peruano. Fue una de las iniciadoras del feminismo francés, e influyó notablemente en el movimiento obrero de su patria. En su libro titulado *Peregrinaciones de una paria* (1838), narra sus impresiones sobre un viaje realizado por Chile y Perú.

Tritón. Uno de los dioses menores de la mitología griega, que compartió las profundidades marinas con sus padres Poseidón y Anfitrite. En las descripciones que de él se hicieron, aparece como un extraño ser con cuerpo de hombre hasta la cintura, cola de pez y cabellos color mar; también el arte lo representó de este modo, blandiendo un tridente y en actitud de hacer sonar un caracol a modo de trompeta, que según el mito, producía un sonido armonioso, no igualado jamás por ningún otro.

tritón. Anfibio urodelo, de 8 a 12 cm de largo, muy parecido a la salamandra. Habita en toda Europa, encontrándose algunas especies en América del Norte. Su medio natural es el agua, pero cuando permanece en tierra, él mismo se procura un lugar fresco, si no lo halla mediante la segregación de un líquido que mantiene su piel húmeda; ésta es de colorido brillante, susceptible de modificaciones y en determinadas épocas, el macho presenta una cresta dentada sobre su tronco.

triunvirato. Poder ejercido simultáneamente por tres personas. Aunque el poder supremo tiene como condición esencial la unidad, se ha confiado en condiciones excepcionales a más de un personaje, que constituían, según su número, duunviratos, triunviratos, decenviratos, etcétera. En la antigua Roma se formaron dos famosos triunviratos. En el primero (60 a. C.) entraron Pompeyo, César y Craso, y en el segundo (43 a. C.) Marco Antonio, Octavio y Lépido. Ambos empezaron por una repartición del dominio romano y acabaron en guerra civil. Después del primero se alzó con el poder César, y la lucha que destrozó el segundo elevó a Octavio, después de su triunfo sobre Antonio en la batalla de Accio (31 a. C.), a la condición de emperador. Se observa, pues, que el reparto de los territorios dependientes de Roma entre los miembros del triunvirato es el hito que señala en la historia de aquélla el fin de las instituciones republicanas, pues cada triunviro siguió su propia política, que anunciaba el advenimiento del poder personal. En varios países americanos se han organizado triunviratos en los tiempos modernos. En Argentina, Feliciano A. de Chiclana, Juan J. Paso y Manuel de Sarra-

tea integraron uno en 1811, que fue disuelto a consecuencia de la revolución de 1812 y reemplazado por otro en el que entraron Paso, Nicolás Rodríguez Peña e Ignacio Álvarez Jonte, que dejó paso al Directorio. Perú (1822-1823), Uruguay (1853-1854), Bolivia (1861) y Paraguay (1869-1870) fueron gobernados por triunviratos. En Italia (marzo de 1849), Mazzini Soffi y Armellini asumieron como triunviros la soberanía de la República Romana.

troglodita. Que habita en cavernas. Se conocen con el nombre de trogloditas las tribus primitivas que vivían principalmente al sureste de Egipto y a lo largo de las costas del Mar Rojo.

Estas tribus eran oriundas del África Oriental y se caracterizaban por habitar en cavernas. La voz *troglodita*, de origen griego, significa habitante de las grutas. Se suele aplicar esta palabra para significar la vida primitiva que hace una persona o para censurar sus ideas en relación con el mundo moderno. También se llama troglodita, a una persona muy comedora y voraz como sinónimo de censura en relación con las costumbres civilizadas.

trolebús. Vehículo impulsado por un motor eléctrico con dispositivos de velocidad graduable y susceptibles de modificar su sentido de rotación. Los trolebuses toman la energía eléctrica a través del contacto continuo de un par de troles que corren por sendas líneas eléctricas aéreas. Estos vehículos dotados con ruedas provistas de llantas neumáticas, no requieren rieles y pueden transitar por calles y carreteras ordinarias. En el caso de obstrucciones pasajeras, el trolebús se desconecta de los cables aéreos y haciendo uso de acumula-

Llamando a la cacería del zorro con trompas, en Inglaterra.

dores eléctricos de emergencia, puede moverse libremente por un buen trecho, salvando así la dificultad. Presenta las ventajas de que los gastos de establecimiento y explotación son menores que los de los tranvías; las calzadas se conservan mejor porque no se altera la homogeneidad del pavimento; el tránsito es más despejado por no seguir el trolebús una trayectoria fija, ya que puede maniobrar a un lado y a otro; la circulación es más silenciosa, y el servicio es más rápido. El trolebús es un vehículo eficiente y económico para el transporte de pasajeros.

tromba. Véase VIENTO.

trombón. Instrumento músico de metal de hermoso timbre, y cuyos sonidos responden, según su clase, a las voces de tenor, contralto o bajo, respectivamente. Su origen es muy antiguo y desde el punto de vista acústico equivale a la forma más grave de la trompeta, siendo uno de los instrumentos más importantes en la orquesta o banda por sus especiales condiciones de sonoridad. El trombón llamado de varas tiene siete posiciones. En el de pistones se obtiene la variación de notas por el juego combinado de llaves o pistones.

trombosis. Formación de coágulos o grumos de sangre que obstruyen la circulación en una vena o arteria. La obstrucción puede ser completa o incompleta, y las causas diversas: infección microbiana, heridas, traumatismos, deficiencias y perturbaciones de la circulación sanguínea y la

Guardias reales tocando trombones.

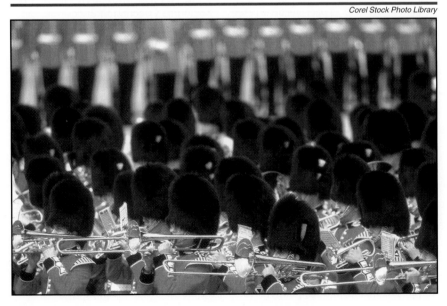

existencia de varices, por lo general en las piernas. Es principalmente afección de la edad adulta, dándose a veces como una complicación de operaciones quirúrgicas. Existen muchas clases de trombosis, según la región orgánica alterada. El pronóstico es grave porque deja a alguna parte del cuerpo con escaso o nulo riego sanguíneo.

trompa. Instrumento músico de viento. Es un tubo metálico y cónico enroscado circularmente sobre sí mismo, bastante estrecho cerca de la embocadura y que gradualmente se ensancha hacia el pabellón. La embocadura es de boquilla y los labios del ejecutante oficial de lengüeta. La trompa de pistones o cromática fue inventada por el alemán Stoelzel.

trompeta. Instrumento musical de viento, formado por un tubo metálico, casi cilíndrico, que se ensancha poco a poco, desde un extremo donde está la embocadura de forma semiesférica, a otro que se abre como una campana. Este instrumento se aplica a la boca por su embocadura y produce diversidad de sonidos según la fuerza con que se sople. En ciertos modelos el tubo está curvado en la parte central, lo que reduce su longitud a una tercera parte de las trompetas rectas. Es un instrumento de origen muy antiguo del que ya hablaban las crónicas de la antigua China, y que utilizaron, también, los egipcios de la época faraónica. En las orquestas y bandas modernas se suelen usar trompetas con tres llaves de pistón que permiten la reproducción de escalas completas.

trompo. Juguete de madera llamado, también, *peón*. Tiene forma de pera, con un hierro en la parte más aguda, llamado púa o pico del trompo. En la parte opuesta suele tener otro remate metálico, o de la misma madera, que recibe el nombre de espiga. Para hacer bailar este juguete se sujeta una cuerda fina a la púa con una vuelta muy apretada, y se arrolla alrededor del trompo hasta llenar toda la parte cónica. El otro extremo de la cuerda se mantiene fijo entre los dedos. Si se arroja con fuerza el trompo y al mismo tiempo se tira de la cuerda, se le imprime un rápido movimiento rotatorio, que lo mantiene girando verticalmente en equilibrio. Existen también trompos mecánicos que se mueven por medio de resortes y otros que producen al girar sonidos musicales.

tronco. *Véase* TALLO.

Trondheim. *Véase* NORUEGA.

trópico. En astronomía se llama trópico a cada uno de los dos círculos menores que se consideran en la esfera celeste, paralelos al Ecuador y que tocan a la Eclíptica en los puntos de intersección de la misma con el coluro de los solsticios. El del hemisferio boreal se llama Trópico de Cáncer y el del austral, Trópico de Capricornio. En geografía, los trópicos son los círculos menores que se consideran en el globo terrestre en correspondencia con los dos de la esfera celeste.

En el globo terrestre, las líneas de los trópicos equivalen a dos paralelos de latitud, cada uno de ellos situado a igual distancia del Ecuador, o sea 23° y 27', de latitud Norte para el trópico de Cáncer, y de latitud Sur para el de Capricornio. El Sol pasa por el cenit de los trópicos en el solsticio de verano para el trópico de Cáncer, lo que acontece hacia el 21 de junio, y en el solsticio de invierno (que es el de verano en el hemisfrio austral) para el Trópico de Capricornio, hacia el 22 de diciembre. Las regiones comprendidas entre los trópicos y el Ecuador forman las zonas tropicales.

Las zonas tropicales abarcan extensas regiones de la Tierra, a las que da características marcadamente diferenciadas con las zonas templadas y fría. El Trópico de Cáncer, al Norte del Ecuador, pasa por Birmania, cruza el sur de China por Cantón, atraviesa la isla de Formosa, se interna en el Pacífico, deja dentro de la zona tropical las islas de Wake y Hawai, cruza México al norte de Mazatlán, pasa cerca de La Habana, divide a las islas Bahamas, y, después de cruzar el Atlántico Norte, penetra en Africa por Villa Cisneros. En este continente atraviesa el desierto de Sahara, cruza el sur de Libia y de Egipto, y después de atravesar el Mar Rojo, penetra en Arabia Saudita, al norte de Mastura, y sale de Arabia por Mascate hacia el Mar Arábigo. Des-

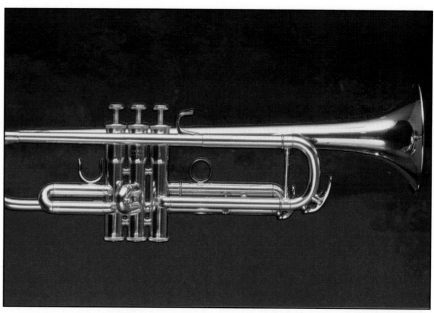

Trompeta.

Corel Stock Photo Library

pués, se interna en la India, por las bocas del río Indo, atraviesa toda la península y sale a la altura de Dacca para cerrar el círculo y penetrar en tierra birmana.

El Trópico de Capricornio cruza el océano Índico, entra en Australia al norte del cabo Farqunar y sale por Rockhampton, para internarse en el Pacífico al sur de las islas de Nueva Caledonia, cruza las islas de Tubuai y penetra en América, al norte de Antofagasta. Abarca una pequeña zona del norte argentino, divide en dos Paraguay, a la altura de Concepción, cruza Brasil por São Paulo y, después de atravesar el Atlántico, se interna en el continente africano. Atraviesa la República de Sudáfrica, corta el sur de Mozambique y de la isla de Madagascar y vuelve a penetrar en el océano Índico.

Los países y regiones que quedan dentro de las zonas tropicales son los siguientes, enumerados desde el punto de partida convencional que hemos adoptado: Birmania (centro y sur), Siam, Federación de Malaya, Indochina, Islas Filipinas, Indonesia, Nueva Guinea; todo el norte de Australia, numerosas islas del Pacífico, la parte sur de México, Cuba, Puerto Rico, la mayoría de las islas antillanas, toda América Central, Colombia, Venezuela, Ecuador, Perú, Bolivia, más de la mitad de Paraguay, el norte de Chile, todo Brasil de Sao Paulo al norte y las Guayanas. En África abarca la mayor parte del continente menos el extremo norte (Marruecos, Argelia, Túnez, Libia y Egipto), y el extremo sur (República de Sudáfrica). En Asia, además de los países asiáticos ya mencionados, abarca las partes meridionales de las penínsulas de Arabia y de la India, Sri Lanka.

Cascadas tropicales en centroamérica.

Estas vastísimas zonas tropicales de la Tierra reciben los rayos solares con mayor intensidad que las zonas templadas y mucho más que las frías, por lo cual el clima en ellas es muy caluroso. Modifican su elevada temperatura la posición de las regiones cercanas al mar, las altiplanicies y montañas, y también los vientos y las lluvias. Pero, en general, la zona tropical se caracteriza por un calor constante y mucha humedad. La inmensa área entre ambos trópicos no ha sido totalmente explorada, como algunas regiones de América del Sur y del corazón de África. Las poblaciones indígenas suelen ser víctimas frecuentes de las enfermedades denominadas tropicales, tales como el paludismo, la malaria, la enfermedad del sueño y otras derivadas del clima tórrido en que viven. Los países más progresistas del mundo disponen de instituciones destinadas a estudiar y combatir las consecuencias que tienen sobre el hombre estas enfermedades típicas de la zona tropical. La principal riqueza del trópico se caracteriza por tupidas selvas que encierran maderas de todas clases muchas de ellas preciosas, y sobre todo tintóreas. En las regiones tropicales de África abundan los elefantes, las jirafas y los leones, para no citar más que los animales más importantes, y en las de América hay monos y muchas otras clases de animales. Las especies de insectos son numerosas, algunas peligrosas para el hombre por las enfermedades que propagan.

En ciertas zonas del trópico el clima es excesivamente caluroso para que el hombre pueda encontrar condiciones favorables a su permanencia en ellas. Ésta es la causa principal de la escasa población existente en dichas zonas. En el trópico hay dos estaciones: lluviosa y seca. En las cercanías del Ecuador hay regiones en las que las épocas de lluvia son de violencia y duración excesivas. Pero, este clima no es general en todas las zonas tropicales, pues influyen los vientos marinos, como ya se dijo, los monzones y otros fenómenos atmosféricos. La estación seca puede durar de cuatro a seis meses, y el contraste entre ésta y la lluviosa es más notable por la influencia de los monzones. La sequedad aumenta por el carácter continental de los vientos, y las lluvias torrenciales se precipitan como consecuencia de las corrientes aéreas procedentes de los océanos.

Aunque en las zonas tropicales existen regiones desérticas y esteparias, su característica es la vegetación de gran riqueza y diversidad. La flora tropical y su exuberancia están condicionadas, principalmente, por la altura sobre el nivel del mar, la precipitación y la disminución gradual de la humedad atmosférica. En las cordilleras y regiones montañosas tropicales, de gran altura, como los Andes, por ejemplo, la vegetación se transforma y adapta gradualmente según la elevación. La selva tropical, que llega hasta las faldas de las montañas, disminuye y desaparece al ascender en altura para ceder ante vegetaciones de otro carácter que prosperan en condiciones de clima templado, frío y alpino en las grandes elevaciones, hasta desaparecer todo vestigio vegetal en la región de las nieves perpetuas.

En las regiones tropicales de clima monzónico, las selvas, aunque de rica vegetación, no suelen presentar gran densidad, y existen también grandes extensiones de sabanas cubiertas de hierba y solamente escasos árboles. Es en las regiones de abundante precipitación y de poca elevación sobre el nivel del mar, principalmente en las cercanías del cinturón ecuatorial, donde las selvas tropicales, que ocupan inmensas extensiones, se manifiestan en toda su magnificencia y forman masas tupidas de vegetación en las que árboles corpulentos, arbustos y plantas trepadoras, se mezclan y entrelazan de manera tan inextricable que hacen que este tipo de selvas sea casi impenetrable, y en las que el hombre sólo puede abrirse paso, derribando la barrera vegetal a machetazos.

Las especies de árboles y otras formas vegetales que crecen en los trópicos son innumerables, pero podría decirse que la lujuriante flora tropical se caracteriza por la palmera, de la que existen más de 200 géneros y 4,000 especies, y yergue su airosa silueta tanto en las islas tropicales del océano Pacífico, del archipiélago Malayo y de las Antillas, como en las costas y litorales de América Central y del Sur.

tropismo. Movimiento de los organismos vivos, provocado por agentes físicos o químicos. Se llaman positivos los movimientos que tienden a acercar el ser vivo al estímulo, y negativos los que lo alejan del mismo. Los tropismos más evidentes se registran en las plantas. Cuando germina una semilla, cualquiera que sea la posición en que se encuentre, la raíz se orienta siem-

Palmera tropical en la costa de México.

pre hacia la tierra, mientras que el tallo crece hacia arriba, hacia la luz; por eso se dice que las raíces tienen geotropismo (movimiento hacia la tierra) positivo y el tallo geotropismo negativo y fototropismo (movimiento hacia la luz) positivo. Hay flores como la del girasol, que se mueven de manera que miran continuamente al Sol, o sea que poseen un heliotropismo (movimiento hacia el Sol) positivo.

tropo. *Véase* FIGURAS DE LENGUAJE.

troposfera. *Véase* TIEMPO.

troquel. Molde metálico, generalmente de acero, en el que se hallan grabadas las efigies leyendas o dibujos que se quiere reproducir. El troquel actúa sobre la pieza metálica que debe ser estampada, por una fuerte presión, que se ejerce con la ayuda de un mazo o martillo apropiado o por medio de una máquina llamada volante que funciona al modo de una prensa. Como es lógico, el troquel debe ser más duro que el objeto en que debe ser reproducido. El troquel recibe el nombre de cuño cuando se emplea en la fabricación de monedas y medallas, y de estampa cuando se utiliza en metalistería, platería, moldeado de plásticos, etcétera.

Trotsky, León (1879-1940). Revolucionario ruso, creador del Ejército Rojo de la Unión Soviética. Su verdadero nombre era Lev Davidovich Bronstein. Hijo de un propietario rural judío de Kerson (Ucrania), se educó en la Universidad de Odessa. A los 20 años de edad fue detenido y encarcelado por sus actividades revolucionarias y en la cárcel se casó con Alejandra Ivovna, otra detenida, y ambos fueron confinados en Siberia. De allí pudieron huir, y en Suiza entraron en relación con Vladimir Ilich, llamdao Lenin. Desde entonces Trotsky tomó parte directa o indirectamente en todos los movimientos revolucionarios y huelguísticos de Rusia y se destacó como orador político y agitador obrero. Al estallar la Primera Guerra Mundial (1914-1918), el gobierno francés lo deportó a España, de allí pasó a Cuba y de este país a New York , de donde regresó a Europa. Mientras tanto, el ejército ruso había sido derrotado en todos los frentes por los alemanes. Trotsky llegó a Rusia en medio de los disturbios iniciales de la revolución, colaboró activamente con Lenin hasta lograr que los bolcheviques se apoderaran del gobierno en noviembre de 1917, y dirigió los ministerios de Asuntos Exteriores y de Guerra, cargo este último que le permitió crear el Ejército Rojo, que tuvo un papel decisivo para suprimir las fuerzas contrarias al comunismo. A la muerte de Lenin (1924) José Stalin consiguió mayoría en el congreso del Partido Comunista y

logró la expulsión de Trotsky del mismo (1927) por obstruccionista. Con Trotsky cayeron numerosos dirigentes de la primera hora revolucionaria. En 1929 tuvo que refugiarse en el extranjero y comenzó una violenta campaña contra Stalin, al que acusó siempre de violar el testamento de Lenin y de usurpador del poder. Peregrinó de país en país y en 1937 el gobierno de México le concedió asilo y en la ciudad capital de esa república fue agredido por Ramón Mercader, comunista al servicio de Stalin el 20 de agosto de 1940 y murió al día siguiente. A su caída numerosos comunistas de todo el mundo siguieron llamándose *trotskystas*, término que se convirtió en sinónimo de traición para los comunistas que seguían a Stalin. Trotsky fue polemista fogoso y escritor de grandes dotes. Sus principales libros, además de miles de artículos revolucionarios, son *Literatura y revolución*, *Mi vida*, *Stalin* e *Historia de la revolución rusa*.

trovador. Poeta provenzal de la Edad Media que escribía y trovaba en lengua de *oc*. Sus canciones y poesías contribuyeron, en gran manera, a propagar el empleo de las lenguas romances en la composición poética. El trovador era autor de la letra y la música de sus propias canciones, a diferencia de los juglares cantores, que divulgaban canciones ajenas. Uno de los trovadores más antiguos, de los que ha llegado noticia hasta nosotros, fue Guillermo IX, conde de Poitiers y duque de Aquitania. De Provenza, el arte de los trovadores se extendió primeramente a Italia y a España y, después, a otras naciones de Europa. En España, ya desde mediados del siglo XI, florecieron los trovadores en Cataluña, en la corte de los condes de Barcelona; en Aragón, principalmente bajo Alfonso II, y en Castilla. Entre los más famosos trovadores catalanes se destacaron Guillermo de Bergadá, Giraldo de Cabrera y Vidal de Besalú. En el noroeste de España surgió la poesía trovadoresca en romance galaicoportugués, que llegó a tener modalidades propias, y fue la preferida en la corte de Castilla, en la que el rey Alfonso VIII reunió una pléyade de trovadores. Entre los más famosos trovadores galaico-portugueses figuraron Suárez de Paiva, González de Sanabria, Fernández de Parga, Esteban Annes y Romea de Sobrado. La poesía trovadoresca floreció desde el siglo XI al XIV, y además de su influjo sobre la literatura, tuvo gran ascendiente en el refinamiento de las costumbres caballerescas. Los trovadores iban de castillo en castillo donde se les daba generosa hospitalidad, muchos de ellos eran de origen noble, y los reyes y señores rivalizaban en acogerlos y obsequiarlos.

Trovatore, Il. *Véase* ÓPERA.

troy. *Véase* PESO TROY.

Troya. Antigua ciudad situada en el noroeste de Asia Menor, sobre la margen meridional del Helesponto. Su historia comenzó durante la Edad del Bronce y terminó hace 20 siglos. Su extraordinaria fama obedece al hecho de que Homero la inmortalizó en su *Ilíada*. En el siglo XIX se descubrieron importantes restos arqueológicos en el sitio en que, según la tradición, se hallaba la ciudad cantada por el gran poeta. Se puede, por tanto, establecer una distinción entre la Troya homérica y la Troya de los arqueólogos.

La Troya de Homero. Con el nombre de Ilión o Troya se alzaba cerca de las bocas del Helesponto (los actuales Dardanelos), junto a la costa del Mar Egeo, una próspera ciudad atravesada por los ríos Menderes y Dümrek. Su estratégica posición convirtió a la ciudad en el punto de enlace de las diversas caravanas que iban a Tracia y al Asia Menor, y los troyanos se enriquecieron con los derechos de tránsito que cobraban a los mercaderes. Éste fue el escenario en que Homero colocó la acción de su inmortal epopeya, escrita durante el siglo IX antes de Cristo.

Troya estaba gobernada por el poderoso rey Príamo, que tenía un hijo llamado Paris. Éste debió actuar como árbitro y adjudicar la célebre manzana de la discordia a la más bella de las tres diosas: Hera (Juno), Atenea (Minerva) y Afrodita (Venus), y le concedió el premio a esta última, porque le había prometido entregarle a la doncella más hermosa del mundo. Después del fallo, Paris visitó a Menelao, rey de Esparta, y quedó prendado de Helena, su bella esposa. Paris y Helena huyeron a Troya y los griegos juraron vengarse. Menelao, Aquiles, Ulises, Agamenón y otros héroes helénicos, al mando de una expedición, pusieron sitio a Troya. Al cabo de 10 años de asedio infructuoso, Ulises concibió la idea de construir un gigantesco caballo de madera y colocar en su interior valerosos soldados griegos. El caballo fue dejado junto a las murallas y los griegos aparentaron embarcarse en sus naves y abandonar el lugar. Instigados por la curiosidad, los troyanos introdujeron el caballo en la ciudad a pesar de los consejos de Laocoonte, sacerdote del dios Neptuno. Por la noche los soldados abandonaron su escondrijo en el interior del caballo y abrieron las puertas de la ciudad al ejército griego, que estaba al acecho. Los griegos arrasaron la ciudad y mataron a casi todos sus pobladores; entre los pocos que lograron escapar estaba Eneas, el héroe de la *Eneida* de Virgilio.

Tal es la historia de Troya según Homero, admirable narración épica mezcla de ficción y realidad. Eratóstenes, famoso sabio griego, calculaba que la caída de Troya debía haber acontecido hacia 1100 a. C.

Troya

La creencia en la validez de la narración homérica tuvo impugnadores en la segunda mitad del siglo XIX, y hubo historiadores que llegaron a suponer que la *Edad Heroica* era un gigantesco mito y que Troya pudo no haber existido.

La Troya arqueológica. La tarea de deshacer este escepticismo habría de recaer sobre un próspero hombre de negocios alemán que se sabía a Homero de memoria y creía apasionadamente en la validez sustancial de su relato. Henrich Schliemann era su nombre; ha pasado a la historia como un modelo de noble desinterés científico. Schliemann preparó una expedición a Asia Menor y en 1870 comenzó a excavar una pequeña colina próxima a la aldea de Hissarlik, a pocos kilómetros de la boca de los Dardanelos. El improvisado arqueólogo estaba convencido de que el lugar coincidía con varias descripciones geográficas de la *Ilíada*. No tardó en hallar numerosos objetos de cerámica, hueso, piedra, cobre y metales preciosos; prosiguiendo las excavaciones encontró varios estratos superpuestos que parecían indicar la existencia de varias ciudades en épocas distintas. El mundo arqueológico debió modificar por completo sus opiniones sobre Troya.

Debajo de los primeros restos, Schliemann encontró otros de murallas y casas de piedra que presentaban rasgos de haber sido destruidas por el fuego; triunfalmente se apresuró a anunciar el hallazgo de la Troya de Homero (1871), a la que llamó Troya II. Entre los restos encontró valiosas riquezas –el supuesto *tesoro de Príamo*– que se llevó a Alemania. El gobierno del imperio turco anunció entonces que no le permitiría proseguir las excavaciones si no devolvía los tesoros. Muerto Schliemann, las excavaciones fueron continuadas por Wilhelm Dörpfeld, competente investigador alemán. Éste encontró rastros de nueve ciudades superpuestas, y llegó a la conclusión de que la sexta de esas ciudades, fortificada con enormes murallas, era la Troya homérica. Mientras tanto, los arqueólogos habían estado analizando los restos hallados por Schliemann en su Troya II y no tardaron en confirmar la opinión de Dörpfeld: aquellos restos eran de una época muy anterior.

Durante los 40 años siguientes, los investigadores europeos y estadounidenses prosiguieron estudiando otras ciudades de Asia Menor, dejando de lado a Troya. Sus investigaciones aportaron nuevos elementos de juicio sobre la civilización del Egeo. En 1932 llegó a la famosa colina de Hissarlik una gran expedición enviada por la universidad estadounidense de Cincinnati y dirigida por el erudito Carl Blegen. Las nuevas excavaciones, que se prolongaron durante seis años, confirmaron la opinión de que la cultura troyana había pasa-

Caballo de Troya.

do por nueve estadios o etapas, pero modificaron y ajustaron la cronología con gran exactitud.

Hoy sabemos que Troya tuvo una posición de gran valor económico y militar en el mundo mediterráneo, pues dominaba el tráfico marítimo de los Dardanelos y las rutas terrestres del Cercano Oriente; en rigor no era un elemento de las culturas orientales, sino un puesto avanzado de la civilización occidental del Mar Egeo. La primera ciudad, edificada hacia el año 3000 a. C., no fue más que una fortaleza de 100 m de diámetro; los arqueólogos le dan el nombre de Troya I. Algunos cientos de años más tarde, sobre los restos de la pequeña fortaleza se alzó Troya II, una ciudadela de 130 m de diámetro cuyos restos fueron hallados por Schliemann. Destruida la ciudadela en alguna guerra ignorada, fue construida Troya III, formada por pequeños grupos de casas circundadas por una muralla.

Aspecto similar tuvieron Troya IV y V, prolongaciones de la misma cultura. Mayor importancia tiene Troya VI, construida cuando en Grecia promediaba la Edad del Bronce, hacia 1900 a. C. Esta ciudad llegó al cenit de su poderío cuatro siglos más tarde, cuando se edificaron grandes palacios y murallas; Dörpfeld había supuesto que ésta era la ciudad de Homero, pero los investigadores de Cincinnati descubrieron que había sido arrasada por un terremoto, no por una invasión. Después del terremoto surgió Troya VII*a* que se cree fue la ciudad de la *Ilíada*; sus casas, presentan huellas de incendio y pillaje. Después de la caí-

da de la ciudad en manos de los griegos aparece Troya VII*b*, ciudad más pequeña, con todos los signos de haber sido subyugada por gente extranjera.

Troya VIII, construida dos siglos más tarde, fue una típica ciudad griega de menor cuantía, y Troya IX una ciudad del imperio romano, construida con el orden meticuloso de los mejores administradores políticos del mundo antiguo. Esta última ciudad conoció un breve periodo de esplendor en la época de Constantino *el Grande*, pero fue abandonada cuando Bizancio inició su largo predominio en el Cercano Oriente.

Troya, Rafael (1845-1921). Pintor ecuatoriano. Se especializó en el cultivo del paisaje, género que trató a través de visiones idílicas ejecutadas con minucia y detalle a través de un notable sentido de la perspectiva y el color. Su especialización se definió en 1872 cuando dos sabios alemanes Wilhelm Reiss y Alfons Moritz Stubel, le comprometieron a colaborar con ellos en calidad de dibujante. De su producción cabe destacar *Paisaje del oriente ecuatoriano*. El museo Etnográfico de Leipzig conserva un amplio repertorio de este artista.

Troyes. Ciudad de Francia, capital del departamento de Aube. Tiene 63,58l habitantes y está situada a orillas del Sena, a 160 km al sureste de París.

Troyon, Constant (1813-1865). Pintor francés. Hijo de una familia pobre, trabajó en la fábrica de Sevres, su tierra natal, estudiando dibujo con Riocreux. Recorrió su patria a pie, ganándose la vida pintando porcelanas y paisajes. Después de obtener un tercero y un segundo premio, en la exposición anual de París, logró primeros premios en 1846, 1848 y 1855. En 1849, fue nombrado Caballero de la Legión de Honor. Se destacó como paisajista, en cuadros animados por un notable sentido del realismo. Entre sus obras que se encuentran en los más importantes museos, se destacan: *Estudio de paisaje en Bretaña*, *Regreso a la granja*, *El cazador furtivo*, *Tobías y el ángel* y *Descanso de unos perros de caza*.

Trubetzkoi, príncipe Pablo (1866-1938). Escultor italiano de origen ruso. Sus obras, casi siempre de bronce, son notables por la vida que parece animar a los personajes. Se destacan entre ellas, la estatua de Nikolaevich Tolstoi a caballo, la del tenor Enrico Caruso, la del emperador Alejandro III, y las llamadas *El abrazo maternal* y *La muchacha del perro*.

trucha. Pez fisóstomo de la familia de los salmónidos, que habita las aguas de lagos y ríos aunque también vive en el mar, remontando los ríos en la época del desove.

Bajo el nombre de truchas quedan comprendidos los dos grandes géneros *Fario* y *Trutta*. Los peces pertenecientes al primero se caracterizan, por poseer una sola hilera de dientes en el vómer, mientras los del segundo presentan dos o más. Su carne, blanca o ligeramente encarnada, es de exquisito sabor. La trucha común, *Trutta vulgaris*, que es la especie más abundante en Europa, tiene cabeza más bien pequeña, ojos grandes, dientes pequeños y ganchudos, cuerpo fusiforme, aletas de gran tamaño y escamas muy pequeñas, casi ocultas debajo de la piel mucosa que las cubre. De color verdoso dorado, amarillento en el abdomen, tienen el dorso cubierto de manchas pardo rojizas, negruzcas y de forma redondeada hacia la cabeza y los opérculos. La aleta caudal es anaranjada y las ventrales de color verde negruzco. Pueden alcanzar más de 30 cm de largo y un peso de 4 gramos.

La trucha abunda en las aguas de Normandía, Niza, lagos de Ginebra y de Como, en el Rin, en los ríos de Italia y España, y en los grandes lagos y ríos de Norteamérica. Prospera en las aguas frías y claras, a través de las cuales se suele ver el fondo pedregoso, preferentemente si hay corrientes fuertes y rápidos alternando con zonas de aguas profundas. Casi siempre nada contra la corriente, y, al igual que los sollos y las carpas, suele buscar refugio en los agujeros de las márgenes de los ríos, donde se queda tan quieta que, a veces, es fácil pescarla con la mano. Desova durante los fríos otoñales, o muy temprano en la primavera. Deposita la freza en especies de nidos u hoyos que practica en la arena, revolviéndose y restregándose en ella con el cuerpo.

Los huevos pueden conservarse en hielo y ser transportados a grandes distancias. Durante el invierno, algunas especies descienden los ríos internándose en el mar, o bien permanecen muchos días en las desembocaduras de los ríos o en pequeñas bahías a lo largo de la costa. La trucha es voraz y como tiene especial predilección por los insectos, a veces se les emplea como cebo para pescarlas.

Entre otras especies se destaca la *Trutta ferox*, de cabeza grande, color verde oscuro, agrisado en el vientre y de manchas negras en vez de rojas, puede medir unos 40 cm y habita las mismas aguas que la trucha común. La *Trutta namagcusch*, parecida al salmón, tiene su misma talla, fuertes mandíbulas y puede llegar a pesar más de 25 kg; su color es verde ceniciento con manchas grises amarillentas y el vientre blanco con reflejos azulados; habita todos los grandes lagos canadienses y de Estados Unidos, principalmente el lago Hurón. La *Trutta purpurata* mide unos 50 cm de talla, presenta algunas manchas parduscas y recibe su nombre de una gran faja roja que recorre sus costados en toda la longitud del cuerpo. Es muy voraz y llega a veces a devorar las ratas que aciertan a cruzar el río. Deben mencionarse del género *Fario*, el *Fario argentas* o trucha plateada, así llamada por el magnífico brillo plateado de los costados y el vientre, que puede alcanzar hasta 60 cm de largo, y el *Fario lemanus* o trucha asalmonada, natural del lago Lemán, en Suiza.

Trudeau, Pierre Elliott (1918-).

Político canadiense. Estudio derecho en las universidades de Montreal, Harvard y Pa-

Corel Stock Photo Library

Pierre Trudeau.

rías, y en la *Londons School of Economics*. Fue primer ministro de 1968 a 1979 y de 1980 a 1984. Después de ser ministro de Justicia sucedió a Lester Pearson como líder del partido liberal y como primer ministro de la nación. Su política procuró atenuar la presión económica de Estados Unidos y evitar el separatismo de Quebec. Dimitió en 1984.

trueno. Estruendo que acompaña a las descargas eléctricas producidas en la atmósfera durante las tormentas. El hombre primitivo lo temía y reverenciaba, atribuyéndolo a poderes sobrenaturales, que así expresaban su cólera. Su causa física consiste en que al producirse una descarga eléctrica, el aire se calienta en forma instantánea, lo cual determina la súbita expansión de sus moléculas que se proyectan en todas direcciones en busca de mayor espacio. Estas moléculas chocan violentamente con las capas de aire frío que las circundan, y así se origina una gran onda sonora que determina el estrépito del trueno. Aunque el relámpago y el trueno tienen lugar simultáneamente, aquél se percibe mucho antes, por la diferencia de velocidad entre la luz y el sonido. Como la velocidad de propagación de la luz puede considerarse instantánea para distancias cortas, midiendo el tiempo transcurrido entre el relámpago y el trueno puede calcularse la distancia a que se encuentra la tormenta. Así, por ejemplo, si el estruendo se oye 3 seg después de visto el relámpago, la distancia será de 1 km, que es lo que el sonido re-

Trucha arcoiris en Ontario, Canadá.

Corel Stock Photo Library

Corel Stock Photo Library

El trueno es el sonido producido por el rayo.

corre en ese tiempo, en condiciones atmosféricas normales. *Véase* RAYO.

trueque. *Véase* PERMUTA.

trufa. Hongo ascomiceto comestible muy aromático, que crece debajo de la tierra, asociado a las raíces de plantas superiores. Está formado por filamentos micelianos que penetran en las raíces y que, fuera de ellas, se enrollan formando masas negras, redondeadas, cuyo tamaño oscila entre el de un guisante y el de una patata grande. La verdadera trufa vive sobre las raíces de las encinas, formando con ellos una simbiosis que facilita a éstas la asimilación de algunas de las sustancias del suelo. Vive a profundidades inferiores a 1 m; al crecer, a veces levanta pequeños montículos que la delatan, pero nunca sale a la superficie. Todas las variedades son de un sabor excelente y fuerte aroma, muy apreciado por los gastrónomos, por lo que se utiliza para preparar platos, conservas y condimentos. Para buscarlas, se utilizan perros y cerdos adiestrados, que las descubren por el olfato. El cerdo hoza la tierra hasta extraer la trufa, que hay que recoger antes que se la coma, recompensándolo después con unas bellotas.

Trujillo. Ciudad de la costa norte del Perú, capital del departamento de La Libertad, sobre las márgenes del río Moche y con salida propia al Pacífico por el puerto de Salaverry, a 8 km. Población: 532,000 habitantes. Unida al resto del país, incluso Lima (a 450 km), por magníficas carrete-

ras. Centro de una intensa producción de caña de azúcar y otros productos tropicales. Junto a su completa modernización, esta ciudad, fundada por Francisco Pizarro hacia 1535, posee construcciones coloniales que datan del siglo XVI. Cuenta con una prestigiosa universidad. En sus vecindades se hallan las ruinas de la Gran Chimú (Chanchán), antigua ciudad de los chimús, de gran interés arqueológico.

Trujillo. Estado del oeste de Venezuela que limita con los de Zulia, Lara, Portuguesa, Barinas, y Mérida, y tiene al oeste una sección de costa en el lago de Maracaibo. Su extensión es de 7,400 km² y su población es de 520,292 habitantes. Su capital es la ciudad del mismo nombre, con 48,180 habitantes. El suelo ofrece distintos aspectos, en los que se distinguen los llanos y varias estribaciones de la cordillera de los Andes. Bosques, pantanos y ríos, entre ellos el Motatán, Monay, Boconó y Pocó. Su riqueza económica se encuentra en la agricultura: produce especialmente caña de azúcar, cacao, café y trigo. La ganadería constituye también un renglón importante. Tiene yacimientos de carbón y petróleo.

Trujillo Molina, Rafael Leónidas (1891-1961). Político y militar dominicano. Nacido en Villa de San Cristóbal, provincia de Santo Domingo, alcanzó el grado de general a los 36 años de edad, y al mismo tiempo fue nombrado comandante en jefe del Ejército nacional. En 1930 fue elegido presidente de la república y reelegido en 1934, 1942 y 1947. En 1931 fundó el Partido Dominicano, y dos años más tarde le fue concedido el título de generalísimo. En 1936 solucionó el pleito fronterizo con Haití y cuatro años más tarde suscribió el tratado Trujillo-Hull, en virtud del cual República Dominicana recobró sus aduanas después de seis lustros de intervención estadounidense. Inició luego una campaña de alfabetización y un vasto plan de obras públicas, y en 1942 otorgó el voto a la mujer. Desde su primera elección a la presidencia, en 1930, se constituyó en dictador, árbitro único de la política de su país y gobernante con mano de hierro. Después de sucesivas reelecciones, ante la oposición creciente, y aunque seguía manteniendo las riendas del poder, en 1952 colocó en la presidencia a su hermano Héctor, quien, reelegido en 1957, se vio obligado a renunciar en 1960, ante la gravedad de la situación política, en que la oposición se manifestaba en brotes de rebeldía armada. En la situación internacional, su régimen ocasionó tirantez de relaciones con Cuba y Venezuela. La investigación de un atentado (junio de 1960) contra la vida del presidente de Venezuela, Rómulo Betancourt, atribuyó al gobierno do-

minado por Trujillo participación en el atentado. En agosto de 1960, la Organización de Estados americanos decretó sanciones económicas contra el régimen República Dominicana y 12 paises americanos suspendieron sus relaciones diplomáticas con el gobierno dominicano. Trujillo continuó haciendo frente a la oposición, pero abandonado por la administración Kennedy, cuando viajaba en su automóvil fue muerto a tiros por sus opositores políticos el 30 de mayo de 1961.

Truman, Harry S. (1884-1972). Estadista estadounidense. Nació en Lamar (Missouri); sus padres eran agricultores. En su juventud trabajó como empleado de ferrocarriles y bancario. Sirvió en el ejército estadounidense durante la Primera Guerra Mundial, en el arma de artillería y alcanzó el grado de comandante. En 1921 se dedicó a la política, estudió leyes, ocupó diversos cargos judiciales y en 1934 fue elegido senador democrático. En 1941, presidió el comité senatorial encargado de investigar la marcha del programa de la defensa nacional, y realizó una labor encomiable. En las elecciones de 1944, que llevaron a Franklin Delano Roosevelt, por cuarta vez, a la presidencia de Estados Unidos, Truman fue elegido vicepresidente. A la muerte de Roosevelt, en abril de 1945, Truman asumió la presidencia de la República y durante su gobierno sobrevinieron acontecimientos de gran trascendencia histórica, entre ellos la rendición de Alemania, el lanzamiento de las bombas atómicas sobre Hiroshima y Nagasaki, la rendición de Japón, la terminación de la Segunda Guerra Mundial y la creación de la Organización de las Naciones Unidas.

Truman tuvo que hacer frente a los difíciles problemas internos de orden social y económico que confrontaron Estados Unidos al advenimiento de la paz. En las elecciones de 1948, se presentó como candidato del partido demócrata fue elegido presidente constitucional y derrotó a Thomas Dewey, candidato de los republicanos. La actitud de la Unión Soviética en política internacional dificultó todo intento de cooperación amistosa, y el presidente estadounidense formuló la llamada doctrina Truman, por la que se abandonaban los intentos de apaciguamiento y se iniciaba un curso de acción para contrarrestar la expansión comunista y respaldar plenamente la independencia y las instituciones de las naciones democráticas. Consecuentemente con esa doctrina, se puso en vigor el Plan Marshall para ayudar a la reconstrucción económica de las naciones occidentales devastadas por la guerra, y se firmó el Pacto del Atlántico Septentrional, relacionado con la adopción de medidas militares de defensa. En 1950, ante la invasión de Corea del Sur por las fuerzas comunistas de

Corea del Norte, ordenó el envío inmediato de fuerzas militares en apoyo de Corea del Sur y de las decisiones de las Naciones Unidas, aceleró el rearme y adoptó medidas que garantizaran la seguridad de Estados Unidos. Al expirar su periodo presidencial (1953) fue sucedido en el cargo por el general Dwight David Eisenhower.

trust. Palabra inglesa que se utiliza para designar diversas clases de acuerdos entre empresas poderosas que tienden a monopolizar la fabricación o la venta de uno o varios productos. Generalmente suele adoptar la forma de un sindicato, constituido por los principales fabricantes o acaparadores de un producto, para dominar el mercado e imponer los precios y las condiciones de venta. Para conocer, en sus rasgos generales, las causas que originan la formación de *trusts*, así como su funcionamiento, es conveniente explicar el juego de los factores que entran en acción en un sistema de libertad económica, tal como se expone a continuación.

Competencia y monopolio. Se dice que existe libre concurrencia o competencia cuando en un ámbito llamado mercado se entabla una puja entre los productores que desean vender sus artículos y los consumidores que aspiran a adquirirlos. Esta libertad de mercado se traduce, por tanto, en el esfuerzo simultáneo y opuesto de diversas personas que tratan de obtener una finalidad con el máximo de ventajas. En este régimen económico cada productor es libre de fabricar la cantidad, clase y calidad de objetos que le plazca, de venderlos al precio que le parezca más oportuno y de elegir los lugares y el momento en que habrá de ofrecerlos. A su vez, cada comprador tiene la facultad de comprar a quien le parezca y como le convenga. Para que la concurrencia o competencia funcione con eficacia deben cumplirse tres requisitos: 1) que haya número suficientemente grande de personas dispuestas a producir y a vender sus productos; 2) que los concurrentes se encuentren en condiciones de lucha que no sean demasiado desiguales y 3) que no celebren combinaciones entre ellos para alterar el curso de la oferta y la demanda.

No obstante sus múltiples ventajas, la libre concurrencia tropieza con innumerables obstáculos y casi nunca funciona en su forma pura.

La palabra griega *monopolio*, que significa *uno solo a vender*, designa el principal de los obstáculos opuestos a la libre concurrencia. Se dice que existe monopolio cuando determinada persona o empresa está en condiciones de vender un producto o prestar un servicio con exclusión de toda otra. El monopolio ha sido objeto de acerbas críticas en todos los tiempos. Hace un siglo ya decía el economista José

Garnier: "El monopolio es indolencia del productor, desdén hacia el consumidor, retardo en la industria, carestía de los productos y calidad inferior; mientras que la concurrencia es actividad, espíritu de invención, baratura, devoción hacia el consumidor, progreso y calidad superior".

Los monopolios han sido clasificados de diversas maneras; la división más común es la que los clasifica en legales, naturales y artificiales.

1. Los monopolios legales más importantes son los fiscales, que el gobierno establece para conseguir recursos. Los más conocidos comprenden la explotación de la lotería y las carreras de caballos, y los estancos de tabacos y licores. Existe un monopolio fiscal necesario, no arbitrario como los anteriores: es la acuñación de moneda que todo gobierno reserva para sí y que por razones obvias no puede compartir con ningún particular. Existen otros monopolios legales que no son de naturaleza fiscal, son los servicios públicos, desde los correos hasta los transportes. Estos servicios no pueden ser abandonados al arbitrio de la libre concurrencia; los estados se reservan su explotación o la otorgan a empresas llamadas concesionarias, que gozan así de un verdadero monopolio legal. Nadie puede construir un ferrocarril paralelo a una línea ya existente, ni instalar una central o red telefónica por su cuenta. Junto a los monopolios fiscales y a los servicios públicos, existe una última categoría de monopolios legales: es la formada por las profesiones cerradas, como los notarios y los corredores de bolsa, que están consti-

Torre del Trust Center en Miami, Florida.

Corel Stock Photo Library

tuidas en cuerpos colegiados con un número fijo y limitado de miembros.

2. Los monopolios naturales, o de hecho, derivan de los dones de la naturaleza, que a veces beneficien a uno o varios detentadores privilegiados. Así ocurre, por ejemplo, con las minas de metales preciosos, situadas en pocos lugares de la tierra. Casi todos los gobiernos modernos tienden a convertir los monopolios naturales en legales.

3. Los monopolios artificiales o privados son los que se conocen con el nombre genérico e inexacto de *trusts*. Se trata de acuerdos públicos o privados entre productores, fabricantes y distribuidores que tratan de fijar precios, repartir mercados o crear empresas de vida artificial para operar mejor en los diversos países. Los monopolios privados asumen numerosas formas; las dos más importantes son el *cártel* y el *trust* propiamente dicho.

El cártel. Los alemanes bautizaron con el nombre de *kartell* –castellanizado luego como cártel– una combinación especial que suelen realizar varias empresas del mismo ramo de la producción. Estas empresas se comprometen a suprimir por completo la competencia entre ellas en uno o más mercados, pero conservando cada una su existencia propia. Supongamos que tres grandes compañías petroleras actúan en un mercado muy amplio, un continente, por ejemplo. Si dejaran funcionar la libre concurrencia, estarían luchando permanentemente entre ellas, con todos los riesgos económicos que ello implica; entonces deciden ponerse de acuerdo para repartirse el mercado, fijar precios que convienen a las tres e impedir la presencia de otras empresas en el ámbito así dominado. Para que exista un cártel es indispensable que la industria haya alcanzado un elevado nivel de concentración –en otros términos, que esté en manos de pocas compañías muy grandes y poderosas– porque sería imposible realizar un convenio semejante entre centenares o miles de fabricantes. El cártel es un mero convenio, no una nueva sociedad financiera o industrial; por su objeto puede ser de compra de materias primas o de venta de productos elaborados.

He aquí algunas de las variedades más frecuentes: 1) Cada empresa se compromete a no producir más de cierta cantidad o a reducir su producción actual en un tanto por ciento, todo ello con el propósito de mantener a determinados niveles los costos y los precios. 2) Las empresas se reparten el mercado de modo que cada una no puede vender sus productos fuera del país o región que se le asigna. 3) Las diversas compañías crean un organismo central que coordina sus tareas y reparte entre los afiliados, de acuerdo con un plan previo, las ganancias globales de cada año.

Una variante del cártel es el *corner*, que consiste en comprar todas las mercaderías disponibles en un mercado y venderlas luego a precios que determina el vendedor. Manejado con prudencia, el cártel puede tener ciertos efectos beneficiosos; pero, en la práctica tiende a cerrarse sobre sí mismo y a constituir un factor negativo en el desarrollo económico de los países en que actúa.

El *trust*. En su máxima acepción, el *trust* es una combinación financiera que agrupa, colocándolas bajo una dirección única, varias empresas que pierden su independencia. Vemos, por tanto, que esta forma de monopolio absorbe otras empresas paralelas, mientras que el cártel respeta su vida autónoma dentro de ciertos límites.

Este tipo de concentración nació hacia 1875, aunque antes habían existido grandes empresas acaparadoras de negocios en diversos países europeos. Cuando no existen disposiciones legales que restrinjan y moderen la tendencia natural del *trust* a extender sus actividades, la acción del *trust* en el campo económico llega a convertirse en monopolio: la inteligencia y el acuerdo se convierten en fusión completa, y una gran sociedad anónima, a la vez industrial, comercial y financiera, sustituye a las empresas menores, que desaparecen como entidades jurídicas y económicas. En semejantes condiciones, un *trust*, por ejemplo, del acero no se conforma con poseer las fundiciones; adquiere las minas de hierro, los altos hornos, la flota y los ferrocarriles que transportan el mineral, y a veces hasta los talleres metalúrgicos y las fábricas en que se construyen automóviles o locomotoras con ese acero. Además de las diferencias ya anotadas, el *trust* se distingue del cártel en este aspecto importante: mientras el cártel se propone principalmente dar fin al estado anárquico de la producción o la distribución, el *trust* tiende al monopolio de las operaciones conexas con determinada actividad: las empresas del cártel abdican su libertad económica pero no su autonomía técnica, mientras que el *trust*, en su forma extrema, las absorbe por completo.

Ventajas y defectos. En favor de los *trusts* se aducen argumentos de peso. En primer lugar, reducen enormemente los costos de los bienes. Producen en gran escala, disminuyen los gastos de propaganda porque no tienen que luchar con la competencia, centralizan la dirección, contratan a los mejores técnicos, perfeccionan los métodos de elaboración y eliminan todos los gastos superfluos. En segundo lugar, se arguye que los *trusts* mantienen el equilibrio entre la producción y el consumo con mayor facilidad que el régimen de la libre concurrencia, siempre caótico.

Frente a tales ventajas se imputan a los *trusts* estos graves inconvenientes: 1) Las economías realizadas sobre el costo de producción no suelen beneficiar a los consumidores, pues van a enriquecer a los accionistas. 2) Los trusts monopolizan toda la actividad de una industria y aplastan toda competencia porque disponen de enorme poderío; en caso de necesidad realizan prácticas de *dumping*, vendiendo a bajísimo precio durante un periodo bastante prolongado, hasta que los competidores ya no resisten más y deben abandonar el mercado. 3) Desde el punto de vista político, estos gigantes de la economía pueden llegar a disponer de tan gran poder financiero, que a veces influyen y dominan el mecanismo de gobierno.

Para restringir el aspecto monopolizador de los *trusts* y contrarrestar sus efectos nocivos sobre grandes sectores económicos, existen en varios países leyes y disposiciones pertinentes. Entre la legislación de ese carácter, se destaca la que rige en Estados Unidos a partir de la promulgación de la ley Sherman en 1890, robustecida por las leyes Clayton (1914) y Robinson-Patman (1936) y otras disposiciones. *Véase* MONOPOLIO.

tsan-tsa. *Véase* JÍBAROS.

tsetsé, mosca. Peligrosa mosca que habita en diversas regiones de África ecuatorial. Llamadas también *glossinas*, nombre que designa al género de estos dípteros, es la propagadora de los gérmenes de la enfermedad del sueño, en las personas y la terrible nagana en los animales. Su tamaño es un poco mayor que el de la mosca común y presenta una trompa rígida y fuerte, con un abultamiento acentuado en su base; además, se distingue de la mosca doméstica por la manera de recoger sus alas, doblándolas una sobre otra a lo largo del cuerpo, cuando se posa. La hembra procrea una sola larva cada vez, y la conserva en su cuerpo durante cierto tiempo; a poco de depositarla, la nueva mosca abandona el estado de ninfa y se convierte en adulta. Se desarrolla en lugares húmedos y cálidos, a orillas de los ríos, y adquiere la infección cuando pica a una persona atacada por los tripanosomas, gérmenes provocadores de la enfermedad del sueño. Durante un periodo de 18 días, los microbios permanecen en el estómago de la mosca sin presentar peligrosidad. Al cabo de ese tiempo pasan a las glándulas salivales y comienza entonces a transmitirlos a las personas o animales que pica, causándoles frecuentemente la muerte. La mosca tsetsé se alimenta exclusivamente de sangre y causa verdaderos estragos en el ganado. Muchas medidas de salubridad se toman para la destrucción de las larvas, pero el área donde proliferan y el medio apropiado para su desarrollo son tan extensos que hacen imposible su completa aniquilación. *Véanse* ENCEFALITIS LETÁRGICA; TRIPANOSOMA.

T. S. H. *Véase* RADIOTELEFONÍA Y RADIOTELEGRAFÍA.

Tsingtao. Ciudad de China en el sur de la Península de Shantung, equidistante de Shanghai y Tientsin, de intensa actividad industrial y comercial, y con hermoso puerto natural en la bahía de Kiaochow. Población: 1.270,000 habitantes. Fue objeto de una concesión que China se vio obligada a otorgar a Alemania en 1897, y desde entonces se inició su extraordinario progreso y desarrollo: fue construido el puerto, levantados grandes edificios, instalados los servicios públicos, se inició la explotación de las minas de carbón de las cercanías y se construyó el ferrocarril que desde entonces une la ciudad con el interior de China. Los japoneses se apoderaron de ella en 1914 y establecieron una importante industria textil. Tsingtao fue devuelta a China por el Tratado de Washington (1922), y en 1938 volvieron a ocuparla los nipones hasta que, al término de la Segunda Guerra Mundial, retornó a la soberanía china.

Tuamotú, islas. Archipiélago de la Polinesia, integrado por unos 80 islotes y atolones. Tienen, en total, una superficie de 915 km^2 y cuentan con una población de unos 9,000 habitantes. Producen cocos, árboles del pan y perlas. Descubiertas por el navegante portugués al servicio de España, Pedro Fernández de Quirós, en 1606, las islas pasaron a poder de Francia en 1881. Las de Pitcairn y Ducie, en el extremo sureste del archipiélago, pertenecen a Gran Bretaña. En 1903, estas islas sufrieron tormentas e inundaciones de gran intensidad, que causaron muchos muertos. *Véase* OCEANÍA (Mapa).

tuberculina. Preparación que se emplea en el diagnóstico y tratamiento de las distintas formas de tuberculosis. Se hace con gérmenes de la enfermedad. Hay varias clases de tuberculina, la primera se debe a Robert Koch. Cuando se usa terapéuticamente se inyectan dosis ínfimas, pues puede dar lugar a violentas reacciones. Pero, su empleo principal es como prueba cuando hay sospecha de tuberculosis. *Véanse* VACUNAS Y SUEROS; TUBERCULOSIS.

tubérculo. Dilatación o abultamiento de los tallos subterráneos de ciertas plantas como la patata, remolacha, chufa y el boniato que se carga de sustancias nutritivas de reserva y que el hombre aprovecha para su alimentación. El más conocido es el de la patata, que presenta una envoltura con pequeños huecos que albergan yemas fértiles, conocidos con el nombre de *ojos*, y en el interior una masa feculenta, blanca, amarilla y aun rojiza. Cuando las condiciones de humedad y calor son favorables, de estos *ojos* brotan los tallos y raíces de la nueva planta, nutriéndose del tubérculo hasta que las nuevas hojas y raíces lo hacen por su cuenta. Para plantarlos se suelen enterrar los tubérculos pequeños, o trozos de los grandes, cuidando de que lo menos haya un *ojo* en cada uno de ellos. *Véase* PAPA O PATATA.

tuberculosis. Enfermedad contagiosa muy extendida en el mundo, que origina lesiones en el organismo producidas por el bacilo de Koch. Es conocida también por los nombres de plaga blanca, tisis y consunción.

Entre los antiguos hizo estragos esta enfermedad infecciosa, que consideraban mortal y cuya causa ignoraban. Sabían que era contagiosa y creían que era hereditaria. La tisis pulmonar la trataban al principio con eléboro como purgante y con leche de vaca, de burra o de cabra, cruda o cocida. Tanto en tiempo de Hipócrates como en el de Galeno quemaban el pecho con cauterizaciones extensas.

En 1882 se dio un gran avance cuando el bacteriólogo alemán Robert Koch descubrió el bacilo que lleva su apellido, causante de la enfermedad. Hay diferentes tipos de bacilo tuberculoso como el bovino que ataca al ganado vacuno, el aviar que tuberculiza a las aves y otros. Las leches infectadas, mal hervidas pueden transmitir la tuberculosis, en especial la forma ganglionar de los niños. Pero, lo común es que la trasmitan los que la padecen en forma activa, mediante golpes de tos y expectoraciones que esparcen los bacilos, contaminan el aire y se alojan en las vías respiratorias de personas sanas. Pero, sólo los débiles y predispuestos son víctimas de la enfermedad. Entre las lesiones que caracterizan el mal se hallan los tubérculos, que son pequeños nódulos rodeados de células que tienden a ulcerarse acabando por formar cavidades destructivas o cavernas cuando se localizan en los pulmones. Entonces se llama tuberculosis pulmonar. En realidad los bacilos pueden atacar cualquier tejido del organismo o en especial los pulmones, los huesos y articulaciones, los ganglios linfáticos y los riñones. El *mal de Pott* es una tuberculosis en la columna vertebral, *lupus* es la tuberculosis en la piel.

La tuberculosis pulmonar adquiere dos formas: aguda y crónica. La aguda empieza repentinamente con escalofríos, fiebre alta, pulso rápido, dolor en el pecho y tos. Los esputos están manchados de sangre y puede haber hemorragias procedentes de los pulmones. El pronóstico es muy grave, casi siempre mortal. La forma crónica se inicia con lentitud. Hay cansancio al menor esfuerzo y pérdidas de apetito y peso. Tos, fiebre ligera al caer la tarde. El pronóstico es grave.

Las complicaciones de una infección tuberculosa son importantes: inflamación de la laringe, pleuresía seca o con derrame, neumotórax, hemoptisis repetidas o vómitos de sangre pulmonar meningitis y tuberculosis intestinal entre otras. Una de las guías para definir la mayor o menor gravedad del proceso la constituye la presencia o ausencia del bacilo tuberculoso en el esputo.

El tratamiento de cada caso tuberculoso exigirá la inspección constante de un médico especializado. Medidas favorables serán la internación en un sanatorio y obediencia absoluta a las prescripciones del facultativo. Los resultados de los análisis de laboratorio y de los exámenes de rayos X, junto con los signos clínicos y el estado general del enfermo, señalarán el tratamiento a seguir. Los antibióticos triunfan muchas veces en el combate contra la enfermedad: la estreptomicina permite tratar casos de meningitis tuberculosa, antes incurables, y se emplean la neomicina, y terramicina. Son eficaces el ácido paraaminosalicílico, la hidracida del ácido isonicotínico y derivados. La cirugía interviene a veces como una poderosa ayuda aplicando el neumotórax artificial, la frenicectomía y la toracoplastia, téc-

Tucán en su hábitat natural.

Corel Stock Photo Library

nicas que tienden a hacer descansar al pulmón lesionado.

En la prevención contra la tuberculosis se emplea la vacuna BCG, dada al niño en los primeros días de la vida por la vía bucal. Durante la vida escolar las pruebas con la tuberculina y los exámenes de rayos X pondrán al descubierto los casos ocultos. La vivienda deberá ser higiénica y soleada. La alimentación variada y suficiente. La leche se tomará siempre hervida o pasteurizada.

En la lucha antituberculosa las autoridades sanitarias de todos los países colaboran activamente. La tuberculosis es una enfermedad que ataca sin distinción de raza, sexo ni edad, dependiendo su propagación en parte de factores sociales y económicos. El tuberculoso, aun después de curado, queda inhabilitado en mayor o menor grado durante algún tiempo y no debe ser abandonado a sus propios recursos. Así, el dispensario antituberculoso ejercerá una labor útil en sus exámenes periódicos descubriendo casos, aconsejando los ingresos en los sanatorios y vigilando a los dados de alta por el peligro de reactivación posterior. Los organismos de salubridad en cada país han reglamentado una propaganda y una acción profiláctica contra la infección. Instalaciones de casas cunas, servicios de higiene infantil, dispensarios y sanatorios construidos en diferentes lugares, asumen una función de primer orden en la prevención y tratamiento de la tuberculosis. *Véanse* KOCH, ROBERT; NEUMOTÓRAX.

tubo neumático. Aparato de aire comprimido por el que se envían de un lugar a otro toda clase de objetos livianos. Consta de una tubería de longitud variable, una caja cilíndrica donde se coloca el objeto que se quiere enviar, y un compresor de aire. Puesto en funcionamiento el aparato, el aire comprimido impulsa las cajas a lo largo de los tubos. En muchas ciudades existen instalaciones de tubos neumáticos, empleados generalmente en el envío de cartas y paquetes postales. Las grandes casas de comercio también suelen tener instalaciones de este tipo, para enviar de un piso a otro diversos papeles. Cuando estas instalaciones son bastante poderosas el aire ejerce una presión de 30 caballos de fuerza y los objetos se trasladan a una velocidad de 50 km/hr. El aire puede moverse en dos direcciones (por succión o por presión) o como en los sistemas más modernos en un movimiento de circulación continua.

tubulidentado. *Véase* DESDENTADO.

tucán. Ave trepadora americana de la familia de las ranfástidas. Su característica más notable es el pico, tan grande que supera varias veces el tamaño de la cabeza; pero, a pesar de sus dimensiones es de estructura muy ligera, ya que las paredes son delgadas y el interior esponjoso, formado por celdillas llenas de aire. El plumaje es muy brillante, de distinto color según la especie, pero, por lo general, negro intenso con franjas blancas, amarillas o rojas en pecho y garganta y el pico rojo, amarillo o negro. Tiene las alas bastante cortas y la cola en forma de cuña o cuadrada. Se encuentra desde México a Argentina, y vive especialmente en las selvas tropicales, anidando en los huecos de los árboles. Su principal alimento son los frutos, pero come también insectos, huevos y hasta pájaros pequeños, y tiene la curiosa costumbre de lanzar y atrapar en el aire el alimento, engulléndolo echando la cabeza hacia atrás. La mayoría de las especies son gregarias, y suelen verse reunidas en grupos sobre las copas de los árboles emitiendo penetrantes gritos.

Tucapel. Cacique araucano que resistió hasta morir el avance de los conquistadores españoles en el sur de Chile, y éstos honraron su memoria llamando Fuerte Tucapel al lugar de sus hazañas. En el mismo sitio se enfrentaron posteriormente araucanos y españoles, y allí fue hecho prisionero y murió el primer gobernador de Chile, Pedro de Valdivia (1554).

Tucídides (460?-399 a. C.). Historiador griego, nacido en el Ática. Llamado para defender a Anfípolis, en 424 a. C., contra el general espartano Brasidas, parece que no llegó con la celeridad necesaria y]a ciudad cayó en poder del enemigo. Por este hecho se le condenó al ostracismo, y permaneció en Tasos durante 20 años, tiempo que aprovechó para reunir el material y escribir su famosa *Historia de la guerra del Peloponeso*. Los sucesos por él referidos van dejando al desnudo al hombre tal como es, con sus pasiones, sus debilidades y sus arrebatos de violencia, por lo cual su visión de los acontecimientos de aquella época sigue interesando a los lectores de hoy. Como escritor se distingue por la concisión, el vigor y la veracidad. Buscó en la naturaleza humana los factores decisivos que determinan los hechos históricos. Pereció asesinado, aunque ninguno de sus biógrafos dice cómo ni porque.

Tucumán. La más importante ciudad del norte de Argentina, capital de la provincia de su nombre; a 1,160 km al noroeste de Buenos Aires, sobre una meseta vecina al macizo andino de Aconquija. Población: 496,914 habitantes. Es el centro del cultivo de la caña de azúcar y de ésta dependen su principal industria y la economía general de la región. Fundada en 1565 conserva atrayentes e históricas construcciones

Corel Stock Photo Library

Enrique VII perteneció a la dinastía de los Tudor.

antiguas. La más importante es la que sirvió para la reunión del congreso del 9 de julio de 1816 en que se declaró la independencia del país, que ha sido reconocida como monumento nacional, lo mismo que su catedral. Tierra nativa del estadista Nicolás Avellaneda, quien fue presidente de la nación. Es sede episcopal y posee uni-

Tuerca y tornillo.

Corel Stock Photo Library

versidad. Importante centro ferroviario y de carreteras.

Tucumán. Provincia argentina, llamada con justicia *el jardín de la República* por la belleza agreste y el verdor permanente de sus bosques y selvas subtropicales. 1.112,000 personas viven en los 22,524 km^2 de su territorio. Esta densidad de 49 habitantes por km^2, la más elevada del territorio argentino, obedece a las excelentes condiciones climáticas y al notable desarrollo económico de la provincia, que tiene en el cultivo de la caña de azúcar la principal fuente de sus recursos. Introducida en el siglo XIX por el padre José Eusebio Colombres, esta planta cubre hoy más de 150,000 ha y suministra materia prima a la industria más importante del norte argentino. De los 39 ingenios azucareros que funcionan en el país, 28 se hallan en Tucumán, otorgando a la provincia el quinto puesto entre los centros industriales argentinos. La serranía central, que culmina en el bello cerro conocido como *nevado de Aconquija*, de 5,300 m de altura, alimenta las aguas de los pequeños ríos tucumanos, entre los que cabe mencionar el Salí y el Lules. La antigua y culta ciudad de San Miguel del Tucumán, cuna de la independencia argentina, es la capital de la provincia y la sede de su universidad. Las ciudades de Tafí Viejo, Concepción, Monteros, Aquilares, Famaillá y Bella Vista, en su mayoría formadas alrededor de los ingenios azucareros, son las más importantes de esta provincia, la menos extensa de Argentina, pero la más próxima al corazón de sus habitantes, por el recuerdo del congreso histórico que en ella declaró la independencia del país. *Véase* ACONQUIJA.

Tudor. Dinastía de reyes ingleses de descendencia galesa, que ocupó el trono desde 1485, cuando Enrique VII venció a Ricardo III, hasta 1603, al morir la reina Isabel I. La coronación de Enrique VII, primer rey de la familia Tudor, puso fin a la guerra de las Rosas mantenida por la casa de York –a la que perteneció Ricardo III– y la de Lancaster. Se casó luego con Isabel de York, y de este modo quedaron ligadas las dos casas antagonistas. Ambas rosas, la blanca superpuesta en la roja, fueron desde entonces distintivo de los Tudor. Algunos de sus descendientes, Enrique VIII e Isabel I, marcaron etapas de gran importancia política y religiosa.

tuerca y tornillo. El tornillo es un cilindro metálico o de madera, con filete sobresaliente en espiral, que entra mediante impulso giratorio en la tuerca, pieza que tiene un hueco también labrado en espiral que ajusta exactamente en el filete del tornillo. El filete forma cierto ángulo con el eje del cilindro. La tuerca es, por lo común, de forma prismática hexagonal que permite calzar una llave en sus caras para ajustarla al tornillo. Existen, también, tornillos, generalmente metálicos, que se utilizan sin necesidad de tuerca, y se introducen en los orificios preparados al efecto, en las piezas metálicas o de madera a que deben ser aplicados. Desde el punto de vista mecánico, el tornillo es una máquina simple, que tiene importantes aplicaciones y existen diversos tipos de tornillo que son de inapreciable utilidad en numerosas ramas de las artes e industrias.

El tornillo de seguridad se usa para unir por presión piezas diversas, metálicas o de madera. El tornillo de coincidencia se emplea para producir movimientos lentos en una pieza móvil en relación con otra pieza fija como, por ejemplo, en las escalas graduadas de muchos instrumentos científicos e industriales. El tornillo de banco, de gran utilidad en talleres de herrería, carpintería, etcétera, se emplea para sujetar piezas que deben ser trabajadas; consiste en un mecanismo, especie de tenaza, que se compone de dos mandíbulas que se separan o unen mediante la acción del tornillo.

tugela, cataratas. Serie de imponentes y hermosos saltos de agua, que figuran entre los más importantes del mundo. Se encuentran en el río del mismo nombre, en la provincia de Natal, de la Unión Sudafricana. El salto principal tiene 856 m de altura. Durante la guerra angloboer, importantes operaciones militares se libraron en la zona vecina a las mismas.

Tula. Ciudad arqueológica de México, situada en el estado de Hidalgo. La mítica

Corel Stock Photo Library

Vista de los atlantes de Tula en México.

Tollan Xicocotitlán se ha identificado con esta ciudad, capital del reino tolteca. Se desconoce con exactitud la fecha de su fundación que algunos remontan a 856 y que el parecer hay que situar en el primer tercio del siglo X.

Quizá la erigieron emigrantes de Teotihuacan en su época de ruina, junto con grupos nómadas del norte, algunos de idioma nahua: los toltecas. Tula significa *ciudad de los carrizos* o *ciudad populosa, metrópoli* y con este nombre hay que relacionar las míticas interpretaciones mexicas sobre ella: jauja terrenal y sede celestial.

Tras un primer periodo en que se ponderó el culto al pacífico Quetzalcóatl, y cuyo soberano más importante fue Topiltzin (947-999), se implantó el culto a Tezcatlipoca, dios sangriento que exigía sacrificios humanos. Al final del reinado de Huémac (s. XII), su principal rey guerrero, la ciudad entró en decadencia, probablemente por la acción de pueblos alógenos; los chichimecas acabaron por arruinarla a principios del siglo XIII. Sin embargo, ya perdida su importancia, continuó siendo una población de cierta envergadura, cedida en el siglo XVI a uno de los hijos de Moctezuma.

Excavada a partir de 1941 se han descubierto interesantes construcciones. El núcleo de la ciudad está constituido por un altozano, en cuya cumbre hay una gran plaza rodeada de palacios y templos, y un juego de pelota. El edificio principal es el templo del dios Tlahuizcalpantecuhti, o de la Estrella Matutina. El templo, del que sólo subsisten las pilastras rectangulares que sostenían el techo por detrás, y que están cubiertas de relieves, muestra en el frente, cuatro figuras de atlantes, de casi 12 m de alto, que sostenían la techumbre por delante. Estas figuras representan guerreros magníficamente vestidos, enjoyados y con grandes tocados de plumas, y sus rostros, de hieratica expresión, son uno de los más altos logros de la estatuaria tolteca. También es importante el *Coatepantli* o muro de las serpientes, lugar destinado a ceremonias religiosas protegido por un muro en el que aparecen en relieve figuras de serpientes,

Detalle de una pirámide en la ciudad de Tula, perteneciente a la cultura tolteca en México.

Corel Stock Photo Library

jaguares, águilas y buitres devorando corazones, y que está rematado por una especie de almena. También son interesantes el *palacio quemado*, el juego de pelota, semejante al de Chichén Itzá, dos figuras de Chac-mool y un banco con figuras en relieve policromadas.

Tulcán. Cantón de la parte norte de Ecuador, capital de la provincia de Carchi, junto a la frontera con Colombia. Cuenta con 32,655 habitantes. Situado en la región Interandina se extiende por los valles de Carchi y del San Juan. Hay cultivo de cereales y patata. Tiene cría de ganado vacuno y lanar. Comercia activamente con Colombia. Pasa por él la Carretera Panamericana y cuenta con aeropuerto.

tulio. Elemento químico número 69 de la clasificación periódica de los elementos, y el 13 de la familia de los lantánidos. Su símbolo es Tm. El elemento natural consta de un solo isótopo, de número másico 169 y peso atómico 168.94. Fue descubierto por el químico sueco Per Teodor Clevel en 1879, junto con el holmio.

tulipán. Planta bulbosa de la familia de las liliáceas, que produce una de las flores más bellas y apreciadas de la jardinería. Existe un centenar de especies, con numerosas variedades siendo la más universalmente cultivada la *Tulipa gesneriana*, originaria de Asia Menor, y de las que se han desarrollado casi todas las demás especies de cultivo. Esta planta consta de un bulbo del que brota un tallo liso erecto, de 40 a 60 cm de altura, con hojas lanceoladas y una flor única campaniforme de hermosos y variados colores: blanco, rosado, amarillo, púrpura, casi negro, etcétera, además de tipos bicolores y jaspeados de todos estos matices. Las flores pueden ser sencillas o dobles, siendo las formas simples las que florecen antes, al comenzar la primavera. Los tulipanes se prestan bien al cultivo y crecen en diversas condiciones, pero prefieren un suelo rico, algo arenoso y bien permeable. Deben plantarse los bulbos en el otoño y cubrir la tierra con paja durante el invierno, para protegerlos del frío, y después de la floración, cuando la planta se ha secado, se arrancan los bulbos para conservarlos en un lugar seco, hasta que deban plantarse de nuevo, y también se dejan enterrados durante varias temporadas.

El tulipán fue dado a conocer en Europa a mediados del siglo XVI, introduciéndose la especie asiática a través de Turquía, juntó con el nombre del turco *tülbend* (turbante) por la forma de la corola. Un siglo más tarde se había convertido en la flor de moda y era objeto de tan desmesurado entusiasmo especial-

Corel Stock Photo Library

Campo de tulipanes en Holanda.

mente en Holanda, que produjo la llamada *tulipomanía*, asombrosa especulación en que los bulbos llegaron a cotizarse en la Bolsa, adquiriendo precios elevadísimos. Actualmente se cultiva en muchos países, en algunos de los cuales constituye una importante industria, como en Holanda.

tulipero. Árbol magnoliáceo, originario de los bosques del sureste de América del Norte; llega a alcanzar más de 40 m de altura. Tiene tallo recto, hojas grandes, de color verde oscuro, y divididas en cuatro lóbulos. Las flores, parecidas a los tulipanes, son de color amarillo verdoso, y los frutos tienen la forma cónica de las piñas. Es común en Estados Unidos y en Europa, donde se cultiva en jardines y parques. Su madera, blanca, se utiliza para la construcción de barcos y la decoración.

Tullerías, las. Famoso palacio de París, levantado a orillas del Sena, cuya construcción ordenó Catalina de Médici (1564), fue continuada por Enrique IV, y modificada por Luis XIV, que terminó la fachada norte del palacio y el pabellón central. Uno de los extremos de los edificios que comprenden las Tullerías fue unido al Louvre por medio de galerías. Allí se mantuvo detenido a Luis XVI después de ser derrocado (1789), se reunió la convención revolucionaria y posteriormente fue residencia de Napoleón y de los gobiernos que le sucedieron, hasta 1870. En 1871, fue destruido e incendiado por los levantamientos populares habi-

dos durante la Commune, desapareciendo valiosas reliquias.

Tumbes. Departamento situado en el extremo noroeste del Perú, en los límites con Ecuador. Tiene una población de 140,900 habitantes y 4,699 km² de extensión. Se halla dividido en tres provincias que comprenden 11 distritos. Su capital es la ciudad homónima, con 123,400 habitantes, que se encuentra próxima a la desembocadura del río Tumbes. El departamento produce caña de azúcar, café, cacao, algodón, arroz, tabaco, plátanos y naranja; tiene gran riqueza minera, sobre todo petróleo.

tumor. Hinchazón y bulto que se forma anormalmente en alguna parte del cuerpo. El tumor está constituido por un tejido de nueva formación con tendencia a persistir o a crecer. La causa es debida a la actividad anormal de determinadas células, pudiendo complicar uno o varios tejidos del organismo. En algunos casos el tumor contiene líquido. Los tumores se clasifican en benignos y malignos. Los primeros son molestos por su volumen y los trastornos motivados por la compresión que ocasionan. No suelen poner en peligro la vida y deben someterse a examen médico; por lo general, se prescribe su extirpación. Los tumores malignos son de marcha progresiva y con tendencia a ulcerarse, provocando hemorragias. Si el cirujano los extrae, con frecuencia renacen, o sea que vuelven a brotar en el mismo lugar o en regiones vecinas. Como tratamientos se emplean la cirugía y las aplicaciones de rayos X y radio. *Véase* CANCER.

túmulo. Sepulcro levantado de la tierra –montecillo artificial con que algunos pueblos antiguos era costumbre cubrir una sepultura–. Armazón de madera, vestida de paños fúnebres y adornada de otra insignias de luto, que se erige para la celebración de las honras de un difunto, suponiéndoles presente en la tumba que se coloca en el lugar más eminente de este armazón.

Tunas, Las. Provincia y ciudad de Cuba en la zona central del este de la isla. Limita al norte con el océano Atlántico, al este con la provincia de Holguín; al sur con la de Granma y con el Golfo de Guacanayabo; y al oeste con la provincia de Camagüey. En su relieve se distinguen cuatro regiones naturales: las formaciones coralinas del norte, la penillanura Tunas-Holguín, la llanura del Cauto-Guacanayabo y la región de la Ciénaga Litoral. La principal fuente de riqueza se basa en la actividad agropecuaria. La caña de azúcar, los pastos y los cultivos de cereales y frutas ocupan los primeros lugares de la superficie destinada a las plantaciones. La provincia cuenta con ocho municipios en un área total de 6,584 km², y una población de 477,943 habitantes, de los cuales 111,196 viven en la ciudad de Las Tunas, su capital. La población rural asciende a 65% de la población total de la provincia. El 55.5% trabaja en la agricultura.

tundra. Terreno abierto y desprovisto de vegetación arbórea en el que crecen líquenes, musgos y hierbas árticas, de clima subglacial y subsuelo helado. Las tundras más importantes están en regiones de Asia (Siberia), América (Alaska) y Europa, dentro del Círculo Polar Ártico. En verano grandes extensiones de las tundras se convierten en inaccesibles ciénagas, frecuentadas por bandadas de aves palmípedas, las corrientes se pueblan de salmones y truchas y se ve a los renos y caribúes pastar en rebaños. El suelo permanece helado durante todo el año, y los ríos dejan al descubierto un espesor considerable de capas de hielo y de terreno helado en el que a menudo se descubren huesos de mamuts y otros animales extinguidos. *Véanse* URSS; SIBERIA.

túnel. Paso subterráneo abierto artificialmente para establecer una comunicación a través de un monte, por debajo de un río o de otro obstáculo cualquiera. Los túneles sirven para dar paso a carreteras, vías férreas, canales, etcétera. La construcción de túneles y galerías se practicó por los pueblos de la antigüedad. Se conocen túneles perforados por los egipcios en sus trabajos de construcción de templos y pirámides. Veinte siglos a. C., los asirios perforaron en Babilonia un túnel bajo el río Éufrates. Los romanos, grandes constructo-

res, efectuaron notables obras de ese tipo, como el túnel de más de 5 km de largo, para el desagüe del lago Fucino. La Edad Media y principios de la Edad Moderna ofrecen también ejemplos de construcción de túneles. Pero, es en el siglo XIX en que debido al progreso de las aplicaciones científicas, al incremento de las comunicaciones y al tendido de vías férreas, se inició la construcción de grandes túneles que constituyen maravillas de la ingeniería moderna.

La construcción de túneles presenta numerosos y difíciles problemas. Hay que comenzar por el levantamiento de un cuidadoso mapa geológico del terreno donde ha de emplazarse el túnel, y debe procederse a una detallada investigación a fin de conocer y calcular las posibles dificultades, tales como deslizamientos, espesor de la roca firme, y la resistencia, capacidad, permeabilidad, entre otros aspectos, de los terrenos. La organización del trabajo y los elementos a emplear dependen por completo de la naturaleza del suelo.

Los túneles más seguros son los horadados en roca dura y unida, que se hacen mediante perforadoras eléctricas o neumáticas y barrenos con cargas de dinamita. Problemas difíciles de construcción presentan los túneles que han de atravesar zonas de tierra o rocas sueltas, y en ellos es necesario proceder a la entibación, que consiste en reforzar y apuntalar provisionalmente las paredes y el techo del túnel, a medida que avanza la perforación, con maderos o con costillas, cuadernas y planchas de acero, hasta que se haga el revestimiento permanente interior, que suele ser de hormigón reforzado con varillas de acero, y de gran espesor.

Túnel para automóviles en Bouzies, Francia.

En los casos en que las capas de tierra que haya que atravesar en el curso de la perforación sean excesivamente blandas, deleznables y susceptibles de derrumbes y desmoronamientos peligrosos, y existan filtraciones y derrames de agua, es necesario emplear el aire comprimido. Para ello, en un punto conveniente de la galería de perforación, se levanta un mamparo o tabique transversal que puede ser de hormigón o de planchas de acero. El mamparo incomunica la sección que corresponde al frente de ataque, o sea la parte del túnel en la que hay que seguir perforando. El mamparo tiene cámaras cilíndricas con combinaciones de dobles puertas de cierre hermético para permitir la entrada y salida de obreros y material. En la sección de ataque, herméticamente cerrada, se bombea aire comprimido hasta obtener la presión necesaria, que se mantendrá constante, para evitar así deslizamientos y derrames. La entrada y salida de obreros debe efectuarse con las precauciones necesarias de compresión y descompresión, para evitar los peligrosos accidentes que podría producir la presencia de burbujas de nitrógeno en la sangre si no se adoptaran esas precauciones.

En la construcción de ciertos tipos de túneles como los trazados bajo ríos y bahías, además de los riesgos inherentes a capas de lodo y de tierra excesivamente blanda, se unen los de graves filtraciones e inundaciones. En esta clase de construcción se utiliza el escudo, que es un gran cilindro de acero de diámetro ligeramente mayor que el del túnel proyectado. En

Tundra.

túnel

Túnel vehicular que atraviesa las montañas Mule en Bisbee, Arizona.

su interior el cilindro está dividido en compartimientos estancos en los que trabajan los obreros. El extremo anterior del cilindro lleva los mecanismos y dispositivos de perforación que desprenden del frente de ataque, el lodo, la tierra y otros materiales de desecho, y los hace pasar por aberturas para cargarlos en vagonetas que los llevan al exterior.

A medida que progresa la perforación el escudo se desliza hacia adelante impulsado por la acción de una serie de poderosos gatos hidráulicos. Detrás del escudo queda la sección del túnel que ha sido perforada, la cual se va revistiendo con segmentos curvos formados por planchas de acero unidas con pernos, que dan al túnel el aspecto de un tubo metálico de enorme diámetro. Sobre ese revestimiento metálico se aplica el definitivo, que es de hormigón armado de gran espesor.

Entre los túneles de ferrocarril más famosos de Europa figuran los cinco grandes túneles que atraviesan los Alpes y que por orden cronológico de construcción son los siguientes: Mont Cenis (1857-1871), entre Francia e Italia, de 12.2 km de longitud; San Gotardo (1872-1881), entre Italia y Suiza, de 15 km; Arlberg (1880-1883), en Austria, de 10.4 km; Simplón (1898-1905), entre Italia y Suiza, de 20 km; y Loetchberg (1906-1912), en Suiza, de 14.6 kilómetros.

En las grandes ciudades de Europa y América existen redes de ferrocarriles subterráneos, que comprenden cientos de kilómetros de túneles, muchos de ellos con secciones que cruzan bajo cauces fluviales. Existen, también, túneles llamados vehiculares, por los que sólo circulan automóviles En esta clase de túneles son notables, entre otros, el de Viella (valle de Arán), en España, de 5 km de largo, el de Caracas,

La Guaira, en Venezuela, de 1.8 km; y el de Chacabuco, en Chile, de 1.7 kilómetros.

Se han construido, también, grandes túneles subacuáticos para el tránsito de vehículos automóviles, entre los que se destacan los que unen la isla de Manhattan, en la ciudad de New York, con los núcleos urbanos de New Jersey y de Long Island. Uno de los más importantes de esos sistemas subacuáticos de New York es el túnel de Holland, bajo el río Hudson, terminado en 1927, compuesto por dos túneles de sección circular, de 9 m de diámetro, y una longitud máxima de 2.6 km. El túnel de mayor diámetro para vehículos automóviles, fue construido en la isla de Yerba Buena, en San Francisco de California; tiene 25 m de diámetro y dos niveles o pisos, y une las dos secciones del gran puente colgante que cruza la bahía de San Francisco.

Algunos sistemas modernos de acueductos consisten en túneles de gran longitud. El acueducto de Delaware que suministra agua a la ciudad de New York , es un sistema de grandes túneles uno de los cuales tiene 135 km, por lo que se le ha llamado el túnel más largo del mundo. En Francia, es notable el túnel de Rove, de 7.2 km de largo, por el que pasa el canal navegable que establece la comunicación entre el río Ródano y el puerto de Marsella.

túnel aerodinámico.
Cámara o tubo de grandes dimensiones, provisto de los dispositivos y aparatos necesarios para generar artificialmente fuertes corrientes de aire. Se emplea para probar el efecto de la acción del viento sobre modelos de aviones, automóviles, proyectiles y motores de reacción. Es de especial utilidad en aeronáutica, pues permite a los ingenieros ensayar nuevos diseños de aviones antes de

iniciar su fabricación. Los modelos usados para las pruebas se construyen a escala, con la mayor precisión. Al efectuarse el ensayo el modelo es colocado dentro del túnel. Éste puede ser de varias formas y constar de dos o más secciones, según la clase de experimentos y pruebas a que se dedique. En una sección hay una hélice que lanza la corriente de aire hacia la sección donde se encuentra el modelo, sostenido por soportes conectados a balanzas muy sensibles. La corriente de aire, lanzada a la velocidad requerida, ejerce su acción sobre el modelo, mientras aparatos registradores y técnicos investigadores siguen el desarrollo de la prueba y analizan después sus resultados. Se han construido túneles capaces de someter los modelos a la acción de vientos de la velocidad del sonido, o sea, 1,200 km/hr. También existen túneles capaces de generar vientos de una velocidad varias veces superior a la del sonido. *Véase* AERODINÁMICA.

Túnez.
Ciudad de África septentrional, capital de la república de Túnez. Está situada en el extremo suroeste del lago de Túnez, que se comunica a este con el golfo de Túnez y el Mediterráneo, por un canal que permite el paso de buques. Población: 712,300 habitantes.

Túnez.
Estado republicano de África septentrional. Limita al norte y al este con el Mar Mediterráneo; al sureste con el reino de Libia, y al oeste con Argelia. Superficie: 154,530 km^2. Población: 7.809,000 habitantes en su mayoría árabes y bereberes; su lengua oficial es el árabe y su unidad monetaria es el dinar tunecio. El clima es generalmente caluroso, con veranos secos y cálidos e inviernos suaves y lluviosos. El país está cruzado por los cordones orientales de la cordillera del Atlas, sin alcanzar alturas mayores a los 1,600 m, y entre esas sierras se encuentran numerosos valles, en los que florece la agricultura. El único río de alguna importancia es el Medjerda, que desagua en el Mediterráneo, y al sur del cual se encuentra la mayor altura de montaña, el macizo Chambi, de 1,595 m. Hay yacimientos de mineral de hierro y cinc, pero la riqueza mineral más importante es la de fosfatos naturales, de los que es uno de los primeros productores mundiales. Pesca abundante, incluso la de esponjas. La producción agrícola comprende trigo, cebada, maíz, uva, aceituna, dátiles, almendras, naranjas y limones

Historia. En territorio tunecino estuvo la histórica ciudad de Cartago, y las ruinas romanas de Túnez hablan de su grandeza pasada. El país fue ocupada por Francia en 1881, estableciendo un protectorado que se modificó en 1346, cuando se dio autonomía al país, dentro de la Unión Francesa. Por el convenio francotunecino de 1956

Corel Stock Photo Library

Minarete de la Gran Mezquita de Túnez.

Túnez se declaró independiente. En julio de 1957, la Asamblea Nacional Constituyente abolió la forma monárquica de gobierno y proclamó la república, designando a Habib Bourguiba como su primer presidente. Reelegido en 1964 y 1969 y presidente vitalicio desde 1974 desarrolló una política prooccidental y conservadora, que unida a la crisis económica, provocó numerosas protestas y huelgas. El régimen inició una nueva apertura y, en 1981 se celebraron elecciones legislativas, en las que venció el Partido Socialista, que se impuso también en 1986. La represión se acentuó en 1987 y se declaró a Bourguiba, de 84 años de edad, inepto para gobernar por su senilidad, sustituyéndolo Zine-al-Abidine ben Ali como presidente.

En 1991, Saleh Khalafaf, segundo en el mando de la Organización para la Liberación de Palestina y Hayel Abdel-Hanid, jefe de seguridad, son muertos a tiros en la capital de Túnez. Ambos estaban ligados a la muerte de once atletas israelíes en los Juegos Olímpicos de Munich, en 1972.

Designado presidente, Ben Ali emprendió en 1988 una política de desburguibización: liberó a los presos políticos, suprimió los tribunales especiales, indultó a los lideres fundamentalistas y autorizó el-pluralismo. En julio de 1988 la Asamblea Nacional aprobó algunas reformas a la Constitución: se abolió el carácter vitalicio del cargo de presidente, que pasó a ser elegido por sufragio universal. En las legislativas (abril de 1989), la Agrupación Constitucional Democrática (ex PSD) obtuvo la mayoría y el presidente Ben Ali, candidato único con el acuerdo de todos los partidos, fue reele-

gido. Ben Ali condenó la invasión iraquí de Kuwait, y, aunque desaprobó también la acción multinacional emprendida para liberar al emirato, aceptó la imposición del embargo a Iraq decretado por la ONU (1990). Ante el creciente desafío integrista, el gobierno prohibió la actuación de los islamistas como partido político y denunció un complot (1991), tras el exilio del emir Rachid Ghannouchi. Más de 8,000 islamistas radicales fueron detenidos en 1991-1992 y 11 miembros de los denominados comandos del sacrificio fueron condena-

dos a cadena perpetua (agosto de 1992). En 1994, Zine al-Abidine Ben Ali volvió a ser candidato único en las elecciones presidenciales (20 de marzo) y la represión se extendió a otras fuerzas políticas.

tung. Árbol de la familia de las euforbiáceas originario de Asia oriental. Alcanza hasta 12 m de altura. Tiene hojas acorazonadas, flores blancas con el centro rosácea y frutos redondeados de unos 8 cm de diámetro, que contienen de dos a cinco semillas venenosas de las que se extrae el aceite de tung. Este aceite tiene importantes aplicaciones industriales y, antes de la Primera Guerra Mundial, China llegó a obtener una producción de aceite de más de 120,000 ton anuales, la mitad de la cual exportaba a Estados Unidos. El aceite de tung contiene 80% de ácido eleosteárico, a lo que debe sus excelentes propiedades secantes.

tungsteno. Elemento químico perteneciente a la tercera serie de metales de transición de la tabla periódica de los elementos, llamado también wolframio y volframio. Pertenece al grupo VI B, junto al cromo y al molibdeno. Su símbolo es W, su peso atómico 183.92 y su número atómico es 74. Es uno de los metales más duros y dos veces más pesado que el plomo. Su nombre proviene del sueco y significa piedra dura. El punto de fusión es también muy alto: 3.370 °C. Estas propiedades hicieron pensar durante mucho tiempo que el tungsteno era un metal de escasa aplicación. A principios del siglo XX, se logró hacer alambres de tungsteno seis veces más finos que el cabello de un hombre.

Locales comerciales en Túnez.

Corel Stock Photo Library

tungsteno

Como estos alambres tenían, a pesar de su delgadez una resistencia superior a la de un alambre de cobre 10 veces más grueso, fueron utilizados en lámparas eléctricas, de rayos x y de radiotelefonía, donde son necesarios conductores muy delgados, pero de gran resistencia. La mayor parte de la producción de tungsteno es utilizada en aleaciones de acero, de gran dureza, necesarias para la fabricación de piezas y maquinarias industriales. En aleación con cromo y cobalto, no es superado en resistencia y dureza por ninguna otra aleación; su eficiencia y dureza es entonces cinco veces superior a la del acero. Las telas tratadas con un compuesto de sodio y tungsteno resisten a la acción del fuego. En 1779, el químico inglés Peter Woulfe reconoció un ácido que denominó túngstico, y poco tiempo después los hermanos José y Fausto Elhyar, químicos españoles, obtuvieron por primera vez el tungsteno en estado metálico; comúnmente se encuentra mezclado con calcio, hierro y manganeso. Los yacimientos más importantes de tungsteno se hallan en China, Rusia, Kazakstán, Corea del sur, Portugal, Bolivia y Estados Unidos.

Tungurahua. Provincia del Ecuador, situada en la parte central del país. Ocupa un área de 3,212 km^2 con 366,523 habitantes. En su territorio está el volcán Tungurahua a 5,017 m de altura. Produce fruta (peras, manzanas, duraznos), cereales y legumbres. Industria del cuero, metalmecánica y harinera. Centro de una importante actividad agrícola comercial para el flujo de productos hacia la costa.

Tungurahua. Volcán en la provincia de su nombre, Ecuador, en la cadena oriental andina que al sureste de Ambato y noreste de Ríobamba inicia la delineación de las sierras del este y la hoya amazónica. Altura: 5,016 m. Su parte superior está cubierta de nieves eternas y de su cráter brota casi constantemente una espesa columna de humo. A sus pies corre el tumultuoso río Pastaza, que es afluente del Marañón. Entre el Tungurahua y el Pastaza se halla la pintoresca localidad de Baños, pródiga en famosas aguas termales que brotan de las faldas del volcán. Con excepción de las habidas en 1641 y 1886, sus erupciones, ruidosas y espectaculares, no han causado grandes daños.

túnica. Vestidura sin mangas que usaban los antiguos, y les servía como de camisa. En Egipto se usaron de distintas formas y había túnicas sin mangas y otras que tenían mangas cortas que sólo llegaban al codo. El largo era, también, diverso, ya que en unas llegaba a las rodillas y en otras descendía hasta los tobillos. Las que vestían los hebreos eran estrechas y adaptadas al cuerpo. Los persas las usaban largas y cortas, con amplias mangas. En Grecia e Italia, adonde llegó procedente del Oriente, difiriendo en detalles, según la clase y sexo de las personas, se llevaba debajo de la toga, sujeta mediante un cinturón o ceñidor; eran blancas y largas con mangas estrechas. Una modalidad de ésta fue aplicada a la vestimenta de los primitivos cristianos, aun cuando sucesivamente fue cambiando de forma y de nombre. En la Edad Media se usaron generalmente dos túnicas, una interior de lino, generalmente, y otra exterior de lana ajustada al cuerpo mediante un cinturón. *Véase* VESTIDO.

Tunja. Ciudad de Colombia, capital del departamento de Boyacá, con 116,840 habitantes. Está situada a 2,820 m sobre el nivel del mar, en una meseta de clima frío y seco durante todo el año. Tiene algunas construcciones modernas pero predomina el estilo colonial, entre cuyos edificios se destacan la catedral y la iglesia de Santo Domingo. Es una de las ciudades más antiguas de América, fundada en 1539 por el capitán español Gonzalo Suárez Rendón, y antes de la conquista hispánica tuvo gran importancia bajo el dominio de los chibchas. El comercio principal es el de productos agrícolas y pecuarios.

Túpac-Amaru (1740?-1781). Nombre adoptado por el revolucionario peruano José Gabriel Condorcanqui. Hizo estudios en la Universidad de Lima, pero reveses de fortuna no le permitieron terminar ninguna carrera. Antes de 1780 se dedicaba al oficio de arriero entre Lima y el Cuzco, trabajo que abandonó para retirarse con su familia a Tungasuca. Allí se fue formando en su torno una corte de admiradores, sobre todo porque hablaba de los incas con entusiasmo y admiración y se decía descendiente del inca Sayiri Tupac. Sostenía que él podía dar la libertad a los indios americanos, pues así se lo imponía un documento secreto que poseía de sus antepasados. Los indígenas, seducidos por sus promesas, comenzaron por llamarlo inca y lo trataron como tal. El 4 de noviembre de 1780 encabezó en Tungasuca una sublevación contra los abusos de algunos corregidores de Perú, entre los que figuraba Antonio Arriaga, a quien Túpac Amaru tomó prisionero e hizo ahorcar. La sublevación se extendió hasta Chile, Quito, Santa Fe (Colombia) y Buenos Aires. El nombre de Túpac Amaru era aclamado por millares de indios, que lo consideraban su libertador y descendiente directo de los antiguos incas. Organizó un ejército numeroso y recorrió vastas regiones sublevando a los indígenas al grito de "saqueo y muerte". En Sangara acorraló a los españoles en la iglesia, puso fuego a ésta y allí murieron cerca de 600 soldados peninsulares abrasados. Luego puso sitio al Cuzco, en donde fue rechazado, y saqueó Oruro. Los caudillos militares españoles no cesaron en su persecución y el general Ventura Landa lo apresó en Tananico, en compañía de su mujer y dos hijos. Llevado al Cuzco fue ajusticiado el 18 de mayo de 1781. El virrey Agustín de Jáuregui decretó un indulto general para cuantos habían participado en la sublevación, pero el hermano de Túpac Amaru, Diego Cristóbal, desoyó este llamado a la concordia e hizo una guerra asoladora.

tupamaros. Nombre tomado del rebelde indio Túpac Amaru, con el que es conocido el Movimiento Nacional de Liberación (MNL) de Uruguay, fundado en 1962 por Raúl Sendic, dirigente sindical socialista de los cañeros, a partir de la unificación de diversos grupos revolucionarios aislados y de distintas tendencias políticas. A partir de 1968 empezaron a actuar de forma autónoma, con tácticas basadas en la lucha urbana. Su rápido y masivo crecimiento, junto a la extensión de la guerrilla al medio rural uruguayo y la traición de H. Amodio Pérez (convertido en confidente del ejército), facilitaron su desmantelamiento (fines de 1972). Su denuncia de la corrupción gubernamental influyó sobre algunos sectores militares y desencadenó la crisis constitucional de febrero-junio de 1973, pero quedó prácticamente desarticulado por el Ejército ese mismo año. Tras el retorno de las libertades democráticas al país (1985), los dirigentes tupamaros encarcelados fueron amnistiados y anunciaron su decisión de abandonar la lucha armada y convertirse en partido político. El MNL fue legalizado en 1989, tras lo cual se integró en la coalición Frente Amplio.

tupungato. Cima de la cordillera de los Andes en el límite de Chile y Argentina, que se alza (6,565 m) frente a Santiago, capital del primero de estos países. Volcán apagado, uno de los más altos de los Andes. Fue escalado por primera vez en 1897.

turbante. Tocado de los pueblos orientales, nacido de la necesidad de protegerse de los rayos solares. Aunque ése fue su origen, con el tiempo llegó a considerarse símbolo distintivo de castas y religiones. Consiste en una angosta faja de tela de varios metros de largo, que se dispone arrollada alrededor de la cabeza en distintas formas.

turbina. Máquina que transforma en trabajo la energía cinética de los fluidos (agua, vapor, gas). El principio a que obedece el funcionamiento de la turbina fue aplicado de manera rudimentaria hacia el siglo II a. C., por el griego Herón de Alejandría. La máquina que construyó estaba for-

Turbinas de la planta hidroeléctrica del río Columbia en EE.UU.

mada esencialmente por un recipiente esférico insertado en un eje y con unos tubos que comunicaban el exterior con el interior; si se llenaba la esfera de agua y se la colocaba sobre el fuego, el vapor que salía de los tubos hacía girar el aparato a cierta velocidad. El principio físico que movía esta máquina es el mismo que en la actualidad hace volar los aeroplanos de propulsión a chorro. En la llamada turbina de acción, los chorros de vapor surgen de un aparato fijo y chocan con las paletas de una rueda giratoria. Un modelo primitivo de esta turbina fue construido en Italia, durante el siglo XVII. El recipiente esférico de Herón estaba reemplazado por un busto fijo, de bronce y hueco. Este busto se llenaba de agua y se colocaba directamente sobre el fuego. El hombre representado en bronce tenía en la boca un tubo, por donde salía un chorro de vapor que hacía girar una rueda con paletas, un rodillo y dos martillos. El aparato era empleado para macerar distintas sustancias. Los molinos de agua y de viento son tipos muy sencillos y conocidos de esta misma turbina.

Las turbinas modernas se clasifican, según el fluido que utilicen, en hidráulicas, de vapor y de gas. Las turbinas hidráulicas o de agua, están diseñadas para aprovechar la presión de las corrientes de los ríos, cascadas y cataratas. Una de las primeras turbinas de este tipo fue ideada en 1832 por el ingeniero francés Fourneyron. El agua entraba en una caja metálica, movía un cilindro giratorio y salía por una abertura situada en la parte posterior del aparato. En las turbinas hidráulicas modernas, la presión del agua hace girar una rueda provis-

ta de paletas curvas. La rueda está encerrada en una cámara o cubierta de paredes metálicas con dispositivos que pueden moverse a voluntad, y permiten modificar el volumen que pasa entre las paletas. La rueda al girar, mueve un eje conectado con un generador eléctrico, y de este modo la energía hidráulica es transformada en electricidad. En los grandes saltos de agua, se usa una turbina llamada Pelton, donde las paletas han sido reemplazadas por unos casquetes semiesféricos. Cuanto mayor sea el volumen del agua, la velocidad de su paso o la altura de su caída mayor será también la presión ejercida por el líquido sobre las paletas y más eficiente será la turbina. Una turbina hidráulica puede alcanzar una potencia superior a los 100,000 caballos de fuerza. Son notables, entre otras, las turbinas instaladas en las cataratas del Niágara.

Las primeras turbinas de vapor fueron construidas por el inglés sir Charles Algernon Parsons y el sueco Gustavo de Laval; la del primero consistía en varias ruedas o rotores escalonados que, impulsados por el vapor, giraban sobre su eje; la del segundo, en un solo disco giratorio. Las turbinas modernas de vapor están formadas por un conjunto de paletas enclavadas en el eje. El vapor choca, al entrar en las turbinas, con unas paletas muy pequeñas; de ellas pasa a otras más grandes y así sucesivamente. Las últimas paletas, de grandes dimensiones, permiten aprovechar el vapor que, a medida que circula por la turbina, disminuye en presión y aumenta en volumen. En las turbinas de vapor, se instalan en la cara interior de la armadura o cubierta que las contiene unas hojas o paletas fijas, inmóviles e inclinadas en dirección opuesta a las paletas del eje; la función de estas hojas es

la de dirigir directamente el vapor contra las paletas movibles de los rotores. Las turbinas de vapor pueden llegar a generar más de 150,000 caballos de fuerza. Las principales aplicaciones de las turbinas de vapor comprenden la generación de energía eléctrica, la de fuerza motriz y la propulsión de buques.

Ciertos tipos de motores de reacción o de propulsión a chorro usados actualmente en la aviación son, en realidad, turbinas de gas. En estas turbinas la fuerza motriz no procede directamente de la acción del fluido contra unas paletas giratorias, sino de la reacción provocada en el aparato por la salida al exterior de un chorro de gases. Según uno de los más importantes principios de Issac Newton, a toda acción en determinado sentido corresponde una reacción en sentido contrario. Este principio explica perfectamente el funcionamiento de las turbinas de gas. No debe entenderse que el chorro de gas al chocar con el aire impulsa hacia adelante la máquina (como el movimiento de los remos en el agua hace adelantar el bote), sino que la simple salida de los gases por la abertura de escape del motor provoca una reacción en sentido contrario, que hace avanzar el aeroplano.

En los motores de reacción con turbinas de gas, el aire entra por una tobera de admisión, y después que el mecanismo compresor ha aumentado de tres a seis veces la presión del aire, éste pasa a la cámara de combustión mezclado con combustible líquido. Esa combustión produce un gran volumen de gases, que al ser expulsados con extraordinaria fuerza a través de la abertura de escape situada en la parte posterior del motor, producen, por reacción, el impulso que hace que el aeroplano marche

Turbina hidráulica en una planta hidroeléctrica.

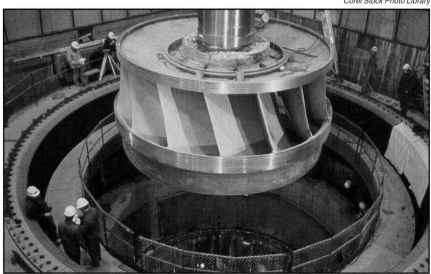

turbina

hacia adelante. Pero, antes de ser expulsados, pasan los gases, en el interior del motor, por una turbina, la que utiliza parte de la energía de esos gases como fuerza motriz para, a su vez, hacer funcionar el compresor. Vemos, pues, que la turbina, al girar, da fuerza motriz al compresor, y éste efectúa la compresión del aire que, mezclado con el combustible después de pasar por la cámara de combustión, hace funcionar la turbina. Este tipo de motor se conoce con el nombre de *turbojet*.

turbopropulsor. Asociación de una turbina de gas y de una hélice, que accionan un avión.

turborreactor. Turbina de gas que actúa por acción directa usada en aeronáutica. Está conformada por un compresor axial o centrífugo, una cámara anular de combustión, una turbina y una tobera de escape donde los gases se expanden provocando el empuje. Su régimen fluctúa entre los 0.6 y 2.5 Mach (de 700 a 3,000 kilómetros por hora).

Turcios, Froylan (1875-1943). Escritor y diplomático hondureño con destacada producción como poeta, periodista, cuentista y ensayista. Fundó las revistas *El pensamiento* y *Esfinge,* y dirigió *El heraldo.* Representó a su patria en la Sociedad de las Naciones (1930). Fue miembro de la Academia de la Historia de Madrid y de la Sociedad Geográfica de Lisboa. Sus obras completas han sido editadas en varios volúmenes.

turco. Individuo de un pueblo que, procedente del Turquestán, se estableció en Asia Menor y en la parte oriental de Europa, a las que dio el nombre. Los turcos se desplazaron en una serie de oleadas sucesivas de las cuales las primeras conocidas de modo seguro son las de los hunos y ávaros, al principio de la Edad Media. Se dividen etnográficamente en tres grupos: oriental, central y occidental y están diseminados en una extensión que comprende más de la mitad de Asia y una buena parte de Europa oriental, desde el océano Glacial (yakutos) hasta Kuen-lun y a Ispahán (turcomanos de Persia), y desde las orillas del Koluma y del Hoangho (uigures) hasta Rusia central (tártaros de Kassimov) y Macedonia (osmanlíes). También se encuentran grupos aislados de turcos desde las orillas del Mar de Ojotsk (colonias de yakutos) hasta Lituania (tártaros polacos). Más que antropológico, el grupo turco es lingüístico comprendiendo sus idiomas el yakuto, ugro (uigur), altaico, baraba, soyó, karagassi, coibal, kirguís, bashkir, chuvashe, usbeco, turcomano, azerbaijano, nogai, kumyko y osmán; el más literario y perfecto es el turco osmanlí, hablado en Turquía.

Muchos pueblos emplean para la escritura el alfabeto árabe y algunos el cirílico; pero a partir de 1928 en Turquía se adoptó el alfabeto latino. No existe un tipo general turco, pues son muchas las diferencias que se notan entre los diversos pueblos que lo representan. El tipo primitivo se ha conservado, sin embargo, en algunos puntos del grupo central, especialmente entre los kirguises, karakireuises. usbecos y tártaros de la Rusia europea. Con este vocablo se designa, también, a los habitantes de Turquía aunque parte de ellos no pertenezcan, etnográficamente, a la raza turca.

Turena, Henri de la Tour d'Auvergne, vizconde de (1611-1675). Militar francés. Desde muy joven sirvió en Holanda bajo las órdenes de sus tíos Mauricio y Enrique de Nassau, y a los 24 años de edad Armand Jean du Plessis, cardenal de Richelieu lo nombró mariscal de campo. Hábil estratega, sus campañas fueron determinantes en la guerra de los Treinta Años, en las de la Fronda, y la llamada de Devolución contra España. Durante la guerra de la Quíntuple Alianza, con fuerzas inferiores a las del enemigo libertó la Alsacia, por lo que fue aclamado héroe a su regreso a Versalles. En la batalla de Salzbach, donde puso sus fuerzas frente a las que mandaba Raimond, principe de Montecuccoli, fue muerto por una bala de cañón. Su genio militar le valió la admiración de Napoleón, entre otros. Escribió unas *Memorias,* en las que narra sus campañas.

turf. *Véase* HIPÓDROMO.

Turgot, Anne Robert Jacobo (1727-1781). Economista y político francés. Natural de París, su padre le destinaba a la carrera eclesiástica y por ello se doctoró en teología y fue prior de la Sorbona. Pero atraído por los estudios filosóficos y económicos renunció al sacerdocio y se consagró a las actividades administrativas, inspirado en las ideas de los fisiócratas. Intendente de Limoges durante 13 años, realizó una serie de atrevidas reformas que transformaron e hicieron prosperar la región. Este éxito le dio merecido renombre. Luis XVI, cuando subió al trono, lo nombró contador general (ministro de Hacienda). Desde este cargo, con el problema "ni bancarrota, ni aumento de impuestos, ni empréstitos" y siguiendo a los fisiócratas, trató de salvar de la ruina a Francia. En dos años realizó una gran tarea de saneamiento económico que quiso completar con profundas reformas: libre circulación de granos, supresión de las aduanas provinciales, abolición de privilegios comerciales, del derecho feudal de la *corvée* o trabajo forzoso y de las corporaciones gremiales, etcétera. Pero la rutina y la confabulación de

los intereses perjudicados por sus reformas provocaron su caída y paralizaron y anularon los esfuerzos de Turgot para sanear la hacienda pública y robustecer la economía de la nación. Retirado a la vida privada, se dedicó a trabajos científicos y literarios, y escribió varios tratados, entre éstos *Valores y monedas* (1769) y *Reflexiones sobre la formación y distribución de la riqueza* (1766).

Turguenev, Ivan Sergevich (1818-1883). Novelista y dramaturgo ruso. Hijo de familia noble, estudió en las universidades de Moscú y San Petersburgo y posteriormente en Berlín, donde se apasionó por la filosofía de Wilhelm Friedrich Hegel. *Relatos de un cazador,* una de sus primeras obras, marca un momento decisivo en la literatura rusa contemporánea. Por la defensa de los siervos y la exposición de la vida inhumana a que estaban sometidos, tuvo inconvenientes con las autoridades rusas. Residiendo ya en Francia, publicó numerosas obras. entre ellas *Nido de hidalgos, Padres e hijos, Humo, Un desesperado, La hora, Canto del amor triunfante, Una historia maravillosa, Rudin, El brigadier, Tierra virgen* y *Hamlet y Don Quijote.* Todas sus obras fueron traducidas a los principales idiomas modernos. El estilo de Turguenev es de delicado realismo y vagamente sentimental. Fue el más occidental de los grandes novelistas rusos de su época. Su prosa es delicada, llena de finos matices y cargada de sugestión. Se destacó como maestro en la descripción, en la creación de tipos y en la pintura de costumbres. Desde sus primeras obras publicadas en París, la crítica europea saludó en este escritor ruso a un eximio artista y a un intérprete de la compleja alma eslava.

Turín. Ciudad del norte de Italia, capital de la provincia de su nombre, situada en el valle que se extiende a orillas del río Po, al pie de las montañas de Monferrato. Población: 1.025,390 habitantes. Gran centro ferroviario europeo por su proximidad y líneas internacionales a las fronteras de Francia (78 km) y de Suiza (100 km); y es también una de las más importantes ciudades industriales italianas, con sus fundiciones y fábricas de acero, textiles, automóviles, productos alimenticios y químicos, papel, etcétera. Numerosos ferrocarriles, autopistas y carreteras la enlazan a todo el país. Antiquísima ciudad romana que, en 1424, ascendió a capital de Saboya. Posee extraordinario relieve histórico cultural y artístico. La basílica Superga, con el panteón de los reyes de Cerdeña y Piamonte; la Mole Antonelliana, la universidad, fundada en el siglo XV; la Puerta Palatina, la catedral y numerosos templos, son joyas arquitectónicas de diferentes épocas. Patria del filósofo Vincenzo Gioberti y del estadista

Camilo Benso, conde de Cavour, fue capital del reino de Italia de 1859 a 1864. Es una de las ciudades de mayor influencia cultural y económica en Italia y poseedora de célebres academias científicas y museos de arte.

Turina, Joaquín (1882-1949). Compositor español nacido en Sevilla. Estudió en Sevilla, Madrid y París; en esta última ciudad conoció a los compositores franceses más notables, estudió con Vicent d'Indy e hizo amistad con Manuel de Falla y, sobre todo, con Isaac Albéniz, por influjo del cual se orientó hacia el cultivo de una forma estilizada de música nacionalista inspirada en el folclore andaluz. Escribió varias obras líricas que tuvieron éxito, y compuso numerosas colecciones de canciones y piezas para piano. La más famosa de sus obras es la suite sinfónica *La procesión del Rocío* (1913); la siguen en orden de méritos la *Rapsodia sinfónica* (1931), las *Tres danzas andaluzas* (1912), la *Sinfonía sevillana* (1921), y varias sonatas, cuartetos y quintetos. Durante muchos años ejerció la crítica musical; fue profesor de composición del Conservatorio de Madrid y publicó una *Enciclopedia abreviada de música* (1917).

turismo. Afición a viajar por placer, deporte o instrucción. De importación británica, ha perdido su genuino sentido etimológico y a medida que lo que hoy se entiende por tal ha ido desarrollándose, su definición ha sido objeto de modificaciones. Se entendió por turismo *la afición a viajar por gusto de conocer un país; la visita de extranjeros a un país sólo por curiosidad y ociosidad*, y la Academia Internacional del Turismo premió, en 1954, con 50,000 francos y una semana de estancia en Montecarlo la siguiente definición: "Turismo es viajar una persona por su gusto, alejándose de su domicilio más de 20 horas". Sin embargo, considerado el turismo en su acepción más extensa, podría decirse que es el conjunto de relaciones y de hechos constituidos por la estancia en un lugar de personas que no tienen su residencia fija en él, y en la medida que esa estancia no sea motivada por una actividad lucrativa, momentánea o permanente. La admiración de las bellezas naturales, la higiene, la necesidad de ejercicio y de hacer vida al aire libre fomentadas por el aumento y la facilidad de las comunicaciones, contribuyeron mucho al crecimiento del turismo en la segunda mitad del siglo XIX.

La cuna del turismo es Suiza, pues éste se originó conforme fueron acudiendo allí de distintas partes del mundo personas deseosas de contemplar sus paisajes y en muchos casos de escalar sus montañas. Jean Jaques Rouseau, Johann Wolfgang Goethe, Honoré de Balzac, George Sand,

Las Vegas, Nevada, es uno de los centros turísticos más importantes de EE.UU.

François René de Chateaubriand, Alexander Dumas, Stendhal, Alphonse de Lamartine, lord Byron, Victor Hugo, Fenimore Cooper, Charles Dickens y León Tolstoi, entre otros astros de la literatura, fueron grandes propagandistas del turismo al cantar las bellezas de que la naturaleza dotó a Suiza. Hasta entonces la montaña no había atraído a los hombres, mas pronto los sedujo invitándolos al placer de escalarla. Así nació el alpinismo cuyos cultores inicia-

Zona turística del malecón en Puerto Vallarta, México.

les fueron el filósofo ginebrino Horace-Benedict de Saussure y el barón Ramond de Carbonnieres, geólogo estrasburgués, siendo el guía Jacques Balmat la primera persona que pisó la cumbre del Mont-Blanc, en 1786. Cuando a últimos del siglo XIX se trueca Suiza en el país de moda que todos quieren conocer y visitar, surgen los clubes alpinos, precursores del fomento turístico, primero en Inglaterra y luego en Austria, Suiza, Italia, Alemania, Francia y Bélgica. Poco a poco, conforme la literatura, la ciencia y las artes fueron suscitando la afición a la naturaleza, el turismo se extendió a otras tierras y en la actualidad no hay país que no lo cultive, pues representa una no desdeñable fuente de ingresos en el cuadro de la economía nacional. Porque el turismo posee doble faz; para los turistas es sinónimo de descanso, alegría de vivir a pleno aire, escapar de la monotonía cotidiana, deleitándose en la contemplación de lo desconocido. La otra faz es la económica, ya que quienes practican alpinismo, camping, ciclismo, automovilismo, yachting y los llamados deportes de nieve, así como los que viajan por gusto de ver cosas nuevas, necesitan medios de locomoción, albergue y alimento, todo lo cual ha dado origen a una industria internacional en la cual hay puestos en juego miles de millones.

El incremento del turismo está estrechamente vinculado al de los medios de transporte. Desde que los progresos de la civilización sustituyeron el caballo, la diligencia y el barco de vela por el automóvil, el vapor y el aeroplano, transformando radicalmente las condiciones de los viajes y reduciendo los días a horas y las horas a minu-

Recorrido turístico en Xochimilco, México.

tos, el goce de viajar se ha desarrollado hasta popularizarse. Esto pone en movimiento cuantiosas sumas de dinero del que se beneficien los países que fomentan la *exportación invisible* como se ha denominado al turismo, porque el turista a cambio de dinero se lleva un caudal de gratas emociones y recuerdos. El turista paga al contado, por mercaderías cuyos principales valores y atractivos (bellos paisajes, climas salutíferos, costumbres típicas, monumentos históricos y artísticos) siguen permaneciendo en su integridad en el país que visita. El turista no se lleva un ápice de la España romana, gótica o árabe, de la pintoresca Suiza, de la Italia artística y monumental, de la Francia antigua y moderna, de los típicos rasgos peculiares de los lugares americanos que visita. Considerando en su aspecto económico, vemos que de todas las formas de exportación, el turismo es la más ventajosa, la más segura y menos costosa, la más lucrativa y la única en verdad inagotable. Sus beneficios alcanzan a todos los sectores: ferrocarriles, compañías de navegación, hoteles, restaurantes, bancos, almacenes y tiendas, centros de esparcimiento, profesiones liberales, etcétera, e incluso el fisco, ya que una parte apreciable de los gastos del turista queda discretamente absorbida por los impuestos indirectos.

El turismo moderno engloba una serie de modalidades que podemos clasificar así: alpinismo, turismo de las montañas, que requiere un equipo especial, camping o turismo de campamento al aire libre y excursionista, en que lo esencial es la tienda y cuya importancia es extraordinaria merced al automóvil; automovilismo, la

forma agradable y cómoda del turismo, que se realiza en forma privada familiar o en forma colectiva mediante grandes y cómodos autobuses, siendo cada día más numerosos los circuitos organizados de excursiones de este género, lo cual ha promovido la construcción de modernas autopistas de doble dirección independiente; *ciclismo* o turismo en bicicleta y motocicleta, que cuenta muchos adeptos en Europa, principalmente en Francia e Italia; *yachting*, el turismo náutico que sigue el curso de ríos y canales, uno de los más pintorescos, cuyo atractivo aumenta con el turismo a pie, y que se efectúa en botes desmontables, ligeros y de poco volumen, de caucho vulcanizado, de material plástico, con fondo plano y plegables; y turismo *marítimo y aéreo*. Hay también turismo de vacaciones, escolar, obrero, pedagógico, en masa, medicinal, etcétera. Este último se conoce también como cura de aguas y tiene por centros las estaciones termales, habiendo asimismo la *cura de reposo* o especie de turismo en sanatorios situados entre montañas, en lugares de clima seco y estimulante.

En los primeros tiempos del turismo, éste se practicaba solamente en verano; se iba a descansar sin otra pretensión que un albergue modesto, una cocina sencilla, y un lugar arbolado y propicio para la siesta. Ahora el hombre moderno sale de vacaciones y va a lugares en los que puede gozar de sus distracciones favoritas: playas, tenis, golf, equitación, carreras de automóviles, juegos y torneos, en verano; en invierno, patinaje (natural o artificial), pistas de ski, pequeños trineos, trampolines de salto, etcétera. Y en cualquier estación del

año, se aloja en confortables hoteles donde tiene todas las comodidades.

En nuestra época el turismo presenta dos grandes divisiones: el turismo interior, que es el practicado por los habitantes de una nación que, sin cruzar sus fronteras, viajan por placer dentro de ella, para conocer y admirar lo interesante de otras regiones, comarcas y ciudades, que existen en su propia nación, y el turismo internacional, que tiene lugar cuando los residentes de una nación se trasladan a otra, con iguales propósitos de viajar por placer.

Esas dos formas principales de turismo, tanto interior como internacional, han adquirido gran importancia en la mayor parte de las naciones y, muy especialmente, en Estados Unidos.

La promoción del turismo en los países más adelantados a este respecto comprende tres planos: el local, el regional y el nacional, y sus verdaderos impulsores han venido siendo a partir de 1880 los comités o juntas para el fomento del turismo, que pueden ser organismos oficiales semioficiales o privados, cuyos recursos económicos suelen consistir en aportaciones hechas por sus miembros y en subvenciones del gobierno limitándose las autoridades a supervisar la administración por tratarse de sociedades de utilidad pública. Los que obtienen del turismo un provecho directo o indirecto están obligados a sostener la institución y a realizar un esfuerzo para la defensa y prestigio de su zona, siendo el instrumento auxiliar más poderoso que manejan las compañías de publicidad y propaganda. La propaganda es la que encamina las corrientes turísticas hacia poblaciones y lugares que se quiere poner de relieve. Mediante ella se logra despertar la afición al turismo entre quienes no sienten la necesidad de viajar, presentando ante sus ojos las bellezas que atesora un país, reproducidas en las páginas de folletos o sirviéndose del cartel artístico. Otros medios a los que se recurre también son conferencias, exposiciones, películas, etcétera. Un modesto cantón francés de la Alta Saboya formado por cuatro pobres municipios del distrito de Bonneville, cuyo nombre era ignorado a principios del presente siglo, fue dado a conocer por la publicidad turística y se trocó en *el valle donde el turismo convierte la nieve en oro*. Sus habitantes vivían hasta entonces dedicados al pastoreo, en una pobreza que los obligaba a emigrar. El turismo operó en pocos años un cambio portentoso. Con admirable rapidez surgieron hoteles modernos, se abrieron caminos, se trazaron sendas, se tendieron puentes, se organizaron concursos deportivos, etcétera. Y a tal fin se acudió a la propaganda mediante carteles artísticos, folletos y álbumes con hermosas vistas fotográficas, y el hoy renombrado Chamonix, entonces ignorado cantón, se transformó en centro de turismo y punto predilecto de muchos deportistas de todo el mundo. Actualmente se editan en todo el mundo centenares de publicaciones destinadas a propaganda e información del turismo, con mapas, guías e itinerarios. Podría decirse que tienen por modelo la que en 1829 editó Karl Baedeker, inquieto y metódico joven alemán muy inclinado a los viajes. Pero, no es ésta la más antigua publicación del género, pues ya existían otras anteriores, como la publicada en 1786 con el título de *Manual para las personas cultas y curiosas que viajan por Suiza*, escrito por Besson. En 1804, el médico de Zurich, doctor Job Gottfried Ebel, publicó otra obra de la misma índole, destinada a enseñar *la manera más útil y agradable de viajar por Suiza*, de la cual se hicieron ocho ediciones sucesivas y que dio a Baedeker la idea para su famoso y universalmente acreditado *Manual del viajero*. Durante el transcurso del pasado siglo la pequeña *guía roja* Baedeker multiplicada en ediciones parciales para los distintos países y provista de abundantes planos. mapas, indicaciones sobre rutas, comunicaciones, hospedajes, lugares y edificios de mérito artístico histórico o arqueológico y numerosas instrucciones prácticas, se convirtió en elemento indispensable para los turistas. Más que una guía era un amigo que informaba con objetividad, precisión y claridad y aconsejaba con la veracidad de un documento. En un sentido general, la palabra *Baedeker* pasó a ser sinónimo de guía, y lo que es más significativo aún: de buena guía.

Los cafés en los Campos Elíseos son uno de los atractivos turísticos de Francia.

Corel Stock Photo Library

Importante rama impulsora del turismo son las numerosísimas agencias de viajes que funcionan en todas partes, y que, obteniendo cierto lucrativo provecho, cooperan a su promoción mediante las artes del ingenio y de la propaganda. Lo que *Baedeker* representa en el terreno de las guías, representa la antigua Agencia Cook en este otro aspecto. Fundada en 1841, fue ella quien implantó en los ferrocarriles los billetes de viaje internacional; compiló la primera guía internacional de vías férreas y marítimas, organizó la primera excursión turística a Tierra Santa; inauguró los viajes de turismo a Egipto durante la temporada de invierno; proyectó y llevó a cabo excursiones a lugares exóticos y a países de atracción turística en todos los continentes. El turismo, especialmente en los países europeos, ha alcanzado proporciones de notable aumento, hasta trocarse en fuente de divisas que contribuyen a la reducción de los saldos desfavorables en la balanza internacional de pagos. Las naciones de Europa a las que afluyen los mayores contingentes del turismo internacional, son: Italia, el país del arte, que acoge anualmente a varios millones de turistas, Francia y Suiza que lo siguen en importancia, y después Alemania, Gran Bretaña, Bélgica, Holanda, Países Escandinavos, España, Portugal, Austria y Grecia.

Al creciente movimiento de turistas internacionales contribuyen, también, además de los factores mencionados, ciertas medidas y disposiciones adoptadas por las compañías de transportes ferroviarios, marítimos y aéreos; las facilidades bancarias que garantizan a los viajeros el seguro manejo de sus fondos, y la eliminación o simplificación de trámites consulares engorrosos. Las compañías ferroviarias en los países de Europa occidental han constituido una organización de transportes turísticos internacionales por vías férrea, carretera y fluvial, con sede en Berna, mediante la cual el viaje individual o en grupos tiene, en coches de primera clase, un precio rebajado; cada turista puede subir al tren en la estación que le convenga para tomar luego otra línea, proseguir viaje o regresar, según le plazca, o bien puede recorrer en autobús las más bellas capitales del Viejo Mundo, combinando a su gusto todos los medios de movilidad. Las principales compañías internacionales de aviación formaron la *International Air Transport Association* para proporcionar un servicio turístico a bajo costo y de primera clase en sus rutas trasatlánticas siendo las tarifas del viaje aéreo para el turismo 30% más baratas que las de primera en viaje no turístico, ofrece oportunidad para viajar a personas de todas las esferas sociales. Por lo que toca a las facilidades de tipo bancario mencionadas, están representadas principalmente por los cheques de viajero, que fue-

ron implantados en 1891 por la *American Express Company*, empresa estadounidense de transportes y viajes. El uso de esta clase de cheques encontró tal aceptación, que su circulación se generalizó en todos los países de afluencia turística. Esta clase de cheques lleva cada uno, impreso su valor, que en los cheques emitidos por bancos de Estados Unidos, corresponden a las denominaciones de 10, 20, 50 y 100 dólares. En los de Gran Bretaña su valor se expresa en libras esterlinas. Los cheques se aceptan como pago en casi todo el mundo. El viajero compra un talonario de cheques, de la denominación que desee, a la entidad bancaria que los expide y, en presencia del funcionario del banco, firma cada cheque, uno por uno, en el momento de adquirirlos. Después, cuando el viajero, en la ciudad en que se encuentre, tiene que hacer un pago, firma el cheque por segunda vez, al entregarlo a la persona a quien hace el pago. Las dos firmas tienen que ser idénticas, y sin el requisito de la doble firma el cheque carecerá de valor y no será aceptado por el banco que lo expidió, cuando el cheque vuelva, finalmente, a su poder.

Por encima de las ventajas de orden económico citadas anteriormente, el turismo, en nuestra época, es uno de los factores de orden sociológico que contribuyen, en gran manera, a que individuos y países establezcan valiosos puntos de contacto directo y entablen relaciones de conocimiento, intercambio cultural y estimación mutua, que sirven para consolidar los lazos amistosos de convivencia internacional.

Turismundo (? -453). Rey de los visigodos (451-453), hijo y sucesor de Teodorico I. Elegido a la muerte de su padre en los Campos Cataláunicos (451), como representante de la facción nacionalista visigoda, luchó contra los romanos en Arles (453). Fue asesinado por sus hermanos Federico y Teodorico.

Turkestán. *Véase* TURQUESTÁN.

Turkmenistán. Estado de Asia central, que formó parte de la Unión Soviética como república federada hasta la disolución del Estado soviético en 1991; tiene una extensión territorial de 488,100 km², y 3.534,000 habitantes. Su forma de gobierno es la república presidencialista, regida por la Constitución de mayo de 1992. Su lengua oficial es el turkmeno; su principal religión es la musulmana sunní. Su composición étnica se distribuye en turkmenos, rusos, uzbekos, kazakos, tártaros y otros. Su unidad monetaria es el manat. Ocupa la llanura desértica del Karakum, al oeste del Mar Caspio. El territorio está accidentado al sur por los montes Koppeh y, al sureste por una serie de mesetas de esca-

Turkemenistán

sa altura. Lo atraviesan los ríos Harikud, que forman la frontera con Uzbekistán; los dos últimos están unidos por el canal Karakum, que permite regar unas 800,000 hectáreas de terreno antes desérticos. Vegetación estepania, excepto en los valles de los ríos. La población formada principalmente por turcomanos, se concentra en las montañas del suroeste del territorio. Capital Ashabad. Otras ciudades importantes son Mari y Krasnovodsk. La base de la economía es la agricultura (algodón, cereales, frutas y hortalizas). Ganadería. Pesca. Extracción de carbón, petróleo, magnesio, ozocerita, mirabilita, gas natural, sal, industria química, textiles, de fertilizantes, calzado, cemento, refinerías de petróleo.

El territorio habitado por tribus turcomanas (o turkmenas) desde el siglo X, fue ocupado por las tropas rusas tras la batalla de Gök Tepe (1881) e incorporado a la provincia de Turkestán, luego de un acuerdo anglorruso que delimitó las zonas de influencia en la región (1895). Tras la revolución bolchevique, el Ejército Blanco, apoyado por los británicos, dominó la situación. Pero, una vez retirados los británicos (1920), los soviéticos anexionaron el territorio a la república autónoma de Turkestán hasta que se constituyó la República Socialista Soviética de Turkmenistán (27 de octubre de 1924), si bien la resistencia de los contrarrevolucionarios se prolongó hasta 1936. La clase dirigente turkmena y musulmana fue reprimida cuando no deportada. El 22 de agosto de 1990, la república soviética proclamó su soberanía y eligió presidente a Saparmurad Niazov, primer secretario del Partido Comunista de Turkmenistán (CPT), quien, tras el frustrado golpe de Estado contra Gorbachov (agosto de 1991), declaró la independencia, ratificada en referéndum (26 de octubre), y cambió el nombre del PCT por el de Partido Democrático de Turkmenistán. Ingresó en la Comunidad de Estados Independientes (CEI) y en la ONU (1992). Niazov fue reelegido sin oposición con 99% de los votos (21 de junio de 1992). En 1993 firmó un acuerdo pare la permanencia de las tropas rusas (unos 100,000 hombres) en las zonas fronterizas con Irán y Afganistán. Niazov, que adoptó el título de turkmenbashi (jefe de los turkmenos) e hizo aprobar en referéndum la extensión de su mandato hasta el 2002 (enero de 1994), gobernó con un estilo caracterizado por el *culto a la personalidad* y la creciente ausencia de libertades democráticas, lo que generó el surgimiento de varios grupos de oposición en el exilio (principalmente en Rusia), entre cuyos lideres destaca el ex ministro de Asuntos Exteriores Aby Kuliyev.

turmalina. Mineral de compleja composición química, formado por silicatos de alúmina con ácido bórico y flúor, magnesio, calcio y diversos óxidos que le comunican variados colores. Se presenta en cristales prismáticos del sistema romboédrico, generalmente aparece incrustado en rocas graníticas en terrenos procedentes de la descomposición de éstas. Es tan duro como el cuarzo, y raya con facilidad el cristal. Las turmalinas más frecuentes son de color negro verdoso debido a las sales de hierro, pero cuando contienen magnesio toman una coloración parda y cuando tienen indicios de metales alcalinos (calcio, sodio o potasio), los colores son más claros y transparentes: rojo, azules y verdes. Estas variedades, mucho más raras que las anteriores, son empleadas en joyería como piedras semipreciosas. Los cristales de turmalina tienen la propiedad de electrizarse cuando se calienta uno de sus extremos o cuando se le somete a una fuerte presión. La luz que los atraviesa se escinde en dos rayos, y cuando la lámina de turmalina se ha cortado en dirección paralela al eje principal del cristal, sólo permite el paso de uno de los rayos. A causa de esta propiedad se emplean en la construcción de polarizadores llamados pinzas de turmalina que se utilizan para analizar las propiedades ópticas de los cristales. Las turmalinas son abundantes en la naturaleza encontrándose buenos ejemplares en Estados Unidos (Maine y California), Canadá, la isla de Elba, los montes Urales, Sri Lanka, Madagascar y Brasil, de donde provienen algunas de las mejores variedades.

Turner, Joseph Mallord William (1775-1851). Pintor inglés que destacó por ser uno de los más prodigiosos coloristas de todos los tiempos. Hijo de un peluquero de Londres, tuvo una educación rudimentaria, pero su capacidad para el dibujo hizo de él un verdadero maestro. En 1789 comenzó a recibir lecciones en la Real Academia, y poco después se dedicó a trabajar para diversas casas editoriales y como ilustrador de revistas. Fue elegido miembro de la Real Academia en 1802, y en 1807 designado profesor de dicha corporación. Su arte sufrió una transformación tal que la crítica habla aún hoy del *primer estilo de Turner*, caracterizado por influencias de la escuela holandesa, y, sobre todo, por el empleo de tonos grises. Después de su primer viaje a Italia (1819) entró en su pintura la luminosidad meridional y gran capacidad cromática. Con su cuadro *Lluvia, niebla y velocidad* (1814), comenzó una nueva época en su arte, llamada de las irisaciones, donde se convirtió en un precursor de los impresionistas modernos. Otras obras suyas son: *El castillo de Norham, Naufragio* (1805), *El sol saliendo a través de la bruma* (1807), *Ulises riéndose de Polifemo, El buque negrero, Paz y Entierro en el mar*. Toda su fortuna, en cuadros y metálico, la dejó al Estado y a los artistas necesitados. En mayo de 1980 su cuadro *Julieta y su niñera* alcanzó el récord en las subastas de cuadros al ser adquirido en New York por 6.400,00 dolares.

turón. Mamífero carnicero de la familia de los mustélidos, de unos 35 cm de largo desde la cabeza hasta el arranque de la cola. Es de cuerpo flexible y prolongado, cabeza ancha y aplastada, orejas cortas y redondeadas, hocico agudo patas cortas, pelaje blanquecino alrededor de la boca, sobre los odas y en el borde de las orejas,

Cuadro de una Escena Veneciana, *de Joseph Mallord William Turner.*

y pardo oscuro en el resto del cuerpo. Habita en los países templados, y vive en los montes, bosques y campos, refugiándose en el hueco de los árboles. Se alimenta de conejos, liebres, aves de corral, perdices, codornices, topos, ratas y ratones. Despide un olor fétido muy penetrante.

turquesa. Mineral de color azul celeste o azul verdoso, susceptible de bello pulimento, por lo que se emplea mucho en joyería, considerándose como piedra semipreciosa. Está compuesta principalmente de fosfatos hidratados de alúmina, hierro y cobre, que se presentan en masas uniformes, compactas. Debe su color al cobre que contiene, siendo la más preciada la azul celeste; pero muchas turquesas cambian o pierden el color. Es la piedra nacional de Irán, y una de las más estimadas de los pueblos orientales, que la asocian a supersticiones, como el que el cambio de color indica desgracia, mala salud, etcétera. Muchas están grabadas con inscripciones árabes y persas, generalmente versículos del Corán, y las usan como amuletos. Las mas bellas turquesas proceden de Iran, encontrándose también en Siberia, Turquestán, Asia Menor y Estados Unidos.

Se conoce como turquesa occidental a la odontolita, muy parecida en su aspecto y color a la verdadera turquesa, y que se usa también en joyería; pero está formada por fragmentos de huesos y dientes fósiles coloreados de azul y de verde por impregnación de fosfatos de hierro y cobre. Es más blanda que la turquesa verdadera, pero sólo se puede distinguir de ella mediante el análisis químico o microscópico, que revele su estructura.

Turquestán. Nombre que se aplica a una vasta región de Asia central. Situada en la zona de comunicación entre el extremo oriente y la cuenca mediterranea. Limita al norte con Siberia, al sur con Afganistán, el Indo y Tibet; al oeste con el Mar Carpio y al este con Mongolia. Comprende los Estados de Kazajstán, Turkmenistán, Uzbekistán, Kirguisistán, Tadjikistán y Sinkiang (China).

El Turquestán ruso, se extiende entre los montes Tien Shan y el Mar Caspio. Al establecerse en Rusia el régimen soviético se empezaron a tener en cuenta los problemas nacionales de la región, que fueron delimitados por José Stalin; en 1924-1925 se dividieron las repúblicas socialistas soviéticas en Turkmenistán, Tadzhikistán, Uzbekistán, Kirghizistán y Kazakstán dentro de un territorio llano y arenoso en el norte y el oeste, y montañoso hacia el sureste. La mayor parte de los pobladores practica la religión mahometana y se dedica a la agricultura y ganadería. Las antiquísimas ciudades de Alma-Ata, Samarcanda, Tashkent, Bukhara y As-

Corel Stock Photo Library

Exterior del mercado de Tashkent en Turquestán.

hkhabad, saturadas de leyenda, son los principales centros urbanos.

El Turquestán chino, enclavado en el corazón del continente asiático, se extiende desde la frontera con el Turquestán ruso hasta del desierto de Gobi y la altiplanicie tibetana. Los escarpados picachos de Tien Shan y de Kunlun orlan sus desiertos, incluidos hoy en la provincia china de Sinkiang. Toda esta tierra áspera y desolada está situada a alturas superiores a 1,000 m

Templo de Khiva en Turquestán.

Corel Stock Photo Library

sobre el nivel del mar. Sus pobladores, casi todos mahometanos son de origen ario y turanio. Tihwa o Urumchi, Kashgar y Khotan son las principales ciudades del Turquestán Chino.

El Turquestán afgano, limitado al norte por el legendario río Oxus, al sur por los montes Paropamiso e Hindukush y al noroeste por el Turquestán ruso, está poblado por tribus de origen persa y uzbek, que políticamente pertenecen a la provincia afgana de Mazar. Abundantes depósitos de cobre, hierro, plomo y oro yacen intactos en el subsuelo de esta región que la civilización occidental todavía no ha conquistado.

Historia. Las tres zonas del Turquestán actual tienen larga y azarosa historia. Varios siglos antes de la era cristiana vivían en el territorio diversos pueblos de origen ario y ural-altaico, que fueron gradualmente sometidos al dominio de los emperadores chinos. A medida que fueron penetrando por desiertos, desfiladeros y montañas las primeras caravanas llegadas del oriente europeo, de Arabia y de Turquía, fueron surgiendo centros de población como Bukhara, Tashkent y Samarcanda, ciudades principales, que nacieron en encrucijadas estratégicas de las rutas comerciales. Turcos, tibetanos, chinos y mogoles se alternaron en el dominio de la región durante los siglos posteriores. Genghis Khan, uno de los estadistas más hábiles del mundo oriental, sentó sus reales en el Turquestán durante el siglo XIII. Guerras y rivalidades entre facciones mahometanas marcaron la agitada historia de las centurias siguientes. En el siglo XVIII, los chinos avanzaron nuevamente hacia el oeste y conquistaron la región.

Algunas décadas más tarde se iniciaba la lenta y sostenida penetración de Rusia en la zona occidental. Las tribus kazaks, otrora poderosas, se vieron forzadas a reconocer la autoridad de los zares. Durante el siglo XIX nació la provincia rusa del Turquestán, cuya capital fue establecida en Tashkent. Al mismo tiempo los chinos dominaban el oriente y fundaban, en 1881, su provincia de Sinkiang con la región oriental. En 1885, una comisión anglo-rusa fijaba la frontera definitiva entre el Afganistán y el Turquestán ruso. Durante el periodo zarista, toda la región rusa era administrada por un gobernador general enviado desde San Petersburgo. Producida la revolución soviética en 1917, la región quedó dividida en cinco repúblicas incorporadas a la Unión Soviética.

Turquía. Estado del Próximo Oriente y el sureste de Europa que comprende la Península de Anatolia y un área continental de Asia y la Turquía europea o Tracia turca, separados por los estrechos de Dardanelos y Bósforo y el mar de Mármara. En Europa limita con Bulgaria y Grecia; en el continente asiático limita al este con Georgia, Armenia e Irán y hacia el sureste con Iraq y Siria. Los mares Negro y Mediterráneo la limitan respectivamente por el norte y por el oeste y el sur. Su superficie es de 779,452 km²; su población asciende a 56.978,600 habitantes. Su forma de gobierno es la república unitaria. Su capital es Ankara y sus ciudades principales son Estambul, Esmirna, Adana y Bursa. Su lengua oficial es el turco. Sus principales religiones son la musulmana sunní, alevi y cristiana. Su composición étnica se distribuye en turcos, kurdos, y árabes entre otros. Su unidad monetaria es la lira turca.

Aspecto físico. El gran macizo de Anatolia, en la Turquía asiática, tiene una altitud media de 800 a 1,000 m, una longitud total de 1,300 km y una anchura máxima de 650 km. Los montes de Anatolia (Smali Anadolu Daglari) lo circundan por el norte, y la cadena de Tauro (Toros Daglari) por el sur. La región del este se halla dominada por las escarpadas montañas de Armenia, que culminan en el monte Ararat, de 5,165 m sobre el nivel del mar. De acuerdo con la narración bíblica, en su cumbre descansan los restos del arca de Noé. La meseta de Anatolia es, en general, desértica y estéril. Sus numerosos ríos y lagos se secan al llegar el verano, y el viajero puede recorrer cientos de kilómetros en el mes de julio sin divisar agua. El lago más grande es el Van, en la zona oriental, cuyas aguas están a 1,605 m sobre el nivel del mar. Aparte de los cursos superiores de los célebres ríos Tigris y Éufrates, los principales ríos son el Gediz, Kizilirmak, Menderes y

Seyhan. Algunos de ellos desaguan en el Mediterráneo, otros vierten sus aguas en el Mar Negro y varios alimentan el sistema fluvial de la Mesopotamia.

La fertilidad del suelo turco varía en forma considerable. Semiárido en el interior, sufre la acción devastadora de la erosión y de las sequías prolongadas; en las tierras bajas de las costas hay condiciones más favorables para la agricultura. En casi toda la planicie de Anatolia llueve menos de 300 mm por año; los veranos se tornan secos y calcinantes, mientras los inviernos resultan húmedos y ventosos. Los inviernos más crudos son los del este, en la frontera con Armenia, y los más benignos son los de las costas del Egeo, donde predomina el suave clima mediterráneo, como, por ejemplo, en la zona de Izmir (Esmirna), donde priva un clima templado y agradable. Hasta Estambul o Constantinopla, la más famosa de las ciudades turcas, llega el rigor de las tormentas que azotan las costas del Mar Negro y se ve cubierta a veces por densas neblinas.

Recursos económicos. Los recursos minerales de Turquía son vastos, pero su explotación no es intensa. Hay yacimientos de carbón, azufre, plomo, plata, oro, cromo, cinc, hierro, molibdeno, mercurio y cobre. Cerca del Mar de Mármara existen yacimientos petrolíferos. El 10% de la superficie del país está cubierto por bosques de coníferas y robles. El gobierno es el propietario de 9 de cada 10 ha de bosques y trata por todos los medios de impedir que esta valiosa reserva sea extinguida mediante una explotación irracional. El suelo de la parte central de Anatolia no es pobre pero ha sido agotado por largos siglos de cultivo intensivo y por una intensa erosión que los campesinos no han sabido dominar. Los ríos han arrastrado buena parte de la tierra negra hasta las planicies de la costa donde los vegetales prosperan hoy con mayor facilidad. El gobierno ha construido centrales eléctricas y ha trazado numerosos canales para mejorar la calidad de las tierras. Sobre el río Seyhan, en la zona de Cilicia, se ha construido un gran embalse y otro tanto se ha hecho en Cubuk, a 12 km de Angora (Ankara), la capital.

El 20% de la tierra está bajo cultivo. Tres de cada 10 habitantes trabajan en las faenas rurales. En 1945 se promulgó la ley de reforma agraria que estatuye la distribución de tierras a los campesinos, y el gobierno inició el reparto de tierras para convertir en pequeños terratenientes a gran parte de la población rural. La producción agrícola ha sido incrementada. Antes del advenimiento de la república, los alimentos escaseaban en Turquía; hoy se exportan grandes cantidades de trigo y otros cereales. Además del trigo, la avena y la cebada, se producen tabaco, higos, aceitunas y algodón. Se cultiva la adormidera para la producción

de opio. Bursa, ciudad próxima a Estambul, es célebre por su producción de seda natural. El ganado ovino y caprino suministra la materia prima para las famosas alfombras que se fabrican en varias ciudades. Esmirna produce grandes cantidades de frutas cítricas, dátiles y diversos productos propios de los climas mediterráneos. Casi todos los labradores utilizan métodos rudimentarios: arados de madera arrastrados por bueyes, norias primitivas y toscas herramientas. La minería progresa con rapidez, pero la falta de capitales impide una explotación eficaz. Los yacimientos de carbón situados en Zonguldak abastecen una parte de las necesidades nacionales. Las aguas del Mar Negro y del Bósforo proporcionan gran variedad de pescado. En Esmirna hay dos fábricas de papel y en Karabuk existe una fundición de acero, construida por ingenieros británicos. A pesar de estos aspectos positivos, la industrialización de Turquía dista mucho de ser total; el gobierno ha debido suplir la insuficiencia de la iniciativa privada instalando fábricas de productos químicos y medicinales, y refinerías de azúcar.

Transporte y comercio. Cuando Kemal Atatürk comenzó a construir la Turquía moderna, uno de los mayores obstáculos que debió vencer fue el deficiente sistema de transportes. Los ríos, secos en verano, apenas servían para la navegación; un solo ferrocarril unía la ciudad de Erzurum con la frontera soviética; los caminos sólo podían ser transitados por lentas caravanas. Los progresos realizados fueron notables y la red de comunicaciones comprende 195,000 km de caminos, de los cuales 58,000 km son de carreteras nacionales, y 10,125 km de vías férreas, construidas y dirigidas por el gobierno. Los servicios aéreos interiores e internacionales están a cargo de Aerolíneas Turcas, empresa de Estado, y de diversas compañías internacionales, que unen Estambul con las principales ciudades de todos los continentes. La marina mercante turca cuenta con 799,000 toneladas.

Turquía exporta productos agropecuarios y compra en el exterior toda suerte de artículos manufacturados. Las principales exportaciones son: tabaco, pasas, pelo de cabra de Angora, algodón, trigo, lana, higos y cueros; se exporta también cromo y otros minerales, así como reducidos cargamentos de carbón mineral. Estados Unidos compra casi toda la producción de tabaco turco. Las principales importaciones son maquinarias, productos de hierro y acero, productos químicos, artículos manufacturados y tejidos. El comercio exterior de Turquía se efectúa principalmente con Estados Unidos, Alemania, Italia, Gran Bretaña y Francia, que son sus mayores compradores y, al mismo tiempo, proveedores.

Familia con un camello en Turquía.

Educación. El sistema educativo experimentó grandes cambios. El analfabetismo, que alguna vez llegó a ser de 90%, descendió a 35% en las zonas urbanas, si bien registra un índice mayor en el medio rural. El gobierno fiscaliza todo el sistema educativo, cuyos cursos se inician con seis años de enseñanza primaria obligatoria, prosiguen con tres años de escuela media y otros tres de liceo. Los notables avances logrados por Turquía en materia educativa se reflejan en cifras como las siguientes: en tanto que a principios de la década de 1960 se calculaba que había un promedio de 46 estudiantes de primaria por cada profesor, y que en la enseñanza media la relación era de 64 alumnos por maestro, en 1980 la proporción se redujo en el primer caso a 24 educandos por mentor, y a 19 en el nivel de educación media, incluida la técnica. Actualmente hay 26 centros universitarios, los principales de ellos localizados en las ciudades de Estambul, Angora, Esmirna y Erzurum. En las zonas rurales existen escuelas especiales en las que, junto con los rudimentos de la cultura, los niños aprenden un oficio y los métodos modernos de la agricultura. El Código de Trabajo, aprobado en 1936, prohíbe las huelgas. Las disputas industriales son sometidas a la decisión del gobierno, cuya obra social se ve obstaculizada por la necesidad de mantener un ejército permanente, considerable, para proteger sus débiles fronteras.

Principales ciudades. La capital de Turquía es Angora o Ankara una urbe moderna, trazada con acertado criterio urbanístico. Los turcos la consideran el símbolo de su espíritu de progreso. Estambul, principal ciudad de Turquía, es también una de las más antiguas del mundo. Situada en el punto donde Europa se comunica con Asia, ha sido encrucijada de culturas y civilizaciones. La historia la recuerda con los nombres de Bizancio y Constantinopla; sede del imperio romano de oriente y del imperio turco, posee una cantidad asombrosa de monumentos. La tercera ciudad del país es Esmirna o Izmir, principal puerto de las costas del Mar Egeo. Durante la guerra greco-turca de 1922 fue destruida por un incendio; la república turca la reconstruyó totalmente, restaurando sus famosas fábricas de alfombras y creando hilanderías y molinos harineros. Seyhan o Adana domina la ruta montañosa que conduce a Siria. Puesto avanzado del imperio romano en tiempos remotos, se ha transformado hoy en floreciente ciudad industrial. Bursa o Brusa es una bella ciudad situada a orillas del Mar de Mármara. Fundada en tiempos de Aníbal, fue capital de los otomanos y debió soportar varios saqueos y destrucciones; en sus cercanías hay una famosa fuente de aguas termales. Konya (502,200 h.) es un importante centro ferroviario; en sus cercanías se crían caballos de raza árabe que son famosos en el mundo entero. Conocido con el nombre Iconium en la época romana albergó a san Pedro en uno de sus viajes. Erzurum (257,000 h) es conocido por sus canteras de mármol negro.

Gobierno. Hasta 1980, la República de Turquía tuvo por ley suprema la Constitución de 1960. Según ésta, el poder legislativo residía en la Gran Asamblea Nacional, integrada por el Senado y la Asamblea. El poder ejecutivo lo ejercía el presidente de la república, asistido por un Consejo de Ministros y electo entre los miembros de la Gran Asamblea. Sin embargo, en 1980, a raíz de un golpe militar dirigido por el general Kenan Evren, se formó un Consejo Nacional de Seguridad, que se hizo cargo de las funciones ejecutiva y legislativa. El presidente del Consejo, de cinco miembros, se convirtió en el jefe de Estado. En 1981 se integró una Asamblea Constituyente, la cual emitió en 1982 un proyecto para una Constitución nueva, que fue aprobada por referéndum. La nueva ley prevé la instauración de una sola cámara legislativa: la Asamblea Nacional, con 450 diputados; asimismo establece que la elección del presidente de la república, cada siete años, corresponde a los miembros de la Asamblea Nacional. No obstante tales disposiciones, el entonces presidente del Consejo Nacional de Seguridad habría de retener el cargo de jefe de Estado por un lapso transitorio de siete años.

Turquía se divide en 73 vilayatos o provincias que a su vez se subdividen en ilces o departamentos. El principal funcionario de cada vilayato es el valí o gobernador, nombrado por el gobierno nacional y asistido por un consejo de gobierno.

Historia. Se considera que los primitivos pobladores de la meseta de Anatolia provenían de los Urales. Hititas, egeos, frigios y griegos dominaron sucesivamente la región. A partir del siglo II a. C., Anatolia pasó a poder de Roma, que formó con ella la provincia romana de Asia. En el siglo IV d. C., el imperio romano se dividió y Anatolia correspondió al imperio de oriente o bizantino, cuya capital era Constantinopla. Los primeros turcos que llegaron al país fueron los selyúcidas, que arribaron en el siglo XI; dos centurias más tarde penetraron en Anatolia los otomanos y osmanlíes, que provenían de Persia. Su jefe Osmán, había fundado un vasto imperio en Asia Menor. Orján, descendiente del fundador, logró atravesar los Dardanelos y establecer fortificaciones sobre las costas que hoy pertenecen a la Turquía europea.

Su sucesor, Murad I, conquistó la Tracia y trasladó la capital otomana a Adrianópolis (Edirnet), después de lo cual aniquiló a los servios en la sangrienta batalla del río Maritsa, librada en 1371. Murad, celoso apóstol del Islam, perfeccionó el método iniciado por Orján para incorporar grandes núcleos de cristianos a la fe musulmana; periódicamente se apoderaba de cierto número de niños cristianos, que eran educados en la religión de Mahoma y adiestrados para la guerra. Al llegar a la adolescencia recibían el nombre de jenízaros y eran incorporados a la guardia personal del sultán. En un principio su número estaba limitado a 20,000, pero luego esta cifra creció rápidamente. El poder de los jenízaros se tornó tan grande que los sultanes y sus ministros eran derrocados o repuestos en el poder según su arbitrio. La situación fue tolerada durante mucho tiempo, porque permitía que una minoría aguerrida dominara a una vasta población no mahometana.

Bayaceto I, el sucesor de Murad, derrotó al rey Segismundo de Hungría y conquistó Asia Menor. Cuando parecía que el imperio otomano se convertía en poderosa realidad, las huestes de Tamerlán o Timar Lenk, feroz aventurero mongólico, llegaron hasta Anatolia y aniquilaron el ejército de Bayaceto, quien cayó prisionero. Pero Tamerlán no tardó en abandonar la ciudad de Angora y los otomanos pudieron reiniciar su marcha ascendente. Murad II completó la sujeción de los pueblos balcánicos. El imperio bizantino, Hungría, Servia y Albania sintieron el peso de su mano militar. En 1430 ocupó Salónica y dominó a los príncipes griegos de la Morea. Su sucesor, Mohammed II (1430-1481), llamado el Grande, realizó uno de los actos más importantes de la historia occidental: la toma de Constantinopla. Al frente de un ejército de 150,000 hombres dominó la resistencia de la capital del imperio bizantino y derrocó al último emperador romano de Oriente, Constantino XI Paleólogo. Este acontecimiento, producido el 29 de mayo de 1453, marca el fin de la Edad Media y el comienzo de la Edad Moderna.

Al capturar Constantinopla, los turcos cayeron bajo la influencia avasalladora de la brillante cultura bizantina, que luego habrían de comunicar a los pueblos balcánicos. Solimán el Magnífico (1520-1566) logró llegar hasta las puertas de Viena y sojuzgó a los húngaros. Durante su reinado llegó al apogeo el imperio otomano, cuyos vastos territorios se extendían, en Asia, a través de Mesopotamia, Arabia y Siria; en Europa, por la Península balcánica y Crimea; y en África, a través de Egipto, Túnez, Libia y Argelia. La muerte de Solimán marcó el comienzo del fin: su hijo Selim II fue derrotado en la batalla de Lepanto (1571) por la flota de los aliados cristianos, compuesta por buques de España, Venecia y el papado. La desunión de los cristianos impidió que los posteriores jefes otomanos, conocidos como sultanes pasivos, fuesen sojuzgados por completo. Dominados por los jenízaros o por las sultanas, estos monarcas no supieron resolver los complejos problemas administrativos, económicos y políticos de sus vastos imperios. Un siglo más tarde, Mohammed IV trató nuevamente de ocupar Viena; pero, el duque Carlos de Lorena y Juan Sobieski, rey de Polonia, lo derrotaron en forma total. En plena declinación, el imperio turco se vio frente a la amenaza rusa y austriaca. En 1774 el sultán se vio obligado a renunciar a la posesión de la Península de Crimea y otros territorios del Mar Negro. Una nueva guerra con Rusia, iniciada en 1787 debilitó aún más al imperio otomano. Convertido en el enfermo de Europa, el imperio debió enfrentar durante el siglo XIX la enérgica presión de Rusia, cada vez más pujante. Pero, Gran Bretaña, Francia, Alemania y Hungría comprendieron que Turquía era una especie de valladar, capaz de contener la expansión rusa, y se las ingeniaron para inyectar nueva vida al macilento imperio. Sin embargo, otra guerra con Rusia (1806-1812) le hizo perder las regiones comprendidas entre los ríos Dniester y Prat. Grecia declaró después su independencia, y el tratado de Adrianópolis otorgó a Rusia el dominio de las bocas del Danubio. El zar ruso, erigido en protector de la cristiandad oriental contra la opresión islámica, protegió a las minorías que habitaban dentro del imperio turco.

La decadencia turca continuó acelerándose, los servios obtuvieron en 1812 autonomía parcial, y en 1821 sobrevino la guerra de independencia griega, que trajo como secuela la guerra con Rusia (1828-1829). Este conflicto terminó mediante el tratado de Adrianópolis, que acrecentó el predominio de Rusia y reconoció la independencia de Grecia. En 1830, Francia ocupó Argelia y Gran Bretaña extendió su penetración en Arabia. En la llamada guerra de Crimea (1853-1856), Francia, la Gran Bretaña y Cerdeña pelearon al lado de Turquía contra Rusia, para evitar la excesiva expansión rusa en el oriente europeo.

Desde principios del siglo XIX se venía gestando una tendencia a la europeización de Turquía, a la implantación de reformas y a la liberalización de sus instituciones, que pusiera término a la debilidad militar, evidenciada por humillantes derrotas y pérdidas de territorio, y diera fin al caos y la ineficiencia del gobierno. A mediados de este siglo se había formado una sociedad revolucionaria secreta, los Jóvenes Otomanos, que propugnaba la instauración de un régimen constitucional y otras reformas liberales de gobierno.

En 1876, subió al trono el sultán Abdul Hamid II, que promulgó una constitución y pareció que se iba a iniciar la deseada era de reformas liberales. Pero al año siguiente, la constitución fue suspendida, surgió una nueva guerra con Rusia (1877-1878) en la que Turquía sufrió graves derrotas, lo que provocó la intervención de las potencias europeas, y por los tratados de San Stefano y Berlín (1878) se otorgó la independencia a Servia, Rumania y Montenegro y una gran autonomía a Bulgaria. Gran Bretaña obtuvo la isla de Chipre (1878) y ocupó Egipto (1882)

Mientras tanto la labor de los Jóvenes Otomanos fue continuada por su sucesora la sociedad de los Jóvenes Turcos, cuya acción se robusteció con la formación de otras sociedades y comités secretos, animados del mismo propósito, principalmente el comité Unión y Progreso. Entre los afiliados a este movimiento secreto figuraban Mustafá Kemal y altos oficiales del ejército. La labor de los Jóvenes Turcos culminó en la revolución de 1908-1909, que derrocó a Abdul Hamid II, restauró la constitución y puso en el trono a Mohamed V.

Sobrevino un periodo de intenso nacionalismo en que los Jóvenes Turcos iniciaron una política de predominio turco, lo que produjo una reacción antiturca en las regiones balcánicas sometidas al dominio de Turquía. Bulgaria proclamó su completa independencia y Austria-Hungría se anexó Bosnia Herzegovina. Sobrevino la guerra con Italia (1911), que derrotó a Turquía y ocupó Trípoli, Cirenaica y las islas del Dodecaneso. Finalmente, Grecia, Bulgaria, Servia y Montenegro concertaron una alianza contra Turquía y estallaron las guerras de los Balcanes (1912-1913), cuyas consecuencias para Turquía consistieron en la reducción de su territorio europeo.

El continuado conflicto de intereses con Rusia llevó a Turquía a pactar una alianza con Alemania (1914), cuyo objetivo era garantizar la integridad del territorio turco frente a la agresividad rusa. Debido a esa alianza, Turquía combatió al lado de Alemania en la Primera Guerra Mundial. La derrota de las potencias centrales ocasionó la de Turquía, y por el tratado de Sevres (1920), aceptado por el sultán, el imperio otomano quedaba reducido a Constantinopla y sus alrededores y a una pequeña extensión de Anatolia.

Pero, los Jóvenes Turcos dirigidos por Mustafá Kemal e Ismet Inönü se rebelaron contra los términos del tratado y erigieron un gobierno provisional en Angora (1920) contrario al del sultán, en Constantinopla. Turquía estaba ocupada por fuerzas aliadas, principalmente griegas, Mustafá Kemal organizó un ejército y rechazó a los griegos hasta que los obligó a evacuar Esmirna (1922). La Asamblea Nacional del gobierno de Angora abolió el sultanato, proclamó la república y eligió presidente a Kemal Atatürk (Mustafá Kemal). En 1923, se firmó el tratado de Lausana, que derogó el de Sevres y reconocía, casi sin variaciones, las fronteras turcas que propugnaba el gobierno nacionalista de Angora, evitando así la casi total desmembración de Turquía. Kemal Atatürk fue presidente de la república hasta su muerte (1938). Durante su gobierno implantó trascendentales reformas sociales, políticas y económicas, que propiciaron la europeización del país, el desarrollo industrial y el mejoramiento económico. En 1936, la conferencia de Montreaux permitió a Turquía la fortificación de los Dardanelos. En la Segunda Guerra Mundial, Turquía permaneció neutral, aunque rompió las relaciones diplomáticas con Alemania y Japón, y finalmente les declaró la guerra en febrero de 1945. De 1938 a 1950 ocupó la presidencia de la república Ismet İnonü (reelegido en 1943 y 1946). Hasta 1945, el Partido Republicano Popular fue el partido político dominante, que ocupó ininterrumpidamente el poder desde la fundación de la república. En las elecciones de 1950 resultó designado presidente Celal Bayar, dirigente del Partido Demócrata, que fue reelegido en 1954 y 1957. Bayar tendió a restringir las libertades políticas y a gobernar con carácter totalitario, por lo que surgió fuerte oposición contra su régimen y sobrevinieron diversos levantamientos. Una parte del ejército secundó a la oposición y constituyó el Comité de Unión Nacional, dirigido por el general Celal Gürsel, y mediante un golpe militar derribó al gobierno (mayo de 1960). El general Gürsel asumió el cargo de jefe de Estado y posteriormente fue elegido presidente constitucional para 1961-1968; pero en marzo de 1966, debido a la enfermedad de Gürsel, la Asamblea Nacional designó al general Cedvet Sunay para ejercer la presidencia. En 1973 fue electo presidente Fahri Korutürk, y en 1974 el golpe de Estado chipriota precipitó la invasión turca y la ocupación parcial de la isla. Estados Unidos decretó un embargo de armamentos contra Turquía, que se mantuvo hasta 1978. El entonces primer ministro Bülent Ecevit alternó en el cargo casi ininterrumpidamente con Suleimán Demirel, durante el mandato de Korutürk. Al término de éste, en 1980, la Gran Asamblea Nacional fracasó en su intento de nombrar nuevo presidente. Las fuerzas armadas asumieron el poder, y quedó como presidente y jefe de Estado el general Kenan Evren. Aun cuando hubo comicios en 1983, para integrar la única camara legislativa prevista en la nueva Constitución de 1982, ésta se modificó y Evren conservó sus cargos por un periodo previsto de siete años. Turgut Özal resultó electo primer ministro. En 1983, el Partido Patria ganó la mayoría parlamentaria en las elecciones y Turgut Özal formó un gobierno civil. En 1985 declinaron las relaciones con Bulgaria, a cuyo gobierno se acusó de estar destruyendo la cultura musulmana y a obligar a los turcos residentes en ese país a tornar nombres eslavos. Al año siguiente, Turquía solicitó el ingreso en la Comunidad Económica Europea y Turgut Özal fue reelecto. Durante la invasión iraquí de Kuwait y la guerra del golfo Pérsico (agosto de 1990-febrero de 1991), Turquía se alineó con la coalición internacional y participó en el bloqueo impuesto por la ONU a Irak; las bases de la OTAN en territorio turco fueron utilizadas para llevar a cabo acciones de guerra y bloqueo aéreo en el Kurdistán iraquí. En las siguientes elecciones generales (20 de octubre de 1991) triunfó el Partido de la Recta Vía (PRV), aunque sin mayoría absoluta.

Corel Stock Photo Library

Tienda de tapetes en Altinkum, Turquía.

La muerte súbita del presidente T. Özal (17 de abril de 1993) abrió una dura lucha por la sucesión, en la que triunfó el conservador Süleyman Demirel, del PRV, elegido presidente. Una mujer, Tansu Ciller, del mismo partido, fue designada primera ministra y formó un gobierno de coalición con los socialdemócratas de E. Inonu (junio). El Ejército, que movilizó a más de 300,000 hombres en el combate contra el movimiento armado kurdo, arrasó centenares de aldeas y deportó o asesinó a sus habitantes, con el propósito de crear un cordón de seguridad en la frontera con Irak (1944). Ante el fracaso militar y el recrudecimiento del terrorismo del Partido de los Trabajadores del Kurdistán (PKK), las tropas volvieron a penetrar en el Kurdistán para eliminar las bases de la guerrilla (marzo de 1995). El gobierno también tuvo que afrontar el desafío del integrismo islámico, pero logró un notable éxito al firmar un tratado de unión aduanera con la CE (6 de marzo de 1995), aunque el Parlamento Europeo exigió a Ankara la modificación de la Constitución y la garantización de las libertades fundamentales.

En una visita a Izmit, el presidente Demirel fue objeto de un atentado fallido (18 de mayo de 1996) en protesta por el reciente acuerdo de cooperación militar alcanzado con Israel. La crisis grecoturca debida a la cuestión de Chipre, que reapareció en mayor o menor grado periódicamente desde su inicio, se reavivó tras la decisión grecochipriota de instalar misiles tierra-aire rusos en la isla (9 de enero de 1997).

Turró y Darder, Ramón (1854-1926). Biólogo y filósofo español nacido

en Malgrat (Barcelona). Cursó primero la carrera de medicina y después se graduó en filosofía y letras y en veterinaria. Dirigió el laboratorio municipal de Barcelona. Fue de los primeros en ocuparse de las secreciones internas e hizo interesantes observaciones sobre la inmunidad. Llamó la atención con un estudio sobre la circulación vascular y también con el que, en 1912, dedicó a la trascendencia fisiológica y filosófica del hambre. Su obra es la de un humanista científico, investigador y filósofo. Entre sus obras merecen citarse *El mecanismo de la circulación de la sangre, Diálogos sobre el arte y la ciencia, La disciplina mental* y *La base trófica de la inteligencia.*

Tussaud, Marie Gresholtz (1760-1850). Escultora suiza universalmente conocida como Madame Tussaud, que se dedicó a modelar figuras de cera, siguiendo la afición de su tío, verdadero maestro en dicho arte, de quien recibió clases en su taller de París. Radicada en la capital francesa, fue acusada de simpatizar con los realistas, durante la época revolucionaria, y se la apresó, a la vez que se le obligó a modelar a ciertas víctimas de la guillotina. Lograda su libertad, se trasladó a Londres y allí abrió en 1802 su famosa exposición de figuras y escenas históricas, modeladas en cera, existente hasta hoy y proseguida por sus descendientes.

Tutankhamen o Tutankamón (1364?-1346? a. C.). Faraón egipcio de la XVIII dinastía. Debió el trono a su casamiento con una hija de Amenofis IV o Eknatón quien no tuvo hijos varones. Al asu-

Tutankhamen o Tutankamón

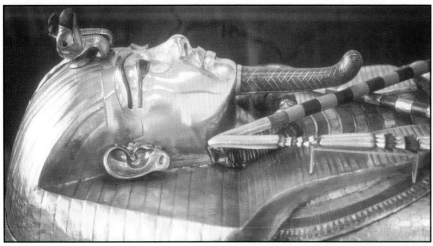

Sarcófago del faraón Tutankamón en el Museo Nacional de Egipto.

mir la dignidad real llevaba el nombre de Tutankhamen o *Imagen viviente de Atón*; mas, para congraciarse con los poderosos sacerdotes, lo cambió por el de Tutankamón o *Imagen viviente de Amón*, al tiempo que restituía el culto tradicional de este dios, anulando la reforma religiosa de su suegro, que había implantado el culto monoteísta de Atón, cuyo nombre, así como el de Eknatón, fue borrado de todos los monumentos.

Tutankhamen es una figura de poco interés histórico, que adquirió fama a causa del descubrimiento de su tumba, en 1922, por Howard Carter y George Edward, quinto conde de Carnarvon, hallazgo de trascendental importancia arqueológica por ser la única tumba de un faraón egipcio que se ha encontrado casi intacta. Contenía un tesoro de enorme valor en joyas, muebles, ornamentos e incluso el trono, que hoy se encuentran, junto con la momia en su sarcófago de oro, en el museo de El Cairo. *Véanse* CARNARVON, G. E.; CARTER, HOWARD.

tutela. Autoridad que, en defecto de la paterna o materna, se confiere para proteger de la persona y los bienes de aquel que por minoría de edad, o por otra causa, no tiene completa capacidad civil.

Tuthmosis III (1510-1490 a. C.). Faraón egipcio de la XVIII dinastía. Casado con la gran reina Hatshepsut, mientras vivió ésta se vio relegado a segundo plano, y sólo a la muerte de ella (1479) pudo actuar, revelándose como un excepcional militar y hábil gobernante. Emprendió grandes conquistas, consolidó el poderío egipcio en el Sudán, recuperó Siria y Palestina y venció a los fenicios. Bajo la dirección de este soberano, Egipto llegó a la cumbre de su poderío. Hizo construir numerosos templos y monumentos, el más famoso de los cuales es el de Amón en Karnak, en cuyos muros están esculpidos los hechos más famosos de su reinado. Este faraón ha pasado a la historia con el sobrenombre de Thutmosis *el Grande*.

Tutu, Desmond (1931-). Obispo anglicano. Tutu fue el segundo oponente del apartheid sudamericano en ser premiado con el Premio Nobel de la Paz (después de Albert John Luthuli en 1960). Ordenado en 1960, sirvió como decano anglicano de Johannesburg (1975-1976) y como obispo de Lesoto (1976-1978) antes de convertirse (1979) en el primer secretario general del Concejo Sudafricano de Iglesias. En 1984 fue elegido como el primer obispo de Johannesburg y en 1986 fue elegido arzobispo de Cape Town, además de convertirse en al titular de la Iglesia anglicana en Sudáfrica hasta que se retiró como arzobispo en 1996. Tutu, además de ser maestro (1996-1997) en la Universidad Emory en Atlanta, Georgia, presidió las audiencias de la *Truth and Reconciliation Comission* de Sudafrica, en la cual el gobierno y figuras del antiapartheid, testificaron sobre abusos a los derechos humanos cometidos en el pasado a cambio de amnistía. Tutu ha publicado varios volúmenes de sermones y discursos.

Tuva. República autónoma del sur de Rusia. Su superficie es de 170,500 km². Tiene una población de 309,000 habitantes. Su principal actividad es la cría de ganado. Sus exportaciones consisten en cueros y lana. Con el nombre de Uryankhai, formó parte de Mongolia Exterior hasta 1911, y durante los disturbios de Mongolia en esa época, Rusia la reclamó, proclamando en 1914 su protectorado. Al producirse la revolución rusa y los disturbios internos siguientes, quedó bajo la dominación de China. En 1926, por un tratado, se separó definitivamente de Mongolia Exterior, proclamándose la República de Tannu Tuva, la que persistió hasta 1944 en que fue incorporada a la Unión Soviética con el nombre de Región Autónoma de Tuva; y después, en 1961, con el de República Socialista Soviética Autónoma de Tuva. Su capital es Kyzyl.

Tuvalu. *Véase* GILBERT Y ELLICE, ISLAS.

Twain, Mark. *Véase* CLEMENS, SAMUEL L.

Tyndale, William (1494-1536). Uno de los principales partidarios del protestantismo en Inglaterra. Estudió en las universidades de Oxford y Cambridge, y se ordenó de sacerdote. Mientras actuaba como preceptor de un noble en Gloucester, fue acusado de hereje, abandonó el cargo que desempeñaba y poco tiempo después se trasladó a Alemania. Tradujo al inglés el Nuevo Testamento (1523), pero no pudo publicarlo en su país. En 1524 visitó a Martín Lutero, en Wittenberg. Tampoco en Colonia pudo lograr que se le publicara su traducción, lo cual sólo consiguió en Worms, en 1526; algunos ejemplares de ella llegaron clandestinamente a Inglaterra. Viajó por los Países Bajos y se estableció en Amberes, donde fue detenido por sus ataques al divorcio de Enrique VIII y Catalina de Aragón. Tras un encarcelamiento de 16 meses, se le juzgó; fue acusado de hereje y sentenciado a morir. Se arrojó su cadáver a una hoguera. Tradujo el *Pentateuco* (1530) y el *Libro de Jonás* (1531).

Tyndall, John (1820-1893). Físico y filósofo británico, nacido en Irlanda. Cursó sus primeros estudios en su país y los completó en Alemania. Fue discípulo de Robert Wilhelm Bunsen y de Henrich Gustav Magnus. En 1852 fue elegido miembro de la Real Sociedad. Como filósofo se destacó por sus trabajos para determinar un nuevo nivel de la ciencia como parte de la filosofía moderna. En 1853 fue nombrado profesor de filosofía en la Institución Real, y a la muerte de Michael Faraday lo reemplazó como director de la misma. En 1872 y 1873 realizó una gira de conferencias por Estados Unidos; donó los fondos obtenidos, para beneficio de la ciencia, y con ellos se instituyeron becas de física en las universidades de Harvard, Columbia y Pennsylvania. Se destacan sus estudios sobre las leyes del magnetismo, la medición de las corrientes termoeléctricas, la inducción molecular recíproca y la estructura y movimiento de los ventisqueros. Entre otras obras publicó *El calor considerado como modo de movimiento*, *Estados del agua* y *Seis conferencias sobre la luz*.

U. Vigésima segunda letra del alfabeto español y última de sus vocales. Junto con la *i*, es una de las vocales de sonido débil. En castellano no se pronuncia en las sílabas *que, qui, gue* y *gui*, salvo que, en estos dos últimos casos, lleve diéresis. En el alfabeto semítico tenía el valor de la consonante y se llamaba *wau*; los griegos la adoptaron convirtiéndola en dos letras, la *gamma* y la vocal *ípsilon*, colocándola al final de su alfabeto después de la *tau*, antecesora de la *t* actual. Los romanos la escribían con el signo *v*, que tenía el valor de la vocal *u* o de la consonante *v*, según los casos. Como abreviatura, la *U* simboliza el uranio. Conjunción disyuntiva empleada ante palabras que empiezan por *o* u *ho*.

U-235. Isótopo del uranio. Como todos los isótopos, se distingue del átomo del metal común por el distinto número de neutrones, partículas atómicas sin carga eléctrica apreciable. El uranio tiene una masa atómica de 238.07 y 146 neutrones. El peso atómico del U-235 es 235; el número de sus neutrones, 142. Su átomo es muy inestable, y bombardeado con neutrones se divide en otros dos átomos más sencillos. El peso sumado de estos dos nuevos átomos no alcanza, sin embargo, al del átomo de U-235, ya que en la explosión se liberan algunos neutrones y se producen radiaciones y 200.000.000 de voltios de energía eléctrica. El U-235 fue elegido como material explosivo para la construcción de la primera bomba atómica. En la naturaleza se le encuentra confundido con el uranio, pero en muy pequeñas proporciones; por cada cien gramos de uranio hay sólo 0.7 de U-235. Su producción artificial es muy costosa y exige la instalación de complicados laboratorios.

Uaxactún. Ciudad arqueológica maya en Guatemala, situada a 18 km de Tikal, en una zona de selva cerrada, sólo accesible por avión. Las investigaciones realizadas por el Instituto Carniege, de Washington, revelaron que la ciudad ya estaba habitada hacia el año 1500 a. C.

Entre sus monumentos destacaban las enormes estelas de piedra trabajadas en bajorrelieve, que fueron erigidas entre 328 y 889 de nuestra era. De las 49 estelas encontradas, 26 están fechadas, lo que ha permitido establecer la secuencia cronológica de los estratos y de la cerámica asociada a ellas.

Ubangui. Río de África ecuatorial que sirve de límite entre las repúblicas del Congo y Centroafricana. Es el principal tributario del río Congo. Su recorrido es de 2,300 km y su cuenca una de las más fértiles y pobladas de África central. Se forma por la confluencia de los ríos Bomu y Uelé, recibiendo el nombre de Makua en su curso superior y de Mobangui en el inferior. Navegable por embarcaciones fluviales en su curso inferior.

Hombre vistiendo el atuendo tradicional de Ucrania.

Corel Stock Photo Library

Ubaté, sabana de. Región fisiográfica de Colombia (85 km²) en el departamento de Cundinamarca. Forma parte del altiplano cundinamaqués y está situada al norte de la sabana de Bogotá. Su población se dedica al cultivo de trigo, cebada, maíz y patatas y a la cría de ganado vacuno.

Ubico, Jorge (1878-1946). Militar y político guatemalteco. Comandante en jefe del Estado Mayor (1920), participó en el derrocamiento de Herrera (1921), tras lo cual fue ministro de Guerra (1921-1923). Elegido presidente de la República (1931), desarrolló una política personalista, otorgó nuevas concesiones en el Pacífico (1931) y decretó una exención definitiva de impuesto para ciertas compañías (1936). A Estados Unidos le cedió el puerto de San José y otras bases militares. En 1944 fue depuesto de su cargo.

Ucrania. República de la parte oriental de Europa. Limita al oeste con Moldavia, Hungría, Eslovenia y Polonia; al sur con Rumania y los mares Negro y Azov, al este con Rusia y al norte con esta última y con Belarús. Su territorio abarca gran parte de la meseta podónica, de la del Don y toda la meseta del Dnieper; es decir 90% de su extensión territoral constituye un vastísimo plano inclinado hacia los mares Negro y Azov.

Comprende la región llamada de las Tierras Negras, de gran fertilidad. En la faja litoral, el suelo es más pobre y su color más claro. En su región occidental la cruzan los ríos Dniester y Bug, en el centro el Dnieper y en el este el Donetz, afluente del Don.

El clima es continental con inviernos fríos y veranos bastante cálidos. Dominan fuertes vientos del noroeste, produciéndose en invierno copiosas tormentas de nieve.

En los 603,700 km² que abarca el territorio de Ucrania viven 52.110,000 habitantes, de los cuales 73.6% son ucranianos, 21.1 rusos, 1.3 judíos y 0.8 bielorrusos. La capital es Kiev (2.587,000 h). Otras ciudades importantes son Kharkov (1.611,000

Ucrania

Ballet folclórico Nacional de Ucrania.

Corel Stock Photo Library

h), Dnepropetrovsk (1.179,000 h), Odessa (1.115,000 h) y Donetsk (1.110,000 h).

Recursos. Ucrania cuenta con un sector primario floreciente, recursos mineros de primera magnitud e industria en constante expansión. Las tierras cultivadas abarcan 48.700.000 ha. En su mayor parte productoras de cereales. La remolacha azucarera ha experimentado notable aumento, quintuplicando su producción de 1912 a 1992 (43.600.000 ton). La papa (20.300.000 ton) y las hortalizas tienen notable producción. Se cultiva también girasol (2.300.000 ton), lino, lúpulo, tabaco, etcétera. La ganadería abarca dos grandes grupos: El bovino (26.600.000 cabezas) y el porcino (20.100,000).

La región de Donetz cuenta con reservas de carbón que se sitúan entre las mayores del mundo: la producción en 1992 era de 201 millones de ton, y la de arrabio pasó de 29.3 millones de ton en 1913 a 131 millones en 1992. En este último año, la producción de acero alcanzó los 39.4 millones de ton. La industria química, la de transformación (3.900,000 televisores en 1992) y la del cemento (24.500.000 ton en el mismo año) han experimentado notable incremento a principios de la década de 1990. La textil, principalmente algodonera, es también un sector de gran importancia. La energía eléctrica producida cuenta con dos grandes centrales en el río Dnieper (embalses de Kremenovg y de Kahovka) ha pasado de 14.700,000 kw/h en 1950 a 278.000,000 en 1992. La longitud total de la red de ferrocarriles ucranianos es de 23,100 km y la de las carreteras de

173,100 km, a los que hay que añadir 3,900 km de ríos navegables.

Historia. Si bien el primer imperio ruso se formó en Ucrania y tuvo por capital a Kiev (s. X), se trasladó más tarde al norte cuando los tártaros invadieron el país. Elementos insumisos (cosacos) se refugiaron en las estepas y pantanos y con la ayuda de Lituania lograron expulsar

a los tártaros (1590), pero se vieron sometidos a la nobleza polaca. Reconquistada la independencia en 1648, pronto tuvieron que aceptar el patrocinio de Rusia (1654) y la repartición del país entre ambos estados vecinos. La presión rusa se hizo cada vez más fuerte y durante el siglo XVIII privó al país de toda autonomía.

Durante el siglo XIX surgieron fuertes movimientos separatistas, cuya represión dio paso a la Revolución de 1905. Al estallar la Revolución rusa de 1917, Ucrania se proclamó en república independiente, pero la invasión alemana por una parte, y las luchas civiles por otra, llevaron a la formación de dos repúblicas, una sometida a los alemanes. Victoriosos finalmente los bolcheviques en 1920, Ucrania quedó convertida en República Socialista Federada. Después de la Segunda Guerra Mundial, que causó graves daños a la economía y a la población, Ucrania recibió algunos territorios que habían pertenecido a Checoslovaquia, Rumania y Polonia y se vio incrementada con Crimea.

A finales de la década de 1980, la crisis del Estado Soviético intensificó el sentimiento nacional de la mayoría eslava, que se movilizó en busca de la mayor autonomía. Tras el fallido golpe de Estado contra Gorvachev (agosto de 1991), Leonid Kravchuk proclamó la independencia, ratificada en referéndum el 2 de diciembre de 1991, con 90% de votos favorables. En esa misma fecha, Kravchuk fue elegido presidente del país.

Asistencia humanitaria en Uganda, África.

Corel Stock Photo Library

Ucrania participó en la constitución de la Comunidad de Estados Independientes, pero pronto surgieron conflictos con Rusia en el terreno económico (moneda propia, tratados bilaterales con las restantes repúblicas en lugar de un área común), militar (control de armamento nuclear, reparto de la flota del Mar Negro) e incluso territorial (reivindicación rusa de la Península de Crimea).

Uganda. Estado de África ecuatorial. Limita al norte con Sudán; al este con Kenia; al sur con el lago Victoria, Tanzania y Ruanda; y al oeste con Zaire. Tiene una extensión de 241,040 km² y la población alcanza a 20.158,000 habitantes, en su mayor parte indígenas, principalmente bantúes. Su capital es Kampala (1.008,707 h). En 1972 fue expulsada casi toda la minoría hindú. Administrativamente, Uganda se divide en cuatro regiones: del Este, del Oeste, del Norte y Buganda. El clima es esencialmente tropical, aunque en varias regiones está modificado por la altura, y presenta en ellas temperaturas moderadas. La topografía de Uganda comprende varias montañas importantes, tales como el Ruwenzori (5,120 m); el Elgon (4,270 m), el Karangora (3,000 m) y el Kirpatrick (2,440 m), sin relación con ningún otro sistema orográfico del continente africano. Posee varios lagos importantes, entre ellos el Victoria, cuyo dominio comparte con Tanzania y Kenia. Se cultiva en gran escala el café, que es el principal artículo de exportación. Produce además algodón, tabaco, caña de azúcar y semillas oleaginosas. Se explotan también yacimientos de minerales de cobre, cobalto y estaño. A mediados del siglo XIX los ingleses hicieron varias exploraciones en este territorio, poblado por bantúes e himas, y en 1894 fue declarado el protectorado británico sobre el reino de Buganda y regiones adyacentes. En 1962, tras un movimiento nacionalista, Uganda se constituyó en Estado independiente, miembro de la Comunidad Británica de Naciones; y, un año más tarde, se proclamó la república, con Kabaka Mutesa II como presidente y como primer ministro Milton Obote, quien en 1966 asumió plenos poderes y promulgó una nueva constitución, bajo la cual fue declarado presidente en 1967, reuniendo en su persona los cargos de presidente y primer ministro. En enero de 1971 Milton Obote fue derrocado por un golpe militar dirigido por Idi Amin, quien un mes después se proclamó presidente del país, disolvió la Asamblea Nacional y suspendió partes de la Constitución de 1967. Durante su dictadura se sucedieron problemas fronterizos con Kenia y Tanzania, y el rompimiento de relaciones con Gran Bretaña al ser declarado presidente vitalicio por el Consejo de Defensa en 1976. En 1979 exiliados ugan-

deses y tropas de Tanzania iniciaron un ataque contra Idi Amin Dada que culminó con la huida del dictador a Libia.

A fines de 1980, como resultado de las elecciones, Obote recuperó la presidencia, y el país regresó a un sistema parlamentario multipartidista, según la Constitución de 1967. La actividad guerrillera continuó durante 1981 y 1982. En 1985, un consejo militar destituyó a Obote y se suspendió la Constitución. Al año siguiente, Yomeri Kaguta asumió el poder y empezaron a regresar miles de refugiados que crearon problemas económicos en el país. Regresa del exilio al príncipe Ronnie Mutebi, heredero del trono de Buganda. En 1989, Musevani designa una comisión para redactar una nueva Constitución para 1991.

Ugarte, Floro M. (1884-1975). Eminente músico y compositor argentino que perfeccionó sus estudios en el conservatorio de París. Fue profesor de armonía en el Conservatorio Nacional de Música y Arte Escénico desde su fundación, director en 1937 del Teatro Colón y hasta 1946 desempeñó el cargo de director artístico de este coliseo. Su ópera *Saika*, estrenada en 1920, fue premiada por la Municipalidad de Buenos Aires. Entre sus obras más conocidas se destacan *Entre las montañas, Paisaje de estío, Baladas argentinas, Bajo el parral* y *Caballito criollo*, basada esta última en la poesía de Belisario Roldán.

Ulate, Otilio (1895-1973). Político y periodista costarricense. Miembro de la Academia de la Lengua y vocal del consejo directivo de la Sociedad Interamericana de Prensa. Fue presidente de Costa Rica (1949-1953), después de la revolución que se produjo al ser anulada su elección por el congreso, en 1948. Espíritu eminentemente civilista, su gobierno eliminó el ejército nacional, declarando que, las limitadas proporciones del país no requerían una fuerza que de todos modos resultaría inútil en caso de emergencia. Fue embajador en España en 1970. Autor del ensayo *El hombre de pro*.

úlcera. Solución de continuidad con pérdida de sustancia en los tejidos orgánicos, acompañada ordinariamente de secreción de pus y sostenida por un vicio local o por una causa interna. Entre las causas principales que pueden originar la úlcera figuran la perturbación y deficiencia del riego sanguíneo en la región ulcerada, una infección o una lesión. Las úlceras pueden aparecer en cualquier parte de la piel y de las membranas mucosas. Son frecuentes las úlceras pépticas o del aparato digestivo que, según la región del mismo en que aparezcan, reciben los nombres de úlcera gástrica y úlcera duodenal. Las úlceras dia-

béticas las padecen las personas que tienen diabetes y, generalmente, aparecen en los dedos de los pies. Las úlceras varicosas suelen localizarse en las piernas y los tobillos de las personas que tienen varices. Otras clases de úlceras son las producidas por quemaduras.

Ulises. Héroe griego mitológico, hijo de Anticlea y Laertes. Fue rey de la isla de Itaca y participó en la guerra de Troya, en la que se distinguió por su astucia y elocuencia. Ulises es el protagonista de la *Odisea*, el célebre poema de Homero, en el que se narran las aventuras de Ulises en su viaje de regreso a Itaca después de la toma y destrucción de Troya. *Véanse* ODISEA; PENÉLOPE; TELÉMACO; TROYA.

Ulloa, Luis (1896-1936). Historiador peruano. Sus primeras investigaciones históricas se refieren a la minería colonial de Perú. En 1897, el gobierno le encargó una recopilación documental del virreinato desde 1527 hasta la independencia. Elaboró una tesis sobre el origen catalán de Colón, expuesta en *Colón catalán, la verdadera génesis del descubrimiento de América* (1927) y reafirmada en obras posteriores. En colaboración con C. Wiese escribió *Historia del Perú*.

Ulloa Elías, Manuel (1922-). Abogado y político peruano. Director de los periódicos *Expreso* y *Extra* (1965-1970), fue ministro de Hacienda en 1968. Después del golpe militar (1968) se exilió en diversos países. De regreso a Perú, dirigió la campaña electoral de Belaúnde Terry quien, al asumir la presidencia, lo designó primer ministro (junio de 1980).

Ulster. Antigua provincia y reino de Irlanda, en el extremo noreste de la isla, situado frente a la costa suroeste de Escocia de la cual está separado por el Canal del Norte. De sus nueve condados tres pertenecen actualmente al Estado Libre de Irlanda y seis a la Irlanda del Norte o Ulster propiamente dicho. *Véase* GRAN BRETAÑA.

ultraísmo. Movimiento literario hispánico surgido entre 1919 y 1923, que postulaba la exclusión del contenido sentimental y de la retórica característica del modernismo. Los principales órganos del grupo, al que pertenecieron G. De Torre, García Diego, J. Larrea, César Vallejo y Jorge Luis Borges, entre otros, fueron las revistas *Grecia* y *Ultra*. Este movimiento supuso, junto con el creacionismo, una primera manifestación hispánica del vanguardismo europeo.

ultramicroscopio. Microscopio óptico provisto de un dispositivo de iluminación lateral que permite la observación de partículas no visibles con un microscopio ordinario.

Aunque existen diversas maneras de llevar a la práctica la iluminación lateral, el fundamento de los ultramicroscopios consiste en que la luz no incide sobre la preparación en la dirección de observación, por lo que los rayos de luz que recibe el observador son únicamente los dispersados por el objeto, el cual se hace visible sobre un fondo obscuro (método del campo obscuro). Este tipo de microscopio es particularmente útil para la observación de corpúsculos de tamaño muy reducido, del orden de la longitud de onda de la luz empleada o inferiores a ella; el fenómeno por el que se produce la dispersión es el llamado efecto Tyndall (también dispersión de Rayleigh), o sea, en el mismo que tiene lugar cuando un rayo de luz penetra en un recinto obscuro y hace visibles las partículas de polvo suspendidas en el aire. Aunque se consiguen mayores aumentos que con el microscopio ordinario, el hecho de que el objeto observado actúe como un centro de dispersión imposibilita obtener información acerca de su estructura.

ultrasonido. Recibe este nombre el sonido cuya frecuencia es superior a la máxima percibida por el oído humano, es decir, mayor de 20 mil hertz.

Hay gran número de procedimientos para generar ultrasonidos y el que se utilice en cada caso dependerá de la potencia necesaria para la aplicación y el margen de frecuencia que se debe cubrir. Los principales procedimientos son mecánicos, eléctricos y los basados en los fenómenos de magnetostricción y piezoelectricidad. Los generadores tipo mecánico, como diapasones, sirenas, silbatos de Galton, etcétera, pueden emplearse para obtener ultrasonidos de frecuencias relativamente bajas (alrededor de 10,000 Hz), pero sólo las sirenas y los silbatos se utilizan para fines prácticos. Los generadores eléctricos se basan en principios térmicos y se sirven de descargas de arco o de chispas para producir las vibraciones. Los procedimientos magnetostrictivos o piezoeléctricos se basan en las propiedades de modificar sus características físicas al aplicarse entre sus caras una carga eléctrica o un campo magnético. Los transductores electromecánicos o basados en el primero de estos dos fenómenos últimos utilizan cristales de cuarzo.

Aplicación. Las principales aplicaciones de los ultrasonidos abarcan campos muy diferentes que van de la metalurgia hasta la medicina, pasando por equipos de soldadura y taladrado industrial, limpieza, detección de alarmas, etcétera. En metalurgia tiene importancia para el ensayo no destructivo de materiales que pueden hacerse extensivos a materiales metálicos no

férricos y materiales no metálicos, y efectuarse tanto sobre probetas de materiales como sobre piezas que estén trabajando. Los ensayos se basan en la dispersión de los ultrasonidos ocasionada por las posibles anormalidades y permiten determinar magnitudes tales como espesores, defectos de la pieza, contexturas, sedimentos, etcétera.

En medicina, los ultrasonidos se aplican tanto para el diagnóstico como en la terapéutica de ciertas enfermedades, así como en la realización de diferentes medidas biológicas. Utilizado en la preparación de diagnósticos, puede servir para localizar zonas anormales, tales como tumores, cánceres, cálculos hepáticos o renales, etcétera. Sus principales aplicaciones terapéuticas son el tratamiento de la bursitis, los abscesos, el lumbago, etcétera. Se emplea en cirugía para el corte selectivo de tejidos, en odontología para el taladrado de dientes, etcétera.

Otra de las aplicaciones más extendidas de los ultrasonidos es la localización acústica submarina.

ultravioleta. Dícese de las radiaciones del espectro luminoso cuya longitud de onda está comprendida entre los 4,000 y los 200 A, aproximadamente. (Los rayos ultravioleta tienen gran actividad química, así como una acción destructiva sobre los tejidos vivos y gran poder bactericida. Se emplean en fototerapia, esterilización de aguas, en el tratamiento del raquitismo, tuberculosis quirúrgicas y ciertas dermatosis.)

Ulloa, Antonio de (1716-1795). Sabio y marino español. Nació en Sevilla, de familia ilustre, recibió esmerada educación. A los 14 años ingresó en la Armada y entre 1730 y 1732 navegó a Cartagena de Indias y Porto Belo, obteniendo el grado de guardia marina. A los 19 años, fue designado con Jorge Juan, también muy joven, para acompañar a la comisión francesa, que dirigida por La Condamine se disponía a ir a la línea ecuatorial para medir un grado de meridiano. La juventud de los españoles sorprendió a la comisión, que habló de "pigmeos... que resultaron gigantes". En esta expedición alternó Ulloa las operaciones geodésicas con la fortificación de las costas de Ecuador y Perú y el reconocimiento de las de Chile. Cuando terminadas las investigaciones científicas regresaba a España, fue hecho prisionero por los ingleses y trasladado a Inglaterra, donde se captó la simpatía de algunos hombres de ciencia y prosiguió sus estudios. En 1746 regresó a su país y publicó la historia de su viaje. Por encargo del rey Fernando VI recorrió las principales naciones europeas para estudiar e introducir en España los progresos en artes, ciencias y agricultura. En 1758, volvió a América como gobernador de Huancavélica y más tarde de Florida.

Umaña Bernal, José (1900-1989). Poeta y periodista colombiano. Ha sido una de las figuras más destacadas del movimiento formado por el grupo de *Los nuevos* (1920-1925). Entre sus obras destacan *Itinerario en fuga* y la comedia *El buen amor*.

Médico realizando un ultrasonido a un niño.

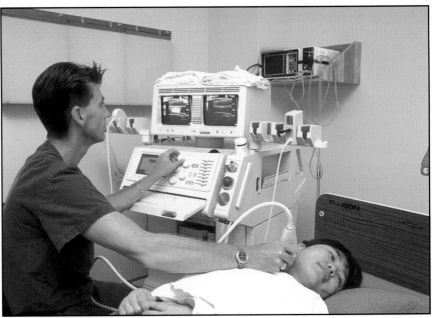

Corel Stock Photo Library

umbelíferas. Familia de plantas generalmente herbáceas o leñosas, o arbustos de escasa altura, que los botánicos agrupan por tener las flores reunidas en inflorescencias llamadas umbelas.

Umbral, Francisco (1935-). Escritor español. Colaborador de varios periódicos, ha alcanzado popularidad por sus crónicas escritas en un lenguaje barroco y rico en connotaciones sobre temas de actualidad. Entre sus obras cabe destacar *Ramón y los vanguardistas* (1978), *El Giocondo* (1970), *Memorias de un niño de derechas* (1972), *Las ninfas* (premio Nadal 1975), *Los helechos arborescentes* (1980), *El hijo de Greta Garbo* (1983), *Un carnívoro cuchillo* (1988), *Madrid 1940. Memorias de un joven fascista* (1993) y *Los cuadernos de Luis Vives* (1996). En 1996 fue galardonado con el premio Príncipe de Asturias de las Letras.

umbral de rentabilidad. Mínimo de unidades de producto que una empresa debe producir para cubrir sus costos fijos. Es un punto crítico de la explotación, ya que representa la cifra mínima a partir de la cual, aumentando el volumen de unidades producidas, el empresario puede obtener ingresos superiores a las cargas fijas que soporta, hasta situarse por arriba de la línea que representa el total de la suma de costos fijos más variables, obteniendo así ganancias.

Unamuno y Jugo, Miguel de (1864-1936). Pensador, novelista, poeta y filósofo español, perteneciente a la generación del 98 y una de las figuras más sobresalientes de su país en la época contemporánea. Nació en Bilbao, donde cursó sus primeros estudios, que prosiguió en la Universidad de Madrid hasta doctorarse en filosofía y letras. Residió durante algún tiempo en Bilbao, donde ejerció la enseñanza privada, publicó sus primeros artículos y, en 1891, contrajo matrimonio. En 1892 ganó por oposición la cátedra de lengua y literatura griegas en la Universidad de Salamanca, que le vincularía definitivamente a esta ciudad. En 1901 fue nombrado rector de dicha universidad y, por acumulación, empezó a explicar la asignatura de historia de la lengua castellana. Depuesto del rectorado en 1914, fue elegido vicerrector; en el transcurso de la guerra europea que estalló en dicho año, tomó partido por los aliados y se opuso a la neutralidad española. A partir de entonces desarrolló una mayor actividad pública, y en 1923, al sobrevenir el Directorio Militar, se enfrentó con el general Primo de Rivera, quien lo separó de sus cátedras y lo confinó en la isla de Fuerteventura. Un año después logró evadirse y marchó a París, para a continuación fijar su residencia en Hendaya,

junto a la frontera española, donde permaneció hasta febrero de 1930, en que regresó a la península. Al proclamarse la república, se reintegró a sus funciones docentes, si bien desempeñó sólo la cátedra de historia de la lengua castellana; al ser jubilado por imposición administrativa, pronunció su última lección en octubre de 1934, en un acto solemne celebrado en la universidad salmantina, de la que se le nombró rector vitalicio. Fue diputado a las cortes constituyentes, intervino en varios debates –sobre cuestiones de enseñanza, autonomía regional, etcétera–, ejerció algunos cargos oficiales, como el de presidente del Consejo de Instrucción Pública, y le fue otorgado el título de *Ciudadano de Honor* de la república. En 1936 se le confirió el grado de *doctor honoris causa* por la Universidad de Oxford y, en su viaje a Inglaterra, fue objeto de varios homenajes de respeto y admiración. El último día de dicho año murió en su casa de Salamanca, de un ataque al corazón. La obra de Miguel Unamuno es muy copiosa y abarca casi todos los géneros: publicó millares de artículos y ensayos en la prensa española e hispanoamericana, de vigoroso acento polémico y sobre las más varias cuestiones, predominando, tal vez, los encaminados a agitar –y profundizar– la conciencia personal y colectiva de sus contemporáneos. Poeta ante todo –como ya afirmó Rubén Darío, anticipándose en muchos años a la crítica–, pese a que empezó a manifestarse como tal tardíamente dejó una abundante producción lírica, en la que se destacan sus libros *Rosario de sonetos líricos, Poesías, Rimas de dentro, Teresa, El Cristo de Velázquez* y su voluminoso *Cancionero íntimo*, especie de dietario poético, de publicación póstuma. Como novelista y autor dramático creó admirables entes de ficción, simbólicos unas veces, y otras, exponentes de los más arduos conflictos personales en torno al yo, en sus anhelos de su pervivencia y continuidad, o en sus forcejeos interiores entre fe y razón, vida y creencia, tal en sus novelas *Amor y pedagogía, La tía Tula, Niebla, Abel Sánchez, Nada menos que todo un hombre, San Manuel Bueno, mártir,* y en sus obras de teatro *Fedra, La esfinge, La venda* y *Sombras de sueño.*

Unanue, José Hipólito (1758-1833). Estadista y hombre de ciencia peruano. Obtuvo por concurso la plaza de profesor de la Escuela de Medicina de Lima en la que fundó el anfiteatro anatómico. Fue además protomédico y cosmógrafo mayor del virreinato, fundador de la Escuela de Medicina de San Fernando y el primero que difundió en su país la vacuna antivariólica. Desde los comienzos de la causa de la independencia intervino en su favor y al triunfar ésta ejerció altos cargos públicos.

Fue ministro de Hacienda, presidente del Primer Congreso Constituyente y después presidente del Consejo de Ministros por nombramiento de Bolívar. También tomó parte como ministro en el gobierno del general San Martín. Perteneció a diversas academias científicas americanas y europeas.

Undset, Sigrid (1882-1949). Novelista noruega. De 1899 a 1909 trabajó como empleada en una oficina comercial y tuvo oportunidad de observar la vida superficial que llevaban las muchachas de su edad, experiencia que utilizó en su novela *La señora Marta Ulié*. De 1919 a 1925 pasó por una crisis religiosa, abandonó el luteranismo y se convirtió al catolicismo. En 1928 le fue concedido el Premio Nobel de Literatura, y a partir de entonces sus obras fueron traducidas a todos los idiomas modernos.

Undurraga, Antonio de (1911-). Escritor chileno. Creador de una poesía que él llama *convivencial*. Cabe citar entre sus libros: *La siesta de los peces* (1938), *Trasfiguración en los párpados de Sagitario* (1944), *Red en el génesis* (1946 y 1949) y *Hay levadura en las columnas* (1960). Autor también de ensayos literarios (*El arte poético de Pablo de Rokha*, 1945; *Autopsia de la novela*, 1967) y relatos (*El mito de Jonás y otros cuentos*, 1963).

UNESCO. Sigla que corresponde al nombre en inglés de la Organización de las Naciones Unidas para la Educación, la Ciencia y la Cultura (*United Nations Educational, Scientific and Cultural Organization*). La UNESCO es una agencia especializada de las Naciones Unidas, y tuvo su origen en las reuniones de ministros de Instrucción Pública de las naciones aliadas, que se celebraron en Londres, de 1942 a 1945, para iniciar la realización de los propósitos contenidos en la Carta de las Naciones Unidas, referentes a la educación, la ciencia y la cultura. Esas reuniones culminaron en la conferencia celebrada en Londres (noviembre de 1945) en la que se aprobó la constitución de la UNESCO y se acordó que tuviese su sede en París. La constitución de la UNESCO entró en vigor en 1946, cuando 20 países signatarios entregaron los instrumentos de ratificación al gobierno de Gran Bretaña. Diez años después, los miembros de la UNESCO habían aumentado a setenta y cinco.

La organización de la UNESCO comprende: 1) La *Conferencia General*, en la que participan los representantes de los países miembros, que se reúne bienalmente para determinar las actividades y el programa de la organización. 2) El *Consejo Ejecutivo*, compuesto por 30 miembros elegidos por la Conferencia General. El

Consejo tiene a su cargo la realización del programa adoptado por la Conferencia, y debe reunirse dos veces al año como mínimo. 3) La *Secretaría*, integrada por un director general y un personal de carácter internacional. Hasta 1970 la UNESCO ha tenido los siguientes directores generales: doctor Julián Huxley (Gran Bretaña); doctor Jaime Torres Bodet (México); doctor John W. Taylor, doctor Luther H. Evans (Estados Unidos), Vittorino Veronese (Italia), que dimitió a finales de 1958 y fue cedido interinamente por el subdirector general, René Maheu, quien fue elegido director general en 1962 y reelegido en 1968.

Los propósitos de la UNESCO, según se definen en el artículo I de su constitución, son los de contribuir a la paz y a la seguridad, fomentando la colaboración entre las naciones por medio de la educación, la ciencia y la cultura, a fin de aumentar el respeto universal hacia la justicia, la autoridad de la ley y los derechos humanos y libertades fundamentales, establecidos en la Carta de las Naciones Unidas, para todos los pueblos del mundo, sin distinción de raza, sexo, idioma o religión.

Para la realización de esos propósitos las actividades de la UNESCO consisten, fundamentalmente, en contribuir al fomento del conocimiento mutuo y del buen entendimiento entre los pueblos, valiéndose de todos los medios conocidos para la comunicación de las ideas; impulsar la educación popular y la divulgación de la cultura, y sostener, aumentar y difundir los conocimientos. En cumplimiento de tan vastos objetivos, el programa de la UNESCO tiende a la creación de condiciones favorables para el establecimiento de una comunidad mundial, facilitando el acceso del pueblo a la educación y a la cultura, uniendo los esfuerzos de hombres de ciencia, artistas y educadores, y eliminando los obstáculos para la libre difusión de las ideas. Los planes de las actividades de trabajo comprenden la educación fundamental, la divulgación de los derechos humanos, la educación obligatoria y la elevación de los niveles educativos corrientes, el intercambio de personas y el suministro de expertos científicos y educadores a solicitud de los estados miembros.

Desde su fundación, la UNESCO ha realizado una labor de importancia trascendental. La sexta Conferencia General, celebrada en París, en 1951, aprobó un programa de educación fundamental, de vastas proyecciones internacionales. Definió el alcance de la *educación fundamental* como el mínimo de conocimientos necesarios que debe ser impartido a grandes sectores de la población mundial para combatir los problemas, relacionados entre sí, del analfabetismo, la mala salud, la desnutrición y la baja productividad.

La UNESCO partió del principio de que ningún programa educativo puede tener éxito si no se cuenta con maestros idóneos y material de instrucción apropiado. Debido a ello consideró necesario formular un programa para llevarlo a cabo en un periodo de 12 años. Como parte de ese programa se decidió la creación de cinco centros para instruir a maestros y preparar libros de texto, películas, mapas y toda clase de material educativo. Cada uno de esos centros de educación fundamental corresponde a las siguientes regiones geográficas: América Latina, África ecuatorial, Oriente Medio, Asia y Lejano Oriente.

El Centro de Educación Fundamental correspondiente a latinoamérica se inauguró en Pátzcuaro (México) en 1951, con un profesorado que instruye a grupos de maestros procedentes de los diversos países latinoamericanos. Una vez terminado el periodo de instrucción, esos maestros regresan a sus países respectivos para difundir en ellos la educación fundamental. Las asignaturas que se cursan en Pátzcuaro comprenden higiene, salubridad, métodos agrícolas racionales, alimentación, artes manuales y procedimientos para combatir el analfabetismo.

La UNESCO estableció, también, cursos especiales para maestros en diversas naciones de Europa y de otros continentes y ha abierto oficinas de cooperación e información científica en Uruguay (Montevideo), Egipto (El Cairo), Turquía (Estambul), India (Delhi), Indonesia (Yakarta) y Filipinas (Manila). Prestó, también, ayuda decisiva para la fundación del Laboratorio Europeo de Investigación Nuclear, en Ginebra, y del Centro Internacional de Computación, en Roma.

En lo que se refiere al programa de asistencia y cooperación técnica para el fomento económico de naciones poco desarrolladas, la UNESCO tiene en funciones equipos de educadores, ingenieros, técnicos y hombres de ciencia, en diversos países, que investigan las posibilidades de mejoramiento técnico y económico para determinar y proponer las medidas y soluciones convenientes que deben ponerse en práctica.

Para contribuir al movimiento de cooperación sindical de los trabajadores, la UNESCO patrocina y organiza anualmente viajes de obreros, de unos países a otros, para que conozcan y estudien las condiciones de trabajo y forma de vida que existen en otras naciones.

La Convención Universal de Propiedad Intelectual fue formulada por la UNESCO y adoptada por 35 países en 1952. La UNESCO emite cupones que sirven como moneda internacional para facilitar la adquisición en el extranjero de libros de texto y material científico y educativo a investigadores y estudiantes de los países de *moneda débil* o que tienen dificultad en la adquisición de divisas.

La UNESCO edita numerosas publicaciones con propósitos educativos y de difusión cultural, muchas de ellas periódicas, en inglés, francés y varias en español, entre las que se destacan: *Museum, Boletín Internacional de Ciencias Sociales, Impacto de la Ciencia en la Sociedad* y *Boletín de Educación Fundamental* (trimestrales); *Correo de la UNESCO, Crónica de la UNESCO* y *Boletín de la UNESCO para Bibliotecas* (mensuales), y *Sociología Actual* (semestral). *Véase* NACIONES UNIDAS.

Ungaretti, Giuseppe (1888-1970). Poeta italiano. Junto con Eugenio Montale y Salvatore Quasimodo, fue uno de los exponentes de la nueva poesía italiana, distinguida por su sencillez y su falta de esquemas de rima convencional o puntuación. Nacido en Alejandría, Egipto, y educado en la Sorbona (París), Ungaretti escribió principalmente poemas autobiográficos, inspirados en sus recuerdos de Egipto, sus experiencias durante la Primera y Segunda guerras mundiales, y la muerte de su joven hijo Antonietto. Una tensión lírica, un obscuro lenguaje, difíciles simbolismos y un poder evocativo caracterizan su poesía, la cual está compilada en *Vita di un uomo* (*Vida de un hombre*, 1969). Entre sus obras están *Allegria di naufragi* (*Alegres naufragios*, 1919), *Sentimento del tempo* (*El sentimiento del tiempo*, 1933), *Il dolore* (*El dolor*, 1947), *La terra promessa* (*La tierra prometida*, 1950), *Morte della stagioni* (*Muerte de las estaciones*, 1967), y *Dialogo* (1968). También es autor de dos volúmenes de prosa: *Il pòvero nella città* (1949) e *Il deserto e dopo* (*El desierto y después*, 1961). Cabe destacar su brillante tarea de traductor.

ungulados. Grupo de animales mamíferos, que se caracterizan por tener las extremidades terminadas en dedos, en los cuales las uñas han adquirido un gran desarrollo, transformándose en pezuñas. La mayoría son animales de gran talla y régimen alimenticio herbívoro; los zoólogos los han dividido, atendiendo al número de dedos en que terminan sus patas, en artiodáctilos, cuando los tienen en número par, como el cerdo, hipopótamo, camello, ciervo, etcétera; y perisodáctilos, cuando tienen número impar, como el tapir, rinoceronte, caballo, cebra, etcétera.

UNICEF. (United Nations Children's Fund, Fondo de las Naciones Unidas para la Infancia). Organismo fundado en 1946, durante la primera sesión de la Asamblea General de las Naciones Unidas, como el Fondo Internacional de las Naciones Unidas para el Socorro de la Infancia (*United Nations International Children's Emergen-*

Jóvenes voluntarios de la ONU, UNICEF y la FAO.

Corel Stock Photo Library

cy Fund). Inicialmente participaba en los programas de ayuda a los niños en países devastados por la Segunda Guerra Mundial, pero a partir de 1950 su campo de acción incluyó a los países en desarrollo. La UNICEF coopera con los gobiernos en el desarrollo de programas nutricionales y de salud infantil, y proporciona servicios asistenciales y de ayuda directa (alimentos y medicinas) a los niños que se encuentran en situaciones de emergencia.

Este organismo está regido por un consejo ejecutivo de 41 naciones que elige el Consejo Económico y Social de las Naciones Unidas y cuenta con un director ejecutivo; su sede de encuentro en New York. La UNICEF está totalmente financiada por las contribuciones voluntarias que hacen los gobiernos, los individuos y las organizaciones, así como por actividades como la venta de tarjetas de UNICEF. Por su actividad humanitaria este organismo fue galardonado con el Premio Nobel de la Paz en 1965.

unicornio. Animal fabuloso, similar al caballo, pero con un cuerno recto, de base blanca, estrías negras en espiral y punta roja, situado en medio de la frente. Algunos autores antiguos afirmaban que tenía, además, cola de león, patas de antílope y ojos azules, y que era oriundo de la India. Durante mucho tiempo se creyó que el unicornio existía realmente. Hoy se supone que se le confundió con el rinoceronte. Durante la Edad Media, era considerado símbolo de pureza. Como animal heráldico, el unicornio figura en el escudo de Gran Bretaña.

unidad. Propiedad de todo ser, en virtud de la cual no puede dividirse sin que su esencia se destruya o altere. La idea de unidad, como singularidad en número o calidad, nace de la observación de cada objeto material cuando prescindimos de la naturaleza y del objeto y de su posición respecto de otro en el espacio, o de su ordenación en el tiempo. Si en vez de cada objeto observamos varios, resulta el concepto de pluralidad. Ambos conceptos son

Guardias reales británicos uniformados.

Corel Stock Photo Library

correlativos, puesto que no se concibe uno sino en oposición al otro, y también relativos, porque sólo se refieren a la manera de considerar los objetos. Argentina, por ejemplo, es una unidad como nación, y una pluralidad como reunión o conjunto de ciudades.

En este sentido, las unidades que se toman para formar nuevas reuniones o conjuntos se llaman unidades de orden superior a aquéllas, como por ejemplo: soldado, pelotón, batallón, regimiento, brigada, cuerpo de ejército, son unidades militares tales que cada una se toma como unidad para formar la siguiente.

Durante mucho tiempo, y de acuerdo con ideas pitagóricas, se creyó que la unidad no era un número, sino el origen de todos los números, lo que provocó enconadas discusiones que ya no tienen razón de ser, pues sabemos que es un número como otro cualquiera, que puede someterse a todas las reglas y leyes de la aritmética.

A esta ciencia, como rama de la matemática, sólo le interesa la unidad en abstracto, es decir, como idea pura, mientras que otras toman en cuenta ciertos caracteres de los objetos, fuerzas o elementos, como por ejemplo, en física, el calor, la energía, el peso, el volumen, etcétera, para medir los cuales es necesario establecer unidades de valor circunscrito a la propiedad física cuya extensión se quiere determinar.

uniforme. Vestido peculiar y distintivo que usan los militares y otros empleados o los individuos que pertenecen a un mismo cuerpo. Los uniformes llevan los caracteres y ornamentos que revelan la condición y jerarquía del que los usa. Aparte del aspecto práctico o utilitario, es indudable que su invención corresponde a un rasgo psicológico, común a casi todos los individuos, de hacer público y ostensible el rango y posición que ocupan dentro de la sociedad. En ciertas épocas y países las clases sociales han sido obligadas, por la ley o la costumbre, a vestirse de manera determinada; baste recordar las formas de las túnicas y togas entre los griegos y romanos, o el traje negro para los empleados y dependientes de escritorio o almacén en Inglaterra. Esto constituía, en cierto sentido, un uniforme. Los trajes llamados de etiqueta (frac, smoking, chaqué, etcétera) y los que acostumbran a usarse en determinadas profesiones u oficios (camareros, enfermeras, criados) también pueden ser considerados como uniformes. Sin embargo, para que un traje pueda considerarse como uniforme es preciso que su uso se halle determinado y reglamentado, y que su diseño sea concebido con arreglo a un modelo invariable. El ejército, la marina, la policía, los bomberos, los diplomáticos, etcétera, tienen cada uno su unifor-

Catedral de San Pedro y San Pablo de San Petersburgo, en la antigua Unión Soviética.

me específico que expresa, por medio de adornos y distintivos especiales (galones, hombreras, estrellas, cifras o emblemas) el grado y la categoría a que pertenecen quienes los usan. Puede ser de diario, de campaña o de gala. Los uniformes del ejército moderno se caracterizan por su gran sencillez. Los de campaña tienden al *camouflage* –disimulo– para hacerlos menos visibles al enemigo, lo que se consigue mediante uniformes confeccionados con telas de colores que no se destaquen en los terrenos en que se desarrollan las operaciones. El uniforme impone respeto hacia el que lo lleva, y denota autoridad; por tanto, la persona uniformada debe llevar con pulcritud las prendas y no entregarse a actos que vayan en desmedro de la institución que representa. Las leyes sancionan a todos aquellos que visten uniformes o se atribuyen insignias que no les pertenezcan o correspondan. Cada nación tiene sus tipos especiales de uniformes, y los militares no pueden ostentarlos en el extranjero, salvo dispensa o autorización. En los actos de servicio, el uso del uniforme es obligatorio. Algunos funcionarios, como los miembros de la policía secreta, carecen de uniforme, pero se les provee, en cambio, de una placa o carnet para acreditar su autoridad.

Unión de Repúblicas Socialistas Soviéticas.
Estado euroasiático surgido de la revolución rusa de 1917 y desaparecido al desmembrarse las repúblicas que lo constituían en 1991.

Extensión y límites. La vasta extensión geográfica que la ex Unión Soviética tenía,

en total, 22.402,200 km², de los cuales la cuarta parte correspondía a territorios en Europa y el resto en Asia. Esa gran extensión representaba, aproximadamente, la sexta parte de la superficie terrestre del globo terráqueo, la mitad de la superficie de Europa y el tercio de la de Asia. La ex Unión Soviética estaba comprendida dentro de límites en gran parte naturales. Al norte, por las costas y litorales que corresponden a los mares Blanco, de Barents, de Kara, de Laptev y Siberiano Oriental, que son mares dependientes del océano Ártico. Al este, por los mares de Bering, de Ojotsk y de Japón, pertenecientes al gran océano Pacífico. Al sur, por una serie de accidentes geográficos, principalmente grandes cordilleras, ríos y mares interiores, que son, de este a oeste, los ríos Usuri y Amur, los sistemas orográficos de Sayan, Tien Shan, Altai, Pamir, Elbruz, etcétera, y los mares Caspio y Negro, que separaban a la ex Unión Soviética de Mongolia, China, Afganistán, Irán y Turquía. Al oeste, la frontera europea es, en su mayor parte, artificial y limita con Noruega, Finlandia, el Mar Báltico, Polonia, Checoslovaquia, Hungría y Rumania. Dentro de estos límites, la ex Unión Soviética tenía una extensión máxima de casi 10,000 km, de este a oeste, y de 4,500 km, de norte a sur.

La revolución rusa y la instauración de la Unión Soviética. En marzo de 1917 surgieron motines en Petrogrado a los que se unieron las fuerzas de guarnición en la capital. Alejandro Kerensky y los socialdemócratas consiguieron que las tropas sublevadas apoyaran a la Duma, que formó un gobierno provisional y solicitó la deposición del zar, quien abdicó el 15 de marzo. La Primera Guerra Mundial siguió su curso durante año y medio, al mismo tiempo que Rusia se debatía entre las convulsiones de la revolución.

Kerensky trató de robustecer el gobierno provisional, pero surgió en Petrogrado el *Soviet de Soldados y Trabajadores*, integrado por mencheviques y socialistas revolucionarios, que no acataba la autoridad del gobierno provisional. En otras ciudades se formaban también soviets como el de Petrogrado. A mediados de abril de 1917, Lenin, que estaba en el destierro, llegó a Rusia, y con León Trotsky, José Stalin y otros bolcheviques, procedieron a restar fuerza al gobierno provisional. Kerensky, jefe del gobierno, pudo dominar difícilmente la situación durante varios meses. En los frentes de guerra, los soldados desertaban y la resistencia se desintegraba. A principios de noviembre de 1917, los bolcheviques se levantaron en armas, atacaron la sede del gobierno provisional y Kerensky tuvo que huir. Lenin lanzó una proclama en la que manifestaba que el poder había pasado a manos de los soviets. El Congreso de los Soviets, que se había convocado,

decretó que se debía concertar la paz, nacionalizó tierras y propiedades, creó el Consejo de Comisarios del Pueblo bajo la jefatura de Lenin, y Rusia se convirtió en una república de trabajadores y campesinos.

En marzo de 1918 firmó Rusia la paz por separado con Alemania, mediante el tratado de Brest-Litovsk, en condiciones humillantes para Rusia y que representaba grandes pérdidas de territorio. En noviembre de 1918, Alemania se rindió a los aliados y terminó la Primera Guerra Mundial. Desde ese año hasta 1921, el gobierno bolchevique tuvo que hacer frente a la guerra civil y a las fuerzas aliadas de intervención que habían desembarcado en Murmansk y otros puntos de Rusia. Desaparecido el antiguo régimen económico y con graves dificultades para implantar el nuevo, Lenin y los bolcheviques tuvieron que librar una lucha prolongada y adoptar medidas de represión para sostenerse en el poder. El zar Nicolás II y su familia, prisioneros de los bolcheviques, fueron ejecutados en julio de 1918.

Trotsky, nombrado comisario de guerra en 1918, había organizado un ejército rojo y, finalmente, el gobierno soviético pudo derrotar a las diversas fuerzas antibolcheviques, salir victorioso de la guerra civil y restablecer la paz en todas las fronteras. Pero, la economía de la Unión Soviética estaba en situación desastrosa. La producción agrícola e industrial había descendido a los niveles más bajos, y el hambre se extendió por todas partes y causó millares de víctimas. Lenin se vio obligado a la suspensión temporal de las drásticas medidas

Iglesia ortodoxa de San Petersburgo, en la ex Unión Soviética.

implantadas que paralizaban la economía y puso en vigor (1922) la llamada *Nueva Política Económica* que, entre otras disposiciones, sustituía el sistema de requisición de cosechas y ganado, que soliviantaba a la población rural, por tasas y contribuciones en especie y en dinero y restablecía, dentro de ciertos límites, el retorno de la iniciativa privada en el ejercicio del comercio interior.

La época de Stalin. A la muerte de Lenin en 1924, sobrevino la pugna por el poder entre José Stalin y León Trotsky. La razón aparente del conflicto que surgió entre ellos se atribuyó a divergencias ideológicas sobre la política internacional que se debía seguir en la expansión del comunismo. Prevaleció el criterio de Stalin sobre el de su oponente y, poco después, Trotsky fue expulsado del partido comunista y desterrado de la Unión Soviética. Stalin se afianzó en el poder, y como secretario general del Partido Comunista y presidente del Consejo de Ministros, concentró todo el poder político en sus manos y gobernó dictatorialmente hasta su muerte.

Bajo la nueva política económica implantada por Lenin, la economía de la Unión Soviética había adoptado un carácter mixto en muchos sectores, en que se mezclaban la iniciativa privada y la socialización estatal. En 1928 desapareció la nueva política económica para dar paso al primer plan quinquenal, y todas las fuerzas económicas y los sectores de producción tuvieron que ser reorganizados bajo el dominio único del Estado.

En 1935 y en 1938 se efectuaron extensas depuraciones *(purgas)* en el partido comunista de todos los elementos que disentían de la línea general del partido impuesta por Stalin. Numerosos funcionarios, representantes del partido y jefes militares, muchos de ellos antiguos y renombrados colaboradores de Lenin, fueron condenados a muerte y ejecutados, y miles de comunistas de menor categoría, expulsados del partido, encarcelados o desterrados.

En política internacional, Stalin sostuvo una conducta recelosa hacia las naciones *capitalistas* y consideró como enemigos principales a los países de regímenes totalitarios: la Alemania de Hitler, la Italia de Mussolini y el Japón de la expansión imperialista. A causa de la gravedad de la situación internacional que surgió en Europa después del Pacto de Munich y la desmembración de Checoslovaquia (septiembre de 1938) se entablaron en Moscú, en mayo de 1939, negociaciones diplomáticas anglo-franco-soviéticas y en agosto de ese año se inició, también en Moscú, la conferencia de las misiones militares de esos tres países. Pero a fines de agosto se anunció que la Unión Soviética y Alemania habían firmado un convenio comercial y un pacto de no agresión concertado para un perio-

Corel Stock Photo Library

Iglesia Chesmenskaya de San Petersburgo, en la ex Unión Soviética.

do de diez años, y las misiones militares británicas y francesas se retiraron de Moscú.

Ese pacto de no agresión aseguró a Hitler la neutralidad de la Unión Soviética y pocos días después de su firma, el ejército alemán invadió a Polonia y estalló la Segunda Guerra Mundial (1 de septiembre de 1939). Por su parte, Stalin, respaldado también por el pacto y con aquiescencia de Hitler, ordenó la invasión de Polonia (17 de septiembre) que, atacada por el oeste por Hitler y por el este por las tropas soviéticas, tuvo que sucumbir y Stalin se anexó las tres quintas partes de Polonia. A fines de octubre, las tropas soviéticas invadieron a Finlandia, que después de una vigorosa resistencia se vio obligada a firmar la paz en marzo de 1940, y la Unión Soviética se incorporó el istmo de Carelia y otros territorios finlandeses. La política internacional de Stalin motivó que la Unión Soviética fuera expulsada de la Sociedad de las Naciones y de la Organización Internacional del Trabajo. En julio de 1940, Stalin incorporó a la Unión Soviética las repúblicas bálticas Letonia, Lituania y Estonia.

La Unión Soviética y la Segunda Guerra Mundial. A pesar del pacto de no agresión, Alemania invadió por sorpresa a la Unión Soviética (22 de junio de 1941) y se lanzó sobre ella con 160 divisiones y todo el peso de su poderosa maquinaria bélica. Gran Bretaña, en guerra con Alemania, prometió ayudar a Rusia contra el enemigo común, y el presidente Roosevelt, de Estados Unidos, concedió a Rusia los beneficios del sistema de *préstamo y arriendo*, mediante el cual, durante todo el curso de la guerra,

la Unión Soviética recibió equipo y materiales bélicos; mercancías y productos alimenticios por valor de miles de millones de dólares.

La Unión Soviética opuso una tenaz resistencia al avance alemán, y al verse obligados a retirarse hacia el interior, los soviéticos arrasaban la tierra y destruían fábricas, industrias y ciudades, para que no cayeran en poder del enemigo los recursos del territorio conquistado, siguiendo igual procedimiento que en la invasión napoleónica de 1812. Los alemanes capturaron Ucrania y una gran parte de la mitad occidental de la Rusia europea, y por el sur llegaron hasta Stalingrado en el Volga inferior, Odessa y Crimea en el Mar Negro, Rostov en el de Azov y Maikop en el Cáucaso; por el centro se aproximaron a Moscú, y por el norte sitiaron a Leningrado. Stalin trasladó la capital de Moscú a Kuibishev, en el curso medio del Volga. El frente de batalla se extendía del Ártico al Mar Negro en una extensión de 3,200 km. Los rusos pelearon heroicamente por la libertad de su patria y el irresistible avance alemán fue contenido en Rostov, Stalingrado, Moscú y Leningrado. Las pérdidas de hombres y material de guerra por ambas partes fueron inmensas. En noviembre de 1942 se inició la victoriosa ofensiva soviética y empezó la retirada nazi. Después de una heroica resistencia, el ejército soviético de Stalingrado logró no sólo romper el cerco alemán sino rodear y capturar al Sexto Ejército alemán que lo sitiaba; Moscú vio alejarse los ejércitos enemigos que lo amenazaban y Leningrado rompió y se liberó de un cerco de 17 meses. En su retirada, los alemanes disputaban el terreno palmo a palmo, se libraron gigantescas batallas y la reconquista del territorio soviético fue difícil y sangrienta. Finalmente, la ofensiva soviética logró rechazar a los alemanes fuera de las fronteras rusas y en acción concertada con las ofensivas norteamericana y británica del oeste, los soviéticos penetraron en territorio alemán hasta Berlín (2 de mayo de 1945). La participación en la Segunda Guerra Mundial y en la derrota final de Alemania le costó a la Unión Soviética enormes perjuicios económicos y pérdidas de vidas que se han estimado, diversamente, de 7 a 14 millones entre militares y población civil. Después de la derrota de Alemania, cuando la Segunda Guerra Mudial se acercaba a su fin, la Unión Soviética atacó al Japón, en agosto de 1945, y ocupó Manchuria, Corea del Norte, el sur de la isla de Sajalín y las Kuriles.

La guerra fría. Durante el curso de la Segunda Guerra Mundial, pareció existir cierto espíritu de cooperación entre la Unión Soviética y sus principales aliados, Gran Bretaña y Estados Unidos, según se desprendía de las declaraciones formuladas por los jefes de Estado de esas tres

Unión de Repúblicas Socialistas Soviéticas

potencias, en ocasión de las conferencias de Teherán (1943) y Yalta (1945). Pero al advenimiento de la paz, la política soviética se basó en crecientes divergencias y antagonismos con sus antiguos aliados. La Unión Soviética obtuvo el predominio de Europa oriental, al imponer regímenes y gobiernos comunistas en Polonia, Hungría, Rumania, Bulgaria, Checoslovaquia, Albania, Yugoslavia y Alemania Oriental, y someter esos países a la influencia soviética, aunque Yugoslavia logró desligarse de Moscú. En las Naciones Unidas, la Unión Soviética recurrió constantemente al veto para obstruir las actuaciones del Consejo de Seguridad. Aunque en la Conferencia de Postdam (1945) se convino en la cooperación económica y política entre las zonas de ocupación militar de Alemania, la Unión Soviética la prohibió en su zona y en 1948 bloqueó el acceso a Berlín que tuvo que ser abastecida por el aire. Se opuso al Plan Marshall para la reconstrucción económica de Europa, a la Organización del Tratado del Atlántico Norte, a la Comunidad Europea de Defensa y a otras medidas que se vieron obligadas a adoptar las naciones de Europa occidental para su seguridad colectiva frente a la política internacional de expansión comunista y al creciente poderío militar soviético. Al sobrevenir la crisis de Corea, en 1950, la Unión Soviética respaldó y estimuló a Corea del Norte frente a las decisiones de las Naciones Unidas (de las que forma parte) que enviaron fuerzas armadas para apoyar a Corea del Sur y ayudarla a repeler la agresión. La situación de tirantez internacional resultante de esa sucesión de oposiciones y antagonismos entre la Unión Soviética y las naciones democráticas occidentales fue generalmente designada con el nombre de *guerra fría*.

La Unión Soviética después de la muerte de Stalin. La muerte de Stalin (5 de marzo de 1953) provocó una reorganización en el gobierno y el partido comunista. Los dos cargos principales que en vida ejerció Stalin y pusieron todo el poder en sus manos fueron asumidos: el de presidente del Consejo de Ministros por Georgy M. Malenkov, y el de primer secretario del Comité Central del Partido Comunista por Nikita S. Khrushchev. El mariscal Clemente E. Voroshilov asumió el de presidente del Presidium del Soviet Supremo. Vyacheslav M. Molotov pasó a ocupar el cargo de ministro de Relaciones Exteriores, y Nicolás A. Bulganin el de ministro de Defensa. Una pugna secreta surgió entre los gobernantes soviéticos, y Laurenti P. Beria, ministro del Interior y jefe de la Policía en el gobierno de Stalin, fue encarcelado en junio, juzgado por traición y ajusticiado en diciembre, lo mismo que otros altos funcionarios. En febrero de 1955, otra nueva crisis del gobierno se puso de manifiesto cuando Malenkov renunció al cargo de presidente del Consejo de Ministros y se confesó culpable de ineficiencia en asuntos económicos y de la mala marcha de la agricultura soviética. Khrushchev, en posesión del poder político, designó a Bulganin para sustituir a Malenkov en la presidencia del Consejo, y al mariscal Zhukov, ministro de Defensa en lugar de Bulganin. En 1956, renunció Molotov al ministerio de Relaciones Exteriores. En el Congreso del Partido Comunista varios oradores condenaron al gobierno de Stalin, y Khrushchev atacó violentamente la actuación y la personalidad de Stalin (del que había sido uno de sus principales colaboradores) y lo acusó de egolatría, de desgobierno, de haber ordenado actos de gran crueldad y de haber puesto en peligro con sus desaciertos la defensa de la Unión Soviética en la Segunda Guerra Mundial. A ese ataque siguió una campaña de *desestalinización* en la Unión Soviética y países satélites, que provocó desconcierto en grandes masas de la población y originó un levantamiento en Georgia, la patria de Stalin, sofocado por el Ejército. En 1956, el pueblo polaco y el húngaro se rebelaron contra la dominación soviética. Khrushchev partió a Varsovia a controlar la situación.

La crisis en Polonia se aplacó con la reposición de Gomulka (encarcelado desde 1951) en el gobierno, la dimisión del mariscal soviético Rokossowski y la firma de un convenio en que la Unión Soviética hacía varias concesiones. La revolución en Hungría adquirió grandes proporciones y aunque las Naciones Unidas adoptaron una resolución condenando la intervención militar soviética, la revolución fue aplastada con el mayor rigor por el ejército soviético, que causó la muerte a más de 25,000 húngaros. En junio de 1957, por diferencias con Khrushchev sobre el programa de descentralización económica, Molotov, Malenkov y otros altos funcionarios fueron expulsados del partido comunista, depuestos de sus cargos de gobierno y enviados a desempeñar funciones secundarias a remotos lugares de Asia central. El mariscal Zhukov fue también depuesto y lo sustituyó el mariscal Malinosvki en el ministerio de Defensa. El 27 de marzo de 1958, cesó Bulganin en la presidencia del Consejo, la que pasó a ser ejercida por Khrushchev. En esa fecha, la tendencia a la división del ejercicio de la responsabilidad gubernamental por medio de un gobierno colectivo, que pareció haber sido el propósito de los dirigentes soviéticos después de la muerte de Stalin, cedió ante la concentración del poder, al ser ejercidos de nuevo por una sola persona, Khrushchev, el cargo más importante del partido comunista y el del gobierno soviético. En 1960 se efectuaron nuevos cambios entre los gobernantes soviéticos. En mayo, el mariscal Clemente E. Voroshilov fue sustituido por Leonid Ilich Brezhnev en la presidencia del Presidium del Soviet Supremo.

Las relaciones soviéticas con la China comunista empezaron a deteriorarse en 1959, cuando la Unión Soviética no prestó su apoyo a China al atacar ésta a la India por cuestión de fronteras. En años posteriores el conflicto chino-soviético, exacerbado por disputas sobre ideología comunista, se fue empeorando. China acusó al gobierno soviético de cobardía por tender al apaciguamiento y coexistencia con las naciones democráticas occidenta-

Trajes típicos de diferentes provincias de la ex Unión Soviética.

Museo de arte de San Petersburgo, en la ex Unión Soviética.

les y de traicionar con ello la doctrina de Lenin de que el movimiento comunista mundial debe ser impulsado por la violencia y la guerra. A su vez, Rusia acusó a China de intentar la división del comunismo mundial y de repetidas violaciones de las fronteras soviéticas en la región de Kazakshtán. En 1963 y 1964 pareció que se llegaría a un antagonismo irremediable entre las dos potencias comunistas. En julio de 1964, Anastas Mikoyan sustituyó a Brezhnev en la presidencia del Presidium del Soviet Supremo, cargo que ocupó hasta diciembre de 1965 en que fue reemplazado por Nikolai V. Podgorny. El 15 de octubre de 1964, el Comité Central del Partido Comunista anunció que había aceptado la renuncia que Khrushchev presentó de todos sus cargos por motivos de mal estado de salud y edad avanzada. Informes posteriores permitieron saber que había sido destituido o forzado a renunciar por considerar equivocada su actuación en política exterior, entre otros casos por el agravamiento del conflicto con China; y en la dirección de la economía por sus errores que repercutieron en la producción industrial y agrícola. Cesado Khrushchev en sus cargos, fueron designados: Leonid I. Brezhnev, secretario general del Comité Central del Partido Comunista, y Alexei N. Kosygin, presidente del Consejo de Ministros. En 1977, Nikolai Podgorny fue destituido como presidente del Presidium del Soviet Supremo, cargo en el que lo reemplazó Leonid Brezhnev, el secretario general. Brezhnev murió en noviembre de 1982 y le sucedió en su puesto Yuri Andropov.

En 1979, la Unión Soviética invadió Afganistán so pretexto de ayudarlo contra

las guerrillas rebeldes musulmanas. Como sanción, Estados Unidos suspendió la venta de granos y boicoteó los Juegos Olímpicos de Moscú.

Andropov murió en 1984 y Chernenko le sucedió como secretario de PCUS. Ahora fue la Unión Soviética la que boicoteó las Olimpiadas de Los Ángeles. Chernenko falleció en 1985.

Le sucedió Mijail Gorbachov, el miembro más joven (52 años) del Politburó. En política interior Gorvachov acometió una serie de reformas, definidas por tres palabras clave: *glasnot* (apertura, transparencia), *democratizatsiya* (democratización) y *perestroika* (reorganización). Uno de los primeros frutos de la nueva política fue el fin del destierro de A. Sajarov (diciembre de 1986), al que siguieron una amnistía que liberó a todos los presos de conciencia (febrero de 1987) y la rehabilitación de las víctimas de las purgas de Stalin (N. Bujarin, entre otros). En el terreno internacional Gorbachov inició conversaciones sobre el desarme con el presidente estadounidense Ronald Reagan (noviembre de 1985), que culminaron con la firma de un acuerdo para eliminar los misiles nucleares de alcance intermedio estacionados en Europa (diciembre de 1987). La XIX Conferencia del PCUS (julio de 1988) y en la elección, por primera vez con candidaturas múltiples, de un Congreso de los Diputados del Pueblo, máximo órgano soberano (26 de marzo de 1989). Los resultados electorales pusieron de manifiesto la radicalización popular y la irreversible pérdida de autoridad del PCUS. La violencia interétnica se hizo endémica en Armenia y Azerbaiján a causa de la disputa sobre la región de Na-

gorno-Karabah, y se recrudeció en Georgia después de la intervención del ejército contra los manifestantes en Tiflis (abril de 1989). La agitación nacionalista desembocó en una crisis de Estado cuando Lituania proclamó la Independencia (marzo de 1990), decisión suspendida en junio ante el bloqueo económico decretado por Moscú. Tras la caída del muro de Berlín y la caída de los regímenes comunistas en la Europa del este, Gorbachov lanzó una nueva ofensiva reformista. El Congreso de los Diputados votó otra reforma constitucional que abolía el monopolio político del PCUS, instauró un sistema presidencialista y eligió al propio Gorbachov para el nuevo cargo de presidente de la URSS (15 de marzo de 1990). Las elecciones republicanas y locales (febrero-mayo) constituyeron un éxito para los radicales; Boris Yeltsin fue elegido presidente de la Federación Rusa. El XXVIII Congreso del PCUS (julio de 1990), que reeligió a Gorbachov como secretario general, no pudo impedir que Yeltsin y otros dirigentes radicales abandonaran el partido. Para hacer frente a la crisis nacional, Gorbachov propuso un nuevo Tratado de la Unión, que fue aprobado por el Congreso de los Diputados y ratificado en referéndum (17 de marzo de 1991) en nueve de las quince repúblicas, mientras las tres repúblicas bálticas, Armenia, Georgia y Moldavia organizaban consultas electorales en sus territorios respectivos para reafirmar su voluntad de independencia. El tratado soviético-estadounidense para reducir las armas nucleares estratégicas *(Start)*, firmado en Moscú con motivo de la visita del presi-

Balnerario Neva en San Petersburgo, en la antigua Unión Soviética.

Taller de artesanía en Nizhny Novgorod, *en la ex Unión Soviética.*

dente George Bush (31 de julio), agravó las tensiones en el aparato del PCUS y en el complejo militar-industrial. El 18 de agosto, cuando se encontraba de vacaciones en Crimea, Gorbachov fue confinado en su residencia y declarado *incapaz de asumir sus funciones por motivos de salud*, en un golpe de Estado planeado por los conservadores del aparato, la KGB y algunos jefes militares. Gennadi Yanaev, vicepresidente de la URSS, asumió interinamente la presidencia, y una dirección colegiada compuesta por ocho personas decretó el estado de urgencia, restableció la censura y publicó una proclama justificando el golpe. La resistencia fue encabezada desde el primer momento por Yeltsin, quien, desde el parlamento de Rusia, llamó a la desobediencia civil y a la huelga general. La creciente oposición popular en Moscú y Leningrado, el rechazo internacional y la defección de algunas unidades militares, que pasaron a obedecer a Yeltsin, dividieron y paralizaron a los golpistas. El golpe quedó abortado el 21 de agosto, cuando los miembros del Comité de Estado se dispersaron antes de ser detenidos. Gorbachov, liberado, regresó a Moscú y apoyó y estimuló decididamente los cambios radicales que la nueva situación requería. Las actividades del PCUS fueron proscritas por el Tribunal Supremo (29 de agosto), se disolvieron los órganos del poder central y se abrió un nuevo periodo constituyente. El 6 de septiembre de 1991 el Consejo de Estado reconoció la independencia de Estonia, Letonia y Lituania.

En los meses siguientes, las sucesivas proclamaciones de independencia de las repúblicas y el colapso económico aceleraron la pérdida de autoridad política de Gorbachov, que fracasó en el intento de concluir el Tratado que debía dar lugar a una Unión de Estados Soberanos para sustituir a la antigua organización del Estado. El 8 de diciembre de 1991 las tres repúblicas eslavas –Rusia, Bielorrusia y Ucrania– constituyeron una Comunidad de Estados Independientes, abierta al resto de las repúblicas, que puso fin en la práctica al Estado soviético. Gorbachov presentó la dimisión el 25 de diciembre de 1991.

Todas las repúblicas que constituían la URSS fueron reconocidas internacionalmente como Estados independientes.

Unión Europea Occidental.

A la terminación de la Primera Guerra Mundial, varias naciones de Europa consideraron la necesidad de estrechar más sus relaciones y de unirse en defensa de sus intereses económicos y culturales. En 1948 se concertó en Bruselas un tratado para la colaboración de las cinco naciones signatarias, en asuntos económicos, sociales y culturales y para la defensa colectiva. Ese tratado se firmó por los ministros de Relaciones Exteriores de Gran Bretaña, Francia, Holanda, Bélgica y Luxemburgo, naciones que, con tal motivo, formaron la llamada Organización del Tratado de Bruselas. Se estipuló que el tratado estaría en vigor durante un periodo de 50 años. A fines de 1950, las actividades relacionadas con la defensa militar de la Organización del Tratado de Bruselas se fusionaron con las de la Organización del Tratado del Atlántico Norte.

En septiembre de 1954 se celebró en Londres una conferencia en la que se acordó extender el alcance de la Organización del Tratado de Bruselas y admitir en ella a Alemania Occidental y a Italia. La organización, así ampliada, se designa oficialmente con el nombre de Unión Europea Occidental. Consecuentemente se celebró en París (octubre de 1954) otra conferencia en la que se firmaron los protocolos que precisan los objetivos y procedimientos de la Unión Europea Occidental, entre los que figuran los de cooperar con los organismos militares de la Organización del Tratado del Atlántico Norte y fijar el número y extensión de las fuerzas militares que cada miembro de la Unión Europea Occidental debe poner a la disposición del comandante en jefe aliado en Europa.

La Unión Europea Occidental fue inaugurada oficialmente el 6 de mayo de 1955. Londres es la sede de su secretariado permanente, y los organismos principales de la Unión son los siguientes: el *Consejo,* integrado por los ministros de Relaciones Exteriores de los países miembros que son Gran Bretaña, Francia, Holanda, Bélgica, Luxemburgo, Alemania Occidental e Italia; la *Agencia para el Control de Armamentos;* el *Comité de Armamentos permanentes*, y varias comisiones y organismos a cargo de diversos asuntos sociales y culturales. *Véase* ORGANIZACIÓN DEL TRATADO DEL ATLÁNTICO NORTE.

Unión Francesa. *Véase* FRANCIA.

Unión Panamericana.

Organismo de carácter internacional integrado por las naciones de América. Tuvo su origen en la primera Conferencia Panamericana, celebrada en Washington (1889-1890), en la que se acordó la creación de un organismo permanente que sirviera para fomentar el intercambio comercial entre los países americanos. Ese organismo fue la Oficina Comercial de las Repúblicas Americanas.

En sucesivas conferencias panamericanas se aumentó el radio de acción y la importancia de esa organización de carácter puramente económico en sus inicios, y surgió la Unión Panamericana cuyas funciones se extendieron hasta abarcar actividades en todos los órdenes que tiendan a robustecer los lazos de amistad y la comunidad de intereses morales y materiales de las naciones americanas.

A partir de la novena Conferencia Panamericana (1948), la Unión Panamericana pasó a ser el órgano permanente y la secretaría general de la Organización de Estados Americanos, y entre sus nuevas funciones figuran las de servir de enlace entre ésta y las Naciones Unidas. La Unión Panamericana experimentó importantes modificaciones en su estructura y pasó a ser regida por el Consejo de la Organización de Estados Americanos. El Consejo elige al secretario general de la Unión Panamericana, que ejerce el cargo durante un periodo de

10 años. Las principales dependencias de la Unión Panamericana son el Departamento de Servicios Administrativos y el de Información. En sus actividades, la Unión Panamericana está asistida por tres Consejos Interamericanos: el Social y Económico, el de Jurisconsultos y el Cultural.

La Unión Panamericana tiene su sede en Washington, la capital de Estados Unidos, en un amplio y extenso edificio. Edita importantes publicaciones periódicas y especializadas, y tiene una extensa biblioteca que cuenta más de cien mil volúmenes. *Véanse* CONFERENCIAS PANAMERICANAS; ORGANIZACIÓN DE ESTADOS AMERICANOS; PANAMERICANISMO.

Unión Postal Sudamericana.

En febrero de 1911, se celebró en Montevideo un Congreso Postal al que asistieron representantes de todas las naciones de América del Sur, y en el que se acordó crear la Unión Postal Sudamericana. Entre otras importantes resoluciones que se tomaron en aquella asamblea, figuraron las de establecer la gratuidad del tránsito para la correspondencia entre las naciones del continente, tasas y condiciones de envío de la correspondencia ordinaria, responsabilidad en los certificados y amplias franquicias para la correspondencia del organismo que acababa de crearse. Estas y otras resoluciones favorecieron la libertad de emitir y de recibir correspondencia entre los ciudadanos de los países signatarios. El congreso resolvió también crear una oficina internacional sudamericana de correos, con sede permanente en Montevideo y bajo la dirección e inspección de las autoridades uruguayas, que debía ser un órgano de relación y vinculación permanente durante el desarrollo de los congresos de la Unión Postal Sudamericana.

Unión Postal Universal.

La historia de la Unión Postal Universal comenzó a mediados del siglo pasado, cuando ya el cambio recíproco de la prensa periódica se hizo un elemento indispensable para la información entre los individuos y los pueblos civilizados. El primer tratado de tipo internacional que se firmó en este sentido data de 1850, entre Alemania y Austria. Se denominó Unión Postal Austroalemana. En 1863, varios países se pusieron de acuerdo para efectuar una conferencia en París para ampliar en el plano internacional aquella primera unión entre austriacos y alemanes. En 1874, delegados de 22 naciones se reunieron en Berna (Suiza), y constituyeron la *Unión General de Correos*. De una segunda conferencia, con asiento en París, la efectuada en 1878, surgió la *Unión Postal Universal*. De esta reunión salieron ya normas precisas para uniformar las condiciones de las comunicaciones postales internacionales. Posteriormente,

en 1885, se reunieron en Lisboa (Portugal) representantes de 53 naciones, en otro Congreso Postal. Viena fue asiento de otra asamblea de delegados de numerosos países, en 1891, para ajustar una serie de normas relacionadas con el intercambio postal universal. El último congreso de esta naturaleza realizado en el siglo XIX tuvo por asiento la ciudad de Washington (Estados Unidos) en 1897. En 1906, delegados de 61 países se reunieron en Roma y allí redactaron el convenio postal que definía la Unión Postal Universal como un solo territorio postal para el intercambio de correspondencia.

La Primera Guerra Mundial (1914-1918) no permitió poner en práctica las bases establecidas en esta última declaración, y la libre circulación de la correspondencia y de la información periodística quedó supeditada a las necesidades bélicas de los países que participaron en la contienda. Al terminar la guerra, el siguiente congreso de la Unión se efectuó en Madrid (1920), donde volvieron a reunirse la mayoría de los representantes de los países signatarios del congreso de Roma. De allí, surgió también la Unión Postal Panamericana, que incluyó a todas las naciones de América y España. En este congreso se introdujeron por primera vez reglamentaciones para la correspondencia por vía aérea. En 1924, el Congreso de la Unión Postal volvió a reunirse en Estocolmo (Suecia), donde se introdujeron algunas nuevas reglamentaciones de mejoramiento, con respecto al convenio firmado en Roma. Otros congresos, en los que también se adoptaron importantes

Oficinas gubernamentales en Sudáfrica, antes llamada Unión Sudafricana.

Corel Stock Photo Library

resoluciones para mejorar los servicios postales internacionales en todos los órdenes, fueron los de Londres (1929), El Cairo (1934) y Buenos Aires (1939). Después de la Segunda Guerra Mundial, se celebró el congreso de París (1947), en el que se adoptó la importantísima resolución de conectarse y establecer vínculos con las Naciones Unidas, y, a partir de ese año, la Unión Postal Universal figura entre los organismos especializados de las Naciones Unidas.

La estructura de la Unión Postal Universal comprende los tres organismos principales siguientes: 1) El Congreso Postal Universal que se celebra generalmente cada cinco años y que, entre otras funciones, tiene las de examinar y revisar el convenio postal universal con el propósito de introducir mejoras en su funcionamiento, de acuerdo con las proposiciones que presenten los países miembros. 2) La Comisión Ejecutiva, integrada por 20 miembros elegidos por el Congreso. Esta Comisión tiene a su cargo, entre otras funciones, la supervisión de la Oficina Internacional, y la de servir de enlace con las Naciones Unidas y otros organismos internacionales. 3) La Oficina Postal Universal, con sede en Berna (Suiza). Esta oficina tiene el carácter de secretaría permanente de la Unión Postal Universal, y, además, entre sus funciones figura la de efectuar las liquidaciones para el ajuste de las cuentas originadas por el servicio postal internacional.

Mediante la Unión Postal Universal, las comunicaciones postales han ido experimentando constante mejoría en su organización y funcionamiento, en beneficio de los países miembros que, para los efectos del intercambio recíproco de correspondencia, se consideran, como ya se expresó, que constituyen un solo territorio postal. Factor decisivo para lograr este propósito es el acuerdo de todas las naciones afiliadas a la Unión, de transportar cada una de ellas la correspondencia de las demás, utilizando para ello los mejores medios de comunicación de que disponga su propio servicio de correos. *Véanse* COMUNICACIONES; CORREO.

Unión Sudafricana.

Estado de África del sur que en 1961 se convirtió en república y adoptó el nombre de República de Sudáfrica. Está situado en el extremo sur del continente africano, entre los océanos Atlántico e Índico. Limita al norte con Namibia, Botswana y Zimbabwe, al noreste con Mozambique y Suazilandia, y al este con Transkei y el océano Índico. Enclavados en su territorio está Lesotho y Bophuthatswana. Comprende cuatro provincias: El Cabo, Natal, Transvaal y Orange. Cubre 1.221,037 km² y está poblado por 33.747,000 habitantes.

Unión Sudafricana

Morfología. El relieve está formado por una extensa meseta rodeada de montañas menos por el norte. Al sur del río Orange aparecen varias colinas y montañas paralelas a la costa occidental: Hardeveld, Bokkeveld, Cedar, etcétera. A partir del monte Welcome se bifurcan y toman dos direcciones: una hacia el sureste, que corre luego de oeste a este con los nombres de Roggeveld y Nieuwveld; y otra hacia el sur hasta el monte Tabla, con la que se enlazan las cordilleras Swarteberg y otras más próximas a la costa. Este reborde meridional forma una alta muralla con cimas volcánicas, desde donde baja en terrazas la meseta del Gran Karru, inmensa sabana de clima seco y arbustos espinosos. El sistema antes citado se prolonga hacia el noreste interponiéndose entre la meseta y el mar con los montes Storm Berg, Dranensberg, etcétera. Cerca de los dos tercios del suelo constituyen la gran meseta cuya altitud pasa de 1,000 m al oeste hasta más de 2,000 en el noreste, culminando en el monte de las Fuentes (3,250 m). En la zona norte desciende hacia los calurosos valles de los ríos Orange y Limpopo. Hacia el sur el descenso es gradual, con aspecto de estepas, boscosas o desnudas.

Hidrografía. Los dos grandes ríos del país son el Orange y el Limpopo. El primero se origina en los montes de las Fuentes (Lesotho) y se vierte en el océano Atlántico, después de atravesar la meseta y formar el límite entre la provincia de Orange y la de El Cabo y de separar, en su curso inferior, esta última del estado de Namibia. Su caudal se va empobreciendo cuando sale del *veld*, pues corre entonces por estepas cada vez más áridas y entre montañas con muy pocas lluvias. Su curso es de 2,090 km y su principal afluente es el Vaal. El Limpopo, tributario del Índico, nace en las colinas de Witwatersrand (Transvaal) y forma el límite entre éste y Botswana y Zimbabwe, antes de entrar en Mozambique. Su curso es de 1,600 km y su principal afluente el Olifant. En las zonas costeras comprendidas entre las montañas que limitan la meseta y los océanos Atlántico e Índico corren ríos torrenciales, relativamente cortos, que se precipitan por bruscas pendientes y en cascadas.

Costas. Al sur del río Orange, la costa africana comienza a elevarse, y varias montañas paralelas a aquélla y atravesadas por pequeños ríos se extienden no lejos del mar. La Península del Cabo Castillo forma al norte y sur respectivamente las bahías de Santa Elena y Saldaña. Esta costa occidental termina en el Cabo de Buena Esperanza, extremo montañoso de la península que avanza entre la bahía de la Tabla al oeste y la bahía Falsa al este. A la entrada de la primera se encuentra la isla de Robben. Entre la bahía de la Tabla y el monte del mismo nombre se halla la ciudad de El

Corel Stock Photo Library

Calle de Darling en Sudáfrica, antes llamada Unión Sudafricana.

Cabo. A partir del Cabo Hangklip, extremo oriental de la bahía Falsa, la costa toma la dirección sureste hasta el Cabo de las Agujas, extremo meridional del continente africano. El litoral es de difícil acceso, porque delante de él hay una gran terraza submarina, el peligroso banco de las Agujas, y las radas y bahías del litoral no tienen abrigo contra los vientos del sur y quedan expuestas a fuerte resaca. Desde la bahía de Algoa, la costa toma la dirección noreste. Entre la citada bahía y el río San Juan, la costa está integrada por altas rocas, áridas unas, cubiertas otras de espesos bosques. También aquí la navegación es peligrosa a causa de la resaca, y no existen buenos puertos. Más al norte, aparece la bahía y puerto de Durban, el principal de Natal, entre montañas y fértiles valles. Luego baja el nivel de la costa, donde sólo hay lagunas, pantanos y selva.

Clima. Disfruta de una extensa gama de clima, con cambios bruscos y acentuados. Las temperaturas predominantes permiten el cultivo de una gran variedad de productos de zona templada y subtropical. A lo largo de la costa, las condiciones climáticas son particularmente benignas y uniformes. La gran altitud de la meseta central hace que goce de un clima templado y los extremos de frío y calor son allí grandes. La costa septentrional de Natal y las llanuras del norte y del este de Transvaal se caracterizan por su clima subtropical. La escasez de lluvias se deja sentir. Sólo un tercio de Sudáfrica recibe más de 50 cm de precipitaciones acuosas por año. Las corrientes de Mozambique, cálida, y la de Benguela, fría, influyen en el clima.

Agricultura. Emplea casi la cuarta parte de la fuerza laboral del país, pero la productividad es baja. La tierra cultivable cubre 13 millones de ha, pero como las sequías son frecuentes, las cosechas fluctúan considerablemente. Se iniciaron obras de irrigación en los años 60, pero el riego es inadecuado todavía. Hay dos zonas de cultivo, basadas en la distribución de las lluvias. Una es la parte suroeste de El Cabo, región de clima mediterráneo donde se cultivan trigo, uvas, tabaco y cítricos. En las planicies de Orange, en la pampa del Transvaal y el Natal, donde 87% de las lluvias caen en verano, se produce maíz, sorgo, soya, patatas, maní y frijol. En la faja costera oriental, cálida y lluviosa se da el maíz, caña de azúcar, algodón, arroz, plátano y tabaco.

Ganadería. La gran extensión de tierra apropiada para el pastoreo contribuye considerablemente a la riqueza del país. Al norte de El Cabo y en Transvaal hay extensas superficies de pampa que forman las zonas ganaderas naturales de Sudáfrica. Los grandes campos de pastoreo, en la zona de lluvias estivales, son los mejores centros de productos lecheros y de carne.

La lana representa gran parte del ingreso del valor total de las exportaciones. Hay 11.700,000 cabezas de ganado bovino, 30 millones de ovejas, 5.800,000 cabras y 454,000 caballos, mulas y asnos.

Minerales. La importancia de los recursos minerales es la causa principal de la riqueza y prosperidad económica de Sudáfrica. Es el primer país del mundo en la producción de oro y de diamantes utilizados en joyería. La explotación de las minas de oro y de diamantes emplea gran número de obreros indígenas y maquinaria y métodos modernos de explotación. La producción anual de oro es de unas 760 ton y la de diamantes de 7 millones y medio de quilates. La mayor producción de oro corresponde al Transvaal, sobre todo en Witwartersrand; la de diamantes a la provincia de El Cabo –particularmente en el distrito de Kimberley– y en el Transvaal. Se explotan, además, carbón (75 millones de ton anuales), principalmente en Transvaal, Orange y Natal; uranio, plata, cobre, estaño, manganeso, cromita, asbesto, hierro, platino y otros minerales.

Industria. Tomó gran incremento durante la Segunda Guerra Mundial y está en vías de adquirir importantes proporciones. Las industrias más prósperas son las derivadas de la producción minera y de la agricultura. El ramo manufacturero ocupa a más de un millón de personas. Entre las principales industrias están la siderúrgica, las de maquinaria y automotores, las papeleras y madereras, las químicas, en especial las de caucho sintético, la textil, la azucarera, la tabacalera, la pesquera y la de bebidas; existen también fábricas de cemento, de construcciones navales, de neumáticos, cerveza.

Comercio. El comercio exterior se efectúa principalmente con Gran Bretaña, los países de la Comunidad Británica de Naciones y con Estados Unidos. Siguen en importancia Alemania, Bélgica, Italia, Francia, Holanda y Japón. Las principales exportaciones, además del oro, son, por orden de importancia: lana, uranio para los productos de energía atómica, diamantes, maíz, cobre, frutas cítricas, maquinaria, asbestos, tejidos, cueros y pieles. Entre las principales importaciones figuran productos manufactureros diversos, vehículos automotrices, abonos, productos químicos, tejidos de algodón y rayón, combustibles líquidos, madera y sus manufacturas. La unidad monetaria es el *rand*, dividido en 100 centésimos.

Comunicaciones. La red ferroviaria tiene una extensión de 27,062 km de longitud, de los cuales 6,779 corresponden a líneas electrificadas. El sistema de carreteras, en conjunto, suma 229,372 km, 1,704 de autopistas, 42,669 de carreteras pavimentadas y el resto de caminos rurales. La marina mercante dispone de navíos con tonelaje bruto total de unas 570,000 ton. Los puertos más activos del país son Durban, Ciudad del Cabo, Port-Elizabeth y East London. Los servicios aéreos comunican las principales ciudades sudafricanas entre sí y con las de Namibia y las de Rhodesia. Las líneas aéreas internacionales enlazan a Sudáfrica con el resto del continente y con Europa, América, Asia y Australia. Los principales aeropuertos son los de la Ciudad del Cabo, Johannesburg y Durban.

Población. Según el censo de 1975, la población era de 25.470,000 habitantes, de los cuales 17.5% eran de raza blanca, descendientes de holandeses y británicos; 70% aborígenes, principalmente de raza bantú; 9.5% negros, mezcla de europeos y africanos, y 2.9% asiáticos, procedentes en su mayoría de la India. Posteriormente la población disminuyó en más de 2.000,000 al separarse Namibia, Lesotho, Transkei y Bofuthatswana. Los bantúes, la mayoría de la población, forman un conjunto de tribus numerosas, con gran diversidad en los caracteres antropológicos y cierta uniformidad en las lenguas. El color presenta todos los matices y gradaciones del pardo oscuro al negro. En general, pertenecen a una raza fuerte y habituada a las privaciones. Se dedican al cultivo de la tierra y a la ganadería nómada y son utilizados como mano de obra en las minas y plantaciones. El establecimiento de una comunidad asiática en Sudáfrica data de 1860 y fue traída por la entonces colonia de Natal para la explotación de sus plantaciones de caña de azúcar.

Lenguas. Las habladas por los habitantes de origen europeo son el inglés y el *afrikaans*, que es una evolución del holandés del siglo XVII. El 73% de los europeos hablan *afrikaans* e inglés; 15.3% inglés solamente, y 11.4% sólo *afrikaans*. Los aborígenes hablan bantú. El inglés y el holandés son los idiomas oficiales.

Religión. Existe gran variedad de confesiones y total libertad de cultos. La iglesia más extendida entre los europeos es la holandesa reformada; siguen, por impor-

Segregación racial en Bloemfontein en la antigua Unión Sudafricana.

Corel Stock Photo Library

tancia, la anglicana, metodista, presbiteriana y la católica romana. Hay, también, judíos, budistas, mahometanos, etcétera.

Educación. La instrucción se imparte por separado a los estudiantes blancos, negros y mestizos o asiáticos. Hay 1.000,000 de estudiantes blancos en las enseñanzas primaria, secundaria y profesional; 3.500,000 africanos en los dos primeros niveles (5,000 en la enseñanza superior) y 800,000 alumnos mestizos y asiáticos. Funcionan 16 universidades: 11 para blancos, 3 para africanos, 1 para mestizos y 1 para la minoría asiática. A partir del acta de 1959 para la educación universitaria, la entrada en las universidades de Sudáfrica se ha ido restringiendo progresivamente a la población europea.

Organización política. El Poder Judicial lo constituye la Suprema Corte de Justicia, la Corte de Apelaciones, las cortes provinciales y las cortes distritales. Pretoria es la sede del Poder Ejecutivo y en ella reside el Gobierno; El Cabo lo es del Poder Legislativo y allí reside el Parlamento, y Bloemfontein es la sede del Poder Judicial, con la Suprema Corte de Justicia. El Poder Ejecutivo lo ejerce el presidente de la República, elegido para un periodo de 7 años, asistido por un gabinete que está integrado por 15 ministros y un primer ministro. El Poder Legislativo está constituido por un Senado de 54 miembros (11 por designación y 43 por elección, para un periodo de 5 años) y una Asamblea integrada por 170 miembros, elegidos para un periodo de cinco años. Tienen derechos electorales los ciudadanos blancos (hombres y mujeres), mayores de 21 años. Las provincias se rigen por un administrador, un consejo provincial y un comité ejecutivo.

Ciudades. Como ya hemos anticipado, la Unión Sudafricana cuenta con centros urbanos de importancia entre los que merecen citarse: Pretoria (561,700 h) fundada en 1855 por el primer presidente de la República de África del Sur, M. Pretorius. En 1864, fue capital de la Confederación bóer y hoy tiene el doble carácter de capital administrativa de la Unión y capital de la provincia del Transvaal. Johannesburg (1.433,000 h) en la provincia del Transvaal, centro de una cuenca minera en la que se hallan las minas de oro más ricas del mundo. Ciudad del Cabo (1.100,000 h), puerto en la bahía de la Tabla y capital de la provincia del Cabo, sede del Parlamento, fue fundada por los holandeses en 1652, exporta gran cantidad de productos del país y es un centro industrial y comercial de importancia. Durban (843,000 h), puerto de Natal en la bahía de este mismo nombre. En el barrio del puerto se halla concentrada la actividad industrial y comercial y el movimiento portuario se acrecienta de día en día, facilitado por la modernidad de las instalaciones. Su magnífica situación y su clima delicioso hacen de Durban una ciudad de recreo y placer. Port-Elizabeth, con 470,000 habitantes, y Bloemfontein, con 180,000, también son importantes.

Historia. El portugués Bartolomé Dias (1487) fue el primer navegante europeo que llegó al extremo de las costas australes africanas y dobló el Cabo de Buena Esperanza. La colonización la inició el comandante holandés J. van Riebeeck al servicio de la Compañía Holandesa de las Indias Orientales, al desembarcar, en 1652, con un grupo de compatriotas en la bahía de la Tabla. Estos bóers –del holandés *boer* (campesino)– fueron reforzados por otros emigrantes europeos, entre los que figuraron colonos alemanes y protestantes franceses. Con estos elementos llegó a constituirse un pueblo muy particular, que se caracterizó sobre todo por su gran amor a la independencia.

Los bóers lucharon contra los salvajes indígenas y contra los abusos de autoridad de los gobernadores de la Compañía Holandesa de las Indias Orientales y se vieron obligados a alejarse de las costas y a dedicarse a la agricultura y a la ganadería en el interior del país. El desdén con que los trataron los ingleses, que, en 1815, a consecuencia del Congreso de Viena, se hicieron dueños de la colonia, y el desacuerdo con ellos en lo que se refiere a la política con los indígenas, impulsaron a los bóers (1835) a establecerse en la llanura situada al norte del río Orange, fijándose entre este río y su afluente el Vaal. Allí establecieron, en 1848 y 1854, las repúblicas llamadas Sudafricana y del Transvaal, que se mantuvieron independientes hasta fines del siglo XIX. El descubrimiento de los yacimientos de oro atrajo a los territorios bóers gran número de aventureros, en el preciso momento en que los ingleses proseguían su trabajo de expansión. La rivalidad entre estos últimos y los bóers provocó al fin la cruenta guerra de 1899-1902, en la que del lado de los bóers se distinguieron el presidente Paul Krüger y los jefes bóers Louis Botha, Jan Christian Smuts y James Hertzog, que habrían de dominar, posteriormente, la política de la Unión Sudafricana durante muchos años. La guerra terminó con la paz de Vereeniging, por la cual los bóers reconocieron como rey a Eduardo VII de Gran Bretaña. En 1910 se creó la Unión Sudafricana con una constitución que establecía la unión de las colonias del Cabo, Natal, Transvaal y Río Orange (anexionada a la del Cabo en 1844), en un Estado autónomo con cuatro provincias que correspondían a las cuatro colonias anteriores. De 1910 a 1924, dirigieron la política los generales Botha y Smuts, jefes del Partido Sudafricano. Durante la Primera Guerra Mundial ambos generales tuvieron una acción destacada y conquistaron el África del

Suroeste alemana. En 1924, el Partido Sudafricano perdió las elecciones y subió al poder Hertzog, jefe del Partido Nacionalista, contrario al dominio británico, y que propugnaba la superioridad de los blancos *afrikaners* sobre los negros aborígenes. En 1933 se formó la coalición política Hertzog-Smuts, que rigió la Unión hasta 1939, en que la Segunda Guerra Mundial provocó la escisión entre Hertzog, partidario de la neutralidad, y Smuts, que respaldaba a Gran Bretaña. Smuts logró el apoyo de una unificación de partidos y la Unión declaró la guerra a Alemania, en la que las fuerzas sudafricanas lucharon en África y en el Mediterráneo. En 1948 el gobierno de Smuts fue derrotado y subió al poder Daniel F. Malan, respaldado por los partidos nacionalista y *afrikaner* que propugnaban la política de *apartheid* o segregación racial. Esta política se robusteció en las elecciones de 1953 y otras posteriores, que llevaron al gobierno a los primeros ministros Strijdom (1954) y Verwoerd (1958).

Hasta 1960, la Unión fue un estado libre (miembro de la Comunidad Británica de Naciones), con instituciones propias de gobierno, en el cual la Corona británica estaba representada por un gobernador general, con funciones restringidas en el poder Ejecutivo, que era ejercido en forma efectiva por el primer ministro y el Consejo Ejecutivo. El 5 de octubre de ese año se celebró un referéndum en el cual se votó a favor de la creación de la república. Durante ese año se exacerbaron los disturbios raciales que motivaron sangrientas represiones. El 31 de mayo de 1961 se proclamó la República y la Unión Sudafricana se separó de la Comunidad Británica de Naciones por ser ésta contraria a la política de segregación racial. Charles Robberts Swart, gobernador general de la Unión Sudafricana, renunció al cargo y fue elegido primer presidente de la República de Sudáfrica, nueva designación que sustituía a la anterior de Unión Sudafricana. En 1967 Swart fue sustituido por Dönges, quien murió en 1968, sucediéndole en el poder J. J. Fouché, y a éste, en 1975, Nicolaas Diederichs. En 1966 fue asesinado el primer ministro Verwoerd y le sucedió Balthazar J. Vorster.

Sudáfrica sigue una política de *apartheid* o rígida segregación racial que han condenado casi todos los países del mundo a través de las Naciones Unidas. El gobierno blanco, sin hacer mucho caso de las sanciones de la Organización de las Naciones Unidas (ONU), continúa su plan para crear regiones autónomas negras o *bantustans*, y así dio la independencia a Transkei en 1976, pero privando a todos los bantúes del grupo *xhosa* de la ciudadanía sudafricana. En 1976 estalló una ola de motines y huelgas de los estudiantes africanos en

Soweto, barrio de Johannesburgo, que costó la vida a más de 600 negros.

En ese mismo año, se fija la fecha de independencia de Namibia para el 31 de diciembre de 1978, pero a causa de desacuerdos entre el gobierno sudafricano y la ONU, la independencia aún no se lleva a cabo en su totalidad.

En diciembre de 1977, Sudáfrica concedió la independencia a Bofuthaswana, estado formado por varias regiones enclavadas en la República de Sudáfrica y separadas entre sí; posteriormente, en 1979, concedió la independencia a Venda, no reconocida tampoco por ninguna nación. En 1978, Balthazar J. Vorster renuncia a su cargo y Pieter Willem Botha toma su lugar. Botha, al ser acusado de dar falsos testimonios en una investigación del gobierno, renuncia al año siguiente sucediéndolo Marais Viljoen.

unitaria. Teoría creada por Gerhardt y Laurent en 1848 y que influyó poderosamente en el progreso ulterior de la química orgánica y, sobre todo, en la moderna teoría atómica. Según dicha teoría, los átomos de que se compone una molécula están unidos entre sí por simple afinidad y cualquiera de ellos puede ser sustituido por otro. Según tal criterio, la unidad de la molécula no se halla basada en la atracción mutua de átomos de distinto signo eléctrico.

unitarismo. Secta religiosa que, admitiendo en parte la revelación, no reconoce más que una sola persona divina. Rechaza la Trinidad y proclama en Dios la unidad de persona, no cree en la divinidad de Jesucristo ni en la virtud de los sacramentos y desecha de las Sagradas Escrituras cuanto no está conforme con la razón y al alcance de ésta. Apareció en Polonia, a mediados del siglo XVI, como fruto de las predicaciones de Valentino Gentilis y Juan Pablo Alciato, siendo su portavoz posterior más caracterizado Socini, teólogo hábil. A partir de 1750 se propagó a Inglaterra, merced a la labor del sacerdote anglicano Lindsey, y más tarde se extendió a Estados Unidos, que es donde actualmente tiene más adeptos.

United Press. *Véase* PERIODISMO.

universalismo. Doctrina religiosa protestante según la cual todos los hombres serán redimidos. Sostiene que el castigo de los malos y de los débiles es temporal y que el hombre recuperará su estado original. Con antecedentes anteriores al siglo VI, su auge lo alcanza en el siglo XVIII. En 1770, John Murray lleva el universalismo a América donde se tomó como simple punto de vista, y se convirtió, en 1833, en una doctrina formal. En 1961, el universalismo y unitarismo forman la Asociación Unitaria Universalista.

universidad. El origen de la Universidad data del siglo XII, y su denominación deriva de la palabra latina *universitas*. Su significado equivale a corporación o hermandad de profesores y estudiantes. La universidad es hoy, como se sabe, un instituto público donde se cursan las facultades de derecho, medicina, filosofía y letras, ciencias exactas, ciencias físicas y naturales, ciencias políticas y económicas, y otras, y donde se confieren los grados y títulos correspondientes a estas materias. La universidad sucedió a establecimientos de enseñanza más modestos, llamados *studium generale* o simplemente *studium*. Escuelas notables han existido desde la más remota antigüedad, y fueron perfeccionando sus métodos de enseñanza así como la luz de la civilización fue alumbrando el camino de la historia del hombre. Fueron famosas las escuelas sacerdotales de Egipto, de la India y las que poseían los judíos, y en la Grecia antigua se destacaron las de Atenas y Alejandría. En estas últimas instituciones la enseñanza de la filosofía abarcaba la totalidad de los conceptos que entonces enseñaban grandes maestros a sus alumnos, algunos de los cuales, con el tiempo, se convirtieron también en grandes maestros.

La luz que irradió la escuela de Alejandría aún sigue brillando en nuestra época, sobre todo porque se la considera la cuna del estudio de las ciencias. Roma, que supo aprovechar sagazmente las instituciones griegas, envió a sus hombres más eminentes a estudiar a Grecia y creó, a la vez, institutos de enseñanza semejantes a los helenos. El emperador Vespasiano fue el primero que otorgó remuneración a los profesores dedicados a enseñar elocuencia, y Antonino fundó varias escuelas denominadas *imperiales*. El *Atheneum*, centro de alta cultura, fue fundado en Roma por el emperador Adriano en el año 135 de nuestra era. A la caída del imperio romano el mundo de la cultura sufrió una tremenda conmoción. Las invasiones de los bárbaros barrieron todo vestigio de tradición clásica de la enseñanza y advinó una época de oscuridad y de crisis para el progreso de la cultura.

Fue el emperador Carlomagno el primero que procuró reorganizar la enseñanza en la Edad Media y se esforzó por reavivar el cultivo de los estudios superiores en su Imperio. Creó escuelas anexas a conventos y catedrales, que tenían por misión especial preparar a los jóvenes para las funciones eclesiásticas, sin que esto impidiese que otros jóvenes recibieran también educación. Con la aparición de maestros independientes de renombre se fueron creando centros de enseñanza al margen de la

Corel Stock Photo Library
Universidad de la Sorbona en París.

influencia directa eclesiástica. Así surgieron escuelas que dieron nacimiento a la universidad propiamente dicha. En esta labor de recuperación cultural tuvo Carlomagno a su lado al inglés Alcuíno y al italiano Pedro de Pisa. Durante esta época, tanto el Estado como la Iglesia dieron muestras de gran tolerancia, pues limitaron su vigilancia al ejercicio de una inspección sobre las disciplinas de política y de religión. El Estado y la Iglesia contribuyeron al progreso de los establecimientos de enseñanza con donaciones, subvenciones en dinero y privilegios de diversos órdenes.

Nacimiento de la universidad. A comienzos del siglo XII empezaron a fluir a París estudiantes en gran número, procedentes de todas las ciudades de Francia y también del extranjero. Se dedicaban particularmente a los estudios de filosofía, retórica y teología. Pero, contrariamente a la época de Carlomagno, no todos los profesores eran sacerdotes, pues había legos que llegaron a ser famosos. La afluencia de estudiantes y el renombre de algunos profesores dieron lugar a la creación de la Universidad de París. Simultáneamente, en Bolonia (Italia), un grupo de profesores se destacaba en la enseñanza del derecho romano. El número siempre creciente de estudiantes de uno y otro centro de enseñanza hizo necesaria una reestructuración y división de las materias para mantener la disciplina en los estudios. El carácter de la enseñanza tenía en Bolonia un sentido republicano, mientras que en París predominaba el espíritu aristocrático. Los estudiantes boloneses elegían ellos mismos al rector, a los profesores y a los representantes del sindicato encargado de mantener relaciones con los demás centros de estudio. En París, a partir de 1206, predominó un criterio opuesto. Los estudiantes se dividían en cuatro naciones: los angloalemanes, los picardos, los normandos y los franceses. Todos los derechos superiores procedían de los maestros.

A partir del mismo siglo XII se comenzó a tener presente los diferentes grados de capacidad para la enseñanza y se estableció la división por *facultades*, que compren-

Universidad de Cambridge en Inglaterra.

Corel Stock Photo Library

dían el conjunto de las ciencias. Se instituyeron grados, el primero de los cuales fue el de *bachiller* y luego el de *licenciado*. El título de maestro, o *magister*, se otorgaba mediante una serie de solemnidades académicas. Entre las facultades, la más importante y antigua es la de filosofía y letras, y le siguen las de teología, derecho y medicina. Los primeros profesores que enseñaron en universidades atendían a su subsistencia con la retribución voluntaria de los alumnos. La remuneración por el Estado a los profesores se estableció en el siglo XVI, pero simultáneamente se impuso a los catedráticos la obligación de dar cursos públicos gratuitos. La forma como entonces se enseñaba y se aprendía era complicada: el profesor dictaba y los estudiantes copiaban palabra por palabra las lecciones para que no se perdiera en el fárrago de una conversación nada de importante. Este primitivo sistema se vio enormemente simplificado con la invención de la imprenta, que operó una verdadera revolución en la constitución orgánica de las universidades y de los centros de estudio en general de la Edad Media. Los libros impresos hicieron más llevadera la tarea de los profesores y de los estudiantes. Egregios profesores y maestros contribuyeron al nacimiento de la universidad propiamente dicha, y pasaron a la historia como los abanderados de las altas disciplinas culturales en una época de desorientación y desconcierto. Abelardo, Jaime de Venecia, Hugo de Saint-Víctor, Raimundo Lulio, Alberto Magno, Santo Tomás de Aquino y otros hombres insignes, vinculados directamente a las instituciones anexas a conventos, catedrales y monasterios, fueron quienes echaron las bases de las disciplinas científicas de la Edad Media. Supieron agrupar a su alrededor núcleos de estudiantes y estudiosos de diversas procedencias, que luego esparcieron por Europa los conocimientos adquiridos al lado de tan insignes maestros.

En las universidades, la mayoría de los estudiantes y muchos de los profesores eran forasteros. Es decir, que la legislación local no los protegía como individuos, como gremio o como grupo que perteneciera a una institución determinada. La confusión legal reinante en la Edad Media ocasionaba inconvenientes de todo orden. Estaba en vigencia aún la ley romana y existía al mismo tiempo el código germánico, y los forasteros podían ser juzgados por cualquiera de ellos. Entonces los profesores y los estudiantes se organizaron en gremios para precisar su estado civil y proteger sus derechos. Nacieron así instituciones denominadas *Universitas magistrorum, Universitas magistrorum et scholarium* o *Universitas discipulorum.* Organizados en corporación, profesores y estudiantes reclamaron cartas y privilegios que legalizaran sus derechos. Tratábase de instituciones que pudieran enfrentarse con los concejos de las ciudades donde actuaban, regidos muchas veces por la arbitrariedad. Las cartas y privilegios fueron concedidas en la mayoría de los casos, y la actuación de los profesores y el derecho civil de los estudiantes forasteros quedaron legalizados, al mismo tiempo que se dio estado jurídico a la universidad como institución de enseñanza. Pero, las universidades se enfrentaron con otro problema: emanciparse de la tutoría de los claustros de donde habían surgido.

Las cartas y privilegios mencionados fueron otorgados por diversos organismos gubernamentales, con el consentimiento del llamado *cancelario escolástico,* alto dignatario eclesiástico y muy especialmente en los países del norte de Europa.

Al ser otorgadas estas cartas, el primitivo *studium,* surgido al calor de la Iglesia, tuvo ya vida independiente. Así nacieron la Universidad de París, la de Bolonia, la de Oxford, la de Palencia y otras casas de estudios, que con el tiempo iban a ser famosas en el mundo de la cultura occidental.

Se dan a continuación las fechas de fundación de las principales universidades, agrupadas por países y éstos puestos por orden alfabético. *Alemania*: Universidad de Heidelberg, 1385; Colonia, 1388; Leipzig, 1409; Friburgo, 1457; Munich 1472; Maguncia, 1477; Wittemburgo, 1502; Frankfort del Oder, 1506; Marburgo, 1527; Koenisberg, 1544; Wurtzburgo, 1582; Bonn, 1786 y Berlín, 1810. *Austria*: Viena, 1365. *Bélgica*: Lovaina, 1445, y Bruselas, 1834. *Checoslovaquia*: Praga, 1347. *Dinamarca*: Copenhague, 1479. *España*: Palencia, 1200; Salamanca, 1243; Lérida, 1300; Valladolid, 1346; Alcalá, 1508; Sevilla, 1509; Granada, 1531; Santiago de Compostela, 1532; Murcia, 1563; Oviedo, 1568; Zaragoza, 1474; Valencia, 1499; Barcelona, 1596; Cervera, 1717, y Madrid, 1836. *Estados Unidos:* Harvard, 1636; Yale, 1701; Princeton, 1746; Pennsylvania, 1751; Columbia, 1754; Brown, 1764; Pittsburgh, 1787; Maryland, 1807; Michigan, 1817; Indiana, 1820; New York, 1831; Boston, 1839; Northwestern, 1851; Washington, 1861; Cornell, 1865; Illinois, 1867; California, 1868; Ohio, 1873; Texas, 1881; Northeastern, 1898. *Francia*: París, 1150; Tolosa, 1233, Montpellier, 1289; Grenoble, 1339; Marsella, 1409; Poitiers, 1431; Burdeos, 1441; Lila, 1530; Lyón, 1808. *Gran Bretaña e Irlanda*: Oxford, 1206?; Cambridge, 1220?; Glasgow, 1454; Aberdeen, 1494; Edimburgo, 1582; Dublín, 1591; Londres, 1828; Manchester, 1880; Liverpool, 1881; Leeds, 1904. *Grecia*: Atenas, 1837. *Holanda:* Leyden, 1575; Utrecht, 1634; Amsterdam, 1882. *Hungría*: Budapest, 1635. *Italia*: Salerno, siglo XI; Bolonia, 1158; Vicenza, 1204; Padua, 1222; Nápoles, 1224; Roma, 1245; Piacenza, 1248; Siena, 1241; Perusa, 1308; Pisa, 1343; Florencia, 1349; Pavía, 1361; Palermo, 1394; Turín, 1405; Florencia, 1405; Catania, 1445; Parma, 1482; Génova, 1812. *Japón*: Tokio, 1868; Kyoto, 1897. *Noruega*: Oslo, 1811. *Portugal*: Coimbra, 1290. *Polonia*: Cracovia, 1364; Varsovia, 1816; Lublin, 1919. *Ruma-*

Universidad de Cornell en New York, EE.UU.

nia: Bucarest, 1864. *Suecia*: Upsala, 1477; Estocolmo, 1878. *Suiza*: Basilea, 1460; Zurich, 1521; Lausana, 1537; Ginebra, 1559, y Berna, 1834. *Turquía*: Constantinopla, 1900. *Unión Soviética*: Moscú, 1755; Kharkov, 1804; Kazan, 1804; Leningrado, 1819; Odessa, 1865. *Yugoslavia*: Belgrado, 1838, y Zagreb, 1874. En Asia, la Universidad más antigua es la de Filipinas, fundada por los españoles en el año 1611. En China, la de Pekín fue fundada en 1867, y en la India las de Bombay, Calcuta y Madrás, que existen desde 1857.

La primera universidad egipcia, moderna, fue fundada en El Cairo en 1908, y en África austral, la de la Ciudad de El Cabo, en el año 1873.

La universidad en España. Durante la dominación árabe en España, la lucha contra el invasor impidió que se dedicase la atención a otras actividades que no fuesen las ofensivas y defensivas. La guerra consumía las mejores energías del país. Los centros de estudio e investigación se refugiaron en los claustros. En situación semejante vivía casi toda Europa. La irrupción de los bárbaros en Occidente puso en peligro cuanto de avance y progreso se conservaba de la cultura y el arte clásicos. Los claustros sirvieron de resguardo para las disciplinas fundamentales: gramática, dialéctica, retórica, aritmética, geometría y música, nociones de la cultura superior de entonces.

Más tarde, cuando se hubo contenido, en cierto modo, el impulso de la invasión musulmana, se fundó en el reinado de Alfonso VI, en la segunda mitad del siglo XI, una escuela en el monasterio benedictino de Sahagún, que adquirió merecido renombre por la excelencia de la enseñanza y los numerosos alumnos que a ella asistían. Alfonso VIII fundó, hacia el año 1200, un centro de estudios generales en Palencia, ampliamente dotado, que ha sido considerado, en cierto sentido, como el germen de las universidades españolas. Las escuelas que integraban ese notable centro de estudios palentino fueron trasladadas a la Universidad de Salamanca, fundada en 1243. Después se fueron creando otras universidades en distintas ciudades de España.

Alfonso *el Sabio* estableció, en el famoso código denominado *Las Partidas,* el papel que debían desempeñar en la vida del país las primitivas universidades españolas. Pero el paso más decisivo que dieron las universidades en España débese al sentido de organización que les imprimieron los Reyes Católicos. La reina Isabel llamó para la educación de sus hijos a los más distinguidos maestros, entre los que figuró Pedro Mártir de Anglería, y dio a la antigua ley universitaria española un sentido práctico y provechoso. Los llamados *Estudios* adquirieron categoría de universi-

Edificio de ingeniería de la Universidad de California en San Diego, EE.UU.

dades, tanto por la riqueza del material de enseñanza que poseían, cuanto por el prestigio intelectual de los profesores y la variedad de las materias que enseñaban. Las principales ciudades españolas se convirtieron en otros tantos centros universitarios, y durante el siglo XVI España llegó a tener treinta universidades.

La paz que significó para el país la expulsión de los árabes y el deseo de los monarcas de formar una clase social dirigente con la cultura necesaria para regir los destinos del país dieron decisivo impulso a los estudios universitarios españoles. En aquellas universidades explicábase humanidades, lenguas orientales, filosofía, jurisprudencia, teología, medicina, matemáticas y ciencias físicas y naturales. Nada de cuanto constituía el saber de la época era ajeno a la inquietud de las autoridades y de los profesores de las universidades españolas de entonces. Para hacer posible este vigoroso renacer cultural de una nación que acababa de salir de una lucha de ocho siglos para expulsar a los moros, existía en las clases dirigentes el máximo apoyo y una noble emulación para enriquecer en todo lo posible el caudal universitario de los centros de estudio. La cultura española tuvo en las universidades de los siglos XVI y XVII la base de su grandeza y de su universalidad.

La enseñanza en las universidades españolas de entonces era gratuita y en su régimen interno disfrutaban de absoluta independencia. Dotadas de una organización verdaderamente democrática, nadie intervenía en su desenvolvimiento para imponerles normas o trabas. No conocieron más límites en su impulso civilizador que los derivados del saber de sus catedráticos,

el espíritu de la época y, en lo material, del estado de sus recursos económicos. Existía una tácita selección impuesta por cada una de ellas, pero todas disfrutaban de libertad, sin impedimentos estatales o eclesiásticos. No conocían más autoridad directa que la del rector. Éste era elegido por los profesores y los estudiantes de mayores merecimientos, que por su aplicación ganaban el derecho de intervenir con su voto en esta elección y en el gobierno de la universidad.

Los profesores eran elegidos también por voto de los estudiantes con el consejo del rector, y se dieron casos de resultar elegidos dos profesores para explicar la misma asignatura. En estos casos era privilegio de los alumnos el seleccionar, con una nueva votación, al profesor de mayores merecimientos. No existía ningún método especial para estas votaciones, sino que se aplicaban normas diversas adaptadas al espíritu de cada caso. El cuerpo de profesores se renovaba con hombres surgidos de las filas estudiantiles. Concluidos los estudios académicos y recibidos los grados correspondientes, eran muchos los jóvenes que deseaban seguir perteneciendo a la universidad. En este caso ingresaban con el título de *lector de extraordinario.* Cuando la aprobación de los estudiantes se manifestaba en forma concluyente, o cuando el aprovechamiento de las enseñanzas del nuevo profesor eran visibles para el rector y los estudiantes, el nuevo profesor quedaba consagrado definitivamente con el título de catedrático de derecho. En síntesis, puede afirmarse que la antigua organización universitaria española era eminentemente liberal y democrática, adoptaba sus propios métodos, se daba sus leyes y tenía reglamentos exclusivos para su desarrollo.

Estos métodos sufrieron una total transformación a partir de 1769. La primera medida legal para intervenir la vida universitaria española data del 11 de marzo del año citado, cuando los ministros de Carlos III decidieron crear el cargo de director para la universidad. Pero, ya anteriormente se había manifestado la intromisión oficial en la libérrima vida universitaria de España, pues el Consejo de Castilla había resuelto que se le sometieran, para su aprobación, los nombramientos de catedráticos. Con esta interferencia oficial comenzaron a afluir a la universidad rectores y profesores que, con cierta frecuencia, no estaban a la altura intelectual y científica de su colegas anteriores. Se dictó un reglamento que establecía que el cargo de consejero no podía ser ocupado por un antiguo estudiante de la misma universidad, y el rector debía hacer entrega al director nombrado por el gobierno de todos los documentos, capítulos, reformas, decretos e índices. El rector quedaba a merced de un funcionario designado por el Estado.

En el año 1770 se creó un nuevo cargo que significó una mayor intromisión del Estado en la vida universitaria española: el censor regio. Este funcionario intervenía, por delegación del poder real, en todos los asuntos técnicos y científicos, con lo que se hacía prácticamente ineficaz la acción del rector y quedaba anulada toda iniciativa universitaria. La facultad de los censores regios llegaba incluso hasta prohibir a los estudiantes elegir temas para sus disertaciones en los grados académicos. Algunas universidades lucharon para resistir esta intromisión en su organización ya secular y no se avinieron de buen grado a las nuevas disposiciones. Pero, el Estado consiguió penetrar en todas, unas después de otras. Las famosas cortes de Cádiz de 1812 devolvieron a las universidades españolas parte de sus antiguos fueros, adaptados y reformados según la época moderna. El plan renovador se votó en 1813, pero la reacción que significó para la vida del país el gobierno de Fernando VII anuló las generosas iniciativas de las mencionadas cortes (1815).

En la segunda mitad del siglo XIX, a partir de la ley de instrucción pública de 1857, que reorganizó la enseñanza en general, y de las modificaciones sucesivas de dicha ley, la universidad experimentó notable progreso, dentro del régimen de dependencia del estado. La Ley de Ordenación Universitaria de 1943, mantuvo la división anterior de España en doce distritos universitarios: Madrid, Barcelona, Granada, Murcia, Oviedo, Salamanca, Santiago de Compostela, Sevilla, Valencia, Valladolid, Zaragoza y La Laguna (Canarias), cada uno

Biblioteca central de la Universidad Nacional Autónoma de México, ciudad de México.

con su universidad respectiva, que ejerce sus funciones de alta docencia bajo la dirección del ministerio de Educación Nacional. La universidad comprende las siete facultades de: 1) ciencias exactas, físicas y naturales; 2) ciencias políticas y económicas; 3) filosofía y letras; 4) derecho; 5) medicina; 6) farmacia; 7) veterinaria. La universidad confiere los títulos de licenciado y doctor en esas facultades.

La universidad en Hispanoamérica. Pocos años después de la conquista del continente por los españoles nacieron las primeras universidades en suelo americano. Los conquistadores fundaron en el Nuevo Mundo numerosas instituciones culturales, que tenían como modelo las universidades existentes en Europa, y muy particularmente en España. Colegios de primeras letras y estudios de enseñanza superior comenzaron a funcionar, no bien arribaron a América hombres de sólido prestigio en las cátedras de diversos establecimientos educativos europeos. La primera universidad fundada en hispanoamérica, la de Santo Domingo, la isla que descubrió Colón, data de 1538. Poco después se fundó otra en la misma ciudad con el nombre de Universidad de Santiago de la Paz.

Unas tres décadas después del descubrimiento del Nuevo Mundo, se implantó la enseñanza europea en México, cuando Pedro de Gante y sus compañeros, a partir de 1523, fundaron la escuela de Texco-

co, la de San Francisco y otros establecimientos docentes. Esos admirables educadores abrieron el camino a los preclaros maestros que, siguiendo sus huellas, afianzaron, años más tarde, las bases de la enseñanza universitaria: Bernardino de Sahagún, Alonso de la Vera Cruz, Juan de Gaona y otros infatigables propagadores de la cultura europea en el Nuevo Mundo. En 1551 se creó la Universidad de México, la que poco después inició sus labores con las cátedras de teología, cánones, derecho, artes, retórica y gramática, a las que añadió las de medicina, lenguas indígenas y lenguas orientales. Hubo, también, en México, en la época colonial, otras instituciones de docencia superior que por la importancia de sus cátedras, por estar incorporadas a la Universidad de México o porque conferían grados académicos, podían considerarse de categoría universitaria. Entre esas instituciones fueron notables las de Puebla, Mérida, Guadalajara, Michoacán y Oaxaca, que legaron una grandiosa tradición cultural, continuada y robustecida en las actuales universidades de los estados. En 1952 se terminó la Ciudad Universitaria en el Distrito Federal de México, para albergar las distintas facultades de la centenaria Universidad de México. Esta moderna Ciudad Universitaria tiene en su recinto, de varios kilómetros cuadrados de extensión, modernos y grandiosos edificios, y constituye uno de los principales núcleos universitarios de América.

En 1551 se expidió una cédula real para la fundación de la Universidad de San Marcos de Lima (Perú). Esta universidad, como la de México, es aún hoy centro de irradiación cultural en todo el mundo de habla española. En 1590 fue creado el Colegio Mayor de San Felipe, anexo a la misma universidad de Lima. En 1598 fueron creadas dos más en el Perú; la del Cuzco y la de Huamanga. En Colombia se estableció en Bogotá la Universidad de Santo Tomás en 1627, donde ya existían colegios dirigidos por los jesuitas desde 1543. La Universidad de San Felipe, en Chile, que se fundó en 1743, se extinguió en 1839, y entonces el gobierno chileno fundó la Universidad de Santiago y designó al filólogo Andrés Bello para que fuese su primer rector (1842). Hoy este establecimiento se llama Universidad Central. Anteriores a la Universidad de San Felipe existían en Chile las universidades pontificias de San Ignacio y de Santo Domingo. Panamá tuvo su universidad, denominada de San Javier, desde 1749. En Córdoba (Argentina), existían estudios de arte y teología, pero el paraguayo Hernando Trejo y Sanabria fundó la universidad de dicha ciudad en 1613. La Universidad de Caracas (Venezuela) fue fundada en 1721, y la de La Habana (Cuba), en 1728. La de Charcas (Bolivia), que llegó a ser famosa, se creó en 1624, y la de Quito (Ecuador) data de 1787. Después de la Independencia nació la Universidad de Buenos Aires en 1821.

Como se ve por las fechas apuntadas, la mayor parte de las universidades de Hispanoamérica fueron fundadas pocos años después de la conquista del continente por los españoles. A partir de la independencia política del continente la fuerza creadora y el espíritu civilizador de las universidades fueron factores decisivos para el afianzamiento de la libertad y del progreso de la cultura. *Véanse* BECA; CIENCIA; CIUDAD UNIVERSITARIA; COLEGIO; DOCTORADO; EDUCACIÓN.

universo. Conjunto de todas las cosas creadas. En la antigüedad se creía que el Sol, la Luna, las estrellas y todos los cuerpos del universo giraban alrededor de la Tierra. Algunos afirmaban, además, que ese universo reposaba sobre el lomo de una tortuga o en los hombros de un gigante llamado Atlas. La invención del telescopio permitió conocer nuevas estrellas y examinar con mayor exactitud la trayectoria de los astros; el concepto del universo varió fundamentalmente. Se afirmó entonces que el número de las estrellas era infinito y que el universo se extendía ilimitadamente en todas direcciones. Esta idea contrastaba especialmente con la de los antiguos, que imaginaban el cielo como un muro infranqueable. Sin embargo, los científicos modernos consideran que el universo, a pesar de tener dimensiones enormes, no es infinito. El concepto de un universo finito nace naturalmente de la noción de un espacio curvo, tal como se encuentra enunciada en la teoría de la relatividad. Las grandes masas de los cuerpos celestes engendran, según el físico alemán Albert Einstein, creador de esta teoría, un campo electromagnético curvo. En este campo los objetos en movimiento sólo pueden describir una trayectoria curva; del mismo modo que un hombre que camina sobre la superficie terrestre sigue necesariamente una línea curva. Un universo curvo es naturalmente finito. Si partimos de un punto cualquiera de la superficie terrestre y caminamos siempre en la misma dirección tarde o temprano volveremos a encontrarnos en el punto de salida. A la vez, afirma Einstein, ese universo curvo es ilimitado; el hombre que camina sobre una superficie curva no encuentra nunca límites a su marcha, aunque pasara repetidamente por el mismo lugar. Las dimensiones de este universo limitado son casi inconcebibles para una mente humana. Se ha calculado que el espacio universal tiene un diámetro de varios miles de millones de años luz. El año luz es el espacio recorrido por un rayo de luz durante un año; como la luz se desplaza a razón de 300,000 km/seg un año luz representa una distancia de unos nueve billones y medio de kilómetros. Dentro de ese enorme universo el sistema solar es un punto insignificante. El Sol es un astro perdido en una agrupación conocida con el nombre de Vía Láctea formada por millones de estrellas. Aunque el hombre no tiene ya la pretensión de que su planeta sea el centro del universo, los astrónomos modernos afirman que la Vía Láctea parece ocupar una posición privilegiada en cierto sentido, pues está rodeada por otros sistemas estelares o galaxias. Esta situación no es sin embargo inalterable. La Vía Láctea se traslada en el espacio a una velocidad cercana a los 20 km/seg y ocupará dentro de algunos millones de años una posición muy distinta de la actual. Este cambio de lugar es inevitable, pues no todas las galaxias se trasladan a la misma velocidad; algunas se acercan a nuestro sistema, otras se alejan de él. Para conocer la velocidad de las estrellas que forman las galaxias basta estudiar su espectro, es decir, la descomposición de sus rayos de luz a través de un prisma. Cuando las rayas del espectro se desplazan hacia el rojo la estrella se aleja de nosotros; cuando las mismas rayas se desplazan hacia el violeta, el astro se acerca a nuestro sistema. Gracias a estos estudios de los espectros estelares pudo descubrirse que las estrellas más distantes de nosotros se alejan a velocidades enormes del centro del universo. Este fenómeno es llamado por los astrónomos *la expansión del universo*. El universo aumenta constantemente de dimensión; los cuerpos celestes serían como los fragmentos de una pompa de jabón que ha estallado en el aire. Según los cálculos de algunos astrónomos hace 1,300 millones de años la dimensión del universo era igual a la mitad de la actual.

UNRRA. Siglas que corresponden a las iniciales, en inglés, de la Administración de Socorro y Rehabilitación de las Naciones Unidas *(United Nations Relief and Rehabilitation Administration)*, establecida el 9 de noviembre de 1943 por 44 estados, a los que luego se sumaron otros más, para ayudar a la recuperación de las regiones devastadas por la Segunda Guerra Mundial. Se distribuyeron grandes cargamentos de alimentos, se repuso el ganado y se revivió la agricultura en zonas que el conflicto había arruinado. Su organizador y primer director general fue el ex gobernador del estado de New York, Herbert H. Lehman. La UNRRA terminó y cerró sus operaciones en Europa en junio de 1947, y las correspondientes a países asiáticos del Lejano Oriente fueron transferidas a otros organismos de las Naciones Unidas.

uña. Parte córnea, dura, que crece en la última falange de los dedos del hombre y de algunos animales (mamíferos, aves y ciertos reptiles). En el hombre son láminas convexas elásticas y transparentes, que protegen la parte superior del extremo de los dedos. Están implantadas en un repliegue de la piel, llamado matriz de la uña, de la que nace el cuerpo de la uña, adherido por su parte inferior al dedo, menos en el extremo anterior que queda libre. Está constituida por escamas epiteliales planas, que se forman por proliferación celular del estrato de la raíz de la uña. En la vida moderna, el creciente cuidado que se presta a las manos y en especial a las uñas ha dado origen a la profesión de manicura. En los animales, las uñas alcanzan grados de desarrollo muy distintos, sirviendo generalmente como órganos de defensa y ataque, cavadores o trepadores. Tienen formas muy variadas, frecuentemente ganchudas y afiladas, y cuando el número de dedos se reduce, como en el caballo, toro, etcétera, las uñas se transforman en protecciones que cubren todo el extremo del dedo, llamándose cascos, y si están hendidas, pezuñas.

Upsala. Glaciar de América del Sur que se origina en la cordillera Andina, en la frontera entre Argentina y Chile. Penetra en Argentina (provincia de Santa Cruz) y desemboca en el brazo norte del lago Argentino.

Ural

Ural. Río de Rusia. Nace en el macizo montañoso de los Urales meridionales, pasa por las ciudades de Guriev, Orsk, Chkalov, Uralsk y Kalmikovo y, después de describir numerosas curvas, desemboca en el Mar Caspio. Tiene 2,400 km de largo. Este río ha sido considerado durante mucho tiempo como el límite natural de Europa y Asia, pero hoy se estima que corresponde en su mayor parte al territorio asiático. Su riqueza en esturiones y salmones es grande. Se hiela durante parte del invierno y se producen fuertes avenidas en primavera.

Urales, montes. Cadena montañosa en la parte oriental de la Rusia europea. Se extiéndense desde el océano Glacial Ártico hasta cerca de la costa del Mar Caspio a lo largo de 2,200 km. Es un macizo rocoso y complejo, cuya anchura varía en diversos lugares y alcanza unos 150 km en su sección meridional. En esta larguísima zona el clima es riguroso y viven unos diez millones de personas. Existen grandes y tupidos bosques y el subsuelo encierra riquezas minerales prácticamente inagotables. Existen grandes yacimientos de hulla, petróleo, hierro, cobre, níquel, bauxita, manganeso, amianto, oro, platino, cinc, cromo y otros minerales. El antiguo gobierno soviético dio a esta zona un poderoso impulso industrial y durante la Segunda Guerra Mundial fue el foco de la industria pesada soviética, que produjo el 35% de la fabricación total del país. Es famosa la montaña del Hierro, con cantidades de este mineral que hacen de la región urálica una de las zonas más ricas de la ex Unión Soviética. Esta cadena montañosa ha sido considerada tradicionalmente como la división natural entre Europa oriental y Asia. Su mayor altura es el monte Narodnaya, que tiene 1,860 metros.

uralita. Silicato natural doble de magnesia y de cal que se distingue por no contener óxido férrico, resultado de una seudomorfosis de los cristales de hornblenda o de actinota. Debe su nombre a que se halló por primera vez en los montes Urales.

Es también nombre comercial de un producto de fibrocemento a base de cemento y amianto, íntima y homogéneamente mezclados, que presenta todos los caracteres de la hornblenda sin hierro. Se utiliza en la fabricación de tabiques; techados, en forma de tejas, placas o chapas onduladas; tubos para la conducción de agua, depósitos, etcétera, siendo muy apreciado por su calidad de material incombustible y aislante.

uranio. Metal blanco, de apariencia similar al acero. En 1789 el químico alemán Klaproth descubrió el óxido de uranio UO_2. En contacto con el aire el uranio se oxida lentamente; los ácidos clorhídrico, sulfúrico y nítrico lo disuelven con facilidad. El uranio es un elemento químico, cuyo símbolo es U, de masa atómica 238.07 y número atómico 92. Es el elemento más pesado de la naturaleza. Una de las más importantes características de este metal es su constante actividad radiactiva; a causa de ella se transforma con el tiempo en otro elemento, el radio. Combinado con diversos metales el uranio tiene la propiedad de hacerlos más duros y elásticos; y sirve, también, como colorante en la industria del vidrio, aunque hoy se emplea casi exclusivamente en investigaciones atómicas. De la utilización de uno de sus isótopos, el U-235, surgió la primera bomba atómica. El uranio se encuentra diseminado por toda la corteza terrestre en ciertos compuestos minerales, aunque en proporciones muy pequeñas. Los más importantes de esos compuestos son la pecblenda o uraninita y la carnotita. En el Congo Belga, en Canadá, Checoslovaquia y Estados Unidos se encuentran los mayores depósitos de estos minerales. *Véanse* ÁTOMO; BOMBA ATÓMICA; U-235.

Urano. El más antiguo de los dioses en la mitología griega. Personificaba el cielo y fue esposo de Gea o la Tierra, de la que tuvo muchos hijos, entre ellos a Saturno, los Cíclopes y los Titanes. Sus hijos se rebelaron contra él y lo mutilaron. De la sangre de su herida nacieron los gigantes. *Véase* MITOLOGÍA.

Urano. Planeta del sistema solar. Su volumen es 64 veces mayor que el de la Tierra; dista del Sol casi 2,900 millones de km y tarda algo más de 84 años terrestres en describir una órbita completa alrededor de ese astro. Tiene un diámetro de 52,000 km, y efectúa la rotación sobre su eje en 17 horas y 24 minutos. Es el séptimo planeta del sistema solar y describe su órbita entre las de Saturno y Neptuno. Fue descubierto casualmente en 1781, por el astrónomo inglés Guillermo Herschel. En 1846, se comprobó, al revelarse la existencia del planeta Neptuno, que la hipótesis de Leverrier era exacta. A través del telescopio, Urano aparece como una mancha verde pues su atmósfera, formada por nubes de gas metano congelado bajo las capas altas de hidrógeno y helio, absorbe todos los rayos rojos del espectro. En 1986, la nave Voyager 2 reveló interesantes características de este planeta. Entre las ya conocidas, sobresale su inclinadísimo eje de rotación (los polos se encuentran casi en el plano de la elíptica). El metano de la atmósfera da a Urano su tono verdoso. Los datos enviados por el Voyager indican que este planeta tiene un campo magnético más intenso que el terrestre y que está rodeado por 15 satélites. Su sistema de anillos, descubierto en 1977, está constituido por lo que se cree es el material más oscuro del Sistema Solar. Épsilon, el anillo exterior, contiene partículas del tamaño de un puño.

Aparte de los cinco satélites conocidos (Titania, Oberón, Ariel, Umbriel y Miranda) descubrió otros 10 más que son relativamente pequeños y que giran perpendicularmente al ecuador de Urano y en sentido retrógrado. En estos satélites hay fallas, cañones y cráteres. En 1997 fueron descubiertos diez satélites más por el *Voyager 2* todos ellos se encuentran en el interior de la órbita de *Miranda*. Los dos satélites más lejanos de Urano fueron descubiertos en 1997 y el más cercano en 1999. La luna de Urano fue descubierta en 1999, 13 años después de haber sido idenificada por el *Voyager 2*.

urbana, economía. A partir de la llamada Revolución Industrial surgieron las grandes ciudades modernas. Uno de los principales problemas que ha preocupado a los urbanistas desde entonces, es el del equilibrio económico de la doble vertiente que tiene una urbe, primero en lo que se refiere a la seguridad de empleo y, segundo, a lograr un crecimiento sostenido de la producción. De forma paralela es necesario asegurar la estabilidad, evitando los posibles movimientos cíclicos, lo cual ha hecho favorable la gran concentración de industrias. En este punto la diversidad de sectores es básica, ya que mientras la estacionalidad de ciertas industrias puede afectar a un sector, otro puede compensarse con la estabilidad. La estabilidad general depende también de la existencia de empresas de diferente tamaño, antigüedad o estructura financiera. Se ha observado que a menor aglomeración, mayor es la diferencia en la distribución de renta. Otra ventaja importante que desde el punto de vista de la producción ofrecen las grandes urbes, es la gran oferta de mano de obra que permite mantener la reserva industrial sin grandes costos sociales. Éstos son los objetivos primordiales que se persiguen en un modo de producción que va a la par de la industrialización. Sin embargo, la aparición de las ciudades ha supuesto, además del incremento de los centros de producción, la necesidad de disponer de una serie de servicios que prácticamente no han satisfecho del todo las necesidades de reproducción y mantenimiento de la fuerza laboral.

La satisfacción del conjunto de las necesidades urbanas ha sido siempre inferior a la exigencia ciudadana, de modo que al hablar de déficit urbano se compara una situación real con los estándares que los ciudadanos u órganos de expresión política establecen como deseables. En ese sentido, las necesidades de las clases populares son la vivienda, la educación, los servicios de salud y el transporte. Todos corresponden a las tareas de los urbanistas, pero el sector en el que más ha progresado la economía urbana es aquel que guarda una relación directa con la producción dentro de la misma ciudad. La teoría de la ubicación de los centros industriales, comercios, centros de trabajo, oficinas, etcétera, ha dado pie a una extensa literatura cuyo principal punto de referencia es el *Central Business District* (CBD, *distrito central de negocios*), en función del cual se definen todos los elementos urbanos. Los principios generales de la teoría de la ubicación son: en el CBD se localizan las funciones más especializadas, así como aquellas cuyo ámbito o mercado es la propia ciudad; la ubicación de cualquier actividad está condicionada por el uso del suelo y por los permisos de construcción de acuerdo y con las leyes en materia urbana de cada lugar. En general el precio del suelo urbano se define por la distancia que hay entre éste y el CBD; la existencia de economía o diseconomías externas, sean de carácter técnico o afecten a los costos, induce a la centralización o descentralización de las actividades respecto del CBD. En el caso de ciudades o urbanizaciones muy extensas, existe más de un CBD; hay funciones que se excluyen por su propia naturaleza, como el caso de zonas industriales mezcladas o contiguas a barrios residenciales de alto nivel económico. Las herencias históricas tienen un gran peso en la localización, ya que condicionan las nuevas localizaciones al mismo tiempo que impiden los cambios bruscos o masivos en el uso de suelo. En el conjunto de los países existe la tendencia espontánea a una mayor concentración de población y de actividades en un pequeño número de aglomeraciones urbanas, y a una descentralización progresiva hacia su interior.

Con frecuencia estas tendencias provocan una enorme congestión en el CBD que coincide, o está cercano, a las zonas históricas de la ciudades. La economía urbana ha logrado grandes progresos en lo que a análisis y solución de problemas de congestión se refiere; se ha tratado de adaptar el centro de las ciudades a los cambios que se dan en la organización económica y cuyo aspecto más importante es el de su dimensión y accesibilidad. Cuando el CBD requiere la incorporación de áreas nuevas, que por lo general coinciden con las zonas más antiguas y deprimidas de la ciudad, se necesita de operaciones de remodelación urbana que ofrecen a la vez menos suelo y expulsan del centro a las familias de bajo ingreso, para lograr la apertura de nuevas vías de comunicación para el acceso a la zonas comerciales. Estas operaciones se realizan en forma lenta y gradual para el desplazamiento de las familias de renta más baja hacia las zonas periféricas.

El aumento de la población y la congestión provocan la renovación urbana y el incremento de necesidades, que han dado un nuevo impulso a las finanzas de las entidades locales, especialmente a los municipios, que a principios del siglo XX ya experimentaban cambios con la introducción de la electricidad en el alumbrado público y los transportes, fenómeno que ha cambiado de manera sustancial la composición interna de los gastos municipales, en favor de un porcentaje mayor al de la inversión sobre el consumo de corriente, y ha descentralizado el conjunto del gasto público.

urbana, política. Conjunto de iniciativas y disposiciones que promueve una autoridad política, ya sea a nivel local, regional o nacional, con fin de racionalizar la organización y desarrollo de los grandes centros poblacionales. La política urbana, vinculada a la política general de ordenación del territorio, intenta dar respuesta, según criterios de racionalidad política, a determinadas necesidades humanas y sociales, tomando en cuenta los costos económicos que implican. Por lo tanto, puede decirse que la política urbana intenta dirigir el desarrollo del crecimiento humano, contemplando los fines socioeconómicos y la visión política desde diversos aspectos. Lógicamente, la política urbana ha ido influyendo cada vez más en cuanto a la orientación del urbanismo al promover, por ejemplo, planes urbanísticos en los que participan equipos de arquitectos, economistas, sociólogos, psicólogos, etcétera, que en ocasiones también incorporan –por medio de encuestas y sondeos de opinión– a ciudadanos y entidades afectados o involucrados en la planeación.

Urbaneja, Diego Bautista (1782-1856). Político venezolano. De ilustre familia criolla, se unió a los independistas en 1810. Miembro conservador de los Congresos de Cariaco (1817), Angostura (1819) y Cúcuta (1821), a él se deben casi todas las leyes de aquel tiempo. Vicepresidente de la República de Venezuela (1830), ministro del Interior con Paéz (1833) y Soublette (1834), ocupó de nuevo la vicepresidencia en 1844 y fue presidente provisional en 1848.

Urbaneja, Luis Manuel (1873-1937). Escritor venezolano. Cofundador de la revista modernista *Cosmópolis* (1894), cultivó el cuento y la novela de ambiente criollo. De su producción novelística destacan *En este país* (1914), *El tuerto Miguel* (1932), *La casa de las cuatro pencas* (1937). Entre sus cuentos, dispersos en revistas de la época, cabe citar *Los abuelos*, *Flor de mayo* y *Botón de algodonero*, entre otros. En 1930 publicó el ensa-

yo *El gaucho y el llanero*, sobre problemas sociales del país.

urbanidad. Conjunto de reglas y principios relacionados con los modales y el comportamiento que el individuo debe observar en sus relaciones sociales. Así como la educación se refiere a la parte espiritual de la persona, la urbanidad concierne a su aspecto material o formalista, al que considera como una manifestación externa que revela el grado de aquélla. La urbanidad, llamada también cortesanía (puesto que su uso nace precisamente de las costumbres urbanas o cortesanas), comprende una serie de preceptos encaminados a dar cierta uniformidad a los diversos gestos y posturas (ademanes) que la persona realiza comúnmente para expresarse, atribuyéndoles un significado y alcance peculiar, dentro de su inevitable convencionalismo. Modela, al propio tiempo, dentro de un cuadro de prudencia y comedimiento, las expansiones naturales del carácter (vehemencias), procurando, como su más inmediata finalidad, que el hombre sea agradable y discreto con sus semejantes.

Aun cuando las reglas de urbanidad varían notablemente en relación con el país, la época y la costumbre, todas coinciden en el propósito directo de ensalzar y honrar la condición humana, señalando sus diferencias en razón al rango, estado, edad o sexo.

urbanismo. Técnica aplicada a la construcción y edificación de las ciudades. En

El urbanismo es el arte de trazar ciudades.

Corel Stock Photo Library

urbanismo

Corel Stock Photo Library

La creación y conservación de parques, es parte de la urbanización.

realidad, el urbanismo como arte de trazar ciudades, es de época relativamente reciente. El hombre primitivo vivía aislado y sus albergues se hallaban distantes unos de otros, no constituyendo propiamente una población. Más tarde, la costumbre de celebrar ceremonias comunes en honor de los muertos o de las divinidades atrajeron las familias hacia un mismo punto (curias), aglutinándose después en tribus, hasta formar un conjunto homogéneo, con todos los caracteres típicos de una población. Así surgieron las primitivas ciudades griegas y romanas, pero de mucho antes (3,000 años a. C.) se han hallado vestigios de poblaciones egipcias y babilónicas, cuyo núcleo inicial se condensaba alrededor del templo. Durante la mayor parte de la Edad Media y principios de la Moderna, las aglomeraciones urbanas se caracterizaron por su estrechez y por las murallas con las que se protegían de las frecuentes invasiones. El Renacimiento intensificó la ornamentación (monumentos, palacios, arcos, plazas, etcétera), conciliando lo útil con lo estético. La ciudad moderna se distingue por su grandiosidad y la elevación de muchos de sus edificios (rascacielos), pues debe compensarse en altura lo reducido de la superficie horizontal, y por la amplitud de sus vías de comunicación, así como por la racionalidad de sus construcciones, que responden al triple aspecto de higiene, comodidad y belleza. El tránsito motorizado introduce notables modificaciones en el trazado de las calles. El maquinismo ha contribuido, también, a modificar la fisonomía de la ciudad moderna, con sus bloques de fábricas y talleres. Sus peligros (aire viciado, humos, vapores nocivos, etcétera) obligan

a concentrarlas en lugares apartados (suburbios), alejados del centro de población. La higiene reclama, asimismo, que toda ciudad posea un excelente abastecimiento de agua (acueductos y depósitos) y una red de cloacas para hacer desaparecer los productos residuales, cuya acumulación podría ser origen de infecciones y epidemias. Una teoría que tiene grandes adeptos entre los urbanistas es la construcción de las llamadas ciudades-jardín. Cada casa se proyecta para una sola familia y va rodeada de una amplia faja de terreno, des-

tinado a recreo o cultivo, con lo cual se evitan los antihigiénicos hacinamientos.

urbanización. Conjunto de trabajos que son necesarios realizar para la formación y trazado de los proyectos de ensanche, saneamiento, embellecimiento y mejora de las poblaciones, así como la realización de los mismos. Comprende el estudio de la ciudad y sus necesidades, reuniendo datos sobre densidad de población por zonas industriales, partes insalubres, parques, plazas y espacios libres; abastecimiento de agua (acueductos y depósitos); condiciones del subsuelo; tránsito general y su distribución; medios de transporte y su capacidad; estructura y posición de las redes de alcantarillado; tendencia a extenderse la ciudad sobre un punto determinado; necesidades de futuras escuelas, mercados, mataderos, parques, edificios públicos, etcétera. Toda transformación urbanística ha de estar condicionada por las necesidades presentes, por las de un futuro inmediato y por las previsiones de un porvenir lejano. Las reglamentaciones de urbanización establecen la altura que deben alcanzar los edificios, superficies cubiertas, etcétera, servidumbres y limitaciones por zonas y por fachadas. El proyecto de urbanización comprende esquemas y mapas de zonas, planos de conjunto y memorias explicativas. *Véase* ACUEDUCTO.

Urbano II (1042?-1099). Papa, nacido en Champaña (Francia) y muerto en Roma. Fue canónigo de la catedral de Reims y después pasó al monasterio de Cluny. En 1078, el papa Gregorio VII lo nombró car-

El transporte público, como el metro, es uno de los servicios que considera la urbanización.

Corel Stock Photo Library

Todo proyecto de urbanización debe considerar las fuentes de energía, como estos molinos de viento.

denal. En 1088, ocupó el trono pontificio, y desde entonces se recrudeció la lucha del papado contra el emperador de Alemania Enrique IV, que sostenía al antipapa Guiberto. En ese conflicto que se conoce en la historia con el nombre de Guerra de las Investiduras, Urbano II y el emperador experimentaron alternadamente triunfos y reveses. Convocó a los concilios de Plasencia y de Clermont en 1094 y 1095, respectivamente, para efectuar la primera Cruzada, empresa a la que prestó todo su apoyo. Se destacó también como notable teólogo.

Urbano VI (1318-1389). Papa nacido en Nápoles, cuyo nombre era Bartolomé Prignano. Obispo de Acerenza en 1363 y arzobispo de Bari en 1370, fue elegido papa en 1378. Sus grandes reformas de la curia papal dieron lugar a la separación de varios cardenales, quienes, reunidos en Anagni, anularon su creación y nombraron papa a Clemente VII, con sede en Aviñón. Este hecho originó el gran cisma de Occidente. Al verse reconocido sólo por una parte de la cristiandad, inició guerras con Nápoles y Hungría, y tuvo que refugiarse en Salerno, Sicilia y Génova sucesivamente. Cuando regresó a Roma, murió envenenado.

Urbano VIII (1568-1644). Papa nacido en Florencia, cuyo nombre era Maffeo Barberini. Estudió filosofía en Roma, en 1606 fue nombrado cardenal y llegó al solio pontificio en 1623. Canonizó a varios santos, entre ellos a san Ignacio de Loyola, y concedió el título de eminencia a los cardenales. Condenó a Jansenio, ensan-

chó el poder del Vaticano con el ducado de Urbino Y otras tierras, fundó el Colegio de la Propaganda para la enseñanza de misioneros, declaró la guerra al duque de Parma, se mostró contrario al rey Felipe IV de España y estuvo en conflicto con la República de Venecia y con Portugal.

Urbina, José María (1808-1891). Político y militar ecuatoriano. Participó en las guerras de la Independencia del Ecuador y posteriormente fue encargado de negocios en Bogotá; pero se enemistó con el presidente Rocafuerte y debió permanecer en el exilio. Al producirse la revolución contra Flores, participó en el movimiento, siendo después diputado. En 1850 encabezó una rebelión que derrocó al presidente interino Ascásubi y llevó al poder a Diego Noboa. Dos años más tarde, afirmando que el presidente carecía de fuerzas para impedir el retorno de los partidarios de Flores, se hizo proclamar jefe de la nación. Durante los cuatro años en que estuvo en el poder (1852-1856) decretó la libertad de los esclavos y creó con los *tauras* o negros liberados una especie de guardia personal. Al concluir su mandato llevó al poder al general Robles, que fue derrocado tres años más tarde. Durante la dictadura de Gabriel García Moreno, Urbina debió permanecer en el exilio; pero su tendencia –llamada urbinismo– resurgió después del asesinato de García Moreno. En sus últimos años fue comandante supremo del ejército y presidió la Asamblea Constituyente de 1878.

Urbina, Luis G. (1868-1934). Poeta mexicano. Personalidad intelectual de

múltiples facetas, cultivó el periodismo literario, la crítica teatral, la crónica diversa, y fue, por encima de todo, un excelso poeta. Desde muy joven adquirió merecido renombre. Se inició colaborando en la *Revista Azul* de Gutiérrez Nájera, de quien fue, en cierto sentido, continuador, pero con luz propia, en el movimiento literario del modernismo. Desempeñó el cargo de secretario de la legación de México en Madrid, fue catedrático de literatura en la Escuela Nacional Preparatoria y director de la Biblioteca Nacional, ambas en la ciudad de México. Estuvo en Cuba y visitó Argentina en misión cultural. En el periodismo literario, fue maestro de la crónica alada, plena de gracia y humorismo, y de la crítica teatral, ágil y brillante. Su prosa cautiva por su atrayente belleza. Su poesía es toda inspiración y musicalidad, realzada por la emoción y frecuentemente entristecida por un velo de honda melancolía. Muchos de sus versos han alcanzado la celebridad en todo el mundo de habla española.

Urdaneta, Alberto (1845-1887). Pintor y dibujante colombiano. Se le considera uno de los fundadores de la pintura histórica en Colombia. Entre sus cuadros más célebres figura *Balboa descubriendo el mar del Sur* y *Jiménez de Quesada muerto*. Se conservan numerosas obras a lápiz, en las que representó a personajes notables de la vida política y social de Colombia. En Bogotá fundó el Instituto de Bellas Artes (1860).

Urdaneta, Andrés de (1498-1568). Militar, marino, cosmógrafo y religioso español. Estudió filosofía y matemáticas, pero prefiriendo la carrera militar, sirvió en las guerras de Alemania e Italia, que le obtuvo el grado de capitán. En 1525 se embarcó en la expedición de Jofre de Loaisa en busca de un nuevo camino hacia las islas de la Especiería, comunicando a su regreso sus descubrimientos. Se trasladó a México, en cuya capital ingresó en la orden de san Agustín (1553), mas en 1559 Felipe II lo designó para tomar el mando de la armada enviada a Filipinas. Urdaneta acató la orden real y nombró general de la armada a López de Legazpi. Fue elegido prelado con el título de protector de los indios, y durante la expedición ejerció sus grandes conocimientos de navegación y cosmografía. De vuelta en México se retiró definitivamente a su convento.

Urdaneta, Rafael (1789-1845). General venezolano y presidente provisional de Colombia, a la renuncia de Mosquera. En 1810, abrazó la causa de la independencia. Por su valor en los campos de batalla ascendió rápidamente hasta general. Se destacó por la maestría con que dirigió la retirada de Nueva Granada, abriéndose paso entre dos ejércitos, para salvar a unos 2,000 refugiados. Fue diputado, senador y ministro de la guerra de Colombia bajo la presidencia de Mosquera a quien sustituyó en 1830. En 1837 fue senador en Venezuela y luego secretario de Guerra y Marina. Enviado a Europa para gestionar con España el reconocimiento de la independencia de Venezuela, murió en París antes de cumplir su misión.

urea. Sustancia de desecho que se halla en la orina y en pequeña cantidad en la sangre y otros líquidos orgánicos. Es el principal constituyente nitrogenado de la orina y el residuo de los alimentos que contienen proteínas. En 1773, Rouelle descubrió la urea en la orina. En 1828, Wöhler obtuvo la urea por síntesis, siendo el primer químico que logró la formación artificial de un compuesto orgánico. Su descubrimiento inició el comienzo de la rama más extensa de la química sintética. Se presenta en cristales prismáticos, incoloros, y también toma el aspecto de polvo cristalino. Es soluble en agua y alcohol y casi insoluble en éter y cloroformo. La ingestión de urea hace aumentar la secreción de la orina. Por su efecto antiséptico, se utiliza en polvo sobre las heridas infectadas. En la industria se utiliza para preparar medicamentos; entra en la composición de abonos nitrogenados; como ingrediente en la fabricación de materiales plásticos y también como elemento estable en la conservación de los explosivos.

uremia. Estado tóxico en el organismo humano producido por la presencia en la sangre de componentes anormales que ya no se pueden eliminar por la orina. La causa común se debe a una perturbación de las funciones renales, que no filtran las sustancias de desecho. Los síntomas que se observan son: color amarillento del enfermo, pérdida del apetito, aliento con olor a orina, la respiración en creciente dificultad y golpes de tos cada vez más fatigosos. El corazón da muestras de cansancio y la presión arterial presenta marcha descendente. El urémico se encuentra triste y adormilado, aunque es muy difícil que pueda conciliar el sueño, debido a las sacudidas musculares o convulsiones. Otras veces lo acosa una continua picazón por todo el cuerpo y tiene náuseas, vómitos y dolor de cabeza. En ocasiones hay fiebre, pero el organismo tiende a mantener una temperatura por debajo de lo normal. En sus inicios, las formas leves de uremia pueden tratarse por medio de un régimen de comida a base de verduras, frutas y cantidades mínimas de alimentos nitrogenados como leche, quesos, carne y pescados. En los casos agudos y graves de uremia, se administrarán sedantes y tónicos para sostener el corazón, y el médico de cabecera prescribirá las medidas de urgencia más convenientes. Con frecuencia, la uremia en su fase grave evoluciona hasta el coma o sueño profundo, y desde este estado de inconsciencia general, se pasa a la muerte.

Ureña, Salomé (1850-1897). Poetisa y prosista dominicana, nacida en Santo Domingo. A los 15 años publicó sus primeros versos, que firmaba con el seudónimo de *Herminia*. En 1881 fundó el Instituto de Señoritas, primer centro de cultura superior que tuvo la mujer dominicana. De expresividad clásica, su obra se caracteriza, además, por una delicada e ingenua simplicidad que no rehúye, sin embargo, una honda y genuina emoción. Sus versos, de inspiración cívica e indianista, se encuentran reunidos en el volumen *Poesías*. Se la recuerda, en especial, por su espiritualidad y patriotismo.

Urey, Harold Clayton (1893-1981). Químico norteamericano que obtuvo el Premio Nobel de Química en 1934 por su descubrimiento del llamado *hidrógeno pesado* (agua pesada). Profesor de química de las universidades de Montana, Johns Hopkins, Columbia y Chicago. En 1930 publicó en colaboración con A. E. Ruark, *Átomos, moléculas y quanta,* especializándose en su estructura en las propiedades termodinámicas de los gases en la separación de los isótopos y en el espectro de absorción. La Sociedad Americana de Química le otorgó la Medalla Willard Gibbs. *Véase* AGUA PESADA.

Uribe Holguín, Guillermo (1880-1972). Músico colombiano, considerado comúnmente como el padre de la música culta en su país. Estudió en su patria, y en Francia bajo la dirección de Vicent D'Indy. Desde 1910 a 1935 y desde 1942 en adelante dirigió el Conservatorio Nacional de Música, en la ciudad de Bogotá. En sus obras, algo influidas por el romanticismo y el impresionismo francés, los motivos populares tienen siempre gran importancia. Entre ellas se destacan su sinfonía *Del terruño, Trescientos trozos de sentimiento popular*, piezas para piano; *Bochica*, poema sinfónico, y *Furatena*, drama musical.

Uribe Piedrahita, César (1897-1953). Novelista colombiano, nacido en Medellín (Antioquía). Estudió para médico bacteriólogo y fue profesor universitario. Sus novelas, *Toá*, sobre la vida en las plantaciones de caucho en el Amazonas, y *Mancha de aceite,* cuyo tema es el de los yacimientos petrolíferos, recuerdan el papel obsesionante que juega la selva en *La vorágine* de José Eustasio Rivera. Ambas obras colocan al autor dentro del ámbito de la novela de protesta, como uno de sus mayores representantes en Hispanoamérica.

Uribe Uribe, Rafael (1859-1914). General y político colombiano de actuación destacada en las guerras civiles de Colombia, en el último tercio del siglo XIX. Fue notable estratega y caudillo del partido liberal. Derrotó al gobierno en la batalla de Peralonso y en la toma de Bucaramanga en 1900, pero fue finalmente vencido y hubo de acogerse a una capitulación. Fue jurisconsulto y brillante parlamentario; representó a Colombia en la Conferencia Panamericana de Santiago de Chile.

úrico, ácido. Sólido blanco cristalino, inodoro e insípido. Se descompone por calefacción, sin llegar a fundirse, formando ácido cianhídrico. Es soluble en glicerol, en soluciones de hidróxidos y en carbonatos alcalinos; es algo soluble en agua e insoluble en alcohol y éter. El ácido úrico es la sustancia nitrogenada de excreción de los reptiles y las aves. En los mamíferos existe en cierta proporción en la orina; en el ser humano la proporción es de 3 a 5 mg por cada 100 cm^3. Frecuentemente da lugar a cálculos urinarios. Su manifestación patológica más importante es la gota.

urodelo. Anfibio que pertenece a un orden que se distingue en que la cola del estado larval persiste en el estado adulto. La mayor parte de los urodelos tiene cuatro extremidades bien desarrolladas, lo mismo que la cola; pero en ciertas especies suelen faltar las extremidades posteriores. El cuerpo es, generalmente, laceriforme, y existen especies terrestres y acuáticas. El orden de los urodelos comprende ocho familias entre las cuales se destacan la de los salamándridos (salamandras) y la de los sirénidos. Estos últimos (sirenas) carecen de extremidades posteriores.

urogallo. Ave que habita en los pinares de Europa y gran parte de Siberia; se alimenta principalmente de bayas, insectos y retoños de pino y otros árboles que dan a su carne un ligero sabor a trementina. El plumaje del macho, que le cubre hasta las patas, es predominantemente de color negruzco con manchas grises y ocres, plumas remeras castaño oscuro, casi negras las timoneras y verde oscuro en el pecho. La hembra es de color castaño oscuro con manchas castaño claro; construye su nido en el suelo, al pie de los árboles, y pone de 6 a 12 huevos de los que una parte se pierde debido a su descuido. Pertenece al orden de las gallináceas, y llega a alcanzar unos 80 cm de largo.

Urquiza, Justo José de (1801-1870). Militar y político argentino, nacido y fallecido en Concepción del Uruguay (Entre

Ríos). Durante su juventud fue testigo de las convulsiones provocadas por los esfuerzos de Bernardino Rivadavia y la elite de Buenos Aires para armonizar las rivalidades entre los caudillos provinciales. En 1821 se incorporó a las milicias cívicas de Entre Ríos y en 1826 fue electo diputado a la legislatura de esa provincia. Desde el principio de su actuación política se pronunció por el régimen federal de gobierno y después de que las provincias rechazaron la Constitución de 1826, de carácter unitario, actuó al lado de los caudillos federales contra los unitarios. En 1833 fue nombrado jefe de frontera en el río Uruguay, donde se distinguió por el orden que impuso en la jurisdicción a su cargo y el apoyo que prestó a la política unificadora de los gobernadores de Entre Ríos, Santa Fe y Buenos Aires.

A partir de 1836 colaboró con Juan Manuel de Rosas en sus luchas contra el general Fructuoso Rivera, en el Uruguay. Posteriormente actuó con las tropas de Pascual Echagüe para sofocar la sublevación del gobernador de Corrientes, Genaro Berón de Astrada (1839), y contra los unitarios de Juan Lavalle, derrotado en Don Cristóbal y Sauce Grande (1840). Designado gobernador de Entre Ríos en 1841, Urquiza fue atacado por José María Paz y por Rivera, lo cual provocó su retiro a Santa Fe. Finalmente participó con Manuel Oribe en la victoria sobre Rivera en Arroyo Grande (1842) y, siempre a las órdenes de Rosas, infligió una nueva derrota a Rivera en India Muerta (1845). A pesar de todo esto, hacia 1847 las divergencias entre Rosas y Urquiza eran bastante profundas. Ese año Urquiza invadió la provincia de Corrientes y después de derrotar a las fuerzas contrarias a Rosas, comandadas por Juan Madariaga, celebró con el gobernador de esa provincia, Joaquín Madariaga, el llamado tratado de Alcaraz, por el que Entre Ríos y Corrientes se reconocían recíprocamente autónomas y aliadas. Rosas desaprobó ese pacto y Urquiza volvió a derrotar a Juan Madariaga en Vences (1847). Estos hechos, sumados a la imposibilidad de que la provincia de Entre Ríos desarrollara adecuadamente su comercio e industrias, debido a las restricciones que había establecido el general Rosas desde Buenos Aires, decidieron a Urquiza a pronunciarse contra aquél, comenzando a prepararse para la defensa con el mayor sigilo y cautela.

El 1 de mayo de 1851, ante una presentación más por parte de Rosas de la renuncia a la dirección de las relaciones exteriores, la provincia gobernada por Urquiza la aceptó. Además, en noviembre de ese año se celebró un acuerdo con el Uruguay y el Brasil para derrocar a Rosas. El ejército de Urquiza, engrosado con contingentes de aquellos países, avanzó hasta las cercanías de Buenos Aires y en Caseros (3 de febrero de 1852) derrotó a Rosas. Empeñado en la unificación argentina, Urquiza invitó a los gobernadores provinciales a reunirse en San Nicolás de los Arroyos (mayo de 1852) para decidir la convocatoria a un congreso constituyente. Allí fue elegido Director Provisorio de la Confederación, pero la autoridad depositada en sus manos despertó recelos en Buenos Aires, que terminó por separarlo del resto de las provincias poco tiempo después. El Congreso Constituyente se reunió en Santa Fe en noviembre de 1852 y, después de sancionar la Constitución (1 de mayo de 1853), designó a Urquiza presidente de Argentina. Buenos Aires permaneció separada de la Confederación hasta que sus fuerzas, al mando del general Bartolomé Mitre, fueron derrotadas por Urquiza en Cepeda (1859). Durante la presidencia de Santiago Derqui se produjo un nuevo enfrentamiento en Pavón (1861), donde Urquiza fue vencido por Mitre. Este último asumió el gobierno provisorio y desde entonces se consolidó la unión nacional. Urquiza volvió a su provincia, donde ejerció el cargo de gobernador, y se retiró de las contiendas electorales para la presidencia.

En abril de 1870 se produjo un levantamiento en Entre Ríos, encabezado por el general Ricardo López Jordán, y Urquiza fue asesinado en el palacio de San José.

urraca. Pájaro de la familia de los córvidos, que habita en las regiones templadas del continente euroasiático y en algunas del americano. Mide 50 cm de pico a cola y 60 de envergadura, con la cola tan larga como el cuerpo y formada por plumas de longitud escalonada, que le dan un aspecto lanceolado. La cabeza, cuello y dorso son negros brillantes, las partes laterales grises, los hombros y el vientre blancos, el pico y patas negruzcos y la cola azul oscura, con reflejos metálicos. Es ave de vuelo corto y que camina levantando la cola a cada paso que da. Se amansa fácilmente, si se cría desde pequeña, y es capaz de aprender algunas palabras y silbar algunas notas musicales. Animal de rapiña, cauto y tímido con los que son más fuertes, pero cruel con los indefensos y débiles, ataca los nidos de otros pájaros para devorar los polluelos.

Urrutia, Jorge (1905-). Compositor chileno. Estudió con P. H. Allende y con D. Santa Cruz y amplió sus estudios en Europa con Ch. Koechlin, P. Dukas y P. Hindemith. Adscrito al movimiento nacionalista, incorpora elementos folclóricos a su lenguaje. Su técnica armónica y de orquestación está muy influida por Debussy y Ravel. Sus obras más significativas son el ballet *El guitarrón del diablo*, las obras sinfónicas *Pastoral de Alhue* y *Estampas de Chile*, y la obra para piano *Tres coros infantiles de carácter chileno*. Coautor, con S. Claro, de una *Historia de la música en Chile* (1971).

Ursinos, Ana María de la Tremouille, Princesa de los (1642-1722). Dama francesa esposa del príncipe Flavio Orsini, duque de Bracciano. Su nombre, Orsini, fue castellanizado a Ursinos, y así se la conoce en la historia de España. Al ascender al trono de España el rey Felipe V, fue nombrada *camarera mayor* de la reina. Desde este cargo ejerció notoria influencia sobre la política real y contribuyó al predominio del partido francés en el estado español. Al morir la reina, la princesa de los Ursinos logró que Felipe V contrajera matrimonio con Isabel de Farnesio, a quien esperaba dominar. Pero la nueva reina la expulsó de España.

URSS. *Véase* UNIÓN DE REPÚBLICAS SOCIALISTAS SOVIÉTICAS.

Úrsula, santa (430?-451?). Mártir cristiana, hija del príncipe bretón Deonato, quien también se había convertido al cristianismo. Según la leyenda, Conán, gobernador de la Armórica (actual Bretaña francesa), envió emisarios a Britania para pedir a Úrsula en matrimonio, hecho al que accedió el padre. Los emisarios tenían la orden de llevar consigo a todas las jóvenes que estuviesen en edad de casarse para contraer matrimonio con los bretones que se habían establecido en la Armórica. Úrsula se embarcó en Londres con sus compañeras, pero una tempestad arrastró la escuadra hacia las costas de Bélgica, desde donde la futura santa y sus acompañantes se retiraron a un puerto situado en la desembocadura del Rin, y desde allí se dirigieron por este río a Colonia. Apresados todos por Gauno, jefe de los hunos, las mujeres se vieron a merced de la soldadesca, que intentó abusar de ellas. Úrsula instó entonces a sus compañeras a sufrir el martirio y la muerte antes que la deshonra, y los hunos, enfurecidos, les dieron muerte y sepultaron sus cuerpos en Colonia. La leyenda de santa Úrsula ha sido llevada al arte por varios pintores, entre ellos por una serie de once cuadros del Carpaccio, en Venecia. La Iglesia católica celebra su fiesta el 21 de octubre. Bajo la protección de esta santa, se halla la Congregación de las Ursulinas, fundada en 1535 por Ángela Merici, de Brescia, para la educación gratuita de las jóvenes.

urticaria. Enfermedad eruptiva de la piel, que produce un picor intenso, seguido de formación de ronchas blanquecinas que se vuelven rojizas. Puede presentarse en cualquier zona del cuerpo, aunque es más frecuente en las nalgas, antebrazos y muslos. Generalmente es causada por la ingestión de ciertos alimentos, a los que el

Ministerio de Turismo de la República Oriental del Uruguay

(De izq. a der. y de arriba abajo): viviendas en Montevideo, plantaciones agrícolas en Tacuerembó, astilleros marítimos en Salto, y edificios en el centro de Montevideo, Uruguay.

paciente es alérgico y que pueden ser frutas, mariscos, bebidas, carne de cerdo o algunos medicamentos.

Uruguaiana. Ciudad de Brasil, sobre la orilla oeste del río Uruguay, perteneciente al estado de Río Grande del Sur, y por cuyo puerto fluvial dicha zona brasileña hace su exportación al Río de La Plata. Población: 81,430 habitantes. Enlazada por ferrocarril y carretera con la capital de su estado, y unida a la vecina orilla del río con la población argentina de Paso de los Libres, mediante un puente de 1,420 m de longitud. Su movimiento es principalmente de intercambio comercial.

Uruguay. Importante río en el Sureste de América del Sur. Nace en sierra Geral, Brasil, se dirige primero al oeste y luego al Suroeste. Forma límite entre Brasil y Argentina, y luego entre ésta y Uruguay hasta desembocar en el Río de la Plata, tras un recorrido de 1,615 km. Después de Salto Grande (hermosa caída de 10 m) es navegable por embarcaciones menores en su parte superior y de mayor tonelaje, en la inferior, hasta el puerto de Paysandú. En sus márgenes se levantan importantes ciudades, entre ellas las argentinas de Santo Tomé, Paso de los Libres, Concordia y Concepción del Uruguay; las ciudades uruguayas situadas en las orillas del importante río son: Salto, Paysandú, la de Bella Unión y Fray Bentos. Sus principales afluentes son el Peperi, Dayman y Queguay, Guazú, Chirimay, Aguapey, Mocoreta, Gualeguaychú, Pelotas, Ibicuy, Cuareim, Arapey y Negro.

Uruguay. Situado entre los grados 30-35° latitud sur y 53-59° longitud oeste con respecto al meridiano de Greenwich, se encuentra la pequeña nación uruguaya –oficialmente: República Oriental del Uruguay– con una superficie de 176,215 km² y una población de 3.064,000 habitantes, la mitad de los cuales está concentrada en la capital, Montevideo, y sus aledaños. Limita al norte y noreste con Brasil, al este y sureste con el océano Atlántico, al sur con el estuario del Plata y al oeste con Argentina.

El territorio. En su aspecto físico, el suelo uruguayo es una prolongación del macizo oriental de Brasil, cuyas estribaciones penetran en Uruguay en forma de cuchillas o serranías bajas (como la Cuchilla Grande, la de Haedo y la de Belén), con elevaciones que oscilan entre 100 y 200 m y que rara vez sobrepasan los 500 m. De ahí que el territorio en general presente un relieve ondulado y que abunden en él las planicies más o menos dilatadas, pobladas de bosques y praderas que recuerdan a la pampa argentina.

Su sistema hidrográfico, perteneciente a la vasta cuenca del Plata, está compuesto de innumerables arroyos y de unos cuantos ríos, casi todos afluentes de Uruguay, que junto con el Paraná forman el amplísimo estuario conocido como Río de la Plata. Entre las corrientes que recorren el interior del país se destaca el río Negro, que nace de tierra brasileña y atraviesa Uruguay de noreste a poniente, pasando por el centro, donde se halla la gran represa de Rincón del Bonete; su tributario principal es el Tacuarembó. Le siguen en importancia el Cuareim, en la frontera norte con Brasil, el

Daymán y el Queguay, que desembocan en el río Uruguay. Este último, aparte de ser el que dio nombre a todo el país, le sirve de frontera natural con Argentina. En la costa del Atlántico sobresalen la laguna Mirim (o Merín), cuyo tributario más importante es el río Yaguarón, que marca la frontera noreste con Brasil; la laguna Negra, la Castillos y la Rocha. En la costa del Río de la Plata, que forma una extensa playa de veraneo, es donde habita una buena parte de la población. Por algo se le ha llamado *la Costa Azul* sudamericana.

Flora y fauna. Debido a la humedad constante de sus suelos y a lo benigno de su clima, Uruguay presenta un aspecto siempre verde en toda época del año, predominando la vegetación de tipo pradera. Por esto mismo, no se ven allí grandes selvas como la del Amazonas, y sólo en las riberas de algunos ríos se dan especies arbóreas tales como el ombú, el ñandubay y el urunday, el lapacho, el quebracho y el algarrobo, entre los de madera dura; el sauce y la acacia, de madera fina y blanda. Hay otras muchas especies como el pino, cedro, ciprés y sicomoro, que junto con el eucalipto y la palmera nativa suelen plantarse sobre todo en las zonas costeras. Abundan las flores de muy variados colores en todo el territorio.

La fauna uruguaya carece de grandes mamíferos, y son raras las fieras como el puma y el jaguar; en cambio abundan el venado, el zorro gris, el carpincho y el hurón, la nutria y la foca. Hay también una gran variedad de aves como codornices y perdices, patos silvestres, loros y búhos; no escasean los reptiles ni los arácnidos, y son muchas las variedades de peces fluviales y marítimos.

Población. Con una densidad media de 17.4 habitantes km², concentrados en su mayor parte en las áreas urbanas, Uruguay figura entre los países más poblados de Sudamérica. Este hecho se debe a la política migratoria adoptada por el gobierno uruguayo durante el primer tercio de este siglo, en que grandes núcleos de europeos, principalmente italianos y españoles, fijaron su residencia en el territorio. Hay también un buen número de brasileños, y los pocos negros que allí viven son descendientes de aquellos que llegaron como esclavos durante la época colonial.

Sin embargo, a pesar de la heterogeneidad de razas, en Uruguay no se dan prácticas discriminatorias, y lo mismo se codea un mestizo con un criollo, un negro con un blanco, un francés con un suizo, alemán o inglés. Y, si bien casi todos conservan su idioma de origen, la lengua oficial es el español, que se usa en todos los aspectos de la vida pública: política, comercio, centros de estudio y centros recreativos o laborales.

Casi 60% de los uruguayos son católicos; el resto practica otras religiones. Y, aunque hay separación entre Iglesia y Estado, existe libertad de cultos.

Por otra parte, el uruguayo es un individuo amante del orden y del trabajo. Sus hábitos intelectuales lo inclinan más a la tranquilidad que a la violencia; y aunque su credo político sea liberal, siempre trata de establecer el diálogo con sus opositores observando los principios de la ética y del humanismo.

Además de poseer un carácter agradable, todos los uruguayos sienten gran pasión por los deportes, en algunos de los cuales han figurado como grandes estrellas.

Entre las ciudades principales de Uruguay figura en primer lugar Montevideo, la capital, con cerca de un millón y medio de habitantes, incluida la zona metropolitana. Entre los sitios de interés que tiene esta ciudad sobresalen: la plaza Independencia, donde se levanta la estatua ecuestre de Artigas, el máximo héroe nacional; la plaza Constitución, donde se halla la catedral y el Cabildo o ayuntamiento; varios parques y museos; modernos hoteles y restaurantes, y una serie de playas de recreo. Famosa también por sus playas es Punta del Este, a escasos 5 km de Maldonado, la capital del departamento del mismo nombre. Aunque de menor importancia que Punta del Este, existen otros muchos lugares de veraneo en la costa atlántica, a lo largo del estuario del Plata y en la ribera de los ríos principales. Entre ellos se encuentra Atlántida, La Floresta, Piriápolis, La Paloma, Colonia, Nueva Palmira y muchos otros.

Administración y gobierno. Según la Constitución de 1966, Uruguay es una república democrática unitaria, al frente de la cual hay un presidente elegido para un periodo de cinco años, y auxiliado por un Consejo de Ministros. Sin embargo, desde 1976, tras la disolución del Congreso y la deposición del mandatario en turno, la junta militar introdujo nuevas disposiciones concernientes a las funciones del Ejecutivo. Un proyecto constitucional sujeto a plebiscito en noviembre de 1980 fue rechazado por los partidos, y, en consecuencia, el gobierno prohibió toda actividad política. El estatuto fijaba condiciones extremas sobre la situación legal de los partidos limitando su campo de acción mediante restricciones y exclusiones que a la mayoría les parecieron arbitrarias. Entre otros, José Batlle Ibáñez, líder del Partido Colorado (liberal), se opuso firmemente a votar en favor de dicho proyecto de ley. En 1985, Uruguay volvió al gobierno civil después de las elecciones nacionales de 1984 y quedó representado por una Cámara de Diputados (99 miembros) y una de Senadores (30 miembros); las dos cámaras son pluripartidistas.

En su aspecto administrativo, Uruguay está dividido en 19 departamentos. En el recuadro siguiente donde se les nombra, en 14 de los cuales por tener capital homónima, ésta no se señala.

Economía. Uruguay es un país esencialmente ganadero, y del sector agropecuario deriva en buena parte su producción industrial. Grandes extensiones de terreno (alrededor de 90%) están destinadas a la cría de ganado, principalmente bovino, cuya carne en casi 50% se exporta al Brasil. Las primitivas razas, introducidas a principios del siglo XVII por los españoles, han ido mejorándose gracias a la incorporación de sementales como el Durham y el Herdford en los vacunos, el Lincoln y el Romney Marsh en el ganado lanar, lo cual hace que la calidad de los productos derivados (leche, queso y embutidos, cueros, pieles y lana) sea la preferida en el mercado internacional. La industrialización de la carne comenzó en la segunda mitad del siglo pasado y recibió gran impulso a principios del presente con la instalación de frigoríficos como el de Fray Bentos, en el departamento de Río Negro.

La agricultura es muy variada, sobre todo en la zona meridional, donde se cultiva trigo, maíz, cebada, sorgo, soya, batata, guisantes, semilla de girasol, etcétera. La abundancia de agua, unida al clima templado y a los modernos sistemas de regadío, hacen posible el cultivo de toda clase de vegetales. La caña de azúcar se da principalmente en el departamento de Artigas, al norte; los árboles frutales (manzana, pera, durazno o melocotón, naranja, mandarina, etcétera) se encuentran sobre todo a la orilla de los grandes ríos. El algodón y el tabaco abundan en los departamentos de Tacuarembó y Rivera.

La producción vitivinícola uruguaya compite con las de Argentina y de Chile. Por otra parte, la industria conservera en general ha experimentado un buen incremento a últimas fechas.

Con más de 1,000 km de costas y una gran variedad de especies fluviales y marinas, Uruguay ha desarrollado bastante su producción pesquera, llegando a superar las 134,900 ton en 1987.

El subsuelo uruguayo es pobre en metales, y las posibilidades de que posea mantos petrolíferos hasta ahora son muy pocas; de aquí la necesidad de importar diversos metales y combustible. En cambio hay gran cantidad de rocas marmóreas y basaltos muy apreciados, piedras calizas y arcillas de muchas clases, las cuales constituyen su única riqueza minera. No por esto se ha descuidado la metalurgia y la refinación del petróleo, cuyas materias primas provienen del exterior, y de las cuales de-

División Política			
Departamentos	Habitantes	Capital	Habitantes
Artigas	69,145	Artigas	25,000
Canelones	364,248	Canelones	15,000
Cerro Largo	78,416	Melo	38,000
Colonia	112,717	Colonia	17,000
Durazno	55,077	Durazno	25,000
Flores	24,739	Trinidad	16,000
Florida	66,474	Florida	21,000
Lavalleja	61,466	Minas	35,000
Maldonado	94,314	Maldonado	16,000
Montevideo	1.311,976	Montevideo	1.246,500
Paysandú	103,763	Paysandú	76,191
Río Negro	48,644	Fray Bentos	20,000
Rivera	89,475	Rivera	57,316
Rocha	66,601	Rocha	20,000
Salto	108,487	Salto	80,823
San José	89,475	San José de Mayo	26,000
Soriano	79,439	Mercedes	35,000
Tacuarembó	83,498	Tacuarembó	30,000
Treinta y Tres	46,869	Treinta y Tres	22,000

pende el desarrollo general de otros sectores industriales como la manufactura de fibras sintéticas, el ensamblado de automotores, etcétera.

La producción de energía eléctrica, que hasta hace poco dependía casi exclusivamente de Brasil y Argentina, ha ido ganando terreno gracias al establecimiento de grandes complejos hidroeléctricos como el de Rincón del Bonete, en el embalse del río Negro, y la represa de Salto Grande.

El comercio, la industria manufacturera y el turismo (este último en particular) son los renglones que proporcionan mayor fuente de ingresos a Uruguay. Se ha ampliado la red de carreteras y de vías férreas, así como las rutas fluviales, marítimas y aéreas; asimismo, se han establecido grandes centros recreativos a lo largo de la costa del Atlántico y en el estuario del Plata, los cuales atraen cada año a millares de visitantes de todo el mundo.

La unidad monetaria de Uruguay es el nuevo peso, dividido en 100 centavos, y el Banco de la República emite billetes de varias denominaciones. Hay otras muchas instituciones bancarias, así privadas como extranjeras. Además de estar adscrito a la Organización de las Naciones Unidas, Uruguay pertenece a diversos organismos internacionales como la OEA (Organización de Estados Americanos), ALADI (Asociación Latinoamericana de Integración), SELA (Sistema Económico Latinoamericano), etcétera.

Educación y cultura. Uruguay es una de las naciones latinoamericanas con menor índice de analfabetismo y su nivel cultural, al estilo europeo, se cuenta entre los más sobresalientes. La educación, desde los grados ínfimos hasta la carrera universitaria, es gratuita, y obligatoria en los ciclos de primaria y de secundaria. Existen diversos institutos pedagógicos y de investigación, tanto privados como oficiales, entre los que descuellan la Universidad de la República y el Ateneo de Montevideo, de donde han salido grandes figuras en el campo de la política, las ciencias y las artes.

Música. Al lado de las manifestaciones populares que perviven desde las postrimerías de la Colonia –el triste y la media cana, el tango y el pericón–, que en su mayoría son de autor anónimo y que mucho tienen en común con los cantos y danzas de la Argentina, existe en Uruguay la inclinación por la música culta, como lo prueban las numerosas salas de conciertos y el repertorio de los compositores nacionales, que, ya inspirándose en los grandes maestros europeos, ya en el folclore rioplatense, han cultivado todos los géneros musicales así tradicionales como modernos, sobresaliendo más de una vez en el ámbito internacional. Baste recordar aquí a las figuras más representativas:

Eduardo Fabini (1883-1950), considerado hasta hoy como el máximo exponente de la música uruguaya, irrumpió en el universo sonoro con su poema sinfónico *Campo*, que fue estrenado en el Teatro Albéniz de Montevideo, e interpretado luego por el gran Strauss en Buenos Aires. *La isla de los ceibos*, de deslumbrante colorido impresionista, es su obra maestra. Tiene también otras piezas de gran perfección formal, como la *Melga sinfónica* y el ballet *Mburucuyá,* en donde plasma su autenticidad latinoamericana.

Contemporáneos de Fabini, aunque nacidos antes que él, destacan Luis Sambucetti (1860-1926) con su ópera *San Francisco de Asís* y la opereta *Colombison*; Alfonso Broqua (1876-1946), autor de varios poemas sinfónicos como *Tabaré* (basado en el texto de Zorrilla de San Martín), *Noche campera*, el drama lírico *La Cruz del Sur* y varias composiciones de tipo popular; Carlos Pedrell (1878-1941) con *La guitarra* y *Ardid de amor*, dos obras escénicas de muy buen corte. Siguiendo su propio estilo y tendencias, son dignos de mención Luis Cluzeau Mortet (1889-1957), Vicente Ascone (1897-), Ramón Rodríguez Socas (1890-1957), Luis Pedro Mondino (1903-), Carlos Estrada (1909-1970). La mayoría de éstos recibieron su educación musical en Europa y, de regreso a la patria, se dedicaron a enseñar teoría musical, a fundar institutos y a organizar grupos armónicos, de los que han salido personalidades como Héctor Tosar (1925-), neoclásico en su primera época y nacionalista después; Ricardo Storm (1930-), Luis R. Campodónico (1931-), René Marino Rivero (1935-) y José Serebrier (1938-), destacado director de orquesta internacional.

Arquitectura. Apenas quedan muestras de esta rama del arte en la época colonial, consistentes sobre todo en construcciones religiosas y militares, como la iglesia de San Carlos y los fuertes de Santa Teresa y San Miguel, sin olvidar la catedral y el cabildo, de finales del siglo XVIII y principios del XIX. A mediados del siglo pasado prospera la arquitectura civil y la académica. Mención aparte merece el soberbio palacio Legislativo, de corte neoclásico, erigido en 1925. Sin embargo, los mejores logros se han dado en el terreno urbanístico, con marcada influencia de Le Corbusier y otros maestros del funcionalismo moderno, destacándose entre otros Julio Vilamajó (1895-1948), Oscar Cravotto, Eladio Dieste (1917-), Mario Payssé Reyes, Nelson Bayardo y Juan M. Borthagaray.

Escultura. Fuera del llamado Antropolito de Mercedes, pocas son las obras escultóricas que han sobrevivido de Uruguay precolombino. Durante la colonia se desarrolló principalmente la imaginería cristiana y los monumentos funerarios. Figuran entre los primeros escultores de la época independiente Juan Luis y Nicanor Blanes, hijos del ilustre pintor de *La fiebre amarilla*. Sin embargo, son Juan Manuel Ferrati (1874-1916) y José Belloni los que dan verdadero prestigio a este arte en su país, dentro de la tendencia romántica y la naturalista, cuyas resonancias alcanzan hasta Edmundo Pratti (1889-) y José Luis Zorrilla de San Martín (1891-1975), hijo del *poeta de la patria*. Inician el movimiento modernista Bernabé Michelena (1888-1963), Germán Cabrera (1903-) y Eduardo Díaz Yepes; y, tras una etapa de atraso

Parlamento de Montevideo, Uruguay.

Ministerio de Turismo de la República Oriental del Uruguay

evolutivo, vuelven a surgir figuras en el campo del abstraccionismo, entre las que cabe mencionar a Salustiano Pintos (1905-), Enrique y Carlos Fernández, y otras personalidades promisorias.

Pintura. El verdadero arte pictórico Uruguayo nace con la Independencia, que sirve de tema a los retratistas (Cayetano Gallino, Amadeo Gras y Jean Phillippe Goulú), a los grabadores y acuarelistas (Adolfo D'Hastrel y Emeric E. Vidal). Pero entre todos ellos sobresale Juan Manuel Blanes (1830-1901) como documentador del movimiento libertario, que pinta todo *lo que ve y lo que oye.* Seguidores los tiene en sus propios hijos (Juan Luis y Nicanor), así como en el paisajista Horacio Espondaburu, el pintor de batallas Diógenes Hecquet y el marinista Miguel Larravide. La influencia modernista se deja sentir en la última década del pasado siglo con Carlos Federico Sáez y Carlos María Herrera, Dionisio Carbajal, Manuel Correa y Carlos Seijo. Los impresionistas más destacados son Pedro Blanes Viale (1879-1926) y Milo Beretta (1870-1935). Pero las figuras principales y que sirven de puente entre las primeras corrientes y las actuales son Pedro Figari (1861-1938) y Joaquín Torres García (1874-1949), quienes no sólo ejercieron gran influencia en su patria sino que traspasaron las fronteras americanas hasta darse a conocer en Europa tanto por sus cuadros como por sus escritos. En efecto, Figari nos dejó *El arte, la estética y el ideal;* Torres García trazó su postura en su *Universalismo constructivo.* Al lado de ellos, seguidores o no, están los expresionistas Rafael Pérez Barradas, José Cúneo, Andrés R. Montani, Jorge Páez y Luis Solari; los abstraccionistas Lincoln Presno y Antonio Llorens; sin contar con los representantes de la corriente internacionalista, como Spósito, Ventayol, Hilda López Damiani, etcétera.

Literatura. Un profundo nacionalismo caracteriza la literatura uruguaya del siglo XIX, alentado por el Romanticismo, que había extendido su influencia sobre todas las literaturas occidentales, y en especial sobre las de Latinoamérica. En la comarca rioplatense, en donde apenas se sintieron los vaivenes del clasicismo y neoclasicismo, apareció de pronto una manifestación literaria de tipo popular que en más de un aspecto recuerda a los trovadores de la Europa medieval, y que estará presente en las mejores producciones artísticas argentino-uruguayas: la poesía *gauchesca.* Su iniciador y primer representante en el Uruguay es Bartolomé Hidalgo (1788-1823) cuyos *Diálogos patrióticos* y *Cielitos* preludian las obras maestras que de este género se escribieron luego en Argentina (*Santos Vega* de Ascasubi y *Martín Fierro* de José Hernández). Apenas consumada la independencia, se desarrolla una intensa actividad

Ministerio de Turismo de la República Oriental del Uruguay

(De izq. a der.): fuente en el centro de Montevideo, y embarcación pequeña junto al mar en Rocha, Uruguay.

literaria, lo mismo en verso que en prosa. Y abundan los escritores que cultivan diversos géneros a un tiempo, destacando unas veces como poetas, otras como novelistas o cuentistas, y otras más como ensayistas u oradores de valía. Tal es el caso del épico Juan Zorrilla de San Martín (1855-1931) autor de *Tabaré, La leyenda patria* y *La epopeya de Artigas,* justamente llamado *el poeta de la Patria;* el lírico Julio Herrera y Reissig (1875-1910): *Los éxtasis de la montaña;* el nativista Fernán Silva Valdés (1887-1975): *Agua del tiempo* y *Romancero del Sur,* los místicos Carlos Sabat Ercasty (1887-), Emilio Oribe (1893-1975) y Juan Cunha (1910-), sin contar a una pléyade de poetisas entre las que sobresalen Delmira Agustini (1886-1914): *El libro blanco, Cantos de la mañana* y *Cálices vacíos;* María Eugenia Vas Ferreira (1875-1914): *La isla de los cánticos;* Juana de Ibarbourou (1895-1979): *Raíz salvaje, Las lenguas de diamante* y *La rosa de los vientos;* Esther de Cáceres (1903-1971): *Las ínsulas extrañas;* y muchas otras más. La novela y el cuento tienen sus grandes exponentes en Carlos Reyles (1868-1938): *Beba, La raza de Caín* y *El gaucho florido;* Javier de Viana (1868-1926): *Leña seca, Gaucha;* Horacio Quiroga (1878-1937): *Cuentos de la Selva, Anaconda,* etcétera.; Juan Carlos Onetti (1909-): *La tierra de nadie, Los adioses;* además de otras figuras tanto del siglo pasado como del presente, entre las que cabe mencionar al nativista Eduardo Acevedo Díaz (1851-1921), al costumbrista Francisco Espínola (1901-1973) y al esteticista Mario Benedetti (1920-). De los ensayistas y pedagogos, el más destacado en toda Latinoamérica es

sin duda José Enrique Rodó (1871-1917), que con *Ariel* y *Los motivos de Proteo* revolucionó el pensamiento latinoamericano en la prosa al igual que lo hizo Rubén Darío con *Azul* y *Prosas profanas* en el terreno poético. Algo parecido, pero sin el empuje de Rodó, hizo Carlos Vas Ferreira (1873-1958) con su *Fermentario,* lo mismo que Luis Alberto Herrera (1873-1959) en el campo de la historia. El teatro rioplatense, muy ligado a Argentina, tiene sus promotores en los uruguayos Ernesto Herrera (1886-1917): *El león ciego;* Florencio Sánchez (1875-1910): *M'hijo el dotor, Barranca abajo,* etcétera.; y, tras una época de crisis, resurge el género dramático gracias a la aparición de nuevos valores como Carlos Denis Molina, Antonio Larreta, Carlos Maggi y otros autores nacidos en las primeras décadas de la presente centuria.

Historia. La evolución social y política de Uruguay presenta más diferencias que afinidades con los países hermanos de Hispanoamérica. Descubierto en 1516 por Juan Díaz de Solís, que murió a manos de los primitivos pobladores de las costas del Plata, queda relegado al olvido hasta que la gubernatura de Buenos Aires emprende en el siguiente siglo la conquista de lo que se llamó la Banda Oriental, debiéndose el éxito de la empresa más a la labor civilizadora de los misioneros jesuitas y franciscanos que a las armas de los conquistadores. Comienza la colonización en 1624, con la fundación de Santo Domingo de Soriano y la introducción de ganado vacuno y caballar. Al mismo tiempo, se suscita una lucha entre España y Portugal por el control del territorio uruguayo que, a partir del establecimiento de la colonia portuguesa del

Uruguay

Sacramento, pasa alternativamente a manos de las dos potencias rivales. En 1726 se funda la ciudad de San Felipe y Santiago de Montevideo como baluarte contra las invasiones extranjeras que continúan aun después de la formación del virreinato de Río de la Plata y de la fijación de límites territoriales con el Brasil. A principios del siglo XIX, Buenos Aires y Montevideo caen en poder de los británicos, que al fin son expulsados, y entonces los colonos de la Banda Oriental, siguiendo el ejemplo de los bonaerenses, se rebelan contra la Corona española. Al frente de ellos estaba el general José Gervasio Artigas, que pidió la autonomía de los gauchos orientales y, al serle denegada, inició la lucha contra los realistas, a los que venció una y otra vez, auxiliado por otras provincias del virreinato que lo reconocían como su caudillo. Pero, al verse acosado también por las tropas portuguesas del Brasil, Artigas huyó con su gente a Paraguay, donde murió. Tomó su lugar Juan Antonio Lavalleja, que con los *treinta y tres orientales* volvió al rescate del territorio uruguayo, incorporado a Brasil desde 1821. Brasil declara la guerra a Argentina por ayudar a los patriotas, pero es vencido en Ituizangó y, con la mediación de Gran Bretaña, se firma la paz (1828), quedando así Uruguay constituido en estado libre. Se jura la primera Constitución en 1830 y queda como primer presidente de la joven República Oriental Fructuoso Rivera, líder del Partido Colorado (liberal), que no tarda en tener conflictos con Lavalleja y luego con Manuel Oribe, jefe del Partido Blanco (conservador), iniciándose así la primera guerra civil, que duró de 1839 a 1851 y dio pie a un periodo de anarquía con predominio de los *blancos*. Al intentarse la fusión de ambos partidos, se suscitó una nueva guerra civil (1863-1865). Con el triunfo de Venancio Flores, el gobierno pasa a manos del partido colorado, que lo retiene durante casi cien años (1865-1959), en los cuales se suceden buenas y malas administraciones, así como épocas de crisis y de prosperidad. De 1865 a 1870 Uruguay interviene en la guerra contra Paraguay como aliado de Brasil y Argentina. La exclusión absoluta del Partido Blanco provoca una tercera guerra civil (1870-1872), que trae como secuela los gobiernos dictatoriales de Latorre, Santos y Tajes. Tras un breve periodo de transición, en que se distingue el presidente Idiarte Borda (1894-1897), llega a su fin la crisis en los albores del siglo XX, con el advenimiento de José Batlle y Ordóñez (1903-1907) que inició una transformación completa del país, sobre todo en su segundo mandato (1911-1915). Sus sucesores supieron sortear los avatares de las dos guerras mundiales y trataron de afirmar la estabilidad política mediante la creación de un Consejo Nacional de Gobierno *colegiado* (1952),

formado por nueve miembros que ejercían el poder por sistema de rotación. Pero en 1967, mediante un referéndum, se vuelve a la forma presidencialista de gobierno y toma el mando Óscar Gestido, que muere en diciembre de ese mismo año. Le sucede como presidente interino su vicepresidente Jorge Pacheco Areco, que tiene que enfrentarse a una fuerte crisis económica y al movimiento guerrillero de los tupamaros. Juan María Bordaberry, candidato oficial del partido Colorado, sustituye a Pacheco Areco en 1972 y, con el apoyo de las fuerzas armadas, derrota a los *tupamaros*, disuelve el Congreso de 1973 y crea un Consejo de Estado. Bordaberry es forzado a dimitir en junio de 1976. Fue designado para sustituirlo interinamente el vicepresidente Alberto Demicheli. Suspendidas las elecciones generales, el recientemente formado Consejo de la Nación nombra presidente en julio de 1976 al doctor Aparicio Méndez Manfredini, quien enmienda la Constitución para establecer un nuevo orden; en 1980 se propone un proyecto de nueva Constitución, que es rechazado en un plebiscito, ese mismo año. En septiembre de 1981 se designa al general retirado Gregorio Álvarez Armellino para ocupar la presidencia durante un periodo transitorio, con vistas a la elección de un gobierno civil. En 1982 el Consejo de Estado aprueba una ley para regular la actividad de los partidos políticos, y en noviembre de 1984, tras una etapa de efervescencia política, se efectúan comicios generales. Resulta electo presidente Julio María Sanguinetti, del partido Colorado, para un ejercicio de cinco años previsto en la Constitución aún vigente, a partir de marzo de 1985. En 1990, le sucede Luis Alberto Lacalle.

El mes de abril de 1992, Juan Andrés Ramírez, ministro del Interior, afirmó que la policía uruguaya continúa la investigación acerca de los móviles del atentado que destruyó el despacho del ex presidente Julio María Sanguinetti ocurrido en la ciudad de Montevideo.

Usandizaga, José María de (1887-1915). Compositor español, nacido en San Sebastián. Fue uno de los más vigorosos exponentes del nacionalismo musical vasco. Empezó sus estudios con los maestros Pagola y Cendoya, y los completó en París, donde fue alumno del célebre pianista Francis Planté y del compositor Vincent D'Indy, fundador de la *Schola Cantorum*. Sus principales influencias fueron las del mencionado D'Indy y las de César *Franck* y Giacomo Puccini. Sobresalen en su producción *Vals en la bemol, ¡Chopin!* y *Rapsodia Vascongada,* para piano; *En la aldea están de fiesta*, para órgano; la fantasía *Irurak Bat*, para orquesta; la obertura *Bidasoa*, para banda; *Umezurtza*, para soprano, tenor, coro y orquesta; las óperas *La*

llama y Mendi Mendiyan; la zarzuela *Las golondrinas,* y el *Cuarteto en sol mayor,* sobre temas populares vascos.

Ushuaia. Ciudad y puerto de la República Argentina, capital del territorio nacional de Tierra del Fuego, Antártida e islas del Atlántico sur. Está situada en la costa septentrional del canal de Beagle en el extremo austral del país, frente al extremo noroeste de la isla Navarino. Población: 29,696 habitantes. Se extiende al pie del monte Ulewaia (1,350 m de altura), y su bahía es amplia y segura. Por muchos años fue colonia penal que se suprimió en 1947, estimulándose desde entonces su progreso. Clima frío oceánico. La actividad principal es la cría de ganado lanar. Por vía terrestre se comunica con la población de Río Grande, en la costa atlántica norte de Tierra del Fuego. Tiene comunicación marítima y aérea con el resto del país.

Usigli, Rodolfo (1905-1979). Dramaturgo mexicano, nacido en la ciudad de México. Está considerado como uno de los más altos valores escénicos de Hispanoamérica. Fue director de los cursos de teatro de la Universidad Nacional Autónoma de México y jefe del departamento de Bellas Artes de la secretaría de Educación Pública. Siempre dirigió sus esfuerzos a crear un teatro mexicano que fuese síntesis de lo nacional y de lo artístico universal. Su obra más conocida, *El gesticulador*, es un análisis del problema de la verdad y su radical ambigüedad. *Corona de sombra* tiene como protagonista a la ex emperatriz Carlota, quien repasa en su mente desequilibrada los trágicos sucesos que llevaron a Maximiliano a la muerte y a ella a la locura. Se percibe la influencia de Ibsen, sobre todo en el tratamiento del subconsciente. *Corona de luz* y *Corona de fuego* forman, con la anterior, una trilogía en la que Usigli trató de indagar el pasado de México.

Uslar Pietri, Arturo (1906-). Escritor, economista, abogado y profesor universitario venezolano; en sus novelas históricas, usa la historia "para estudiar formas de plenitud de la vida real". Ha sido ministro de Educación, de Hacienda, de Relaciones Interiores y secretario del presidente de la República. De su vasta obra, en la cual predominan temas de imaginación, destácanse *Las lanzas coloradas* (novela); *Red* (cuentos); *Letras y hombres de Venezuela* (biografías); *Sumario de economía venezolana* (economía); *Las nubes* (ensayos, Premio Nacional de Literatura).

uso. Forma de derecho consuetudinario inicial de la costumbre y menos solemne que ésta. La ley suele referirse a los usos y costumbres locales para disponer su aplicación supletoria en numerosos casos. Derecho a percibir determinados frutos o productos de la cosa ajena. El derecho de uso, aplicado a los edificios, se determina derecho de habitación.

usufructo. Derecho de usar de una cosa cuya propiedad pertenece a otro, sin que se altere su sustancia. El usufructo presenta las siguientes características: 1) es un derecho real, que establece una vinculación directa entre el usufructuario y la cosa; 2) en virtud de él pasan al titular las facultades de usar y gozar de la cosa, pero permanece en manos del dueño el derecho de disponer de ella; 3) se ejerce sobre una cosa ajena, nunca sobre una cosa propia; 4) el ejercicio del derecho no debe alterar la sustancia de la cosa (por ejemplo, el usufructuario no podría convertir un cinematógrafo en salón de baile, ni una posada en almacén); 5) es de carácter temporario y no puede ser trasmitido por sucesión; 6) es divisible, pues puede ser establecido en favor de muchas personas o sobre diversas cosas separables; 7) es una servidumbre personal, pues tiende a favorecer directamente a su titular y no a la cosa misma. El usufructo se llama universal cuando abarca un conjunto de bienes y particular cuando comprende ciertos objetos bien determinados. Desde otro punto de vista, se llama perfecto cuando el usufructuario goza de la cosa aunque ella se deteriore por el tiempo o por el uso; y es imperfecto (o *cuasi usufructo*) cuando el usufructuario la consume al usarla, como ocurre con los granos, el dinero, etcétera. El usufructuario tiene el derecho de usar y percibir los frutos naturales, industriales o civiles de la cosa, pero no puede alterar su sustancia, ni siquiera para mejorarla.

Usulután. Departamento meridional de la República de El Salvador, cuyo límite sur es el océano Pacífico, y en cuya región abundan las lagunas. Lo bañan los ríos Lempa y San Miguel. Superficie: 2.130,44 km². Población: 453,586 habitantes. Capital: Usulután. Rica producción de café y caña de azúcar.

Usumacinta. Río de Guatemala y México, en la vertiente del Golfo de México. Es el más largo y caudaloso de Centroamérica: 1,100 km de curso y 1,725.8 m³/seg. Nace en Guatemala, en la sierra de los Cuchumatances, y toma sucesivamente los nombres de Chixoy y Salinas; después de recibir al río de la Pasión recibe el nombre de Usumacinta, con el que transcurre un tramo por la frontera entre Guatemala y México, y ya en este país, pasados los rápidos de Tenosique, es navegable hasta su desembocadura por un delta. Su valle fue el eje principal de la cultura maya.

usura. Interés desmesurado e ilegal que se cobra por un préstamo. En los tiempos bíblicos se consideró usura cualquier interés, por mínimo que fuese. Las leyes de Moisés lo reprimían con graves penas, y Jesús lo condenó en sus parábolas. En cambio, entre los griegos, se ejerció sin tasa ni medida, y los romanos de la época de Cicerón prestaban a un interés que solía exceder de la tercera parte de la suma prestada. Durante la Edad Media, volvió a prohibirse el interés; pero al despuntar el Renacimiento, con el auge de las ciudades comerciales y el fomento de los negocios, se comprobó que muchos solicitaban dinero en préstamo para obtener utilidad con él, y era entonces razonable que pagasen alguna cantidad por el servicio. Desde entonces, la usura se entiende sólo sobre las cantidades que exceden de la tasa permitida. Pero, como el uso casi siempre apareja el abuso, siguen existiendo, como en sus mejores días, los usureros, que hallan manera de burlar la ley. Encarnaciones de la usura en la literatura universal son: el Shylock, de William Shakespeare, que presta una suma al *Mercader de Venecia*, a condición de que si no cancela el préstamo a tiempo debe abonarle una libra de su propia carne; y aquella usurera de San Petersburgo que –en *Crimen y castigo*, de Fedor M. Dostoievski– muere a manos del vindicativo y atormentado estudiante Raskolnikov.

usurpación. Dentro del derecho penal es el delito cometido por quien se apropia de un bien o derecho real de pertenencia ajena, realizando el hecho con afán de lucro. Existen diversas clasificaciones de usurpación.

Usurpación de atribuciones. Término que se refiere al delito cometido por el funcionario público que ejerce funciones de poder o autoridad distintas a las que le corresponden, tanto en el campo de las atribuciones legislativas (funcionarios públicos que dictan reglamentos o disposiciones generales, derogando o suspendiendo la ejecución de una ley), ejecutivas (jueces que se arroguen atribuciones propias de las autoridades administrativas o impidan a éstas el ejercicio legítimo de las suyas), o judiciales (funcionarios administrativos que se arroguen atribuciones judiciales o impidan la ejecución de una decisión dictada por un juez competente). También comete este delito el funcionario que legalmente haya sido requerido para abstenerse de seguir ejecutando decisión pero continúe procediendo ante ésta, o el funcionario administrativo o militar que dirija órdenes o intimidaciones a una autoridad judicial, relativas a causas o negocios cuyo conocimiento o resolución sea de la competencia de los tribunales de justicia. Por último, la ley castiga al funcionario público que, a

sabiendas, proponga o nombre para un cargo público a alguien que no cumpla con los requisitos legales.

Usurpación de carácter religioso. La que comete quien usurpa el carácter que habilita para el ejercicio de los actos propios de ministros del culto o quien ejerce dichos actos.

Usurpación de estado. La cometida por la persona que se apropia del estado civil de otro. Cualquiera puede cometer este delito o ser sujeto pasivo del mismo. Se comete cuando se finge ser otra persona, con la intención de usar sus derechos y acciones. El hecho de asumir únicamente el nombre de otro, en el caso de realizar un trámite para la obtención, por ejemplo, de un pasaporte, cédula profesional o cualquier otro documento, no es condición suficiente. Además, la persona sustituida no debe ser imaginaria, sino real y existente. Para la consumación del delito basta la posesión momentánea del estado civil ajeno. Este delito se regula en Portugal, México, Chile, Cuba y Costa Rica.

Usurpación de funciones públicas. Delito que comete la persona que, sin título ni nombramiento legítimo, ejerce actos que corresponden a una autoridad o funcionario de este tipo y le atribuye carácter oficial.

Usurpación de patentes, marcas y nombres comerciales. Delito cometido por quien atenta contra el legítimo poseedor de estos derechos, ya sea fabricando, transmitiendo o usando, con fines industriales o de lucro, sin consentimiento tácito o expreso del propietario, copias dolosas y fraudulentas del objeto de la patente. Se considera usurpador de marcas a quien use o fabrique dibujos o modelos de fábrica ajenos sin el consentimiento del propietario original. Se considera usurpador de nombre comercial y recompensa industrial a quien haga uso de un nombre comercial como si lo hubiese registrado sin haberlo hecho legalmente; a quien le ponga nombre a un establecimiento utilizando el de otro establecimiento más antiguo, cuyo nombre ya estuviese registrado; a quien falsamente designe un establecimiento como sucursal de otro nacional o extranjero, cuyo nombre se encuentre registrado; a quien de mala fe emplee un nombre comercial registrado como propiedad exclusiva por otro habitante de la misma localidad; a quien use en muestras o rótulos de establecimientos, anuncios, facturas o reproducciones, etcétera, marcas a las que no tenga derecho o se apliquen recompensas otorgadas a productos distintos de los suyos y, finalmente, a quienes usen reproducciones de medallas o recompensas industriales alusivas a exposiciones o concursos que no han tenido lugar.

Usurpación de títulos. La que comete quien se atribuye la calidad de profesor

Festival de globos aerostáticos en Park City, Utah.

y ejerce actos propios de una facultad para los que se requiere un título oficial.

Por último, existen dos tipos de usurpación, la conocida como propia o coactiva, que se refiere a la realizada con violencia o intimidación en las personas, cuando además se hace con intención de lucro; y la usurpación impropia o furtiva, es decir, cuando se alteran términos o lindes de pueblos o heredades, o cualquier señal destinada a establecer límites de propiedad o demarcaciones de predios contiguos, tanto particulares como públicos, e igualmente con la alteración del curso de las aguas.

Utah. Estado localizado en la región de las montañas Rocky, en la mitad entre Canadá y México. Está bordeado por Wyoming en el oeste e Idaho en el norte. Superficie: 219,901 km². Población: 1.908,000 habitantes en 1994. La capital y la ciudad más grande es Salt Lake City (166,000 h, 1990).

Tierra y recursos. La espina de las montañas Rocky se encuentra en la parte baja del estado, con la planicie de Colorado al este y el Great Basin al oeste. El pico más alto es el Kings con 4,123 m. Los suelos van desde los desérticos hasta los alpinos.

Más de los 200 minerales comerciales que existen se encuentran en Utha, incluidos ricos depósitos de cobre, oro o molibdeno. El carbón, el gas natural y el petróleo se encuentran en la planicie de Colorado y depósitos de petróleo y de gas natural en la zona noroeste. El 30% de la tierra del estado es cultivable y forestal.

Hidrografía. El río Colorado drena la zona este. Los mayores tributarios del Colorado son los ríos Verde y San Juan. Las corrientes de la parte oeste son: Jordan,

Bear, Provo y Servier. El río Virgen en el suroeste desemboca en el lago Mead.

Clima. Utah es el segundo estado más seco del país con una precipitación anual de 330 mm. Existen zonas en el lago Great Salt Desert que sólo reciben 127 mm por año y zonas, como Wasatch Range, que recibe sobre 1,020 mm. Durante el verano las temperaturas varían entre 18 y 28 °C, en invierno bajan drásticamente excepto en la esquina sureste.

Vida animal. El alce y pequeños ratones habitan al norte de la montañas Rocky, y el antílope y el potro salvaje en los valles del oeste del desierto. Los animales pequeños incluyen el mink, la marta, el almizcle, etcétera. En los lagos y corrietes del estado habitan peces como la carpa, el pez gato y la perca. Utha alberga a miles de pájaros migratorios.

Actividad económica. Las industrias de servicio ocupan 75% de la producción total del estado y el gobierno, en particular, tiene una influencia muy importante. Cerca de 65% de las tierras están bajo el control federal.

De cada 40 ha de tierra sólo 1.6 son cultivables. Debido a la mecanización unicamente 3% de la fuerza de labor trabaja en la agricultura. Cerca de 75% del producto de la agricultura proviene del ganado vacuno. Los cultivos más importantes son el heno, el trigo, las cerezas, la alfalfa, la manzana, la patata y la caña de azúcar. Frutas y verduras crecen en el norte central del estado.

El centro de la industria de manufactura esta localizado en la capital, en Cache, en Utha y en el condado de Weber. La mayor producción de esta industria son: maquinaria eléctrica (maquinaria de oficina, construcción y equipo de minería); transporte (equipo de aviones y sistemas para

misiles y naves espaciales); y productos alimentarios. Otras manufacturas incluyen equipos de impresión y publicidad, productos de petróleo y carbón, químicos, textiles, etcétera.

Las dos guerras mundiales estimularon la minería y la manufactura. Durante la década de 1980 las industrias de servicio y el turismo se expandieron. En los años 90 Utha atrajo negocios nacionales e internacionales buscando expandirse.

útero. Órgano femenino que sostiene y alimenta al mamífero en desarrollo desde de la fertilización hasta el nacimiento. En la mujer este órgano hueco, con forma de pera, mide aproximadamente 8 cm de largo, pesa cerca de 42.5 gr y tiene gruesas paredes musculares. Está suspendido por ligamentos entre la vejiga y el recto. El útero consiste en una amplia porción superior (*fundus*); una porción media, más angosta (cuerpo), y un cuello (cérvix) que sale hacia la vagina. El canal cervical une a la vagina con el interior del útero.

La superficie interior del útero está cubierta con una gruesa membrana mucosa, el endometrio, en el cual se implanta el huevo fertilizado. Cuando no hay embarazo, las células exteriores del endometrio son desechadas junto con sangre durante la menstruación. Los músculos uterinos contienen fibras elásticas y de colágeno, que permiten que el útero se expanda durante el embarazo y se contraiga violentamente durante el trabajo de parto, antes del nacimiento.

***uti possidetis*, principio del.** Postulado del derecho romano que inspira los convenios en que dos o más Estados zanjan las diferencias surgidas entre ellos, por

Vista microscópica de la pared del útero.

la posesión de una determinada extensión de territorio. La expresión latina *uti possidetis* significa: *como lo poseéis*, y es hoy una fórmula de la diplomacia internacional en relación con la posesión que sobre un territorio ejerza una nación. Su aplicación rindió frutos en el trazado de límites entre las nuevas naciones iberoamericanas emancipadas de España y Portugal, sus respectivas metrópolis. El nacimiento de estas repúblicas implicaba graves probabilidades de discordia entre ellas, debido a que la continuidad geográfica de sus territorios hacía muy dificultosa toda demarcación. La aplicación del principio del *uti possidetis* referido a las Cédulas Reales y Leyes de Indias evitó, en muchos casos, la discordia, conviniéndose en respetar las fronteras de los antiguos virreinatos, presidencias o capitanías generales, según la posesión civil o real, que databa de la época de la dominación española.

Útica. Antigua ciudad de África, al noroeste de Cártago, primitiva colonia fenicia. Fue capital de la provincia romana de África, y llegó a su máximo esplendor después que los romanos destruyeron a Cártago en el año 146 a. C. En ella, se dio muerte el segundo Catón, llamado Catón de Útica. Fue una ciudad próspera, con fortificaciones, acueductos y notables edificios públicos y privados. Sufrió los embates de la guerra en diversas oportunidades, particularmente debido a su estratégica posición. Las ruinas de esta antigua ciudad se hallan en una colina a unos 10 km del Mediterráneo y a unos 35 de Túnez, entre esta ciudad y Bizerta. Al pie de la colina hay un gran pantano que ha reemplazado a un antiguo Golfo del Mediterráneo. Los desfavorables cambios que experimentó la topografía de la región en el curso de los siglos contribuyeron más a la decadencia de esta ciudad que ningún otro acontecimiento, incluyendo las guerras.

utilidad. Calidad de útil, así como cualidad de los bienes económicos, en virtud de la cual proporcionan la satisfacción de una necesidad. En el ámbito empresarial es la diferencia entre ganancias y costos, es decir, cuando los ingresos son mayores que los costos o egresos. También se le llama ingreso neto y su opuesto son las pérdidas (cuando los ingresos son inferiores a los costos). Como ingreso neto, la utilidad se calcula antes de hacer el pago de impuestos y dividendos. Cuando se lleva a cabo una operación corporativa se acostumbra desembolsar sólo un porcentaje de la utilidad como dividendos a los accionistas, mientras la gerencia retiene el resto como una reserva por si hay contingencias financieras y para financiar incrementos de capital así como la ex-

pansión y diversificación de la compañía, todo esto con la intención de incrementar eventualmente las utilidades.

En los sistemas de libre empresa (capitalistas), la utilidad es la mayor motivación económica y le siguen en importancia la renta y los salarios. Tanto los individuos como las corporaciones buscan innovar constantemente y se atreven a correr riesgos con su capital o servicios, estimulados por las utilidades. Por esa razón la motivación de la utilidad se considera positiva y puede llegar a ser una necesidad fundamental de la economía.

Por otro lado, la caracterización del papel de la utilidad y la motivación por ésta, ha sido un importante tema de debate entre los economistas capitalistas tradicionales y los marxistas, ya que en la teoría marxista la utilidad es la diferencia entre lo que se le paga al trabajador y lo que sus servicios valen. De acuerdo a esa teoría el valor de los productos está determinado por la cantidad de trabajo que se requiere para producirlos (teoría del valor), de tal manera que el salario que se le paga a los trabajadores en un sistema capitalista es de subsistencia, y es interior al valor agregado a los productos por su trabajo. La diferencia, o plusvalía, la retienen los capitalistas como utilidad, ya que su intención es siempre la de incrementar dicha diferencia pagando la menor cantidad posible a los trabajadores. En la mayoría de las economías basadas en postulados marxistas las nociones convencionales de utilidad tuvieron un papel insignificante, ya que su efecto práctico en el incremento de los salarios de los trabajadores fue mínimo y no tuvieron injerencia en la determinación de la viabilidad o futuro de las empresas estatales.

utilitarismo. Doctrina filosófica creada en el siglo XVIII por el inglés Jeremías Bentham. Esta doctrina afirma que sólo los actos útiles tienen valor moral. El utilitarismo es algo similar al hedonismo de algunos antiguos griegos, quienes creían que el placer recibido por un acto indicaba el valor del mismo. Según Bentham, nuestra conducta debe orientarse de tal modo que haga la felicidad del mayor número posible de personas; todo lo que se opone a esa felicidad debe ser combatido. La filosofía de John Stuart Mill y las teorías económicas de David Ricardo están influidas por el utilitarismo. Al comenzar el siglo XIX, fue fundada en Inglaterra una sociedad que trató de difundir estas ideas y darles aplicación práctica. *Véase* BENTHAM, J.

utopía. Región ideal y perfecta, pero totalmente imaginaria. La palabra *utopía* fue creada por el escritor inglés Tomás Moro, y según su origen griego podría traducirse tanto por *ningún lugar* como por *buen lugar*. En la obra de Moro (cuyo títu-

lo abreviado es el de *Utopía*, y se publicó en 1516) se describe un país desconocido, descubierto por uno de los acompañantes de Américo Vespucio, y en el cual las horas de trabajo, la propiedad y los bienes estaban armoniosamente distribuidos. El más lejano antecedente del libro de Moro es *La República* de Platón, el filósofo griego. La propiedad de uso común y un gobierno dictatorial son rasgos característicos del Estado de Platón. Las utopías renacentistas más notables son las de Tomás Campanella, *La ciudad del Sol*; la de Francisco Bacon, *La Nueva Atlántida*, y la ya citada de Tomás Moro. En las obras de Moro y de Bacon el hombre cuenta con la colaboración de numerosas innovaciones; algunas de ellas, como los transportes mecánicos y las ciudades jardines, fueron efectivamente realizadas más tarde. Este carácter de anticipación científica será un rasgo característico de las utopías escritas durante los siglos XIX y XX. Una de las más populares fue la del norteamericano Eduardo Bellamy, publicada en castellano con el título *El año 2000*. La simple anticipación imaginaria de inventos y descubrimientos científicos no alcanza sin embargo a situar un libro entre las utopías. Las ideas morales y sociales del autor aparecen siempre, en las obras clásicas del género, notablemente destacadas, como ideales supremos de la humanidad. Las obras de Julio Verne no son por lo tanto utopías, sino novelas de anticipación científica. En cambio, ciertas obras de autores como Herbert George Wells, Samuel Butler y Aldous Huxley, en las que se describe la organización de futuras sociedades humanas, son claramente utópicas.

Utrecht, paz de. La que se concertó en la ciudad holandesa de Utrecht, cuando se firmaron varios tratados en los años 1713 y 1714 para poner fin a la guerra de sucesión que por el trono de España se disputaban entre sí las poderosas casas reales de Austria y de Borbón. Después de laboriosas negociaciones se llegó a la paz entre representantes de España, Francia, Inglaterra, Holanda y Portugal. Los principales resultados de la Paz de Utrech fueron los siguientes: fin de la guerra de sucesión por el trono de España entre las casas de Austria y de Borbón; cesión del peñón de Gibraltar y de Menorca por España a Inglaterra y derecho concedido a Inglaterra para importar negros de África con destino a las colonias españolas de América; fijación de la frontera entre España y Portugal y cesión de la Colonia del Sacramento, en Uruguay, por la primera a la segunda; cesión de los territorios de la bahía de Hudson, Terranova y Nueva Escocia, en Norteamérica, por Francia a Inglaterra, restitución a favor de Holanda de las posesiones que los franceses ocupaban en Flandes, y devolución por

Utrecht, paz de

Corel Stock Photo Library

Pirámide principal de Uxmal, en Yucatán, México.

Francia al duque Víctor Amadeo de los estados de Saboya y Niza. La Paz de Utrecht unida a la de Radstadt organizó a Europa casi para todo el siglo XVIII y tuvo la virtud de establecer el equilibrio continental.

Uxmal. Antigua ciudad maya situada a unos 80 km de la ciudad de Mérida, al noroeste del estado de Yucatán, en México. Fundada al parecer en el año 1000 d. C., es ejemplo importante del estilo arquitectónico Puuc que floreció en el Clásico Tardío. Según la legendaria historia maya, Uxmal participó activamente en la Liga (política) de Mayapán, confederación integrada por la ciudad de ese nombre, Chichén Itzá y Uxmal. Cuando esta liga dejó de existir, la ciudad fue abandonada –igual que otras ciudades mayas– a mediados del siglo XV. Las ruinas ocupan unas 60 ha, pero lo que eran los distritos residenciales se extendieron aún más. El agua que alimentaba la ciudad provenía principalmente de cenotes. Entre las estructuras arquitectónicas más importantes están la pirámide del Adivino, la pirámide Mayor, la pirámide de la Vieja, la casa del Gobernador, etcétera.

Uzbekistán. País de Asia central que formó parte de la URSS hasta 1991. Limita al norte con Kazajstán, al sur con Afganistán, al oriente con Kirguistán y Tayikistán, y al occidente con Turkmenistán.

En su territorio predominan las grandes llanuras del Kyzyl-Kum. Al noroeste se extiende una llanura desértica con algunos oasis, y en el sureste se alzan mesetas y altas cadenas montañosas, estribaciones del Pamir y Tian-Sham, con algunos valles fértiles. Está bañada por el Amu Daria y el Syr Daria, tributarios del Mar Aral. Cuenta con clima continental árido, con inviernos cortos y fríos y veranos largos y secos. Las mon-

tañas están pobladas de bosques y la vegetación de la llanura es estepárica.

Su territorio abarca una extensión de 447,400 km², la que ocupan 20,055 habitantes, de los que 69% son uzbecos, de origen turcoiraniano, y el resto tadkisks, rusos y cosacos. La religión principal es la musulmana.

La riqueza agrícola de Uzbekistán es muy importante, ya que gracias a una red de canales es posible regar amplísimas zonas (3.700,000 ha). En 1992, la cantidad de tractores era de 225,000. El cultivo principal es el algodón (5.382,000 ton anuales), del que es el tercer productor mundial. También produce arroz en gran cantidad. En las zonas de temporal produce trigo (755,000 ton anuales). Otros cultivos son maíz, patatas, fruta y vino. Ocupa el tercer lugar mundial entre los productores de capullos de seda. En las zonas semiáridas se desarrolla la ganadería; destaca el ganado lanar (1.450,000 cabezas), entre las que sobresalen las ovejas karakul, de cuya lana se obtiene la piel de astracán, de la que Uzbekistán es el primer productor mundial.

La principal producción minera es el carbón, seguido de petróleo y cobre. En 1985 se descubrieron yacimientos de oro. Revisten también importancia los yacimientos de gas natural. La producción de electricidad alcanzó en 1992 los 49.600,000 kw/h. La mitad del producto interno bruto proviene de su industria pesada, que se ha desarrollado extraordinariamente desde 1945. Ocupa el segundo lugar mundial en la producción de maquinaria agrícola algodonera. Destacan también la industria textil, la del papel, la siderúrgica y la producción de cemento, ácido sulfúrico y oxígeno.

La capital de Uzbekistán es Tashkent (2.073,000 h). Otras ciudades importantes son Samarkanda (366,000 h), Andizham (293,000 h) y Namangán (308,000 h).

Historia. Englobada en el Turkestán ruso en el siglo XIX, se constituyó en república autónoma de la URSS en 1924, y federada en 1925. En 1991, el presidente Islam Karimov declaró la independencia de Uzbekistán, que ingresó en la Organización de las Naciones Unidas el 2 de marzo de 1992.

Uzcudun, Paulino (1899-1985). Boxeador español, una de las figuras más destacadas del pugilismo de su país en la primera mitad del siglo XX. De humilde origen, nació en Régil (Guipúzcoa) y fue leñador hasta que, descubiertas sus excelentes condiciones para el deporte, determinó dirigirse a París, donde alcanzó sus primeros triunfos. De 1928 a 1933, época en la que logró los títulos de campeón de España y de Europa, fue uno de los boxeadores más famosos y mejor cotizados. En Estados Unidos, así como en Italia y Alemania, combatió con los pugilistas más notables de su tiempo. En Roma perdió su título europeo en 1933, frente al famoso campeón italiano Primo Carnera. Posteriormente abandonó la práctica del deporte para el que tan excepcionales aptitudes había demostrado.

Uzzano, Nicolás de (1350-1431). Estadista italiano, nacido en Florencia, que desempeñó importantes cargos públicos en aquella República y se opuso a la naciente dominación de los Médici. Por su pericia como hombre de Estado, amor a la justicia y respeto a las instituciones ciudadanas, mereció el cariño y la admiración de sus contemporáneos.

Templo de Registan-Samarkand *en Uzbekistán.*

Corel Stock Photo Library

V. Vigésima tercera letra del abecedario español y décima sexta de sus consonantes. Su nombre es *v* o *uve*. En fonética está representada por una consonante labiodental, fricativa y sonora, que sólo se pronuncia correctamente en algunas regiones de habla castellana, ya que, por lo general, su sonido se confunde con el de la bilabial *b*. Los griegos carecían de un sonido labiodental equivalente, en reemplazo del cual utilizaban la *beta*. Los romanos empleaban el símbolo *v* para la *v* consonante y la *u* vocal. Desde fines de la Edad Media, el símbolo quedó reducido a designar la consonante. Como abreviatura, la *v* se utiliza en física para designar la velocidad, en geometría el volumen y en álgebra para indicar una variable. La letra *v* equivale al número cinco en la numeración romana, es la abreviatura de voltio y de potencial en física, y el símbolo del vanadio en química.

vaca. *Véase* VACUNO, GANADO.

Vaca de Castro, Cristóbal (1492-1562?). Eclesiástico y jurista español que, comisionado por Carlos V, tuvo una destacada actuación en Perú durante los primeros tiempos de la conquista. Nacido en Izagre (Valladolid), era oidor de la Audiencia de esta ciudad cuando, por recomendación del influyente cardenal Loaysa, presidente del Consejo de Indias, fue enviado al Perú para poner término a la lucha allí desencadenada tras las muertes de Pizarro y Almagro entre los partidarios de uno y de otro. Revestido de poderes reales y del hábito de Santiago, que en aquella ocasión le fue concedido, tras una dificultosa navegación llegó a Lima y rápidamente, con decisión y habilidad, hizo frente a la revuelta situación, agravada por el alzamiento de Diego de Almagro hijo, quien se había he-

cho proclamar por sus adictos gobernador de aquel virreinato. Vaca de Castro lanzó contra él las tropas reales y en septiembre de 1542 lo derrotó en la llanura de Chupas y lo hizo degollar en el Cuzco. En esta ciudad residió Vaca de Castro año y medio, gobernó con acierto la colonia, fomentó el trabajo de la tierra y de las minas de oro y plata e "hizo muchas ordenanzas en gran utilidad de los indios". Por entonces Carlos V dictó nuevas leyes para poner remedio a los abusos de los conquistadores, denunciados por fray Bartolomé de Las Casas, y para el cumplimiento de las mismas envió al Perú como virrey a Blasco Núñez Vela. Éste, a poco de llegar, encarceló a Vaca de Castro, acusándolo de firmar, estando él allí, cédulas de repartimientos y pleitos como gobernador, así como de fomentar las murmuraciones contra las nuevas leyes. El nuevo virrey puso cautivo en una nave a Vaca de Castro, y éste huyó en ella a Panamá, desde donde regresó a España. A su llegada a la península fue encarcelado y sometido a juicio; el proceso duró 11 años, al cabo de los cuales Cristóbal Vaca de Castro fue absuelto.

vacación. Suspensión temporal del trabajo, estudios u otras ocupaciones. Está comprobado que la persona que trabaja no puede resistir una tarea continua, durante mucho tiempo, sin que el rendimiento sufra una apreciable mengua. Así como actualmente se considera que la jornada óptima de trabajo no debe pasar de siete u ocho horas, mientras que antes se trabajaba hasta 12 y 14 horas por día, también hoy se cree necesario realizar un descanso periódico, generalmente anual, de 10 ó 15 días, o más en ciertos casos, para que el cuerpo y la mente puedan reponerse y sea posible reanudar el trabajo con un máximo de eficiencia. Para que las vacaciones resulten verdaderamente reparadoras, es recomendable, en general, efectuar un cambio total de actividades durante ese tiempo, y, si es posible, visitar lugares nuevos, realizar excursiones al aire libre, tomar mucho sol y, sobre todo, olvidarse de todas las preocupaciones ordinarias. Comúnmente, las

Turistas ante una fogata después de un paseo en un trineo jalado por perros esquimales.

vacación

vacaciones se toman en épocas del año en que el estudio o el trabajo suelen ser más pesados. Entre los estudiantes, suelen abarcar los meses del verano. La idea de que todo el mundo necesita vacaciones es relativamente reciente, y sólo a finales del siglo XIX se empezaron a instituir vacaciones retribuidas, en oficinas y fábricas, para goce de empleados y obreros. En muchos países, no sólo alcanzan las vacaciones a profesionales, comerciantes, empleados y obreros, sino que son de carácter obligatorio y su cumplimiento está fiscalizado por el Estado. Los viajes de vacaciones, facilitados por los progresos en los transportes, han dado gran impulso a una de las industrias más importantes en los países con zonas montañosas, balnearios y playas: la del turismo. *Véase* VERANO.

vacío. Espacio en el que se supone que no hay cuerpo alguno ni sólido ni fluido. En la práctica no existe tal vacío, pero damos ese nombre al espacio en que apenas hay aire; su nombre exacto sería el de vacío parcial. Basta que la presión del aire contenido en un recipiente sea un millar de veces menor que la de la atmósfera para que se considere que existe el vacío. Si aplicamos una bomba de succión a un recipiente, el primer movimiento del aparato extraerá parte del aire; el gas restante se extenderá en el recipiente. En el segundo movimiento de la bomba se producirá el mismo fenómeno, y así sucesivamente, pero siempre habrá un poco de aire que, a causa de la baja presión, ocupará toda la botella. Podemos introducir aún en el recipiente un cuerpo químico que tenga la propiedad de combinarse con el aire; éste se reducirá

Corel Stock Photo Library

Turistas vacacionando en Acapulco, México.

todavía más, pero nunca desaparecerá del todo. Uno de los modos más sencillos de producir el vacío es el utilizado por el italiano Torricelli al inventar el barómetro. Si llenamos un tubo, abierto sólo en uno de sus extremos, con mercurio, y lo sumergimos luego boca abajo en una vasija llena del mismo elemento, el mercurio del tubo descenderá hasta cierto punto. El vacío parcial que

queda en la parte superior del tubo, aunque contiene vapores de mercurio y algo de aire, fue considerado durante mucho tiempo como el más perfecto. Cuando se extrae el aire de un tubo sumergido en agua u otro líquido, se engendra un vacío similar al del barómetro de Torricelli. La presión que la atmósfera ejerce sobre la superficie del líquido impulsa a éste a ocupar el espacio sin aire que hay en el tubo. Las bombas con que se lleva el agua subterránea a la superficie se basan en el mismo principio. Otras veces el vacío es utilizado como aislador de la temperatura; en las botellas conocidas con el nombre de termos las paredes interiores son dos láminas de vidrio entre las que apenas hay aire. En las lámparas de radio y televisión y en ciertos dispositivos electrónicos se aplica también el vacío. Si los aceites pesados se destilan en el vacío es posible obtener ciertos cuerpos que en condiciones comunes se descompondrían en seguida. La deshidratación del plasma sanguíneo o de ciertos productos medicinales, como la penicilina, se efectúa también con mayor facilidad si se hace en recipientes cerrados donde la presión es muy baja. En las lámparas comunes de electricidad se extrae también el aire, pues si no el filamento incandescente ardería con gran rapidez. Un reloj colocado en una campana de vidrio donde se ha hecho el vacío es completamente silencioso; esto se explica porque el sonido es en realidad un movimiento producido en las masas de aire por las vibraciones de un cuerpo.

La pesca es una actividad turística que fomenta la autorreflexión y el relajamiento.

Corel Stock Photo Library